Wolters' Ster Woordenboek

Engels-Nederlands

Wolters' Ster Woordenboeken

Nederlands

Frans-Nederlands

Nederlands-Frans

Duits-Nederlands

Nederlands-Duits

Spaans-Nederlands

Nederlands-Spaans

Nederlands-Engels

Engels-Nederlands

Wolters' Ster Woordenboek

Engels-Nederlands

Bewerkt door

H. de Boer

E.G. de Bood

Tweede druk

Wolters' Woordenboeken

Groningen – Utrecht – Antwerpen

CIP-GEGEVENS KONINKLIJKE BIBLIOTHEEK, DEN HAAG

Boer, H. de

Wolters' Ster Woordenboek Engels-Nederlands / bew. door
H. de Boer en E.G. de Bood. - Groningen [etc.]:
Wolters' Woordenboeken. - Ill. - (Wolters' Ster Woordenboek)
1e dr.: Groningen : Wolters-Noordhoff, 1984. - Met reg.
ISBN 90-6648-666-X
ISBN 90-6648-655-4 (N-E en E-N)
NUGI 503
Trefw.: Engelse taal; woordenboeken.
Depotnr. D/1994/0108/808

Inhoud

A B C D E F G H I J K L M N O P Q R S T U V W X Y Z

Voorwoord

Dit is een deel van de geheel herziene serie Wolters' Ster Woordenboeken. Deze serie is vooral bestemd voor de leerlingen van het beginnend secundair onderwijs, lbo, mbo, mavo en de onderbouw van havo en vwo. De Wolters' Ster Woordenboeken zijn minder uitvoerig dan Wolters' Handwoordenboeken, maar even duidelijk en overzichtelijk ingericht. Door hun formaat en hun uitermate solide uitvoering zijn de Wolters' Ster Woordenboeken ook bij uitstek geschikt om mee te nemen op reis.

De woordenschat van levende talen verandert voortdurend. Er komen woorden bij, terwijl andere in onbruik raken. Een woordenboek vraagt daardoor regelmatig om herziening, omdat nieuwe woorden, nieuwe betekenissen en nieuwe uitdrukkingen worden toegevoegd, en verouderde termen worden geschrapt.

Omdat de Wolters' Ster Woordenboeken in Nederland en in België worden geraadpleegd, is in deze tweede druk van een aantal belangrijke begrippen behalve het Nederlandse woord ook de term opgenomen die in België gebruikelijk is.

In deze nieuwe druk is gestreefd naar nog grotere duidelijkheid. In de delen Vreemde Taal-Nederlands staan voortaan alle trefwoorden voluit. In de delen Nederlands-Vreemde Taal zijn de meeste trefwoorden voluit gezet. Alleen samenstellingen zijn soms nog verkort weergegeven: van een reeks samenstellingen die het eerste deel gemeenschappelijk hebben, staat alleen het eerste trefwoord voluit. Ook in andere opzichten zijn de Wolters' Ster Woordenboeken toegankelijker geworden. Er zijn minder afkortingen gebruikt en er is meer aandacht besteed aan verklarende voorbeelden.

Achter in dit woordenboek is een supplement op getint papier opgenomen. Daarin zijn woorden naar onderwerp gegroepeerd, waarvan sommige op geïllustreerde pagina's. Op die manier wordt het zoeken naar bepaalde woorden en uitdrukkingen vergemakkelijkt. In het supplement wordt ook een aantal grammaticale hoofdzaken kort behandeld.

Bijzonderheden over de inrichting van het woordenboek zijn te vinden in de wegwijzer op p.11

Groningen, februari 1991

Wolters' Woordenboeken

Uitspraak

Klinkers
æ **man** [mæn]
ɑ: **ask** [ɑ:sk] en **part** [pɑ:t]
ʌ **but** [bʌt]
ə: **turn** [tə:n]
ai **line** [lain]
au **house** [haus]
e **bench** [ben(t)ʃ]
ɛə **there** [ðɛə]
ei **table** [teibl]
i **in** [in] en **happy** ['hæpi]
i: **he** [hi:]
ɔ **not** [nɔt]
ɔ: **for** [fɔ:r]
ɔi **boy** [bɔi]
əu **home** [həum]
u **full** [ful]
ju: **mute** [mju:t]
ə **better** ['betə] en **ago** [ə'gəu]

Medeklinkers
g **good** [gud]
j **you** [ju:]
ŋ **long** [loŋ]
ʃ **ship** [ʃip]
ʒ **occasion** [ə'keiʒən]
θ **thing** [θiŋ]
ð **father** [faðə]
w **wine** [wain]
ļ **reveller** [revļə]

Afkortingen

aanw vnw	aanwijzend voornaamwoord
aardr	aardrijkskunde
afk	afkorting
Afr	Afrika(ans)
alg	algemeen
Am	Amerika, Amerikaans (Engels)
anat	anatomie
Angl	Anglikaans
a p.	a person
Arab	Arabisch
astron	astronomie
attr	attributief
Austr	Australisch, Australië
Belg	Belgisch, in België
bet	betekent, betekenis(sen)
betr vnw	betrekkelijk voornaamwoord
bez vnw	bezittelijk voornaamwoord
bijb	bijbel(s)
bijv	bijvoorbeeld
biol	biologie
bouwk	bouwkunde
bn	bijvoeglijk naamwoord
Br	Brits (Engels)
Br I	(voormalig) Brits Indië
bw	bijwoord
ca	circa, ongeveer, omstreeks
chem	chemie, scheikunde
chir	chirurgie, heelkunde
concr	concreet
dierk	dierkunde, zoölogie
div	diverse betekenissen
e.a.	en andere
econ	economie
e.d.	en dergelijke
eig	eigenlijk(e betekenis)
elektr	elektriciteit, elektronica

Eng	Engels, Engeland
enz, etc	enzovoort
ev	enkelvoud
fam	familiaar, gemeenzaam
fig	figuurlijk
fil	filosofie
fin	financiën, financiële term
fon	fonetiek
fot	fotografie
Fr	Frans, Frankrijk
fys	fysiologie
geol	geologie
gew	gewoonlijk
godsd	godsdienst
gramm	grammatica
her	heraldiek, wapenkunde
hist	historisch
id.	id. gelijk woord of gelijke uitdrukking
iem(s)	iemand(s)
Ind	Indonesië, Indonesisch, Indië, Indisch, Oost-Indië, Oostindisch, Maleis
inf	infinitief, onbepaalde wijs
intr	intransitief (werkwoord)
inz	inzonderheid, in het bijzonder
i pl v	in paats van
Ir	Iers, Anglo-Iers
iron	ironisch
Ital	Italiaans, Italië
jag	jagersterm
jur	juridisch, rechtsterm
kol	koloniën
Lat	Latijn(s)
lett	letterlijk
lit	literair
luchtv	luchtvaart
lw	lidwoord
mbt	met betrekking tot
mech	mechanica
med	medisch, geneeskunde
mil	militair
min	minachtend
muz	muziek
mv	meervoud
myth	mythologie
N	noord(en), noordelijk
natuurk	natuurkunde
Ned	Nederland(s)
nl	namelijk

O	oost(en), oostelijk
o a	onder andere(n)
o dw	onvoltooid deelwoord
onbep (w)	onbepaald(e wijs)
oneig	oneigenlijk
ong	ongunstig
ongebr	ongebruikelijk
ongev	ongeveer, vergelijkbaar met
o.s.	oneself
ott	onvoltooid tegenwoordige tijd
oudh	oudheid
ovt	onvoltooid verleden tijd
Parl	Parlement
pej	pejoratief
pers	persoon, personen
plantk	plantkunde
pol	politiek, politicologie
pop	populair
Port	Portugees, Portugal
pred	predikatief
psych	psychologie, psychiatrie
r-k	rooms-katholiek
sam	samenstelling(en)
s.b.	somebody
Sc	Schots, Schotland
scherts	schertsend
schilderk	schilderkunst
sl	slang
s.o.	someone
sp	sport en spel
Sp	Spaans, Spanje
spoorw	spoorwegen
s.t.	something
stat	statistiek
stud	studententaal
techn	techniek
tegenst	tegenstelling
telec	telecommunicatie
telw	telwoord
theat	theater, toneel, dramaturgie
theol	theologie, theologisch
tlk	taalkunde
tr	transitief (werkwoord)
tv	televisie
tw	tussenwerpsel
typ	typografie, drukkunst
univ	universiteit, universitair
v dw	voltooid deelwoord
vero	verouder(en)d, ouderwets
vgl	vergelijk
vlg	volgend(e)

vnl	voornamelijk
vnw	voornaamwoord
voorw	voorwerp
vrag vnw	vragend voornaamwoord
vw	voegwoord
vz	voorzetsel
W	west(en), westelijk
weerk	weerkunde, meteorologie
wisk	wiskunde
wtsch	wetenschap(pelijk)
ww	werkwoord
Z	zuid(en), zuidelijk
Z-Afr	Zuid-Afrika(ans)
zelfst	zelfstandig
zgn	zogenaamd
zn	zelfstandig naamwoord
Z-Ned	Zuidnederlands

Wegwijzer

De gebruikte afkortingen worden verklaard op blz 8.

De trefwoorden zijn vet gedrukt.

batty ['bæti] gek, getikt, excentriek

Soms staan er op de plaats van het trefwoord twee woorden die veel op elkaar lijken. Dit zijn varianten die dezelfde betekenis hebben en die, omdat ze alfabetisch direct op elkaar volgen, als één term behandeld kunnen worden.

brickworks, brickyard steenbakkerij

Trefwoorden die gelijk geschreven worden, maar niet met elkaar verwant zijn, worden genummerd met **1**, **2** *enz.*

1 boot [bu:t]: *to ~* (*vero*) op de koop toe
2 boot [bu:t] laars, hoge schoen

Wanneer de klemtoon van een woord verwarring kan opleveren, is er een klemtoonteken vóór de beklemtoonde lettergreep gezet.

'**bootlace** schoenveter

Achter het trefwoord volgt, meestal, tussen vierkante haken de uitspraak; de verklaring van de uitspraaktekens staat op blz. 8.

bran [bræn] zemelen

Bij woorden van meer dan één lettergreep staat er in de uitspraak altijd een klemtoonteken. Dit staat vóór de beklemtoonde lettergreep.

bonkers ['bɔŋkəz] (*sl*) gek

Waar nodig wordt de bijklemtoon aangeduid door hetzelfde teken aan de voet van de regel.

balaclava [ˌbælæ'klɑ:və] bivakmuts

Een indeling met romeinse cijfers wordt gegeven bij trefwoorden die tot meer dan één grammaticale categorie gerekend kunnen worden.

De grammaticale gegevens (meestal de woordsoort) staan dan achter het romeinse cijfer vermeld.

bungle [bʌŋgl] I *ww* (ver)knoeien, broddelen, prutsen; II *zn* knoeiwerk; *make a ~ of* verknoeien

De vertaling van het trefwoord staat romein.

breakwater golfbreker

Vertalingen die zeer dicht bij elkaar liggen, worden gescheiden door een komma.

blob druppel, klont, klodder

Wordt het verschil wat groter, dan wordt tussen de vertalingen een puntkomma gezet.

bold moedig, stout(moedig); vrijpostig, brutaal; fors, krachtig

Wanneer het trefwoord duidelijk verschillende betekenissen heeft, worden de vertalingen genummerd met 1, 2, *enz.*

blithe 1 (*dichterlijk*) vrolijk; 2 achteloos

Soms is bij de vertaling een toelichting nodig, een beperking van het gebruik van een woord, een vakgebied, een korte verklaring. Deze staat cursief tussen haakjes.

buzzer knopje (*van elektrische bel*); zoemer (*van telefoon*)

De vertaling kan worden gevolgd door voorbeelden en uitdrukkingen. Deze staan cursief; het trefwoord wordt weergegeven door een slangetje. Voorbeelden en uitdrukkingen worden altijd gevolgd door een vertaling. Deze staat altijd romein.

breakneck halsbrekend; *at ~ speed* in dolle vaart

Soms wordt een trefwoord alleen in één of meer uitdrukkingen gegeven, zonder dat het zelf vertaald wordt. De uitdrukking volgt dan na een dubbele punt.

berserk [bə'zə:k]: *go ~* woest worden, buiten zinnen raken

Als een uitdrukking meer dan één betekenis heeft, worden de vertalingen onderscheiden met a), b) enz.

blame ...; ...; *you are to ~: a*) je hebt er verkeerd aan gedaan; *b*) het is uw schuld

Aa*a*

a [ə; *betoond:* ei] een, 'n; de, het, per (*20p. ~ yard, ~ pound; twice ~ day*); een zekere (*~ Mr. A.*); dezelfde (*they are all of ~ size*)
A. [ei] (*school*) beoordeling, waardering, "cijfer": (= zeer goed)
A.A. *Automobile Association* autorijdersvereniging, wegenwacht
aback [ə'bæk] terug, achteruit; *taken ~* van zijn stuk gebracht, (onaangenaam) verrast
abandon [ə'bændən] (aan zijn lot) overlaten, verlaten; prijs-, opgeven, afstaan; afgelasten, staken (*a match*); te vondeling leggen; afstappen van (*a subject*); *~ o.s. to* zich overgeven aan; **abandonment** het ..., staking, afgelasting; afstand, overgave; ongedwongenheid, nonchalance
abate [ə'beit] verzachten, lenigen; doen bekoelen; verminderen, verlagen; afnemen, bedaren, bekoelen; **abatement** verzachting, vermindering, verlaging; aftrek, korting
abbess ['æbis] abdis; **abbey** ['æbi] abdij(kerk); *The A~ = Westminster A.*; **abbot** ['æbət] abt
abbreviate [ə'bri:vieit] be-, ver-, afkorten, afbreken; *~d, ook:* kort; **abbreviation** [əˌbri:vi'eiʃən] be-, ver-, afkorting
abdicate ['æbdikeit] afstand doen (van), aftreden; **abdication** [æbdi'keiʃən] (troons)afstand
abdomen ['æbdəmen, æb'dəumen] (onder)buik
abduct [æb'dʌkt] ontvoeren; **abduction** [æb'dʌkʃən] ontvoering
abet [ə'bet] aan-, ophitsen, aanzetten
abhor [əb'hɔ:] verafschuwen, verfoeien; **abhorrence** [əb'hɔrəns] afschuw, gruwel; *hold in ~* verafschuwen
abide [ə'baid] overblijven; (in stand) blijven; (*vero*) vertoeven, wonen; *~ by* vasthouden aan, in acht nemen; *can 't abide* niet kunnen uitstaan
ability [ə'biliti] bekwaamheid; vermogen
abject ['æbdʒekt] laag, laf, kruipend, rampzalig, verachtelijk
abjure [əb'dʒuə] afzweren
ablaze [ə'bleiz] in brand, vlammend
able ['eibl] in staat; bekwaam, knap, bevoegd; *~-bodied* lichamelijk sterk en gezond; *be ~ to, ook:* kunnen; **ably** ['eibli] *bw* bekwaam, succesvol, knap
abnormal [æb'nɔ:məl] abnormaal, onregelmatig; **abnormality** [ˌæbnɔ:'mæliti] abnormaliteit, onregelmatigheid, afwijking
aboard [ə'bɔ:d] aan boord (van) (*ook van vliegtuig, en, inz. Am. van trein of bus*)
abode [ə'bəud] (*vero*) verblijf, woonplaats
abolish [ə'bɔliʃ] afschaffen, vernietigen, een eind maken aan, opruimen; **abolition** [æbə'liʃən] afschaffing; **abolitionism** [-ʃənizm] beweging ter afschaffing (inz. van de slavenhandel); **abolitionist** voorstander hiervan
abominable [ə'bɔminəbl] afschuwelijk; **abominate** [ə'bɔmineit] verafschuwen; **abomination** [əˌbɔmi'neiʃən] afschuw, gruwel
aboriginal ['æbə'ridʃinl] oorspronkelijk, inheems; **Aborigine** ['æbə'ridʃini] oorspronkelijk inwoner van Australië
abortion [ə'bɔ:ʃən] ontijdige bevalling, miskraam; abortus; *~ pill* abortuspil; **abortive** [ə'bɔ:tiv] ontijdig, voorbarig, mislukt
abound [ə'baund] overvloedig zijn, in overvloed voorkomen; *~ in* (*with*) overvloed hebben van, overvloeien van; *~ with, ook:* wemelen van
about [ə'baut] I *vz* om ... heen (*people ~ us*); bij (*I have no money ~ me*); aan, in (*there is nothing wrong ~ it*); aan, bezig met (*better finish it while you are ~ it*); over (*what are you talking ~?*); omstreeks, omtrent (*~ Easter*); rond (de) (*~ 50*); *be quick ~ it* maak wat voort; *~ the house* ergens in of bij het huis; II *bw* in het rond; om (*a long way ~*); op de been, te zien (*there is no one ~*); ongeveer (*right, finished*); op het punt (*be ~ to ...*); om beurten; *week* (*and week*) *~* om de (andere) week; *you're ~ right* hebt vrijwel gelijk
above [ə'bʌv] I *vz* boven, boven ... uit; boven ... verheven (*~ suspicion*); meer (vroeger) dan; *~ all* (*things*) bovenal; *that's ~ me* gaat me te hoog; *be* (*get*) *~ o.s.*, (*fam*) airs (pretenties) hebben (krijgen); II *bw* boven, hierboven (*heaven ~*); III *bn* bovengenoemd; bovenstaand; IV *zn: the ~* het bovenstaande; **a'bove 'board** eerlijk, oprecht; **a'bove-'mentioned** [-menʃənd] bovengenoemd
abrasive [ə'breisiv] I *bn* schurend, (af)schavend; (*fig*) hard, scherp, irritant, agressief; *~ cloth, ~ paper* schuurlinnen, -papier; II *zn* schuurmiddel
abreast [ə'brest] naast elkaar, op een rij; *keep ~* bijblijven, op de hoogte blijven (*of, with* van)
abridge [ə'bridʒ] verkorten; **abridg(e)ment** [ə'bridʒmənt] ...ing; uittreksel
abroad [ə'brɔ:d]: *be ~* in het buitenland zijn, *go ~* naar het buitenland gaan; buitenshuis; in het rond; in omloop (*van gerucht*); *from ~* uit het buitenland
abrogate ['æbrəugeit] afschaffen, intrekken
abrupt [ə'brʌpt] abrupt, plotseling, kortaf
absence ['æbsns] afwezigheid; gebrek (*of* aan); verstrooidheid (*gew: ~ of mind*); *sentenced in one's ~* bij verstek veroordeeld; **absent** I *bn* ['æbsnt] absent, afwezig (*lett & fig*), verstrooid, afgetrokken; II *ww* [æb'sent]: *~ o.s.: a*) wegblijven (*from school*, enz.), niet verschijnen; *b*) zich verwijderen; **absentee** [æbsn'ti:] afwezige; absente leerling (*school*);

'absent-'minded [-maindid] verstrooid; **'absent-'mindedness** [-nis] verstrooidheid
absolute ['æbsəl(j)u:t] absoluut, onvoorwaardelijk, definitief, volslagen, totaal, zuiver, volstrekt; **absolutely** *ook:* (*fam*) helemaal, werkelijk, warempel; **absolution** [æbsə'l(j)u:ʃən] absolutie, vergiffenis; ontheffing
absolve [əb'zɔlv] vergeven, vrijspreken (*from, of* van), absolutie geven, ontheffen, ontslaan (~ *a p. from a promise*), absolveren
absorb [əb'sɔ:b, -zɔ:b] absorberen, opslorpen, in zich opnemen, opvangen, opzuigen; geheel in beslag nemen (~*ed by an idea*); ~*ed in a subject* verdiept in ...; ~*ed in thought* in gedachten verzonken; ~*ing lecture* boeiende lezing; **absorbable** [-əbl] absorbeerbaar; **absorbent** [-ənt] absorberend (middel, orgaan); **absorption** [əb'sɔ:pʃən] absorptie, opslorping
abstain [əb'stein] zich onthouden (*from* van); **abstainer** (geheel)onthouder
abstemious [æb'sti:miəs] matig
abstention [æb'stenʃən] onthouding; *total* ~ geheelonthouding; **abstinence** ['æbstinəns] onthouding
abstract ['æbstrækt] I *bn* abstract, afgetrokken; theoretisch; diepzinnig; onbenoemd (*number*); II *zn* kort begrip, overzicht, uittreksel; abstract(e) begrip (term); *make an* ~ *of* een uittreksel maken van; III *ww* [æb'strækt] af-, onttrekken, wegnemen, ontvreemden; afleiden; een uittreksel maken van; **abstracted** [æb'stræktid] verstrooid, in gedachten verzonken; **abstraction** [æb'strækʃən] onttrekking; abstractie, abstract iets; verstrooidheid; **abstractive** [æb'stræktiv] abstraherend, resumerend
abstruse [æb'stru:s] diepzinnig, duister
absurd [əb'sə:d] absurd, ongerijmd, belachelijk; **absurdity** [-iti] ...heid, absurditeit
abundance [ə'bʌndəns] overvloed, volheid; **abundant** [ə'bʌndənt] overvloedig
abuse I *ww* [ə'bju:z] misbruiken, misbruik maken van; uitschelden, beschimpen; II *zn* [ə'bju:s] misbruik, misstand, euvel; verkeerd gebruik; beschimping, scheldwoorden; **abusive** [ə'bju:siv] scheldend, scheld..., beledigend, grof; ~ *language* beledigende taal
abut [ə'bʌt]: ~ (*into, on*) grenzen aan
abyss [ə'bis] afgrond, peilloze diepte
A.C. *Alternating Current* wisselstroom
academic [ækə'demik] I *bn* academisch (*ook:* zuiver theoretisch); koel, nuchter; II *zn* academicus, wetenschapper; **academy** [ə'kædəmi] academie, (hoge) school, geleerd genootschap
accede [æk'si:d] toetreden (*to* tot); een ambt aanvaarden (= ~ *to an office*); toestemmen (*to* in), instemmen (*to* met), gevolg geven (*to a wish* aan ...)
accelerate [æk'seləreit] (zich) versnellen, accelereren; bespoedigen; **acceleration** [æk,selə'reiʃən] versnelling, acceleratie; acceleratiesnelheid; ~ *lane* invoegstrook; **accelerator** [-eitə] gaspedaal
accent I *zn* ['æksənt] accent, klem(toon), nadruk; stembuiging, uitspraak, toon; II *ww* [æk'sent] accentueren; de nadruk leggen op; **accentuate** [æk'sentjueit] accentueren; verergeren; **accentuation** [æk,sentju'eiʃən] accentuatie, het erger worden of maken
accept [ək'sept] accepteren, aannemen, aanvaarden; **acceptable** aannemelijk, aanvaardbaar, welkom; **acceptance** het aanvaarden, bijval, gunstige ontvangst; (*handel*) accept(atie); **acceptation** [æksep'teiʃən] acceptatie, aanneming, aanvaarding
access ['ækses] toegang; *easy of* ~ gemakkelijk te bereiken; **accessibility** [æk,sesi'biliti] toegankelijkheid; **accessible** [æk'sesibl] toegankelijk, genaakbaar, ontvankelijk (*to* voor); **accession** [æk'seʃən] toegang, toetreding; toestemming; aanvaarding (*van ambt*), (troons)bestijging; bijvoeging, aanwinst, vermeerdering, toeneming; **accessory** [æk'sesəri] I *bn* bijkomstig, ondergeschikt; medeplichtig (*to* aan); II *zn* iets bijkomstigs; medeplichtige; *accessories* toebehoren, onderdelen, accessoires
accident ['æksidənt] ongeluk, ongeval; toeval (-ligheid); toevallige eigenschap; iets bijkomstigs; ~ *insurance* ongevallenverzekering; *by* ~: *a*) toevallig; *b*) bij ongeluk; *it is no* ~ het is niet toevallig (dat ...); **accidental** [æksi'dentl] toevallig; bijkomstig, bij ...; **accident-prone** [-prəun] gemakkelijk een ongeluk krijgend; *be* ~, (*verkeer, ook*) een brokkenmaker zijn
acclaim [ə'kleim] I *ww* toejuichen, begroeten (als), roemen; II *zn* toejuiching, gejuich, bijval; **acclamation** [æklə'meiʃən] toejuiching; acclamatie
acclimatize [ə'klaimətaiz] acclimatiseren
accommodate [ə'kɔmədeit] aanpassen (*to* aan); bijleggen, verzoenen; voorzien (*with* van); gerieven, huisvesten, herbergen; bevatten, bergen (*the hall can* ~ *300 persons*); **accommodating** inschikkelijk, plooibaar, coulant, hulpvaardig; **accommodation** [ə,kɔmə'deiʃən] accommodatie, aanpassing; schikking, vergelijk; verzoening; (plaats)ruimte; onderdak
accompaniment [ə'kʌmpənimənt] begeleiding, accompagnement; **accompany** [ə'kʌmpəni] vergezellen, begeleiden; vergezeld doen gaan (*with* van); gepaard gaan met; **accompanying** *ook:* bijgaand
accomplice [ə'kʌmplis] medeplichtige
accomplish [ə'kʌmpliʃ, ə'kɔm ...] voltooien, tot stand brengen, vervullen; uitrusten; **accomplished** [-t] volkomen; talentvol, begaafd; **accomplishment** voltooiing; (verworven) talent, begaafdheid, prestatie
accord [ə'kɔ:d] I *ww* verlenen, overeenstemmen; II *zn* overeenstemming, harmonie; schikking, akkoord, verdrag; *with one* ~ een-

stemmig, eenparig; *of one's own* ~ uit eigen beweging; *in* ~ *with* in overeenstemming (harmonie) met; **accordance** [-əns] overeenstemming; *in* ~ *with* overeenkomstig; **according** overeenstemmend; ~*(ly) as* naarmate, al naar; ~ *to: a)* naar gelang van; *b)* volgens, overeenkomstig; ~*ly* dienovereenkomstig; bijgevolg

accost [ə'kɔst] aanspreken, aanklampen

account [ə'kaunt] I *ww* rekenen, houden voor, beschouwen als; ~ *for* rekenschap afleggen van; verklaren (*one's absence*); voor zijn rekening nemen; II *zn* (be)rekening, rekenschap; voordeel; schatting; belang, gewicht; verklaring; verhaal, verslag, bericht; *current* ~ rekening-courant; *render (an)* ~ verslag uitbrengen; verantwoording doen; ***by** his own* ~ *he was* ... naar eigen zeggen; *by all* ~*s they are a wicked lot* naar alles wat men van hen hoort ...; ***for*** ~ *of* voor rekening van; *take **into*** ~ in aanmerking nemen; ***of** no* ~ van geen belang (betekenis, gewicht); ***on*** ~ op afbetaling; *on* ~ *of* wegens; *on no* ~ in geen geval; *leave **out of*** ~ geen rekening houden met; *bring (call) **to*** ~ ter verantwoording roepen; **accountability** [əˌkauntə'biliti] verantwoordelijkheid; **accountable** [ə'kauntəbl] verantwoordelijk (*for* voor); **accountancy** [ə'kauntənsi] boekhouding; beroep van accountant; **accountant** [ə'kauntənt] accountant; **ac'count-book** huishoud-, slagersboek(je), enz.; **ac'counting** financiële administratie; *(fig)* rekening en verantwoording; *there is no* ~ *for taste* over smaak valt niet te twisten

accredit [ə'kredit] geloof (vertrouwen) schenken aan; ingang doen vinden; machtigen; accrediteren; **accredited** [-id] geaccrediteerd (*to, at, the Dutch court* bij ...)

accumulate [ə'kju:mjuleit] (zich) ophopen, opeenstapelen, bijeenbrengen, accumuleren; **accumulation** [əˌkju:mju'leiʃən] ophoping, opeenstapeling; accumulatie; hoop, stapel; **accumulative** [ə'kju:mjulətiv] ...nd; (ac)cumulerend

accuracy ['ækjurəsi] nauwkeurigheid, nauwgezetheid; **accurate** ['ækjurit] nauwkeurig, nauwgezet, accuraat

accursed [ə'kə:sid, ə'kə:st] vervloekt

accusation [ækju:'zeiʃən] aanklacht, beschuldiging; **accuse** [ə'kju:z] beschuldigen, aanklagen; **accused** [-d] *zn: the* ~ de verdachte(n), *(Belg)* de betichte

accustom [ə'kʌstəm] (ge)wennen (*to* aan); **accustomed** [-d] gewoon, gewend (*to* aan)

AC/DC gelijkstroom/wisselstroom

ace [eis] één (*bij spel*); aas; *(tennis)* id.; *an* ~ *marksman* een zeer goed schutter

acerbity [ə'sə:biti] wrang-, zuur-, bitterheid

ache [eik] I *zn* (voortdurende) pijn; II *ww* pijn doen, schrijnen; ~ *for* hunkeren naar; *she was aching to do it* ze popelde om het te doen

achieve [ə'tʃi:v] volbrengen, voleinden; verwerven; bereiken (*one's aim* doel); **achievement** volbrenging; succes; (roemrijke) daad; prestatie; **achiever** [-ə] prestatiegericht persoon; *under*~ leerling/student met onvoldoende vorderingen

acid ['æsid] I *bn* zuur, scherp; ~ *drop* zuurtje; II *zn* zuur; *(sl)* LSD; **acidification** [æˌsidifi'keiʃn] verzuring *(milieu)*; **acidity** [ə'siditi] zuur-, bitterheid, zuurgraad; *acid rain* zure regen

acknowledge [ək'nɔlidʒ] erkennen; zijn erkentelijkheid betuigen over; beantwoorden (*a salute*), nota nemen van; ~ *(receipt of) a letter* de goede ontvangst berichten van; **acknowledg(e)ment** [ək'nɔlidʒmənt] erkenning; (bewijs van) erkentelijkheid, beantwoording (*van groet*); bericht van ontvangst

acorn ['eikɔ:n] eikel

acoustic [ə'ku:stik] I *bn* het gehoor (geluid) betreffend, gehoor..., akoestisch; II *zn: acoustics* akoestiek

acquaint [ə'kweint] in kennis stellen, bekend maken (*with, of* met); **acquaintance** [ə'kweintəns] bekendheid; kennismaking; kennis(sen), kennissenkring

acquiesce [ækwi'es] toestemmen (*in* in), instemmen (*in* met), berusten (*in* in); **acquiescence** [-əns] in-, toestemming; berusting; **acquiescent** [-ənt] ...nd, inschikkelijk

acquire [ə'kwaiə] verkrijgen, verwerven; **acquisition** [ækwi'ziʃən] *a)* verkrijging, verwerving; *b)* het verworvene, aanwinst; **acquisitive** [ə'kwizitiv] hebzuchtig

acquit [ə'kwit] vrijspreken; ontslaan; **acquittal** [-l] vrijspraak

acre ['eikə] id: landmaat (ongev 0,4 ha); ~*s, (ook)* land(erijen); **acreage** [-ridʒ] oppervlakte (in *acres*)

acrid ['ækrid] scherp, bitter, bijtend; **acrimonious** [ækri'məunjəs] scherp, bits, bitter; **acrimony** ['ækriməni] scherp-, bitter-, bitsheid

acrobat ['ækrəbæt] acrobaat; **acrobatic** [ækrə'bætik] I *bn* acrobatisch; II *zn:* ~*s,* acrobatische toeren

acronym ['ækrəunim] acroniem, letterwoord (bijv. *UNESCO, Aids*)

across [ə'krɔ(:)s] I *bw* gekruist; naar (aan) de overkant, erover; overdwars (*4 ft.* ~); dwars door (*tear it* ~); *(kruiswoord)* horizontaal; *I can't get it* ~ *to him* ik kan het hem niet aan z'n verstand brengen; II *vz* (dwars) door, over; aan de overkant van; *I've never come* ~ *that word* ik ben dat woord nog nooit tegengekomen

act [ækt] I *zn* handeling [*the Acts (of the Apostles)*], daad; wet; akte, bedrijf (*toneel enz*); nummer (*circus, enz.*); *put on an* ~ komedie spelen; *catch in the (very)* ~ op heterdaad betrappen; II *ww* handelen, doen, optreden, fungeren (*brake does not* ~ de rem weigert); opvoeren (*a play*), spelen (*a part*), uitbeelden (*a character*), spelen voor (*Hamlet*), komedie spelen; voorwenden (*indifference*); '**actable** [-əbl] opvoerbaar; **acting** ['æktiŋ] I *bn* werkend; fungerend; tijdelijk (*captain*), waarnemend; ~ *manager* bedrijfsleider; ~ *partner* werkend vennoot; II *zn* het ... (zie *act*); (toneel)spel(en); **action** ['ækʃən] handeling, daad; actie; werking (*of the heart*); gevecht, treffen; aanklacht, proces; mechaniek, werk; *bring an* ~ *against* een proces aandoen (*for* wegens); *put in* ~ in werking stellen; *put out of* ~ buiten gevecht (buiten werking) stellen; *take* ~ stappen doen, handelend optreden; ~ *committee* (*group*) actiecomité, -groep; ~ *replay*, (*TV*) herhaling

activate ['æktiveit] aanzetten; (*chem*) activeren, (*ook* = radioactief maken); **active** ['æktiv] werkzaam, werkend, actief, vlug, bedrijvig, bezig, levendig (*market*); ~ *service: a*) dienst aan het front; *b*) actieve dienst; **actively** *engaged in* ... druk bezig met; **activist** ['æktivist] activist; **activity** [æk'tiviti] activiteit, bedrijvigheid, levendigheid

actor ['æktə] toneelspeler, acteur; **actress** ['æktris] toneelspeelster, actrice

actual ['æktjuəl] werkelijk; feitelijk; eigenlijk; **actuality** [æktju'æliti] werkelijkheid, feitelijkheid; '**actually** *ook:* voor (op) het ogenblik; zowaar

acumen [ə'kju:men] scherpzinnigheid

acute [ə'kju:t] scherp(zinnig), intens, hevig, doordringend, schel; acuut; dringend, actueel

ad [æd], **ads** (*fam*) *advertisement*(*s*)

A.D. ['ei'di:] zie *Anno Domini*

adamant ['ædəmənt] onvermurwbaar

adapt [ə'dæpt] aanpassen (*to* aan), toepassen, geschikt maken, bewerken (*from* naar); *slightly* ~*ed* enigszins gewijzigd; **adaptability** [əˌdæptə'biliti] aanpassingsvermogen; geschiktheid; **a'daptable** [-əbl] aan (toe) te passen; geschikt voor bewerking; zich aanpassend, plooibaar; **adaptation** [ˌædæp'teiʃən] aanpassing, bewerking; **a'dapter** (ook:) **adaptor** bewerker; verloop-, hulpstuk; ~ *plug* verloopstekker

add [æd] voegen (*to* bij), toevoegen (*to* aan); optellen (= ~ *up*); ~ *in* meerekenen; ~ *to, ook:* vermeerderen, verhogen, uitbreiden; *what it all* ~*s up to* waar het (met elkaar) op neerkomt; ~ *up*, (*ook*) kloppen; tot een sluitende conclusie leiden

adder ['ædə] adder

addict I *ww* [ə'dikt]: ~ *o.s. to* zich overgeven aan; ~*ed to liquor* verslaafd aan de drank; II *zn* ['ædikt] verslaafde (*aan cocaïne, enz.*); (*fam*) enthousiast; **addiction** [ə'dikʃən] neiging, verslaafdheid, verslaving; **addictive** verslavend

addition [ə'diʃn] bij-, toevoeging, vermeerdering, optelling; bijvoegsel; *in* ~ bovendien; *in* ~ *to* behalve; **additional** [-l] bijgevoegd, aanvullend, extra, bij...; ~ *postage* strafport; **additionally** als toevoeging, bovendien; **additive** ['æditiv] I *bn* toevoegend, aanvullend; II *zn* toevoeging

addle ['ædl] bederven; verwarren; *addled egg* bedorven ei

address [ə'dres] I *ww* aan-, toespreken, zich richten tot; richten (*to* tot); adresseren; ~ *o.s. to* zich richten tot; II *zn* adres; toespraak; **addressee** [ædre'si:] geadresseerde; (*Belg*) bestemmeling

adept ['ædept, ə'dept] ingewijd(e) (*at, in*)

adequacy ['ædikwəsi] toereikendheid, geschiktheid; **adequate** ['ædikwit] voldoende, toereikend

adhere [əd'hiə] (aan)kleven, aanhangen, plakken; vastzitten; getrouw blijven (*to* aan), gehoorzamen aan; **adherent** [əd'hiərənt] aanhanger, supporter, volgeling; **adhesive** [əd'hi:siv] I *bn* (aan)klevend, vasthoudend; ~ *plaster* hechtpleister; ~ *tape* plakband; II *zn* kleefstof, lijm

adjacent [ə'dʒeisənt] aangrenzend, belendend

adjective ['ædʒiktiv] bijvoeglijk naamwoord

adjoin [ə'dʒɔin] grenzen aan

adjourn [ə'dʒə:n] *a*) uitstellen, verdagen, schorsen; *b*) uiteengaan, op reces gaan; verdaagd worden; **adjournment** het verdagen; uitstel, reces

adjudicate [ə'dʒu:dikeit] beslissen, berechten; uitspraak doen [(*up*)*on* over, in]; **adjudicator** [ə'dʒu:dikeitə] scheidsrechter; jurylid (bij tentoonstelling, enz.)

adjunct ['ædʒʌŋkt] aanhangsel, toevoegsel; bijkomende eigenschap (omstandigheid); (*gramm*) bepaling

adjust [ə'dʒʌst] regelen, in orde brengen, rechttrekken, bijsturen; (zich) aanpassen (*to* aan); (in-, ver)stellen (*instruments*); afwikkelen; **adjustable** [-əbl] verstelbaar

adjutant ['ædʒutənt] adjudant

administer [əd'ministə] beheren, besturen; uitvoeren (*laws*); toedienen; toebrengen; verschaffen; bijdragen (*to* tot); **administration** [ədˌminis'treiʃən] beheer, administratie, bestuur, regering; ministerie; toe-, bediening; uitvoering; dienst; **administrative** [əd'ministrətiv] administratief, bestuurlijk (*problems*); **administrator** [əd'ministreitə] administrateur, bestuurder, executeur

admirable ['ædmərəbl] bewonderenswaardig

admiral ['ædmərəl] admiraal; **admiralty** [-ti] ...schap; admiraliteit(sgebouw); *the* (*Board of*) *A*~, *Lords* (*Commissioners*) *of the A*~ de Admiraliteit, *ongev* Ministerie van Marine

admiration [ædmə'reiʃən] (voorwerp van) bewondering; **admire** [əd'maiə] bewonderen; **admirer** [-rə] bewonderaar(ster); aanbidder, -ster

admissible [əd'misəbl] geoorloofd; **admission** [əd'miʃən] toelating; aan-, opneming; toegang(sprijs); erkenning; **admit** [əd'mit] toelaten, toegang verlenen; aan-, opnemen; toegeven, erkennen; **admittance** [-əns] toegang;

toelating; *no* ~ verboden toegang; **admittedly** [-idli] zoals erkend wordt (werd); toegegeven ...
admonish [əd'mɔniʃ] ver-, aanmanen; berispen; waarschuwen (*of* voor); herinneren (*of* aan); **admonition** [ædmə'niʃən] waarschuwing, berisping; **admonitory** [əd'mɔnitəri] waarschuwend, berispend
ado [ə'du:] drukte, ophef, moeite
adolescence [ædə'lesns] jongelings-, jongemeisjesjaren, puberteit; **adolescent** [ædə'lesnt] I *bn* opgroeiend; II *zn* adolescent, puber, jongeling, jong meisje
adopt [ə'dɔpt] aannemen, adopteren (*a child*); ontlenen (*words from* ... aan ...); goedkeuren (*minutes* notulen); kiezen; volgen (*a policy*); **adoption** [ə'dɔpʃən] aanneming, goedkeuring, het kiezen, volgen; adoptie
adorable [ə'dɔ:rəbl] aanbiddelijk; **adoration** [ædɔ:'reiʃən] aanbidding; **adore** [ə'dɔ:] aanbidden; (*fam*) dol zijn op
adorn [ə'dɔ:n] (ver)sieren, verfraaien; **adornment** [-mənt] versiering, sieraad
adrift [ə'drift] drijvend, aan wind en golven overgeleverd (*fig*) zich onzeker voelen; *something has gone* ~ is verkeerd gelopen
adroit [ə'drɔit] handig; **adroitness** handigheid
adult ['ædʌlt, ə'dʌlt] volwassen(e); ~ *education* volwasseneneducatie
adulterate [ə'dʌltəreit] vervalsen; **adulteration**: ~ *of history* geschiedvervalsing; **adulterer** [ə'dʌltərə] echtbreker; **adulteress** [ə'dʌltəris] echtbreekster; **adultery** [ə'dʌltəri] overspel; (*bijb ook*) *a*) ontucht; *b*) afgodendienst
adulthood ['ædʌlt-, ə'dʌlthud] volwassenheid
advance [əd'vɑ:ns] I *ww* vooruitgaan, naderen, aanrukken (*upon* op); vorderen; vooruitbrengen, -schuiven, enz.; voor den dag komen met (*a theory*), opperen (*an opinion*); voorschieten (*money*); verhogen (*prices*); stijgen; *with advancing years* met het stijgen der jaren; II *zn* voortgang, opmars, nadering; (be)vordering, vooruitgang (*on* ... vergeleken met ...); (prijs)verhoging; voorschot; ~ *information* inlichtingen vooraf; ~*s* 'avances', eerste stappen, stappen tot toenadering; *in* ~ vooruit, bij voorbaat; *payment in* ~ vooruitbetaling; III *bn* vooruitlopend, vooraf gegeven enz., voortijdig; ~ *booking* vóórbespreking; ~ *guard* voorhoede; **advanced** [-t] (ver)gevorderd; geavanceerd; **advancement** bevordering; vooruitgang; vervroeging (*of a date*); voorschot
advantage [əd'vɑ:ntidʒ] voordeel; overwicht, voorrang; *turn to* ~ zijn voordeel doen met; *show to the best* ~ op zijn voordeligst laten uitkomen; **advantageous** [ædvən'teidʒəs] voordelig
advent ['ædvənt, -vent] advent; (aan)komst, nadering
adventure [əd'ventʃə] avontuur; (gevaarlijke) onderneming; speculatie; risico; ~ *playground* speelterrein met allerlei avontuurlijke bouwsels en attributen; **adventurer** [-rə] gelukzoeker, avonturier; **adventuress** [-ris] avonturierster; **adventurous** [əd'ventʃərəs] gewaagd, avontuurlijk, vermetel
adverb ['ædvə:b] bijwoord; **adverbial** [əd'və:biəl] bijwoordelijk
adversary ['ædvəsəri] tegenstander; **adverse** ['ædvə:s] vijandig, nadelig, ongunstig (*report, trade balance*); tegenoverliggend; tegen ... (*wind*); **adversity** [əd'və:siti] tegenspoed
advert ['ædvə:t] (*fam*) *advertisement*; **advertise** ['ædvətaiz] bekend maken, aankondigen, adverteren (*for* om), reclame maken (voor), ruchtbaar maken; **advertisement** [əd'və:tis-, -tizmənt] advertentie; reclame; '**advertiser** [-ə] adverteerder; advertentieblad; '**advertising-agency** advertentie-, reclamebureau; '**advertising-pillar** reclamezuil
advice [əd'vais] raad, advies (*ook in handel*); bericht; *a piece of* ~ een raad(geving); **advisability** [əd,vaizə'biliti] raadzaamheid; **advisable** [əd'vaizəbl] raadzaam; **advise** [əd'vaiz] adviseren: *a*) (aan)raden; *b*) berichten; ~ *against* ontraden; **advised** [-d]: *you would be well* ~ *to* ... verstandig doen, indien ...; *ill*-~ onverstandig; **advisedly** [əd'vaizidli] met overleg; opzettelijk; **adviser** [-ə] raadsman; **advisory** [əd'vaizəri] raadgevend, adviserend
advocate I *zn* ['ædvəkit, -keit] voorstander, voorspraak, verdediger; II *ww* ['ædvəkeit] bepleiten, voorstaan, verdedigen
aerial ['ɛəriəl] I *zn* (*telec*) antenne; II *bn* lucht...; *aerial photograph* luchtfoto
aerobatics [ɛərə'bætiks] luchtacrobatiek
aerobic(s) [ɛə'rɔbik(s)] soort intensieve conditietraining op muziek, bijv *aerobic dancing*
aerodrome ['ɛərədrəum] vliegveld (voor sportvliegtuigen); '**aeroplane** [-plein] vliegtuig; '**aerosol** ['ɛərəusɔl] aërosol; spuitbus; **aerospace** ['ɛərəu-] wereldruimte; ruimtevaart...; ~ *industry* ruimtevaart industrie
aesthetic [i:s'θetik(l)] I *bn* esthetisch; II *zn aesthetic(s)* esthetica, schoonheidsleer
afar [ə'fɑ:] ~ (*off*) ver (weg), in de verte; *from* ~ uit de verte, van verre
affair [ə'fɛə] zaak, aangelegenheid; gevecht; verhouding (= *love* ~); (*fam*) ding, zaakje, boel
affect [ə'fekt] *a*) houden van, bij voorkeur bezoeken (gebruiken, wonen in, enz.), neiging hebben tot; *b*) zich voordoen als; *c*) doen alsof (*he ~ed not to see it*), voorwenden, (*indifference*); *d*) aantasten, -steken (*van ziekte, enz.*); *e*) aandoen; treffen (*200 men are ~ed by this measure*); *f*) betreffen, beïnvloeden; **affectation** [æfek'teiʃən] gemaaktheid, aanstellerij; voorwendsel, huichelarij; **af'fected** *ook*: gemaakt; gezind (*well, ill* ~); geroerd; *the* ~ *area, ook:* het daarbij betrokken (getroffen) gebied; **affection** [ə'fekʃən] (toe)genegenheid, liefde; **affectionate** [-it] liefhebbend, harte-

lijk, teder; *yours ~ly B.* uw liefhebbende (toegenegen) B.
affidavit [æfi'deivit] beëdigde verklaring
affiliate [ə'filieit] als lid opnemen; (zich) aansluiten (*to, with* bij); *~d* aangesloten (*van vereniging enz.*)
affinity [ə'finiti] (aan)verwantschap; affiniteit
affirm [ə'fə:m] bevestigen, verzekeren, bekrachtigen; **affirmation** [æfə'meiʃən] bevestiging, verzekering; plechtige verklaring (i.pl.v. eed); **affirmative** [-ətiv] bevestigend (woord); *answer in the ~* bevestigend antwoorden
affix [ə'fiks] (toe)voegen; plakken (*a stamp*)
afflict [ə'flikt] bedroeven, kwellen; treffen, teisteren (*with* met); *~ed, ook:* diepbedroefd; **affliction** [ə'flikʃən] kwelling; droefenis, smart; bezoeking, ramp
affluence ['æfluəns] (toe-, over)vloed, rijkdom; **affluent** ['æfluənt] I *bn* rijkelijk vloeiend; rijk, overvloedig; welvarend, welgesteld; *~ society* welvaartsstaat; II *zn* zijrivier
afford [ə'fɔ:d]: *I cannot ~ it* ik kan het mij niet veroorloven, het kan er bij mij niet af; *I cannot ~ a car* een auto is mij te duur; *they could ~ to wait* zij konden het risico nemen te wachten
afforest [ə'fɔrist] bebossen
affront [ə'frʌnt] (openlijk) beledigen
afield [ə'fi:ld] ver weg, ver van huis
afire [ə'faiə] in brand, gloeiend (*ook fig*)
aflame [ə'fleim] vlammend, in vuur, in gloed; gloeiend (*with* van)
afloat [ə'fləut] vlot; drijvend; in de vaart
afoot [ə'fut] te voet, op de been; (*fig*) gaande, aan de gang
aforesaid [ə'fɔ:sεəd] voornoemd
afraid [ə'freid] bevreesd, bang (*of* voor); bezorgd (*for* voor)
afresh [ə'freʃ] opnieuw
aft [a:ft] (*scheepv*) (naar) achter; **after** ['ɑ:ftə] I *vz en bw* na; naar (*a man ~ my heart, named ~ his father*); achter; later (*a year ~*), daarna; *the year ~* het volgende jaar; *~ all* per slot van rekening; II *vw* nadat; toen; wanneer; III *bn* later(e) (*ages, days, life, times, years*); **'after-care** nazorg (voor zieken, ontslagen gevangenen enz.); **'after-effect(s)** nawerking; **'after-life** *a*) latere leeftijd; *b*) leven na de dood; **'aftermath** [-mæθ] (*fig*) naspel, nasleep; **afternoon** ['ɑ:ftə'nu:n, ˌɑ:ftə'nu:n] (na)middag; **'aftertaste** nasmaak; afdronk (wijn); **'afterthought** latere overweging, iets dat later bij iem opkomt; **'afterwards** [-wədz] later, naderhand
again [ə'gen, ə'gein] weer, opnieuw, dan weer; daarentegen, aan de andere kant; verder, bovendien; van de weeromstuit (*laugh ~*); *answer ~* iets terugzeggen; *~ and ~, time and ~* herhaaldelijk, telkens weer; *as much ~* (nog) eens zoveel
against [ə'genst, ə'geinst] tegen(over); achter (*write it ~ your name*); strijdig met
agape [ə'geip] met open mond (*stand ~*); open; ten hoogste verbaasd
age [eidʒ] I *zn* ouderdom, (mensen)leeftijd; levensduur; eeuw (*the golden ~*); eeuwigheid (*wait for ~s*); tijd(perk) (*the Stone ~*); *die at a great ~* op hoge leeftijd; (*die*) *at the ~ of* ... in de ouderdom van ...; *be* (*come, become*) *of ~* meerderjarig zijn (worden); *over ~* boven de (voorgeschreven) leeftijd; *under ~* minderjarig; *you've been ~s* je bent een eeuwigheid weg geweest, enz.; II *ww* verouderen, oud worden (maken); rijpen (*van kaas*); **aged** ['eidʒid] oud, bejaard; [eidʒd] oud (*~ three* 3 jaar oud); **age group** leeftijdsgroep, -klasse; **ag(e)ing** ['eidʒiŋ] ouder wordend; *~* (*of the population*) vergrijzing; **ageless** nooit verouderend (eindigend)
agency ['eidʒənsi] agentschap, bureau, instelling; tussenkomst, bemiddeling; **agent** ['eidʒənt] tussenpersoon, agent; werktuig (*fig*)
agglomeration [əˌglɔmə'reiʃən] agglomeratie, opeenhoping
aggravate ['ægrəveit] verzwaren, verergeren; (*fam*) ergeren, boosmaken; **aggravating** ergerlijk, vervelend; *~ circumstances* verzwarende; **aggravation** [ægrə'veiʃən] ergernis
aggregate ['ægrigit] I *bn* opgehoopt; gezamenlijk (*amount*); II *zn* ophoping, massa, totaal (bedrag); III *ww* ['ægrigeit] *a*) (zich) verenigen; *b*) totaal bedragen
aggression [ə'greʃən] aanval, -randing; inbreuk; agressie; **aggressive** [-iv] aanvallend, agressief, strijdlustig; opzichtig (*an ~ tie*); **aggressiveness** agressiviteit; **aggressor** [-ə] agressor, aanvaller
aggrieve [ə'gri:v] bedroeven, benadelen, grieven, krenken
aghast [ə'gɑ:st] ontzet, verslagen, verbluft
agile ['ædʒail] vlug, behendig; **agility** [ə'dʒiliti] vlug-, behendigheid
agitate ['ædʒiteit] bewegen, schudden; (be)roeren; opwinden, opruien; ageren (*for* voor); **agitation** [ædʒi'teiʃən] opwinding; gisting, onrust, gejaagdheid; opschudding; **agitator** ['ædʒiteitə] agitator, volksmenner, opruier
aglow [ə'gləu] gloeiend (*with* van)
ago [ə'gəu] geleden (*long ~*)
agog [ə'gɔg] opgewonden (*all ~ with the news* van, door ...); dol, belust (*for, on, about* op)
agonize ['ægənaiz] *a*) kwellen, martelen; *b*) (met de dood) worstelen; doodsangsten uitstaan; *c*) *~ about* (*over*) *s.t.* zich (nodeloos) kwellen over, een gewetenszaak maken van (*every decision*); *agonizing cry* hartverscheurende kreet; *~d, ook:* angstig; **agony** ['ægəni] folterende pijn; foltering; (ziels)angst, zielestrijd; doodsstrijd (= *~ of death*)
agrarian [ə'grεəriən] agrarisch (*laws*), landbouw...
agree [ə'gri:] toestemmen; het eens zijn (worden) (*on, as, to, about, a plan* over); afspreken;

overeenkomen, kloppen (*with* met), passen (*with* bij); in overeenstemming brengen; ~ *to differ* het opgeven elkaar te overtuigen; *be ~d* het eens zijn; *~d!* akkoord!; **agreeable** [ə'griəbl] aangenaam; *father was ~* vader vond het goed; **agreement** overeenstemming, -komst, afspraak, verdrag; instemming
agriculturalist ['əgri'kʌltʃərəlist] landbouwkundige, agronoom
agriculture ['ægrikʌltʃə] landbouw
aground [ə'graund] aan de grond; in de klem; *be ~, ook:* vastzitten
ahead [ə'hed] voor(op), vooruit, in het vooruitzicht; *go ~, (fig) a)* van wal steken; *b)* carrière (opgang) maken; *go ~!* vooruit maar!; *that is some time ~* zover zijn we nog niet; *~ of* vóór
aid [eid] I *ww* helpen, bevorderen, bijdragen tot; zie *abet*; II *zn* hulp, bijstand; (financiële) steun; helper; hulpmiddel; (hulp)apparaat, toestel; *~ to memory, ongev* ezelsbrug
AIDS *acquired immune deficiency syndrome* id., syndroom van verhoogde vatbaarheid van infectieziekten; *aids-restraining medicine* aidsremmer
ail [eil] I *ww* schelen, mankeren; *~ing* sukkelend, ziekelijk; II *zn* kwaal; **ailment** ['eilmənt] ongesteldheid, kwaal(tje)
aim [eim] I *ww* mikken, richten (*at* op, tegen), doelen (*at* op), streven (*at* naar); *~ at, ook:* het gemunt hebben op; II *zn* doel, mikpunt, oogmerk; *take ~ (at)* mikken, aanleggen (op); **'aimless** doelloos
ain't [eint] (*volkstaal*) = *am not, are not, is not, has not*
air [ɛə] I *zn* lucht; luchtje, windje, tocht; wijs(je), melodie; voorkomen, houding, schijn, air; *~s and graces* mooidoenerij, aanstellerij; *put on ~s* een air aannemen; *travel* ***by*** *~* per vliegtuig; *be* ***in*** *the ~: a)* in de lucht zitten; *b)* in de lucht hangen; *melt (vanish)* ***into*** *(thin) ~* spoorloos verdwijnen; (*telec*) *be on (off) the ~* in (uit) de lucht zijn: (niet) uitzenden, (niet) uitgezonden worden; ***out*** *of thin ~* uit de lucht; *~ cover* dekking uit de lucht; II *ww* luchten (*ook fig: grievances*), ventileren; (bij het vuur) drogen; verwarmen; publiciteit geven, geuren met; **air-base** luchtbasis; **air-bed** luchtbed; **'air-borne** door de lucht vervoerd (aangevoerd); *~ troops* luchtlandingstroepen; *the aeroplane is ~* in de lucht; **airbus** vliegtuig voor burgerluchtvaart voor korte afstanden; **airconditioned** met luchtverversing; **air-conditioning** klimaatbeheersing; **'air-corridor** luchtweg; **aircraft** vliegtuig(en); *~ carrier* vliegdekschip; **aircrash** vliegramp; **airfield** vliegveld; **airforce** luchtmacht; **air-gun** windbuks; **air hostess** stewardess; **airing**: *take an ~* een luchtje scheppen; *'~ ˌcupboard* droogkast (voor linnengoed); **airlane** luchtcorridor; **airless** zonder lucht; bedompt; **air-letter** luchtpostblad, luchtpostbrief; (*Belg*) aërogram ; **airlift** (per) luchtbrug (vervoeren); **airline** luchtvaartlijn; **airliner** lijnvliegtuig; **airlock** luchtsluis; **air-mail** luchtpost; **airplane** (*Am*) vliegtuig; **airport** luchthaven; **air-raid** luchtaanval; *~ shelter* schuilkelder; *~ warden* lid vd luchtbescherming; **'air-sick** luchtziek; **airspace** (nationaal) luchtruim; **airstrip** landingsstrook; **air-tight** luchtdicht; *his alibi was ~* sloot als een bus; **air-traffic** (*control*) luchtverkeer(sleiding); **air-transport** luchtvervoer; **airway** luchtroute; **airworthy** luchtwaardig (*van vliegtuig*); **airy** lucht..., in de lucht; luchtig; luchthartig; vluchtig
aisle [ail] zijbeuk (*van kerk*); gangpad (*tussen zitplaatsen*)
ajar [ə'dʒɑ:] op een kier (*raam, deur e.d.*)
akimbo [ə'kimbəu]: (*with*) *arms ~* met de handen in de zij
akin [ə'kin] verwant (*to* aan)
alacrity [ə'lækriti] opgewektheid, bereidwilligheid; levendigheid, vlugheid
alarm [ə'lɑ:m] I *zn* alarm(signaal) (*burglar ~* inbraakalarm); waarschuwing, schrik, ongerustheid; ontsteltenis; alarmklok, -toestel; wekker; II *ww* alarmeren, doen (op)schrikken, verontrusten; **a'larm clock** wekker(klok); **a'larming** *ook* angst(ver)wekkend
alas [ə'læs, ə'lɑ:s] helaas!
album ['ælbəm] album, (*ook elpee*)
albumen ['ælbjumin] eiwit(stof)
alcohol ['ælkəhɔl] alcohol; **alcoholic** [ælkə'hɔlik] I *bn* alcoholisch; *~ poisoning* alcoholvergiftiging; II *zn* alcoholicus
alcove ['ælkəuv] alkoof, kamertje, 'hokje'; nis
alder ['ɔ:ldə] elzeboom, els
alderman ['ɔ:ldəmən] wethouder, schepen; (*in county*), *ongev:* gedeputeerde
ale [eil] id. (*bier gebrouwen zonder hop*); bier
alert [ə'lə:t] I *bn* waakzaam, wakker, op zijn hoede; vlug; II *zn* alarm(signaal), luchtalarm; *on the ~* op zijn hoede; III *ww* waarschuwen, alarmeren; **alertness** alertheid
A level ['eilevl] (vak op) gevorderd eindexamenniveau (als voorbereiding op universitaire opleiding)
alibi ['ælibai] alibi
alien ['eiliən] I *bn* buitenlands, vreemd (*to* aan), ongelijksoortig, verschillend (*from* van); II *zn* vreemdeling; **'alienate** [-eit] vervreemden, onttrekken (*from* aan); **alienation** [eiliə'neiʃən] vervreemding
1 alight [ə'lait] aan(gestoken), brandend, verlicht; schitterend (*with* van); *set ~* in brand steken
2 alight [ə'lait] uit-, afstappen (*at a hotel*), afstijgen (*from a horse*), neerkomen, landen (*van vliegtuig*); *~ (up)on, ook:* toevallig aantreffen
align [ə'lain] (zich) richten, op (in) één lijn plaatsen, aanpassen; recht maken; gelijkrichten; **alignment** het ...; linie, rooilijn

alike [ə'laik] gelijk; gelijk op; evenzeer, evengoed; *they are very much* ~ lijken veel op elkaar

alimentary [æli'mentəri] voedend, voedings...; ~ *canal* spijskanaal

alimony ['æliməni] onderhoud, alimentatie, uitkering aan gescheiden vrouw of man

alive [ə'laiv] in leven, levend(ig); ~ *to* gevoelig (ontvankelijk) voor, doordrongen van (*the fact that* ...); ~ *and kicking* springlevend

all [ɔ:l] I *bn* al(le), geheel, gans; ~ *day* de gehele dag; ~ *England* heel Engeland; *to-night* ***of*** ~ *nights* en nog wel vanavond; *why to-day of* ~ *days?* waarom nu juist vandaag?; *they called her Emeline, of* ~ *names!* ze noemden haar nota bene Emeline!; ~ ***that*** (*this*) dat (dit) alles; *and* ~ *that* enz., en dergelijke, en wat er bijhoort; *did it cost* ~ *that?* zoveel; *he is not so stupid as* ~ *that* zó dom ...; II *zn* al, alle(n), alles; *fifteen* ~, (*sp*) 15 gelijk; ~ *that I know* al wat ...; ~ *they think about is* ... het enige waaraan ...; ***after*** ~ (alles) wel beschouwd, per slot van rekening; *if you knew him* ***at*** ~ ook maar enigszins; *if you came at* ~ mócht je ...; *are you at* ~ *acquainted with* ...? kent u misschien ...?; *I doubt whether he'll go at* ~ óf hij wel zal gaan, of hij überhaupt wel gaat; *the wonder is that I am here at* ~ het is eigenlijk nog een wonder ...; *not at* ~ in het geheel niet; *'thank you so much!' 'not at* ~*'* graag gedaan, tot uw dienst; *nothing at* ~ helemaal niets; ~ ***in*** ~ *I think* ... alles samengenomen, al met al; *it* ***was*** ~ *he could do to keep up with her* hij had de grootste moeite haar bij te houden; *when* ~ *is* ***said*** *and done* per slot van rekening; ~ ***of*** *it* alles, ~ *of us* wij allen; *best of* ~ het best van alles; ~ ***or*** *nothing* alles of niets, erop of eronder; III *bw* geheel (en al), helemaal (*dressed* ~ *in white*), compleet; ~ ***but*** *ready* bijna klaar; *I am* ~ ***for*** *peace* een groot voorstander van ...; *he was* ~ *for saving his own skin* hij was erg bezorgd voor zijn hachje; *tremble* ~ ***over*** over zijn hele lichaam; *he is a fool* ~ *over* op-en-top; ~ *over,* (*Am*) overal; *that is* ~ ***right*** in orde; *he's* ~ *right* heel geschikt; ~ ***round*** veelzijdig, id. (*speed skater*); ~ ***the*** *better* zoveel te beter; ~ ***too*** *small* maar al te ...

allay [ə'lei] tot bedaren brengen, kalmeren (*fears*), onderdrukken, stillen, verzachten, verlichten, verminderen, matigen

allege [ə'ledʒ] aanvoeren (*in excuse* als ...); beweren; **alleged** *ook:* zogenaamd (*the* ~ *Mr. B*); **allegedly** [ə'ledʒidli] zoals beweerd wordt (werd)

allegiance [ə'li:dʒəns] (onderdanen)trouw

allegorical [æli'gɔrikl] allegorisch, zinnebeeldig; **allegory** ['æligəri] allegorie

allergic [ələ:dʒik] allergisch (*to* voor); **allergy** ['ælədʒi] allergie; (*fig*) antipathie

alleviate [ə'li:vieit] verlichten, verzachten; **alleviation** [əˌli:vi'eiʃən] verlichting, verzachting

alley ['æli] pad, laan(tje), steeg; kegelbaan; **alley cat** zwerfkat; **alleyway** steeg

All 'Fools' Day 1 april

all-fours: *on* ~ op handen en voeten

alliance [ə'laiəns] verbond, verbintenis, band, verwantschap; **allied** ['ælaid] *a*) verbonden; *b*) verwant; *c*) geallieerd; *the A~ Powers* de Geallieerden

all-important van het hoogste belang; **all-in** alles (allen) insluitend; (*van consumpties in café of restaurant*) inclusief bedieningsgeld en B.T.W; ~ *policy, ongev:* a-z polis; ~ *tour* volledig verzorgde reis; **all-night** *bn* de gehele nacht open

allocate ['æləkeit] toewijzen, toekennen, bestemmen (*to* voor); **allocation** [ælə'keiʃən] toewijding, toekenning

allot [ə'lɔt] toe(be)delen, toe-, aanwijzen; **allotment** toebedeling, toewijding; aandeel; volkstuintje

all-out: *an* ~ *effort* een krachtige poging

allow [ə'lau] toestaan, veroorloven, toelaten; toegeven, erkennen; ~ ***for*** in aanmerking nemen; ~ *ten per cent.* ***off*** *for cash* 10% korting toestaan voor contante betaling; **allowance** [ə'lauəns] vergunning, toelating; toelage, zak-, weekgeld (= *weekly* ~); toeslag (*holiday, etc.* ~); portie, rantsoen (*of food*); korting, vergoeding; toegeeflijkheid; *personal* ~ belastingvrije voet; *make* ~*s* wat door de vingers zien

alloy ['ælɔi, ə'lɔi] allooi, gehalte; (bij)mengsel; alliage, legering

'all-'purpose *bn* voor alle doeleinden

'all-risks *policy* allriskpolis, a-z polis

'all-'round rondom; in alle opzichten, over het geheel; veelzijdig; voor alle rollen geschikt (*actor*); **all-rounder** alleskunner

'All-'Saints' Day Allerheiligen; **All-Souls' Day** ['ɔ:l'səulzdei] Allerzielen

'all-time nooit eerder bereikt (~ *high*)

allude [ə'l(j)u:d]: ~ *to* zinspelen op; bedoelen

allure [ə'ljuə] I *ww* (aan)lokken, verlokken; II *zn* aantrekkingskracht; bekoring; **allurement** aantrekkingskracht; attractie, bekoring

allusion [ə'l(j)u:ʒən] toe-, zinspeling (*to* op); **allusive** [ə'l(j)u:siv] zinspelend, vol toespelingen

all-weather ['ɔ:l'weðə] geschikt voor alle weer en wind (*an* ~ *car*)

ally I *ww* [ə'lai] verbinden (*to, with* met), aansluiten; II *zn* ['ælai] bondgenoot

almighty [ɔ:l'maiti] almachtig; *the A~* de Almachtige

almond ['ɑ:mənd] amandel

almost ['ɔ:lməust] bijna, nagenoeg

alms [ɑ:mz] aalmoes, aalmoezen; **'almshouse** hofje, armhuis

aloft [ə'lɔ(:)ft] (om)hoog, hemelwaarts

alone [ə'ləun] alleen, eenzaam; *I am not* ~ *in this* sta hierin niet alleen; *go it* ~, (*fam*) op zijn eentje gaan of handelen; *let* ~ *the expense* laat

staan ..., om niet te spreken van ...; *let* (*leave*) *it* ~ blijf er af, laat staan
along [ə'lɔŋ] I *vz* langs; II *bw* voort, verder; *I guessed it all* ~ aldoor; *go* ~ *with* meegaan met; *take this* ~ *with you* neem dit mee; **a,long'side** langszij
aloof [ə'lu:f] op een afstand, ver; ontoeschietelijk, gereserveerd; *hold* (*keep, stand*) ~ zich op een afstand (afzijdig) houden (*from* van); **aloofness** gereserveerdheid
aloud [ə'laud] luid, hardop
alphabet ['ælfəbit, -bet] alfabet, a.b.c. (*ook fig*)
already [ɔ:l'redi] reeds, al
Alsatian [æl'seiʃiən] (Duitse) herder(shond)
also ['ɔ:lsəu] ook, eveneens, bovendien
altar ['ɔ:ltə] altaar
alter ['ɔ:ltə] (zich) veranderen, wijzigen; **alteration** [-'reiʃən] verandering
altercation [ɔ:ltə'keiʃən] ruzie, woordenwisseling
alternate I *bn* [ɔ:l'tə:nit] afwisselend, verwisselend, beurtelings; *on* ~ *days* om de andere dag; II *ww* ['ɔ:ltəneit] (elkaar) afwisselen; *alternating current* wisselstroom; **alternation** [ɔ:ltə'neiʃən] afwisseling; **alternative** [ɔ:l-'tə:nətiv] I *bn* alternatief; ~*ly* anders, subsidiair; II *zn* keus (uit twee, soms meer), alternatief; (*Belg*) wisseloplossing; *in the* ~ in het andere geval
although [ɔ:l'ðəu] (al)hoewel, ofschoon
altimeter ['æltimi:tə] hoogtemeter; **altitude** ['æltitju:d] hoogte; hoogtepunt
altogether [ɔ:ltə'geðə] helemaal, in alle opzichten, alles samen(genomen), over het geheel; voorgoed (ook: *for* ~); *zn* geheel, ensemble; *in the* ~ (in het) naakt, in adamskostuum
aluminium [ælju'minjəm] (*Am: aluminum*) id.
always ['ɔ:lwəz, -weiz] altijd, steeds, altijd nog
am [æm, (ə)m]: *I* ~ ik ben; ik word (*passief*)
a.m. *ante meridiem* (*before noon*) vóór het middaguur; *7 a.m.* 7 uur 's morgens
amalgamate I *ww* [ə'mælgəmeit] (zich) vermengen, samensmelten, (zich) verenigen; II *bn* [ə'mælgəmit] = ~*d*
amass [ə'mæs] opeenhopen, vergaren
amaze [ə'meiz] verbazen; **amazement** verbazing; **amazing** verbazingwekkend
ambassador [æm'bæsədə] ambassadeur; (af-) gezant
ambience ['æmbiəns] ambiance, sfeer, milieu
ambiguity [æmbi'gjuiti] dubbelzinnigheid; **ambiguous** [æm'bigjuəs] dubbelzinnig, voor meer dan één uitleg vatbaar, aan twijfel onderhevig
ambition [æm'biʃən] I *zn* eerzucht; ideaal, ambitie (*realize one's* ~*s*); II *ww* streven naar; ambiëren; **ambitious** [æm'biʃəs] eerzuchtig; begerig (*of* naar); groots (*an* ~ *programme*), grootscheeps
amble ['æmbl] I *zn* telgang; kalme gang; II *ww* in de telgang laten gaan; kuieren
ambulance ['æmbjuləns] id., ziekenauto
ambush ['æmbuʃ] I *zn* hinderlaag; *lay an* ~ *for a p.* iem een hinderlaag leggen; II *ww* uit hinderlaag aanvallen
ameliorate [ə'mi:liəreit] verbeteren, beter worden (maken); stijgen (*van prijs*)
amenable [ə'mi:nəbl] gedwee, handelbaar; verantwoordelijk (*to* aan); ontvankelijk, vatbaar (*to* voor); onderworpen (*to* aan)
amend [ə'mend] (zich) (ver)beteren; wijzigen, amenderen; beter worden; **amendment** verbetering, beterschap; amendement; **amends** [ə'mendz] vergoeding, compensatie
amenity [ə'mi:-, ə'meniti] aangenaamheid, gratie; geriefelijkheid; attractie; *amenities* dingen die het leven veraangenamen
America [ə'merikə] Amerika; **American** Amerikaan(s, -se); ~ *football* Am balspel dat lijkt op rugby maar met ploegen van 11 spelers (i.pl.v. 13 of 15)
amiable ['eimjəbl] beminnelijk, lief
amicable ['æmikəbl] vriend(schapp)elijk
amid(st) [ə'mid(st)] te midden van
amiss [ə'mis] verkeerd, niet in de haak; te onpas (*come* ~); mis, kwaad (*that is not* ~); kwalijk (*take* ~); *what's* ~? wat scheelt eraan?
ammunition [æmju'niʃən] (am)munitie
amnesia [əm'ni:ziə] geheugenverlies
amnesty ['æmnisti] amnestie (verlenen)
among(st) [ə'mʌŋ(st)] onder, tussen
amorous ['æmərəs] verliefd (*of* op)
amount [ə'maunt] I *ww:* ~ *to* bedragen; gelijk staan met (~ *to an insult*); ~ *to the same thing* op het zelfde neerkomen; *it does not* ~ *to much* heeft niet veel te betekenen; II *zn* bedrag, hoeveelheid, grootte; *a certain* ~ *of risk* een zekere mate van risico; ~ (*of money*) geldbedrag
ample ['æmpl] ruim, breedvoerig, ampel; uitgestrekt; overvloedig; **amplification** [,æmplifi'keiʃən] zn van *amplify*; **amplifier** ['æmplifaiə] (*telec*) versterker; **amplify** ['æmplifai] vergroten, uitbreiden; aanvullen (*a story*); (*telec*) versterken; uitwerken, uiteenzetten, toelichten; uitweiden (over); **amply** ['æmpli] zie *ample; ook:* ruimschoots, rijkelijk
ampoule ['æmpju:l] ampul
amputate ['æmpjuteit] afzetten, amputeren
amuse [ə'mju:z] amuseren, vermaken, bezighouden; *be* ~*d at* (*by, with*) pret hebben over; *keep a p.* ~*d* iem (prettig) bezig-, zoethouden; **amusement** vermaak, vermakelijkheid, tijdverdrijf; ~ *arcade* goktent; **amusements** *ook* speelautomaten; **amusing** [ə'mju:ziŋ] vermakelijk, amusant, onderhoudend
an [ən; *betoond:* æn] een (*lw*); zie *a*
anaemia [ə'ni:miə] bloedarmoede; **anaemic** [ə'ni:mik] bloedarm
anaesthetic [æni(:)s'θetik] verdovend (middel); **anaesthetist** [æ'ni(:)sθitist] narcotiseur; **anaesthetize** [æ'ni(:)sθitaiz] verdoven, onder narcose brengen
analogue ['ænəlɔg] parallel, analoog; **analogy** [ə'nælədʒi] analogie, overeenkomst; overeenstemming; (*wisk*) evenredigheid

analyse ['ænəlaiz] analyseren, ontleden, ontbinden; **analysis** [ə'næləsis, -isis] *mv analyses* [-si:z] analyse, overzicht; *in the last (final)* ~ uiteindelijk, ten slotte, per slot van rekening; **analyst** [-ist] analist; **analytic(al)** [ænə'litik(l)] analytisch, ontledend; *~al chemist* analist

anarchy ['ænəki] anarchie

anatomical [ænə'tɔmikl] anatomisch; **anatomize** [ə'nætəmaiz] ontleden; **anatomy** [ə'nætəmi] *a)* anatomie; *b)* ontleding

ancestor ['ænsistə, -sestə] stam-, voorvader; **ancestral** [æn'sestrəl] voorouderlijk; **ancestry** ['ænsistri] *a)* voorgeslacht, voorouders; *b)* afstamming, (hoge) geboorte

anchor ['æŋkə] I *zn* anker; (*fig*) (reddings-, plecht) anker; *at* ~ voor anker; *cast (drop)* ~ het anker laten vallen; *weigh* ~ het anker lichten; II *ww* (ver)ankeren; (*fig*) vastleggen, bevestigen; (zich) vestigen; **anchorage** [-ridʒ] het verankeren, bevestigen, ankerplaats; **anchor man** (*telec*) (nieuws)presentator

ancient ['einʃənt] I *bn* (zeer) oud; ~ *history*, (*fig*) een oude geschiedenis, 'oude koeien'; II *zn* grijsaard, oude; *the A~s* de Ouden

and [ænd, ən(d)] en; *ook:* aan (*two* ~ *two*); dan (*say that again* ~ *I'll hit you*); *come* ~ *see us* kom ons (eens) opzoeken; ~ *so on*, ~ *so forth*, enzovoort(s)

anew [ə'nju:] opnieuw; anders

angel ['ein(d)ʒəl] engel; **angelic(al)** [æn'dʒelik(l)] ...achtig, engelen...

anger ['æŋgə] I *zn* boosheid, toorn, gramschap; II *ww* boos maken

angle ['æŋgl] I *zn* hoek; gezichtspunt, visie; aspect; *figure all the ~s*, (*Am*) iets (van alle kanten) 'bekijken'; *suspect an* ~, (*Am*) denken dat er iets achter zit; *at right ~s to* rechthoekig op; II *ww* 1 met een hoek buigen; tendentieus voorstellen; 2 hengelen; ~ *for a compliment* vissen naar; *angling permit* viskaart; '**angled** [-d] hoekig; **angler** ['æŋglə] hengelaar

Anglican ['æŋglikən] anglicaan(s); **anglicism** ['æŋglisizm] anglicisme; **anglicize** ['æŋglisaiz] verengelsen; **Anglo** ['æŋgləu] Engels; '**Anglo-A'merican** I *bn* Engels-Amerikaans; II *zn* Amerikaan van Engelse afkomst

angry ['æŋgri] boos (*at, about* over; *with, at* op), kwaad, toornig, nijdig, verbolgen; dreigend, onstuimig (*sea, sky*)

anguish ['æŋgwiʃ] (ziels)angst, (folterende) pijn, smart; **anguished** [-t] *a)* (door zielsangst) gekweld; *b)* van angst (*an* ~ *shriek*)

angular ['æŋgjulə] hoekig (*ook fig*), scherp gebogen, gehoekt, hoek...

animal ['ænimәl] I *zn* dier, beest; ~ *experiment* dierproef; II *bn* dierlijk, dieren...

animate I *bn* ['ænimit] levend, bezield, levendig; II *ww* ['ænimeit] leven geven, bezielen, opwekken, aanvuren; **animated** ['ænimeitid] levend, bezield, geanimeerd, levendig; **animation** [æni'meiʃən] bezieling, levendigheid, animo; animatie (*film*)

animosity [æni'mɔsiti] animositeit, verbittering, haat, vijandschap, vijandigheid

ankle ['æŋkl] enkel; '**ankle-'deep** tot de enkels

annex I *ww* [ə'neks] aanhechten, toevoegen, annexeren; zich toeëigenen; verbinden; II *zn* ['æneks] bijlage; aanhangsel; bijgebouw, dependance; **annexation** [ænek'seiʃən] annexatie; **annexe** ['æneks] = *annex, zn*

annihilate [ə'naiəleit] vernietigen; **annihilation** [ə,naiə'leiʃən] vernietiging

anniversary [æni'və:səri] verjaardag, gedenkdag, jaarfeest; *the hundredth* ~ *of, ook:* het honderdjarige bestaan van **Anno Domini** ['ænəu 'dɔminai] id., na Christus

annotate ['ænəuteit] annoteren; aantekeningen maken (*on* bij); **annotation** [ænəu'teiʃən] *a)* annotering; *b)* annotatie, aantekening

announce [ə'nauns] aankondigen, bekendmaken, aanduiden; **announcement** [-mənt] aankondiging, bekendmaking; **announcer** [-ə] (*telec*) omroep(st)er

annoy [ə'nɔi] ergeren, kwellen; hinderen, lastig vallen, molesteren; *be ~ed at* zich ergeren over; *~ed, ook:* boos; **annoyance** [-əns] (over)last, plaag, ergernis; **annoying** ergerlijk, lastig, vervelend

annual ['ænjuəl] I *bn* jaarlijks; éénjarig; jaar...; ~ *railpass* jaarkaart (voor trein); II *zn* éénjarige plant; jaarboek(je), periodiek dat eens per jaar verschijnt; **annuity** [ə'njuiti] jaargeld, lijfrente

annul [ə'nʌl] vernietigen, annuleren

annunciation [ə,nʌnsi'eiʃən] aankondiging

Annunciation(-day) Maria Boodschap (*25 maart*)

anoint [ə'nɔint] zalven; inwrijven

anonymity [ænə'nimiti] anonimiteit; **anonymous** [ə'nɔniməs] anoniem

another [ə'nʌðə] een ander; een tweede; nog een; ~ *glass: a)* nog een ...; *b)* een ander ...

answer ['ɑ:nsə] I *zn* antwoord; beslissing; II *ww* antwoorden (op), beantwoorden aan (~ *the purpose*); voldoen, aan het doel beantwoorden (*that will not* ~); (brutaal) wat terugzeggen (= ~ ***back***); verhoren (*a prayer*); luisteren naar (*the ship ~s the helm*); ~ (*the bell, call, ring, door*) opendoen; aan-, opnemen (*the phone*); ~ ***for****: a)* verantwoorden; *b)* instaan voor; peet worden voor; *c)* boeten voor; ~ ***to****: a)* antwoord geven aan (op); *b)* zich verantwoorden tegenover (*for* wegens); *c)* luisteren naar (~ *to the name of* ...); *d)* beantwoorden aan; **answerable** verantwoordelijk, aansprakelijk; **answering machine** telefoonbeantwoorder

ant [ænt] mier

antagonism [æn'tægənizm] vijandschap, tegenstand, verzet, strijd, antagonisme; **antagonist** [æn'tægənist] tegenstander, antagonist; **antagonistic** [æn,tægə'nistik] vijandig; **antagonize** [æn'tægənaiz] tegenwerken; tot verzet prikkelen, tegen zich in het harnas jagen

antarctic [ænt'ɑ:ktik] zuidelijk, zuid..., zuidpool..., antarctisch; *A~ (Ocean)* Z IJszee
antecedent ['æntisi:dənt] antecedent, voorafgaande gebeurtenis
antenna [æn'tenə] *mv antennae* [-i:] *a*) voelhoren, spriet; *b*) antenne
anthem ['ænθəm] *the national ~* het volkslied
anthology [æn'θɔlədʒi] bloemlezing
anticipate [æn'tisipeit] vóór zijn, voorkómen; vervroegen, verhaasten; vooruitlopen (op); vooraf ondervinden; anticiperen; **anticipation** [æn,tisi'peiʃən] het ..., vervroeging; voorgevoel; voorschot; *beyond ~* boven verwachting; *in ~* bij voorbaat
'anti-'clockwise tegen de (wijzers van de) klok in, tegen de zon in
antics ['æntiks] capriolen, dolle sprongen
'antidote [-dəut] tegengif
'anti-freeze antivries(middel)
antipathetic [,æntipə'θetik] antipathiek; **antipathy** [æn'tipəθi] antipathie
antiquarian [ænti'kwεəriən] I *bn* oudheidkundig; II *zn* oudheidkenner; **antiquary** [æn'tikwəri] oudheidkenner; antiquair; **antiquate** ['æntikweit] doen verouderen; een oud(erwets) voorkomen geven; **antiquated** verouderd, ouderwets; **antique** [æn'ti:k] I *bn* antiek, oud(erwets); II *zn: a*) antiquiteit; *b*) (kunst)voorwerp uit de klassieke oudheid (stijl); *~ dealer* antiquair; **antiquity** [æn'tikwiti] *a*) de oudheid; *b*) ouderdom; *c*) antiquiteit
antiseptic [ænti'septik] antiseptisch
antithesis [æn'tiθisis] antithese, tegenstelling
antler ['æntlə] tak *(van gewei)*; *~s* gewei
anvil ['ænvil] aambeeld
anxiety [æŋ(g)'zaiəti] *a*) bezorgd-, ongerustheid, zorg; benauwdheid; *b*) (vurig) verlangen; **anxious** ['æŋ(k)ʃəs] *a*) bezorgd, ongerust, bekommerd *(about, for* over); beangst; *b*) angstig *(moments)*, zorgwekkend *(the case was an ~ one)*; *c*) verlangend *(to ...* te ...; *for* naar)
any ['eni] enig; ieder, een, al(le) (wie, welk, wat ook) *(~ food is better than none)*; enig noemenswaardig; in enig(e) mate (opzicht); *it'll do you ~ amount of good* heel veel goed; *at ~ time (fam: ~ time)* te allen tijde, altijd; *is he ~ better?* (ook) wat beter?; *has he ~ children?* ook kinderen?; *I haven't (there isn't) ~ money* geen geld; *complaints, if ~* eventuele klachten; *few, if ~* zo goed als geen; *will that help you ~? (dial & Am)* in enig opzicht?
anybody *a*) iemand; *b*) iedereen (wie ook); *it is anybody's guess* het is onmogelijk te raden, niemand weet het
anyhow *a*) op de een of andere manier, hoe dan ook *(I've tried and I can't manage it ~)*; *b*) hoe het ook zij, in ieder geval, ten minste, toch *(~, he did his work)*; *c*) (om verandering van gespreksonderwerp aan te duiden) It was John's birthday; well, ~ I started my new job the next morning in ieder geval, hoe het ook zij **anyone** ['eniwʌn] *anybody*
anything ['eniθiŋ] *a*) iets (wat dan ook); *b*) alles; van alles *(~ may happen)*; *~ at all* hoegenaamd alles; *~ but* allesbehalve; *if ~* zo iéts, dan ...; *~ for a change* alle verandering is welkom
anyway *anyhow* ***a***) & ***b***) *ook:* eigenlijk *(what do they expect of him, ~?)*
anywhere *a*) ergens; *b*) overal; *miles away from ~* verschrikkelijk afgelegen
apart [ə'pɑ:t] afzonderlijk; uiteen *(wide ~)*; apart, terzijde; op zichzelf *(a thing ~)*; *come ~* uit elkaar (eraf, los) gaan (of: kunnen); *take ~* uit elkaar halen; *~ from* afgezien van; *joking ~* zonder gekheid; *accidents ~* behoudens ongelukken; *tell two people ~* uit elkaar (kunnen) houden (weten wie wie is)
apartment [ə'pɑ:tmənt] vertrek; *(Am)* = Eng *flat; ~s to let* kamers te huur; *~ hotel, (Am)* service-flat; **a'partment-house** flatgebouw
apathetic [æpə'θetik] apathisch, lusteloos, onverschillig; **apathy** ['æpəθi] apathie, lusteloosheid
ape [eip] I *zn* (staartloze) aap; II *ww* naäpen
aperture ['æpətjuə, -tʃə] opening, spleet; *(fot)* lensopening, diafragma
apex ['eipeks] top, toppunt
apiece [ə'pi:s] per stuk, elk
apologetic [ə,pɔlə'dʒetik] verontschuldigend; verdedigend; **apologize** [ə'pɔlədʒaiz] zich verontschuldigen; zijn excuses maken; **apology** [ə'pɔlədʒi] *a*) verontschuldiging; *b*) apologie, verdediging
apoplexy ['æpəpleksi] *(vero)* beroerte
apostle [ə'pɔsl] apostel; **apostolic** [æpəs'tɔlik] apostolisch
apostrophe [ə'pɔstrəfi] afkappingsteken *(don't, isn't, John's book)*
appal [ə'pɔ:l] doen schrikken, ontzetten; **appalling** *ook:* verschrikkelijk, schrikbarend
apparatus [æpə'reitəs] *mv apparates* [-iz] apparaat, toestel; hulpmiddelen, uitrusting; organen
apparent [ə'pæ-, ə'pεərənt] blijkbaar, klaarblijkelijk, kennelijk; *be ~ from* blijken uit
apparition [æpə'riʃən] (geest)verschijning, spook
appeal [ə'pi:l] I *ww* appelleren, in beroep gaan (tegen; *ook: against*); *~ to* zich beroepen op; een beroep doen op; smeken *(~ing look)*; aanlokken, aantrekken *(her beauty ~ed to him)*; II *zn* appel, (recht van) beroep; aantrekkingskracht *(fig)*; smeking, smeekbede; actie, het boeien (boek); **appealing** [-iŋ] aantrekkelijk; aandoenlijk
appear [ə'piə] (ver)schijnen; optreden *(as Hamlet)*; blijken, lijken; **appearance** [ə'piərəns] verschijning; voorkomen; schijn; verschijnsel; optreden; *to all ~* naar alle schijn, naar het zich laat aanzien; *~s are deceptive* schijn bedriegt; *keep up (save) ~s* de schijn ophouden

appease [ə'pi:z] stillen, bedaren, sussen
append [ə'pend] (aan)hechten, (bij)voegen, laten volgen; **appendicitis** [əˌpendi'saitis] id., blindedarmontsteking
appertain [æpə'tein] behoren (*to* aan, tot); betrekking hebben (*to* op)
appetite ['æpitait] eetlust, begeerte (*for* naar); (*Belg*) goesting (*eetlust*); **appetizer** ['æpitaizə] voorgerecht, aperitief; **appetizing** ['æpitaiziŋ] de eetlust opwekkend; appetijtelijk, smakelijk
applaud [ə'plɔ:d] toejuichen (*ook fig*), applaudisseren; **applause** [ə'plɔ:z] toejuiching, applaus
apple ['æpl] appel; **applecart**: *upset a p.'s ~* iems plannen doorkruisen; **apple-dumpling** appelbol; **apple-pie** appeltaart; *in ~ order* tot in de puntjes verzorgd; volmaakt in orde
appliance [ə'plaiəns] middel, toestel, apparaat
applicable ['æplikəbl] toepasselijk (*to* op); doelmatig; **applicant** ['æplikənt] sollicitant; **application** [ˌæpli'keiʃən] *a*) aanbrenging, toepassing; *b*) ijver, toewijding (*~ to business*); *c*) aanvraag (*on ~*), sollicitatie, inschrijving; *d*) smeerseltje; *put in an ~* solliciteren; **application-form** aangifte-, sollicitatieformulier
apply [ə'plai] brengen, leggen, zetten (*to* aan, bij, op, tot); aanbrengen, toepassen (*to* op); gebruiken (*one's energies*), aanleggen (*a standard* maatstaf); van toepassing zijn, gelden; zich wenden (*to* tot); solliciteren (*for* naar); in-, opleggen, appliqueren; *~ for, ook:* aanvragen; inschrijven op; *~ o.s. to* zich toeleggen op; entameren, aanpakken; *~ within* hier te bevragen
appoint [ə'pɔint] vaststellen, bestemmen, voorschrijven; benoemen (tot); bescheiden, bestellen (*a p.*); **appointee** [əpɔin'ti:] *a*) benoemde; *b*) kandidaat; **appointment** [ə'pɔintmənt] aanstelling; ambt; afspraak; voorschrift; beschikking; inrichting, uitrusting (*gew mv*); *by ~* volgens afspraak; *by ~* (*to H.M. the Queen*) hofleverancier
appraisal [ə'preizəl] schatting, waardering, taxatie; **appraise** [ə'preiz] schatten, taxeren (*at* op); waarderen; opnemen (*a p.*)
appreciable [ə'pri:ʃəbl] merkbaar; **appreciate** [ə'pri:ʃieit] (naar waarde) schatten, beoordelen; beseffen, begrijpen; waarderen, gevoelig zijn voor, op prijs stellen; verhogen (stijgen) in prijs of koers; **appreciation** [əˌpri:ʃi'eiʃən] waardering, beoordeling; verhoging, stijging; **appreciative** [ə'pri:ʃiətiv] waarderend; gevoelig (*of* voor)
apprehend [æpri'hend] gevangen nemen; (be)vatten, aanvoelen, begrijpen; vrezen; **apprehension** [æpri'henʃən] *a*) bevatting(svermogen); *b*) begrip; *c*) inhechtenisneming; *d*) vrees; **apprehensive** [æpri'hensiv] *a*) bevreesd (*of* voor), bezorgd (*for* voor); *b*) bevattelijk
apprentice [ə'prentis] I *zn* leerjongen; (*Belg*) leergast; II *ww* in de leer doen (*to* bij); **apprenticeship** leer(tijd)
approach [ə'prəutʃ] I *ww* naderen, nabij komen (= *~ to*); nader komen (tot), benaderen; zich wenden tot; polsen (*a p. on s.t.*); aanpakken (*a problem, a task*); nader brengen; II *zn* (toe)nadering, het ...; toegang(sweg); (*luchtv*) aanvliegroute; oprit; inleiding; benadering (*~ to a problem*)
approbation [əprə'beiʃən] goedkeuring
appropriate I *ww* [ə'prəuprieit] zich toeëigenen (ook: *~ to o.s.*); trekken (*to* aan); bestemmen, aanwenden, uittrekken (*funds*) (*to, for* voor); aan-, toewijzen, toestaan; II *bn* [ə'prəupriit] geschikt (*to, for* voor), passend; eigen (*to* aan)
approval [ə'pru:vl] goedkeuring; *on ~* op zicht; **approve** [ə'pru:v] goedkeuren (meer gew.: *~ of*)
approximate I *ww* [ə'prɔksimeit] nader komen (brengen), (be)naderen, nabijkomen (= *~ to*); II *bn* [-mit] naderend; dicht bijeen; benaderd, ten naaste bij juist; **approximately** bij benadering, circa, plusminus, ongeveer; **approximation** [əˌprɔksi'meiʃən] benadering; *by ~* bij benadering
April ['eiprəl] april; *~ fool's day* 1 april
apron ['eiprən] schort; voorschoot; (*vliegveld*) platform
apt [æpt] gepast, geschikt, doelmatig; geneigd; bekwaam, vlug (*at* in); juist, ad rem; **aptitude** ['æptitju:d] geschiktheid, enz. (zie *apt*); neiging; aanleg; **aptly** zie *apt*
aquatics watersport
aqueduct ['ækwidʌkt] waterleiding, aquaduct
Arabia [ə'reibjə] Arabië; **Arabian** I *bn* Arabisch; *the ~ Nights* de Duizend en Een Nacht; II *zn* Arabier; **Arabic** ['ærəbik] Arabisch
arable ['ærəbl] bebouwbaar, bouw... (*land*)
arbiter ['ɑ:bitə] scheidsrechter; **arbitrary** ['ɑ:bitrəri] willekeurig, eigenmachtig; **arbitrate** ['ɑ:bitreit] *a*) (scheidsrechterlijk) beslissen; *b*) als scheidsrechter optreden; **arbi'tration**arbitrage; scheidsrechterlijke beslissing; *board of ~* geschillencommissie; **arbi'tration-board**scheidsgerecht; **'arbitrator** scheidsrechter
arbour ['ɑ:bə] prieel
arc [ɑ:k] (cirkel)boog; **arcade** [ɑ:'keid] id: *a*) overwelfde gang; *b*) overdekte winkelgalerij; **arcaded** overwelfd
1 arch [ɑ:tʃ] I *zn* boog, gewelf; II *ww* (zich) welven, (over)welven
2 arch [ɑ:tʃ] schalks, snaaks
archaeologic(al) [ˌɑ:kiə'lɔdʒik(l)] archeologisch, oudheidkundig; **archaeologist** [ɑ:ki'ɔlədʒist] archeoloog, oudheidkundige; **archaeology** [ɑ:ki'ɔlədʒi] archeologie
archaic [ɑ:'keiik] verouderd, archaïsch; **archaism** ['ɑ:keiizm] verouderd(e) woord (uitdrukking), archaïsme
archangel ['ɑ:k(')ein(d)ʒəl] aartsengel
archbishop [(')ɑ:tʃ'biʃəp] aartsbisschop
arch-enemy ['ɑ:tʃ'enimi] aartsvijand
archer ['ɑ:tʃə] boogschutter; **archery** [-ri] het boogschieten; boogschutters(wapens)

archipelago [ɑ:ki'peləgəu] archipel
architect ['ɑ:kitekt] id., bouwmeester; **architectural** [ɑ:ki'tektʃərəl] bouwkundig, architectonisch; '**architecture** [-ʃə] bouwkunde, -stijl
archive ['ɑ:kaiv] archief(stuk)
archway ['ɑ:tʃwei] overwelfde (in)gang, poort
arctic ['ɑ:ktik] I *bn* noordelijk, noord..., noordpool..., arctisch; II *zn A~: a)* (Noord)-poolgebied; *b) A~ Ocean* N IJszee
ardent ['ɑ:dənt] heet, brandend, vurig; **ardour** ['ɑ:də] hitte, vuur, gloed, ijver
arduous ['ɑ:djuəs] steil; zwaar, moeilijk; ingespannen
area ['εəriə] (open) ruimte; oppervlak(te); gebied, terrein; omvang; '**area-code** (*Am*) netnummer
arena [ə'ri:nə] arena, strijdperk, gebied
arguable ['ɑ:gjuəbl] aantoonbaar, bewijsbaar; betwistbaar; *it is ~ that, ook:* men kan beweren (wel zeggen) ...; **arguably** [-bli] aantoonbaar, aanwijsbaar, men kan wel zeggen (*the best*); **argue** ['ɑ:gju:] (be)redeneren, (rede-)twisten, debatteren; tegenspreken (*don't ~*); beweren, betogen; aanvoeren; bewijzen; **argument** ['ɑ:gjumənt] id., bewijs(grond); betoog; redenering; (onderwerp van) discussie; woordentwist; korte inhoud van een boek; **argumentation** [ˌɑ:gjumen'teiʃən] bewijsvoering; discussie
arid ['ærid] droog, dor, onvruchtbaar; **aridity** [ə'riditi] droogte, dorheid, onvruchtbaarheid
aright [ə'rait] juist, goed
arise [ə'raiz] ontstaan, zich voordoen, voortkomen (*from* uit); *that point does not ~ now* is nu niet aan de orde
aristocracy [æris'tɔkrəsi] aristocratie; **aristocrat** ['æristəkræt] aristocraat; **aristocratic(al)** [ˌæristə'krætik(l)] aristocratisch
arithmetic [ə'riθmətik] rekenkunde; becijfering; **arithmetic(al)** [æriθ'metik(l)] rekenkundig
arm [ɑ:m] I *zn* **1** arm; tak; *keep at ~'s length* op een afstand houden; **2** wapen; geweer (als in: *present ~s!*); *~s: a)* wapenen; *b)* (familie)wapen; *~ in ~* id., gearmd; *coat of ~s* familiewapen; (*up*) *in ~s* onder de wapenen, in het geweer; in opstand, in verzet; *call to ~s* te wapen roepen; *under ~s* onder de w...en; *~s race* bewapeningswedloop; II *ww* (be)wapenen, zich wapenen; *~ed, ook:* met armleuningen; **armament** ['ɑ:məmənt] *a)* krijgstoerusting; *b)* bewapening; *c)* krijgsmacht; *~ factory* wapenfabriek
armchair ['ɑ:m'tʃεə] leuningstoel, armstoel
armed forces [ˌɑ:md 'fɔ:siz] strijdkrachten
armful ['ɑ:mful] armvol; **armhole** armsgat
armistice ['ɑ:mistis] wapenstilstand
armour ['ɑ:mə] I *zn* wapenrusting, harnas, pantser; pantserwagens, tanks; duikerpak; II *ww* pantseren; blinderen (*~ed train*); **armourer** wapensmid, wapenleverancier; **armoury** wapenzaal, rustkamer; arsenaal
arm-pit ['ɑ:mpit] oksel
army ['ɑ:mi] leger; menigte, zwerm; **army-chaplain** veldprediker
aroma [ə'rəumə] id., geur; **aromatic** [ærəu'mætik] aromatisch, geurig(e stof), welriekend (*herbs*)
around [ə'raund] in het rond, rondom, om ... (heen); om en bij (*~ a million*); in de buurt
arouse [ə'rauz] (op)wekken, wakker schudden (worden), aanporren, prikkelen (*sexually*)
arraign [ə'rein] voor een rechtbank roepen, aanklagen
arrange [ə'rein(d)ʒ] (rang)schikken, opstellen; regelen, in orde (tot stand) brengen, beleggen (*a meeting*); bijleggen; afspreken; het eens worden, maatregelen treffen; (*muz*) arrangeren; *I'll ~ for her to come* ik zal zorgen, dat ...; **arrangement** regeling, (rang)schikking, opstelling; inrichting; afspraak, akkoord; (*muz*) arrangement
arrant ['ærənt] doortrapt, aarts..., door en door; *~ nonsense* klinkklare onzin
array [ə'rei] I *zn* rij, reeks; (slag)orde; II *ww* (in slagorde) opstellen, scharen
arrear [ə'riə] achterstand, achterstallige schuld (*gew mv*); *be in ~* ten achter zijn (*of* bij)
arrest [ə'rest] I *ww* tegenhouden, stuiten; aanhouden, arresteren; boeien (*the attention*), aantrekken, 'pakken'; beslag leggen op; II *zn* stilstand (*of growth*); beteugeling; beslag-, inhechtenisneming, arrest(atie); *place under ~* arresteren; **arresting** [-iv] boeiend, de aandacht trekkend; treffend
arrival [ə'raivəl] *a)* (aan)komst; *b)* aangekomene; (*fam*) jonggeborene (= *new ~*); binnengekomen schip, enz.; **arrive** [ə'raiv] (aan)-komen; (*fam*) naam (fortuin) maken; *~ at,* (*fig*) bereiken, komen tot
arrogance ['ærəgəns] verwaandheid, arrogantie; **arrogant** ['ærəgənt] id., aanmatigend
arrow ['ærəu] pijl; '**arrow-head** pijlspits
arse [ɑ:s] (*volkstaal*) aars, gat, kont
arsenal ['ɑ:sinl] arsenaal, wapenopslagplaats
arson ['ɑ:sn] (opzettelijke) brandstichting
art [ɑ:t] kunst; schilderkunst; kunstgreep; geslepenheid, list; gekunsteldheid; bedrijf; *~ gallery* schilderijenmuseum; *Faculty of Arts* Faculteit der Letteren; *~s and crafts* handvaardigheid (als vak op school); **art-dealer** kunsthandelaar
artery ['ɑ:təri] slagader; (*fig*) hoofdverkeersader
artful ['ɑ:tf(u)l] *a)* geslepen, listig, goochem; *b)* kunstig, slim en handig
art-history [ɑ:t'histəri] kunstgeschiedenis
arthritis [ɑ:'θraitis] artritis: gewrichtsontsteking; jicht; gewrichtsreumatiek
article ['ɑ:tikl] I *zn* artikel; lidwoord; *~s contract*; *~ of faith* geloofsartikel; *the genuine ~* je ware; II *ww* in de leer doen (*to* bij); een aanklacht indienen; inbrengen (*against* tegen); aanklagen

articulate I *bn* [ɑ:'tikjulit] zich gemakkelijk uitdrukkend; gearticuleerd; II *ww* [-leit] duidelijk (uit)spreken, articuleren; verwoorden; **articulation** [ɑ:ˌtikju'leiʃən] articulatie
artifice ['ɑ:tifis] kunst(greep), list(igheid); **artificial** [ɑ:ti'fiʃəl] kunstmatig; gekunsteld; kunst... (*teeth*)
artillery [ɑ:'tiləri] artillerie, geschut
artisan [ɑ:ti'zæn] handwerksman
artist ['ɑ:tist] kunstenaar(-ares); schilder(es), tekenaar(-ares); **artiste** [ɑ:'ti:st] (circus-, variété-)artiest; **artistic(al)** [ɑ:'tistik(l)] artistiek; **artistry** kunstenaarstalent
artless ['ɑ:tlis] argeloos, naïef, ongekunsteld
artwork ['ɑ:twɜ:k] illustraties voor boek e.d.
arty ['ɑ:ti] (*fam*) quasi-artistiek
as [æz], zwak betoond [əz, z] I *bw en vw* zo, even(als), (zo)als, gelijk; terwijl, toen; daar, omdat (~ *you aren't ready, I'll go alone*); naarmate, naar gelang; *do* ~ *you like* doe zoals je wilt; ~ *heavy* ~ *gold* zo zwaar als goud; *not so heavy* ~ niet zo zwaar als; ~ *against,* ~ *opposed to* tegen(over); ~ *for,* ~ *to,* ~ *regards* wat betreft; ~ *from* (*Am* ~ *of*) met ingang van; ~ *per* volgens; ~ *soon* ~ zodra; ~ *if,* ~ *though* alsof; *it isn't* ~ *if* (~ *though*) *her father wasn't here* (~ *if she was a beauty*) het zou wat anders zijn als ...; niet dat ...; ~ *yet* (voor-)alsnog; nog; *young* (*Am:* ~ *young*) ~ *I am* al ben ik jong; *he mopped his face* ~ *he went* onder het lopen; II *vnw: such* ~ zoals ... (*in opsommingen*)
ascend [ə'send] (op)klimmen, omhooggaan, (op)stijgen, zich verheffen; opgaan, beklimmen; **ascendancy** [-ənsi] overwicht, (overheersende) invloed; bovenliggende groep (partij); *have an* (*the*) ~ *over* overwicht hebben op; **ascendant** [-ənt] opklimmend, stijgend; **ascension** [ə'senʃən] (be)stijging, hemelvaart; *A~ Day* Hemelvaartsdag; **ascent** [ə-, æ'sent] beklimming, bestijging (zie *ascend*); opkomst; opgang, (opgaande) helling
ascertain [æsə'tein] zich vergewissen van, vaststellen, komen achter; **ascertainable** vast te stellen
ascribe [əs'kraib] toeschrijven, -kennen
aseptic [æ-, ei'septik] aseptisch, steriel; ~ *gauze* verbandgaas
asexual [æ-, ei'seksjuəl] geslachtloos
1 ash [æʃ] es; essehout(en)
2 ash [æʃ], **ashes** [-iz] as
ashamed [ə'ʃeimd] beschaamd; *be* (*feel*) *ashamed* zich schamen (*of* over; *for* voor)
ashore [ə'ʃɔ:] *a*) aan land, aan wal; *b*) op het strand, gestrand; *run* ~ (doen) stranden
ash-tray ['æʃtrei] asbakje
aside [ə'said] I *bw* ter zijde, op zij, opzij (*lay* ~), zijdelings; ~ *from,* (*Am*) afgescheiden (afgezien) van; *set* ~ opzij leggen (*geld*); II *zn* terzijde: woorden van acteur, niet voor medespelers, maar voor publiek bestemd; terloopse opmerking
ask [ɑ:sk] vragen, verzoeken, verlangen, uitnodigen; opgeven (*a riddle*); ~ *a question* een vraag doen; interpelleren; *it seems a lot to* ~ veel gevraagd; ~ *for* vragen om; ~ *for trouble* (*for it*) moeilijkheden (het) uitlokken; ~ *for nothing better* niets liever willen; ~ *a p. in* vragen binnen te komen; ~ *s.t. of a p.* iem iets vragen; ~ *off* vrij vragen; ~ *out* uitvragen
askance [əs'kɑ:ns] schuin(s), van terzijde
askew [əs'kju:] schuin(s), scheef; minachtend
aslant [ə'slɑ:nt] I *bw* schuin; II *vz* dwars over
asleep [ə'sli:p] in slaap; ter ruste
asparagus [əs'pærəgəs] asperge
aspect ['æspekt] id.; gezicht(spunt), oogpunt; zijde, kant (*of a question*); ligging; uitzicht, aanblik, gelaat(suitdrukking), voorkomen
aspen ['æspən] espeboom, ratelpopulier; espen, espehouten
asperity [æs'periti] ruwheid, scherpheid
aspirant [əs'paiərənt, 'æspirənt] id., kandidaat
aspiration [æspə'reiʃən] aspiratie, streven; **aspire** [əs'paiə] streven, trachten, dingen, verlangen (*after, at, to* naar); *aspiring, ook:* eerzuchtig
ass [æs] ezel; *make an* ~ *of* belachelijk maken
assail [ə'seil] aanvallen, -tasten, bestormen
assassin [ə'sæsin] (sluip)moordenaar; **assassinate** [-eit] vermoorden; **assassination** [əˌsæsi'neiʃən] (sluip)moord
assault [ə'sɔ(:)lt] I *ww* aanvallen, bestormen, aanranden; II *zn* aanval, bestorming, aanranding; *indecent* ~ zedendelict
assemblage [ə'semblidʒ] id. (samenvoegen van onderdelen); verzameling; vergadering; **assemble** [ə'sembl] (zich) verzamelen; samenbrengen, -voegen, -komen, in elkaar zetten, monteren; vergaderen; **assembly** [ə'sembli] verzameling, bijeenkomst, samenscholing; partij; vergadering; **assembly-kit** bouwpakket; **assembly line** lopende band, montageband; **assemblyroom** (feest)zaal, aula
assent [ə'sent] I *ww* instemmen (*to* met), toestemmen; ~ *to it* het toestemmen, -geven; II *zn* in -, toestemming, goedkeuring
assert [ə'sə:t] beweren, verklaren; laten gelden (*one's influence, o.s.*); handhaven; opkomen voor (*one's rights*); **assertion** [ə'sə:ʃən] bewering, verklaring, het ...; **assertive** stellig; bevestigend; zelfbewust
assess [ə'ses] belasten, aanslaan (*in, at £6,* voor ...), beboeten; taxeren, schatten (*at* op), beoordelen (*the situation*); **assessment** [-mənt] schatting, beoordeling, taxatie; **assessor** [-ə] *a*) id., bijzitter; *b*) schatter, schade-expert (*insurance company* ~)
asset ['æset] creditpost; (*fig*) voordeel, goed, bezit (*a valuable* ~), stuk van waarde, aanwinst; ~*s* activa; bedrijfsmiddelen
assiduity [æsi'djuiti] (onverdroten) ijver; **assiduous** [ə'sidjuəs] volhardend, ijverig
assign [ə'sain] toe-, aanwijzen; indelen (*to* bij);

overdragen; bepalen; aanvoeren; toeschrijven; **assignation** [æsig'neiʃən] afspraak, rendez-vous; **assignment** [ə'sainmənt] opdracht, taak; huiswerk
assimilate [ə'simileit] (zich) assimileren; opnemen; verwerken; opgenomen worden; **assimilation** [əˌsimi'leiʃən] assimilatie
assist [ə'sist] helpen, bijstaan, assisteren; ~ *in* meewerken tot (in); **assistance** [-əns] hulp, bijstand, assistentie; **assistant** I *bn* behulpzaam, hulp...; II *zn* helper, hulp(middel), bediende, assistent, adjunct
assize [ə'saiz] rechtszitting, -zaak; (*gew ~s, tot 1971*) periodieke zittingen der rondgaande rechters (nu *Crown Courts*)
associate [ə'səuʃiit] I *bn* verenigd, verbonden, verwant; begeleidend; mede...; II *zn* bond-, deelgenoot; metgezel, kameraad, medeplichtige; collega, assistent; lid van genootschap (lager in rang dan *Member* of *Fellow*); begeleidend iets; III *ww* [ə'səuʃieit] (zich) verenigen, verbinden, associëren; omgaan (*with* met); ~ *o.s. with, ook:* zich aansluiten bij; **association** [əˌsəusi'eiʃən] vereniging, genootschap; omgang, associatie, traditie; **association-football** (= *soccer*) voetbal
assorted [ə'sɔ:tid] gemengd, gesorteerd; **assortment** [ə'sɔ:tmənt] sortering, assortiment
assuage [ə'sweidʒ] verzachten, lenigen, stillen, lessen, bevredigen, doen bedaren
assume [ə'sju:m] aan-, opnemen; aantrekken; voorwenden; zich aanmatigen; **assumedly** [-idli] vermoedelijk; **assuming** aanmatigend; **assumption** [ə'sʌm(p)ʃən] (ver)onderstelling; aangenomen vorm; rol; aanmatiging
assurance [ə'ʃuərəns] verzekering, zekerheid; zelfvertrouwen, driestheid; onbeschaamdheid; **assure** [ə'ʃuə] verzekeren; overtuigen; assureren; ~ *oneself* zich vergewissen; **assured** zelfverzekerd, zelfbewust; zeker; **assuredly** [-ridli] zeker
asterisk ['æstərisk] sterretje (*)
astern [ə'stə:n, ə'stɑ:n] (*scheepv*) achter(uit); ~ *of* achter; *drop* (*fall*) ~ achter raken
asteroid ['æstərɔid] kleine planeet
asthma ['æsmə] astma
astonish [əs'tɔniʃ] verbazen; *be ~ed* zich verbazen (*at* over); **astonishing** verbazingwekkend; **astonishment** verbazing
astound [əs'taund] ontzetten, verbazen; **astounding** [-iŋ] verbazingwekkend, ontzettend
astral ['æstrəl] astraal, sterren-
astray [ə'strei] verdwaald; op een dwaalspoor, op het verkeerde pad; *be far ~, ook:* het geheel mis hebben; *go* ~ verdwalen; *lead* ~ op een dwaalspoor (het verkeerde pad) brengen
astride [ə'straid] schrijlings (op); ~ *of* schrijlings op (*a chair*), aan weerszijden van
astringent [əs'trin(d)ʒənt] I *bn* stelpend, streng, scherp; II *zn* stelpend middel
astrologer [əs'trɔlədʒə] astroloog, sterrenwichelaar; **astrology** [əs'trɔlədʒi] astrologie
astronaut ['æstrənɔ:t] id., ruimtevaarder
astronomer [əs'trɔnəmə] sterrenkundige; **astronomical** [æstrə'nɔmik(l)] sterrenkundig, astronomisch (*ook fig*); **astronomy** [əs'trɔnəmi] sterrenkunde
astute [əs'tju:t] slim, sluw, geslepen
asylum [ə'sailəm] asiel, vrijplaats, toevluchtsoord; (*lunatic*) ~ krankzinnigengesticht; *right of* ~ asielrecht
at [æt, ət] aan (~ *breakfast*), op (~ *school*, ~ *sea*; ~ *70 years of age; aim* ~), in (~ *Bath*, ~ *a shop*, *the lines meet* ~ *the point P*), bij (~ *my uncle's*, ~ *the sight of*), met (~ *full speed*, ~ *a glance*), om (~ *six o'clock, laugh* ~), tegen (~ *a low price; swore* ~ *him*), naar (*look, point* ~), te (~ *Bath*); ~ *5p. each*, à; *not* ~ *all* helemaal niet, *he is always* ~ *me, ook:* moet mij altijd hebben; ~ *home* thuis; *who has been* ~ *my jam?* heeft gesnoept van, heeft aan ... gezeten; *cheap* ~ *the money* voor; ~ *once* onmiddellijk; *a shoemaker, and a poor one* ~ *that* en dat nog wel, en bovendien, en ook nog
athlete ['æθli:t] atleet; **athletic** [æθ'letik] atletisch
atmosphere ['ætməsfiə] dampkring, atmosfeer, (*fig ook*) sfeer; *the book has* ~ iets karakteristieks; *create an* ~, (*fig*) stemming maken
atom ['ætəm] atoom, stofje, greintje; **atomize** ['ætəmaiz] verstuiven; (*fig*) verkleinen; **atomizer** sproeier, verstuiver
atone [ə'təun] *a*) boeten; *b*) goedmaken (gew.: ~ *for*); **atonement** [-mənt] verzoening, boete-(doening); vergoeding
atop [ə'tɔp] boven; boven op (= ~ *of*)
atrocious [ə'trəuʃəs] afgrijselijk, gruwelijk; **atrocity** [ə'trɔsiti] wreedheid, gruwel
attach [ə'tætʃ] vastmaken, (aan zich, aan)-hechten; aansluiten; toekennen (*importance, significance to* ... aan); verbonden zijn (*to* aan); aankleven; in hechtenis (in beslag) nemen; detacheren (*to another arm* bij ...); *no blame ~es to him* hem treft geen blaam; *~ed, ook:* aan elkaar gehecht
attaché case [ə'tæʃikeis] diplomatenkoffertje
attachment [ə'tætʃmənt] aanhechting, toekenning, verbinding; relatie; beslag(legging); aanhangsel; hulpstuk (*bij apparaat*); aanhankelijkheid
attack [ə'tæk] I *ww* aanvallen (op), aantasten, -pakken, attaqueren; II *zn* aanval; aanslag (*on* op); *be under* ~, (*fam*) aan kritiek blootstaan, op de tocht staan; **attacker** [-ə] aanvaller
attain [ə'tein] bereiken, verkrijgen; ~ *success* hebben; ~ *to* bereiken, komen tot; **at'tainable** [-əbl] bereikbaar
attempt [ə'tem(p)t] I *ww* pogen, beproeven; ondernemen; aanvallen; een aanslag doen op (*a p.'s life*); *~ed murder* poging tot moord; II *zn* poging; aanslag
attend [ə'tend] opletten, luisteren; behandelen (*a patient*); verplegen, oppassen, bedienen;

vergezellen, begeleiden, gepaard gaan met; bezoeken (*church*); bijwonen; verschijnen, aanwezig zijn; zich toeleggen op, aandacht besteden aan; bedienen (*a customer*); passen op (*the door*); ~ (*up*)*on* bedienen; begeleiden; zijn opwachting maken bij; **attendance** [ə'tendəns] dienst; bediening, verzorging; opwachting; behandeling; opkomst, bezoek(ersaantal); gevolg; bedienden; tegenwoordigheid; *be in* ~ aanwezig zijn; **attendant** [ə'tendənt] I *bn* aanwezig; bedienend (ook: ~ *on*), begeleidend (ook: ~ *on*), gepaard gaand (*on* met); bijkomend (*circumstances*); II *zn* bediende, oppasser; suppoost; begeleider, volgeling; lid van het gevolg; bezoeker; **attention** [ə'tenʃən] aandacht, oplettendheid, attentie, beleefdheid; *call* (*draw*) ~ *to* attenderen op; *pay* ~ opletten; *stand to* (*at*) *attention* in de houding staan; *for the* ~ *of* ter attentie van; **attentive** [ə'tentiv] oplettend; attent, voorkomend, gedienstig

attenuate [ə'tenjueit] verminderen, verzachten

attest [ə'test] getuigen van (ook: ~ *to*), verklaren, betuigen, bevestigen, staven; keuren; beëdigen

attic ['ætik] dakkamertje, vliering

attire [ə'taiə] I *ww* kleden, uitdossen, tooien; II *zn* kleding, tooi, dos, opschik

attitude ['ætitju:d] houding; stellingname (*to* t.o.v.)

attorney [ə'tə:ni] procureur; gevolmachtigde; zaakwaarnemer; (*Am*) advocaat

attract [ə'trækt] aantrekken, (tot zich) trekken, lokken, boeien; **attraction** [ə'trækʃən] aantrekking(skracht), bekoring, attractie, trekpleister; **attractive** [-iv] aantrekkelijk

attribute I *zn* ['ætribju:t] eigenschap, kenmerk, attribuut; bijvoeglijke bepaling; II *ww* [ə'tribju:t] toeschrijven (*to the 14th century* aan)

attrition [ə'triʃən] wrijving, (af)schuring, afschaving, afslijting; *war of* ~ uitputtingsoorlog

attune [ə'tju:n] in overeenstemming brengen (*to* met), aanpassen aan

auburn ['ɔ:bə(:)n] kastanjebruin, roodbruin

auction ['ɔ(:)kʃən] I *zn* veiling, openbare verkoop, verkoping; II *ww* veilen (ook: ~ *off*); **auctioneer** [ɔ(:)kʃə'niə] veilingmeester; ~(*s*) veilinghuis

audacious [ɔ:'deiʃəs] vermetel; onbeschaamd; **audacity** [ɔ:'dæsiti] vermetelheid, onbeschaamdheid

audible ['ɔ:dəbl] hoorbaar; **audience** ['ɔ:djəns] gehoor; audiëntie; (toe)hoorders, lezers; (*in schouwburg*) toeschouwers, publiek; *give* ~ *to* aanhoren, audiëntie verlenen

audio ['ɔ:diəu] id.; **audio-'frequency** hoorbare frequentie; **'audio-'visual** audio-visueel

audit ['ɔ:dit] I *zn* nazien der rekeningen, controle, verificatie, accountantsverslag; rekenschap; II *ww* nazien, controleren, verifiëren

audition [ɔ:'diʃən] I *zn* gehoor(vermogen); (*theat, enz.*) auditie, proef van aspirant-zanger, -declamator, enz.; II *ww* een auditie geven

auditor ['ɔ:ditə] accountant

auditorium [ɔ:di'tɔ:riəm] (schouwburg-, theater)zaal, aula

augment [ɔ:g'ment] vermeerderen, vergroten, toenemen

augury ['ɔ:gjuri] voorspelling; voorteken

august [ɔ:'gʌst] groots, verheven, doorluchtig

August ['ɔ:gəst] augustus

aunt [ɑ:nt] tante

aural ['ɔ:rəl] oor…; gehoor…

auspice ['ɔ:spis] voorspelling; voorteken (*under favourable* ~*s*); *under the* ~*s of* onder de auspiciën (bescherming) van; **auspicious** [ɔ:s'piʃəs] gunstig (gezind); voorspoedig; veelbelovend

austere [ɔ(:)s'tiə] streng, nors, grimmig; streng-eenvoudig, sober, strikt; **austerity** [ɔ:s'teriti] strengheid, grimmigheid; soberheid, versobering

Australia [ɔ(:)s'treiljə] Australië

Austria ['ɔ(:)striə] Oostenrijk; **Austrian** *bn* …s

authentic [ɔ:'θentik] authentiek, echt; **authenticate** [-eit] verifiëren, staven, legaliseren, bekrachtigen; de echtheid bewijzen van; **authenticity** [ɔ:θen'tisiti] echtheid

author ['ɔ:θə] I *zn* schepper, bedrijver, dader; auteur, schrijver, schrijfster; II *ww* de auteur zijn van (*a book*); **authoress** schrijfster

authoritarian [ɔ:ˌθɔri'tɛəriən] I *bn* autoritair; II *zn* streng gezagsman; **authoritative** [ɔ(:)'θɔritətiv] gebiedend, autoritair; gezaghebbend; **authority** [ɔ(:)'θɔriti] autoriteit; gezag, macht; gezagsorgaan; bron; machtiging; **authorization** [ˌɔ:θərai'zeiʃən] autorisatie, volmacht, machtiging; **'authorize** [-raiz] autoriseren, machtigen, bekrachtigen, rechtvaardigen; *A~d Version* officiële Engelse bijbelvertaling (1611)

autobiographer [ˌɔ:təubai'ɔgrəfə] autobiograaf; **autobiography** [-bai'ɔgrəfi] autobiografie

autograph ['ɔ:təgrɑ:f, -æf] I *zn* eigen (hand)schrift (handtekening), eigenhandig geschreven brief (= ~ *letter*), enz.; II *ww* eigenhandig tekenen

automat ['ɔ:təmæt] (*Am*) automaat; **automate** ['ɔ:təmeit] automatiseren; **automatic** [ɔ:tə'mætik] I *bn* automatisch, werktuiglijk; II *zn* automatisch pistool, enz.; **automatism** [ɔ:'tɔmətizm] het werktuiglijk handelen, routine, sleur; **automaton** [ɔ:'tɔmətən] automaat

automobile ['ɔ:təməbi:l] (inz. Am) auto(mobiel)

autonomous [ɔ:'tɔnəməs] autonoom, naar eigen wetten bestuurd; **autonomy** [ɔ:'tɔnəmi] autonomie: recht zijn eigen wetten te maken

autopsy ['ɔ:təpsi, 'ɔ:tɔpsi] lijkschouwing

autumn ['ɔ:təm] herfst; **autumnal** [ɔ:'tʌmnəl] herfst…, herfstig

auxiliary [ɔ:g'ziljəri] I *bn* hulp…, behulpzaam;

II *zn* helper, bondgenoot; hulpww; hulpmiddel
avail [ə'veil] I *ww* baten; ~ *o.s. of* gebruik maken van; *if space ~ed* als de ruimte het toeliet; II *zn* baat, hulp, nut; *of no ~, without ~* vruchteloos; **availability** [əˌveilə'biliti] beschik-, bruikbaarheid; **a'vailable** [-əbl] beschik-, bruikbaar; geldig (*~ for three days*); *is Miss S. ~?* kan ik ... even spreken?
avalanche ['ævəla:n(t)ʃ] lawine
avarice ['ævəris] gierigheid, hebzucht; **avaricious** [ævə'riʃəs] gierig, hebzuchtig
avenge [ə'ven(d)ʒ] wreken; *be ~d* zich wreken (*on* op); **avenger** [-ə] wreker
avenue ['ævinju:] toegang, (oprij)laan; (*Am*) brede straat; (*fig*) weg (*block the ~ to peace*); (*Belg*) lei
aver [ə'və:] betuigen, verzekeren, beweren
average ['ævəridʒ] I *zn* gemiddelde; (*up*)*on an* (*the*) ~ gemiddeld; II *bn* gemiddeld (*the ~ man, price*); III *ww: a*) het gemiddelde nemen van, schatten, opnemen (*a p.*); *b*) gemiddeld bedragen (halen, doen, wegen, verdienen, schieten, enz.)
averse [ə'və:s] afkerig (*to, from* van); **aversion** [ə'və:ʃən] afkeer, tegenzin, antipathie, aversie; **avert** [ə'və:t] afwenden, vermijden (= voorkómen dat iets gebeurt); afkeren
aviary ['eiviəri] volière
aviation [eivi'eiʃən] luchtvaart (*civil ~*)
avid ['ævid] gretig, begerig (*of, for* naar)
avoid [ə'vɔid] (ver)mijden; *he could not ~ doing it* moest wel; **avoidable** [-əbl] vermijdbaar; **avoidance** [-əns] vermijding
avow [ə'vau] belijden, erkennen, (openlijk) bekennen; **avowal** [-əl] bekentenis, belijdenis; **avowed** [ə'vaud] verklaard, oprecht
avuncular [ə'vʌŋkjulə] vaderlijk
await [ə'weit] (af)wachten; (iem) te wachten staan; *~ing your reply* in afwachting van uw antwoord
awake [ə'weik] I *ww: a*) ontwaken, wakker worden; *b*) zich bewust worden (*to* van); *c*) wekken; II *bn* wakker; *~ to the danger* zich bewust van; **awakening** [ə'weikəniŋ] reveil, ontwaken, bewustwording
award [ə'wɔ:d] I *ww* toekennen (*a prize*), toewijzen; beslissen; II *zn* toekenning; bekroning; prijs, toegekende beloning (straf); studiebeurs
aware [ə'wεə] zich bewust, gewaar; *be made ~ of* er opmerkzaam op worden gemaakt dat ...; **awareness** bewustzijn
awash [ə'wɔʃ] overspoeld, vol van
away [ə'wei] *a*) weg, voort; van huis (*his wife was ~*); *~ match* uitwedstrijd; *b*) er op los (*talk ~*)
awe [ɔ:] I *zn* ontzag, eerbied, vrees; *hold* (*keep*) *in ~* met ontzag enz. vervullen; *stand in ~ of* ontzag hebben voor; II *ww* ontzag enz. inboezemen; **awe-inspiring** ontzagwekkend; **awesome** ['ɔ:səm] *a*) eerbiedig; *b*) ontzagwekkend; verschrikkelijk; **awestricken, awestruck** met ontzag vervuld; **awful** ['ɔ:f(u)l] ontzag-, schrikwekkend; (*fam*) ontzaglijk, verschrikkelijk; **awfully** zie *awful; I'm ~* ['ɔ:fli] *sorry* het spijt me vreselijk
awhile [ə'wail] een tijdje
awkward ['ɔ:kwəd] onhandig, lomp; onaangenaam, penibel (*situation*), ongelegen; lastig, gevaarlijk, lelijk; niet op zijn gemak
awning ['ɔ:niŋ] dekzeil, scherm, zonnetent, voortent van caravan, markies; kap, luifel
awry [ə'rai] scheef, schuin; verkeerd
ax(e) [æks] I *zn* bijl; *apply the ~ to s.t.*, (*fig*) het mes erin zetten (ter bezuiniging); *he has an ~ to grind* een zelfzuchtige bijbedoeling; II *ww* (*fam*) (wegens bezuiniging) afschaffen
axis ['æksis] as(lijn), spil; **axle** ['æksl] (draag-) as, spil
ay(e) [ai] (*dialect*) ja; *the ayes have it* de meerderheid is er vóór

B b *b*

B.A. *Bachelor of Arts* (zie *bachelor*)
babble ['bæbl] (*van kleine kinderen*) babbelen, keuvelen; vlug en onverstaanbaar praten
babe [beib] (*scherts*) = *baby;* (*Am*) meisje
baboon [bə'bu:n] baviaan
baby ['beibi] I *zn* zuigeling, kind(je), baby; jong (*van dier*); (*fig*) klein kind; jongste; (*sl*) meisje, liefje; ~ *buggy,* wandelwagentje; II *bn* klein, jong (*elephant*), kinder...; III *ww* als een ~ behandelen; (*Am*) vertroetelen; **baby-sit** ['beibi,sit] op kleine kinderen passen, babysitten; **baby-sitter** oppas, babysit
bachelor ['bætʃələ] *a*) vrijgezel, oude vrijer; *b*) baccalaureus: *ongev* kandidaat, ~ *of arts* = kandidaat in de faculteit vd letteren of sociale wetenschappen; ~ *of Science* in de faculteit vd natuurwetenschappen; *attr dikwijls* ongetrouwd (*uncle*)
back [bæk] I *zn* rug, achterkant, onderkant (*van blad*), keerzijde; rugleuning; achterste deel; achterspeler; ~ *of the neck* nek; ~ *to front* achterstevoren; *turn one's* ~ (*up*)*on* de rug toekeren, in de steek laten, niets willen weten van; ***at*** *the* ~ *of* achter (aan, in, na); *at* (***in***) *the* ~ *of his mind* in zijn binnenste; *he had the people at his* ~ achter zich; *be at the* ~ *of s.t.* ergens achter zitten; *go* ***behind*** *a p.'s* ~ iem achter zijn rug belasteren (bedriegen), achter iems rug om handelen; ***in*** ~ *of,* (*Am*) achter(in); *have a p. on one's* ~ aan de hals hebben; *talk* ***out of*** (of: ***through***) *the* ~ *of one's neck* onzin uitkramen; *he has not a shirt* ***to*** *his* ~ geen hemd aan het lijf; II *bn* achter..., (achter)afgelegen; achterstallig (*rent*); oud (*newspapers*); omgekeerd; tegen...; III *bw* achter(op, -uit), naar achteren; terug; geleden (*some time* ~); ~ *of,* (*Am*) achter; ~ *and forth* (*forward*) heen en weer; *as far* ~ *as* reeds in; *reach far* ~ *into antiquity* ver teruggaan in; IV *ww* van een rug voorzien; bekleden; (rug)steunen, kracht bijzetten aan, bijvallen; vertrouwen op (*one's own intuition, judgment*); wedden op (*a horse*); wedden; (doen) achteruitgaan, -rijden, -schuiven, enz.; krimpen (*van wind*); *he ~ed* ***away*** *from me* hij liep achteruit van mij weg; ~ ***down*** teruggaan, zich terugtrekken, wijken, toegeven, bakzeil halen; ~ *down from* afzien van; ~ ***out*** rugwaarts heengaan; achteruit uitrijden (*he ~ed out of the alley*); (*fig*) = ~ *out of it* terugkrabbelen; ~ *out of a fix* zich uit een moeilijkheid redden; ~ ***up*** steunen; kracht bijzetten (aan); achteruit rijden (~ *her up to the doorway, will you?*)
back-ache rugpijn, pijn in de rug; spit; **backbench** (*Parlement*) elke bank in het Parlement, behalve de voorste; **back-bencher** lid van het Lagerhuis dat geen minister is of leidende rol bij oppositie vervult; **backbite** (be)lasteren; **backbone** ruggegraat; wilskracht, vastheid, 'pit'; **back-down** vgl *back ww*; **back-drop** (*theat*) achterscherm; (*fig*) achtergrond; **backfire** I *zn* terugslag (*van motor*); II *ww* ook ['--] terugslaan; (*fam*) mislopen, een averechtse uitwerking hebben, averechts werken; **background** achtergrond; fond; *in the* ~ op ...; **backing** vgl *back ww;* steun; dekking (*gold* ~); medestanders; **backlash** het terugslippen (van tandrad); speling; reactie, verzet; *the white* ~ verzet van blanken tegen negeremancipatie; **backlog** achterstand, achterstallig werk; **back number** oud nummer; **backpack** *a*) *zn* rugzak; *b*) *ww* trekken met de rugzak; **back-pay(ment)** achterstallige betaling, achterstallig loon; **back-side** achterste, zitvlak; ~ *first* achterstevoren; **backslash** id.; **backslide** afvallig worden, in oude fout vervallen; **back-stage** achter de schermen; **backstreet** achterafstraat; (*bn*) illegaal, 'duister'; **backstroke** terugslag; (*zwemmen*) rugslag; **back-up** steun, reserve, vervanging; (*computer*) kopie ~ *lights,* (*Am*) achteruitrijlampen; **backward** [-wəd] *bn* & *bw* achterwaarts, rugwaarts, achteruit, terug; achterlijk, traag, onwillig; **backwater** achtergebleven gebied, iets dat is achtergebleven; **backwoods** [-wudz] oerwouden, binnenlanden; **backyard** achterplaats(je)
bacon ['beikən] id., spek
bacteria [bæk'tiəriə] bacteriën; **bacterial** [-l] bacterieel, bacterie...; **bacteriological** [bæk,tiəriə'lɔdʒikl] bacteriologisch
bad [bæ(:)d] slecht (*at* in); schadelijk; kwaad, boos; erg; ondeugend; vals (*coin*); bedorven (*air*); ondeugdelijk; pijnlijk (~ *head* hoofdpijn), zwerend (*finger*); naar, onwel, ziek; *it's* ~ *form* ... het is ongepast ...; *he is a* ~ *lot* (*egg, hat*), (*fam*) deugt niet; ~ *luck* pech; ~ *smell* stank; *feel* ~ *about* spijt hebben van; *go* ~ bederven (*van voedsel*); *it's too* ~, (*fam*) het is jammer, maar er is niets aan te doen; **baddy** ['bædi] (*fam*) slechte (kerel), boef, schurk (*film, enz.*)
badge [bædʒ] insigne, distinctief, ken-, ordeteken; penning (*van politie*); speldje (*van club*)
badger ['bædʒə] I *zn* das; II *ww* sarren, pesten
badly ['bædli] zie *bad; I want it* ~ ik heb het hard nodig; wil het o zo graag hebben
baffle ['bæfl] verbijsteren, beschamen (*a p.'s curiosity*); **bafflement** verbijstering; **baffling** verbijsterend, raadselachtig
bag [bæg] I *zn* zak, baal (*of coffee, rice*); tas, weitas; buit; buidel; ~*s,* (*onder de ogen*) wallen, zakken; ~*s of,* (*sl*) een massa, hoop; II *ww* in een zak (zakken) doen, vangen, gappen, inpikken, in de wacht slepen; (doen) zwellen; als een zak hangen of zitten

baggage ['bægidʒ] bagage (*inz. Am, bij douane & van leger*); (*fam*) deern, brutaaltje, 'nest', slet
baggy zakachtig, flodderig (*trousers*); hang... (*cheeks*)
bagpipe ['bægpaip] ook: *~s* doedelzak; **bagpiper** [-ə] doedelzakspeler
bagroom (*Am*) bureau voor gevonden voorwerpen
bail [beil] I *zn* borg (*ook:* borgen), borgtocht; *give* (*put up*) ~ borg stellen; *be* (*become, go, stand*) ~ borg staan (worden); *accept* (*allow, admit to, grant*) ~ (iem) tegen borgtocht vrijlaten; II *ww* 1 *a*) in bewaring geven; *b*) borg blijven voor; *c*) onder borgstelling vrijlaten; ~ *out* door borg te worden de invrijheidstelling bewerken van; 2 hozen; ~ *out* uithozen; (*luchtv*) met parachute in nood uit vliegtuig springen
bailey ['beili] buitenmuur; binnenplein (*van kasteel*); *The Old B~ = the Central Criminal Court* in Londen
bailiff ['beilif] *a*) deurwaarder, gerechtsdienaar; *b*) rentmeester; *c*) (*hist*) schout, baljuw
bairn [bεən] (*Sc*) kind
bait [beit] I *zn* (lok)aas; *take* (*rise to*) *the* ~ (toe)bijten (*ook fig*); II *ww* 1 van aas voorzien, (ver)lokken; 2 sarren, kwellen; ~ *a bull* honden aanhitsen tegen een stier
bake [beik] bakken; **baker** ['beikə] bakker; **bakery** [-ri] bakkerij
balaclava [ˌbælə'klɑ:və] bivakmuts
balance ['bæləns] I *zn* balans, weegschaal; evenwicht, harmonie; tegenwicht; saldo; rest; ~ *in hand* (*in one's favour*) credit saldo; ~ *due* debet saldo; ***off*** (*one's*) ~ uit zijn evenwicht, (geestelijk) van streek; ***on*** ~ per saldo; II *ww* (over)wegen; in evenwicht (harmonie) brengen (houden, zijn); opwegen tegen; weifelen; balanceren; gelijkmaken; sluitend maken (*the budget*); vereffenen (*an account*); ~ *out* evenwicht maken; elkaar compenseren; *~d, ook:* bezadigd; **balance sheet** balans
balcony ['bælkəni] balkon (*in, on the* ~ op ...)
bald [bɔ:ld] I *zn* kaal, naakt (*facts*), onopgesmukt, sober (*statement*); armzalig; met bles (*paard*); *as ~ as a coot* als een biljartbal; II *ww* kalen
bale [beil] I *zn* baal (katoen of hennep); II *ww* in balen (ver)pakken
baleful ['beilf(u)l] noodlottig, verderfelijk, onheilspellend (*eyes*)
balk [bɔ:k] I *ww* verijdelen, teleurstellen, hinderen, ontwijken, missen, laten voorbijgaan, weigeren (*ook van paard*), tegenstribbelen, bezwaren maken (*at* tegen), plotseling blijven steken (staan); II *bn* (= *baulked*) gefrustreerd
ball [bɔ:l] I *zn* 1 bal, balspel (*Am:* honkbal: ~ *field,* ~ *game*); bol (*the earth is a* ~); (kanons)-kogel; prop (*of paper*); kluwen; muis (*van duim*); *~s,* (*plat*) gelul, onzin; *he had the ~ at his feet* had het spel in handen, had een prachtige toekomst; *set the ~ rolling* iets aan de gang brengen, de stoot aan iets geven; 2 bal, danspartij; II *ww* (zich) ballen
ballad ['bæləd] volkslied; langzame popsong
ballast ['bæləst] id. (*ook van spoorw:* grind, enz.), puin; *in* ~ met ballast geladen
ball-bearing [-bεəriŋ] kogellager
ballet ['bælei] id.
ballistic missile [bə'listik 'misəl] raket
balloon [bə'lu:n] ballon; bol; denkwolkje (*in stripverhaal*)
ballot ['bælət] stemballetje, -briefje; geheime (*Am* openbare) stemming (= *voting by* ~); loting; uitgebrachte stemmen; **ballot box** stembus; **ballot paper** stembiljet; (*Belg*) kiesbrief
ballpoint (pen) ballpoint(pen), balpen
ballroom balzaal
balm [bɑ:m] balsem(geur); **balmy** ['bɑ:mi] balsemachtig; verzachtend, zacht, kalmerend
baloney [bə'ləuni] nonsens, flauwekul
bamboo [ˌbæm'bu:] bamboe
bamboozle [bæm'bu:zəl] bedriegen
ban [bæn] I *zn* ban(vloek), vloek; verbod; afkondiging; *put a ~ upon* verbieden; II *ww* verbieden; (*from ...ning* te ...); verbannen
banal [bə'nɑ:l] banaal, niet interessant, alledaags; **banality** [bə'næliti] banaliteit
banana [bə'nɑ:nə] banaan, pisang
band [bænd] I *zn* band, ring, lint, koord, snoer, zwachtel, rand, streep, strook; drijfriem; troep, bende; muziek(korps), (militaire) kapel; dans'band'; vereniging; II *ww* (zich) verenigen (ook: ~ *together*); van een band voorzien; strepen; ringen (*birds*); **bandage** I *zn* verband, zwachtel, blinddoek; II *ww: a*) verbinden; *b*) blinddoeken
bandit ['bændit] bandiet, rover
bandstand muziektent; **bandwagon** muziek-, reclamewagen; *on the* ~, (*fig*) onder de voorsten; *jump on the* (*political*) ~, (*oorspr Am*) zich aansluiten bij de politieke richting die de wind in de zeilen heeft; ~ *man,* (*Am*) meeloper, opportunist
bandy ['bændi] heen en weer slaan (werpen), wisselen (van gedachten, ideeën); bespreken; ~ *about* verspreiden (*a rumour*)
bandy-legged ['bændiˌlegd] met o-benen
bane [bein] vergif; verderf, vloek
bang [bæŋ] I *ww* slaan (~ *p.'s hat in*), stompen, dichtslaan (*a door*), (neer)smakken; ranselen; schallen, knallen, dreunen; II *zn* bons, smak, slag, knal; sensatie; III *bw & tw* paf! klets!; vierkant, vlak (~ *in the face*), pardoes; ~ *on,* (*fam*) precies raak
banger (*sl*) worstje
bangle ['bæŋgl] armring, -band; enkelring
banish ['bæniʃ] verbannen; **banishment** verbanning, ballingschap
bank [bæŋk] I *zn* 1 (zand)bank, aardwal, glooiing, berm, dijk, wal, oever; stapel; 2 bank; II *ww* 1 indammen; inrekenen; (*van*

ban

vliegtuig, auto, enz.) (laten) hellen om lengteas in bocht; (*van weg*) schuin leggen (in bocht); (*van wolken*) zich opstapelen, = ~ *up* (zich) ophopen; indammen; steunen; 2 bankzaken doen; een bankrekening hebben; ~ *on* vertrouwen (rekenen) op; **bank draft** wissel; **banker** bankier; bankhouder; **banker's card** betaalpas; **bank holiday** beursvakantie; wettelijke ~*s:* Paasmaandag, laatste maandag in mei en augustus, 'Boxing-Day' (Schotland: Nieuwjaarsdag, Goede Vrijdag, eerste maandag in mei en augustus, eerste Kerstdag); **banknote** bankbiljet

bankrupt ['bæŋkrʌpt] I *zn* iem die failliet (bankroet) is; II *bn* failliet; **bankruptcy** ['bæŋkrəp(t)si] faillissement, bankroet

bank statement (*bank*) rekeningoverzicht

banner ['bænə] banier, vaandel, spandoek; ~ *headline* krantekop over volle breedte pagina

ban(n)ister ['bænistə] (trap)spijl(tje); trapleuning (*gew:* ~*s*)

banns [bænz] kerkelijke huwelijksafkondiging

banquet ['bæŋkwit] banket, feest-, gastmaal

banter ['bæntə] I *zn* scherts; II *ww: a*) gekscheren; *b*) voor de gek houden

baptism ['bæptizm] doop; **baptismal** [bæp'tizməl] doop...; **Baptist** id., doopsgezind(e); **baptize** [bæp'taiz] (*godsd*) dopen

bar [bɑ:] I *zn* stang, staaf, spaak, tralie; (*van vlag*) baan; (doel)lat; *horizontal* ~ rekstok; *parallel* ~*s* brug; reep (*of chocolate*); afsluitboom, barrière, slagboom; gesp als extra-onderscheiding bij medaille; (maat)streep, maat; balk (*in wapenschild, op cheque, enz.*); buffet, 'bar'; balie; orde der advocaten (*the Bar*); bezwaar, hindernis, belemmering (*to* voor); *prisoner at the* ~ verdachte; *call to the* ~ toelaten (toelating) als advocaat; II *ww* (*met stang, enz.*) af-, uitsluiten (= ~ *up*), versperren; beletten; strepen

barb [bɑ:b] I *zn* baard (*van vis, enz.*); baardje (*schachtveertje*); weerhaak; (*fig*) wat steekt, knaging; venijnige opmerking; II *ww* van weerhaken voorzien; ~*ed wire* prikkeldraad; ~*ed tape* klittenband

barbarian [bɑ:'bɛəriən] barbaar(s); **barbaric** [bɑ:'bærik] barbaars; **barbarity** [bɑ:'bæriti] barbaarsheid; **barbarous** ['bɑ:bərəs] barbaars

barber ['bɑ:bə] herenkapper, barbier

bare [bɛə] I *bn* bloot, naakt, kaal, ontbloot (*of* van); *the* ~ *idea!* om zo iets ook maar te denken!; II *ww* ontbloten; blootleggen; ontdoen (*of* van); **bareback(ed)** [-bæk(t)] zonder zadel; **barefaced** [-feist] doortrapt, onbeschaamd; **barefoot** blootsvoets; **bareheaded** blootshoofds; **barely** nauwelijks, amper (*enough*)

bargain ['bɑ:gin] I *zn* koop(je); overeenkomst, afspraak; *into the* ~ op de koop toe; *that's a* ~*!* afgesproken!; II *ww* (be)dingen, marchanderen, loven en bieden, overeenkomen; ~ *for* rekenen op, rekening houden met

barge [bɑ:dʒ] I *zn* schuit, praam, aak; (officiers)sloep, staatsieboot; woonboot; II *ww* (*fam*) bonzen (*into* tegen), botsen; ~ *in* zich (ongevraagd) met iets bemoeien; binnenvliegen; ~ *in between* zich (ongevraagd) stellen tussen; ~ *into the discussion* zich (lomp, enz.) mengen in; ~ *in on a p.* iem storen

bark [bɑ:k] I *zn* 1 bast, schors; kinine; 2 bark, schuit, boot(je); 3 geblaf; II *ww* blaffen; ~ *at* blaffen (uitvaren) tegen; ~ *up the wrong tree* aan het verkeerde kantoor zijn, het mis hebben

barley ['bɑ:li] gerst

barmy (*sl*) niet goed snik

barn [bɑ:n] schuur; (*Am*) stal; **barn-yard** (*Am*) boerenerf

baron ['bærən] id.; (*Am*) magnaat (*coal* ~); **baroness** [-əs, -is] ...es

baronet ['bærənit] id. (zie *sir*); **baronetcy** [-si] titel (waardigheid) van *baronet*

baroque [bə'rɔk, bə'rəuk] barok

barracks ['bærəks] kazerne

barred [bɑ:d] zie *bar; ook:* getralied

barrel ['bærəl] vat, ton; loop (*van vuurwapen*); spil; trommel (*van oor, van horloge*); **barrel organ** draaiorgel

barren ['bærən] onvruchtbaar, dor; dom

barricade [bæri'keid] I *zn* id.: versperring, hindernis; II *ww* versperren, barricaderen; **barrier** ['bæriə] barrière, slagboom, grenspaal; afsluiting; hinderpaal; (*van station*) in- of uitgang(scontrole)

barring ['bɑ:riŋ] zie *bar;* uitgezonderd, behalve

barrister ['bæristə] (= ~*-at-law*) advocaat

barrow ['bærəu] berrie (= *hand-*~); kruiwagen (= *wheel-*~); (hand)kar; grafheuvel, hunebed

bartender ['bɑ:ˌtendə] barman, buffetknecht

barter ['bɑ:tə] I *ww* ruilen, ruilhandel drijven; marchanderen; ~ *away* verkwanselen; II *zn* ruil(handel); **barterer** [-rə] sjacheraar

base [beis] I *zn* basis; grondtal; grondslag, fundament; achterste; voetstuk; uitgangspunt; honk; (*muz*) bas; (*chem*) base; II *bn* laag, gemeen, onecht, vals (*coin*), onedel (*metals*); III *ww* grond(vest)en, baseren, zetten; *be* ~*d on* gebaseerd zijn (stoelen) op; *the troops are* ~*d on the canal* hebben hun basis aan...; **baseball** honkbal; **baseless** ongegrond; **basement** souterrain; **bases** ['beisiz] meervoud van *base;* ['beisi:z] meervoud van *basis*

bash [bæʃ] I *ww* (kapot)slaan, beuken (*at* op); hevig aanvallen; ~ *in* inslaan; II *zn* opstopper, mep; *have a* ~ *at s.t.,* (*sl*) het (ook eens) proberen

bashful ['bæʃf(u)l] bedeesd, schuchter

basic ['beisik] fundamenteel, grond...; aanvangs..., allereerste (*the ... tools needed*); standaard, minimum; basisch; ~ (*pay*) basisloon; *the* ~*s* de grondbeginselen; **basically** [-əli] fundamenteel

basin ['beisn] bekken, kom, schaal; wasbak, -tafel; bassin, dok; keteldal; stroomgebied

bask [bɑ:sk] (zich) koesteren

basket ['bɑ:skit] mand, korf; schotel, bak (*voor brood bijv.*); **basketball** id.; **basketry** mandewerk; **basketwork** mandewerk
bass (*muz*) bas; **bassoon** [bə'su:n] fagot
bastard ['bæstəd] *a*) bastaard; *b*) basterdsuiker; *c*) ['bɑ:stəd] (*volkstaal*) ploert, schoft, schooier
baste [beist] 1 (aaneen)rijgen; 2 bedruipen (*roasting meat*)
bastion [bæstiən] id.
bat [bæt] I *zn* 1 vleermuis; *as blind as a* ~ stekeblind; *have* ~*s in the belfry* getikt zijn, met molentjes lopen; *like a* ~ *out of hell,* (*sl*) als de (gesmeerde) bliksem; 2 knuppel; bat (*slaghout*); *off one's own* ~ op eigen houtje, geheel alleen; *hot* (*right*) *off the* ~, (*Am*) direct; II *ww* batten (*cricket*), slaan; knipogen; *not* ~ *an eyelid, -lash* geen spier vertrekken
batch [bætʃ] *a*) baksel; *b*) troep, partij, zending
bate [beit]: *with* ~*d breath* met ingehouden adem
bath [bɑ:θ, *mv:* bɑ:ðz] I *zn* bad, badkuip, badinrichting; ~*s* badhuis, badplaats; II *ww* een bad geven (nemen) (*binnenshuis*); **bathe** [beið] I *ww* (zich) baden, zwemmen, dompelen, bespoelen, betten, bevochtigen; II *zn* het baden (buiten); *have a* ~ zwemmen; '**bather** bader; **bathing** ['beiðiŋ] baden, zwemmen (*mixed* ~); *attr:* bad-; '**bathing-cap** badmuts; '**bathing-trunks** zwembroek; **bathrobe** ['bɑ:θrəub] badjas, -mantel; **bathroom** ['bɑ:θru(:)m] badkamer; (*Am*) toilet; **bathtub** ['bɑ:θtʌb] badkuip
baton ['bætən] id., (dirigeer)stok, wapenstok
battalion [bə'tæljən] bataljon
batten ['bætn] I *zn* lat, plank; II *ww* met ~ bevestigen; **batten on** zich te goed doen aan; klaplopen
batter ['bætə] I *zn* beslag; II *ww* beuken (*at* op, tegen), beschieten; ~ *down* (*a wall*) omrammeien; **battered** *ook:* gedeukt; gehavend; afgedragen; mishandeld (*wives, babies*)
battery ['bætəri] batterij, accu; *assault and* ~ mishandeling; *indecent* ~ aanranding
battle ['bætl] I *zn* (veld)slag; strijd; *give* ~ slag leveren; *go into* ~ ten strijde trekken; *the first blow is half the* ~ de eerste klap is een daalder waard; II *ww* vechten, strijden; ~ *one's way up to* ... zich een weg banen tot; **battle-axe** [-æks] strijdbijl; (*fig*) *old* ~ lastige ouwe tante, kenau; **battle cry** strijdkreet; **battlefield** slagveld; **battleground** gevechtsterrein; **battlement** kanteel; ~*ed* gekanteeld; **battleship** slagschip
batty ['bæti] gek, getikt, excentriek
bauble ['bɔ:b(ə)l] snuisterij, prul
bawdy [bɔ:di] ontuchtig; schuine (vuile) (taal)
bawl [bɔ:l] schreeuwen, bulken, brullen
bay [bei] I *zn* 1 baai, inham; 2 (muur)vak, nis; uitspringende ruimte, erker; perron voor zijlijn; parkeerstrook, -vak; *sick-*~ ziekenzaal, -boeg; 3 geblaf, gebas; *hold* (*keep*) *at* ~ zich van het lijf (in bedwang) houden; *bring to* ~ in het nauw drijven; II *ww* (aan)blaffen, blaffen tegen; in het nauw drijven; '**bay-'window** erker
bazaar [bə'za:] bazaar, fancy fair
bazooka [bə'zu:kə] id. (*draagbaar antitankwapen*)
B.B.C. *British Broadcasting Corporation*
B.C. *before Christ*
be [bi:] zijn; gebeuren; staan, liggen, worden; *I am cold* (*hot*) ik heb het koud (warm); *I am hungry* (*sleepy, thirsty*) ik heb honger (slaap, dorst); *how are you?* hoe gaat het?; *how is it that* ... hoe komt het dat ...; *there is your friend B.* daar heb je bijv.; *so* ~ *it!* zo zij het!; *he was a nice boy, was M.* die M.; *what* (*how much*) *are these pears?* kosten; *he is working* hij werkt, hij is aan het werk; *he was punished* hij werd gestraft; *I am to meet him at five* moet; *it was not to* ~ zou niet (mocht niet, heeft niet mogen) zijn; *mothers to* ~ aanstaande; ~ *about to* op het punt staan te; ~ *in for* zullen krijgen, te wachten staan; *we've been into it* we hebben het besproken, onderzocht
beach [bi:tʃ] strand, oever; '**beach-comber** [-kəumə] strandjutter; **beach-head** (*mil*) bruggehoofd; **beach-wear** strandkleding
beacon ['bi:kən] I *zn* baken(vuur); vuurtoren; verkeerspaal; II *ww* bebakenen; van ~*s* voorzien; verlichten; tot baken dienen, leiden; schijnen
bead [bi:d] kraal; druppel(tje); **beady** [-i] kraalachtig; parelend
beagle ['bi:gl] brak (*soort hond*)
beak [bi:k] snavel, sneb, bek, tuit
beaker ['bi:kə] beker, bekerglas
beam [bi:m] I *zn* balk (*ook van weegschaal*); barre; ploegboom; weversboom; straal; (licht)bundel, (*telec*) geleidestraal van vliegtuig; ~ *aerial* straalantenne; *to be off* ~ (inf) er (volkomen) naast zijn; II *ww* stralen (*with joy* van ...), uitstralen (= ~ *forth, out*); met ...nd gezicht kijken (*at, on* naar) of uitdrukken (*approval*); (*telec*) in één richting uitzenden
bean [bi:n] boon; (*Am sl*) hoofd, kop; *not a* ~, (*sl*) geen cent; *old* ~*!* (*sl*) ouwe jongen!; *full of* ~*s,* (*sl*) in uitstekende conditie; prima op dreef; vurig, opgewekt
1 bear [bɛə] beer; (*fig*) ongelikte beer; lomperd; *look as sulky as a* ~ *with a sore head* een gezicht zetten als een oorworm
2 bear [bɛə] dragen (*arms, a burden, the expense, fruit*); verdragen (*pain*), dulden, uitstaan (*I can't* ~ *him*); toelaten (*repeating*); toedragen (*love*), geven (*interest*); voortbrengen, baren; bezitten, inhouden; drukken, leunen (*upon, against*), aanhouden (~ *to the right*); zich uitstrekken, lopen; *bring to* ~ doen inwerken (*upon* op); ~ ***away*** wegdragen, behalen (*a prize*); meeslepen; ~ ***back*** achteruitdrijven, -wijken; ~ *back there!* achteruit; ~ ***down*** neer-, onderdrukken, neervellen; overwin-

nen, overweldigen, doen vallen; ~ *down (up)on* afkomen op, aanhouden op; ~ ***in*** *mind* onthouden, zich herinneren; ~ ***off*** wegdragen; ~ ***on*** betrekking hebben op; gericht zijn op; ~ ***out*** steunen, staven, beves igen; *I will ~ you out* je getuigenis bevestigen; *the cab bore* ***round*** *to the right* sloeg rechts af; ~ ***up*** op-, omhooghouden; de moed erin (zich goed) houden; ~ ***upon*** zie ~ *on;* ~ ***with*** verdragen, zich neerleggen bij; '**bearable** [-rəbl] te dragen

beard [biəd] baard; weerhaak; **bearded** [-id] gebaard; met weerhaak

bearer ['bɛərə] drager, brenger, bode; toonder (*pay to* ~); beer, stut

bear hug ['bɛəhʌg] stevige omarming

bearing ['bɛəriŋ] het dragen; druk; gedrag, optreden; (ver)houding; betrekking, verband (*it has no ~ on the case* houdt er geen verband mee); richting, strekking, betekenis; ligging (ook ~*s*); (*techn*) lager

bearskin *a*) berehuid; *b*) beremuts

beast [bi:st] beest (*ook koebeest*), viervoetig dier (tegenover *birds and fishes*); (redeloos) dier; (*fig*) beest; mispunt; ~ *of burden* lastdier; ~ *of prey* roofdier; '**beastly** beestachtig, smerig, gemeen, beroerd; (*fam*) misselijk, onuitstaanbaar

beat [bi:t] I *ww* slaan (op), kloppen, klutsen, beuken, stampen; smeden; kloppend afzoeken (*bushes*); verslaan (*the enemy*); overtreffen; *he has me ~,* (*sl*) is me de baas; *that ~s me* daar kan ik niet bij; ~ *it!* smeer 'm!; maak dat je wegkomt; ~ ***about*** laveren; zie *bush;* ~ ***at*** *the door* beuken op; ~ ***down*** neerslaan; afbreken; omverwerpen; afdingen (op); met kracht neerkomen (schijnen, enz.); ~ ***in*** inslaan; inhameren; ~ *s.t.* ***into*** *a p.'s head* inhameren; ~ ***off*** afslaan (*the enemy*); ~ ***on*** zie ~ *upon;* ~ ***out*** uitslaan, -drijven; smeden, pletten; banen (*a path*); uitvorsen (*the truth*); ~ ***up*** alarmeren; opjagen; klutsen (*an egg*); afranselen; ~ ***upon*** treffen, beuken, neerkomen op; **II** *zn* slag, klap, (ge)tik, kloppen; maat(slag); tred; ronde, wijk (*van politieagent, enz.*); terrein (waarop men thuis is); jachtveld; geregeld bezochte plaats; *his heart dropped* (*lost, missed*) *a ~* stond een ogenblik stil; *off* (*out of*) *my ~,* (*fig*) buiten mijn sfeer, niet in mijn lijn; *out of ~* van slag; uit de maat; **III** *bn* doodop (= *dead ~, ~ out*) ~ *music* beatmuziek; **beaten** ['bi:tn] v. dw. van *beat; ook:* gesmeed; verslagen (*that ~ look on his face*); veel betreden (zie *track*); begaan; uitgeput; afgezaagd; ~ *down* ontmoedigd; ~ *up* gammel, afgeleefd, vervallen; **beating** ['bi:tiŋ] het ... (zie *beat*); pak slaag, klappen; afstraffing

beautician [bju:tiʃn] schoonheidsspecialist; '**beautiful** [-tif(u)l] schoon, mooi, fraai; heerlijk (*soup*); prachtig (*shot*); '**beautify** [-tifai] verfraaien, versieren; **beauty** ['bju:ti] schoonheid, prachtexemplaar; *that's the ~ of it* het mooie; ~ *is but skin-deep* schoonheid zit er maar bovenop; '**beauty contest** s...swedstrijd; '**beauty parlour** s...ssalon; **beauty spot** mooi plekje

beaver ['bi:və] bever; *eager ~,* (*fam*) zwoeger

becalm [bi'kɑ:m]: *be ~ed* door windstilte overvallen worden

because [(bi-), (bə)'kɔz, (bi)'kəz] omdat; ~ *of* vanwege, wegens

beck [bek] knik, wenk; *be at a p.'s ~ and call* op iems wenken klaarstaan; **beckon** ['bekn] een wenk geven, wenken; ~ *on* een teken geven om door te lopen (rijden)

become [bi'kʌm] *a*) worden; (ge)raken; *b*) passen, betamen; goed staan (*her dress ~s her*); *what has ~ of my ...? ook:* waar is toch mijn ...?; **becoming** [bi'kʌmiŋ] gepast, betamelijk, voegzaam; goed staand(e) (*hat*)

bed I *zn* bed; (*van dier*) leger; onderbouw, bedding, laag (*of limestone*); *he is* (*lies*) *on a ~ of down* (*roses, flowers*) wandelt op rozen; *be brought to ~* bevallen (van baby); *get out of ~ on the wrong side* met het verkeerde been uit bed stappen; ~ *and board* kost en inwoning, ~ *and breakfast* logies met ontbijt; *separation from ~ and board* scheiding van tafel en bed; **II** *ww* (in een bed) planten; ~ *out* uitplanten; (vast)zetten, -leggen (*in* in); *to go to ~ with* naar bed gaan met (*a girl*); ~ (*down, up*) van een leger voorzien (*horses*); in bed stoppen, neerleggen; ~ *down with* naar bed gaan met; **bedding** beddegoed; ligstro; (onder)laag

bedevil [bi'devl] mishandelen, negeren; uitschelden; verknoeien, in de war sturen

bedfellow ['bedfeləu] slaapkameraad

bedlam ['bedləm] gekkenhuis (*ook fig*), hevig rumoer

bedraggled verregend; sjofel

bedrid(den) bedlegerig

bed-rock vast gesteente, harde onderlaag; (vaste) grond(slag); kardinaal punt; ~ *price* allerlaagste prijs

bedroom [-ru(:)m] slaapkamer; **bedside** (kant van) bed; ~ *cabinet* nachtkastje; **bed-sit(ter)** (*fam*) zitslaapkamer; **bed-sitting-room** zitslaapkamer; **bedspread** [-spred] sprei; **bedstead** ['bedsted] ledikant

bee [bi:] bij; *he has a ~ in his bonnet* is op één punt niet normaal, heeft een idee-fixe

beech [bi:tʃ] beuk(ehout)

beef [bi:f] I *zn* rundvlees; (*fam*) spieren, spierkracht; **II** *ww* (*sl*) grommen, mopperen; ~ *up,* (*sl*) versterken (*morale*); '**Beef-eater** *yeoman of the guard* bewaker vd Tower of London; **beefsteak** ['bi:f'steik] runderlapje; **beef tea** bouillon; '**beefy** [-i] vlezig, gespierd

bee-hive [-haiv] bijenkorf; **bee-keeper** imker; '**bee'line** rechte lijn tussen twee plaatsen; *make a ~ for* regelrecht afstevenen op

beer [biə] bier; *life is not all ~ and skittles* niet alles rozegeur en maneschijn

beet [bi:t] voederbiet

beetle ['bi:tl] tor, kever
beetroot ['bi:tru:t] rode biet
befall [bi'fɔ:l] *a)* overkomen; *b)* gebeuren
befit [bi'fit] passen, betamen; **befitting** passend
before [bi'fɔ:] I *bw* voor(af, -op, -uit); tevoren; II *vz* voor; alvorens (*going* te gaan); in tegenwoordigheid van; liever dan (*I would die ~ lying*); boven; vóór aftrek van (*expenses, tax*); *~ long* weldra; III *vw* voor(dat); '**beforehand** van te voren
beg bedelen; opzitten (*van hond*); verzoeken, vragen (*for* om), smeken; *(I) ~ (your) pardon: a)* neem me niet kwalijk, pardon; *b)* (*bij niet verstaan*) pardon?; **beggar** ['begə] I *zn* bedelaar; schooier; (arme) kerel (ook: *lucky ~, enz.*), stakker; *~s must not (cannot) be choosers* wie iets vraagt, mag niet kieskeurig zijn; II *ww* tot de bedelstaf brengen; (*fig*) te boven gaan; *it ~s description* tart alle beschrijving
begin [bi'gin] beginnen, aanvangen (*~ to cry, ~ reading*); *you don't ~ to know Mr. P.* kent ... nog niet half; (*up*)*on* beginnen aan; *to ~ with* ... om te beginen; **beginner** id., aanvanger, beginneling; **beginning** begin, aanvang, aanloop
begrudge ['bi'grʌdʒ] misgunnen, met tegenzin betalen
beguile [bi'gail] bedriegen, verschalken; korten, verdrijven (*the time*); bekoren, verlokken; de aandacht afleiden van; *~ into* verleiden tot; **beguiling** bekoorlijk
behalf [bi'hɑ:f]: *on ~ of: a)* uit naam van, namens, vanwege; *b)* ten behoeve van
behave [bi'heiv] zich gedragen; zich houden (*the boat ~d splendidly*); ook = *~ o.s.* zich behoorlijk gedragen; **behaviour** [bi'heivjə] gedrag, optreden, houding; wijze waarop iets zich houdt; werking; *put a p. upon his good ~* iem waarschuwen, dat hij zich behoorlijk moet gedragen
behead [bi'hed] onthoofden
behind [bi'haind] I *bw* achter, van (naar) a...n, a...om; ten achter (*with (in) one's payments*); II *vz* achter; na, over; *be ~ a p. in s.t.* onderdoen voor, ten achter zijn bij; III *zn* achterste; **behindhand** achter(op) (*with the rent*); ten a...en; a...lijk
behold [bi'həuld] aanschouwen, zien
being ['bi:iŋ] I *zn* bestaan, aanzijn; wezen (*living ~*); *be in ~* bestaan; *keep in ~* in stand houden; *come into ~* ontstaan; *bring (call) into ~* het aanzijn geven; II *o. dw.* for the time ~ voor het ogenblik
belated [bi'leitid] door de nacht overvallen; verlaat, (te) laat; achteraan komend
belch [bel(t)ʃ] I *ww: a)* 'boeren', een 'boer' laten; *b)* uitbraken (= *~ forth, out*); II *zn* 'boer'
belfry ['belfri] *a)* klokketoren; *b)* klokkenhuis; *c)* (*sl*) 'bovenkamer'; *have bats in the ~* niet goed snik zijn, met molentjes lopen
Belgium ['beldʒəm] België
belie [bi'lai] logenstraffen, verloochenen; ontrouw zijn aan; niet nakomen (vervullen)
belief [bi'li:f] geloof; *my religious ~s* mijn geloofsovertuiging; *to my ~* naar ik geloof; **believable** [bi'li:vəbl] te geloven; **believe** [bi'li:v] geloven; vinden, van oordeel zijn; *~ in* geloven in (aan); voorstander (aanhanger) zijn van; zijn voor (*~ in fresh air*); ophebben met, doen aan; *make ~* doen alsof; *make a p. ~ that* ... wijsmaken; **believer** iem die gelooft; gelovige; voorstander, aanhanger (*in* van)
Belisha beacon [ˌbə'li:ʃə 'bi:kən] knipperbol (bij zebrapad)
belittle [bi'litl] verkleinen, kleineren
bell [bel] I *zn* bel, klok, schel; klokje (*bloem*); *there is the ~* daar gaat de bel; *pull (ring, touch) the ~* bellen; II *ww* de bel aanbinden (*~ the cat*); **bellboy** piccolo
bellicose ['belikəus] strijdlustig; **belligerent** [bi-, be'lidʒərənt] oorlogvoerend(e); strijdlustig(e)
bellow ['beləu] I *ww* bulken, loeien, brullen, bulderen; *~ forth (out)* uitbrullen; II *zn* ge...; **bellows** ['beləuz] blaasbalg; (*fig*) longen; (*fot*) balg; *pair of ~* een bel
bell-push belknopje
belly ['beli] buik; schoot; buikspek; '**bellyache** [-eik] buikpijn; (*sl*) klacht
belong [bi'lɔŋ] toebehoren, (be)horen (*to* aan, bij, tot; *with, in* tot, onder); (ergens) thuis horen, erbij horen (*s.t. that did not quite ~*); lid zijn van (*~s to the National Club*); tot de echte chic behoren; *it ~s to you to* ... het ligt op uw weg om ...; **belongings** [-iŋz] bezittingen
beloved [*v dw:* bi'lʌvd: *bn en zn:* bi'lʌv(i)d] geliefd(e); beminde(n); *~ by (of) all* bemind door
below [bi'ləu] onder, naar onderen (beneden); *here ~* hier beneden; *the temperature was twenty ~* 20° onder het vriespunt
belt I *zn* gordel, drijfriem, band; (*mil*) koppel; zone; (*Am*) *apple ~, cotton ~*, enz., gebied waar appels, katoen, enz. verbouwd worden; *green ~* gordel van groen om stad; *hit below the ~* een stoot onder de gordel geven, een gemene slag toebrengen (*bij boksen*); II *ww* om-, aangorden; omringen; van een ~ voorzien; (*fam*) slaan, aframmelen; (*fam*) snellen, racen
bemused [bi'mju:zd] verbijsterd, in de war gebracht
bench [ben(t)ʃ] bank; werkbank; doft (*van boot*); rechtbank; *sit (serve) on the ~* rechter zijn
bend I *zn* bocht; buiging; *go on the (a) ~* gaan fuiven; *round the ~, (fam)* kierewiet; *drive (send) a p. round the ~, (fam)* iem gek maken; II *ww* (zich) buigen, krommen; verbuigen; spannen (*a bow*), richten (*one's steps, all one's energies to* ...); '**bendable** [-əbl] buigbaar; '**bender** buiger, buigtang; **bendy** met bochten, buigzaam

beneath [bi'ni:θ] beneden, onder
bene'diction zegen(wens)
benefactor, **benefactress** ['benifæktə, -tris] weldoen(st)er
beneficent [bi'nefisənt] weldadig; **bene'ficial** [bɛni'fiʃəl] voordelig, nuttig, heilzaam; **beneficiary** [beni'fiʃəri] begunstigde; **benefit** ['benifit] I *zn* voordeel, nut, genot; weldaad; uitkering (*unemployment* ~); bijstand (*supplementary* ~); benefiet(voorstelling, -wedstrijd, enz.); *give a p. the ~ of the doubt* de twijfel in iems voordeel uitleggen; *for the ~ of, ook:* ter stichting van; *~ fund* ondersteuningsfonds; *~ match* benefietwedstrijd; II *ww* nuttig zijn voor, ten goede komen aan, goed doen (*the trip ~ed him*); bevorderen; voordeel trekken (*by* uit), baat vinden; *she ~s under his will* zij staat in zijn testament
benevolence [bi'nevələns] (blijk van) welwillend-, vrijgevigheid, weldaad; gift; **be'nevolent** welwillend, weldadig
benign [bi'nain] welwillend, vriendelijk; weldadig, heilzaam; (*van ziekte*) goedaardig
bent 1 richting, neiging, aanleg, voorliefde; instelling, mentaliteit (*commercial* ~); 2 ovt & v. dw. van *bend;* (*sl*) corrupt (*lawyer*); ~ (*up*)*on* besloten te (*on going*); uit op (*on mischief, pleasure*); ijverig bezig met (*on one's work*)
benumb [bi'nʌm] doen verstijven; verkleumen
bequeath [bi'kwi:ð] vermaken, nalaten
bequest [bi'kwest] legaat
bereave [bi'ri:v]: *the ~d parents* de diepbedroefde ouders; **bereavement** [-mənt] zwaar verlies, sterfgeval
beret ['berei] baret
berry ['beri] bes; (koffie)boon
berserk [bə'zə:k]: *go* ~ woest worden, buiten zinnen raken
berth [bə:θ] I *zn: a*) anker-, ligplaats; *b*) kooi, hut (*aan boord*), couchette, slaapplaats; *give the coast* (*a p.*) *a wide* ~ uit de kust (iem uit de weg) blijven; II *ww* meren; voor anker gaan; een hut (kooi) aanwijzen
beseech [bi'si:tʃ] smeken
beset [bi'set] *ww; ook ovt & v dw* omringen; in-, afsluiten; bestoken, aan-, overvallen, achternazitten; *~ting sin* zonde waartoe men gemakkelijk vervalt
beside [bi'said] naast; buiten (*he was ~ himself*); soms = *~s; that's ~ the* (*present*) *point* dat doet (hier) niet ter zake
besides [bi'saidz] *a*) bovendien; *b*) behalve, benevens
besiege [bi'si:dʒ] belegeren, bestormen
bespectacled [bi'spektəkld] met een bril
best *bn & bw* (het) best; *all the ~!* het beste!; *put one's ~ foot* (*leg*) *foremost* (*forward*) zijn beste beentje vóórzetten; *~ man* bruidsjonker; *the ~ part of: a*) het grootste deel van (*our way*); *b*) bijna alles (*the ~ part of one hundred* bijna 100); *as ~ he might* (*could*) zo goed en zo kwaad als het ging; *you had ~ go* deed beter ...; *he is ~ out of England* het is het beste, dat hij Engeland verlaat; *would be ~ omitted* kan het best worden weggelaten; *like* ~ het meest houden van; *make the ~ of o.s.* zo goed mogelijk voor den dag komen; ***all** the* ~ het allerbeste; ***at*** ~ op zijn hoogst, op zijn best, in het gunstigste geval; *at one's* ~ op zijn best (voordeligst); *for your* ~ om uw bestwil; *act for the* ~ om bestwil; *it's all for the* ~ het wordt gedaan met de beste bedoelingen; ***to** the ~ of my ability* (*abilities, power*) zo goed als ik kan
bestial ['bestjəl] dierlijk, beestachtig; **bestiality** [besti'æliti] ...heid, bestialiteit
bestow [bi'stəu] schenken, verlenen (*on* aan)
best seller [,best'selə] succesboek
bet I *zn* weddenschap; inzet; kans (*your best ~ is to try via Ostend*); *make* (*lay*) *a* ~ een weddenschap aangaan; *make a ~ of* wedden om; II *ww ook ovt & v dw* (ver)wedden; *I ~ you ten pounds* ik wed met u om
betray [bi'trei] verraden (*ook fig*), ontrouw worden aan, misleiden; *my legs ~ed me* gaven het op; **betrayal** [-əl] verraad; misleiding
betrothal [bi'trəuðəl] (*vero*) verloving
better ['betə] I *bn & bw* beter; *she is ~ to-day* ze is vandaag (wat) beter (minder ziek); *be the ~ for* voordeel hebben van; *for ~ for worse* onder alle omstandigheden, in voor- en tegenspoed; *get the ~ of* de baas wezen; te slim af zijn; *have the ~ of* het winnen van; *you had ~ go* deed beter te gaan, je moest maar liever gaan; *like* ~ meer houden van; *think ~ of it* zich bedenken; *think ~ of a p. for* ... een betere opinie van iem krijgen wegens ...; *change for the* ~ veranderen ten goede, verbeteren; *go one* ~ het nog beter kunnen (weten); II *ww* verbeteren; beter worden; overtreffen; *~ o.s.* zijn positie verbeteren
betting ['betiŋ] het wedden; *the ~ must be that* ... we moeten er van uitgaan (verwachten) dat ...; **'betting-shop** kantoor voor het aangaan van weddenschappen
between [bi-, bə'twi:n] I *vz* tussen; *~ a laugh and a cry* half lachend, half schreiend; *~ ourselves, ~ you and me* onder ons gezegd; *they bought it ~ them: a*) met hun beiden; *b*) met zijn allen; II *bw* ertussen (in); (*few and*) *far* ~ (hoogst) zeldzaam
beverage ['bevəridʒ] drank
bevy ['bevi] vlucht, troep, gezelschap
bewail [bi'weil] treuren om, betreuren, bewenen
beware [bi'wɛə] oppassen, op zijn hoede zijn (voor); *~ of* zich wachten voor (*~ of the dog*)
bewilder [bi'wildə] in de war brengen, verbijsteren; **bewilderment** [-mənt] verbijstering
bewitch [bi'witʃ] beheksen, betoveren; **bewitchment** [-mənt] hekserij, betovering
beyond [bi'jɔnd, bi'ɔnd] I *bw & vz* over, aan de andere zijde (van) (*the sea*); verder dan, voorbij (*the furthest mountain*); achter (*the door*); (te) boven (*my power*); buiten (*all doubt*);

(ook: *above and* ~) (buiten en) behalve, meer dan; ~ *bearing* on(ver)draaglijk; ~ *having heard that* ... behalve dat hij gehoord had dat ...; *it's* ~ *me* (*my comprehension*) mij te hoog; ~ *expression* niet uit te drukken; ~ *words: a*) niet te beschrijven; *b*) sprakeloos; *that's* ~ *anything* al te kras; II *zn* hiernamaals (= *the great* ~)

bias ['baiəs] I *zn* ongelijke ronding (eenzijdige verzwaring) van bal (*bij bowlen*); afwijking van de bal; kracht, die deze veroorzaakt; geer; neiging, richting, vooroordeel, vooringenomenheid; inslag (*a technical* ~); II *bn* & *bw* schuin (*cut* ~), gérend; III *ww* effect geven aan (*a bowl*); schuin knippen; doen overhellen, doen afwijken; bevooroordelen, (negatief) beïnvloeden; ~(*s*)*ed* bevooroordeeld

bib slabbetje; borstje (*van schort*)

Bible ['baibl] bijbel; **Bible-class** bijbelles; **biblical** ['biblikl] bijbels, bijbel...

bibliographer [bibli'ɔgrəfə] bibliograaf: boekbeschrijver; **bibliography** [bibli'ɔgrəfi] bibliografie

bicker ['bikə] kibbelen; **bickering(s)** gekibbel

bicycle ['baisikl] I *zn* rijwiel, fiets; II *ww* fietsen; **bicycle-rack** fietsenrek; **bicycle-shed** rijwielbewaarplaats; **bicycle-track** rijwielpad

bid I *ww* (*ook ovt* & *v dw*) *a*) (*vero*) gebieden; *b*) wensen (*good-day*), heten (*welcome*); *c*) bieden (*for* op), opbieden; ~ *fair to* waarschijnlijk zijn; II *zn* bod (*for, on* op); **bidder** [-ə] bieder; *the best* (*highest*) ~ de meestbiedende; **bidding** ['bidiŋ] het bieden, bod; bevel, last; uitnodiging; *at his* ~ op zijn bevel

bide [baid] afwachten, wachten

bier [biə] (lijk)baar

bifocals ['bai'fəuklz] dubbelfocusbril

big groot, dik, fors; zwanger (*with* van); voornaam, invloedrijk, belangrijk (*event*), gewichtig; ~ *business* de grote zakenwereld; ~ *dipper* achtbaan; ~ *game* grof wild; *a* ~ *shot* (*fam*) een hoge ome, invloedrijk persoon; ~ *talk* (ge)bluf

bigot ['bigət] kwezel, dweper; **bigoted** [-id] bigot, kwezelachtig; **bigotry** [-ri] kwezelarij

bigwig ['bigwig] (*fam*) hoge ome, hoge piet

bike [baik] (*fam*) I *zn* fiets; II *ww* fietsen

bilateral [bai'lætərəl] tweezijdig

bile [bail] gal

bilingual [bai'liŋguəl] tweetalig

bilious ['biljəs] galachtig, gal..., gallig; gemelijk; ~ *attack* aanval van de gal, 'maag van streek'

bill [bil] I *zn* 1 wetsontwerp; akte van beschuldiging, aanklacht; rekening; wissel; programma, lijst, aanplak-, strooibiljet; (*Am*) bankbiljet; ~ *of charges* onkostenrekening; ~ *of exchange* wissel; *give a p. a clean* ~ *of health* iem volkomen gezond verklaren; 2 snavel; II *ww* 1 (door biljetten) aankondigen (*an actor, a performance,* enz.); met biljetten beplakken; *be* ~*ed, ook:* op het programma staan; 2 een rekening sturen; ~ *a p. for services* iem ... in rekening brengen; **billboard** aanplakbord

billet ['bilit] I *zn* inkwartieringsbiljet; kwartier; baantje; bestemming (*every bullet has its* ~); II *ww* inkwartieren (*on, upon* bij)

bill-fold (*Am*) portefeuille

billiards ['biljədz] biljart(spel)

billion ['biljən] miljard (*1,000,000,000*)

billow ['biləu] I *zn* golf (in zee); II *ww* (doen) golven, opzwellen; **billowy** [-i] golvend, (fel)bewogen

bill poster ['bilpəustə], '**bill sticker** aanplakker

bimonthly ['bai'mʌnθli] tweemaandelijks

bin kist, trog, bak; (opslag)ruimte

binary ['bainəri] binair, tweevoudig, zich in tweeën verdelend

bind [baind] (ver-, vast-, in-, samen)binden; in-, omsluiten; bekrachtigen (*a bargain*); verplichten; ~ *o.s.* zich verbinden, in de leer doen; ~ *over to secrecy* geheimhouding doen beloven; ~ *up* verbinden (*wounds*); *bound up in one's work* geheel opgaande in; zie *bound* 1; **binder** (boek)binder; bint; bindmiddel; ~ *twine* bindtouw; **binding** I *zn* het ...; (ver)band (*the* ~ *of a book*); boordsel (*with silk* ~ *at the edges*); II *bn* verbindend (*on* voor)

binge [bin(d)ʒ] (*sl*) I *zn* fuif, lol(letje); *on the* ~ aan de fuif; II *ww* fuiven

binocular I *bn* [b(a)i'nɔkjulə] binoculair; voor 2 ogen; II *zn* [bi-, bai'nɔkjulə] (= ~ *glass,* ~*s, a pair of* ~*s*) veld-, toneelkijker

biodegradable [ˌbaiəudi'greidəbl] biologisch afbreekbaar

biographer [bai'ɔgrəfə] biograaf; **biographic(al)** [baiə(u)'græfik(l)] biografisch; **biography** [bai'ɔgrəfi] biografie, levensbeschrijving

biologic(al) [baiə'lɔdʒik(l)] biologisch; **biologist** [bai'ɔlədʒist] bioloog; **biology** [bai'ɔlədʒi] biologie

bionic [bai'ɔnik] bionisch, beschikkend over abnormale, bovenmenselijke mogelijkheden

bipartisan [baipɑ:ti'zæn] van (gesteund door) twee partijen

birch [bə:tʃ] berk; berkeroe(de), -hout; roe(de)

bird [bə:d] I *zn* vogel; (*sl*) meisje; (*fam*) snuiter; ~ *of passage* trekvogel; ~ *of prey* roofvogel; *a* ~ *in the hand is worth two in the bush* één vogel in de hand is beter dan tien in de lucht; *the early* ~ *catches the worm* de morgenstond heeft goud in de mond; II *ww* vogels vangen; **bird-box** vogelkastje; **bird-sanctuary** vogelreservaat; **bird's eye view** (gezicht in) vogelvlucht; **bird watcher** vogelwachter

biro ['bairəu] (merk) ballpoint

birth [bə:θ] geboorte; afkomst; produkt; *give* ~ *to* het leven schenken aan; *an Englishman by* ~ van geboorte; **birth-certificate** [-sə'tifikit] geboorteakte; **birth-control** [-kəntrəul] geboortenbeperking, geboortenregeling; **birthday** verjaardag; ~ *honours* onderscheidingen

op Z.(H.)M.'s verjaardag; ~ *suit* adamskostuum; **birthmark** moedervlek; **birthplace** geboortehuis, geboorteplaats; **birth-rate** geboortencijfer
biscuit ['biskit] 'cracker', biscuit; koekje (= *sweet* ~); **'biscuit-tin** ...trommel
bisect [bai'sekt] in tweeën delen
bishop ['biʃəp] bisschop; loper (*schaakspel*); **bishopric** bisdom
1 bit beetje, stukje, kleinigheid, ogenblikje; ijzer (*van boor, enz.*); bek (*van nijptang*); baard (*van sleutel*); (ge)bit (*van toom*); aandeel (in handeling); *wait a* ~ wacht even; *not a* ~ (*of it*) helemaal niet; *not a* ~, *ook:* geen zier; *a* ~ ietsje; *a good* ~ een hele tijd (afstand, enz.); *by* ~ stukje voor stukje
2 bit id. (eenheid informatie in computers nl. 0 of 1)
bitch [bitʃ] teef, wijfje; (*sl*) 'teef'; (*sl*) rotwijf; **bitchy** boosaardig, hatelijk, kattig; humeurig
bite [bait] I *ww* bijten (op, in), toe-, uitbijten, happen (*at* naar); invreten; aantasten; pakken (*van schroef, enz.*); effect hebben, zich doen (ge)voelen; *once bit*(*ten*) *twice shy* een ezel stoot zich geen tweemaal aan dezelfde steen; ~ ***off*** afbijten (*a piece*); II *zn* beet, hap, greep, houvast; eten; iets pittigs; *have a* ~ iets eten (ook: *have a* ~ *of food*); *that's where the* ~ *is* dat is het schrijnende; **biting** ['baitiŋ] bijtend, scherp (*wind, remarks*)
bitter ['bitə] I *bn* id.; verbitterd; *to the* ~ *end* tot het einde (uiterste); II *zn: a*) het bittere; *b*) bitter bier; ~*s* (maag)bitter; **bitterness** [-nis] bitterheid
bivouac ['bivuæk] bivak
biweekly [bai'wi:kli] veertiendaags (tijdschrift)
blab [blæb] zijn mond voorbij praten; (ver)klikken; ~*bing* loslippig; **blabber** zeuren, wauwelen; **blabbermouth** flapuit
black [blæk] I *bn* zwart; grimmig, macaber (*comedy, humour, joke*), duister, somber, nijdig, snood (~ *treason*); (*sl*) 'besmet' (*van goederen bij staking*); ~ *art* z...e kunst; ~ *box*, (*luchtv*) z...e doos (met vluchtgegevens); ~ *coffee* zonder melk; ~ *frost* vorst zonder rijp; ~ *ice* ijzel, ijs (op wegdek); ~ *spot* plaats waar veel verkeersongelukken plaatsvinden; *a* ~ *tie dinner* diner waarbij avondkleding vereist is; II *zn* zwart; zwartsel; zwart vernis, enz.; roetdeeltje; zwart(j)e; ~*s* zwarte kleren (*clerical* ~*s*); III *ww* zwart maken; poetsen; besmet verklaren (*a ship*); ~ *a p.'s eye* iem een blauw oog slaan; ~ *out* onleesbaar maken (*van censor*); (*fig*) verduisteren; zie ook ~-*out*; **'black-and-'white**: ~ *drawing* pentekening; ~ *artist* pentekenaar
blackberry ['blækb(ə)ri] braam(bes); **'blackbird** merel; (*Am*) koperwiek; **'blackboard** schoolbord; **blackcurrant** zwarte bes; **blackguard** ['blægɑ:d] boef, schurk, deugniet; **blackhead** meeëter, acne, vetpuistje
'blacking schoensmeer
blackleg onderkruiper, stakingsbreker; **'black-list** I *zn* zwarte lijst; II *ww* daarop plaatsen; **'blackmail** [-meil] I *zn* geldafdreiging, chantage, brandschatting; II *ww* geld afdreigen (~ *a p. of £ 50* iem ... afdreigen), chanteren; **'blackmailer** chanteur; **'black-out** verduistering; tijdelijke bewusteloosheid; tijdelijke blindheid (van vlieger); **'blacksmith** (grof)smid
bladder ['blædə] blaas
blade [bleid] grasspriet (~ *of grass*), halm, blad, bladschijf; (blad van) roeispaan; schoep; lemmet, kling, zwaard; (scheer)mesje
blame [bleim] I *ww* berispen, laken, afkeuren; ~ *a p. for s.t. ook:* iem iets verwijten; *I don't* ~ *you* ik geef je geen ongelijk; *you are to* ~: *a*) je hebt er verkeerd aan gedaan; *b*) het is uw schuld; II *zn* blaam, schuld; *take the* ~ de schuld op zich nemen; *small* ~ *to her* het is haar niet kwalijk te nemen; **blam(e)able** ['bleiməbl] laakbaar, berispelijk; **blameless** onberispelijk
bland [blænd] zacht, vriendelijk, minzaam, zich aangenaam voordoend, (poes)lief, kalmpjes, onverstoorbaar, ijskoud; **blandly** *ook:* doodleuk
blank [blæŋk] I *bn* blanco, wit, onbeschreven, ledig; wezenloos (*a* ~ *look*), nietszeggend; saai; beteuterd (*look* ~); blind (*door, wall*); louter, zuiver; bot, vierkant (*denial*); sprakeloos (*horror*); ~ *cheque* blanco cheque; II *zn* blanco papier, formulier; oningevulde ruimte, leegte, leemte; losse patroon; niet (in loterij: *draw a* ~); streepje i.pl.v. woord; blank (in domino)
blanket ['blæŋkit] I *zn* (wollen) deken; II *bn* inclusief, alles insluitend; III *ww* bedekken of afsluiten (als) met een deken; jonassen; verdringen, overschaduwen
blare [blɛə] I *ww* loeien, brullen; schallen (*out* uit); II *zn* geloei; gebrul; ~ *of trumpets* trompetgeschal
blaspheme [blæs'fi:m] godslasterlijke taal spreken; (be)lasteren; **blasphemous** ['blæsfəməs] godslasterlijk; lasterlijk; **blasphemy** ['blæsfəmi] godslastering
blast [blɑ:st] I *zn* (ruk)wind; krachtige luchtstroom; (luchtdruk bij) ontploffing; springlading; stoot (*op trompet, enz.*); (*at*) *full* ~ in volle gang, op volle sterkte; II *ww* laten springen; verdorren, verzengen, vernietigen, verijdelen; bezoedelen (*a p.'s character*); ~ *off* gelanceerd worden (*van raket*), vertrekken; ~ *the fellow* laat ... naar de drommel lopen!; **blasted** (*volkstaal*) verwenst; **blast-furnace** [-fə:nis] hoogoven; **blast-off** lancering (*van raket*)
blatant ['bleitənt] lawaaierig, schaamteloos; open(lijk), klinkklaar (*nonsense*)
blaze [bleiz] I *zn* vlam, gloed, vol licht (*the* ~ *of publicity*); ~*s*, (*sl*) de hel (*go to* ~*s!*); *in a* ~ in

lichterlaaie; *swear like ~s* vloeken als een ketter; *go like ~s* als de weerlicht; II *ww* (op)vlammen, in gloed staan, gloeien, schitteren; schieten (~ *away*); ~ *away at, ook:* met kracht werken aan; ~ (*out*) uitvaren; ~ *up* oplaaien

bleach [bli:tʃ] I *ww* bleken; (doen) verbleken; II *zn* het ...; bleekmiddel; gebleekte stoffen

bleak [bli:k] guur; kaal, woest; somber

bleary-eyed ['bliəri aid] met waterige, rode ogen (door bijv slaapgebrek)

bleat [bli:t] I *ww* blaten, blèren; II *zn* geblaat, geblèr

bleed [bli:d] bloeden (*ook van plant*); aderlaten (*ook fig*); **bleeder** [-ə] (*fam*) schoft, ellendeling; stakker; **bleeding** bloeding; bloederziekte

blemish ['blemiʃ] I *ww* bevlekken, besmetten, bekladden; II *zn* vlek, smet, klad

blend I *ww* (zich) vermengen, onmerkbaar in elkaar overgaan; II *zn* mengsel, melange; **blender** (*elek*) mixer, keukenmachine

bless [bles] (in)zegenen; loven (*God*), zalig prijzen; ~ *o.s.*: *a*) zich gelukkig achten; *b*) een kruis slaan; (*God*) ~ *you!* God zegene u!; ~ *you!* (*na niezen*) prosit!; **blessed** [blest; *als bn:* 'blesid] *a*) gezegend (*with good health*), zalig (*ignorance*); *b*) verwenst, vervloekt (*a ~ fool*); *of ~ memory* zaliger gedachtenis; *ervery ~ thing* letterlijk alles; **blessing** ['blesiŋ] zegen(ing); zegenwens; *a ~ in disguise* iets onaangenaams, dat achteraf iets goeds blijkt te zijn

blight [blait] I *zn* planteziekte, meeldauw; benauwde atmosfeer; bederf; verderfelijke invloed, pest, vloek; gore stadswijk; II *ww* doen verdorren (verwelken); vernietigen, verwoesten; *~ing consequences* funeste gevolgen; **blighter** [-ə] (*sl*) ellendeling, schoft; stakker (*poor ~*); vent, snuiter

blime(y) ['blaimi] 'verdorie!'

blind [blaind] I *bn & bw* id. (*ook van muur, enz.*) (*to* voor); doodlopend (*road*); verborgen; onduidelijk, ondoorzichtig; ongezien; ~ *drunk*, ~ *to the world* stomdronken; ~ *of* (*in*) *an eye* blind aan één oog; ~ *to* blind voor; *turn a ~ eye to* een oogje dichtknijpen; ~ *landing*, (*luchtv*) blindlanding, landing op de instrumenten; ~ *spot* blinde vlek (*oog*); (*luchtv*) dode hoek; *go it ~* blindelings te werk gaan; II *ww* blind maken; verblinden; blinddoeken, verduisteren; III *zn* (rol)gordijn; rolluik, jaloezie; oogklep; blinddoek (*ook fig*); voorwendsel; onontplofte granaat; **blindfold** I *ww* blinddoeken; II *bn & bw* geblinddoekt; blindelings; III *zn* blinddoek; **blindly** blindelings; **blind man's buff** ['blaindmænz'bʌf] blindemannetje

blink [bliŋk] knipogen; gluren; knipperen, flikkeren, schitteren; ontwijken, de ogen sluiten voor (~ [*at*] *the facts*); **blinked** met oogkleppen op, bekrompen; **blinkers** oogklep; stofbril; **blinking** (i.pl.v. *bloody*) 'verdraaid', (soms vrijwel zonder betekenis)

blip [blip] (radar) echo

bliss [blis] (geluk)zaligheid, geluk; **blissful** ['blisf(u)l] (geluk)zalig, heerlijk, goddelijk

blister ['blistə] I *zn: a*) blaar; *b*) trekpleister; ~ *pack* blister(verpakking); II *ww* blaren (doen) krijgen, (doen) blaren, bladderen; **blistering**: *a ~ remark* een vernietigende opmerking; ~ *hot* snikheet

blithe ['blaið] 1 (*dichterlijk*) vrolijk; 2 achteloos; **blithering** ['bliðəriŋ] aarts... (*fool*), 'verdraaid'

blizzard ['blizəd] verblindende sneeuwstorm

bloated ['bləutid] opgezwollen, opgeblazen (*ook fig*)

bloater ['bləutə] verse bokking

blob ['blɔb] druppel, klont, klodder

bloc [blɔk] (*pol*) blok; **block** [blɔk] I *zn* blok (*ook in pol*); blok huizen; ~ *of flats* flatgebouw; katrol, takelblok (~ *and tackle*); belemmering, (st)remming, blokkering; II *ww* afsluiten, stremmen; versperren (*road is ~ed*), blokkeren; ~ *in* insluiten; ~ *up* in-, afsluiten; dichtspijkeren, -metselen; **blockade** [blɔ'keid] I *zn* blokkade; II *ww* blokkeren, insluiten, afzetten (*streets*); **blockage** ['blɔkidʒ] opstopping, verstopping; **blockbuster** succesfilm, succesboek vanwege sensationele inhoud of presentatie; **blockhead** domkop; **block-letter** blokletter; **block-up** versperring

bloke [bləuk] (*sl*) kerel, vent, knul

blond [blɔnd] blond; **blonde** [blɔnd] *a*) vrouw met blond haar; *b*) blond

blood [blʌd] bloed; bloedverwantschap; ras; raspaard; temperament; *in cold* (*hot*) ~ in koelen bloede (in drift); *his ~ is up* zijn bloed kookt; ~ *is thicker than water* het bloed kruipt, waar het niet gaan kan; **blood bank** bloedbank; **blood-curdling** huiveringwekkend, ijzingwekkend; **blood-group** bloedgroep; **bloodless** bloedeloos, bloedarm; koud, levenloos; onbloedig; **blood-money** bloedgeld; **blood-poisoning** bloedvergiftiging; **blood pressure** bloeddruk; **blood-red** bloedrood; **blood-relation** bloedverwant; **bloodshed** bloedvergieten; **bloodshot** met bloed doorlopen (*eyes*); **blood-sport** jacht; **blood stain** bloedvlek; **blood-test** bloedonderzoek; **blood-thirsty** bloeddorstig; **blood-transfusion** bloedtransfusie; **blood-vessel** bloedvat

bloody ['blʌdi] bloed(er)ig; bloeddorstig; verwenst; (*sl*) onuitstaanbaar; als stopwoord: *not a ~ farthing*, (*plat*) geen enkele ...; *a ~ fool* een idioot; ~ *nose* bloedneus; **bloody-'minded** (*fam*) dwars, koppig

bloom [blu:m] I *zn* bloesem, bloem, bloei; waas; glans, gloed, blos; boeket (*van wijn*); II *ww* bloeien, prijken

blossom ['blɔsəm] I *zn* bloesem; II *ww* (beginnen te) bloeien; ~ *into*, ~ *out as* zich ontwikkelen tot, zich ontpoppen als; **blossomed** [-d] in bloei

blot [blɔt] I *zn* vlek, klad, smet, ontsiering (*on the landscape* van); II *ww* (be)kladden; vloeien (met vloeipapier); *ook* = ~ *out* uitwissen, onzichtbaar maken, doorhalen

blotch [blɔtʃ] I *zn* klad, vlek, klodder; smet; (*sl*) vloei(papier); II *ww* kladden, vlekken; **blotched** [-t], **'blotchy** [-i] vlekkig, plekkerig; verweerd (*mirror*)

blotter ['blɔtə] vloeiblok, -boek, vloeier; **blotting-paper** vloeipapier

blouse [blauz] *a*) jasje van mil gevechtstenue; *b*) blouse

blow [bləu] I *ww* waaien, blazen; blazen op (*a whistle, a trumpet*); aan-, op-, uitblazen; puffen, hijgen; spuiten (*van walvis*); buiten adem brengen; snuiten (*one's nose*); eitjes leggen in (*van vlieg*); (*van zekering*) doorslaan, -smelten; (*van elektr lamp*) doorbranden; (*van autoband*) springen; (*sl*) *a*) vervloeken; *b*) verlinken; *c*) erdoor brengen (*money*), spenderen (*on* aan); *d*) verruimen (*a p.'s mind*); (*sl*) bederven, verprutsen (~ *it* zijn kansen verknoeien); ~ ***down*** omblazen; (doen) omwaaien; afspuien (*the boilers* de ketels); *be ~n down* omwaaien; ~ ***in*** (doen) binnenwaaien (*ook fig*); inblazen; zie *wind; ~ s.t. into a p.'s ear* iem iets inblazen; ~ ***off*** afblazen (*ook stoom*); (doen) afwaaien; overwaaien; ~ *off steam*, (*fig*) uitrazen; *be ~n off* afwaaien; ~ ***on*** zie ~ *upon;* ~ ***out*** uitblazen, leegblazen, -lopen, -waaien, opblazen, oppompen; (*van zekering*) = ~; *be ~n out* uitwaaien; ~ *out a p.'s brains* iem voor de kop schieten; ~ *itself out*, (*van storm*) uitrazen; ~ ***over*** (doen) omwaaien; overwaaien, -drijven; *be ~n over* omwaaien; ~ ***up*** oppompen; in de lucht (doen) springen, opblazen; (*fam*) ontploffen, in woede uitbarsten; (*fam*) de mantel uitvegen; (*fot*) sterk vergroten; II *zn* **1** slag, klap; *at a* (*one*) ~ in één klap; 2 wind(vlaag); het blazen, snuiten; gesnoef; *get* (*have*) *a* ~ (*of fresh air*) zich laten doorwaaien; **'blow-dryer** haardroger, föhn; **blower** (glas)blazer; orgeltrapper; aanjager (*van haard enz.*); (*fam*) telefoon; **blowlamp** soldeerlamp; **blown** v. dw. van *blow; als bn:* buiten adem; opgeblazen; ~ *fuse*, (*elektr*) doorgeslagen zekering; **blow-out** doorslag (*van zekering*); lek(ke band); spuiter (*oliebron*); (*sl*) smulpartij, fuif; **blow-up** uitbarsting; ruzie; (*fot*) (sterke) vergroting; **blowy** [-i] winderig

blubber ['blʌbə] I *zn: a*) spek van walvis, enz.; *b*) gegrien; II *ww* grienen, huilen

bludgeon ['blʌdʒən] I *zn* knuppel; II *ww* knuppelen

blue [blu:] I *bn* blauw; landerig, neerslachtig, sip (*look* ~) hopeloos; (*van verhaal, enz.*) schuin, onfatsoenlijk; ~ *movie* pornofilm; II *zn* blauw (blauwe kleur, stof), blauwsel; azuur; lucht, zee; *have* (*be in*) *the ~s* het land hebben; **bluebottle** bromvlieg; **blue chip(s)** veilige en winstgevende investering; **blue-collar** *worker* handarbeider; **blueprint** I *zn* blauwdruk; (*fig*) plan, ontwerp; II *ww* ontwerpen; **blue-stocking** blauwkous

bluff [blʌf] I *bn* stomp (*van boeg*), steil; open, rond(borstig); II *zn* **1** steile oever of voorgebergte, klif, rotswand; 2 bluffen (*bij poker*, vgl het *ww*); grote woorden, poging om te overbluffen, bangmakerij, brutaliteit; III *ww* (*bij poker*) bluffen: zich sterker voordoen dan men is; overbluffen

blunder ['blʌndə] I *zn* id., flater, bok, misser, miskleun; II *ww* een bok schieten, miskleunen; strompelen; (ver)knoeien; ~ *along* voortsukkelen

blunt [blʌnt] stomp, bot (*knife, refusal*); dom; kortaf, rond(uit); **'blunt-edged** stomp; **'bluntly** *ook:* botweg

blur [blə:] I *zn* smeer, veeg, vlek, smet; nevelachtigheid; onduidelijke vorm, vage verschijning; II *ww* besmeren, (be)kladden, benevelen, verdoezelen, verduisteren

blurb [blə:b] aanprijzing van boek e.d. (bijv op omslag)

blurry ['blə:ri] onduidelijk, vaag

blurt [blə:t] (gew. ~ *out*) eruit flappen

blush [blʌʃ] I *ww* blozen, zich schamen; *I ~ for you* ik schaam me over je; II *zn* blos; blik

bluster ['blʌstə] I *ww* razen, stormen, bulderen; snoeven; II *zn* geraas, getier; gesnoef

boar [bɔ:] *a*) beer (*mannetjesvarken*); *b*) wild zwijn (= *wild*~)

board [bɔ:d] I *zn* plank; bord; tafel; kost; kostgeld; bestuurstafel; bestuur, commissie, raad (van commissarissen); karton, bordpapier; boord; ~ *of Directors* Raad van Commissarissen; ~ *and lodging* (*residence*) kost en inwoning; ***above*** ~ open, eerlijk; ***across*** *the* ~ over de hele linie; *go **by** the* ~ overboord (verloren) gaan, voorgoed verdwijnen; ***on*** ~ aan boord (van); in trein (tram, bus); *put out **to*** ~ uitbesteden; II *ww* met planken betimmeren; kartonneren; in de kost hebben (nemen, zijn, doen: *with* bij); enteren; aan boord gaan van; ~ *a train* (*tram*, enz.), (*inz. Am*) stappen in; ~ ***out*** uitbesteden; buitenshuis (doen) eten; ~ ***up*** dichtspijkeren; **boarder** kostganger; **board-game** bordspel; **boarding** ['bɔ:diŋ] zie *board;* beschot, schutting; **boarding card** instapkaart; **boarding-house** kosthuis, pension; **'boarding-school** kostschool; **'board-meeting** bestuursvergadering; **'board-room** [-ru(:)m] bestuurskamer

boast [bəust] I *zn* bluf, gepoch, roem, trots; *make* (*a*) ~ *of* zich beroemen op; II *ww* pochen, bluffen (*of, about* op); opscheppen; zich beroemen op, zich verheugen in; **'boaster** [-ə] pocher, opschepper; **'boastful** [-f(u)l] pochend, opschepperig

boat [bəut] boot, sloep; **'boat-hook** bootshaak; **'boating** bootjevaren; roeisport; **boatman** botenverhuurder; veerman; **boatpeople** bootvluchtelingen; **boat-refugee** bootvluchteling; **boatswain** ['bəusn] bootsman

bob [bɔb] I *zn* 1 haardot, -bosje; korte pruik; 2 op- en neergaande beweging, stoot; korte buiging; II *ww* 1 (half) kort knippen; *~bed hair* polkahaar, 'pagekopje'; 2 op en neer bewegen, dansen, dobberen, huppelen; een korte buiging maken; knikken met

bobbin ['bɔbin] spoel; klos, haspel

bobby ['bɔbi] (*sl*) diender

bobsled, bobsleigh ['bɔbslei] bobslee

bode [bəud] voorspellen, beloven

bodge [bɔdʒ] knoeiwerk leveren, slecht repareren

bodily ['bɔdili] I *bn* lichamelijk; aards (*life*); *~ fear* vrees voor persoonlijk letsel; II *bw* lichamelijk, in levenden lijve; in zijn geheel, vierkant, totaal; *he fell ~ on the pavement*

body ['bɔdi] lichaam, lijf; romp; lijk; lijfje; carrosserie; casco (*van motorboot*); romp (*van vliegtuig*); grootste (voornaamste) deel, meerderheid, kern; (*fam*) persoon, mens (*an old ~*), 'ziel' (*a ~, ook:* iemand, men); corporatie, corps, troep, groep; verzameling, massa (*one ~ of fire*); substantie; dicht-, degelijkheid; '**bodyguard** lijfwacht; **body odour** (*ook* **B.O.**) lichaamsgeur; '**body-stocking** maillot; '**bodywork** carrosserie

bog [bɔg] I *zn* moeras, laagveen; (*volkstaal*) plee; II *ww: be ~ged* in de modder terechtkomen; (*fig*) vastzitten, er niet uit kunnen; *his book never ~s down in details* verdrinkt nooit in details

bogey ['bəugi] duivel, boeman

boggle ['bɔgl] (terug)schrikken (*at* voor), verbijsterd staan (*at* bij); weifelen, aarzelen

boggy ['bɔgi] moerassig, veenachtig

bogus ['bəugəs] vals, onecht, nep, zogenaamd, pseudo, verzonnen, gefingeerd (*address*)

boil [bɔil] I *zn* 1 steenpuist; 2 het koken; kook [*on* (*at*) *the ~* aan ...; *off the ~* van ...]; II *ww* koken, zieden (*with* van); *~ away* verkoken; *~ down* inkoken; (*fam*) condenseren, bekorten; *the matter ~s down to this* komt hierop neer; **boiler** ['bɔilə] (kook-, stoom)ketel; **boiling** ['bɔiliŋ] het koken

boisterous ['bɔistərəs] onstuimig, luidruchtig

bold [bəuld] moedig, stout(moedig); vrijpostig, brutaal; fors, krachtig; *~ face, ~ type* vette letter; '**bold-faced** [-feist] onbeschaamd

bollard ['bɔləd] *traffic ~* verkeerspaaltje

bolster ['bəulstə] I *zn* peluw; (*techn*) kussen; II *ww* (ook: *~ up*) met kussens, enz. steunen, kunstmatig staande houden, versterken

bolt [bəult] I *zn* 1 bout, grendel; rol (geweven stof); bliksemstraal; *~ from the blue* bliksemstraal uit heldere hemel; 2 het ... (zie *ww* 2); sprong; *he made a ~ for the door* vloog naar ...; *do a ~, make a ~ for it* ervandoor gaan; II *ww* 1 grendelen; met bouten bevestigen; *~ in* (*out*) op(buiten)sluiten; 2 weglopen, wegrennen, (*van paard*) op hol gaan, ervandoor gaan; wegslingeren, uitdrijven, opjagen; *~ down* opschrokken; III *bw: ~ upright* kaarsrecht; **bolt-hole** toevluchtsoord; uitweg

bomb [bɔm] I *zn* bom; *she goes like a ~* loopt (rijdt) geweldig, fantastisch; *make a ~,* (*sl*) een smak geld verdienen; II *ww* bombarderen; (*sl*) racen; *~ out* door bombardement dakloos maken; **bombard** [bɔm'bɑ:d] bombarderen (*ook fig*)

bombastic ['bɔmbæstik] bombastisch

bomber ['bɔmə] bommenwerper (*ook vliegt.*); **bomb-proof** bomvrij(e schuilplaats); **bomb-shell** granaat; *the news came like a ~* als een donderslag, sloeg in als een bom

bonanza [bə(u)'nænzə] rijke mijn (goudader), rijke opbrengst, voorspoed; (*fig*) goudmijn

bond [bɔnd] 1 band; contract, verbintenis, verplichting; schuldbekentenis, obligatie; borg (*go ~* ... worden); *~s* boeien; gevangenschap; 2 verbond (*Africander ~*); **bondage** lijfeigenschap, slavernij, onderworpenheid; **bonded**: *~ debt* obligatieschuld; *~ goods* goederen in entrepot; *~ warehouse, ~ store* entrepot

bone [bəun] I *zn* been; kluif; graat (*fish ~*); balein; *~ of contention* twistappel; *I have a ~ to pick with you* een appeltje te schillen; *to the ~* tot op het gebeente, door en door (*conservative to the ~*) tot het uiterste; *work one's fingers to the ~* zich kapot werken; II *bn* benen; III *ww* uitbenen; ontgraten; **bone-dry** kurkdroog; **boneless** zonder been; (*fig*) slap

bonfire ['bɔnfaiə] (vreugde)vuur

bonkers ['bɔŋkəz] (*sl*) gek

bonnet ['bɔnit] hoed of muts met keelbanden en zonder rand; motorkap (*van auto*); *have a bee in one's ~* (*about something*) een idee-fixe (= dwangvoorstelling) (over iets) hebben

bonny ['bɔni] (*Schots*) lief, mooi

bonus ['bəunəs] I *zn* premie; extra dividend, tantième; bijslag; II *ww* premiëren; '*~ share* bewijs van deelgerechtigdheid, bonusaandeel

bony ['bəuni] been(acht)ig, knokig; beenhard

boo [bu:] I *tw* boe! ba!; *he wouldn't say ~ to a goose* durft geen boe of ba te zeggen; II *zn* geloei; gejouw; III *ww* loeien; (uit)jouwen

boob I *zn* blunder; II *ww* blunderen; **booby prize** poedelprijs, troostprijs

'**booby-trap** (*mil*) trucbom, valstrikbom

boodle ['bu:dl] (*Am*) omkoopgeld, gestolen geld

book [buk] I *zn* boek; tijdschrift; tekstboekje; schrijfboek; *go **beyond** the ~* meer zeggen, dan men verantwoorden kan; *speak **by** the ~* zich nauwkeurig uitdrukken; *be **in** a p.'s good* (*bad, black*) *~s* bij iem in een goed (kwaad) blaadje staan; *take one's name **off** the ~s* zich laten schrappen; ***on** the ~s* ingeschreven als lid; *bring **to** ~* ter verantwoording roepen, dwingen rekenschap te geven; de gerechte straf doen ondergaan; *in my ~* naar mijn opvatting; II *ww* boeken, inschrijven, noteren (*an order*); (plaats) bespreken; een kaartje nemen (geven); nemen (*a ticket*); (*fam*) opschrijven, bekeuren (*for parking* wegens verboden parkeren); *~ in* (*out*) de komst (het heengaan) noteren van (personeel, enz.); zich inschrijven (afmelden) (*in hotel*); ~ *through* een doorgaand biljet nemen (geven); **bookable** bespreekbaar (*seats*); **book-case** boekenkast; **book-end** boekensteun; **bookie** [-i] (*fam*) = *bookmaker*; **booking** zie *book, ww*; stop ~s geen kaarten meer uitgeven; **booking-office** plaatskaartenbureau, bespreekbureau; **bookish** ['bukiʃ] geleerd, pedant; boeken...; **book-jacket** boek-, stofomslag; **bookkeeper** boekhouder; **bookmaker** id.: beroepswedder; **book-mark** boekelegger; **bookmobile** bibliobus; **book-plate** ex libris; **bookseller** boekhandelaar; **bookshelf** boekenplank; *mv ook* boekenrek; **bookstall** boekenstalletje; **book-stand** boekenstander; **book-token** boekebon

boom [bu:m] I *zn* 1 (haven)boom; versperring; (*scheepv*) boom; giek; 2 gedreun, enz., zie *ww* 2; 3 plotselinge vraag naar artikel, prijsstijging, hausse; hoogconjunctuur; II *ww* 1 gonzen, dreunen, bulderen; ~ *out* (doen) dreunen, dreunend aankondigen; 2 plotseling de hoogte in gaan (drijven); een geweldige vlucht nemen; **boom town** stad die snel tot bloei is gekomen

boon [bu:n] zegen, weldaad

boorish ['buəriʃ] boers, lomp

boost [bu:st] I *zn* zetje; reclame; opslag; (*techn*) aanjaagdruk; steun, hulp; II *ww* een zetje geven; duwen; reclame maken voor, opkammen (= ~ *up*); opdrijven; krachtig bevorderen, stimuleren, opkrikken (*morale*); (*elektr*) de spanning verhogen van (*a battery*); aanjagen (*aero-engine*); '**booster** id. (extra versterker); reclamemaker; (*elektr*) = ~ *dynamo* verhogingsdynamo; aanjager; (*ruimtevaart*) draagraket

1 boot [bu:t]: (*vero*) *to* ~ op de koop toe

2 boot [bu:t] laars, hoge schoen; (bagage)bak (*van rijtuig*); koffer(ruimte) (*van auto*); *the ~ is on the other leg* (*foot*): *a*) het is net andersom; *b*) de bordjes zijn verhangen; *to give somebody the* ~ iemand ontslaan

'**boot-black** schoenpoetser; '**booted** gelaarsd; **bootee** [bu:'ti:] wollen (vilten) kinderlaarsje

booth [bu:ð, bu:θ] kraam; telefooncel; hokje

'**bootlace** schoenveter; '**bootleg** I *zn* schacht (van laars); II *ww* (*Am sl*) (drank)smokkelen; III *bn* gesmokkeld (*whisky*); '**bootlegger**, '**bootlegging** (*Am sl*) (drank)smokkelaar, -arij

booty ['bu:ti] buit, roof

booze [bu:z] (*fam*) I *ww* zuipen, pimpelen; II *zn*: *a*) (sterk alcoholische) drank; *b*) zuippartij; *c*) kroeg

border ['bɔ:də] I *zn* rand, boord, zoom, berm; smal bloembed; grens(gebied); II *ww* omzomen; begrenzen; ook = ~ (*up*)*on* grenzen aan (ook fig: *~ing upon dishonesty*), liggen naast; **borderer** [-rə] grensbewoner; '**borderland** [-lænd] grens(gebied); '**border-line** grens(lijn); ~ *case* grensgeval

bore [bɔ:] I *zn* 1 boorgat; kaliber, diameter, boring (*van cilinder*); 2 vervelend mens, vervelend iets; *what a ~!* wat een vervelende vent! wat vervelend!; 3 vloedgolf; II *ww* 1 (door)boren; vooruitdringen; 2 vervelen; *be* (*feel*) *~d* zich vervelen; *be ~d stiff* zich stierlijk vervelen; **boredom** ['bɔ:dəm] verveling; **bore-hole** ['bɔ:həul] boorgat; **boring** ['bɔ:riŋ] I *zn* id.; II *bn* vervelend

born [bɔ:n] geboren (*of* uit); *when was he ~?* wanneer is hij geboren?; ~ *and bred* geboren en getogen

borough ['bʌrə] *a*) stad, stedelijke gemeente (= *municipal* ~); *b*) stedelijk kiesdistrict (= *parliamentary* ~); ~ *council* gemeenteraad

borrow ['bɔrəu] lenen (*of, from* van), borgen, ontlenen (*from* aan); *live on borrowed time: a*) langer leven dan verwacht; *b*) op sterven na dood zijn; '**borrowing-powers** bevoegdheid om een lening aan te gaan

Borstal ['bɔ:stl]: ~ (*institution*) tuchtschool

bosh [bɔʃ] (*sl*) nonsens, malligheid

bosom ['buzəm] boezem, borst; (*fig*) schoot (*in the ~ of his home* ... van zijn familie)

boss [bɔs] I *zn* 1 knop, bult, knobbel, ronde verhevenheid, naaf; 2 (*sl*) baas (*of the show* van het spul); 'hele piet'; kopstuk, 'bons' (*party* ~); II *ww* (*sl*) aan het hoofd staan van; de baas spelen over; commanderen (= ~ *about*); **bossy** ['bɔsi] bazig

bos'un (ook: *bos'n, bo's'n*) ['bəusn] *boatswain* bootsman

botanic [bə'tænik], **botanical** [-l] botanisch, plantkundig, planten ...; **botanize** ['bɔtənaiz] botaniseren; **botany** ['bɔtəni] plantkunde

botch [bɔtʃ] I *zn* knoeiwerk; II *ww* (= ~ *up*) (ver)knoeien; **botcher** [-ə] knoeier

both [bəuθ] beide; ~ *you and he* zowel ... als

bother ['bɔðə] I *ww* hinderen, kwellen; zich zorgen maken (*about* over), drukte maken; dwarszitten; ~ (*it*)*!* he, wat vervelend!; *don't* ~ doe geen moeite; II *zn* gezeur, drukte; last, moeilijkheden

bottle ['bɔtl] I *zn* fles, karaf; (*fam*) moed, lef; II *ww* bottelen; in flessen doen (inmaken) (ook: ~ *up*); ~ *off* aftappen; ~ *up, ook:* insluiten (*the fleet*), opkroppen (*one's anger*); *be ~d,* (*sl*) zat zijn; '**bottle-cap** capsule; kroonkurk; '**bottle-feeding** grootbrengen met de fles; '**bottle-green** donkergroen glas; '**bottle-neck** flessehals; (*fig*) smalle door-, ingang (= ~ *entrance*), gevaarlijk smal deel van weg; knelpunt: wat stagnatie (in produktie) veroorzaakt

bottom ['bɔtəm] I *zn* bodem (*ook:* schip), grond, basis, voet (*of the hill*), benedeneinde, (verste) einde; zitting, mat van stoel; zitvlak, bips; ***at*** ~ in de grond, au fond; *at the ~ of* op de bodem van (*the sea*), achter in (*the garden*), onderaan in (*one's class*); *be at the ~ of it* erachter zitten; ***from*** *the ~ of my heart* uit de grond van ...; II *bn* onderste; laatste (*my* ~

dollar); fundamenteel; **III** *ww: ~ out* z'n laagste punt bereiken (*ook fig*); '**bottomless** bodemloos, peilloos; ongegrond
bough [bau] (grote) tak
boulder ['bəuldə] grote rolsteen, kei
boulevard ['bu:lvɑ:, 'bu:ləvɑ:d] id.
bounce [bauns] **I** *ww* springen (laten), stuiten, opveren; stormen (*into the room*); donderen, een uitbrander geven; eruit smijten; (*fam, van cheque*) geweigerd worden, als ongedekt terugkomen; *~ out with s.t.* iets eruit flappen; *~ home* naar huis rennen (snellen); **II** *zn* sprong, slag, (terug)stoot; onbeschaamde leugen; uitbundigheid; **bouncer** ['baunsə] opsnijder; uitsmijter (*café, club, e.d.*); hoog opspringende bal; **bouncing** ['baunsiŋ] stevig, flink (*a ~ girl*); **bouncy** ['baunsi] zelfverzekerd; uitbundig
1 bound [baund] ovt & v. dw. van *bind; I feel ~ to say* moet zeggen; *he is ~ to come* moet komen; komt stellig; *I'll be ~* ik wed
2 bound [baund] gereed, bestemd, op weg (*for China* naar ...) *outward-~* klaar voor het vertrek (*schip*); *outward ~ school* trainingskamp voor buitenactiviteiten (*zeilen, bergtochten, kamperen, enz.*)
3 bound [baund] **I** *zn* grens; *~s* (grens)gebied, perken; (*with*) *in* (*out of*) *~s: a*) binnen (buiten) het (toegestane) terrein; *b*) binnen (buiten) de perken; **II** *ww* begrenzen; beperken; *be ~ed by* grenzen aan, omgeven worden door (*England is ~ed by the sea*)
4 bound [baund] **I** *ww* springen; weeromstuiten; **II** *zn* sprong; weeromstuit; *at a ~* met een (één) sprong
boundary ['baundəri] grens; landpaal
boundless onbegrensd; grenzeloos
bountiful ['bauntif(u)l] *a*) mild; *b*) overvloedig; **bounty** ['baunti] mild(dadig)heid; gave; handgeld; (uitvoer)premie
bouquet ['bu(:)kei] id. (*ook van wijn & thee*)
bourbon (*Am*) ['bə:bən] Kentucky whisky
bout [baut] keer, beurt; rondje, partij(tje); tijdje, poos; wedstrijd; vlaag; aanval (*van ziekte*); drinkgelag (= *drunken ~*)
bovine ['bəuvain] runderachtig, runder...; dom, traag
bovver ['bɔvə] (*sl*) herrieschopperij, knokpartij
1 bow [bau] **I** *ww* (doen) buigen; door een buiging uitdrukken (*one's thanks*); zich buigen (*to, before* voor); *~ from the waist* buigen als een knipmes; *~ in* (*out*) ...nde in(uit)laten; *~ out,* ergens mee stoppen, iets opgeven; **II** *zn* **1** buiging; **2** boeg (ook: *~s*)
2 bow [bəu] **I** *zn* boog; strijkstok; strik (*tie a ~*); **II** *ww* strijken (*a string*)
bowdlerize ['baudləraiz] zuiveren (en bederven); (*boeken, toneelstukken*) ongeschikte gedeelten verwijderen
bowels ['bauəlz] ingewanden; binnenste (*of the earth*); *~ movement* stoelgang; *move the ~s* ontlasting hebben
bower ['bauə] schaduwrijk plekje, prieel
bowie(-knife) ['bəui('naif)] lang dolkmes
bowl [bəul] **I** *zn* **1** schaal, kom, bokaal, compote (*schaal*), nap, bekken; holte; pijpekop; **2** (kegel)bal; *~s* balspel (*met ~s*); kegelspel; **II** *ww: ~s* spelen; kegelen; (voort)rollen; (*cricket*) 'bowlen', de bal werpen; *~ along* gesmeerd lopen (*werk, zaken*); *~ (out), (cricket)* uitbowlen, uitgooien (*a batsman*); *~ out, (fig)* van de baan knikkeren; *he is ~ed out* het is gedaan met hem; *~ over* omverwerpen; van zijn stuk brengen (*her soft words ~ed him over*); ook = *~ out* (fig); *~ed over, ook:* 'smoor'(verliefd)
bow-legs ['bəulegz] o-benen
bowler hat [bəulə'hæt] bolhoed
bowling ['bəuliŋ] id.; '**bowling-alley** [-æli] (soort) kegelbaan; '**bowling-green** veld voor *bowls* (balspel)
bowsprit ['bəusprit] boegspriet
bow-tie ['bəu'tai] strikdas, vlinderdas
bow-window ['bəu'windəu] koepelvenster, ronde erker
box [bɔks] **I** *zn* **1** doos, kist(je), koffer; (platen)-cassette; hokje (*ook op formulier*); huisje (*signal ~*); loge; box: afdeling van paardestal; kader: omlijnd gedeelte van pagina in tijdschrift; kamertje; telefooncel; postbus; (*fam*) (kijk)kastje, teevee (= *goggle box*); plaats van de getuige (zie *witness-box*), plaats van jury; bok (van rijtuig); geschenk (zie *Christmas box*); (*sp*) tok, protector; **2** klap, oorveeg (= *~ on the ear*); **II** *ww* **1** in een doos (cassette) doen; insluiten (= *~ in, ~ up*); *~ in* (*up*) opeenpakken; *~ off* afdelen, afschieten; **2** boksen (met); *~ a p.'s ears* iem een oorveeg geven; **boxer** *a*) bokser; *b*) id. (*soort hond*)
Boxing-day 2de kerstdag (3de kerstdag, indien 2de op zondag valt)
box number postbusnummer; **box-office** kassa, plaatskaartenbureau
boy [bɔi] jongen (ook als vocatief: *~, what a game!*), knaap; (*Br.I., enz.*) huisjongen; (*attr ook*) mannelijk, mannetjes...; jong; *jobs for the ~s* vriendjespolitiek; *~ scout* padvinder
boycott ['bɔikɔt, -ət] **I** *ww* boycotten; **II** *zn* boycot
boy-friend ['bɔifrend] (*van meisje*) vriendje; **boyhood** ['bɔihud] jongensjaren; jongens...; **boyish** ['bɔiiʃ] jongensachtig, jongens...
bra [brɑ:] (*fam*) beha
brace [breis] **I** *zn* klamp, haak, (muur)anker, stut; beugel (*ook med*); riem, (draag)band; booromslag; spanning; accolade; koppel, paar; *~s* bretels; **II** *ww* vastbinden, -zetten, steunen, leunen; verankeren; spannen (*one's muscles*); verfrissen, opwekken (*a bracing climate*), versterken (= *~ up*); **bracelet** ['breislət] armband; (*sl*) handboei
bracken adelaarsvaren(s)
bracket ['brækit] **I** *zn* steunbalkje, console; klamp; haak(je); groep, klasse (*the lower income ~s*); **II** *ww* tussen haakjes plaatsen; samenkoppelen

brackish brak (water)
brag [bræg] bluffen, pochen (*of, about* op); **braggart** ['brægət] I *zn* pocher, bluffer; II *bn* blufferig
braid [breid] I *zn* vlecht; haarband, -lint; boordsel, nestel, galon; veterband; II *ww* vlechten; garneren; binden (*hair*)
brain [brein] I *zn* ~(*s*) hersenen, hersens; brein, verstand, intellect; II *ww* (*fam*) de hersens inslaan; **brain-child** geesteskind; **brain-drain** emigratie van hoogopgeleide mensen naar landen waar zij meer kunnen verdienen; **brain-fever** hersenvliesontsteking; **brainless** suf, stom, dwaas; **brain-pan** hersenpan; **brainstorm** plotselinge hevige hersenstoring; (*Am*) plotselinge inspiratie; **brainwash(ing)** hersenspoeling; **brainwave** (*fam*) (lumineus) idee, gelukkige inval; **brainy** (*fam*) pienter, knap; lumineus (*idea*)
braise [breiz] smoren (*meat*)
brake [breik] I *zn* rem; *apply the* ~ remmen; II *ww* remmen; **brake-drum** remtrommel; **brake-light** (*auto*) remlicht
bramble ['bræmbl] braamstruik, doornbos
bran [bræn] zemelen
branch [brɑ:n(t)ʃ] I *zn* tak; arm; zijlijn; afdeling, vak, branche, filiaal, agentschap (*van bank*), onderdeel (*van maatschappij*); *attr ook* zij... (~ *line*); II *ww* zich vertakken, zich afscheiden van (= ~ *off*); ~ *out* zaken uitbreiden, iets nieuws beginnen; **branch-office** bijkantoor
brand [brænd] I *zn* merk, soort; brandend (verkoold) stuk hout; brandijzer, -merk; *set a ~ upon* brandmerken; II *ww* brandmerken; griffen; **branding iron** brandijzer; **brandish** zwaaien (met); **brand name** merknaam; **brand-new** ['bræn(d)'nju:] splinternieuw
brandy ['brændi] cognac; brandewijn
brash [bræʃ] *bn* onstuimig; brutaal
brass [brɑ:s] I *zn* (geel) koper, messing; bronzen (koperen) gedenkplaat; koperen voorwerp; koper(blazers) (*van orkest*); (*sl*) = *top* ~ hoofdofficieren, hoge omes, topfunctionarissen; *as bold as* ~ zo brutaal als de beul; II *bn* koperen; bronzen; ~ *band* fanfarekorps; **brass hat** (*fam*) hoofdofficier, 'hoge ome'; **brassy** [brɑ:si] koperachtig, -kleurig; onbeschaamd; pretentieus
brat [bræt] kind; (kleine) schavuit
brave [breiv] I *bn* moedig, dapper, flink; II *ww* trotseren; uitdagen; ~ *it out* er zich moedig doorheen slaan; **bravery** [-əri] dapperheid, moed; vertoon; pracht, glans
brawl [brɔ:l] I *ww* kijven, schreeuwen, razen; bruisen; II *zn* geschreeuw, ruzie, kijfpartij; **brawler** [-ə] ruziemaker
brawny [brɔ:ni] sterk, gespierd
bray [brei] I *ww* balken (*van ezel*); schetteren (*van trompet*); II *zn* gebalk
brazen ['breizn] I *bn* onbeschaamd; II *ww:* ~ *it out* er zich brutaal doorheen slaan
brazier ['breizjə] komfoor
breach [bri:tʃ] I *zn* breuk; bres (*stand in the* ~ op ...; *mount the* ~ zich op ... stellen); inbreuk (*of* op ...), schending; II *ww* een bres schieten in; doorbreken
bread [bred] I *zn* brood; voedsel; levensonderhoud; II *ww* paneren; **bread-bin** broodtrommel; **bread-board** broodplank; **breadcrumb** broodkruimel; *mv ook:* paneermeel
breadth [bredθ] breedte; strook, baan (van stof); ruimte van blik (opvatting) (= ~ *of opinion*(*s*)
bread-winner kostwinner
break [breik] I *ww* breken (*ook fig: code, record, enz.*), aan-, af-, onder-, open-, los-, verbreken; pauzeren; slopen; opbreken (*camp*); banen (*a path*); scheuren; doorbreken; uitbarsten; opengaan (*van bloem*); ontplooien (*a flag*); (*van bank*) (doen) springen; (zich) verspreiden, de gelederen verbreken; overtreden; verminderen; (voorzichtig) mededelen (~ *it gently to him*); (zich) afwennen (*a habit*); *the weather broke* het mooie weer sloeg om; *his voice broke: a*) stokte; *b*) wisselde; ~ *one's back* zich de rug breken; zich kapot werken; ~ ***away*** weg-, los-, afbreken, zich losrukken (afscheiden), wegsnellen; ~ ***down*** afbreken, kapot breken; ontzenuwen, afmaken; te gronde richten; (in zijn onderdelen) ontleden, analyseren, specificeren; ontbinden; defect raken; bezwijken, mislukken, blijven steken (*in one's speech*); in tranen uitbarsten; ~ ***forth*** los-, uitbarsten; plotseling te voorschijn komen; aanbreken; ~ ***from*** *a tradition* breken met; ~ ***in*** in-, binnen-, openbreken; africhten (*horses*); in de rede vallen; ~ ***into*** inbreken in (*a house*); aanspreken (*one's capital*); ~ *into a run* het op een lopen zetten; ~ *a p.* ***of*** *a habit* afleren; ~ ***off*** afbreken; ~ ***out*** uitbreken, uitvallen; losbarsten; uit de band springen; ~ ***through*** doorbreken; ~ *a horse* ***to*** *the saddle* gewennen aan; ~ ***up*** stuk breken (maken), verscheuren, scheuren (*grassland*); afbreken; slopen; uiteenvallen, -gaan; kruien (*van ijs*); eindigen; een eind maken aan, verwoesten; omslaan (*van weer*); *school broke up* de vakantie begon; ~ ***with*** breken met (*a p., the past*); II *zn* breuk; af-, ver-, onderbreking; verandering; het aanbreken (*of day*); rustpunt; (school-, werk)pauze; verzetje; opening; afbrekingsteken; bof; '**breakable** I *bn* breekbaar; II *zn:* ~*s* breekbare dingen; '**breakage** [-idʒ] het breken; '**break-away** I *zn* afscheiding, ontsnapping; (*sp*) *a*) valse start; *b*) uitval; II *bn* afgescheiden; '**breakdown** instorting; storing; het niet verder kunnen, panne, pech, defect, averij; afbraak (*products*); analyse, specificatie; ~ *van* takelwagen; '**breaker** (ijs)breker; sloper; stortzee; ~*s* branding; '**break-'even** *point* (punt van) evenwicht tussen inkomsten en uitgaven
breakfast ['brekfəst] I *zn* ontbijt; *have* ~ ontbij-

ten; ~ *show* ontbijtshow; ~ *T.V.* ontbijttelevisie; II *ww* ontbijten; '**breakfast-set** ontbijtservies

break-in inbraak

breaking ['breikiŋ] ...ing (*vgl het ww*), braak; ~ *and entering* inbraak; **breaking-point** breekpunt, breeksterktegrens; **breaking-'up** *day* laatste schooldag

breakneck halsbrekend; *at ~ speed* in dolle vaart; **break-off** afbreking; **break-through** doorbraak, plotselinge vooruitgang in kennis of techniek, belangrijke positieve ontwikkeling; **break-up** ineenstorting; het uiteenvallen, -gaan; verbreking; het omslaan (*van weer*); **breakwater** golfbreker

breast [brest] I *zn* borst; borststuk; boezem; boven-, voorzijde; *make a clean ~ of* eerlijk opbiechten; II *ww* het hoofd bieden aan; beklimmen; worstelen tegen; doorklieven; **breastbone** borstbeen; **breast-feed** met de borst grootbrengen; '**breast-'high** op borsthoogte; **breastplate** (metalen) borstplaat; buikschild (*van schildpad*); plaat (*op doodkist*); **breast-pocket** binnenzak; '**breaststroke** borstslag, schoolslag

breath [breθ] adem(tocht); zuchtje (ook: ~ *of air*); *he caught his ~* zijn adem stokte; *out of ~* buiten adem; *under* (*below*) *one's ~* fluisterend; ~ *test* ademanalyse; **breathalyse** ['breθəlaiz] een ademtest doen ondergaan; **breathalyser** [-ə] ademtester, ademanalysator, 'blaaspijpje'; '**breath-catching** adembenemend

breathe [bri:ð] (in)ademen; ademhalen; op adem komen; blazen (*new life into ...*); fluisteren; uiting geven aan (*a wish*); (laten) uitblazen (= ~ *out*); rieken (*of* naar); **breather** ['bri:ðə] *a*) zie *breathe*; *b*) verpozing; tijd om op adem te komen; **breathing** ['bri:ðiŋ] ademhaling; '**breathing-space** tijd om uit te blazen, rustpoos

breathless ['breθləs] ademloos; buiten adem; **breath-taking** adembenemend; **breathy** [-i] met ademgeruis

breeches ['britʃiz] korte broek; *wear the ~* de broek aanhebben

breed [bri:d] I *ww* voortbrengen, telen, fokken; grootbrengen; opleiden; veroorzaken; zich voortplanten, jongen; ontstaan; II *zn* geslacht, ras; **breeder** fokker; (*fast*) ~ (*reactor*) (snelle-)kweekreactor; **breeding** het ...; opvoeding; beschaving, beschaafde manieren (= *good* ~); *attr:* broed ... (~ *cage*); **breeding ground** broedplaats

breeze [bri:z] I *zn* 1 bries; koelte; 2 (*sl*) makje; II *ww* zacht waaien; **breeze-block** licht cementblok; **breezy** ['bri:zi] winderig, fris, levendig, vrolijk, opgewekt, joviaal (*his ~ ways*)

brevity ['breviti] kort-, beknoptheid

brew [bru:] I *ww* brouwen; (*fig ook*) uitbroeden, broeien (*a storm, mischief, is ~ing*); zetten (*tea*); maken (*punch*); trekken (*van thee*); ~ *up* thee zetten; broeien (*there's a storm ~ing up*); II *zn* brouwsel, treksel; **brewer** ['bru(:)ə] brouwer; '**brewery** brouwerij

bribe [braib] I *zn* steekpenning, omkoopgeld, -som; lokaas; II *ww* omkopen; **briber(y)** [-ə(ri)] omkoper(ij)

bric-a-brac ['brikəbræk] snuisterijen

brick [brik] I *zn* (bak)steen; blok (uit bouwdoos, enz.); rechthoekig stuk roomijs; (*vero*) fidele vent (meid); *lay ~s* metselen; II *ww* met b...en bekleden (plaveien, werken); in metselsteen nabootsen; ~ *in* inmetselen; ~ *up* dichtmetselen; **brick-field** steenbakkerij; **bricklayer** [-leiə] metselaar; **brickwork** metselwerk; '**brickworks**, '**brickyard** steenbakkerij

bridal ['braidl] bruids..., bruilofts...; huwelijks...; **bride** [braid] *a*) bruid (op trouwdag); *b*) pas getrouwde vrouw; *~-to-be* toekomstige bruid; **bride-groom** [-gru(:)m] bruidegom; **bridesmaid** bruidsmeisje

bridge [bridʒ] I *zn* 1 brug (*ook elektr, med, scheepv, gebit & bril*); kam (*van viool*); rug van neus; 2 id. (*kaartspel*); II *ww* 1 overbruggen (= ~ *across, over; ~ing grant* overbruggingstoelage); 2 bridgen; '**bridgehead** bruggehoofd

bridle ['braidl] I *zn* teugel, bit en hoofdstel, toom (*ook fig*); II *ww* tomen, breidelen, beteugelen (= ~ *in*); het hoofd in de nek werpen (= ~ *up*); kwaad zijn (worden), steigeren (*at* over, tegen); '**bridlepath** ruiterpad

brief [bri:f] I *bn* kort, beknopt; *in ~* kortom; in het kort; II *zn* instructie (door de *solicitor* aan de *barrister* overhandigd, voor vliegers, enz.), opdracht; III *ww: a*) instrueren (*a barrister; vliegers*, enz.); inlichten (*the press*); *b*) nemen (*a barrister*)

brief-case aktentas

'**briefing-room** lokaal waar vliegers vóór het in actie komen hun instructies krijgen

briefly (in het) kort; **briefs** slip(je) (*kledingstuk*)

bright [brait] helder, schitterend, blinkend; gelukkig; vlug, pienter, intelligent; levendig, opgewekt; *the ~ side* lichtzijde; '**brighten** [-n] (*up*) verhelderen, opklaren, doen glanzen, polijsten; opvrolijken; **brightness** helderheid

brilliance ['briljəns] glans, schittering; **brilliant** ['briljənt] I *bn* schitterend, glansrijk, talentvol; II *zn* briljant

brim I *zn* rand, boord, kant; II *ww: a*) tot de rand vullen; *b*) boordevol zijn; ~ (*over*) *with* overvloeien van; **brimful** boordevol

brimstone ['brimstən] (*vero*) zwavel

brine [brain] pekel; pekelnat; zee

bring [briŋ] (in-, op-, mee)brengen; halen, aanvoeren (*arguments*); indienen, instellen (*a claim* eis); voorbrengen (*a case* rechtszaak); ~ ***about*** teweeg- (tot stand) brengen; bijbrengen (*uit bewusteloosheid*); ~ ***against*** inbrengen tegen; ~ ***back*** terugbrengen; herinneren aan; ~

down doen neerkomen (*upon* op); neerschieten; verlagen (*price*); vernederen (*a p.'s pride*); ten val brengen; ~ ***forth*** voortbrengen, baren, brengen; uitgeven; ~ ***forward*** vooruitbrengen transporteren (*bkh*); aanvoeren (*evidence*); voor de dag komen met; ~ ***in*** binnenbrengen; invoeren; opbrengen; indienen (*a bill*); uitbrengen (*a report*); erbij brengen, aanhalen; werven (als lid, enz.); ~ ***off*** wegbrengen; redden; behalen; tot stand brengen (*a transaction*); *if I ~ it off,* "t 'm lap'; ~ ***on*** veroorzaken, met zich meebrengen; ter tafel brengen; ~ ***out*** uitbrengen; voor de dag halen; doen uitkomen, tot uitdrukking brengen; opvoeren; in de handel brengen; uitschrijven (*a loan*); ~ ***over*** overbrengen, overhalen; transporteren (*bkh*); ~ ***round*** bijbrengen (*uit bewusteloosheid*); er bovenop brengen (*a patient*); overhalen (*to* tot); omturnen; ~ *the conversation round to ...* brengen op; ~ ***through*** er bovenop brengen; ~ ***to*** bijbrengen ~ ***together*** samenbrengen; verzoenen; ~ ***under*** ten onder brengen; ~ ***up*** boven (omhoog, overeind) brengen; opbrengen; uithalen (*one word ~s up another*); te voorschijn brengen (*from one's pocket*); grootbrengen, opvoeden, opleiden; (tot staan, voor anker, tot bezinning) brengen of komen; stuiten; (weer) te berde brengen, ophalen; ~ *up to date* tot op heden bijwerken; '**bringer** brenger
brink [briŋk] rand
briquette ['briket] briket
brisk levendig, vlug, flink, kwiek; stevig; fris
bristle ['brisl] I *zn* borstel(haar); borstels; II *ww* (ook: ~ *up*) te berge rijzen; (de borstels, haren, veren) overeind zetten; (gew. ~ *up*) opvliegen, nijdig worden; ~ *with* wemelen van; **bristly** ['brisli] borstelig
Britain ['brit(ə)n] Brittannië; *Great ~* Groot-Brittannië; **British** ['britiʃ] Brits; **Briton** ['brit(ə)n] Brit
Brittany ['britəni] Bretagne
brittle ['britl] broos, bros, vergankelijk
broach [brəutʃ] aansteken (*a cask*), aanbreken; beginnen over, ter sprake brengen (~ *a subject* een onderwerp ...)
broad [brɔ:d] I *bn* breed, wijd, uitgestrekt (*acres* landerijen); ruim; liberaal (*opinions*); duidelijk (*hint*); ruw, grof (*compliment*), plat, sterk (*van accent, dialect: ~ Scotch*); ~ *day(light)* klaarlichte dag; II *bw* ~ *awake* klaar wakker; III *zn* breed gedeelte (*of the back*); rivierverwijding, plas (*the Norfolk ~s*); (*sl*) griet, stuk; **broadcast** I *bn* & *bw* omgeroepen (per radio); II *ww* op ruime schaal verspreiden; (per radio) omroepen; voor de microfoon spreken (spelen, enz.); uitbazuinen; III *zn* (radio)uitzending; **broadcaster** omroeper, presentator; **broadcasting** (radio-, televisie-) omroep; **broaden** (zich) verbreden (verruimen); **broadly** *ook:* in het algemeen; globaal; **broad-minded** ruim van opvatting
brochure ['brəuʃjuə, brɔ'ʃjuə] id.; folder
brogue [brəug] 1 id.: grove, sterke schoen; 2 dialectisch (*inz.* Iers of Schots) accent
broil [brɔil] braden (*op rooster; ook fig: in de zon*), grilleren, roost(er)en; **broiler** [-ə] braadkip; snikhete dag (= ~*ing day*)
broke [brəuk] blut, platzak; (= *stony* ~)
broken ['brəuk(ə)n]: ~ *English* gebroken, gebrekkig; ~ *ground: a*) oneffen terrein; *b*) omgeploegde grond; ~ *home* ontwricht gezin; ~ *marriage* stukgelopen huwelijk; **broken-down** vervallen; defect; afgetobd; **broken-hearted** verpletterd (*door smart*)
broker ['brəukə] makelaar; tussenpersoon
bronze [brɔnz] I *zn* brons(kleur), bronzen kunstwerk; II *bn* bronzen, bronskleurig, brons...; III *ww* bronzen
brooch [brəutʃ] broche, borst-, doekspeld
brood [bru:d] I *zn* broedsel; gebroed, kroost; II *ww* (uit)broeden; broeden, tobben, dubben; (*on, over* over); '**broody** [-i] *a*) broeds; *b*) somber (peinzend)
brook [bruk] beek; '**brooklet** [-lit] beekje
broom [bru(:)m] I *zn: a*) brem; *b*) bezem; II *ww* vegen; '**broomstick** bezemsteel
broth [brɔ(:)θ] bouillon, groentesoep
brothel ['brɔθl] bordeel
brother ['brʌðə] broeder, ambtsbroeder; **brotherhood** [-hud] broederschap; **brother-in-law** ['brʌðərinlɔ:] zwager; **brotherly** broederlijk
brow [brau] wenkbrauw; voorhoofd; gelaat; **browbeat** intimideren, (over)donderen; **browbeater** bullebak
brown [braun] I *bn* bruin; (*dichterlijk*) donker; II *zn* bruin(e kleur, verfstof); III *ww* bruinen, doorroken, bruin worden; **brownish** ['brauniʃ] bruinachtig
browse [brauz] I *ww* (af)knabbelen; (*fig*) grasduinen (*among, in, through* in); II *zn* het ... (*zie ww*)
bruise [bru:z] I *zn* kneuzing, buil, blauwe plek; II *ww* kneuzen; bont en blauw slaan; blauwe plekken krijgen (~ *easily*)
brunch [brʌn(t)ʃ] gecombineerd ontbijt en lunch (laat ontbijt): *br*eakfast & *l*unch
brunt [brʌnt] ergste, heetste (van het gevecht)
brush [brʌʃ] I *zn* borstel (*ook elektr*), kwast, penseel, wisser; kreupelhout; geschaafde plek; II *ww* (af)borstelen, (af)vegen; strijken, rakelings gaan langs, vluchtig beroeren; schaven; ~ *up* opborstelen, polijsten, opknappen; opfrissen (*one's French*); **brush-off** (*fam*) bruuske weigering; **brushwood** kreupelhout; **brushy** borstelig
brusque [bru(:)sk, brʌsk] bruusk, kortaf
brussels sprouts ['brʌslz sprauts] spruitjes
brutal ['bru:tl] beestachtig, onmenselijk, niets ontziend, grof, wreed (*the ~ truth*); **brutality** [bru:'tæliti] beestachtigheid, wreedheid; **brutalize** ['bru:təlaiz] *a*) verdierlijken; *b*) wreed behandelen; **brute** [bru:t] I *bn* redeloos, dier-

lijk, woest, zinloos, bruut; II *zn* (redeloos, wild) dier; bruut, beest, onmens, woesteling; (*fam*) nare vent; **brutish** ['bru:tiʃ] dierlijk; redeloos
B.Sc *Bachelor of Science* (zie *bachelor*)
B.Sc. *Bachelor of Science*
bubble ['bʌbl] I *zn* lucht-, zeepbel (*ook fig*); zwendel; ge... (*zie het ww*); ~ *and squeak* groenten en vlees samen gebakken; (*fig*) ijdel vertoon, bombast; ~ *gum* klapkauwgum; II *ww* (op)borrelen, pruttelen, bruisen, murmelen; ~ (*over*) *with* overvloeien (opbruisen) van; ~ *up, ook:* opwellen; **bubbly** ['bʌbli] vol luchtbellen, borrelend; (*fam*) champagne
buccaneer [bʌkə'niə] boekanier, zeerover
buck [bʌk] I *zn* mannetje van damhert, konijn en verschillende andere dieren; reebok; (*Am & Austr sl*) dollar; II *ww* 1 bokken (*van paard*); door bokken uit het zadel werpen; aanvallen; zich verzetten (tegen); 2 ~ (*up*), (*sl*) moed geven (inspreken)
bucket ['bʌkit] I *zn* emmer; schoep (*van waterrad*); *the rain came down in ~s* het regende bakstenen; *kick the ~,* (*sl*) het hoekje om gaan; II *ww* (*fam*) plenzen (*regen*); **bucket-seat** kuipstoel; **bucket shop** reisbureau dat goedkope vliegbiljetten verkoopt
buckle ['bʌkl] I *zn* gesp; II *ww* (vast)gespen (ook: ~ *up*); (zich) krommen, omkrullen; verbuigen, ontzetten (*van scheepsplaten, enz.*), (*fig*) in elkaar zakken; doen buigen
buck toothed met vooruitstekende tanden
1 bud [bʌd] I *zn* knop; kiem; *in ~* in knop; *in the ~,* (*fig*) in de dop; II *ww: a*) uitbotten, zich ontwikkelen; *b*) enten
2 bud [bʌd] (*Am*) (*fam*) broer; maat
buddy ['bʌdi] 1 goede vriend; begeleider van Aids-patiënt; 2 (*Am*) bud 2
budge [bʌdʒ] (zich) verroeren, bewegen
budgerigar ['bʌdʒərigɑ:] parkiet
budget ['bʌdʒit] I *zn* begroting, plan van uitgaven, budget; *attr* voordelig (*prices*); II *ww* de begroting opmaken, budgetteren; huishouden; **budgetary** [-əri] van het budget
buff [bʌf] I *zn* sterk geelachtig (buffel)leer; kleur daarvan; fan, enthousiast; *in ~* spiernaakt; II *bn* licht bruin-geel
buffalo ['bʌfələu] *a*) buffel(s); *b*) (*in Amerika ten onrechte*) bizon
buffer ['bʌfə] I *zn* id., stootkussen, -blok; II *ww* bufferen; tegen schokken beschermen
buffet ['bʌfit] I *zn* 1 id. (*in eetkamer*); ['bufei] id., restauratie (*in station, enz.*); 2 ['bʌfit] klap, (vuist)slag; II *ww* slaan (*about* heen en weer); stoten, beuken, worstelen (met); **buffet car** restauratierijtuig (zelfbediening)
buffoon [bʌ'fu:n] hansworst, pias
bug [bʌg] I *zn* 1 *a*) wand-, weegluis; *b*) kever; *c*) (*Am*) insekt; *d*) bacil; *e*) onverwacht defect, fout; *f*) (*fam*) manie; *g*) (*Am*) enthousiast (*he's a ~ on it*); 2 (*Am sl*) afluistermicrofoon; II *ww* (*fam*) afluistermicrofoon installeren in (*this room is ~ged*); (zich) ergeren, hinderen
bugger ['bʌgə] I *zn* (*volkstaal*) smeerlap; kerel, vent, sloeber (*the poor ~*); *~ all* geen donder; II *ww* verpesten (= *~ up*); *~ about* omhannesen; *~ off!* donder op!
bugle ['bju:gl] bugel: (jacht-, signaal)hoorn
build [bild] I *ww* bouwen, stichten; maken; vormen (*one's character*); aanleggen (*a fire*); nestelen; *trouble was steadily ~ing up* de toestand werd steeds dreigender; *I am not built that way,* (*fam*) zo ben ik niet; II *zn* bouw(wijze), vorm, gedaante; '**builder** bouwer; bouwmeester, aannemer; **building** ['bildiŋ] (ge)bouw; *the ~ trades* de bouwvak(ken); **building block** (*computer*) component; blok; **building-estate** bouwterrein; **building-plot**, **building-site** bouwterrein; **building-society** [-sə'saiəti] (*ongev*) hypotheekbank; **build-up** ['bildʌp] *a*) publiciteit(scampagne) (voor filmster enz.); *b*) (troepen)concentratie; *c*) file(vorming) (*of vehicles*); **built-in** ['bilt in] ingebouwd; '**built-up**: *~ area* bebouwde kom
bulb [bʌlb] *a*) (bloem)bol; *b*) (gloei)lampje; **bulb-grower** bollenkweker; **bulbous** ['bʌlbəs] bolvormig, bol
bulge [bʌldʒ] I *zn* uitzetting, buil; II *ww* (doen) opzwellen, (doen) uitpuilen, vooruitsteken; **bulgy** ['bʌldʒi] bol(staand), uitpuilend
bulk [bʌlk] I *zn* (scheeps)lading; omvang, grootte, volume, massa; reuzengestalte; gros, grootste deel, meerderheid, hoofdmacht; *attr ook:* massa (*articles, cargo*); *in ~* los gestort; II *ww:* ~ (*up*) opzwellen, aangroeien (*to* tot); **bulk carrier** vrachtschip van massagoederen; **bulkhead** waterdicht schot; **bulky** [-i] groot, lijvig, omvangrijk
bull [bul] 1 stier; mannetje (*van olifant, enz.*); *attr:* mannetjes...;stieren...; 2 (pauselijke) bul; 3 (*Am*) onzin, nonsens
bulldoze 1 met een bulldozer werken; 2 iemand tot iets dwingen; **bulldozer** id.
bullet ['bulit] (geweer)kogel
bulletin ['bulitin] I *zn* id.; II *ww* per bulletin bekendmaken; **bulletin board** prikbord
bullet-proof ['bulitpru:f] kogelvrij
bullfight stieregevecht; '**bull-headed** [-hedid] doldriftig; koppig; dom
bullion ['buljən] ongemunt goud of zilver
bullock ['bulək] os
bullring arena voor stieregevechten; '**bull's-eye** *a*) ronde dikte in glas; halfbolvormig glas in scheepsdek; halfbolvormige lens; *b*) rond venster(gat); *c*) (schot in de) roos; (*fig*) rake opmerking; **bullshit** (*sl*) onzin, gezeik
bully ['buli] I *zn* 1 bullebak, donderaar, vechtersbaas; 2 (*hockey*) id.; II *ww* donderen, pesten, tiranniseren (= *~ over*); III *bn* (*sl*) prachtig, kapitaal, patent; *~ for you!* nou, en!
bulwark ['bulwək] bolwerk, verschansing
bum [bʌm] I *zn: a*) (*volkstaal*) achterste; *b*) (*Am*) landloper, schooier; *c*) iem die iets (*sport e.d.*) heel graag en vaak doet (*ski ~*); *d*) prutser, onbekwame vent; II *bn* (*Am*) prul...

(*actress*), snert..., vals (*check*); **III** *ww* klaplopen, bietsen, bedelen, omlummelen
bumble ['bʌmbl] *a*) mompelen; *b*) dazen, onzin praten; **bumble-bee** hommel
bump [bʌmp] **I** *zn* bons, stoot, slag, 'tik'; (*luchtv*) windstoot; buil, (schedel)knobbel; **II** *ww* stoten, botsen, horten, bonzen (tegen), inhalen, smijten; ~ ***into*** *a p.* iem tegen het lijf lopen; ~ *a p. off*, (*Am sl*) van kant maken; **III** *bw* plof, pardoes (*their boat came* ~ *against ours*); **bumper** *bn* overvloedig, stampvol, enz; *zn* (*van auto*) id.; ~ *to* ~ in één lange file; **bumpy** ['bʌmpi] hobbelig; stotend; (*van wind & weer*) onstuimig; *the air was very* ~, (*luchtv*) vol luchtzakken
bun [bʌn] (krente)broodje; haarknot
bunch [bʌn(t)ʃ] **I** *zn* tros, bos(je); troep, groep, stel; **II** *ww* (tot) *trossen enz.* vormen; samenbundelen (~ *together*)
bundle ['bʌndl] **I** *zn* pak, bundel, bos; ~ *of nerves*, (*fig*) 'zenuwpees'; **II** *ww* (gew.: ~ *up*) samenbinden, bijeen-, inpakken; wegwerken (*she ~d the children off to school*); ~ *away* (*off*): *a*) ervandoor gaan; *b*) wegsturen, wegbrengen; ~ *into one's clothes* zijn kleren aanschieten; ~ *out* eruit gooien;
bungle ['bʌŋgl] **I** *ww* (ver)knoeien, broddelen, prutsen; **II** *zn* knoeiwerk; *make a* ~ *of* verknoeien; **bungler** [-ə] knoeier, prutser; klojo
bunk [bʌŋk] **I** *zn* kooi, couchette, slaapbank; (*fam*) onzin, gezwam; **II** *ww* **1** (in een kooi) slapen; **2** (*sl*) uitknijpen, spijbelen; **bunk bed** stapelbed
bunker ['bʌŋkə] **I** *zn* kolenruim; (*mil*) id.; **II** *ww* kolen innemen
bunny ['bʌni] (*fam*) konijn
bunting ['bʌntiŋ] vlaggedoek; vlaggen
buoy [bɔi] **I** *zn* (redding)boei, ton; **II** *ww* (ook: ~ *out*) betonnen; (ook: ~ *up*) drijvende houden, ondersteunen, bemoedigen; '**buoyancy** [-ənsi] drijfvermogen; opgewektheid; '**buoyant** [-ənt] drijvend; veerkrachtig, opgewekt
burble ['bə:bl] (op)borrelen, bruisen; murmelen
burden ['bə:dn] **I** *zn* last, vracht, druk; **II** *ww* beladen, belasten; bezwaren, drukken (op); **burdensome** [-əm] drukkend, bezwarend
bureau [bjuə'rəu] bureau, kantoor, schrijftafel
bureaucracy [bju(ə)'rɔkrəsi] bureaucratie; **bureaucratic** [bjuərəu'krætik] bureaucratisch
burgeon ['bə:dʒən]: ~ (*forth*) uitbotten, zich beginnen te ontwikkelen
burglar ['bə:glə] (nachtelijke) inbreker; ~ *alarm* alarminstallatie; *car* ~ autokraker; **burglary** [-ri] (nachtelijke) inbraak; **burgle** ['bə:gl] inbreken (in, bij)
burgomaster ['bə:gəma:stə] burgemeester (in Nederland, Vlaanderen, Duitsland)
burial ['beriəl] begrafenis; ~ *ground* begraafplaats
burly ['bə:li] groot, zwaar, dik, stoer
burn [bə:n] **I** *ww* (ver-, aan-, uit)branden; laten aanbranden; gloeien (*with* van); bakken (*bricks*); ~ ***away*** op-, uitbranden; (*fig*) verteren; ~ ***down*** afbranden; afnemen; *be burnt down* afbranden; ~ ***in*** inbranden; ~ ***into*** branden in; branden tot (*ashes*); (zich) onuitwisbaar prenten in; ~ ***out*** uitbranden; uitgaan; dakloos maken (verdrijven) door brand; uitgaan; (*van brand*) uitwoeden; (*fig*) verteren; bekoelen (*van ijver*); ~ ***to*** (*the pan*) aanbranden; ~ ***up*** verbranden; opvlammen; ~ *up the road*, (*sl*) heel snel rijden; **II** *zn* brandwond, -litteken, -gat; **burnable** brandbaar; '**burner** brander; **burning** ['bə:niŋ] **I** *bn* brandend; gloeiend, vurig; ~ *shame*: *a*) hevige schaamte; *b*) eeuwige schande; gloeiend schandaal; **II** *zn* (het) brand(en), hitte, gloed; '**burning-glass** brandglas
burnish ['bə:niʃ] polijsten, bruineren, poetsen
burnt [bə:nt] *the* ~ *child dreads the fire* een ezel stoot zich geen tweemaal aan dezelfde steen; **burnt offering** brandoffer; **burnt-'out** *a*) uitgebrand; *b*) dakloos door brand
burp [bə:p] **I** *zn* boer; **II** *ww* een boer laten (doen)
burr ['bə:] snorrend geluid, gesnor
burrow ['bʌrəu] **I** *zn* hol; **II** *ww* (een hol) graven, wroeten (*ook fig*); zich schuil houden; banen (*one's way*); zich ingraven
burst [bə:st] **I** *ww* (doen) barsten, springen, los-, open-, uitbarsten; ver-, open-, doorbreken; forceren, intrappen (*a door*; ook ~ *open*), (doen) openvliegen, -springen; *~ing* ***at*** *the seams* tot barstens toe vol; ~ ***in*** binnenstormen; ~ *in* (*up*)*on* overvallen; ~ ***into*** uitbarsten in; binnenstormen; ~ ***on*** zich plotseling vertonen aan; overvallen; ~ ***out*** uitbarsten (*crying* in tranen); los-, uitbreken; ~ ***through*** breken door, zich een weg banen door; ~ ***upon*** = ~ *on*; ~ ***with*** barsten van; **II** *zn* het ...; barst, breuk, scheur; plotselinge verschijning (inspanning, opwelling, vlaag); (hoge) vlucht
bury ['beri] begraven; bedekken, verbergen (*one's face in one's hands*); *you'll* ~ *me*, *ook*: je zult mij overleven; ~ *the hatchet* de strijdbijl begraven; **burying ground** begraafplaats
bus [bʌs] **I** *zn* (auto)bus; (*sl*) vliegtuig, 'kist'; ~ *stop* bushalte; *miss* (*lose*) *the* ~ achter het net vissen, zijn kans voorbij laten gaan; **II** *ww*: ~ (*it*) met de ~ gaan; (*Am*) (kinderen) per bus naar niet-gesegregeerde school brengen
bush [buʃ] struik(en); klimoptak (*als uithangteken*); haarbos; (*Austr, Afr*) (met bos bedekte) woeste streken, rimboe; *good wine needs no* ~ geen krans; *beat about the* ~ eromheen draaien; **bushed** (*sl*) afgepeigerd
bushel ['buʃl] schepel (*8 gallons, Eng* 36,36 l; *Am* 35,24 l); (*fig*) hoop; *hide one's light* (*candle*) *under a* ~ zijn licht onder een korenmaat zetten
bushy ['buʃi] ruig
business ['biznis] zaak, zaken, handel; werk, karwei, taak, (hele) bedoening; plicht; be-

roep, bedrijf, bezigheid; (*fam*) geval, zaakje; (*Belg*) uitbating; go into ~ in de handel gaan; *on* ~ voor zaken; *that is not your* ~ dat gaat u niet aan; ~ *as usual* verkoop gaat door; *make it one's* ~ *to* ... zich tot taak stellen te ...; *mean* ~ er ernst van maken; ~ *reply envelope* antwoordenveloppe; **business-hours** kantooruren; **businesslike** zaakkundig; praktisch; zakelijk; **business-man** [-mæn] zakenman; **business-suit** (*Am*) colbert

busker ['bʌskə] straatkomediant, -zanger, -muzikant

busman ['bʌsmən]: *take a* ~*'s holiday* in z'n vrije tijd z'n gewone werk doen; **bus-shelter** abri; **bus stop** halteplaats, stopplaats

bust [bʌst] I *zn* 1 borstbeeld; 2 totale mislukking; II *ww* 1 (met kracht) breken; 2 arresteren; 3 een inval doen bij; III *bn* kapot; failliet (*go* ~)

buster ['bʌstə] (*sl*) kranige vent

bustle ['bʌsl] I *ww* druk in de weer zijn (= ~ *about*) zich reppen, jachten; ~ (*up*) aanporren; II *zn* (zenuwachtige) drukte, beweging; **bustling** druk, bedrijvig

busy ['bizi] I *bn* bezig, druk, naarstig; rusteloos; bemoeiziek; (*telec*) bezet, in gesprek; *he is very* ~ hij heeft het erg druk; ~ *at* (*on, over, with*) bezig met; ~ *writing* bezig te ...; *get* ~ aan het werk gaan; II *ww* bezighouden (~ *o.s. with* zich ... met; **busybody** bemoeial

but [bʌt] maar; slechts; behalve, op ... na (*all* ~ *he, him; last* ~ *one*); (anders) dan (*nobody* ~ *me; never* ~ *once* slechts éénmaal); anders of (*it cannot be* ~ ...); of hij (die niet) (*no man* ~ *knows that*); of (*ten to one* ~ *he will come*); *who knows* ~ (~ *that,* ~ *what*) *he may come* of ... niet; *not* ~ *that* (~ *what*) *he is as good as you are* niet, dat hij niet ... is; ~ *for* zonder, als het niet was vanwege; *oh,* ~ *he is!* dat is hij wel!; ~ *then, I am a light sleeper* maar ik ben dan ook ...; *without* ~*s, ifs and ands* zonder voorbehoud

butane ['bju:tein] butaan

butcher ['butʃə] I *zn* slager; moordenaar; II *ww* slachten, (wreed) vermoorden, verknoeien

butt [bʌt] I *zn* 1 dik (uit)einde, kolf, struik; (boom)stomp; peuk; 2 doel(wit), mikpunt, zondebok; *make a* ~ *of a p.* iem tot mikpunt maken van spot, enz.; 3 stoot; II *ww* stoten; uitsteken; plaatsen; grenzen (*against, upon* aan); ~ (*up*) *against* in botsing komen met; ~ *in* zich (ongevraagd) in iets mengen

butter ['bʌtə] I *zn* boter; (*fig*) stroop(likkerij); II *ww* boteren; smeren; ~ (*up*) 'likken', honig om de mond smeren; '**buttercup** boterbloem; '**butter-dish** botervlootje; '**butterfly** vlinder (*ook fig*); ~ (*breast*) *stroke* vlinderslag; **buttermilk** karnemelk; **butterscotch** soort toffee

buttock ['bʌtək] bil; ~*s* achterste

button ['bʌtn] I *zn* knoop; knop(je), speldje (*lapel* ~); II *ww* voorzien van ~(*s*); ~ (*up*): *a*) (vast)knopen, sluiten; *b*) dichtgaan (*van kledingstuk*); ~ *s.t. up* iets voor elkaar brengen; ~*ed up,* (*fam*) gesloten, stijf; '**buttonhole** I *zn* knoopsgat; bloem(en) in knoopsgat; II *ww: a*) knoopsgaten maken (in); *b*) staande houden, aanklampen

buxom ['bʌksəm] glunder, mollig

buy [bai] I *ww* (aan-, om)kopen; (*sl*) geloven, aanvaarden; *he has bought it,* (*sl*) is erbij; *I'll* ~ *it,* (*sl*) ik geef het op (raadsel, enz.), het is mij goed (*whatever you say, I'll* ~ *it*); ~ *in* inkopen; ~ *a p. up* alles kopen wat iem heeft; II *zn* koop; *Italy's best* ~*s* wat men in Italië het best kan kopen; **buyer** (in)koper

buzz [bʌz] I *ww* gonzen; fluisteren, mompelen; rondfluisteren (= ~ *about*); ~ *off* ervandoor gaan; ~ *off!* donder op!; II *zn* gegons, gefluister, geroezemoes; gerucht; telefoontje

buzzard ['bʌzəd] buizerd

buzzer ['bʌzə] knopje (*van elektrische bel*); zoemer (*van telefoon*)

by [bai] I *vz* bij (*sit* ~ *the fire; have the letter* ~ *me; 2 feet* ~ *10; swear* ~ *God*); te (~ *land and sea*); voorbij (*pass* ~ *the church*); langs (~ *this road*); over (*travel* ~ *H.*); door (*killed* ~ *him*); door middel van (*done* ~ *mirrors*); onder (*known* ~ *the name of J.*); met (~ *this train*); per (~ *rail, definition*); uit (*a son* ~ *his first marriage*); van (~ *birth*); tegen (~ *six o'clock*); (te oordelen) naar, volgens (*judge* ~ *appearances*); op (*seven* ~ *my watch*); voor (*one* ~ *one*); aan (*day* ~ *day*); jegens, tegenover (*do one's duty* ~ *a p.*); *it's all right* ~ *me* mij is het (ik vind het) goed; ~ *day* overdag; ~ *night* 's nachts; ~ *the hour: a*) urenlang; *b*) per uur; *by the way* apropos, tussen twee haakjes; II *bw* nabij; erbij (*nobody was* ~); voorbij (*pass* ~); *by and by* straks, zo meteen; spoedig daarop, weldra; ~ *and large* over het algemeen

bye (*ook:* **bye bye**) ['bai 'bai] (*fam*) da-ag

by-election tussentijdse verkiezing

bygone I *bn* voorbijgegaan, vroeger; II *zn* vroegere tijd; *let* ~*s be* ~*s* (laten we) het verleden laten rusten

by-law (plaatselijke) verordening; reglement

by-pass I *zn* verkeersweg om stad, enz., rondweg; hartoperatie, waarbij bloedstroom wordt omgelegd (= ~ *operation*); II *ww* overslaan, voorbijgaan, passeren (*a p.*); een ~ aanleggen om (*a town*); om (een plaats) heen trekken

by-product bijprodukt

bystander toeschouwer

by-way zijstraat, achter(af)straat

by-word spreekwoord; spot-, bijnaam, aanfluiting; *a* ~ *for* berucht (bekend) wegens

Ccc

cab [kæb] *zn: a)* taxi; *b)* 'bok' (*van locomotief*); *c)* = *driver's ~* (bestuurders)cabine (*van trein, vrachtauto, enz.*)
cabbage ['kæbidʒ] kool
cabin ['kæbin] hut, kajuit; cabine; *~ cruiser* motorjacht
cabinet ['kæbinit] kabinet, kast(je); kamer(tje); (voornaamste leden van het) ministerie; *inner ~* kernkabinet
cable ['keibl] I *zn* kabel; telegram; II *ww* met een kabel vastmaken; telegraferen, telegrafisch overmaken (*~ money*); **cable-car** wagen van kabelbaan; **cable railway** kabelspoorweg
cab-stand taxi-standplaats
cache [kæʃ] geheime bewaarplaats; verborgen voorraad
cachet ['kæʃei] id., zegel, stempel; capsule
cackle ['kækl] I *ww* kakelen, snateren; snoeven; giechelen; II *zn* gekakel
cadaver [kə'deivə] kadaver, lijk; **cadaverous** [kə'dævərəs] lijkachtig
caddie ['kædi] golfjongen (die de zak met *golf clubs* draagt)
cadence ['keidəns] cadans, ritme
cadet [kə'det] cadet
cadge [kædʒ] leuren; bedelen; klaplopen, bietsen; **cadger** [-ə] bietser
cadre ['kɑ:də] kader
Caesarian section [si(:)'zɛəriən 'sekʃn] keizersnede
cafeteria [kæfi'tiəriə] cafetaria; kantine
cage [keidʒ] I *zn* kooi; gevangenis; liftkooi; open omhulsel; II *ww* (als) in een kooi opsluiten
cagey ['keidʒi] (*fam*) voorzichtig, zich niet bloot gevend
cairn [kɛən] steenhoop (*op graf, als grensteken, wegmarkering, enz.*)
cajole [kə'dʒəul] vleien; bepraten; *~ into* door vleien brengen tot
cake [keik] I *zn* id., gebak, koek, taart, tulband; stuk (*of soap*, enz.); II *ww* tot een koek worden (maken); aankoeken; harden
calamitous [kə'læmitəs] rampspoedig; **calamity** [kə'læmiti] ramp, ellende
calcify ['kælsifai] verkalken
calculate ['kælkjuleit] (be)rekenen; (*Am*) veronderstellen, geloven; *~ on* rekenen, vertrouwen op; *~d for* berekend op, geschikt voor; **calculating** berekenend; **calculation** [kælkju'leiʃən] berekenin; **calculator** ['kælkjuleitə] (be)rekenaar; (elektronische) rekenmachine
calendar ['kælində] kalender, register, lijst
calf [kɑ:f] 1 kalf; jong van hert (olifant, walvis); kalfsleer; *in* (*with*) *~* drachtig; 2 kuit (van been)
call [kɔ:l] I *ww* roepen, op-, be-, aan-, af-, bijeen-, in-, toe-, uitroepen; opbellen; uitschrijven (*an election*); dagvaarden (als getuige); aanlopen, een bezoek afleggen, komen (*~ tonight*); stoppen (*van trein*); aandoen (*van boot*); noemen; benoemen; *be ~ed* genoemd worden, heten; *London ~ing!* (*telec*) hier is Londen!; *~ attention to* de aandacht vestigen op; *~ names* uitschelden; *let's ~ it a day* laten we ophouden (met werken); *~* ***after*** naroepen; noemen naar; *~* ***at*** aanlopen (*a p.'s house* bij iem), aandoen (*a port*); *~* ***back*** terugroepen, herroepen, terugbellen; *~ back later* ... terugkomen; *~* ***by*** langskomen; *~* ***down*** afsmeken; zich op de hals halen; afkraken (*boek*); (*Am*) een standje maken; *~* ***for*** roepen om; vragen (naar, om); vereisen (*the matter ~s for a public examination*); afhalen; *to be left till ~ed for* poste restante; *~* ***forth*** oproepen, uitlokken (*a remark*), te voorschijn roepen; *~* ***in*** binnenroepen; opvragen (*money*); invorderen, uit de circulatie nemen; laten komen (*the doctor*); aanlopen; *~* ***into*** *being* in het aanzijn roepen; *~* ***off*** eraf-, terug-, wegroepen; afgelasten (*strike*); afmaken (*an engagement*); het laten afzeggen; *~* ***on*** (*vz*) bezoeken; aanroepen; een beroep doen op, zich wenden tot; vragen; aanmanen; *~* ***out*** uitroepen; uitdagen; oproepen; in het geweer roepen (*the guard*); te voorschijn roepen; in staking laten gaan; *~* ***up*** oproepen; wakker roepen, wekken; opbellen; *~* ***upon*** = *~ on* (*vz*); II *zn* (op-, uit)roep; (op)roeping; (oproep tot) telefoongesprek; aanmaning; roep-, lokstem, lokfluitje; aanleiding, reden (*no ~ to blush*); noodzaak; vraag (*for* naar); 'invite' (*kaartspel*); (kort) bezoek; (hoorn)signaal, (bootsmans)fluitje; geluid (*van dieren*); *~* (*to the bar*) toelating als advocaat; ***at*** (***on***) *~*, (*van geld*) dadelijk opvorderbaar; *at ~, ook:* onmiddellijk ter beschikking; *vote* ***by*** *~* hoofdelijk stemmen; *be* ***within*** *~* te beroepen; **call-box** telefooncel; **caller** degeen die opbelt; bezoeker; (*telefoon*) (*automatisch*) oproeper, (*niet-automatisch*) aanvrager; **call girl** (luxe) prostituée; **calling** ['kɔ:liŋ] het roepen, enz.; roeping
callous ['kæləs] vereelt, verhard, ongevoelig
call-out ['kɔ:laut] alarmering; **call-sign** ['kɔ:lsain] (*telec*) roepletters; **call-up** ['kɔ:lʌp] oproeping (voor mil dienst), mobilisatie
callus ['kæləs] eeltplek
calm [kɑ:m] I *zn* kalmte; windstilte (gew.: *~s*); II *bn* kalm, rustig; III *ww* kalmeren, stillen, tot bedaren brengen; *~ down* bedaren, kalmeren; **'calmness** kalmte
calorgas ['kæləgæz] flessegas, *ongev* Butagas

calumny ['kæləmni] laster
calva ['kælvə], **calvarium** [kəl'væriəm] schedeldak
camel ['kæməl] kameel (*ook wel:* dromedaris)
cameo ['kæmiəu] camee
camera ['kæmərə] camera; *single lens reflex* ~ spiegelreflexcamera
camouflage ['kæmə-, 'kæmuflɑ:ʒ] I *zn* id., maskering; II *ww* camoufleren (*ook fig:* maskeren, verbloemen)
1 camp [kæmp] I *zn* kamp; *break* ~ het kamp opbreken; II *ww* kamperen (ook: ~ *out*)
2 camp [kæmp] (*sl*) *a*) overdreven, verwijfd, theatraal; *b*) homoseksueel; *c*) wat vroeger mooi gevonden werd, maar nu belachelijk
campaign [kæm'pein] I *zn* campagne, veldtocht; actie (*against polio, etc.*); II *ww* op een veldtocht zijn, een campagne voeren (*against* tegen)
camper ['kæmpə] kampeerder; kampeerauto
camp-fire kampvuur
camphor ['kæmfə] kamfer
camping site ['kæmpiŋ'sait] kampeerterrein, camping; **campsite** ['kæmpsait] kampeerterrein, camping
campus ['kæmpəs] open terreinen, plantsoenen, enz. van een *college* of universiteit
1 can [kæn] I *zn* (metalen) kan; (conserven)blik, -bus; II *ww* inmaken (in blik), inblikken; ~*ned goods* conserven
2 can [kæn] kan, kunnen; ~ *I have one of these?* mag ik ...?; *I* ~ *but hope for the best* ik kan slechts het beste hopen
canal [kə'næl] kanaal (*ook in lichaam*); gracht; **canalization** [ˌkænəlai'zeiʃən] kanalisatie; **canalize** ['kænəlaiz] kanaliseren
canary [kə'nεəri] kanarie
cancel ['kænsəl] doorhalen; schrappen (*wardebts*), opheffen; vernietigen; afstempelen (*stamps*); intrekken, annuleren (*an order*); afschrijven, afwimpelen; afzeggen, opzeggen; buiten omloop (werking) stellen; **cancellation** [kænsə'leiʃən] doorhaling, intrekking, annulering, afzegging
cancer ['kænsə] kanker
candid ['kændid] eerlijk, open(hartig), oprecht; (*foto*) ongeposeerd; ~ *friend* vriend, 'die mij mijn feilen toont'; *to be quite* ~ om het maar ronduit te zeggen
candidate ['kændidit, -eit] kandidaat; **candidature** ['kændiditʃə] kandidatuur
candle ['kændl] kaars; licht; *burn* (*light*) *the* ~ *at both ends* te verkwistend omgaan met zijn krachten of middelen; *the game's not worth the* ~ het is de moeite niet waard; '**candle-grease** kaarsvet; '**candle-light** kaarslicht; schemering; '**candle-stick** kandelaar; '**candlewick** kaarsepit
candour ['kændə] oprechtheid, eerlijkheid, openhartigheid
candy ['kændi] I *zn* kandij; (*Am*) suikergoed, snoepgoed; ~ *floss* suikerspin; II *ww* met suiker inleggen, konfijten, versuikeren, glaceren; kristalliseren; *candied peel* sukade
cane [kein] I *zn* riet; suikerriet; rotan; rotting; stam, stengel; II *ww* (af)ranselen
canine ['kæ-, 'keinain] I *bn* honds...; ~ *tooth* hoektand; II *zn* hoektand
canister ['kænistə] bus(je), trommel
cannabis ['kænəbis] id., hennep
cannery conservenfabriek
cannibal ['kænibəl] kannibaal(s); **cannibalism** [-izm] kannibalisme; **cannibalize** [-aiz] uit elkaar halen om onderdelen te gebruiken
cannon ['kænən] I *zn* kanon; kanonnen, geschut; II *ww* botsen (*against, into, with* tegen); **cannonade** [kænə'neid] I *zn* kanonnade; II *ww* kanonneren; **cannon ball** kanonskogel; '**cannon fodder** kanonnevlees
canny ['kæni] slim; omzichtig, voorzichtig; spaarzaam
canoe [kə'nu:] I *zn* kano; II *ww* kanovaren
canon ['kænən] canon: (kerkelijke) regel; wet; lijst der canonieke boeken; lijst van heiligen; lijst van authentieke geschriften; 2de deel der mis; kanunnik, domheer; **canonic(al)** [kə'nɔnik(l)] canoniek, kerkelijk; algemeen aangenomen, gebruikelijk, gezaghebbend; **canonize** heilig verklaren
canopy ['kænəpi] (troon)hemel, baldakijn, gewelf (~ *of heaven*); kap; dak, bedekking
cant [kænt] **1** dieventaal; jargon; **2** huicheltaal
can't [kɑ:nt] *cannot*
cantankerous [kæn'tæŋkərəs] chagrijnig, nors
canteen [kæn'ti:n] kantine; eetketeltje
canter ['kæntə] I *zn* korte galop; II *ww* in korte galop rijden (brengen)
canvas ['kænvəs] zeildoek; linnen, canvas; doek, schilderij; zeilen; *under* ~: *a*) onder zeil; *b*) in tenten
canvass ['kænvəs] navorsen, ondervragen, bediscussiëren; (stemmen, klanten, enz.) werven; (kiesdistrict, enz.) bewerken; colporteren; ~ *for votes* stemmen werven; **canvasser** stemmenwerver, (verkiezings)agent
cap [kæp] I *zn* pet, muts, baret; dop(je), kap; (speler met) hoofddeksel als ereteken in (cricket)wedstrijd (*get one's* ~ in de ploeg gekozen worden); napje; top; hoed van paddestoel; *bathing* ~ badmuts; II *ww* een ~ opzetten; bedekken; *to* ~ (*it*) *all* als om de maat vol te maken
capability [keipə'biliti] bekwaamheid, vermogen, gave; **capable** ['keipəbl] bekwaam, knap, geschikt, flink; in staat (*of* te)
capacious [kə'peiʃəs] ruim, veelomvattend; **capacity** [kə'pæsiti] bekwaam-, geschikt-, bevoegdheid; hoedanigheid (*in his* ~ *as* ... van); vermogen, capaciteit; inhoud; (berg)ruimte
cape [keip] **1** kaap; **2** id., kap, pelerine
caper ['keipə] I *zn* capriool, bokkesprong; gril, kuur; II *ww* = *cut* ~*s* capriolen enz. maken, huppelen
capillary [kə'pilәri] I *bn* haarvormig, capillair, haar...; II *zn* haarbuisje

capital ['kæpitl] I *zn: a)* kapitaal; ~ *goods* kapitaalgoederen; *b)* hoofdstad; *c)* hoofdletter; *make ~ out of* munt slaan uit; II *bn* hoogst belangrijk (ernstig); voornaamst, hoofd... (*city, letter*); (*ook als uitroep:*) kapitaal, prachtig; ~ *charge* beschuldiging van moord; ~ *crime* (*offence*) halsmisdaad; ~ *punishment* doodstraf
capitalism, **capitalist** ['kæpitəlizm, -ist, kə'pitəlizm, -ist] kapitalisme, -ist(isch); **capitalize** ['kæpitəlaiz] kapitaliseren; ~ *(up)on* munt slaan uit
capitulate [kə'pitjuleit] capituleren (*ook fig*)
caprice [kə'pri:s] gril(ligheid), nuk; **capricious** [kə'priʃəs] grillig, nukkig
capsize [kæp'saiz] omslaan, -werpen
capsule ['kæpsju:l] *a)* id.; *b)* schaaltje; *c)* zaaddoos; *d)* cockpit van een ruimteschip
captain ['kæptin] I *zn* kapitein, aanvoerder; gezagvoerder; commandant (*of the fire-brigade*); opzichter; leider; (*sp*) aanvoerder; ~ *of industry* grootindustrieel; II *ww* aanvoeren
caption ['kæpʃən] inleiding (van document); hoofd, titel, op-, onderschrift (van foto e.d. in tijdschrift)
captivate ['kæptiveit] boeien, bekoren
captive ['kæptiv] gevangen(e); **captivity** [kæp'tiviti] gevangenschap; **captor** ['kæptə] wie gevangen neemt of buit maakt; **capture** ['kæptʃə] I *zn* verovering, buit, inname; vangst, prijs; II *ww* buitmaken, veroveren, innemen, gevangen nemen, vangen; vastleggen, vereeuwigen (op film, foto e.d.)
car [ka:] (zege)kar, wagen; (personen)auto, -wagen; tram; schuitje (*van ballon*), gondel (*van luchtschip*)
carafe [kə'ræf, kə'ra:f] (water)karaf
carat ['kærət] karaat
caravan [kærə'væn, 'kæ-] *a)* karavaan; *b)* kermis-, woonwagen; woonauto; *c)* id., kampeerwagen; **caravanning** [-iŋ] met caravan op vakantie zijn
carbine ['ka:bain] karabijn
carbon ['ka:bən] kool(stof); koolspits; doorslag (= ~ *copy*); ~ *monoxide* koolmonoxide, kolendamp; **carbonated** ['ka:bəneitid]: ~ *water* spuitwater; **carbon-paper** carbonpapier
carburettor ['ka:bjuretə] carburateur
carcass ['ka:kəs] karkas, lijk; geslacht beest
carcinogen [ka:'sinədʒən, 'ka:sinəˌdʒen] oncogeen
card [ka:d] I *zn* 1 (speel)kaart; (naam)kaartje; 2 (wol)kaarde; II *ww* kaarden; **cardboard** karton; (*fig*) onecht
cardiac ['ka:diæk] hart...; ~ *arrest* hartstilstand
cardigan ['ka:digən] (gebreid) (mouw)vest
cardinal ['ka:dinl] I *bn* voornaamst, hoofd..., kardinaal; donkerrood; ~ *numbers* hoofdtelwoorden; II *zn* kardinaal
card-index kaartregister
cardiology [ka:di'ɔlədʒi] cardiologie, studie (kennis) van het hart
card phone kaarttelefoon; **card punch** kaartponsmachine; **card-sharper** valsspeler; **card-table** speeltafeltje
care [kɛə] I *zn* zorg; voorwerp van zorg (*that shall be my ~*); *with ~* voorzichtig!; ~ *of Mrs. M.* per adres ...; *take ~ of* zorgen voor; passen op; voor z'n rekening nemen; *he took ~ to ...* zorgde ervoor, dat ...; II *ww* zich bekommeren, geven (***about*** om); lust hebben (te ...); *I should! ~ who ~s?* het zal me een zorg zijn; wat zou het? ~ ***for*** *a)* = ~ *about*; *b)* geven om, houden van; zorgzaam zijn; *c)* verzorgen, zorgen voor; *for all I ~* wat mij betreft; *I don't ~ a pin* (*curse, damn*), *couldn't ~ less* het kan me geen zier schelen
careen [kə'ri:n] (doen) overhellen; (*Am*) snel en slingerend rijden
career [kə'riə] I *zn* (snelle) vaart (*in full ~*); loopbaan, carrière; ~ *girl* meisje (vrouw) met eigen beroep; *~s master* leraar die leerlingen adviseert bij beroepskeuze, (school)decaan; *~s officer* beroepskeuzeadviseur; II *ww* (doen) hollen, snellen (auto)
carefree ['kɛə(')fri:] onbezorgd; **careful** ['kɛəf(u)l] zorgvuldig, nauwkeurig; zorgvol, -zaam; voorzichtig; zuinig; ~ *for* bezorgd (vol zorg) voor; *be ~ of* (goed) oppassen voor; op zijn hoede zijn voor; **careless** zorgeloos; slordig; onverschillig (*of* voor); flodderig
caress [kə'res] I *zn* liefkozing, aai; II *ww* liefkozen, strelen, aaien, aanhalen
caretaker ['kɛəteikə] huisbewaarder, -ster, conciërge, (park)wachter
careworn ['kɛəwɔ:n] afgetobd, door zorgen gekweld
cargo ['ka:gəu] lading; **cargo-boat** vrachtboot; **cargo-space** laadruimte
caricature ['kærikətjuə] karikatuur; spotprent
carmine ['ka:main] karmijn(rood)
carnage ['ka:nidʒ] bloedbad, slachting
carnal ['ka:nl] vleselijk, zinnelijk; *have ~ knowledge of ...* naar bed zijn geweest met ...
carnival ['ka:nivəl] carnaval
carol ['kærəl] I *zn* (kerst)lied, (lof)zang; II *ww: a)* zingen; *b)* loven (*in zang*)
carouse [kə'rauz] zuipen, zwelgen, brassen
carousel [ˌkærə'sel] draaimolen
1 carp [ka:p] karper
2 carp [ka:p] vitten (*at* op), bedillen
car park ['ka: ˌpa:k] parkeerterrein
carpenter ['ka:pəntə] timmerman; **carpentry** ['ka:pintri] *a)* timmermansambacht; *b)* timmerwerk
carpet ['ka:pit] I *zn* tapijt, karpet, vloerkleed; loper; *on the ~: a)* in behandeling; *b)* (*sl*) 'op het matje'; II *ww* (als) met een tapijt beleggen; (*fam*) een uitbrander geven (*a servant*); **carpet-bag** reiszak, valies; '**carpetbagger** avonturier, inz. in Amerika na de burgeroorlog; '**carpeting** tapijtstof; (*fam*) uitbrander; '**carpet-sweeper** rolschuier
carphone ['ka:fəun] autotelefoon

car pool ['kɑ: pu:l] gezamenlijk autogebruik; **carport** ['kɑ:pɔ:t] afdak voor auto

carriage ['kæridʒ] rijtuig; wagon; coupé; onderstel (*van wagen*); vervoer; vracht(prijs); gedrag, houding; aanneming (*van motie*); *~ free, ~ paid* franco; **carriage-drive** (op)rijlaan; **carriage-road** rijweg; **carriage-way** rijweg; *dual ~* dubbele rijbaan

carrier ['kæriə] vrachtrijder, voerman; bode; vrachtvaarder, vervoerder; bagagedrager (*op fiets*); (bacillen)drager; **carrier bag** [-bæg] (boodschappen)tas; **carrier-cycle** bakfiets; **carrier 'pigeon** postduif

carrion ['kæriən] kreng, aas, kadaver

carrot ['kærət] (gele, rode) peen, wortel(tje); *~s*, (*sl*) rood haar; 'rooie'

carry ['kæri] (mee-, weg)dragen (*ook van wapen, stem, enz.*); houden (*one's head*); rijden (*van vrachtrijder*); voeren (*a flag*); op-, door-, mee-, vervoeren; verdragen; meeslepen, met zich mee krijgen (*a meeting*); (mee-, over)brengen; drijven (*things too far*); (doen) aannemen (*a motion*); bevatten; uitdrukken (*a meaning*); *~ o.s.* zich houden (gedragen); *~ coals to Newcastle* water naar de zee dragen; *~* ***about*** (met zich) ronddragen; *~* ***along*** voortdragen; meevoeren, -slepen; *~* ***away*** wegdragen; meenemen; meeslepen (*carried away by the general enthusiasm*); *~* ***back*** terugvoeren; *~* ***into*** *effect* (*execution*) ten uitvoer brengen; *~* ***off*** wegdragen, -voeren; ten grave slepen; behalen (*the prize*); opwegen tegen, goedmaken; *~* ***on*** door-, voortzetten; volhouden, zich staande houden; zijn gang gaan, doorgaan (*~ on!*); onderhouden; uitoefenen (*a business*); voeren (*war, a lawsuit*); zich aanstellen, te keer gaan; het (met elkaar) aanleggen (*they are ~ing on behind his wife's back*); *~* ***out*** uit-, doorvoeren, volbrengen; meenemen (*meals*); *~* ***over*** overdragen; overhalen; transporteren; *~* ***through*** doorzetten, volhouden (*a character*); door de moeilijkheden heen helpen; voltooien; door-, volvoeren; **carryall** (grote) boodschappentas; **carry-case** draagtas; **carrycot** ['kærikɔt] reiswieg

carryings-'on verdacht gedoe

carrying-trade goederenvervoer

carry-'over (*fig*) tot later verschoven zaken

car-sick(ness) wagenziek(te)

cart [kɑ:t] I *zn* kar, wagen (*2-wielig*); II *ww* per ~ vervoeren; binnenhalen (*the crops*)

cartel [kɑ:'tel] kartel

cart-horse ['kɑ:thɔ:s] karrepaard

cartilage ['kɑ:tilidʒ] kraakbeen

carton ['kɑ:tən] karton(nen doos), slof (*of cigarettes*)

cartoon [kɑ:'tu:n] *a*) (spot)prent; *b*) tekenfilm; *strip ~* beeldverhaal

cartridge ['kɑ:tridʒ] patroon; cassette

cart-track karrepad, karrespoor

cartwheel wagenrad; *turn* (*do*) *~s* rad slaan

carve [kɑ:v] (voor)snijden, kerven, splijten, verdelen; beeldsnijden, beeldhouwen, graveren; *~ out* met moeite creëren; **carver** ['kɑ:və] *a*) houtsnijder; beeldhouwer; *b*) voorsnijder; **carving** snijwerk; **carving knife** voorsnijmes

cascade [kæs'keid] I *zn*: *a*) kleine waterval; *b*) golvend kantwerk; II *ww* vallen als een ~

case [keis] I *zn* 1 geval; zaak (*a ~ of conscience*); (*jur*) *a*) rechtszaak; *b*) argument(en), wat men tracht te bewijzen; toestand; *as the ~ may be* naar gelang van de omstandigheden; *it was his ~ that ...* hij betoogde dat ...; ***in*** *~* ingeval (*of* van); voor het geval (dat); *just in ~* voor alle zekerheid; *in any ~* in ieder geval; *make* ***out*** *a ~* (iets) bewijzen; 2 omhulsel, huls, etui, tasje, foedraal, kist, koffer, bus, (piano-, boeken-, letter)kast; trommel, koker, cocon, schede; II *ww* insluiten; overtrekken; in een ~ doen; *~ the joint* een mogelijkheid voor een inbraak onderzoeken; **case history** voorgeschiedenis (*van zaak, kwestie, enz.*); ziektegeschiedenis, anamnese

casement ['keismənt] openslaand venster (= *~ window*)

case work sociale begeleiding (*van persoon, gezin e.d.*)

cash [kæʃ] I *zn* kas, (gereed) geld, contant(en); *hard ~* baar geld; *~ and carry* (winkel) met lage prijzen, weinig service en geen bezorgdienst; *~ on delivery* onder rembours; (*for*) *~* (*down*) à contant; *~ with order* vooruitbetaling; *in* (*out of, short of*) *~* bij (niet bij, slecht bij) kas; II *ww* wisselen; incasseren, verzilveren; *~ in on* zijn voordeel doen met, munt slaan uit; **cash box** geldkist; **cash card** bankpas; *GPO ~* giromaatpas; **'cash-desk** kassa; **'cash-discount** korting voor contant; **'cash-dispenser** geldautomaat, flappentap; *GPO ~* giromaat; **cash flow** in- en uitstroom van geld bij firma; **cashier** [kæ'ʃiə] kassier (*kantoor*), caissière; **'cash-payment** contante betaling; **cash point** geldautomaat

casing ['keisiŋ] omhulsel, foedraal, overtrek, verpakking; (*techn*) mantel, huis; kozijn

cask [kɑ:sk] vat, ton; **casket** ['kɑ:skit] cassette, kistje, doos

cassette [kə'set] cassette

cassock ['kæsək] toog, soutane

cast [kɑ:st] I *ww* (ook *ovt* & *v dw*) werpen; af-, uit-, neerwerpen; uitbrengen (*votes*); uittrekken (*clothes*); afdanken; afwijzen; uitrekenen; verdelen (*the parts of a play*), toewijzen (*a part to an actor*), aanwijzen (*an actor for a part: he was ~ for Hamlet*); gieten (*ook fig*); *~* ***about*** de steven wenden; zoeken (*for* naar); bij zichzelf overleggen; *~* ***around*** = *~ about*; *~* ***aside*** ter zijde leggen (werpen); *~* ***away*** weg-, verwerpen; verkwisten; *~* ***down*** neerslaan (*one's eyes*); terneerdrukken; *be ~ down* terneergeslagen zijn; *~* ***loose*** losgooien; (*fig*) aan zijn lot overlaten; *~* ***off*** afwerpen, van zich werpen; verstoten; de bons geven; *~* ***out*** uitwerpen, uitdrijven, verjagen; *~* ***up*** opwerpen,

cas

opslaan, oprichten; aan land werpen; optellen, berekenen; II *zn* worp, gooi, het (uit)werpen; het uitgeworpene; berekening; rolverdeling, bezetting, spelers; vorm (*of his countenance*); afgietsel, model (*plaster* ~); zweem; soort, stempel

castaway ['kɑ:stəwei] I *bn: a*) gestrand (*ook fig*); *b*) verworpen; onnut; II *zn: a*) schipbreukeling; *b*) verworpeling

caste [kɑ:st] kaste

castellated ['kæstəleitid] kasteelachtig; gekanteeld

castigate ['kæstigeit] kastijden

casting het ... (zie *cast*); gietstuk; gietsel; **casting-net** werpnet; **casting 'vote** beslissende stem

cast-iron ['kɑ:st'aiən] I *zn* gietijzer; ['kɑ:staiən]; II *bn* gietijzeren; (*fig*) ijzersterk (*constitution*); onomstotelijk (*proof*)

castle ['kɑ:sl] kasteel (*ook in schaakspel*), slot; toren (*schaakspel*)

cast-off ['kɑ:st'ɔ(:)f, *attr:* 'kɑ:stɔ(:)f] I *bn* afgedankt, verworpen; II *zn* afgedankt persoon (kledingstuk, enz.); aflegger; verworpeling

castrate [kæs'treit] castreren

casual ['kæʒ(j)uəl] I *bn* toevallig, casueel, terloops, vluchtig; zonder vast plan; ongeregeld; ongedwongen; nonchalant; achteloos; oppervlakkig; slordig; los (*labourer*); ~ *wear* vrijetijdskleding; II *zn* los arbeider; toevallig bezoeker, enz.; **'casually** [-i] toevallig; terloops; oppervlakkig; gemakkelijk; **casualty** [-ti] slachtoffer; (*inz. mv*) doden en gewonden, verliezen; ~ *list* verlieslijst; ~ (*ward*) eerstehulp post ve ziekenhuis

cat [kæt] kat; *when the ~'s away the mice will play* als de kat weg is, dansen de muizen; *rain ~s and dogs* bakstenen ...; *put the ~ among the pigeons* de knuppel in het hoenderhok gooien

cataclysm ['kætəklizm] hevige overstroming; opheffing van de aardkorst, aardbeving; (*fig*) grote beroering, geweldige omkering, debâcle

catacomb ['kætəkəum; 'kætəku:m] catacombe

catalogue ['kætəlɔg] I *zn* catalogus; lijst, reeks; II *ww* catalogiseren, rangschikken; indelen; opsommen

catalyst ['kætəlist] katalysator; **catalytic converter** (*auto*) katalysator

catapult ['kætəpʌlt] I *zn* katapult; II *ww* met een katapult (be-, af)schieten

cataract ['kætərækt] *a*) waterval; *b*) grauwe staar

catastrophe [kə'tæstrəfi] catastrofe: ramp, onheil; ontknoping (*van drama*); **catastrophic** [kætə'strɔfik] catastrofaal, noodlottig

catcall I *zn* schel fluitje (enz.); gefluit; II *ww* uitfluiten, uitjouwen

catch [kætʃ] I *ww* (op)vangen; (aan)grijpen; inhalen; halen (*the train*); betrappen (*him stealing* op diefstal); raken (*a p. on the nose*); toebrengen; vatten (*[a] cold*); oplopen (*a disease, enz.*); verward raken, haken, klemmen (*one's finger in the door*); (*van schroef, enz.*) pakken; (*van adem, stem*) stokken; verstaan, snappen (*a p.'s meaning*); te pakken krijgen, treffen (*the eye, ear*); zich verbreiden; ~ *a glimpse of* een glimp opvangen van; ~ *hold of* te pakken krijgen; ~ ***at*** grijpen naar; aangrijpen (*an idea*); betrappen op; *be caught* ***by*** *the rain* (***in*** *a storm*) overvallen worden door; ~ ***on*** 'pakken', ingang vinden (*the fashion caught on*), aanslaan; ~ ***out*** betrappen; ~ ***up*** (haastig) opnemen; overnemen; (terechtwijzend) in de rede vallen (~ *o.s. up* zich onderbreken); inhalen (*ook fig: arrears* het achterstallige); ~ ***up on*** (***with***) inhalen; zich aanpassen aan; II *zn* vangst; het (op)vangen; lokmiddel; aanwinst, buit, goede partij; voordeeltje; houvast, greep; strikvraag, valstrik, kneepje; haak, pal, klink, wervel (*van raam*); vang(kans) (*van bal bij cricket*); **catch-as-catch-can** 'vrij' worstelen; *ook:* gap maar wat je kunt; **catcher** [-ə] (op)vanger; **catching** besmettelijk, aanstekelijk; aanlokkelijk; **catchment**: ~ *area, basin* neerslag-, stroomgebied; ~ *area,* (*fig*) achterland; **catch-phrase** leus, stopwoord; **catchword** trefwoord; (*theat*) wachtwoord: zie *cue*); (partij)leus, mooie frase, 'kreet'; **catchy** [-i] pakkend, aantrekkelijk, aanstekelijk; ~ *tune* wijsje, dat gemakkelijk in het gehoor ligt

categorical [kæti'gɔrikl] categorisch; **category** [kætəgəri] categorie

cater ['keitə] voor de proviandering zorgen; maaltijden leveren; ~ *for* voedsel (genot, enz.) verschaffen; zorgen voor; ~ *to* bevredigen; **caterer** ['keitərə] leverancier (inz. van levensmiddelen); **catering** zie *cater;* proviandering; consumptie; *the ~ trade* het horecabedrijf

caterpillar ['kætəpilə] rups; (*techn*) (*ook: ~ tracks*) rupsband; *~ed* van rupsbanden voorzien

caterwaul ['kætəwɔ:l] I *ww* krollen; II *zn* gekrol

cathedral [kə'θi:drəl] kathedraal, domkerk

catholic ['kæθəlik] I *bn* algemeen, ruim (van opvatting), veelzijdig (*tastes*); *C~* katholiek; de r.-k. kerk; II *zn* katholiek

catkin ['kætkin] katje (*van wilg, enz.*); **catnap** ['kætnæp] hazeslaapje; **'cat's-eye** katoog (ook reflector in de weg)

cattle ['kætl] (rund)vee; **cattle-breeder** veefokker; **cattle-breeding** veeteelt; **cattle-grid** vee-, wildrooster; **cattle-ranch** veeboerderij, (uitgestrekte) weideplaats; **cattle-rustler** (*Am*) veedief

catty ['kæti] kattig; **catwalk** ['kætwɔ:k] richel; smal pad voor voetgangers langs brug, enz.; lang, smal podium bij modeshows

caucus ['kɔ:kəs] verkiezingscomité (meestal van tegenpartij); invloedrijke groep binnen een partij

cauldron ['kɔ:ldrən] grote ketel

cauliflower ['kɔliflauə] bloemkool

causal ['kɔ:zəl] oorzakelijk; **causality** [kɔ:'zæliti] oorzakelijkheid, causaliteit; **cause** [kɔ:z] I *zn* oorzaak, (beweeg)reden (*no ~ for complaint*); zaak (*make common ~ with, plead one's ~*), doel (*for a good ~*); proces; II *ww* veroorzaken, laten (*~d a bridge to be built*), zorgen dat ...
causeway ['kɔ:zwei] verhoogde weg door laag terrein; dam; straatweg; verhoogd voetpad
caustic ['kɔ:stik] brandend, bijtend, scherp
caution ['kɔ:ʃən] I *zn* om-, voorzichtigheid; terughoudendheid; waarschuwing(scommando); berisping; II *ww* waarschuwen; berispen; **cautionary** [-əri] waarschuwend; **cautious** ['kɔ:ʃəs] om-, voorzichtig
cavalry ['kævəlri] cavalerie, ruiterij
cave [keiv] I *zn* hol, grot; deuk; II *ww* uithollen; *~ in* instorten, inzakken; **cave-dweller**, **cave-man** [-mən] holbewoner; (*fig*) de primitieve mens of man
cavern ['kævən] spelonk, hol, grot; **cavernous** [-əs] vol holen; spelonkachtig, hol
cavil ['kævil] I *ww* vitten (*at, about* op), haarkloven; II *zn* vitterij, chicane, tegenspraak
cavity ['kæviti] holte; *~ filling* spouwisolatie; *~ wall* spouwmuur
caw ['kɔ:] I *zn* gekras; II *ww* krassen (van raaf)
cease [si:s] ophouden (met), staken; *~ from* ophouden met; **ceasefire** een staakt het vuren
ceiling ['si:liŋ] plafond, zoldering; (*luchtv*) plafond: maximum (prijs, enz.)
celebrate ['selibreit] vieren; verkondigen; loven, verheerlijken, huldigen; celebreren: (de mis) opdragen; fuiven; **celebrated** [-id] beroemd; **celebration** [seli'breiʃən] viering, verheerlijking; huldiging; feest, fuif; Avondmaal, communie; **celebrity** [si'lebriti] beroemdheid
celery ['seləri] selderij
celestial [si'lestjəl] hemels, hemel...
celibacy ['selibəsi] celibaat: ongehuwde staat; **celibate** ['selibit] celibatair, ongehuwd(e)
cell [sel] cel (*ook elektr & pol*), kluis, hol
cellar ['selə] kelder
cellular ['seljulə] cel..., cellulair; celvormig
Celtic ['keltik] Keltisch
cement [si'ment] I *zn* id.; (*fig*) bindmiddel, band; *~ mixer* betonmolen; II *ww* cementeren, bevestigen, verstevigen
cemetery ['semitri] begraafplaats
censor ['sensə] I *zn* id., keurmeester (*van film, enz.*); II *ww* de censuur uitoefenen over, censureren; **censorious** [sen'sɔ:riəs] vol kritiek, hyperkritisch; **censorship** *a*) ambt van *censor*; *b*) censuur; **censure** ['senʃə] I *zn* berisping, afkeuring; II *ww* berispen; bedillen, kritiseren; **census** ['sensəs] (volks-, verkeers- enz.)telling
centenarian [senti'nɛəriən] honderdjarig(e); eeuweling; **centenary** [sen'ti:nəri] I *bn* honderdjarig; II *zn*: *a*) honderd jaar; *b*) eeuwfeest; **centennial** [sen'tenjəl] I *bn* honderdjarig; II *zn* eeuwfeest
centigrade ['sentigreid]: *twelve degrees ~* 12° Celsius; **centimetre** ['sentimi:tə] centimeter; **centipede** ['sentipi:d] duizendpoot
central ['sentrəl] centraal, midden..., middel...; hoofd...; *~ heating* centrale verwarming; **centralization** [sentrəlai'zeiʃən] centralisatie; **centralize** [-aiz] centraliseren; **centre** ['sentə] I *zn* middelpunt, centrum, spil, as; (*sp*) *~ forward* mid(den)voor; *~ half* spil, midhalf; II *bn* centraal, midden...; III *ww* (zich) concentreren; in het midden plaatsen, (*techn*) centreren; het midden bepalen van; **centre-dot** middenstip
centrifuge ['sentrifju:dʒ] centrifuge
century ['sentʃəri] eeuw; (*cricket*) 100 *runs*
ceramic [si-, ki-, ke'ræmik] I *bn* keramisch, pottenbakkers...; II *zn ~s* ceramiek: pottenbakkerskunst
cereal ['siəriəl] I *bn* graan...; II *zn*: *a*) graan; *b*) uit graan bereid voedingsartikel (*cornflakes*, enz.)
ceremonial [seri'məunjəl] I *bn* ceremonieel, plechtig, vormelijk; II *zn* ceremonieel; **ceremonious** [seri'məunjəs] plechtstatig; **ceremony** ['seriməni] ceremonie; vormelijkheid, formaliteit(en), vorm(en)
certain ['sə:t(ə)n] zeker; *he is ~ to come* komt stellig; *for ~* zeker, met zekerheid; *I cannot be ~* ik durf het niet zeker zeggen; **certainly** zeker, met zekerheid, stellig; *~ not!* geen sprake van!; **certainty** zekerheid; *his visit to L. is a ~* staat vast; *to* (*for, of*) *a ~* stellig
certifiable ['sə:tifaiəbl] (*fam*) duidelijk krankzinnig; zie *certify*
certificate [sə(:)'tifikit] certificaat, brevet, getuigschrift (*of moral character* van zedelijk gedrag), bewijs, attest (*of health* gezondheids...), diploma, akte (*of baptism, birth, death, marriage* doop-, geboorte-, overlijdens-, trouw-); *school* (*leaving*) *~, ongev* einddiploma; *~ of Secondary Education, ongev* einddiploma mavo/l.b.o.; *General ~ of Education at Ordinary level, ongev* einddiploma havo; *~ at Advanced level, ongev* einddiploma v.w.o.
certified zie *certify*; *~ copy* gewaarmerkt afschrift; *~ teacher* gediplomeerd; **certify** ['sə:tifai] attesteren; waarmerken; goedkeuren; constateren (*death*); certificeren, betuigen, verzekeren; krankzinnig verklaren; *this is to ~ that* ... hiermede verklaar ik, dat ...; **certitude** ['sə:titju:d] zekerheid
cervix [sə:viks] baarmoederhals; *cancer of the ~*: ...kanker
cessation [se'seiʃən] het ophouden, stilstand
cesspit, **cesspool** ['sespit, -pu:l] beer-, zinkput; (*fig*) poel
chafe [tʃeif] warm wrijven; schuren; (open)-schaven; sarren; (zich) ergeren, zich opwinden (*at* over); (inwendig) koken; schuimen; *chafing, ook*: ongeduldig
chaff [tʃɑ:f] I *zn* kaf, haksel; prul(goed); plagerij, scherts; II *ww* plagen, de spot drijven met; gekheid maken; hakken (*straw*)

chagrin ['ʃægrin] *zn* ergernis, teleurstelling
chain [tʃein] I *zn* ketting, keten; reeks (*of events*); kordon; kettingkogel; syndicaat, maatschappij (~ *of hotels* hotel...); ~ *of office* ambtsketen; II *ww* ketenen, met een ketting sluiten; aan een (de) ketting leggen, vastleggen (= ~ *up*); **chain-reaction** kettingreactie; '**chain-smoker** kettingroker; '**chain store(s)** (filiaal van) grootwinkelbedrijf
chair [tʃɛə] I *zn* stoel, zetel, draag-, rail-, voorzittersstoel; voorzitterschap; leerstoel; II *ww: a*) (in een stoel of op de schouders) in triomf ronddragen; *b*) presideren, voorzitter zijn van; **chairlift** stoeltjeslift; **chairman** ['tʃɛəmən] voorzitter, -ster; **chairperson** voorzitter, -ster; **chairwoman** voorzitster
chalice ['tʃælis] kelk, (Avondmaals)beker; (*r-k*) miskelk
chalk [tʃɔ:k] I *zn* krijt; koolzure kalk; crayon; krijtstreep; *piece of* ~ krijtje; II *ww* met krijt bewerken (inwrijven, (be)schrijven), wit maken; ~ *down*, ~ *up* aankalken, opschrijven, noteren; ~ *out* schetsen, aanduiden; '**chalky** [-i] kalkachtig; vol krijt
challenge ['tʃælin(d)ʒ] I *ww* uitdagen, tarten; uitlokken (*comparison*); eisen, vragen (*a division* stemming); aanroepen (*door schildwacht*), aanhouden; bestrijden, betwisten; II *zn* uitdaging, tarting; uitlokking; opwekking (*to thought*); *your arguments are not beyond* ~ op ... valt wel wat af te dingen; *without* ~ zonder tegenspraak; ~ *grant* schenking toegezegd mits en voorzover anderen (samen) een gelijk bedrag (*matching grant*) geven; **challenge-cup** wisselbeker; '**challenger** [-ə] uitdager, mededinger (*for* naar)
chamber ['tʃeimbə] kamer (groep (gekozen) leden van wetgevend lichaam, bijv. Tweede Kamer); **chamberlain** [-lin] kamerheer; **chamber-maid** kamermeisje; '**chamber-pot** kamerpot, po
chamois ['ʃæmwɑ:] gems; ~ (*leather*) [*dikwijls:* 'ʃæmi] gemzeleer, zeemleer
champ [tʃæmp] hoorbaar kauwen; bijten (*van paard op gebit*); (*fam*) = *champion*; **champion** ['tʃæmpjən] I *zn* kampioen; voorvechter; *national* ~ landskampioen; II *bn* prima; III *ww* verdedigen, voorstaan, opkomen voor; **championship** kampioenschap
chance ['tʃɑ:ns] I *zn* toeval; kans, gelegenheid, uitzicht, mogelijkheid; risico; *the* ~*s are against it* er is niet veel kans op; *stand a good* (*fair*) ~ kans hebben; ***by*** ~ bij toeval *you're not a doctor, by any* ~? bijgeval?; II *bn* toevallig; III *ww: a*) gebeuren; *b*) wagen; ~ (*up*)*on*, ~ *across* toevallig ontmoeten (vinden)
chancel ['tʃɑ:nsəl] koor (*van kerk*)
chancellor ['tʃɑ:nsələ] kanselier; titulair hoofd van universiteit; *C~ of the Exchequer* Minister van Financiën
chancy ['tʃɑ:nsi] (*fam*) gewaagd, onzeker
chandelier [ʃændi'liə] kroonluchter
change [tʃein(d)ʒ] I *zn* verandering (*for the better*) [*the worse*] ten goede [kwade]; overgang; ver-, afwisseling; variatie (*for a* ~ voor de ...); kleingeld (= *small* ~), wisselgeld; ~ *of heart* bekering; verandering van inzicht; ~ *of socks* schone ...; II *ww* veranderen (van), (ver)wisselen (van), (ver)ruilen; zich verkleden (= ~ *one's clothes*); verschonen (*baby*); overstappen (= ~ *trains*, enz.); bekeren; ~ *colour* verschieten van; ~ *gear* overschakelen; ~ *down* (*gear*) terugschakelen; ~ *one's mind* van besluit veranderen; ~ ***into*** *football-things* voetbaltenue aantrekken; ~ ***over*** omschakelen; veranderen; 'omzwaaien' (*in studie, enz.*); '**changeable** [-əbl] veranderlijk; '**changeless** onveranderlijk; **change-over** overgang, verandering; '**changing-room** kleedkamer
channel ['tʃænl] I *zn* kanaal; (vaar)geul, bedding; *the C~ Islands* de Kanaaleilanden; II *ww* (in bepaalde kanalen) leiden, uithollen; vervoeren (als) door kanalen
chant [tʃɑ:nt] I *zn* lied; (eentonige) melodie; (gezongen) psalm; dreun; spreekkoor; II *ww* (op dezelfde toon) zingen; opdreunen;
chantry [-ri] schenking voor het zingen van missen; kapel of deel ve kerk, gebouwd uit zo'n schenking
chaos ['keiɔs] id., baaierd, warboel; **chaotic** [kei'ɔtik] chaotisch, verward
chap [tʃæp] I *zn* (*fam*) kerel, vent; II *ww* (doen) barsten, kloven (*huid*)
chapel ['tʃæp(ə)l] kapel; godshuis, kerk (van niet-anglicaanse protestanten, en van r.-k. in Ierland); **chaplain** ['tʃæplin] kapelaan; veldprediker, aalmoezenier
chapter ['tʃæptə] *a*) hoofdstuk; *b*) kapittel; **chapter-house** kapittelzaal
char [tʃɑ:] I *zn* (*vero*) werkster; II *ww:* (*vero*) uit werken gaan
character ['kæriktə] karakter, aard; merk-, kenteken; letter(schrift); (hand)schrift; reputatie, (goede) naam; beschrijving; getuigschrift, getuigen (*give a good* ~); hoedanigheid; rol; persoon, personage (in roman of toneelstuk); (bekend) persoon (*public* ~); (*fam*) figuur; **characteristic** [ˌkærəktə'ristik] I *bn* karakteristiek, kenschetsend, eigenaardig; II *zn* kenmerk; '**characterize** [-raiz] kenmerken, karakteriseren
charcoal ['tʃɑ:kəul] houtskool; *a* ~ *grey suit* antracietkleurig
charge [tʃɑ:dʒ] I *zn* last, lading, vulling; bom; (on)kosten, belasting; schuld; opdracht, plicht, taak; (voorwerp van) zorg, hoede; aan iems zorg toevertrouwde persoon (zaak), pupil; telastlegging; (sein tot) aanval, charge; *no* ~ *for admission* vrije toegang; *take* ~ de leiding nemen; *take* ~ *of* zich belasten met; *be* ***in*** ~ het beheer voeren; *officer in* ~ dienstdoend; *in* ~ *of: a*) belast met; *b*) = *in the* ~ *of* toevertrouwd aan, onder de hoede (bewaking, leiding) van; *lay* ***to*** *a p.'s* ~ iem ten laste leggen;

under *my* ~ onder mijn hoede; II *ww* (be)laden, verzadigen; belasten (*with* met), opdragen, bevelen; in rekening brengen; aanvallen; ~ *into a p.* tegen het lijf rennen; ~ *s.t. to* (*against*) *a p.*(*'s account*) op iems rekening stellen; ~ *a p. with s.t.* iem iets ten laste leggen; **charge nurse** hoofdverpleegster; **charge-room** verhoorkamer (in politiebureau)

charitable ['tʃæritəbl] liefdadig, barmhartig; **charity** ['tʃæriti] liefdadigheid (zie *charitable*); (naasten)liefde; liefdadigheidsinstelling; (*Belg*) weldadigheidsinstelling; gave, aalmoes; *in* (*out*) *of* ~ uit barmhartigheid

Charlemagne [ʃɑ:lə'mein] Karel de Grote

charm [tʃɑ:m] I *zn* tovermiddel, -woord, -formule; amulet; 'gelukshanger' aan horlogeketting (ook: *good luck* ~); betovering, charme; II *ww* bekoren, betoveren, verrukken; bezweren (*snakes*); ~ *away* wegtoveren; ~ *s.t. from* (*out of*) *a p.* iem iets af-, onttoveren; *bear a ~ed life* onkwetsbaar zijn; **charmer** *a*) tovena(a)r(es); *b*) charmeur, -euse, verlokker, -ster; betoverend schepsel(tje); **charming** bekoorlijk, verrukkelijk, charmant

chart [tʃɑ:t] I *zn* (zee-, weer)kaart; grafische voorstelling; tabel; *~s, ook:* (top)hitlijsten; II *ww* in kaart brengen; **charter** ['tʃɑ:tə] I *zn* id., oorkonde, privilege, (voor)recht; handvest (*Atlantic C~*); octrooi; II *ww: a*) een recht verlenen aan, octrooieren (*~ed company*); bevoorrechten; *b*) charteren; **charter flight** 'charter' vlucht

chartering-agent, **chartering-broker** ['tʃɑ:təriŋeidʒənt, -brəukə] scheepsbevrachter

charwoman ['tʃɑ:wumən] werkster

chary ['tʃɛəri] voorzichtig (*of giving offence* om geen aanstoot te geven); zuinig

chase [tʃeis] I *zn* jacht(veld, -stoet, -recht); open parklandschap; vervolging; gejaagd wild; achtervolgd schip; *be in* ~ *of* nazitten, achtervolgen; *give* ~ (*to*) id.; II *ww* (na)jagen, verdrijven, jacht maken op, nazitten; **chaser** [-ə] jager; achtervolger

chasm [kæzm] kloof, afgrond

chassis ['ʃæsi(:), *mv:* 'ʃæsi(:)z] id.: onderstel

chaste [tʃeist] kuis, rein, ingetogen, zuiver; **chasten** ['tʃeisn] kastijden, zuiveren, louteren; **chastise** [tʃæs'taiz] kastijden, tuchtigen; **chastity** ['tʃæstiti] kuisheid

chat [tʃæt] I *ww* keuvelen, babbelen; II *zn* gebabbel, gekeuvel; babbelpraatje; ~ *show* (*televisie*) praatprogramma, praatshow; **chatter** ['tʃætə] I *ww* kakelen, snateren; klapperen, ratelen; II *zn* gekakel, gesnater; geklapper; **chatterbox** 1 babbel-, kletskous; 2 babbelbox; **chatty** ['tʃæti] praatziek, gezellig

cheap [tʃi:p] goedkoop; 'klein'; waardeloos; onlekker (*feel* ~); ~ *and nasty* goedkoop en prullig; ~ *at the price* goedkoop voor; *hold* ~ geringschatten; *make o.s.* ~ zich weggooien; **cheapen** [-n] (af)dingen; afdingen op; in prijs (waarde) dalen (verlagen); verkleinen, afbreuk doen aan; ~ *o.s.* zich weggooien; **cheapish** vrij gpedkoop; **cheap-jack** *bn* van slechte kwaliteit, prullig

cheat [tʃi:t] I *ww* bedriegen, beetnemen, verschalken; vals spelen (~ *at cards*); spieken (*in exams*); ~ (*out*) *of* beroven van, afzetten; ~ *the law* de wet ontduiken; II *zn: a*) bedrog (*it's a* ~); *b*) bedrieger, afzetter, valse speler (*he's a* ~)

check [tʃek] I *zn* **1** schaak; belemmering, plotselinge stilstand, tegenslag; oponthoud; beteugeling, 'rem'; controle; reçu; bon; *keep a* ~ *upon, keep in* ~ in toom houden; *without* ~ ongehinderd; **2** geruit(e) patroon (stof); ~ *suit* geruit pak; II *ww* schaak geven; tot staan brengen, tegen-, stilhouden, belemmeren, stelpen (*blood*), stuiten (*course* vaart); controleren; aanstrepen op lijst; ~ ***in*** (*Am*) aankomen; de controlepost bereiken; ~ *-in counter* aanmeldingsbalie voor vertrekkende reizigers op vliegveld; ~ ***off*** aanstippen, aftikken (op de vingers bijv.); ~ ***out*** (*Am*) vertrekken; ~ ***over*** nazien; ~ ***up*** onderzoeken, controleren (*ook:* ~ *up on*); **checked** [-t] geruit; **checker** controleur, enz.; **checkers** (*Am*) damspel; **checkmate** schaakmat (zetten); **checkpoint** controlepost; **check-'up** onderzoek

cheek [tʃi:k] I *zn* wang, koon; brutaliteit; *give a p.* ~ iem brutaliseren; II *ww* brutaliseren; **'cheekbone** jukbeen; **cheeky** [-i] brutaal

cheer [tʃiə] I *zn* stemming; vrolijkheid; onthaal, spijs; troost; aanmoediging; juichkreet, hoera (*three ~s for ...*); *~s* gejuich, bijval; *of good* ~ goedsmoeds, welgemoed; *~s!* proost!; II *ww* opvrolijken, opmonteren; aanmoedigen (ook: ~ *on*); bemoedigen, (toe)juichen; ~ *up* opmonteren; **cheerful** [-f(u)l] vrolijk, opgeruimd, opgewekt; **cheerio** ['tʃiəri'əu] (*fam*) dag! tot ziens!; **cheerleader** (*Am*) persoon (meestal meisje) die bij sportwedstrijden de toeschouwers tot juichen aanzet; **cheerless** troosteloos, triest, ongezellig (*room*); **cheery** [-ri] vrolijk, opgeruimd

cheese [tʃi:z] kaas; **cheeseburger** (*Am*) *hamburger* met kaas; **cheese-paring** kaaskorst; bezuiniging; krenterig(heid); **cheese-rind** [-raind] kaaskorst

chef [ʃef] chef de cuisine, opperkok

chemical ['kemikl] scheikundig; *~s* chemicaliën; ~ *works* chemicaliënfabriek; **chemist** ['kemist] *a*) scheikundige; *b*) drogist, apotheker (= *dispensing chemist*); *~'s* (*shop*) apotheek; **chemistry** [-i] scheikunde

cheque [tʃek] cheque; **'cheque-book** chequeboek; **cheque card** betaalpas; **chequer** ['tʃekə] I *zn: ~s* schaakbord (als uithangbord van herberg); ~(*s*) geruit patroon, (kleur)schakering; II *ww* in ruiten verdelen; schakeren, afwisseling geven (aan)

cherish ['tʃeriʃ] liefhebben; koesteren (*hopes*)

cherry ['tʃeri] kers(eboom, -hout)

chess [tʃes] schaakspel; *play at* ~ schaken;

chessboard [-bɔ:d] schaakbord; **chessman** [-mæn] schaakstuk
chest [tʃest] kist, koffer, kas; borst(kas); ~ *of drawers* ladenkast
chestnut ['tʃesnʌt] I *zn* kastanje(boom, -hout); vos(paard); II *bn* kastanjekleurig
chevron ['ʃevrən] id., streep op mouw als onderscheidingsteken
chew [tʃu:] I *ww* kauwen, pruimen; overdenken (ook: ~ *upon s.t.*, ~ *it over*); II *zn* het kauwen; (tabaks)pruim; **chewing-gum** kauwgom
chic [ʃi:k] I *zn* elegantie; II *bn* chic
chick [tʃik] kuiken; jonge vogel; kind; snoes; (*sl*) grietje; **chicken** ['tʃikin] I *zn* kuiken; kip; (*fig*) kind; (*sl*) 'kippetje' (meisje); (*sl*) bangerik; II *bn* (*sl*) bang; **chicken-broth** kippesoep; **chicken-feed** (*Am*) kippevoer; **chicken-pox** waterpokken
chide [tʃaid] berispen
chief [tʃi:f] I *bn* voornaamste, opperste, eerste, hoofd..., opper...; ~ *constable* (hoofd)commissaris; II *zn* hoofd, chef, leider, bevelhebber, commandant (*of the fire-brigade*); **chiefly** voornamelijk; **chieftain** ['tʃi:ftən] (opper-) hoofd; hoofdman
chilblain(s) ['tʃilblein(z)] winter (aan handen, enz.); *chilblained hands* winterhanden
child [tʃaild] kind; *from a* ~ van kindsbeen af; *with* ~ zwanger; ~ *prodigy* wonderkind; **childbearing** [-bɛəriŋ] het baren; **child-bed** kraambed; '**childbirth** bevalling; **childhood** [-hud] kindsheid, kinderjaren; *second* ~ kindsheid; **childish** kinderachtig, kinder..., kinds; **childless** kinderloos; **childlike** kinderlijk; **childminding** kinderopvang; **childproof** kindveilig; **children** ['tʃildrən] kinderen
chill [tʃil] I *bn* kil, koel, koud; II *zn* kil-, koelheid; koude rilling, kou(de), beklemming; *catch* (*take*) *a* ~ kou vatten; III *ww* koud maken (worden); beklemmen; afkoelen (*wine*); bekoelen, verkillen, ontmoedigen; **chilly** ['tʃili] kil, koel; huiverig
chime [tʃaim] I *zn* klokkenspel; het spelen (luiden) van klokken; (klok)slag; overeenstemming (*in* ~); samenklank, harmonie, ritme; II *ww* harmonisch luiden (klinken); (be)spelen, slaan (*van klok*); met klokkenspel begeleiden; harmoniëren; overeenstemmen; ~ *in* instemmen; overeenstemmen met
chimney ['tʃimni] *a*) schoorsteen; *b*) lampeglas; *c*) nauwe verticale rotskloof; **chimney breast** schoorsteenmantel; **chimney-sweep(er)** schoorsteenveger
chin [tʃin] kin
China ['tʃainə] I *zn* id.; *c*~ porselein; II *bn* Chinees; *c*~ porseleinen; ~ *closet* porseleinkast; **Chinese** ['tʃai'ni:z] *zn* & *bn* Chinees, -ezen; ~ *lantern* lampion
chink [tʃiŋk] spleet, reet
chintz [tʃints] sits (bedrukte katoenen stof)
chip [tʃip] I *zn* schilfer; splintertje; spaan(der); schijfje; reepje; fiche; microprocessor; ~*s* patat(es frites); (*fam*) geld; II *ww* (af-, be)kappen, -snijden, afbikken, -breken, -brokkelen (= ~ *off*); schilferen; pellen; heenbreken door (eierschaal; *van kuiken*); (*fam*) *a*) plagen (*at*), voor de gek houden; *b*) een standje maken; ~ *at* vitten (afgeven) op; ~ *in*, (*sl*) er een opmerking tussen gooien, invallen; (*fam*) botje bij botje leggen; **chip-board** spaanplaat; **chippings** bik, steenslag (*stone* ~); *danger! loose* ~ splitgevaar (op pas aangelegde weg)
chiropodist (-pody) [ki-, ʃi'rɔpədist, -pədi] hand-, voetverzorger (-ing); **chiropractor** ['kaiərəˌpræktə] id., 'kraker'
chirp [tʃə:p] I *ww* tjilpen, kwelen; vrolijk praten, snappen; II *zn* getjilp
chisel ['tʃizl] I *zn* beitel; II *ww* (uit)beitelen, beeldhouwen; (*fig*) perfectioneren, polijsten (*one's style*); **chiseler** [-ə] (*Am*) bedrieger
chit [tʃit] 1 hummel; jong ding, hippie (~ *of a girl*); 2 briefje, rekening; **chit-chat** ['tʃit-tʃæt] gekeuvel, gebabbel
chivalrous ['ʃivəlrəs] ridderlijk; **chivalry** [-ri] *a*) ridderschap; *b*) ridderlijkheid
chloric ['klɔ(:)rik] chloor...; **chlorine** ['klɔri:n] chloor
chock [tʃɔk] I *zn* klos, wig, klamp; II *ww:* ~ (*up*) vastzetten; '**chock-'full** tjokvol
chocolate ['tʃɔk(ə)lət] I *zn* chocolade, -laatje; (*drinking*) ~ chocolademelk; II *bn* chocoladekleurig
choice [tʃɔis] I *zn* keus, keur; voorkeur; *at* ~ naar verkiezing; *for* (*by*, *of*) ~ bij voorkeur; *by* ~, *ook:* bij keuze; *make* ~ *of* kiezen; *I have no* ~ *but to go* ik moet wel gaan; II *bn* uitgelezen, prima (*meat*), keurig, heerlijk
choir ['kwaiə] koor; '**choirboy** koorknaap
choke [tʃəuk] I *ww* smoren, (doen) stikken, verstikken; zich verslikken; naar adem snakken; versperren, verstoppen, afsluiten (*the carburettor*); vernauwen (*a tube*); volproppen; stevig induwen; II *zn* verstikkingsgevoel, -geluid, snik; vernauwing; (*auto*) 'choke'; smoorklep; **choke-collar** worgband (voor honden); '**choker** [-ə] (*fig*) dooddoener; (*sl*), 'vadermoorder', nauwsluitend collier
cholera ['kɔlərə] id.; **choleric** ['kɔlərik, kɔ'lerik] opvliegend
choose [tʃu:z] (ver-, uit)kiezen (tot); besluiten, wensen (*to* ...); **choosy** ['tʃu:zi] (*fam*) kieskeurig
chop [tʃɔp] I *zn* 1 houw, slag; kotelet, karbonade; korte golfslag; ~*s of the Channel* ingang van het Kanaal (uit Atlantische Oceaan); 2 ruil; II *ww* 1 hakken, kappen; afbijten (*words*); ~ *back* rechtsomkeert maken; ~ *up* fijn (klein) hakken; 2 ruilen; ~ *and change* (ver)wisselen; steeds veranderen; **chopper** [-ə] hakker; bijl, hakmes, -machine; helikopter; **chopping board** hakbord; **choppy** kort (*van golfslag*), woelig; **chopstick** Chinees eetstokje; **chop-suey** [-'su:i] tjaptjai: Chinese schotel van vlees, rijst, groenten, enz.

choral ['kɔ(:)rəl] koor...; ~ *society* zangvereniging
chord [kɔ:d] *a*) snaar; pees; *b*) koorde; *c*) akkoord
chore [tʃɔ:] karwei(tje)
chorister ['kɔristə] koorzanger, -knaap; **chorus** ['kɔ:rəs] I *zn: a*) koor; *b*) refrein; II *ww* in koor zingen (spreken); **chorus-girl** meisje dat behoort bij een dansgroep van een revue
chow [tʃau] (*Am sl*) eten, eterij; **chow mein** [ˌtʃau 'mein] bami (*Chinees gerecht*)
Christ [kraist] Christus; **christen** ['krisn] dopen, noemen; **Christendom** ['krisndəm] christenheid; **Christian** ['kristjən, 'kristʃən] I *zn: a*) christen; *b*) (christen)mens; II *bn* christelijk; menselijk; ~ *name* doopnaam; **Christianity** [kristi'æniti] *a*) christendom; *b*) christelijkheid; '**christianize** [-aiz] kerstenen; **Christmas** ['krisməs] Kerstmis; (*attr*) kerst...; ~ *carol* kerstlied; ~ *Eve* (avond van) 24 december; **Christmas-box** kerstgeschenk; *ongev:* nieuwjaarsfooi; **Christmas Day** 1ste kerstdag
chrome [krəum], **chromium** [-iəm] chroom
chronic ['krɔnik] I *bn* chronisch; II *zn* chronisch lijder
chronicle ['krɔnikl] I *zn* kroniek; II *ww* boekstaven; **chronicler** [-ə] kroniekschrijver
chronologic(al) [krɔnə'lɔdʒik(l)] chronologisch; **chronology** [krə'nɔlədʒi] chronologie
chrysalis [kri'səlis] pop (van insekt)
chrysanthemum [kri'sæntəməm] chrysant
chubby ['tʃʌbi] mollig, rondwangig
chuck [tʃʌk] I *zn* aai, tikje (onder de kin); ruk; worp; II *ww* tikken, aaien (onder de kin); (weg)gooien; (*fig*) overboord gooien, de bons geven; ~ *out* eruit gooien
chuckle ['tʃʌkl] I *ww* grinniken, gniffelen; (*van hen*) klokken; II *zn* gegrinnik, gegniffel
chug [tʃʌg] I *ww* puffen, ronken (*van stationair draaiende* (*diesel*)*motor*); II *zn* gepuf, geronk
chum [tʃʌm] (*fam*) intieme vriend; kamergenoot; **chummy** intiem, gezellig
chunk [tʃʌŋk] brok, homp; blok; **chunky** [-i] (kort en) dik, gedrongen; met (*of:* bestaand uit) grote brokken enz.
church [tʃə:tʃ] kerk; *enter* (*go into*) *the* ~ predikant worden; *the C~ of England* de Anglicaanse kerk; '**churchwarden** [-wɔ:dn] kerkmeester, kerkvoogd; '**churchyard** kerkhof
'**churlish** [-iʃ] boers, lomp
churn [tʃə:n] I *zn: a*) karn; *b*) melkbus, -kan (voor transport); II *ww* karnen; krachtig roeren; koken, zieden, woelen
chute [ʃu:t] stroomversnelling, waterval; glijbaan, -koker, helling; ook = *parachute*
cigar [si'gɑ:] sigaar; '**cigar-case** ...koker
cigarette [sigə'ret] sigaret; **cigarette-lighter** sigaretteaansteker; **cigarette paper** [-peipə] sigaretvloei
cinch [sin(t)ʃ] *it's a ~: a*) zo zeker als wat; *b*) doodgemakkelijk
cinder ['sində] sintel, slak; *~s, ook:* as; **Cinderella** [sində'relə] assepoester
cine ['sini] (*in sam*) ~ *camera* filmcamera; ~ *film* cinefilm (*voor in filmcamera*); **cinema** [-mə] bioscoop
cinnamon ['sinəmən] kaneel
cipher ['saifə] nul; cijfer; monogram, naamcijfer; (sleutel van) cijferschrift; *a mere* ~ een (grote) nul
circa ['sə:kə] circa, ongeveer
circle ['sə:kl] I *zn* cirkel, (k)ring, cirkelgang, ronde; zwaai; arena; (*theat*) balkon, loge; *come full* ~ een gehele omwenteling maken; weer terugkomen bij het begin; II *ww* rondgaan, -draaien, zwaaien; omcirkelen; omringen (= ~ *round, about, in*)
circuit ['sə:kit] I *zn* kring(loop), omtrek, omweg, rondvlucht; (omsloten) ruimte, gebied; district; (ronde) baan; tournee, rondgang (van rechters); rondgaande rechtbank; (*elektr*) stroomkring, -keten; *closed ~,* (*telec*) gesloten circuit; (*elektr*) *short* ~ kortsluiting; II *ww* in een kring gaan (om); ~ *breaker* aardlekschakelaar; **circuitous** [sə(:)'kju(:)itəs] omslachtig; ~ *route* omweg; *~ly, ook:* langs een omweg
circular ['sə:kjulə] I *bn* cirkelvormig, rond; rondgaand; kring...; ~ *argument* cirkelredenering; ~ *letter* (*note, notice*) circulaire; (*Belg*) omzendbrief; ~ *road* rondweg; ~ *saw* cirkelzaag; II *zn* circulaire, rondschrijven; **circulate** ['sə:kjuleit] (laten) circuleren, rondgaan; verspreiden; (*rekenk*) repeteren; **circu'lation** circulatie; (bloeds)omloop; oplaag; **circulatory system** ['sə:kjuleitəri-] bloedsomloop
circumcise ['sə:kəmsaiz] besnijden; **circumcision** [-'siʒən] besnijdenis
circumference [sə'kʌmfərəns] omtrek
circumspect ['sə:kəmspekt] omzichtig, behoedzaam
circumstance ['sə:kəmstəns] *a*) omstandigheid; bijzonderheid; *b*) omhaal; *c*) drukte, praal; *under no ~s* in geen geval; **circumstantial** [sə:kəm'stænʃəl] *a*) omstandig; *b*) bijkomstig; ~ *evidence* aanwijzingen
circumvent [sə:kəm'vent] misleiden, om de tuin leiden; beetnemen, verschalken
circus ['sə:kəs] *zn: a*) id.; *b*) rond plein
cistern ['sistən] waterreservoir; (regen)bak; (WC) stortbak
citation [sai-, si'teiʃən] aanhaling, citaat; dagvaarding; eervolle vermelding; **cite** [sait] dagvaarden; aanhalen, aanvoeren
citizen ['sitizn] burger; staatsburger; **citizenship** burgerrecht, burgerschap
citric ['sitrik] citroen...; ~ *acid* citroenzuur
city ['siti] (grote) stad; (*Am*) stad; *the C~* het oude Londen, de binnenstad (*ook als financieel centrum*); ~ *council* gemeenteraad
civic ['sivik] I *bn* burger..., stads..., stedelijk, burgerlijk; officieel (*reception*); II *zn: ~s* leer van de rechten en plichten der burgers
civil ['siv(i)l] burgerlijk, burger...; civiel; beschaafd, beleefd; ~ *disobedience* burgerlijke

ongehoorzaamheid; ~ *law* burgerlijk recht; ~ *liberties* burgerlijke vrijheden; ~ *marriage* trouwen voor de burgerlijke stand; ~ *rights* burgerrechten; ~ *servant* burgerlijk ambtenaar; ~ *service* civiele dienst, b...e ambtenaren; ~ *war* burgeroorlog; **civilian** [si'viljən] I *zn* burger; niet-militair; burgerlijk ambtenaar; II *bn* burger...; **civility** [si'viliti] beleefdheid; **civilization** [ˌsivilai'zeiʃən] *a*) beschaving; *b*) de beschaafde wereld (*return to* ~); **civilize** beschaven; ~*d people* beschaafde mensen

civvies ['siviz] (*fam*) burgerkleding

clack [klæk] I *zn* klap, klik, (ge)klepper, geratel; praatje(s), geklets; tong, 'ratel'; II *ww* klapp(er)en (met), snateren, ratelen

clad [klæd] v. dw. van *clothe:* gekleed, bekleed, begroeid (*snowclad* met sneeuw bedekt)

claim [kleim] I *zn* aanspraak (*to* op), vordering, eis; reclame; recht van voorkeur, 'claim'; (mijn)concessie; *enter* (*make, put in*) *a* ~ een eis instellen; II *ww* aanspraak maken op; (op-) eisen; reclameren; beweren; ~ *against* (*on*) vergoeding eisen van; **claimant** ['kleimənt] eiser, reclamant, pretendant

clam ['klæm] strandgaper (*mossel*)

clamber ['klæmbə] (be)klauteren

clammy ['klæmi] klam; kleverig, klef

clamorous ['klæmərəs] luid(ruchtig), schreeuwend; **clamour** ['klæmə] I *zn* getier, geraas, enz.; luide aandrang; protest; II *ww* schreeuwen, luid roepen (*for* om), protesteren (*against* tegen)

clamp [klæmp] I *zn* klamp; klem(schroef), tourniquet; kram; (muur)anker; II *ww* klampen, lassen, krammen; stevig vastgrijpen (drukken, plaatsen); met harde hand opleggen (ook: ~ *down*)

clam up (fig) dichtklappen, zwijgen als het graf

clan [klæn] Schotten met gemeenschappelijke stamvader; stam, geslacht; kliek

clandestine [klæn'destin] clandestien

clang [klæŋ] klinken, (laten) kletteren, rinkelen (met); galmen, schetteren, krijsen

clank I *ww* rinkelen (met); II *zn* gerinkel

clap [klæp] I *zn* slag, klap, donderslag; handgeklap; II *ww* klappen (met, in), (dicht)slaan, kloppen; (met kracht) leggen, enz.; applaudisseren (voor); ~ ***in***(***to***) *prison* in ... stoppen; **clapper** ['klæpə] *a*) klepel; *b*) ratel (*ook:* tong); *move like the clappers* als de weerlicht ...; **claptrap** I *zn* toneeltruc(s), effectbejag, kletspraat; II *bn* op effect berekend

claret ['klærət] rode bordeaux(wijn)

clarification [ˌklærifi'keiʃən] opheldering; **clarify** ['klærifai] klaren, reinigen; zuiveren; uitbakken (*fat*); verhelderen

clarinet [klæri'net] klarinet

clarity ['klæriti] klaar-, duidelijk-, zuiverheid

clash [klæʃ] I *ww* een luid geraas maken, kletteren; (met luid geraas) tegen elkaar (doen) botsen; II *zn* luid geraas, gekletter; botsing

clasp [klɑ:sp] I *zn* kram, haak, gesp, knip, slot (*van bijbel, enz*); schakel (*fig*); omhelzing, handdruk; greep; beugel; II *ww* (vast)haken, sluiten, grijpen, knijpen, omvatten; omhelzen; voorzien van een ~

class [klɑ:s] I *zn* klas(se); stand; les(uur), (*univ*) (werk)college; cursus; (*fam*) distinctie (*he had* ~); *attr* eerste-klas, prima; II *ww* classificeren, indelen; plaatsen; **class-conscious(ness)** klassebewust(zijn)

classic ['klæsik] klassiek (schrijver, werk); classicus; **classical** klassiek

classification [ˌklæsifi'keiʃən] classificatie; klassement; **classify** ['klæsifai] classificeren; als vertrouwelijk behandelen (*information*); *classified advertisements* rubriekadvertenties

classmate klasgenoot, jaargenoot; **classroom** klaslokaal; **classy** [-i] (*sl*) superieur, fijn, chic

clatter ['klætə] I *ww* (doen) klepperen, kletteren, rammelen, stommelen; II *zn* geklepper, gerammel, gestommel

clause [klɔ:z] clausule; passage; bijzin

claw [klɔ:] I *zn* klauw; poot; schaar (*van kreeft, enz*); klemhaak; II *ww* krabben, krauwen; grijpen; '**claw-hammer** klauwhamer

clay [klei] I *zn* klei, leem, aarde; stof; stoffelijk omhulsel; II *bn* van klei, klei ...; aarden; lemen; ~ *pipe* stenen pijp; III *ww* met klei bedekken (mengen), kleien; **clayey** [-i] ...(acht)ig, klei...

clean [kli:n] I *bn* schoon; zuiver; zindelijk, rein (*ook fig*), net; welgevormd (*figure*); gaaf (*a* ~ *achievement*); duidelijk (*contrast*); handig; volslagen, formeel; *as* ~ *as a whistle: a*) zo schoon als wat; *b*) helemaal; *come* ~ eerlijk opbiechten; *a* ~ *record* een schone lijst; II *bw* schoon, enz.; totaal (*he* ~ *forgot it*), finaal; dwars (*through*); III *ww* schoonmaken, reinigen, zuiveren; schoon (zuiver) worden; ~ ***down*** van boven tot onderen schoonmaken; ~ ***out*** schoon-, leegmaken; ~*ed out* blut; ~ ***up*** schoonmaken; opknappen; schoontjes opeten (*one's pie*); '**clean-'cut** scherp omlijnd (besneden); eerlijk (*fight*); '**cleaner** ...(st)er (*zie het ww*); reinigingsmiddel; *vacuum* ~ stofzuiger; '**cleaning** schoonmaak; ~*s* veegsel; ~ *woman* schoonmaakster, werkster; **cleanliness** ['klenlinis] zindelijkheid; **cleanly** I *bn* ['klenli] zindelijk; II *bw* ['kli:nli] schoon, enz.; **clean-out**, **clean-up** schoonmaak (*ook fig*); **cleanse** [klenz] zuiveren, reinigen; ~ (*away*), uitwissen (*sin*); **cleanser** reinigingsvloeistof voor de huid; **clean-'shaven** [-ʃeivn] gladgeschoren

clear [kliə] I *bn* klaar, zuiver (*conscience*), onschuldig; veilig (*all* ~); helder (*sky; speaker*), duidelijk; netto; vol (*three* ~ *days; three feet* ~); onbelast, onbezwaard, vrij (*span* overspanning), open (*road*); volstrekt (*majority*); *get it* ~ (*in your mind*) begrijp het goed; *make* ~ verklaren, duidelijk maken; ~ *from* vrij van;

~ *of* vrij (los, bevrijd) van; *keep* (*steer*) ~ *of* uit de weg (het vaarwater) blijven, ontzeilen, vermijden; *stand* (*keep*) ~ *of the gates* niet leunen tegen; II *bw* helder, enz.; helemaal (*away, through*); vrij (*stand* ~); III *zn be in the* ~ vrijuitgaan; niets te vrezen hebben; (*sp*) vrij staan; *the signal is at* ~ staat op veilig; IV *ww* (op)klaren, verhelderen; zuiveren (*the air*); verduidelijken, ophelderen; opruimen, (de tafel) afnemen; banen (*a way*); vrijmaken (*the road*); (*sp*) wegwerken; van blaam zuiveren; vrijspreken; uit-, inklaren; passeren (gaan langs, springen over, enz.) zonder aan te raken, 'nemen' (*an obstacle*); vereffenen (*accounts*); aflossen; ontruimen; 'schoonvegen' (*a street*); leeghalen, -maken, -eten (*a dish*); weggaan; ~ *one's throat* de keel schrapen; ~ ***away*** opruimen; optrekken (*mist*); ~ ***off*** afbetalen, afdoen; afmaken; af-, wegtrekken; 'm smeren; ~ ***out*** op-, ontruimen; uithalen (*one's pockets*); ~ ***up*** opklaren; ophelderen; opruimen (*a mess*); '**clearance** [-rəns] verheldering, enz.; opruiming; vereffening; open (vrije) ruimte, (*bij onderdoorgangen*) maximale hoogte; ~ *sale* opruiming; '**clear-cut** scherp omlijnd; helder; '**clear-'headed** helder (van hoofd); '**clearing** opruiming; open plek in (oer)woud; '**clearly** *ook:* klaarblijkelijk; '**clearness** helderheid; '**clear-'sighted** scherp van gezicht; scherpzinnig; '**clearway** autoweg met stopverbod

cleavage ['kli:vidʒ] kloving, scheiding, scheuring, breuk; (*fam, ongev*) décolleté, inkijk; **cleave** [kli:v] kloven, splijten, klieven; **cleft** [kleft] kloof, reet, barst, scheur

clemency ['klemənsi] clementie; **clement** ['klemənt] zacht; goedertieren, genadig

clench [klen(t)ʃ] ballen (*the fist*); op elkaar klemmen (*one's teeth*); stevig vastgrijpen

clergy ['klə:dʒi] geestelijkheid; geestelijken; '**clergyman** [-mən] predikant (vooral anglicaans)

clerical ['klerikl] klerikaal, geestelijk; dominees...; administratief (*staff*); ~ *collar* priesterboord

clerk [klɑ:k] klerk; secretaris; griffier; *town* ~ (*ongev*) gemeentesecretaris

clever ['klevə] handig, bekwaam, knap (*at* in)

click [klik] I *ww* 1 een klik geven, tikken (tegen), klakken (*met tong*); 2 op zijn plaats vallen; (*sl*) succes hebben; (*sl*) het (samen) vinden, bij elkaar passen, verliefd worden; II *zn* het ...; geklik; tik, klik; klink; pal

client ['klaiənt] cliënt; klant; **client-card** klantenkaart; **clientele** klantenkring

cliff [klif] steile rots(wand) (*aan zee*), klif

climate ['klaimit] klimaat, luchtstreek; gewest; **climatic(al)** [klai'mætik(l)] klimaat...

climax ['klaimæks] I *zn* climax, hoogtepunt; toppunt; II *ww* een (z'n) climax bereiken

climb [klaim] I *ww* (be)klimmen, klauteren; stijgen; opklimmen (in de maatschappij); ~ *down* omlaag klimmen; (*fig*) inbinden, een toontje lager zingen; II *zn: a*) klim (*a good* ~ een hele klim); *b*) helling; **climber** klimmer; klimplant; eerzuchtige, 'streber'

clinch [klin(t)ʃ] I *ww* (vast)klinken; kracht bijzetten; beklinken (*a deal*); *that ~es the matter* dat geeft de doorslag; II *zn* het ...; klinknagel; greep; woordspeling

cling [kliŋ] kleven, zich vastklemmen; nauw sluiten (*a ~ing dress*); aanhangen; trouw blijven (*to* aan); **clinging** *ook:* aanhankelijk

clinic ['klinik] *a*) kliniek; *b*) spreekuur; **clinical** [-l] klinisch; objectief

clink [kliŋk] (doen) klinken, (laten) rijmen

clip [klip] I *ww* (af-, kort)knippen, (be)snoeien, scheren (*sheep*); afbijten (*one's words*); slaan tegen; met klem(metje) vastmaken; II *zn* 1 het ...; scheerwol; knipsel; 2 id., knijper, klem(metje); broekveer; '**clipboard** klembord; **clip-on** I *zn* voorhanger (voor bril); II *bn* klem...; '**clipper** [-ə] klem, klembeugel; schaar; klipper (*vaartuig*); *~s* tondeuse; '**clipping** scheerwol; (uit)knipsel

cloak [kləuk] I *zn* mantel; dekmantel; II *ww* in een mantel kleden, hullen; bemantelen; **cloakroom** [-ru(:)m] kleedkamer, garderobe, bagagedepot; ~ *ticket* reçu

clobber ['klɔbə] (*sl*) afranselen; verslaan

clock [klɔk] I *zn* klok; (*fam*) horloge & taximeter; *five o'*~ 5 uur; II *ww* de tijd bepalen (van); de snelheid controleren van (*a car*); *~in* (*on*) inklokken, ~ *out* (*off*) uitklokken; **clock-hand** wijzer; **clockwise** met de klok mee; **clockwork** (uur)werk (*van klok*); *like* ~ zo precies als een uurwerk

clod [klɔd] (aard)kluit; (boeren)pummel

clog [klɔg] I *zn* klomp; schoen met houten zool; (*fig*) blok aan het been, rem; II *ww* kluisteren (*an animal*); be-, overladen; belemmeren; tot last zijn; verstoppen; klonteren, stollen, verstopt raken; **cloggy** [-i] klonterig, kleverig

cloister ['klɔistə] I *zn: a*) klooster; *b*) kruis-, kloostergang; II *ww* (als) in een klooster opsluiten

1 close [kləuz] I *ww* (zich) sluiten; af-, in-, besluiten, eindigen; zich verenigen; het eens worden; slaags raken; de gelederen sluiten (= ~ *the ranks*); vallen (*van de avond*); ~ ***down*** (zijn zaak) sluiten; ~ ***in*** insluiten; naderen; korten (*van dagen*); vallen (*van de avond*), invallen (*van de winter*); ~ ***in upon*** zich samentrekken om, omsluiten, insluiten; ~ ***off*** afsluiten; ~ ***on*** zie ~ *upon;* ~ *one's eyes* ***to*** de ogen sluiten voor; ~ ***up*** (af-, aan-, be)sluiten; verstoppen; de gelederen sluiten; ~ ***upon*** omsluiten (*van hand*); het eens worden over (*a subject*); ~ ***with*** (gretig) aannemen; het eens worden met; handgemeen worden met; II *zn* besluit, einde

2 close [kləus] I *bn* dicht, gesloten, ingesloten; dicht begroeid (bebouwd); scherp, nauwkeurig, sterk (*resemblance*); dik (*friends*); benauwd, drukkend (*weather*); gesloten, geheimhoudend; (*fam*) krenterig (*with one's money*); besloten; bondig, beknopt; dichtbij-(zijnd); (nauw)sluitend, krap; kort (*cut the lawn* ~); intiem; *live at* (*in*) ~ *quarters* klein behuisd zijn; ~ *shave* ... op het nippertje; *it will be a* ~ *thing* het zal er spannen; II *bw* dicht-(bij), vlak bij (= ~ *by*); bij elkaar; ~ *up* van nabij, vlak bij; ~ (*up*)*on* (dicht) bij, bijna (~ *on sixty*); III *zn* ingesloten ruimte (veld); speelterrein; terrein om (bij) kathedraal

'**close-'cropped** [-krɔpt] kort geknipt; **closed** zie *close* 1; afgehandeld (*incident*); ~ *shop* bedrijf waarin slechts leden van vakbonden werken; **closed circuit** gesloten circuit; '**close-'fitting** [kləus-] nauwsluitend; '**close-'knit** (= *closely-knit*) met grote onderlinge samenhang (*society*), hecht

closet ['klɔzit] I *zn* kabinet, privé vertrek, studeerkamer; kast; WC; II *ww*: *be* ~*ed* een geheim (intiem) onderhoud hebben

close-up id.: (film)opname van zeer nabij

closing-'down sale ['kləuziŋ-] opheffingsuitverkoop

closure ['kləuʒə] sluiting (*inz. van debat*); slot

clot [klɔt] I *zn* klonter, kluit; (*sl*) idioot, stommeling; II *ww* klonteren, stollen

cloth [lɔθ] laken, stof, tafellaken; dweil; doek, lap; (geestelijk) gewaad; (*men of*) *the* ~ de geestelijkheid; *lay the* ~ de tafel dekken; **clothe** [kləuð] (aan-, be-, in-, om)kleden, hullen; **clothes** [kləuðz] kleren, kleding; was; luiers; beddegoed; **clothes-horse** droogrek; **clothes-line** drooglijn; **clothes-peg** wasknijper; **clothing** ['kləuðiŋ] kleding

clotty ['klɔti] klonterig

cloud [klaud] I *zn* wolk; *be* ***in*** *the* ~*s*: *a*) in hoger sferen zijn; *b*) onzeker (duister) zijn; *drop* (*fall*) ***from*** *the* ~*s* plotseling ontnuchterd worden; ***under*** *a* ~ in moeilijkheden; II *ww* bewolken, overschaduwen, verduisteren; hullen (~ *in dust*); benevelen; bezoedelen; betrekken (ook: ~ *over, up*); troebel worden (van vloeistof); '**cloudbank** wolkenbank; '**cloudburst** wolkbreuk; '**clouded** *ook* troebel

'**cloudy** [-i] bewolkt; somber, duister; vaag

clout [klaut] (*volkstaal*) mep, opstopper; macht, invloed

clove [kləuv] kruidnagel

clover ['kləuvə] klaver

clown [klaun] id., hansworst; **clowning** hansworsterij, clownerie

club [klʌb] I *zn* knots; golfstok; knotsvormig orgaan; club, sociëteit, vereniging; ~*s*, (*kaarten*) klaveren; II *ww* knuppelen; (zich) verenigen, samenvoegen; (geld) bijeenleggen, botje bij botje leggen (= ~ *together*); bijdragen; '**club champion** clubkampioen; '**club-'foot(ed)** (met) horrelvoet

cluck [klʌk] I *zn* geklok; klikgeluid; ~! ~! klok! klok!; II *ww* klokken; een klikgeluid maken; '**clucking-hen** klok(hen), kloek

clue [klu:] aanwijzing, (lei)draad, sleutel, wat iem op het spoor brengt; aanknopingspunt

clump [klʌmp] I *zn* blok, brok; groep (bomen, enz.); geklos (geluid van klompen op vloer); II *ww*: *a*) klossen; *b*) bijeen doen of planten; *c*) bonzen, dreunen

clumsy ['klʌmzi] onhandig, lomp

cluster ['klʌstə] I *zn* tros, bos, groep; II *ww* (zich) groeperen; in trossen groeien

clutch [klʌtʃ] I *zn* greep, klauw; (*techn*) koppeling (*ook van auto*); II *ww* (vast)pakken, grijpen (*at* naar); **clutch bag** damestasje zonder hengsel, enveloptas

clutter ['klʌtə] I *zn* warboel, rommel, rompslomp; II *ww* te hoop (door elkaar) lopen; belemmeren; ~ (*up*) volgooien, -proppen, rommelig maken; **cluttered** [-d] vol, rommelig, verward

Co. *Company; County*

c/o *care of* p/a, per adres

coach [kəutʃ] I *zn* touringcar; (staatsie)koets; diligence; spoorrijtuig; bus (*voor lange afstanden*); repetitor; trainer; II *ww* trainen, africhten; wenken aan de hand doen (= ~ *up*); **coachman** koetsier; **coachwork** carrosserie, koetswerk

coal [kəul] kolen, (steen)kool; kooltje vuur; *carry* ~*s to Newcastle* water naar de zee dragen

coalesce [kəuə'les] samengroeien

coalition [kəuə'liʃən] coalitie, verbond

coal-miner mijnwerker; **coal-pit** kolenmijn

coarse [kɔ:s] grof, ruw (*ook fig*); ~ *fish* zoetwatervis (behalve zalm); '**coarse-grained** [-greind] grof(vezelig, -korrelig); '**coarsen** [-n] grof maken (worden)

coast [kəust] I *zn* kust; glijbaan; het glijden, het 'freewheelen'; *the C*~, (*Am*) de Westkust; II *ww* langs de kust varen (van); freewheelen (*van fietser*); op de vleugels zweven (*van vogel*); **coastal** [-əl] kust...; **coaster** kustvaarder; onderzetter; **coastguard** kustwacht(er)

coat [kəut] I *zn* jas, (dames)mantel; (haar-, veer)bedekking, vel, vacht, vlies; (verf)laag; ~ *and skirt* (*costume*) mantelpak; ~ *of arms* familiewapen; II *ww* bekleden, bedekken, verven, enz.; **coated** ontspiegeld (*glasses*); **coat-hanger** [-hæŋə] kleerhanger; **coating** overtrek; bekleding; (verf-, ijs)laag; **coat-tail** jaspand

coax [kəuks] vleien, flikflooien; ~ *round* (door vleierij) bepraten; '**coaxer** vlei(st)er

cob [kɔb] maïskolf zonder de korrels; rond brood

cobble ['kɔbl] ronde (straat)kei

cobbler ['kɔblə] (*vero*) schoenlapper

cobweb ['kɔbweb] spinneweb; spinrag

cock [kɔk] I *zn* haan; mannetje; kemphaan (*fig*); weerhaan; aanvoerder, leider, kraan; opwaartse beweging (buiging); scheve stand van hoed; het opzetten van de rand; opgezette rand; kraan, tap; (*volkstaal*) penis; ~ *of the*

walk nummer een, leider; II *ww* (op)steken, (op)zetten; spitsen (*one's ears*); ~ *an* (*the, one's*) *eye* knipogen (*at* tegen); **cock-and-bull story** onmogelijk verhaal; **cocked** [kɔkt] zie *cock;* ~ *hat* steek; **cock-eyed** ['kɔkaid] scheel; (*fig*) scheef, verdraaid (*logic*); idioot (*a* ~ *idea*); '**cock-fight** hanengevecht
cockney ['kɔkni] id: *a*) geboren Londenaar; *b*) Londens dialect
cockroach ['kɔkrəutʃ] kakkerlak
cocksure ['kɔk'ʃuə] positief zeker; (te) zeker van zijn zaak; zelfbewust, verwaand; '**cocktail** id. (*drank*); ~ *shaker* id.; '**cocky** (*fam*) verwaand, brutaal
cocoa ['kəukəu] cacao(poeder); *a cup of* ~ een kop chocola
coconut ['kəukənʌt] kokosnoot; *that accounts for* (*that is*) *the milk in the* ~, (*scherts*) dat verklaart alles, dat is het; ~ *matting* kokosmatwerk
cocoon [kə'ku:n] cocon, *be ~ed* (*fig.*) opgesloten zitten
cod [kɔd] kabeljauw
coddle ['kɔdl] vertroetelen, verwennen
code [kəud] I *zn* (telegram)code, seinboek, stelsel (= ~ *of signals*); gedragslijn; wetboek; leerplan; reglement; ~ *of morality* (*morals*) zedenwet; ~ *number*, (*telec*) kengetal; *personal* ~ *number* pincode; II *ww* coderen, in codeschrift overbrengen (= *encode*)
cod-liver oil ['kɔdlivə(r)'ɔil] levertraan
co-ed ['kəu'ed] I *zn: a*) (*Am*) (*fam*) meisjesstudent; *b*) = *coeducation*; II *bn* voor jongens en meisjes (*school*); **coeducation** ['kəuedju-'keiʃən] co-educatie
coerce [kəu'ə:s] (af)dwingen; **coercion** [kəu-'ə:ʃən] dwang
coexist ['kəuig'zist] gelijktijdig bestaan, coexisteren; **coexistence** [-əns] het ..., coëxistentie
coffee ['kɔfi] koffie; '**coffee bean** koffieboon; '**coffee-grinder** koffiemolen; '**coffee-grounds** koffiedik; **coffee-maker** koffiezetapparaat
coffer ['kɔfə] (geld)kist, koffer; waterdichte kist
coffin ['kɔfin] doodkist
cog kam of tand (*van tandwiel*)
cogent ['kəudʒənt] krachtig, overtuigend
cognizance ['kɔgnizəns] kennis(neming), (gerechtelijk) onderzoek
cohabit [kəu'hæbit] (als man en vrouw) samenwonen; **cohabitation** [ˌkəuhæbi'teiʃən] samenwoning
cohere [kəu'hiə] samenkleven; samenhangen; **coherence** [-rəns], samenhang; **coherent** samenhangend; **cohesion** [kəu'hi:ʒən] cohesie; samenhang
coil [kɔil] I *zn* tros (touw); spiraal; gerolde vlecht, tres; kronkeling; rol; (*telec*) spoel; II *ww* oprollen, kronkelen; opschieten (*a rope*)
coin [kɔin] I *zn* munt, geldstuk; II *ww* (aan)munten; smeden (*new words*); verzinnen; '**coinage** [-idʒ]; munt(en); muntstelsel; nieuw gevormd woord; vinding; **coin box** telefooncel met muntmeter
coincide [kəuin'said] samenvallen; overeenstemmen; **coincidence** [kəu'insidəns] overeenkomst; samenloop van omstandigheden
'**coin-laundry** ['kɔinˌlɔ:ndri] 'wasserette'
coke [kəuk] 1 cokes; *go and eat* ~! (*sl*) loop naar de maan!; 2 (*sl*) cocaïne; (*Am*) coca-cola
colander ['kɔləndə] vergiet
cold [kəuld] I *bn* koud, koel, kouwelijk; *I am* ~, *I feel* ~ ik heb het koud; *it knocked me* ~ ik werd er koud van; ~ *storage* bewaring in ~ *store* koelpakhuis, -kamer; II *zn* koude; verkoudheid; *have a* ~ verkouden zijn; *catch* (*a*) ~ kou vatten; **cold-blooded** [-blʌdid] koudbloedig; koelbloedig, hardvochtig; '**cold-hearted** koud, ongevoelig; '**coldish** koudachtig; '**coldness** koudheid; koude; **cold-'shoulder** met de nek aanzien, negéren
colic ['kɔlik] koliek
collaborate [kə'læbəreit] mede-, samenwerken; **collaboration** [kəˌlæbə'reiʃən] collaboratie; samenwerking; **collaborator** [kə-'læbəreitə] medewerker; collaborateur
collapse [kə'læps] I *ww* invallen, in elkaar zakken, instorten; bezwijken; mislukken; opvouwbaar, inklapbaar zijn; II *zn* instorting; verval van krachten; fiasco; **collapsible** [kə-'læpsəbl, -sibl] samen-, opvouwbaar, inschuifbaar
collar ['kɔlə] I *zn* kraag, boord(je), halsband, -ring; bandje (*om sigaar*); ordeketen; II *ww* een ~ aandoen; bij de kraag pakken; inrekenen; '**collarbone** sleutelbeen
collate [kɔ'leit, kə-] collationeren, vergelijken (*texts*), verifiëren
collateral [kɔ'lætərəl, kə-] (= ~ *security*) zakelijk onderpand
colleague ['kɔli:g] collega, ambtgenoot
collect [kə'lekt] (zich) verzamelen; collecteren; (af-, op)halen; incasseren, innen; in de wacht slepen; ~ *o.s.* zijn zelfbeheersing herkrijgen; zijn gedachten verzamelen; ~ *call* (*Am*) opbellen op kosten van geadresseerde; **collected** bedaard, zichzelf meester (maar: *the* ~ *works of* ... = de verzamelde werken van ...); **collection** [kə'lekʃən] verzameling collectie; collecte; zelfbeheersing; buslichting; **collective** [kə'lektiv] verzamelend; gezamenlijk; verenigd; gemeenschappelijk; collectief (*bn* en *zn*); ~ *bargaining* onderhandeling van werknemers met werkgever(s) door middel van hun organisatie; **collec'tivity** gemeenschap(pelijkheid); **collector** [-ə] verzamelaar; incasseerder; beambte, die spoorkaartjes in ontvangst neemt; collectant; ontvanger
college ['kɔlidʒ] id.; afdeling van universiteit, met internaat, en onder eigen bestuur; kleine universiteit; seminarium (= *theological* ~); H.B.O.-school; grote kostschool; ~ *of ad-*

vanced technology, (*ongev*) H.T.S.; *go to ~* naar de academie gaan; '**college-cap** studentenbaret; schoolpet; **collegiate** [kə'li:dʒiit] behorende tot (ingericht als) een *college*

collide [kə'laid] botsen, in botsing komen

collier ['kɔliə] kolenmijnwerker; kolenschip; **colliery** ['kɔljəri] kolenmijn

collision [kə'liʒən] botsing, aanvaring; *~ course*, (*fig*) gedragslijn die op een botsing (*fig*) zal uitdraaien

colloquial [kə'ləukwiəl] tot de omgangstaal behorende, alledaags, gemeenzaam; **colloquialism** [-izm] *a*) stijl van de dagelijkse omgangstaal; *b*) alledaagse uitdrukking

collywobbles ['kɔliwɔblz] *he has the ~* zijn maag is van streek (speciaal door zenuwachtigheid)

colon ['kəulən] dubbele punt (:)

colonel ['kə:nl] kolonel

colonial [kə'ləunjəl] *bn* & *zn* koloniaal; **colonist** ['kɔlənist] kolonist; **colonize** ['kɔlənaiz] koloniseren; **colony** ['kɔləni] kolonie

colossal [kə'lɔsl] kolossaal, reusachtig

colour ['kʌlə] **I** *zn* kleur, tint; verf; schijn (van waarheid: *give, lend ~ to*); voorwendsel (zie *under ~ of*); soort, aard; vaandel; *~s* onderscheidingskleuren; insigne; gekleurd buis van jockey; vlag, standaard, vaandel; gekleurde japon(stoffen); *off-colour* pips, bleek, niet helemaal in orde; **II** *ww* kleuren, verven; verkeerd voorstellen; aannemelijk maken; een kleur krijgen, blozen (= *~ up*); *~* ***in*** inkleuren; **coloured** gekleurd; voorgewend; niet-blank; *~ man, person* neger; *~s* niet-blanken; kleurlingen; **colourfast** kleurvast, kleurhoudend; '**colourful** [-ful] kleurrijk; interessant (*personality*); **colouring** kleur(ing); (valse) schijn, voorkomen; kleurspel; **colour supplement** kleurenbijlage (bij krant)

colt [kəult] (hengst)veulen, jonge hengst; (*fig*) veulen, robbedoes; beginneling

column ['kɔləm] zuil, pilaar, kolom; (*in krant enz*) kolom; (*mil*) colonne; **columnist** ['kɔləm(n)ist] id., schrijver van ondertekende dagbladcommentaren

comb [kəum] **I** *zn*: *a*) kam; *b*) (honing)raat; **II** *ww* (ros)kammen; doorzoeken; *~ out* uitkammen; schiften; afzoeken, zuiveren (van misdadigers, enz.)

combat ['kɔm-, 'kʌmbət] **I** *zn* strijd, gevecht; **II** *ww* (*ook*: [kəm'bæt]) (be)vechten, (be)strijden; **com'batant** [-ənt] *bn* & *zn* strijdend, strijder

combination [kɔmbi'neiʃən] combinatie; verbinding; vereniging; samenspel; komplot; **combine** [kəm'bain] **I** *ww* combineren, (zich) verbinden, paren, (zich) verenigen; medewerken; **II** *zn* combinatie, een samenwerking; *~ harvester* combine, = grote oogstmachine

combustible [kəm'bʌstəbl] **I** *bn* (ver)brandbaar, ontvlambaar; **II** *zn*: *a*) brandstof; *b*) brandbare stof; **combustion** [kəm'bʌstʃən] verbranding; *~ chamber* verbrandingskamer, vlamkast; *internal ~ engine* verbrandingsmotor

come [kʌm] komen, naderen; meegaan; aan-, op-, uitkomen; verschijnen; ontkiemen; afleggen (*I've ~ a long distance*); gaan (*~ open, undone*); (*sl*) een orgasme hebben; *they ~ in five colours* in vijf kleuren verkrijgbaar; (*now* [*that*] *I*) *~ to think of it* nu ik eraan denk; *for a long time to ~* nog lange tijd; *he'll be sixty ~* (*next*) *Christmas* a.s. ...; *~ what may* (~) = *~ frost, ~ fair weather* wat er ook gebeure; *~* ***about*** gebeuren; zich toedragen; tot stand komen; (*van feest, enz*) = *~ round; ~* ***across*** toevallig aantreffen; stoten op; inslaan, aanspreken; (*fam*) over de brug komen; *it came across my mind* kwam bij me op; *~* ***after*** komen na; komen om; *~* ***along*** (er aan) komen, opdagen, naderen; opschieten; vooruitgaan; *~* ***apart*** losraken, uiteenvallen; *~* ***around*** (*Am*) zie *~ round; ~* ***at*** komen bij, bereiken; komen achter (*the truth*); (te pakken) krijgen; lostrekken op; *~* ***away*** ervandaan komen (gaan); heengaan; losraken, eraf gaan; *~* ***back*** terugkomen (*to* op); bijkomen (*uit flauwte*); te binnen schieten; weer in de mode (de gratie) komen; wat terugzeggen; zie *come-back; ~* ***between*** tussenbeide komen; *~* ***by*** voorbijkomen; komen aan, (ver)krijgen; *~* ***down*** neerkomen, naar beneden komen; dalen (*the cost of living is coming down*); zich uitstrekken (*to* tot); overkomen; uit Londen komen; uit zijn academiestad komen; *it has ~ down to us* is overgeleverd; *~ down* (*up*)*on* neerkomen op; op het lijf vallen, uitvaren tegen, aanpakken; *~* ***for*** komen om; (af)halen; afkomen op; *~* ***forth*** te voorschijn komen; *~* ***forward*** naar voren komen; zich aanmelden; *~* ***from*** komen van (uit); *~* ***in*** binnenkomen; thuiskomen; aankomen; in de mode komen; regel worden; opkomen (*van getij*); gekozen (benoemd) worden; aan het bewind komen; (gaan) meedoen (*on* aan); beginnen; *~ in useful* (*handy*) goed te pas (van pas) komen; *it came in* (*up*)*on me* het drong tot me door; *~* ***into*** komen in; deelnemen aan; *~ into existence* ontstaan; *~ into one's property* in het bezit komen van; *~ into one's own* z'n erfdeel ontvangen; *~* ***near*** (er) dichtbij komen; *I came near* (*to*) *doing it* had het bijna gedaan; *~* ***of*** komen van, komen uit (*a good family*); zie *age; ~* ***off*** afkomen van (*ook fig.*); (er) afkomen, -gaan, losgaan; ontsnappen; af-, uitvallen (*my hair is coming off*); afgeven (*van verf*); *~* ***on*** (*bw*) naderkomen, aanrukken; vorderingen maken; aankomen (groeien); opkomen (*van onweer, enz*); vallen (*night is coming on*); op-, aangaan (*van licht*); ter sprake (ter tafel) komen; *it came on to rain* begon te ...; *~ on!* kom mee! vooruit! *~* ***on*** (*vz*) zie *~ upon; ~* ***out*** uitkomen (*ook*: bekend worden, verschijnen, enz.); eruit komen; weggaan; gaan staken; opkomen voor (tegen); te voorschijn (voor de dag) komen; uitlopen (*van bomen*); blijken (te zijn); *it didn't ~ out right* (*came out all wrong*) liep verkeerd (fout); ~ ***out of*** komen (voortkomen, te voorschijn komen) uit; ~ ***over*** (*vz*) komen over; bekruipen (*fear came over me*); bezielen; overkómen; ~ ***over*** (*bw*) overkomen, -steken, -lopen; ***round*** aanlopen; vóórkomen (*van rijtuig*); weer komen; bijkomen (*uit flauwte*); ~ ***through*** erdoor komen; ~ ***to*** (*bw*) bijkomen; komen op (*it ~s to 25p.*); te binnen schieten; *he got what was coming to him* zijn verdiende loon; ~ ***under*** komen onder; vallen onder (*it ~s under that head*); *it's ~ to my notice* het is me opgevallen; ~ ***up*** opkomen; boven komen; aanlopen; in de stad (Londen, de academiestad) komen: aankomen (als student); ~ ***upon*** overvallen; te binnen schieten; zich opdringen aan; toevallig treffen (komen bij); ten laste komen van; ~ ***within*** *the law* onder de wet vallen; **'comeback** (*fam*) terugkeer; hernieuwd optreden, rentree; herstel, opleving

comedian [kə'mi:diən] blijspelspeler, -schrijver; toneelspeler; komiek (= *low ~*); (*fig*) komediant; **comedy** ['kɔmidi] blijspel, komedie

comet ['kɔmit] komeet

comfort ['kʌmfət] I *zn* troost; vertroosting; bemoediging; welstand; geriefelijkheid, comfort, gemak; *take ~* zich troosten; II *ww* troosten, bemoedigen, opbeuren; op-, verkwikken; **comfortable** [-əbl] aangenaam, behaaglijk, gemakkelijk, senang; royaal (*income*); geriefelijk, gezellig; goedig; op z'n gemak, zonder pijn; *make o.s. ~* zijn gemak nemen; **'comfortably**: *~ off* in goede doen; **'comforter** trooster; **'comfortless** troosteloos; ongeriefelijk

comic ['kɔmik] I *bn* komisch, grappig; blijspel...; II *zn* komiek; stripverhaal; *~s* stripboek; *~ cartoon, ~ strip* stripverhaal; **'comical** grappig, koddig

coming ['kʌmiŋ] I *bn* toekomstig, aanstaande, opkomend; II *zn* komst; *~s and goings* komen en gaan

comma ['kɔmə] komma

command [kə'mɑ:nd] I *ww* bevelen, gebieden, commanderen, het commando voeren (over); beheersen; afdwingen (*respect*); bestrijken; overzien; *this hill ~s a fine view* van ... heeft men ...; II *zn* bevel, gebod, opdracht, order; commando, leiding; beheersing (*of a language* over ...); beschikking; uitzicht; *~ of o.s.* zelfbeheersing; ***at*** ~ ter beschikking; *at* (***by***) *your ~* op uw bevel; *be* ***in*** ~ het bevel voeren (*of* over); **commandeer** [kɔmən'diə] rekwireren, opvorderen; **com'mander** [-ə] bevelhebber, commandant; **com'mand(er)-in-'chief** opperbevel(hebber); **commanding** bevelvoerend; indrukwekkend; beheersend; **com'mandment** (goddelijk) gebod; *the ten ~s* de tien geboden; **com'mando** [-əu] (*Z-Afr en 2e Wereldoorlog*) id.; ~ *raid* inval door stoottroep; **com'mand post** (*mil*) commandopost

commemorate [kə'meməreit] her-, gedenken, vieren; **commemorative** [kə'memərətiv] gedenk..., herdenkings...

commence [kə'mens] beginnen; **commencement** [-mənt] begin, aanvang

commend [kə'mend] prijzen, loven; aanbevelen; opdragen, toevertrouwen; **commendable** [-əbl] prijzenswaardig; **commendation** [kɔmen'deiʃən] aanbeveling, lof

comment ['kɔment] I *zn* (verklarende) aantekening; uitleg, commentaar, kritiek; II *ww* ...en maken (*on* bij), op-, aanmerkingen maken, opmerken; **commentary** ['kɔməntəri] commentaar; uitleg, reportage; opmerking(en); *mv ook:* 'memoires'; **commentator** [-eitə] id., uitlegger, verklaarder, verslaggever

commerce ['kɔmə(:)s] handel, verkeer; **commercial** [kə'mə:ʃəl] I *bn* handels..., bedrijfs..., commercieel; ~ *traveller* handelsreiziger; II *zn* reclameboodschap (*radio, t.v.*); **commercialism** [-izm] handelgeest, -gewoonte(n)

commiserate [kə'mizəreit] medelijden hebben met, beklagen

commission [kə'miʃən] I *zn* commissie, opdracht, last(brief); (officiers)aanstelling; ambt; provisie; verlening (*van macht, enz*); het begaan (*van misdaad*); *go* ***beyond*** *one's ~* buiten zijn opdracht (zijn boekje) gaan; ***in*** *~: a*) met een opdracht belast; *b*) door een commissie beheerd; *put* ***in***(***to***) ~ in dienst stellen; *have goods* ***on*** ~ in commissie; ***out of*** ~ buiten dienst; ***under*** ~ *of* in opdracht van; II *ww* machtigen, belasten; opdragen, bestellen; aanstellen (tot officier of tot scheepscommandant); in dienst stellen (*a ship*); **commissionaire** [kəˌmiʃə'nɛə] portier; **commissioned** *officer* officier (tegenover: *non-~ officer* = onderofficier); **commissioner** [-ə] gevolmachtigde; commissaris; hoofdcommissaris

commit [kə'mit] toevertrouwen, toewijzen; prijsgeven (*to* aan); (naar een commissie) verwijzen; begaan, plegen; zich bezondigen aan; compromitteren; binden (*to* tot); *~ o.s., ook:* zich vergalopperen (in de vingers snijden, blootgeven); *~ to memory* van buiten leren; *~ to paper* op papier zetten; *~ to the press* in druk geven; *~ to prison* gevangen zetten; **commitment** (bevel tot) inhechtenisneming; verbintenis; verplichting; schuldenlast; binding aan bepaalde (politieke) richting; **committal** [-l] toewijzing; (bevel tot) gevangenneming; bevel tot opneming in een krankzinnigeninrichting; verwijzing naar terechtzitting; bijzetting; **committee** [kə'miti] commissie, comité, bestuur

commodious [kə'məudiəs] ruim en geriefelijk; **commodity** [kə'mɔditi] *a*) gerief, gemak; *b*) verbruiksartikel, (koop)waar

common ['kɔmən] I *bn* gemeen(schappelijk); gewoon, algemeen, ordinair; openbaar; *that* *is ~ ground* daarover is men het eens; *it's* (*of*) *~ knowledge* algemeen bekend; *~ law* gewoonterecht (tegenover geschreven); *the C~ Market* de E.G.; *~ room* gezelschapszaal; gelagkamer; leraarskamer; recreatiezaal; *~ sense* gezond verstand; *it is ~ talk* iedereen praat erover; II *zn:* *a*) het gewone; *b*) onbebouwde, oningesloten gemeentegrond, meent; ***above*** *the ~* boven de middelmaat; ***in*** *~* gezamenlijk; *in ~ with, ook:* evenals; ***out of*** *the ~* buitengewoon; ongewoon; **commoner** *a*) (niet-adellijk) burger; (*soms*) iem niet van koninklijke bloede; *b*) lid van het Lagerhuis; **commonly** gemeenlijk; gewoon(lijk); **commonplace** I *zn* (afgezaagde) aanhaling, gemeenplaats; II *bn* gewoon, afgezaagd, alledaags; **Commons**: (*House of*) ~ Lagerhuis; **commonwealth** [-welθ] gemenebest; (*vero*) staat, republiek; (*fig*) rijk (*~ of learning*); *the British C~ of Nations* het Britse Gemenebest

commotion [kə'məuʃən] beroering, opschudding

communal ['kɔmjunl, kə'mju:nəl] gemeente…; gemeenschaps…, gemeenschappelijk

communicate [kə'mju:nikeit] mededelen; omgang hebben, in verbinding staan of treden (*with* met); communiceren; **communication** [kə,mju:ni'keiʃən] mededeling; gemeenschap, aansluiting; communicatie, verbinding(sweg); **communi'cation-cord** noodrem(koord); **communi'cations** verbindingslijnen ((spoor)wegen, radio e.d.); **communicative** [kə'mju:nikətiv] mededeelzaam

communion [kə'mju:niən] gemeenschap; verbinding, omgang; kerkgenootschap; Avondmaal; communie

communist ['kɔmjunist] id.; communistisch

community [kə'mju:niti] gemeenschap, staat, maatschappij, genootschap, broederschap; *~ centre* buurthuis; (*Belg*) trefcentrum; *~ service* dienstverlening (ook als straf); *~ policeman* wijkagent; *~ singing* samenzang; *~ worker* welzijnswerker

commute [kə'mju:t] veranderen (*into, to* in); verwisselen (*for* voor); omzetten, afkopen (*a pension*); verzachten; forenzen, per spoor of auto op en neer reizen naar het werk, pendelen; **commuter** [-ə] forens, pendelaar, voorstadbewoner

compact I *zn* ['kɔmpækt] poederdoos(je); II *bn* [kəm'pækt] id.: aaneengesloten, stevig, dicht, vast; bondig (*style*); (*van pers*) gedrongen (= *~ly built*); *~ car* Amerikaanse personenauto met Europese afmetingen; *~ disc* id.

companion [kəm'pænjən] (met)gezel, kameraad, makker, deel-, lotgenoot; laagste graad in een ridderorde ('broeder'); gezelschapsdame; *~ volume* bijbehorend (boek)deel; *~-way* trap (aan boord van schip); **companionable** [-əbl] gezellig; **companion-in-arms** wapenbroeder; **companionship** gezelschap; kameraadschap, gezellige omgang

company ['kʌmpəni] gezelschap; toneelgezelschap; maatschappij, vennootschap; gilde, genootschap; compagnie; bemanning; groep, kring; bezoek(ers), 'mensen'; (*Belg*) uitbating; *be good* (*bad*) *~* gezellig (ongezellig) zijn; *request the ~ of … at dinner* te dineren vragen; ***for*** *~* voor de gezelligheid; ***in*** *~ with, in the ~ of* in gezelschap van; *~ car* auto van de zaak

comparable ['kɔmp(ə)rəbl] vergelijkbaar; **comparative** [kəm'pærətiv] vergelijkend; betrekkelijk; **comparatively** [-li] vergelijkenderwijs; in vergelijking; betrekkelijk; **compare** [kəm'pɛə] vergelijken (*to* bij, met; *with* met); de vergelijking doorstaan (*with* met); *~ notes* de wederzijdse bevindingen vergelijken; **comparison** [kəm'pærisn] vergelijking; *by ~* vergelijkenderwijs; *by* (*in*) *~ with* in vergelijking met

compartment [kəm'pɑ:tmənt] afdeling, vak, vakje; coupé, compartiment; waterdichte afdeling (*van schip*); **compartmentalize** [kɔmpɑ:t'mentəlaiz] in hokjes verdelen, indelen, onderverdelen

compass ['kʌmpəs] omtrek; grens; ruimte; bereik; kompas; omweg; (*pair of*) *~es* passer

compassion [kəm'pæʃən] deernis, erbarming (*on* met); **compassionate** [-it] mededogend, medelijdend, meewarig

compatible [kəm'pætəbl] verenigbaar, bestaanbaar (*with* met); aangepast

compatriot [kəm'pætriət] landgenoot

compel [kəm'pel] dwingen (tot), verplichten, afdwingen (*tears from …*); *~ling, ook:* gebiedend (*gaze*), innemend (*manner*), boeiend (*story*)

compensate ['kɔmpənseit] goedmaken, vergoeden (ook: *~ for*); opwegen tegen; schadeloosstellen, compenseren; **compensation** [kɔmpən'seiʃən] vergoeding, schadeloosstelling, compensatie

compete [kəm'pi:t] wedijveren, concurreren

competence ['kɔmpitəns] bevoegd-, bekwaamheid, competentie; **competent** ['kɔmpitənt] bevoegd, bekwaam, competent, flink; toereikend; geoorloofd

competition [kɔmpi'tiʃən] mededinging, wedijver, wedloop, concurrentie; wedstrijd, prijsvraag; **competitive** [kəm'petitiv] concurrerend; vergelijkend (*examination*); **competitor** [kəm'petitə] mededing(st)er, deelne(e)m(st)er, concurrent(e)

compilation [kɔmpi'leiʃən] verzameling; **compile** [kəm'pail] samenstellen, verzamelen

complacency [kəm'pleisənsi] welgevallen; (zelf)voldoening, kalmte; **complacent** (zelf-) voldaan; kalm

complain [kəm'plein] klagen, zich beklagen (*of, about* over; *to* bij); **complaint** [kəm'pleint] *a*) (aan)klacht; *b*) kwaal; *make* (*a*) *~* klagen

complaisant [kəm'pleizənt] (*vero*) inschikkelijk

complement I *zn* ['kɔmplimənt] aanvulling, aanvulsel; complement; vereiste hoeveelheid, getalsterkte; II *ww* [kɔmpli'ment] aanvullen; **complementary** [kɔmpli'mentəri] aanvullend, aanvullings..., complementair (*colours*)
complete [kəm'pli:t] I *bn* compleet, volledig, voltallig; voltooid; volslagen, totaal (*destruction*); volmaakt; II *ww* compleet maken; aanvullen; invullen (*a form* formulier); afmaken, voltooien, -brengen, uitvoeren; **completely** [-li] compleet, volmaakt, helemaal, totaal; **completeness** volledigheid; **completion** [kəm'pli:ʃən] voltooiing
complex ['kɔmpleks] I *zn: a*) id., geheel; *b*) id. = geestelijke eigenaardigheid; II *bn* id. (*number*), samengesteld (*fraction, sentence*), ingewikkeld; **complexion** [kəm'plekʃən] *a*) gelaatskleur, teint; *b*) aanzien, voorkomen, aard; **complexity** [kəm'pleksiti] complexiteit, ingewikkeldheid
compliance [kəm'plaiəns] inwilliging (*with* van); nakoming (*with* van); toestemming; meegaandheid; *in ~ with* overeenkomstig; **compliant** inschikkelijk, meegaand
complicate ['kɔmplikeit] verwikkelen; ingewikkeld maken; *~d* ingewikkeld, gecompliceerd; **complication** [kɔmpli'keiʃən] verwikkeling, ingewikkeldheid; complicatie; **complicity** [kəm'plisiti] medeplichtigheid (*in* aan)
compliment I *zn* ['kɔmplimənt] id., plichtpleging; *~s of the season* kerstmis- en nieuwjaarswensen; *with the author's ~s* van de schrijver; *pay a p. a ~* iem een compliment maken (*on* over); II *ww* ['kɔmpliment, kɔmpli'ment] complimenteren, een compliment maken, gelukwensen (*on* met); vereren (*with* met)
comply [kəm'plai] toegeven, zich schikken (*with* in); *~ with, ook:* voldoen aan, inwilligen
component [kəm'pəunənt] I *bn* samenstellend; II *zn* id., bestanddeel, onderdeel
comport [kəm'pɔ:t] *~ oneself* zich gedragen
compose [kəm'pəuz] (samen-, op)stellen; componeren; *be ~d of* bestaan uit; **composed** [-d] kalm, bedaard; **composedness** [-idnis] kalmte, bedaardheid; **composer** [-ə] componist; **composing-room** (*typ*) zetterij
composite ['kɔmpəzit] samengesteld; **composition** [kɔmpə'ziʃən] samenstelling; compositie, mengsel, brandbaar (ontplofbaar) mengsel; kunststof; (ge)aard(heid), wezen; het stellen (*op school, enz.*); opstel, verhandeling (*literary ~*); het componeren; (muziek)stuk (*musical ~*)
compost ['kɔmpɔst] id.
composure [kəm'pəuʒə] kalmte, bedaardheid, bezadigdheid
compound ['kɔmpaund] I *bn* samengesteld (*fraction* breuk, *rekenk*); II *zn* 1 samenstelling; (ook *chem*) verbinding; mengsel; 2 erf (om gevangenis, fabriek, enz.); III *ww* [kəm'paund] samenstellen, (ver)mengen, verenigen, bereiden; verergeren, vergroten
comprehend [kɔmpri'hend] begrijpen; **comprehensible** [kɔmpri'hensəbl] begrijpelijk; **comprehension** [kɔmpri'henʃən] bevatting(svermogen), begrip; tekstbegrip; **comprehensive** [kɔmpri'hensiv] bevattings... (*faculty*); veelomvattend, uitgebreid, ruim, groot; *soms:* bondig; *~ insurance* verzekering die alle risico's dekt; *~* (*school*) scholengemeenschap l.b.o./a.v.o.
compress I *zn* ['kɔmpres] kompres; II *ww* [kəm'pres] samendrukken, -persen; comprimeren, verdichten; **compression** [kəm'preʃən] compressie; comprimering
comprise [kəm'praiz] be-, om-, samenvatten, behelzen, insluiten
compromise ['kɔmprəmaiz] I *zn* schikking, overeenkomst, vergelijk, compromis, tussenoplossing; geschipper; middenweg; II *ww: a*) schikken, bijleggen; tot een schikking komen; geven en nemen, water in de wijn doen, het op een akkoordje gooien (= *~ matters*); *b*) compromitteren, in opspraak (gevaar) brengen
compulsion [kəm'pʌlʃən] dwang; *on ~* gedwongen; **compulsive** [-siv] dwingend, dwang..., obsederend; *a ~ liar, etc.* iem die het liegen, enz. niet kan laten; **compulsory** [-səri] gedwongen, verplicht (*upon* voor), dwingend, dwang...; *~ education* leerplicht; *~ military service* dienstplicht
compunction [kəm'pʌŋkʃən] wroeging, gewetensknaging, scrupule(s); berouw, zelfverwijt; **compunctious** [-ʃəs] berouwvol
computation [kɔmpju'teiʃən] berekening; **compute** [kəm'pju:t] (be)rekenen, ramen, schatten (*at* op); **computer** [-ə] id.; *~ language* computertaal; *~-operated* computergestuurd; *~ print-out* computeruitdraai; *~ virus* computervirus; **computerize** [-əraiz] computeriseren; regelen d.m.v. een computer; *~d* geautomatiseerd
comrade ['kʌmrəd] kameraad, makker
con [kɔn] 1 contra, tegen; zie *pro*; 2 *~* (*over*) bestuderen, nagaan, van buiten leren; 3 (*sl*) I *zn* = *confidence*(*-man*); *convict* (*zie aldaar*); bedotterij; II *ww* afzetten, beetnemen
conceal [kən'si:l] verbergen, (ver)helen, geheimhouden (*from* voor); *~ed, ook:* indirect (*lighting*); *~ed entrance* onoverzichtelijke uitrit; **concealment** geheimhouding, het verbergen; verborgenheid
concede [kən'si:d] toegeven; toestaan
conceit [kən'si:t] (eigen)dunk, waan, verwaandheid; gril; verbeelding; gezocht (fantastisch) idee (beeld); **conceited** verwaand, eigenwijs
conceivable [kən'si:vəbl] denkbaar, begrijpelijk; **conceivably** zoals denkbaar is; **conceive** [kən'si:v] een denkbeeld (begrip) vormen van, denken, zich voorstellen (ook: *~ of*); begrijpen, (be)vatten; opvatten (*a plan*); zwanger worden (van)
concentrate ['kɔnsəntreit] (zich) concentreren;

con

concentration [kɔnsən'treiʃən] concentratie; aandacht
concept ['kɔnsept] begrip; **conception** [kən'sepʃən] voorstelling; begrip, be-, opvatting; gedachte; ontwerp; het zwanger worden; **conceptual** [kən'septjuəl] begrips...
concern [kən'sə:n] I *ww* betreffen, aangaan, van belang zijn voor; zich inlaten (*with, in* met); *be ~ed* belang stellen (*about* in), betrokken zijn (*in* bij), te maken hebben, zich bezighouden (*in, with* met), bezorgd zijn (*at, for, about, over* over); *the parties ~ed* de betrokkenen; II *zn* zaak, onderneming, handelshuis; aangelegenheid; (aan)deel (*I have no ~ in it*); belang (*a matter of some ~*); bezorgdheid, deelneming; (*fam*) ding, spul, zaak(je), bedoening (*I hate the whole ~*); **concerning** betreffende
concert I *zn* ['kɔnsə(:)t] *a*) overeenstemming; *b*) ['kɔnsət] concert; *work in ~* samenwerken; II *ww* [kən'sə:t] *a*) beramen, op touw zetten; *b*) arrangeren; *~ed action* gezamenlijke actie
concession [kən'seʃən] be-, inwilliging, verlening, vergunning, concessie (*ook het terrein*)
conciliate [kən'silieit] (met elkaar) verzoenen, in overeenstemming brengen; gunstig stemmen, bevredigen, overhalen; verwerven; **conciliation** [kənˌsili'eiʃən] verzoening; **conciliation-board** bemiddelingscommissie
concise [kən'sais] beknopt
conclude [kən'klu:d] besluiten, (be)eindigen; opmaken, concluderen (*from* uit); beslissen; sluiten (*alliances*); *to be ~d* slot volgt; **conclusion** [kən'klu:ʒən] *a*) besluit, einde, slot; *b*) conclusie, gevolgtrekking; *c*) het sluiten, totstandkoming; *in ~* tot besluit; **conclusive** [kən'klu:siv] afdoend, beslissend
concoct [kən'kɔkt] koken, bereiden (*uit verschillende bestanddelen*); (*fig*) bekokstoven; **concoction** [kən'kɔkʃən] bereiding; brouwsel; verzinsel
concord I *zn* ['kɔŋ-, 'kɔnkɔ:d] *a*) eendracht, overeenstemming, harmonie; *b*) verdrag; II *ww* [kən-, kəŋ'kɔ:d] overeenstemmen, harmoniëren
concourse ['kɔŋ-, 'kɔnkɔ:s] toe-, samenloop, menigte, verzameling; hal in station, enz.
concrete ['kɔŋ-, 'kɔnkri:t] I *bn: a*) concreet; tastbaar; vast, hard; *b*) beton...; II *zn: a*) het concrete; concreet iets, vaste massa; *b*) beton; *reinforced ~* gewapend beton; **concrete-mixer** betonmolen
concubine ['kɔŋkjubain] bijzit, bijvrouw
concur [kən'kə:] samenvallen, samen-, medewerken; bijdragen (*to* tot); het eens zijn, overeenstemmen; **concurrent** [kən'kʌrənt] samenvallend; evenwijdig; gelijktijdig; eenstemmig
concussion [kən'kʌʃən] schudding; schok; botsing, bons; hersenschudding (= *~ of the brain*)
condemn [kən'dem] veroordelen; schuldig verklaren (*of* aan); verbeurd verklaren; afkeuren (*meat*); **condemnation** [kəndem'neiʃən] veroordeling, afkeuring
condensation [ˌkɔnden'seiʃən] condensatie, verdichting; bekorting; **condense** [kən'dens] condenseren, verdichten, verdikken; concentreren; samenpersen, -vatten, bekorten; *~d milk* gecondenseerde (en gesuikerde) melk; **condenser** condens(at)or
condescend [kɔndi'send] zich verwaardigen; zich vernederen; afdalen (*to* tot); **condescending** (nederbuigend) minzaam; **condescension** [kɔndi'senʃən] afdaling, (nederbuigende) minzaamheid
condiment ['kɔndimənt] kruiderij
condition [kən'diʃən] I *zn* voorwaarde, conditie, staat, toestand (*ook* = ziekte), aandoening; rang, stand; *~s, ook:* omstandigheden; *in* (*out of*) *~* in goede (slechte) staat; II *ww* bedingen, conditioneren; zich verbinden; afhankelijk stellen (*on* van); bepalen, beheersen; in gewenste conditie brengen; *~ to* instellen op; *be ~ed by* afhangen van, bepaald worden door; *~ed, ook:* zich in een bepaalde toestand bevindend (*the best ~ed cattle*); ... geaard, ... gezind; **conditional** [-l] voorwaardelijk; *be* (*make*) *~ on* afhankelijk zijn (stellen) van; **conditioner** was-, haarverzachter; **conditioning** vorming, training
condole [kən'dəul] condoleren (*intr*); *~ with a p. on ...*, iem condoleren met ...; **condolence** [-əns] betuiging van deelneming, condoleantie
condom ['kɔndəm] condoom
condone [kən'dəun] door de vingers zien
conduct I *zn* ['kɔndəkt, -dʌkt] gedrag, houding; optreden; leiding; behandeling; II *ww* [kən'dʌkt] (ge)leiden, (aan)voeren, besturen; dirigeren; *~ o.s.* zich gedragen; *who ~s your correspondence?* voert; *conducted tour* rondleiding; '**conducting-wire** geleidraad; **conduction** [kən'dʌkʃən] geleiding (*elektr*); **conductor** [kən'dʌktə] (ge)leider, gids, aanvoerder; dirigent; conducteur (van tram, bus; *Am* ook van trein); bliksemafleider; **con'ductress** conductrice
cone [kəun] kegel; denappel; ijshoorntje; kegelvormige wegbebakening
confectionery [kən'fekʃənəri] *a*) suikerbakkerij; *b*) suikergoed, banket
confederacy [kən'fedərəsi] (ver)bond; **con'federate** [-it] verbonden, bonds...; **confederation** [kənˌfedə'reiʃən] verbond; (staten)bond
confer [kən'fə:] *a*) verlenen (*titles*), schenken (*on* aan); *b*) beraadslagen; confereren; **conference** ['kɔnfərəns] beraadslaging, congres, conferentie, vergadering; **con'ferment** verlening
confess [kən'fes] er-, bekennen; belijden, biechten (soms: *~ o.s.*); de biecht afnemen; **confessedly** [-idli] naar algemeen, of door de persoon zelf, wordt erkend; **confession** bekentenis; biecht; *~* (*of faith*) geloofsbelijdenis; *go to ~* biechten; *make one's ~,* (*r.-k.*) biech-

ten; *on his own* ~ naar hij zelf be- of erkent; **confessional** I *bn* confessioneel; biecht...; II *zn* biechtstoel; **confessor** biechtvader
confidant(e) ['kɔnfidænt] vertrouweling(e); **confide** [kən'faid] vertrouwen (*in* op); toevertrouwen (*to* aan); *-ing, ook:* goed van vertrouwen; **confidence** ['kɔnfidəns] *a*) (zelf)vertrouwen, vrijmoedigheid; *b*) vertrouwelijke mededeling, confidentie; **confidence-man** persoon die iem overhaalt hem zijn kostbaarheden, enz. toe te vertrouwen; **confident** vol (zelf-) vertrouwen, vrijmoedig; overtuigd, zeker; **confidential** [kɔnfi'denʃəl] vertrouwelijk
confine I *zn* (*gew mv*) ['kɔnfain] grens, grenzen; II *ww* [kən'fain] begrenzen, beperken, bepalen (*to* tot); in-, opsluiten, consigneren; **con'finement** begrenzing, in-, opsluiting; bevalling
confirm [kən'fə:m] bevestigen, (ver)sterken, bekrachtigen; constateren (*foot-and-mouth disease*); goedkeuren (*the minutes* notulen); (als lidmaat van een kerk) aannemen; *~ed, ook:* verstokt (*drugtaker*); **confirmation** [kɔnfə'meiʃən] bevestiging, goedkeuring, constatering; Heilig vormsel
confiscate ['kɔnfiskeit] verbeurd verklaren, afnemen (*op school*); **confiscation** [kɔnfis'keiʃən] verbeurdverklaring
conflagration [kɔnflə'greiʃən] grote (uitslaande) brand
conflict I *zn* ['kɔnflikt] id., botsing, strijd; II *ww* [kən'flikt] strijden, in tegenspraak zijn (*with* met); *~ing* (tegen)strijdig
confluence ['kɔnfluəns] samenvloeiing (*rivieren*), vereniging; toeloop
conform [kən'fɔ:m] (zich) schikken (voegen, richten, regelen) (*to* naar), (zich) aanpassen (*to* aan), in overeenstemming brengen (*to* met); zich aan de voorschriften ve kerk (inz. hist: vd anglicaanse kerk) onderwerpen; ~ *to, ook:* naleven, nakomen; voldoen aan (*the requirements*); **conformation** [kɔnfɔ:'meiʃən] vorm(ing), bouw, aard, gesteldheid; **con'formity** [-iti] overeenkomst, -stemming; inschikkelijkheid
confound [kən'faund] versteld doen staan, verbijsteren, beschamen; (*ook* ['kɔn'faund]) ~ *it!* verdomme!; ~ *you!* loop naar de duivel (hel)!
confront [kən'frʌnt] staan (komen, plaatsen) tegenover; tegenover elkaar plaatsen (ook ter vergelijking); confronteren; het hoofd bieden; voorhouden; **confrontation** [kɔnfrʌn'teiʃən] confrontatie; vergelijking
confuse [kən'fju:z] verwarren, verbijsteren, beschaamd of verlegen doen staan; ~ *the issue* de zaak vertroebelen; **confusion** [kən'fju:ʒən] verwarring, verbijstering; verlegenheid
congeal [kən'dʒi:l] (doen) stollen, bevriezen
congenial [kən'dʒi:niəl] (naar de geest) verwant, sympathiek; prettig (*task*), passend
congestion [kən'dʒestʃən] ophoping, verstopping
congratulate [kən'grætjuleit] gelukwensen (*on* met); **congratulation** [kən,grætju'leiʃən] gelukwens; **congratulatory**: ~ *card* wenskaart
congregation [kɔŋgri'geiʃən] verzameling; gemeente (gehoor van predikant); congregatie
congress ['kɔŋgres] id., samenkomst, vergadering; **congressional** [kɔŋ'greʃənl] congres...; **congressman**, **congresswoman** (*Am*) lid vh Huis van Afgevaardigden
conical ['kɔnikəl] kegelvormig, kegel...
conjecture [kən'dʒektʃə] I *ww* gissen, vermoeden, veronderstellen; II *zn* gissing, veronderstelling, vermoeden
conjugal ['kɔn(d)ʒugəl] echtelijk, huwelijks...
conjugation [kɔn(d)ʒu'geiʃən] vervoeging
conjuncture [kən'dʒʌŋktʃə] samenloop
conjure [kən'dʒuə] bezweren, smeken; ['kʌn(d)ʒə] bezweren (*a spirit*); toveren; goochelen; **conjurer** ['kʌn(d)ʒərə] goochelaar; '**conjuring-trick** goocheltoer
connect [kə'nekt] (zich) verbinden, verenigen, aansluiten, aaneenschakelen, inschakelen; (*telec*) doorverbinden; in verband brengen of staan (ook: ~ *up; with* met); aansluiten, aansluiting geven (van treinen, enz.); **connected** [-id] *ook:* samenhangend; geregeld (*think ~ly*); *well* ~ van goede familie; **connection** [kə'nekʃən] verbinding; verband; schakeling, koppeling; aansluiting (*telec,* van treinen, enz.); relatie, connectie, (familie)betrekking, familie(lid); relatie(s); (*Am sl*) tussenpersoon in handel in verdovende middelen; *in this* ~ in dit verband, in verband hiermee
connivance [kə'naivəns] oogluikende toelating (*at, in* van); **connive** [kə'naiv] oogluikend toezien; ~ *at* oogluikend toelaten
connoisseur [kɔnə'sə:] (kunst)kenner (*of music*); fijnproever
connotation [kɔnəu'teiʃən] (bij)betekenis
conquer ['kɔŋkə] veroveren (*from* op), onderwerpen, overwinnen, meester worden; beklimmen, bedwingen (*a mountain*); **conquerable** [-rəbl] overwinnelijk; **conqueror** [-rə]; **conquest** ['kɔŋkwest] verovering
conscience ['kɔnʃəns] geweten; *in* (*all*) ~ in gemoede; waarachtig; '**conscience-stricken** gekweld door zijn geweten; **conscientious** [kɔnʃi'enʃəs] conscientieus, nauwgezet, plichtsgetrouw, angstvallig; gewetens...; ~ *objector* principiële (dienst)weigeraar; **conscientiously** [-li] *ook:* in gemoede; volgens eer en geweten
conscious ['kɔnʃəs] (zich) bewust (*of* van), gewaar; bij kennis; **consciousness** [-nis] bewustzijn, -heid
conscript I *bn en zn* ['kɔnskript] dienstplichtig(e); (*Belg*) milicien; II *ww* [kən'skript] voor de militaire dienst aanwijzen; *~(ed) army* militieleger; **conscription** [kən'skripʃən] dienstplicht; (*Belg*) militie
consecrate ['kɔnsikreit] (in-, toe)wijden; inzegenen, heiligen, consacreren

con

consecutive [kən'sekjutiv] opeenvolgend, samenhangend, geregeld; (*think ~ly*) logisch
consensus [kən'sensəs] overeenstemming, eenstemmigheid **consent** [kən'sent] I *ww* toestemmen (*to* in), toestaan; II *zn* toestemming; *with one ~* eenstemmig; *by common ~* eenstemmig; naar algemene opvatting; *age of ~* minimumleeftijd waarop men mag trouwen
consequence ['kɔnsikwəns] gevolg(trekking); uitwerking; consequentie; belang (*of no ~*), gewicht, invloed (*men of ~*); *as a ~* dientengevolge; *in ~* dientengevolge; *in ~ of* ten gevolge van; **consequent** ['kɔnsikwənt] daaruitvolgend; *~ (up)on* voortvloeiend uit, ten gevolge van; **consequential** [kɔnsi'kwenʃəl] *a*) daaruit volgend; volgend (*upon* uit); *b*) belangrijk, gewichtig; '**consequently** [-li] bijgevolg, dus
conservation [kɔnsə'veiʃən] instandhouding, behoud; milieubescherming, -beheer, natuurbehoud; *~ of energy* behoud van arbeidsvermogen; **conservationist** milieu-, natuurbeschermer
conservative [kən'sə:vətiv] I *bn* behoudend, conservatief; II *zn* conservatief
conservatory [kən'sə:vətri] serre, broei-, plantenkas; conservatorium; **conserve** [kən'sə:v] conserveren, goed (in stand) houden; **conserves** [kən'sə:vz] ingemaakte vruchten (in suiker)
consider [kən'sidə] beschouwen (als); overwegen, overdenken, letten op; (zich) bedenken; rekening houden met, in aanmerking nemen, ontzien; achten; van mening zijn; **considerable** [-rəbl] aanzienlijk, belangrijk; heel wat; **considerate** [-rit] attent; zorgzaam, bezorgd (*of* voor); **consideration** [kən,sidə'reiʃən] overweging, nadenken; beschouwing; achting, egards; welwillendheid; *give ~ to* aandacht schenken aan; *take **into** ~* in aanmerking nemen; ***on** no (not on any) ~* voor geen geld ter wereld; in geen geval; ***out of** ~ for your interests* met het oog op; *the question is **under** ~* wordt overwogen (behandeld); **considering** [kən'sid(ə)riŋ] in aanmerking nemend (genomen); *it went off well, ~,* (*fam*) alles in aanmerking genomen; betrekkelijk
consign [kən'sain] *a*) overgeven, -leveren, toevertrouwen; *b*) deponeren, storten; *c*) zenden, consigneren; **consignment** [-mənt] consignatie (*on ~* in ...); zending; *~ note* vrachtbrief
consist [kən'sist] bestaan; *~ in* bestaan in; *~ of* bestaan uit; **consistence**, **consistency** *a*) dicht-, vastheid, samenhang, consistentie; *b*) (altijd *consistency*) vaste lijn, consequentie; **consistently** op consequente wijze, constant; **consistent** *a*) verenig-, bestaanbaar (*with* met); *b*) logisch; consequent, zichzelf gelijk blijvend
consolation [kɔnsə'leiʃən] troost
1 console [kən'səul] troosten
2 console ['kɔnsəul] *a*) id.; *b*) speeltafel (van orgel); *c*) bedieningspaneel van computer
consolidate [kən'sɔlideit] consolideren; vast (hecht) maken of worden; versterken, bevestigen; tot één maken of worden; (zich) verenigen; **consolidation** [kən,sɔli'deiʃən] consolidatie
consonant ['kɔnsənənt] medeklinker
consort I *zn* ['kɔnsɔ:t] gemaal, gemalin; *in ~ with* samen met; II *ww* [kən'sɔ:t] *a*) omgaan (*with* met); *b*) overeenstemmen, passen (*with* bij); *c*) (zich) verenigen; vereenzelvigen
conspicuous [kən'spikjuəs] in het oog lopend, uitblinkend; opzienbarend
conspiracy [kən'spirəsi] samenzwering, komplot; **conspirator**, **conspiratress** [kən'spirətə, -tris] samenzweerder, -ster; **conspire** [kən'spaiə] samenzweren; samenwerken; beramen
constable ['kʌnstəbl] politieagent; **constabulary** [kən'stæbjulari] politie(macht, korps)
constancy ['kɔnstənsi] standvastig-, vast-, bestendigheid, trouw; **constant** ['kɔnstənt] id., standvastig, vast, bestendig, voortdurend
constellation [kɔnste'leiʃən] constellatie, gesternte, sterrenbeeld
consternation [kɔnstə'neiʃən] ontsteltenis
constipation [kɔnsti'peiʃən] constipatie, verstopping
constituency [kən'stitjuənsi] kiesdistrict; **constituent** [kən'stitjuənt] I *bn* samenstellend; afvaardigend; constituerend; *~ body* kiescollege; II *zn: a*) bestanddeel, component; *b*) kiezer
constitute ['kɔnstitju:t] aanstellen (tot); instellen, vestigen, constitueren; vormen, uitmaken, samenstellen; **constitution** inrichting, samenstelling; gestel; grondwet, staatsregeling; beginselverklaring, statuten; **constitutional** van het gestel; aangeboren, natuurlijk; constitutioneel, grondwettig, -wettelijk
constrain [kən'strein] (be-, af)dwingen; in-, opsluiten; beperken; beheersen; **constrained** gedwongen; ongemakkelijk; **constraint** dwang; gevangenschap; verlegenheid; beperking; *from (in, under) ~* door (uit) dwang
constrict [kən'strikt] insnoeren, beklemmen; beperken
construct [kən'strʌkt] (op)bouwen; aanleggen; in elkaar zetten; construeren; **construction** [kən'strʌkʃən] samenstelling; (aan)bouw; aanleg; maaksel; inrichting, constructie; uitlegging, verklaring; **constructive** [kən'strʌktiv] bouw...; opbouwend; constructief; **constructor** [kən'strʌktə] bouwer, maker; constructeur; **construe** [kən'stru:] uitleggen, verklaren; afleiden (*from* uit)
consul ['kɔns(ə)l] id.; **consular** ['kɔnsjulə] consulair; **consulate** ['kɔnsjulit] consulaat
consult [kən'sʌlt] *a*) consulteren, raadplegen (*ook: ~ with*) te rade gaan met; *b*) beraadslagen (*about, upon* over), overleggen; **consultant** [-ənt] *a*) consulterend geneesheer; *b*) adviseur; *c*) raadpleger; **consultation** [kɔnsəl'teiʃən] raadpleging; consult; ruggespraak; **consultative** [-ətiv] adviserend, raadgevend;

consulting-hours spreekuur; **consulting-room** [-ru(:)m] spreekkamer (*van dokter*)
consume verteren, verbruiken, nuttigen, verorberen, consumeren; vernietigen; uitteren; **consumer** verbruiker, afnemer, consument; ~ *goods* consumptiegoederen; **consumerism** consumentenbescherming
consummate I *bn* [kən'sʌmit] volkomen, volmaakt, volleerd, doortrapt; II *ww* ['kɔnsʌmeit] *a*) voltooien, voltrekken (~ *a marriage* in bed); *b*) in vervulling gaan, volmaakt worden; **consummation** [ˌkɔnsʌ'meiʃən] vervulling; huwelijksgemeenschap; volmaaktheid; eind(punt); doel(einde), ideaal
consumption [kən'sʌm(p)ʃən] vertering, verbruik, consumptie (*niet concr*)
contact ['kɔntækt] I *zn* id., voeling; contactpersoon; II *ww* [*ook* kən'tækt] in contact komen met, zich in verbinding stellen met
contagion [kən'teidʒən] besmetting, besmettelijkheid (door aanraking); besmettelijke ziekte; **contagious** [kən'teidʒəs] besmettelijk, aanstekelijk
contain [kən'tein] *a*) bevatten, inhouden; *b*) in bedwang houden; ~ *o.s.* zich inhouden (goed houden); *be ~ed in* zich bevinden in; **contained** kalm, beheerst; **container** [-ə] houder, bak, doos, bus, etui, laadkist, id.
contaminate [kən'tæmineit] besmetten, verontreinigen, (doen) bederven; **contami'nation** verontreiniging, besmetting, bederf
contemplate ['kɔntempleit] beschouwen, (over)peinzen; van plan zijn, denken over (*suicide*); overwegen; mijmeren; **contemplation** [kɔntem'pleiʃən]; beschouwing, overpeinzing (godsdienstige) bespiegeling; **contemplative** ['kɔntempleitiv, kən'templətiv] peinzend, beschouwend, bespiegelend
contemporaneous [kənˌtempə'reinjəs] gelijktijdig; even oud; **contemporary** [kən'tempərəri] I *bn* gelijktijdig, contemporain; even oud (*with* als); van deze (die) tijd, eigentijds (~ *poetry*); II *zn* tijdgenoot; persoon van dezelfde leeftijd
contempt [kən'tem(p)t] min-, verachting; ~ (*of court*) ongehoorzaamheid aan (belediging van) de rechtbank; *in ~ of* ten spijt van; *have* (*hold*) *in ~* verachten; **contemptible** [-əbl] verachtelijk; **contemptuous** [-juəs] smalend, minachtend
contend [kən'tend] *a*) worstelen, twisten; strijden (*for the mastery* om ...), kampen, wedijveren; ~ *for s.t. with a p.* iem iets betwisten; *b*) betogen, beweren; **contender** mededinger (naar prijs e.d.); **contending** (tegen)strijdig, strijdend
1 content ['kɔntent] inhoud(sgrootte); gehalte; *~s* inhoud
2 content [kən'tent] I *bn* tevreden, voldaan; II *zn* voldaan-, tevredenheid; *to one's heart's ~* naar hartelust; III *ww* tevredenstellen
contented(ness) [-id(nis)] tevreden(heid)
contention [kən'tenʃən] *a*) strijd, twist, naijver; *bone of ~* twistappel; *b*) bewering
contentment [kən'tentmənt] tevredenheid
contest I *zn* ['kɔntest] (woorden)twist, geschil; (wed)strijd, prijsvraag; II *ww* [kən'test] betwisten; strijden (*for* om); debatteren; wedijveren; dingen naar; **con'testant** [-ənt] strijdende; mededinger, deelnemer
context ['kɔntekst] id., samenhang, verband; **contextual** [kən'tekstjuəl] contextueel, behorende tot (afhangende van) het verband
contiguous [kən'tigjuəs] aangrenzend
continence, **continency** ['kɔntinəns(i)] zelfbeheersing, matigheid, onthouding, kuisheid
continent ['kɔntinənt] I *bn* zichzelf beheersend, matig, kuis; II *zn* vasteland; werelddeel; **continental** [kɔnti'nentl] I *bn* continentaal; ~ *breakfast* eenvoudig ontbijt (in tegenst tot Engels ontbijt); ~ *shelf* continentaal plat; II *zn* bewoner van het (Europese) vasteland
contingency [kən'tin(d)ʒənsi] onzekerheid, mogelijkheid; toeval; onvoorziene omstandigheid (uitgave, enz.); eventualiteit; **contingent** [kən'tin(d)ʒənt] I *bn* onzeker, mogelijk, eventueel; toevallig; afhankelijk (*on* van); verbonden (*to* aan), bijkomend; II *zn*: *a*) toevallige gebeurtenis; *b*) id.
continual [kən'tinjuəl] voortdurend, herhaald; **continuation** [kənˌtinju'eiʃən] voortzetting, vervolg; voortduring, prolongatie; **continue** [kən'tinju:] voortzetten, -duren, -gaan (met), vervolgen; continueren (*a p. in office*); (laten) blijven; verlengen, doortrekken; prolongeren; ~ *to be* blijven; *to be ~d* wordt vervolgd; **continued** voortdurend; **continuity** [kɔnti'nju(:)iti] samenhang, onafgebroken verband, continuïteit; (*film*) scenario; **continuous** [kən'tinjuəs] onafgebroken, aanhoudend, doorlopend
contort [kən'tɔ:t] (ver)wringen, (ver)draaien; **contortion** [kən'tɔ:ʃən] (ver)draaiing, (ver)wringing; verrekking
contour ['kɔntue] id., omtrek; **contour-line** hoogtelijn (*op kaart*); dieptelijn
contraception [kɔntrə'sepʃən] voorkoming van zwangerschap; geboortenbeperking; **contraceptive** [-tiv] voorbehoedsmiddel tegen zwangerschap, anticonceptie...
contract I *zn* ['kɔntrækt] id., verdrag, overeenkomst; II *ww* [kən'trækt] contracteren (*~ing parties*); aangaan (*debts, marriage*); oplopen (*a disease*), zich op de hals halen; (zich) samentrekken; verkorten; ~ ***for*** aannemen (*a work*); bij contract vaststellen, overeenkomen (*a salary*); **contractor** [kən'træktə] aannemer, installateur; **contractual** [kən'træktjuəl] contractueel; **'contract-work** aangenomen werk
contradict [kɔntrə'dikt] tegen-, weerspreken, ontkennen; **contradiction** [kɔntrə'dikʃən] tegenspraak, -strijdigheid; **contradictory** [-əri] (tegen)strijdig, in tegenspraak (*to* met)

con

contraption [kən'træpʃən] (*fam*) (uit)vindsel, ding, spul, geval
contrary I *bn* ['kɔntrəri] tegen(gesteld), strijdig, ongunstig, tegen... (~ *wind*); ~ *to* in strijd met; dwars; II *zn* ['kɔntrəri] tegendeel; tegengestelde; ***on the*** ~ integendeel; III *bw* ['kɔntrəri]: ~ *to* tegen
contrast I *zn* ['kɔntra:st] id., tegenstelling (*to* met); II *ww* [kən'tra:st] tegenover elkaar stellen; stellen (*with* tegenover); contrasteren; een contrast vormen (*with* met), afsteken (*with* bij); **con'trasting** contrasterend
contribute [kən'tribju(:)t] bijdragen; medewerken; ~ *to, ook:* bevorderen; **contribution** [kɔntri'bju:ʃən] het ...; bijdrage; contributie, belasting; **con'tributor** [-ə] iem. die tot iets bijdraagt; medewerker
contrite ['kɔntrait] berouwvol
contrivance [kən'traivəns] (uit)vinding, middel, vernuft; ding, spul; **contrive** [kən'traiv] beramen, bedenken, maken, het aanleggen, teweegbrengen, slagen in
control [kən'trəul] I *zn* bestuur, beheer(sing), regeling (*birth* ~); macht, bedwang, zeggenschap; leiding; beperking; controle (~ *group*), toezicht; ~*s* bedieningsorganen (*van vliegtuig, enz.*); ***beyond*** ~, *ook:* onhandelbaar; *be* ***in*** ~ de leiding geven, aan het roer zitten; ***out of*** ~, (*van vliegtuig, enz.*) stuurloos, onmanoeuvreerbaar; II *ww* beheersen, bedwingen, in bedwang houden; besturen, leiden, regelen; beheren, gaan over (*the cash*); controleren; **controller** leider, bestuurder; hoofd; controleur; regulateur; **con'trol-room** controlekamer (voor luchtvaart, luchtverdediging, onderzeeërs, enz.); (*telec*) regelkamer; **con'trol tower** (*luchtv*) verkeerstoren
controversial [kɔntrə'və:ʃəl] strijd..., polemisch; controversieel; betwistbaar; twistziek; **controversy** ['kɔntrəvə:si, kən'trɔvəsi] dispuut, geschil, strijdpunt, controverse
conurbation [kɔnə:'beiʃən] (stedelijke) agglomeratie
convalesce [kɔnvə'les] herstellende zijn; **convalescence** [-ns] herstelling; **convalescent** herstellend(e zieke); herstellings...
convector [kən'vektə] heteluchtkachel
convene [kən'vi:n] *a*) bijeen-, oproepen; *b*) bijeenkomen; *c*) harmoniëren; **convener** [-ə] bijeenroeper (vakbondsleden in fabriek); **convenience** [kən'vi:njəns] geschiktheid; gerief(elijkheid), gemak; (*public*) ~ toilet; *at your* ~ wanneer het u schikt; ~ *food* gemaksvoeding, voedsel dat snel kan worden klaargemaakt = *fast food*; **convenient** [kən'vi:niənt] geschikt, gemakkelijk; geriefelijk; gelegen; bij de hand, dichtbij
convent ['kɔnvənt] klooster (*gew* voor nonnen); ~ *school* zusterschool
convention [kən'venʃən] bijeenroeping, samenkomst, vergadering; (*Am*) conferentie, partijvergadering; verdrag, verbond, afspraak, overeenkomst, conventie, gebruik; **conventional** [-l] overeengekomen, afgesproken, aangenomen, gebruikelijk, conventioneel
converge [kən'və:dʒ] convergeren, samenkomen
conversant [kən'və:sənt, 'kɔnvəsnt] bedreven (*with, in* in)
conversation [kɔnvə'seiʃən] conversatie, gesprek, bespreking, onderhandeling
1 converse [kən'və:s] *ww* converseren, spreken, zich onderhouden (*with* met)
2 converse ['kɔnvə:s] *bn* & *zn* omgekeerd(e)
conversion [kən'və:ʃən] conversie, bekering, verandering, omzetting; **convert** I *ww* [kən'və:t] om-, bekeren; veranderen, om-, verbouwen; omzetten, herleiden, converteren; (onwettig) aanwenden (*money to one's own use*), zich toeëigenen, verduisteren; II *zn* ['kɔnvə:t] bekeerling; **con'verter** (*elektr*) omvormer; **con'vertible** [-əbl] I *bn* omkeerbaar, veranderbaar; in-, verwisselbaar; II *zn* cabriolet; **con'vertor** (*elektr*) omvormer
convey [kən'vei] vervoeren, overbrengen; mededelen; uitdrukken; overdragen; **conveyor belt** lopende band
convict I *zn* ['kɔnvikt] dwangarbeider; II *ww* [kən'vikt] schuldig bevinden (*of* aan); veroordelen; **conviction** [kən'vikʃən] *a*) schuldigbevinding, veroordeling; *b*) overtuiging
convince overtuigen
convivial [kən'viviəl] feestelijk, vrolijk, gezellig
convocation [kɔnvə'keiʃən] bijeenroeping; vergadering
convoy ['kɔnvɔi] konvooi, escorte
convulse [kən'vʌls] krampachtig samentrekken, schokken, in beroering brengen; stuiptrekken; **con'vulsion** stuip(trekking); beroering; ~*s* (*of laughter*) onbedaarlijk gelach; **con'vulsive** stuiptrekkend, krampachtig; aan stuipen lijdend
coo [ku:] I *ww* kirren; II *zn* gekir
cook [kuk] I *zn* keukenmeid, kok; II *ww* koken, stoven, bereiden; verzinnen (ook: ~ *up: a scandal, an excuse*); ~ *up, ook:* opwarmen; *what's ~ing?* (*fam*) wat is er aan de hand?; **cooker** fornuis; stoofpeer e.d.; **cookery** kookkunst; ~*-book* kookboek; **cooking** *a*) het koken; *b*) keuken (manier van koken), eten; **cooking-range** [-rein(d)ʒ] kookfornuis
cool [ku:l] I *bn* koel, fris; kalm, bedaard; onverschillig; koel-brutaal; *keep ~!* hou je kalm!; II *zn* koelte; kalmte; III *ww* (af-, be)koelen (ook: ~ *down*, ~ *off*); ~ *one's heels* (lang) staan wachten; **coolant** ['ku:lənt] koelvloeistof; **cooler** [-ə] koelvat, -kan, koeler (*Am*) 'doos', nor
coop [ku:p] I *zn* kippenmand, -hok; II *ww* opsluiten (ook: ~ *in, up*)
co-op ['kəuɔp, kəu'ɔp] *co-operative* (*society*);
co-operate [kəu'ɔpəreit] samen-, medewer-

ken; **co-operation** [kəuˌɔpə'reiʃən] samenwerking; coöperatie; **co-'operative** samenwerkend; co-operatief (*co-operative store* 'de Coöperatie')
co-ordinate [keu'ɔ:dinit] I *bn* van dezelfde rang; gelijkwaardig; nevengeschikt; II *zn* coordinaat; III *ww* [kəu'ɔ:dineit] coördineren, rangschikken; bundelen (*efforts*); **co-ordination** [kəuˌɔ:di'neiʃən] coördinatie, bundeling
cop [kɔp] I *zn* diender, smeris; *it's a fair ~* ik ben er bij!, het is mijn eigen schuld; II *ww* (*sl*) pakken, betrappen; inrekenen
cope [kəup]: *~ with* het hoofd bieden, bestrijden, opgewassen zijn tegen; aan-, afkunnen (*the work is more than I can ~ with*
copier ['kɔpiə] (foto)kopieermachine
copious ['kəupjəs] overvloedig, ruim, rijk
copper ['kɔpə] I *zn* 1 *a*) (rood) koper; *b*) pan, ketel van koper; *c*) koperen (bronzen) munt; 2 (*sl*) smeris; II *bn* koperen
coppice ['kɔpis] hakhout(bosje), kreupelhout
copse [kɔps] *coppice*
copulate ['kɔpjuleit] paren; **copu'lation** paring
copy ['kɔpi] I *zn* kopie, afschrift; kopij; schrijfvoorbeeld; model; exemplaar; *in two* (*three*) *copies* in duplo (triplo); *fair ~* het 'net', *rough ~* het 'klad'; II *ww* kopiëren; af-, overschrijven (= *~ out*); nabootsen, natekenen; *to be copied* overschrijven!; '**copybook** *bn* perfect, volgens het boekje (*a ~ landing*); '**copyright** auteursrecht; 'nadruk verboden'; '**copy-writer** tekstschrijver
coral ['kɔrəl] I *zn* koraal; II *bn* koralen; koperachtig, koperrood; *~ beads* echte koralen; '**coral-island** koraaleiland; '**coral-reef** koraalrif
cord [kɔ:d] *a*) koord, touw, snoer, band, streng; *b*) geribde stof, inz. pilo
cordial ['kɔ:diəl] I *bn* hartelijk; opwekkend; II *zn* hartversterking, opwekkend middel; likeur; vruchtendrank; **cordiality** [kɔ:di'æliti] hartelijkheid
cordon ['kɔ:dən] cordon, afzetting
core [kɔ:] I *zn* klokhuis; binnenste; kern, hart (*fig*); *rotten at the ~* van binnen rot; *to the ~* door en door; *three-~ flex* drieaderig snoer; II *ww* van het klokhuis ontdoen, boren (*fruit*)
cork [kɔ:k] I *zn* kurk; II *bn* kurken; III *ww* ook: *~ up* kurken; dichtstoppen; *~ up, ook:* op-, insluiten; opkroppen (*one's feelings*); '**corkscrew** I *zn* kurketrekker; II *ww* (zich) spiraalvormig bewegen; *~ out of* als met een ~ halen uit; *~ stairs* wenteltrap
cormorant [kɔ:mərənt] aalscholver
corn [kɔ:n] 1 *a*) korrel; *b*) koren, graan; (*in Eng inz.*) tarwe; (*Sc & Ir*) haver; (*Am*) maïs; 2 likdoorn, eksteroog
corner ['kɔ:nə] I *zn* hoek; hoekschop, -slag, -worp; *turn the ~* de hoek omslaan; (*fig*) de crisis, de moeilijkheid te boven komen; *be* ***in*** *a* (*tight*) ~ (lelijk) in het nauw zitten; *drive* ***into*** *a ~* in het nauw drijven; II *ww* van hoeken voorzien; in een hoek zetten; in het nauw drijven, vastzetten; een hoek nemen (*met auto, enz.*)
cornet ['kɔ:nit] 1 kornet (*soort trompet en mil rang*); 2 horen(tje) (*ice-cream ~*)
cornfield korenveld; **cornflakes** maïsvlokken; **corn-flour** maïsmeel, maïzena; **cornflower** korenbloem; **corn-plaster** likdoornpleister
corny ['kɔ:ni] (*sl*) flauw, melig (*joke*); (*Am sl*) banaal, sentimenteel (*jazz songs*)
coronary ['kɔrənəri] kroonvormig, krans...; (*fam*) hartinfarct; *~ artery* kransslagader;
coronation [kɔrə'neiʃən] kroning
coroner ['kɔrənə] lijkschouwer
coronet ['kɔrənit] (adellijk) kroontje
corporal ['kɔ:pərəl] I *zn* korporaal; II *bn* lichamelijk, lichaams...
corporate ['kɔ:pərit] rechtspersoonlijkheid hebbend; van een corporatie; verenigd; **corporation** [kɔ:pə'reiʃən] corporatie, rechtspersoon; (*Am*) handelmaatschappij; gilde; gemeentebestuur (= *municipal ~*); *~ tax* vennootschapsbelasting; **corporative** ['kɔ:pərətiv] corporatief (*the ~ state*)
corporeal [kɔ:'pɔ:riəl] lichamelijk; stoffelijk; tastbaar
corps ['kɔ:] korps
corpse [kɔ:ps] lijk
corpus ['kɔ:pəs] id., lichaam; verzameling (wetten, enz.); geheel; *C~ Christi* [-'kristi] (Heilige) Sacramentsdag; *~ delicti* [di'liktai] de gezamenlijke feiten, die een wetsovertreding vormen
corral [kɔ'rɑ:l] (*Am*) kraal: omheining (*voor vee, enz.*); door wagens afgesloten kamp, wagenburg
correct [kə'rekt] I *bn* id., in orde, juist, goed; behoorlijk; netjes; precies, nauwkeurig; *if found ~* na akkoordbevinding; II *ww* corrigeren; verbeteren; genezen; terechtwijzen; tuchtigen, (be)straffen; neutraliseren; reguleren; **correction** [kə'rekʃən] correctie; verbetering; **corrective** [-iv] I *bn* verbeterend; verbeterings...; II *zn* correctief, (genees)middel; **corrector** [-ə] id., verbeteraar; correctief
correlate ['kɔrileit] correleren, in wederkerige betrekking staan (brengen); **correlation** [kɔri'leiʃən] correlatie
correspond [kɔris'pɔnd] corresponderen; overeenkomen; kloppen (*with, to* met); beantwoorden (*to* aan); aansluiten; **correspondence** [-əns] correspondentie; overeenstemming; aansluiting; *~ course* schriftelijke studie, - studeren; **correspondent** I *zn* id.; II *bn* overeenstemmend
corridor ['kɔridɔ:] id., (hoofd)gang; galerij
corroborate [kə'rɔbəreit] versterken (*opinie, idee, enz.*), bevestigen, bekrachtigen; **corroboration** [kəˌrɔbə'reiʃən] versterking, bevestiging; **corroborative** [kə'rɔbərətiv] versterkend

corrode [kə'rəud] weg-, aan-, invreten, uitbijten, aantasten, verroesten, verteren; **corrosion** [kə'rəuʒən] corrosie
corrugate ['kɔrugeit] rimpelen; fronsen; *~d iron (cardboard)* golfijzer (-karton)
corrupt [kə'rʌpt] I *bn* id., omkoopbaar; II *ww* bederven; besmetten; **cor'ruptible** [-əbl] *a)* aan bederf onderhevig; vergankelijk; *b)* omkoopbaar; **corruption** [kə'rʌpʃən] bederf; verderf; corruptie, knoeierij; verbastering; misbruik
cortege [kɔ:'teiʒ] begrafenisstoet
cosh [kɔʃ] (*sl*) (gummi)stok; ploertendoder
cosmetic [kɔz'metik] I *bn* schoonheids...; kosmetisch; II *zn* s...middel, kosmetiek; **cosmetician** [kɔzmə'tiʃən] schoonheidsspecialist
cosmic(al) ['kɔzmik(l)] kosmisch, van het heelal, wereld...; *cosmic rays* kosmische stralen
cosmonaut ['kɔzmənɔ:t] (Sowjet) ruimtevaarder
cosmopolitan [kɔzmə'pɔlitən] I *bn* kosmopolitisch; II *zn* kosmopoliet, wereldburger; **cosmos** ['kɔzmɔs] id.: het heelal; geheel; orde, harmonie
cosset ['kɔsit] vertroetelen, verwennen
cost [kɔ(:)st] I *zn* kosten, prijs, uitgaaf; verlies, schade; *~s* kosten (*inz.:* van een rechtszaak); *~ of living* kosten van levensonderhoud; *at any ~, at all ~s* tot elke prijs; II *ww: a)* kosten; *b)* de produktiekosten van iets berekenen (inz. in de vorm *~ing* kostprijsberekening); *~ dear(ly)* duur te staan komen
co-star ['kəu ˌstɑ:] I *zn* beroemde (film)acteur die naast een even beroemde hoofdrolspeler optreedt; II *ww* als zodanig optreden
costly ['kɔ(:)stli] duur; kostbaar
costume ['kɔstju:m] I *zn* kostuum, klederdracht; mantelpak; *~ jewellery* fantasiesieraden; II *ww* kleden, kostumeren
cosy ['kəuzi] I *bn* gezellig, knus; II *zn* thee-, eiermuts
cot [kɔt] kinderbedje; (hospitaal)bed; *~ death* wiegedood
cottage ['kɔtidʒ] (arbeiders)huisje, villaatje; '**cottage cheese** soort kwark; **cottage-industry** huisvlijt
cotton ['kɔtn] I *zn* katoen; katoenen garen; *~s* katoenen stoffen; II *bn* katoenen; '**cotton-mill** katoenfabriek; '**cotton-'wool** watten
couch [kautʃ] I *zn* rustbed, -bank, divan, canapé; II *ww* neerleggen; uitdrukken, inkleden, in bedekte termen vermelden; (gaan) liggen; zich tegen de grond drukken
cough [kɔ(:)f] I *zn* hoest, kuch; II *ww* hoesten; *~ out (up)* opgeven; *~ up (the cash), (sl)* opdokken, ophoesten; '**cough-mixture** hoestdrank
could [kud] ovt van *can; ook:* zou kunnen (*I could go there, if you like. Could you wait a second?*)
council ['kauns(i)l] raad (*college*), raadsvergadering; concilie; *~ estate* woningwetwijk, -buurt; **council-house** woningwetwoning; **councillor** [-ə] raadslid; (staats)raad
counsel ['kauns(ə)l] I *zn* raad(geving); beraadslaging, overleg; besluit, plan; advocaat, -aten; *~ for the defence* advocaat, verdediger; ***keep** one's (own) ~* niets loslaten; *keep a p.'s ~* iems geheim bewaren; ***take** ~ with* raadplegen, te rade gaan met; *take (**hold**) ~ together* samen overleggen; *take ~'s opinion* het advies van een advocaat inwinnen; *wiser ~s prevailed* het gezond verstand behield de overhand; II *ww* (aan)raden; raad geven; voorlichten; **counsellor** [-ə] raadgever, raadsman
1 count [kaunt] (niet-Engelse) graaf
2 count [kaunt] I *ww* (op-, mee)tellen; tellen voor; rekenen, achten (*~ it a blessing*); gerekend worden (*it ~s among his best works*); meetellen, in tel zijn; van belang zijn (*see everything that ~s*); *~ **down*** aftellen (*bij afschieten van raket, enz.*); neertellen (*money*); *~ **for** nothing* niet meetellen; *~ **in*** meetellen, rekening houden met; *~ **off*** aftellen, nummeren; *~ (**up**)**on*** rekenen op; *~ **out*** *a)* uittellen (ook bokser, enz.); *b)* aftellen (*bij spel*); *c)* niet meetellen, uitschakelen; *I ~ it **to** your credit* reken het u als een eer aan; *~ **up*** optellen; II *zn* tel(ling), aantal; punt van aanklacht
countable [-əbl] telbaar; **countdown** het aftellen
countenance ['kauntinəns] I *zn* gelaat(suitdrukking), gezicht; kalmte; gunst, (zedelijke) steun, aanmoediging; *his ~ fell* zijn gezicht betrok; ***give** (**lend**) ~ to* steunen; ***keep** one's ~* zich goed (kalm) houden, niet lachen; ***lose** (**get out of**) ~* van zijn stuk raken; II *ww* steunen, beschermen, begunstigen
counter ['kauntə] I *zn* **1** teller; **2** fiche, speelschijfje; toonbank; balie (*van kantoor*); *sell across (over) the ~* over de toonbank, in het klein; **3** tegengestelde; tegenzet, -maatregel; **4** hielstuk (van schoen); II *bn* tegen(over)gesteld, duplicaat...; III *ww* tegenwerken, -spreken, -gaan, weerleggen; (met een tegenzet enz.) beantwoorden; verijdelen (*a plot*); (*sport*) een tegenstoot toebrengen; IV *bw* in tegengestelde richting; **counteract** [kauntər-'ækt] tegenwerken; verijdelen; neutraliseren, opheffen; '**counter-attack** (een) tegenaanval (doen); '**counter-balance** I *zn* tegenwicht; II *ww* [kauntə'bæləns] opwegen tegen, compenseren; '**counter-bid** tegenbod; '**counter-check** controle; tegenwicht; '**counter-'clockwise** tegen de wijzers van de klok in; '**counter-espionage** contraspionage; '**counterfeit** [-fi(:)t] I *bn* nagemaakt, vals; II *zn* namaak; III *ww* namaken, vervalsen; huichelen; **counterfeiter** [-fitə] (*Am*) valse munter; **counter-in'telligence** contraspionage; **countermand** [ˌkauntə'mɑ:nd] I *zn* tegenbevel; II *ww* tegenbevel geven, herroepen; afcommanderen, afbestellen, afzeggen, annuleren;

~ *a cheque* annuleren, 'stoppen'; **countermeasure** tegenmaatregel; **countermove** tegenzet, tegenmaatregel; **counterpane** [-pein] sprei, gestikte deken; **counterpart** overeenkomstig deel: tegenhanger; equivalent; duplicaat, kopie; **counterpoint** (*muz*) contrapunt; '**counterpoise** I *zn: a*) tegenwicht; *b*) evenwicht; II *ww* in evenwicht houden; opwegen tegen; **counter-revolution** contrarevolutie; '**countersign** I *zn* wachtwoord; (geheim) teken; II *ww* contrasigneren: medeondertekenen; '**counter'tenor** hoge tenor; **counterweight** tegenwicht

countess ['kauntis] gravin

countless [-lis] talloos

country ['kʌntri] land; vaderland; streek; platteland (*town and* ~); het land buiten de hoofdstad, 'provincie'; *attr ook:* buiten...; *in the* ~ buiten; (*cricket*) ver van de wickets; ~ *and western* muziek, kenmerkend voor het Z en W van de V.S. (= *country music*); **country club** club met sportterreinen buiten de stad; '**country** '**house** *country-seat*; **countryman** [-mən] *a*) landgenoot, landsman; *b*) buitenman; **country seat** buitenplaats, landgoed; '**countryside** landelijk district, (land)streek, platteland

county ['kaunti] graafschap (Eng & Am provincie); ~ *hall* provinciehuis

coup [ku:] coup

couple ['kʌpl] I *zn* paar, twee(tal); koppel(band); *hunt in* ~*s* er met zijn beiden op uit trekken (zijn); II *ww* paren (*with* aan); verenigen, koppelen (*on* aan); ~*d with* gepaard met

couplet ['kʌplit] twee rijmende versregels

coupling ['kʌpliŋ] koppeling

coupon ['ku:pɔn] id.; (distributie)bon

courage ['kʌridʒ] moed, dapperheid; **courageous** [kə'reidʒəs] moedig

courgette [kuə'ʒet] id.

courier ['kuriə] koerier; reisleider

course [kɔ:s] I *zn* loop, gang; wedloop; (loop-, ren-, roei)baan; stroom, bedding; richting, koers; cursus, serie lezingen (colleges), (ook: ~ *of lectures*); kuur; (*Belg*) leergang; gedrag(slijn); opeenvolging, reeks; gang (van maaltijd); *let things take their* ~ de zaken op hun beloop laten; ***in** the* ~ *of* in de loop van; *in* ~ *of time* mettertijd, na verloop van tijd; *in due* ~ te zijner tijd; *in* ~ *of construction* in aanbouw; ***of*** ~ natuurlijk, allicht; *as a matter of* ~ vanzelfsprekend; II *ww* jacht maken op (*met windhonden*), (na)jagen; (doen) snellen, stromen, rennen (over)

court [kɔ:t] I *zn* hof, hofhouding, -stoet; (binnen)plaats, hofje, plein; (tennis)baan; gerechtshof, rechtbank, rechtszaal, terechtzitting (*attend* ~ ter ... tegenwoordig zijn); vergadering; *C~ of Appeal* Hof van Appèl; *ongev* Hoge Raad (*voor civiele zaken*); ~ *of justice* (*of law*) rechtbank; ***at*** ~ aan het hof; ***in*** ~ ter terechtzitting; *go **into*** ~ gaan procederen; *take it into* ~ er een rechtszaak van maken; *he had put himself out of* ~ had geen recht van spreken meer; *settle a question out of* ~ in der minne schikken; II *ww* het hof maken, de gunst zoeken van, vrijen (naar); (ver)lokken; streven naar, zoeken (*death*); uitlokken (*criticism*); **courteous** ['kə:-, 'kɔ:tiəs] hoffelijk, beleefd; **courtesy** ['kə:-, 'kɔ:tisi] hoffelijkheid, vriendelijkheid; gunst; *by* ~ uit hoffelijkheid, niet rechtens; (*by*) ~ *of Mr. A.* dank zij de welwillendheid van de heer A.; '**courtesy-call** beleefdheidsbezoek; '**courthouse** gerechtsgebouw; **courtier** ['kɔ:tjə] hoveling; '**courtly** hoofs (*love*), hoffelijk; '**court-'martial** *zn & ww* (voor de) krijgsraad (brengen); '**courtroom** gerechtszaal; '**courtship** vrijerij; hofmakerij; '**courtyard** (binnen)plaats, -plein

cousin ['kʌzn] neef; nicht; *first* ~ volle neef; *second* ~ achterneef, -nicht; *be second* (*next*) ~ *to*, (*fig*) een broertje (zusje) zijn van

cove [kəuv] kleine inham, kreek

covenant ['kʌvinənt] I *zn* verdrag, contract, akte, verbond; II *ww* overeenkomen

cover ['kʌvə] I *ww* bedekken (*with, in* met); (zich) dekken; overladen (*with glory*); broeden; omvatten; beslaan, zich uitstrekken over; verslaan: verslag uitbrengen over; beschermen; verbergen; overstemmen; (*mil*) bestrijken; aanleggen op; ~*ed him with his revolver* hield hem in bedwang ...; ~ (***up***) *one's tracks* zijn spoor uitwissen; ~ ***up*** inwikkelen, toedekken; verbergen, in de doofpot stoppen; ~ *up for a p.* iem dekken; *zie boven*; II *zn* bedekking; deksel, stolp; foedraal, overtrek, omslag, enveloppe; dekkleed; buitenband (= *outer* ~); dekking, beschutting, schuilplaats; dekmantel, mom (***under*** [*the*] ~ *of friendship*); flora; struikgewas (als schuilplaats van wild); couvert (*ook aan tafel*); *read a book **from*** ~ *to* ~ van het begin tot het einde; *write to me **under*** ~ *to Mr. A.* ingesloten in brief aan ...; **coverage** [-ridʒ] verslag; *achieve the fullest possible* ~ (*bij enquête, enz.*) zoveel mogelijk terrein bestrijken; **cover-charge** (*op rekening in restaurant*) couvert; '**covered wagon** [-wægən] huifkar; **cover girl** [-gɛ:l] (mooi) meisje op tijdschriftomslag; **cover-glass** dekglaasje (*van microscoop*); '**covering** I *zn* bedekking, dek; dekmantel; II *bn:* ~ *letter* (*note*) begeleidend ...; '**coverlet** [-lit] gewatteerde deken; sprei; bedekking; **covert** ['kʌvət] I *bn* bedekt, heimelijk; II *zn* schuilplaats; struikgewas (als schuilplaats van wild), leger; **cover-up** dekmantel

covet ['kʌvit] begeren (*thou shalt not* ~); **covetable** [-əbl] begeerlijk; **covetous** [-əs] begerig (*of* naar), hebzuchtig

1 cow [kau] koe; wijfje (van olifant, zeehond, enz.); (*volkstaal*) wijf; (*attr ook*) wijfjes... (~ *whale, enz.*)

2 cow [kau] vrees inboezemen, intimideren, bang maken; ~*ed, ook:* bang

coward ['kauəd] lafaard; '**cowardice** [-is] laf(hartig)heid; '**cowardly** [-li] laf(hartig)
'**cowboy** koeienjongen; (*Am*) id.: bereden koeherder; '**cow-catcher** baanschuiver (van locomotief)
cower ['kauə] neerhurken, ineenkrimpen, zich tegen de grond drukken
cowherd ['cauhə:d] koeherder
co-worker ['kəuwə:kə] collega, medewerker
cow-shed koestal
cowslip sleutelbloem; (*Am*) dotterbloem
coxcomb ['kɔkskəum] pedante kwibus, fat
coxswain ['kɔkswein, 'kɔksn] stuurman van roeiboot (reddingboot, enz.)
coy [kɔi] (gemaakt) bedeesd, schuchter, zedig; ~ *of* zuinig met
crab [kræb] I *zn* krab; Kreeft (*Dierenriem*); II *ww* krabben; **crabbed** [-id] *a*) (*vero*) knorrig, kribbig; zuur; *b*) gewrongen (*style*), kriebelig (*writing*)
crack [kræk] I *zn* gekraak; (ge)klap, slag, mep, krak, knal, schot, stoot; barst, scheur, spleet, reet, kier; iem die ergens heel goed in is: kraan, puikje, uitstekend paard, enz.; krieken (*of day*); (*fam*) *have a* ~ *at it* het proberen; II *bn* kranig (*speaker*), chic, prima, keur... (*regiment*), uitgelezen; III *ww* klappen (met: ~ *a whip; the whip* ~*s*); (doen) kraken, breken, barsten, scheuren; 'kraken' (*petroleum*); ontcijferen (*code*); overslaan (*his voice* ~*ed*); het afleggen; ~ *jokes* moppen tappen; *get* ~*ing*, (*sl*) aanpakken, aan de slag gaan; ~ ***down*** *on*, optreden tegen, op zijn kop geven; IV *tw* krak!; '**crack-brained** gek; **cracked** [-t] gebarsten; '**cracker** knal; knalbonbon; voetzoeker; id.: dunne beschuit; '**crackers** (*sl*) gek; '**crackle** I *ww* knetteren, knapperen; II *zn* ge...; ~(*-china, -glass, -ware*) craquelé, porselein (glas) met haarscheurtjes; '**crackling** geknetter; '**crackpot** (iem die) 'getikt' (is)
cradle ['kreidl] I *zn* wieg; bakermat; raam; (*telefoon*) haak; spalk; II *ww* (als) in een ~ leggen (plaatsen); bakeren; de wieg zijn van
craft [krɑ:ft] I *zn* kunst(vaardigheid); kunstnijverheid; sluwheid; bedrog; handwerk, ambacht, vak, beroep, gilde; vaartuig(en); *arts and* ~*s* handvaardigheid (*schoolvak*); II *ww* in elkaar zetten (*fig*): *a carefully* ~*ed story*; **craft-guild** [-gild] handwerkgilde; '**craftsman** [-mən] handwerksman, vakman; **craftsmanship** handwerk; bekwaamheid; vaardigheid; **crafty** [-i] listig, sluw
crag [kræg] steile rots(punt); **craggy** [-i] rotsig, steil, oneffen; (*fig*) verweerd (*face*)
cram [kræm] (vol)stoppen, inproppen; mesten; schrokken; iets op de mouw spelden; inpompen; drillen, klaarstomen; blokken; **crammed** stamp-, propvol
cramp [kræmp] I *zn* 1 kramp; 2 (muur)anker; kram; klemhaak; (*fig*) dwang, belemmering; II *ww* kramp geven; in nauwe ruimte opsluiten (= ~ *up*); belemmeren, beperken, benauwen; klampen; krammen; **cramped** [-t] (*van ruimte*) bekrompen, beperkt; (*van schrift*) kriebelig, krabbel...; (*van stijl*) gewrongen; **cramps** maagkramp
crane [krein] I *zn: a*) kraanvogel; *b*) kraan; II *ww: a*) met een kraan bewegen; *b*) (de hals) uitrekken; '**crane-driver** kraandrijver
crank [kræŋk] I *zn* 1 kruk, handvat, arm, slinger; 2 zonderling; II *ww* voorzien van een ~; ~ (*up*) (de motor) aanslingeren; **crankcase** [-keis] carter; **crankshaft** krukas; **cranky** vreemd, excentriek
cranny ['kræni] scheur, spleet, barst
crap [kræp] I *zn* (*plat*) schijt; (*sl*) onzin, larie; (*sl*) rotzooi, troep; II *ww* (*plat*) schijten, poepen
crash [kræʃ] I *ww* breken; ratelen (*van de donder;* = ~ *out*); krakend ineenstorten, te pletter vallen, verongelukken (*van auto, vliegtuig*); failliet gaan; vermorzelen; II *zn* geratel, geraas; slag; gedrang; botsing; ineen-, neerstorting, val; groot bankroet, 'krach', catastrofe; '**crash barrier** *a*) dranghek; *b*) vangrail; '**crash course** stoomcursus; '**crash helmet** valhelm; '**crash-'landing** (*luchtv*) een noodlanding, waarbij het vliegtuig vernield of beschadigd wordt
crass [kræs] grof, lomp
crate [kreit] krat; tenen mand; **crater** ['kreitə] krater
crave [kreiv] smeken (om), verzoeken (*for* om), vragen (*permission*); vurig verlangen, hunkeren (*for, after* naar), begeren; '**craving** hunkering
crawl [krɔ:l] I *zn* kruipgang; zwemslag; II *ww* kruipen, sluipen; (*van taxi, enz.*) zoeken naar een vrachtje, 'snorren'; ~ *with* wemelen van; zie ook *creep*; '**crawler** [-ə] kruiper (*ook fig*); naar een vrachtje zoekende taxi, 'snorder'; **crawl-stroke** crawlslag: snelle zwemslag
crayon ['kreiən] kleurpotlood
craze [kreiz] manie, rage, krankzinnigheid; haarscheurtje; **crazed** [-d] gek; '**crazy** [-i] gek (*about, for* op)
creak [kri:k] kraken, knarsen; '**creaky** [-i] krakend, knarsend
cream [kri:m] I *zn* room; crème (*face* ~); schuim; (*fig*) het beste, puikje; II *bn* crème, roomkleurig; III *ww* room vormen; (af)romen (*ook fig*); (doen) schuimen; room doen bij (in); met room bereiden; '**creamer** roomafscheider; (koffie)melkpoeder; '**creamy** room-, crèmeachtig, romig; kostelijk
crease [kri:s] I *zn* vouw, plooi; II *ww* vouwen, kreuken, rimpelen; **crease-re'sistant** kreukvrij; '**creasy** [-i] geplooid, gekreukt
create [kri(:)'eit] scheppen, voortbrengen, creëren (*a part* rol), benoemen tot; teweegbrengen; **cre'ation** schepping; creatie; **cre'ative** scheppend; literair (*writing*); creatief; *be* ~ *of* scheppen, voortbrengen; **creativity** [kriə'tiviti] scheppingsvermogen, scheppende kracht; **cre'ator** schepper

creature ['kri:tʃə] schepsel; wezen; voortbrengsel; beest, dier; creatuur, werktuig; ~ *comforts* luxe goederen; zaken die het leven veraangenamen

crèche [kreiʃ] kinderdagverblijf

credence ['kri:dəns] geloof; *give ~ to* geloof hechten aan; **credentials** [kri'denʃəlz] geloofs-, introductiebrieven; **credibility** [kredi'biliti] geloofwaardigheid ~ *gap* gebrek aan vertrouwen; het verschil tussen beloven en doen; **credible** ['kredibl] geloofwaardig; vertrouwenswaardig, vertrouwenwekkend

credit ['kredit] I *zn* geloof (*give ~ to a story*), vertrouwen; goede naam; invloed; eer, verdienste; krediet; credit(zijde); (*bij examen*) lof; (*commerciele radio en t.v.*) aftiteling; vermelding van 'sponsor' en spelers (= ~ *titles*); (*Am univ*) ~*s* 'punten' (te verwerven door cursusbezoek) benodigd voor toelating tot examen of universiteit; ~ *account* rekening (bij een winkel of firma); ~ *restriction* kredietbeperking; II *ww* geloven; crediteren; ~ *to* toeschrijven (aan); ~ *a p. with s.t.* iem de eer van iets geven; ~ *a p.('s account) with,* (*handel*) iem crediteren voor; **creditable** [-əbl] eervol, verdienstelijk; fatsoenlijk; *it is ~ to your good sense* strekt ... tot eer; '**credit-balance** batig saldo; **credit card** (*ongev*) betaalkaart (*Diner's Club, Visa, etc.*); **credit note** tegoedbon; **creditor** [-ə] crediteur, schuldeiser

credulity [kri'dju:liti] lichtgelovigheid, goedgelovigheid; **credulous** ['kredjuləs] lichtgelovig, goedgelovig

creed [kri:d] geloof(sbelijdenis)

creek [kri:k] kreek, inham, bocht

creep [kri:p] I *ww* kruipen, sluipen, krieuwelen; dreggen (*for* naar); *it makes my flesh ~, makes me ~* ik krijg er kippevel van; *abuses ~ in* sluipen binnen; II *zn: a)* het ..., gekrieuwel; *b)* (*sl*) griezel; *it gave me the ~s* ik kreeg er kippevel van; '**creeper** kruiper, kruipend dier; kruipende plant; **creepy** eng, angstwekkend ~ *crawly* eng beestje

cremate [kri'meit] cremeren; **cremation** [kri'meiʃən] crematie; **crematorium** [kremə'tɔ:riəm] crematorium

crepe [kreip] crèpe

crescent ['kresnt] I *zn: a)* wassende (*ook:* afnemende) maan, maansikkel; *b)* halve maan (*ook de Turkse*); *c)* halvemaanvormige rij huizen; halvemaantje (*broodje*); II *bn* toenemend, wassend (*maan*)

crest [krest] I *zn* kam; kuif, pluim, kruin, top; schuimtop (van golf); II *ww* van een ~ voorzien; kronen; de top bereiken van; koppen vormen (*van golven*); '**crested** [-id] met *crest* of *crests;* gekuifd, kuif... (*lark*); '**crestfallen** terneergeslagen

crevice ['krevis] scheur, spleet

crew [kru:] I *zn* (scheeps)bemanning; bemanningsleden (*the seven ~ who lost their lives*); ploeg; ~ *cut* (*Am*) kortgeknipt haar; II *ww* als bemanning optreden

crib [krib] I *zn* krib(be); bedje; ruif; kerststalletje; (*fam*) plagiaat; (*fam*) 'spiek'vertaling, spiekbriefje; II *ww* (*fam*) stelen, gappen; spieken

cricket ['krikit] I *zn* 1 krekel; 2 id.; *it isn't ~,* (*fam*) niet eerlijk; II *ww* cricketen

crier ['kraiə] schreeuwer; omroeper (zie *cry*)

crime [kraim] misdaad; **criminal** ['kriminl] I *bn* misdadig, strafrechtelijk, crimineel, straf...; ~ *law* strafrecht; ~ *lawyer* strafpleiter; II *zn* misdadiger; **criminality** [krimi'næliti] criminaliteit

crimp ['krimp] krullen, fijn plooien

crimson ['krimzn] karmozijn(rood); *flush ~* vuurrood worden

cringe [krin(d)ʒ] ineenkrimpen, kruipen (*to* voor)

crinkle ['kriŋkl] I *ww* (doen) rimpelen, kronkelen, kreukelen, (ver)frommelen; II *zn* kronkel(ing), kreukel; '**crinkly** [-li] rimpelig, kreukelig, golvend

cripple I *zn* kreupele, gebrekkige; II *ww* kreupel maken, verminken; (*fig*) verlammen, onbruikbaar maken, fnuiken

crisis *mv crises* ['kraisis; 'kraisi:z] crisis

crisp [krisp] I *bn* kroes, gekruld, gerimpeld; bros, knappend (*biscuit, toast*); knerpend, knisterend (*snow*); fris, opwekkend (*air*); scherp (*features*); energiek, levendig, krachtig, beslist; pittig (*style*); II *zn: ~s* chips: gedroogde en gebakken dunne schijfjes aardappelen; III *ww* kroezen, (om)krullen, friseren, (doen) rimpelen; ~ maken of worden; '**crispy** [-i] knapperig; bros; opwekkend

criss-cross ['kriskrɔ(:)s] I *zn* wirwar, warnet (*van lijnen enz.*); II *bn en bw* verward, kriskras, schots en scheef; III *ww* (door)kruisen

criterion [krai'tiəriən] *mv criteria* [-ə] criterium

critic ['kritik] criticus, beoordelaar; bediller; **critical** [-l] *a)* kritisch; vitterig; *b)* kritiek, hachelijk; *be ~ of* kritisch staan tegenover; **criticism** ['kritisizm] kritiek; aanmerking; **criticize** ['kritisaiz] kritiseren, beoordelen; hekelen; **critique** [kri'ti:k] (kunst)kritiek

croak [krəuk] I *ww* krassen, kwaken; met schorre stem spreken; (*sl*) creperen; II *zn* gekras

crochet ['krəuʃei, -ʃi] I *zn* haakwerk; II *ww* haken; '**crochet-hook**, **crochet-needle** haakpen

crockery ['krɔkəri] aardewerk

crocodile ['krɔkədail] krokodil

croft [krɔ(:)ft] lapje (bouw)land; kleine pachthoeve; **crofter** [-ə] keuterboertje

crony ['krəuni] boezemvriend(in)

crook [kruk] I *zn* bocht, kromte, buiging; kronkel; haak; herdersstaf; bisschopsstaf; (*fam*) oplichter, misdadiger; II *ww* buigen, (zich) krommen; **crooked** [-t] met een *crook* (*a ~ stick* met gebogen handvat); [-id] krom, verbogen, scheef; scheel; zuur (*smile*); onoprecht, oneerlijk

croon [kru:n] neuriën
crop [krɔp] I *zn* krop; oogst, gewas (*ook: ~s*); verzameling, groep, aantal; (haar)dos; jachtzweep; II *ww* (de oren) couperen, kleiner maken; (haar, staart) afknippen; afvreten (*grass*), grazen; oogsten, plukken; opbrengen (*~ well* een goede oogst ...); bebouwen; *~ up* (plotseling) aan de dag treden; aan het licht komen; zich (weer) voordoen; *~ up, ook:* ter sprake komen, opduiken; **cropper** ['krɔpə] *come a ~* een fiasco worden; ten val brengen
cross [krɔ(:)s] I *zn* kruis (*ook fig*), wederwaardigheid, tegenspoed; kruising, gekruist ras; tussending (*a ~ between a breakfast and a lunch*); *~-point screw* kruiskopschroef; II *ww* (elkaar) kruisen; doorkruisen; dwars schrijven door; overtrekken, -steken; berijden (*a horse*); dwarsbomen, tegenwerken; *~ o.s.* een kruis slaan; *~ out* (*off*) doorhalen; *~ a cheque* een cheque kruisen: twee evenwijdige lijnen over een cheque trekken ter aanduiding, dat ze alleen geïnd kan worden via een bank; *it ~ed my mind* kwam bij me op; III *bn* dwars..., zij...; kruiselings, gekruist; wederkerig; tegengesteld; ongunstig; (*fam*) boos (*with* op), uit zijn humeur, knorrig; IV *vz* (*dialect & dichterlijk*) = *across*; '**cross-breed** I *ww* kruisen; II *zn* gekruist ras, bastaard; '**cross-'check** van verschillende kanten verifiëren; '**cross-'country** dwars over het land; '**cross-exami'nation** kruisverhoor; streng verhoor; **cross-examine** ['krɔ(:)sig'zæmin] (*van advocaat der tegenpartij*) ondervragen (*a witness*); aan een kruisverhoor onderwerpen; '**cross-eyed** scheel(ogig); '**crossing** kruising; kruispunt; overweg, -tocht (*a smooth ~*); oversteekplaats; '**cross-'reference** verwijzing; '**crossroad** dwars-, zijweg; (ook: *~s*) wegkruising, twee-, driesprong (*ook fig*); '**cross-'section** dwarsdoorsnede (*ook fig*); '**cross-stitch** kruissteek; '**crossword** (*puzzle*) kruiswoord(raadsel)
crotch [krɔtʃ] haak, gaffel; kruis (*broek*); **crotchet** ['krɔtʃit] *a*) haakje; *b*) (*muz*) kwartnoot; *c*) gril, stokpaardje
crouch [krautʃ] zich laag bukken, ineenduiken, het lichaam tegen de grond drukken
crow [krəu] I *zn* **1** kraai; **2** gekraai, gejubel; II *ww* kraaien, jubelen, snoeven; *~ over a p.* victorie kraaien; **crowbar** koevoet, breekijzer
crowd [kraud] I *zn* menigte, massa; gedrang; (*fam*) stel, kring, kliek, gezelschap; *the ~* de grote hoop; II *ww* dringen, duwen, zich verdringen (in); (samen)persen; volproppen; voort-, doorstomen; *~* (*together*) samendrommen; **crowded** [-id] vol (*room*), overladen (*agenda*), druk (*railway line*), gedrongen (*style*)
crown [kraun] I *zn* kroon; krans; kruin (*ook van weg*), hoofd; top; bol (*van hoed*); II *ww* kronen (tot); bekronen; vullen tot de rand; *to ~ all: a*) wat het beste (mooiste, enz.) was (is); *b*) tot overmaat van ramp; **crown-cap** kroonkurk
crucial ['kru:ʃiəl] kruisvormig, kruis...; kritiek, beslissend; *~ test* vuurproef (*fig*)
crucible ['kru:sibl] smeltkroes, (*fig*) vuurproef
crucify ['kru:sifai] kruisigen
crude [kru:d] I *bn* rauw (*alcohol*), ruw, onbereid; onrijp; primitief, onafgewerkt (*design*); onopgesierd; grof, bruut, bot (*answer*); II *zn* (= *~ oil*) aardolie; **crudity** ['kru:diti] ruwheid, grofheid (zie *crude* I)
cruel ['kru(:)əl, 'kru(:)il] *bn* wreed; (*fam*) verschrikkelijk erg (koud, enz.: *the night was ~*); **cruelty** [-ti] wreedheid
cruet ['kruit] (olie-, azijn)flesje
cruise [kru:z] I *ww* kruisen, varen; (*van taxi*) = *crawl*; II *zn* vakantievaartocht; zwerftocht; **cruise missile** kruisraket; **cruiser** [-ə] kruiser, motorjacht; **cruising**: *~ speed* kruissnelheid
crumb [krʌm] I *zn* kruim(el) (*ook fig*); II *ww* kruimelen; paneren; '**crumble** [-bl] (ver)kruimelen, af-, verbrokkelen; '**crumbly** [-bli] kruimelig
crummy ['krʌmi] (*sl*) min, sjofel, smerig
crumple ['krʌmpl] I *ww* verfrommelen, kreuken, verschrompelen; verbuigen; in elkaar (doen) zakken (ook: *~ up*); II *zn* dessert van vruchten en kruimelgebak; '**crumpled** [-d] *ook:* krom, gebogen
crunch [krʌn(t)ʃ] I *ww* vermalen, vermorzelen; kauwen, knauwen; (doen) knarsen, knerpen; II *zn* knarsend geluid, knauw, geknars; *when it comes to the ~* als het erop aan komt; **crunchy** bros, knisperig
crusade [kru:'seid] kruistocht; *~r* kruisridder, kruisvaarder
crush [krʌʃ] I *ww* verpletteren; vernietigen; (plat-, samen)drukken, -persen; stampen (*ore*); verfrommelen; de mond snoeren; de kop indrukken, verbrijzeld worden, (*van stoffen*) pletten; dringen (*into the room*); proppen; II *zn* gedrang, menigte; (*sl*) korte hevige verliefdheid; *have* (*get*) *a ~ on a p.*, (*sl*) verliefd zijn (worden) op; **crush-barrier** dranghek
crust [krʌst] I *zn* korst, schaal; II *ww* (ook: *~ over*) met een korst bedekken, aanzetten; '**crusty** [-i] korstig; aangezet (*port*); knorrig
crutch [krʌtʃ] I *zn* kruk; dwarsstuk; (*fig*) steun; ook = *crotch*; II *ww* steunen (als) op een kruk; **crutched** [-t] met een kruk
crux [krʌks] grote moeilijkheid, 'harde noot'
cry [krai] I *zn* kreet, roep, (ge)schreeuw; gehuil, geschrei; geluid (*van dier*), geblaf; publieke opinie; leus; *a far ~ from* niets vergeleken bij; II *ww* roepen, schreeuwen, schreien, huilen, blaffen, janken; omroepen; (uit)venten; *~* ***down****: a*) afbreken (*a p.'s merits*); *b*) overschreeuwen; *~* ***for****: a*) schreien van (*joy*); *b*) roepen (schreien) om; *~ off* van mening veranderen; *~* ***out*** uitroepen, (het) uitschreeuwen; *~* ***up*** ophemelen; *it's no use ~ing over*

spilt milk gedane zaken nemen geen keer; **cry-baby** huilebalk; **crying** hemeltergend; dringend (*needs*)
crypt [kript] crypt(e), krocht: onderaards (kerk)gewelf; '**cryptic(al)** [-ik(l)] geheim(zinnig), verborgen
crystal ['kristl] I *zn* kristal; II *bn* kristallen; kristalhelder; **crystal-gazer** kristalkijker: iem die de toekomst leest in kristallen bol, enz.; **crystalline** ['kristəlain] kristallijn, kristalhelder; **crystalli'zation** kristallisatie; '**crystallize** (laten) kristalliseren; *ook fig:* een vaste vorm aannemen (*opinions are slowly crystallizing*) of geven
cu. *cubic*
cub [kʌb] I *zn* (vosse)jong, welp; (*fig*) ongelikt jongmens, vlegel; (*Am*) beginner, (*attr Am*) pas beginnend (*reporter*, enz.); II *ww: a*) (jongen) werpen; *b*) op ~*s* jagen
cub. *cubic*
cubby-hole ['kʌbihəul] hokje, (gezellig) hoekje, vertrekje; vakje
cube [kju:b] I *zn* kubus; dobbelsteen; blok(je); 3de macht; ~ *root* 3de-machtswortel; II *ww: a*) tot de 3de macht verheffen; *b*) in dobbelsteentjes snijden; '**cubic(al)** [-ik(l)] kubusvormig; kubiek; '**cubicle** [-ikl] kleedhokje
cuckoo ['kuku:] I *zn* koekoek; II (*fig*) *bn* gek *go* ~ gek worden
cucumber ['kju(:)kʌmbə] komkommer
cud [kʌd] in bek van herkauwer teruggebracht voedsel
cuddle ['kʌdl] I *ww* tegen zich aandrukken, 'pakken', (elkaar) knuffelen; ~ *up* lekker in/bij elkaar gaan liggen; II *zn* omhelzing, 'pakker'; '**cuddly** [-i] van knuffelen houdend, aanhalig; *cuddly toy* knuffelbeest
cudgel ['kʌdʒel] I *zn* knuppel, stok; *take up the ~s for* het opnemen voor; II *ww* knuppelen, afrossen
cue [kju:] I *zn* (*theat*) wacht(woord), claus; wenk, vingerwijzing; rol; *give a p. the* ~ iem een teken (wenk) geven; II *ww:* ~ *s.o. in* iem het teken geven om te beginnen
cuff [kʌf] I *zn* 1 opslag (*van mouw*); manchet; 2 slag, klap; II *ww* klappen, een oorveeg geven; vechten; '**cuff-links** schakelmanchetknopen
cul-de-sac ['kuldəsæk] doodlopende weg
culinary ['kʌlinəri] keuken..., kook...
cull [kʌl] I *ww* plukken; uitzoeken, kiezen; II *zn* onbruikbaar uit de kudde verwijderd dier
culminate ['kʌlmineit] culmineren, het toppunt bereiken
culpable ['kʌlpəbl] schuldig, misdadig, berispelijk; ~ *homicide* dood door schuld
culprit ['kʌlprit] *a*) schuldige; *b*) beschuldigde
cult [kʌlt] eredienst; verering
cultivate ['kʌltiveit] be-, verbouwen, bewerken; (aan)kweken; beschaven, veredelen; verzorgen (*one's appearance*); koesteren; beoefenen; zoeken (*a p.'s friendship*); '**cultivated** *ook* ontwikkeld; **culti'vation** be-, verbouwing, bewerking; cultuur; aanplant (*under ~ in*...)
cultural ['kʌltʃərəl] cultureel; **culture** ['kʌltʃə] cultuur (*ook:* gekweekte bacteriën); bebouwing; verbouw, teelt, aankweking; beschaving; **cultured** beschaafd; *culture(d) pearl* gekweekte parel
culvert ['kʌlvət] duiker (onder weg, enz.); doorlaat; buis voor kabeldoorvoer
cum [kʌm] met, annex
cumbersome ['kʌmbəsəm] moeilijk te hanteren, lastig, hinderlijk, plomp, omslachtig
cumulate ['kju:mjuleit] cumuleren, ophopen; **cumulation** [kju:mju'leiʃən] opeenhoping, cumulatie; **cumulative** ['kju:mjulətiv] *a*) opeenhopend, aangroeiend; *b*) cumulatief
cunning ['kʌniŋ] I *bn* sluw; II *zn* sluwheid
cup [kʌp] I *zn* kop(je), beker, kroes, kelk, nap(je), schaal; holte, (duin)pan; II *ww:* ~ *one's chin in one's hand* ... met de holle hand steunen; ~ *one's ear* de hand houden achter; **cupboard** ['kʌbəd] kast; **cuppa** ['kʌpə] (*fam*) kop (thee)
cur [kə:] *a*) straathond; *b*) hondsvot, ellendeling
curable ['kjuərəbl] geneeslijk
curate ['kjuərit] hulppredikant; (*r.-k.*) kapelaan
curative ['kjuərətiv] I *bn* genezend; geneeskrachtig; II *zn* geneesmiddel
curator [kju(ə)'reitə] id., beheerder, directeur, conservator
curb [kə:b] I *zn: a*) kinketting; *b*) (*fig*) toom, (be)dwang; *c*) (*Am*) trottoirband; *put a sharp ~ upon* streng in toom houden; II *ww* beteugelen, bedwingen
curd [kə:d] wrongel, gestremde melk (*gew ~s*); *lemon* ~ citroengelei; '**curdle** [-l] (doen) stremmen, klonteren, stollen
cure [kjuə] I *zn* genezing; kuur; geneesmiddel; II *ww: a*) genezen; *b*) verduurzamen (zouten, roken, drogen, vulcaniseren); uitharden (*plastic resins*); ~ *of* genezing van; afleren; '**cure-all** panacee, wondermiddel
curfew ['kə:fju:] avondklok
curiosity [kjuəri'ɔsiti] *a*) nieuws-, weetgierigheid; *b*) merkwaardigheid, curiositeit, curiosum, rariteit; ~ *shop* antiquiteitenwinkel; **curious** ['kjuəriəs] *a*) nieuws-, weetgierig; *b*) curieus, eigenaardig, bijzonder, zeldzaam, zonderling
curl [kə:l] I *ww* krullen, kronkelen, rimpelen, smalend optrekken (*one's lip*); ~ *up* (zich) oprollen, omkrullen; krinkelend omhooggaan; ineenzakken; II *zn* het ..., krul; krulling; '**curler** krulijzer; papillot
curlew ['kə:lju:] (*vogel*) wulp
curly ['kə:li] gekruid, krullend, golvend
currant ['kʌrənt] *a*) krent (= *dried*~); *b*) (aal)bes; '**currant-'bun** [-bʌn] krentenbol
currency ['kʌrənsi] munt(stelsel), valuta, betaalmiddel(en); gangbaarheid, geldigheid;

ruchtbaarheid; algemeenheid; **current** ['kʌrənt] I *bn* gangbaar, courant, algemeen verspreid of aangenomen, heersend, in omloop (zijnd); actueel (*subjects of ~ interest*); lopend (*month, handwriting*); laatstverschenen (*the ~ issue of a periodical*); *~ account* rekening-courant; *~ affairs* actualiteit(en); (school) wereldoriëntatie; ~ price thans geldende prijs; *be* (*go, pass, run*) ~ gangbaar (in omloop) zijn; II *zn* stro(o)m(ing), loop, gang, richting, strekking; **currently** ['kʌrəntli] *bw* thans, tegenwoordig

curriculum [kə'rikjuləm] *mv curricula* [-lə] studie, programma (van school of univ), leerplan

curry ['kʌri] I *zn* kerrie; kerrieschotel; II *ww* met kerrie kruiden

curse [kə:s] I *zn* vloek, vervloeking; *I don't care a ~* het kan me geen lor schelen; *not worth a ~* geen duit waard; II *ww* (ver)vloeken; *be ~d with* bezocht zijn (worden) met; *he ~d himself for a fool* verwenste zichzelf, dat hij zo'n dwaas was; *~ at* vloeken op (*one's fate*); *~ the fellow!* die vervloekte vent!; *~ it!* vervloekt; '**cursed** [-id] *bn & bw* vervloekt

cursorily ['kə:sərili] vluchtig, terloops; **cursory** ['kə:səri] vluchtig, haastig

curt [kə:t] kort, beknopt; kortaf, nors; **curtail** [kə:'teil] (ver)korten, verminderen, beperken, besnoeien, beknotten (*rights*); *~ of* beroven van; **curtailment** beperking, vermindering, besnoeiing

curtain ['kə:t(i)n] I *zn* (schuif-, over)gordijn; (*theat*) scherm, doek; pauze; (*als toneelaanwijzing*) het gordijn valt; *~!* tableau!; *the actor got a ~* er moest voor ... gehaald worden; *behind the ~,* (*fig*) achter de schermen; *the author took his* (*a*) ~ nam een 'open doekje' in ontvangst; II *ww* (als) met gordijn(en) behangen, afsluiten (= *~ off*), insluiten (= *~ in*); '**curtain-call** terugroepen (*van acteur*); in ontvangst nemen van het applaus na (toneel)-voorstelling; '**curtain-raiser** (*fig*) voorproefje

curts(e)y ['kə:tsi] I *zn* buiging (*van dames*), nijging, reverence; II *ww: drop* (*make*) *a ~* een ~ maken (*to* voor)

curvature ['ke:vətʃə] kromming, bocht; *~ of the spine* ruggegraatsverkromming; **curve** [kə:v] I *zn* id., kromme, gebogen lijn; bocht; II *ww* (zich) buigen (krommen)

cushion ['kuʃ(ə)n] I *zn* kussen; als buffer werkende samengeperste stoom of lucht in machine; II *ww* voorzien van (plaatsen op, beschermen met) ~(*s*); steunen, opvangen, de uitwerking verminderen van; in de doofpot stoppen, smoren, negeren; **cushy** ['kuʃi] (*sl*) 'lekker', prettig; *~ job* makkelijk baantje

custodian [kʌs'təudiən] conservator, bewaker, voogd; **custody** ['kʌstədi] bewaring, zorg, hoede, voogdij; hechtenis (*take into ~*)

custom ['kʌstəm] gewoonte, gebruik, van oudsher bestaand recht; in- en uitgaande rechten (gew.: *~s*); klandizie, nering; *~s ook:* douane; *~s duties* in- en uitvoerrechten; *take one's ~ elsewhere* van leverancier veranderen; *attr* (*Am*) maat... (*tailor,* enz.); '**customary** [-əri] gewoon, gebruikelijk; '**custom-built** op bestelling gebouwd (*houses,* enz.); '**customer** klant; *I know my ~s* ik ken mijn pappenheimers; *queer ~* rare klant; *~-card* klantenkaart; *~-service* (*department*) klantenservice; '**custom-house** douanekantoor

cut [kʌt] I *zn* sne(d)e, knip; het (haar)knippen (*50p. for a ~*); snijwond; houw, hak, striem, veeg (uit de pan), scherpe uitval, steek (*a ~ at me* op mij); schok; uit-, weglating, het vervallen (*train ~s*), coupure, besnoeiing, bezuiniging; verzuim (*van colleges,* enz.); (prijs-, salaris)vermindering; het couperen; korte(re) weg (zie *short*); snit, fatsoen, coupe; in-, doorsnijding, doorgraving; geul, kanaal; holle weg; houtgravure; snee(tje); afgeknipt stuk; aandeel (*of the takings*); *she is a ~ above you* een graadje hoger dan jij; II *ww* (stuk-, open-, aan-, los-, af-, voor-, door)snijden; (af)knippen; afbreken; afzetten (*the motor*); striemen; slijpen (*glass, diamonds*); diep treffen, grieven; graven (*a canal*), boren (*a tunnel*); banen (*one's way*); (door)klieven; maaien; hakken; snellen; (*fam*) uitsnijden; besnoeien (*expenditure*); weglaten, couperen (*a passage, a play*); verlagen (*prices*); afnemen, couperen (*cards*); verzuimen, wegblijven van (*lectures*); *~ corners,* (*van automobilist*) hoeken afsnijden, te scherp nemen; (*fig*) bezuinigen, rationaliseren (*in production*); *~ both ways* van twee kanten snijden; ~ ***about*** verminken; heen en weer rennen; ~ ***across*** dwars doorsnijden; oversteken; verijdelen; onderbreken; ~ ***at*** steken (slaan) naar, een aanval doen op; ~ ***away*** afsnijden, wegsnijden; maar raak snijden; ~ ***back*** snoeien door loten vlak aan de stam af te snijden; (*fig*) terugdringen, reduceren ~ ***down*** vellen; afsnijden, .verslaan; verkleinen; besnoeien (*expenses*); ~ ***in*** insnijden; binnendringen; invallen, in de rede vallen; (*van auto*) 'snijden'; ~ ***into*** snijden enz. in; onderbreken; ~ ***loose*** (zich) losmaken; ~ ***off*** afsnijden, enz.; afsluiten (*gas*); stopzetten (*the motor*); 'm smeren; ~ ***out*** uitsnijden; (uit)-knippen; verwijderen; uitschakelen (*the engine* motor); (*van motor*) weigeren, afslaan; opzij zetten, elimineren; ~ ***short*** bekorten, besnoeien; beknibbelen; in de rede vallen, de mond snoeren; plotseling afbreken; *~ it short* maak het kort; ~ ***up*** aan-, opensnijden; uitroeien; verdelen, versnipperen; vernielen; kapot maken; doorhalen; snijden (*a car*); erg aangrijpen (*van sterfgeval bijv.*); III *bn* geslepen (*glass*); *~ prices* gereduceerde prijzen; *~ flowers* snijbloemen; '**cut-and-'dried** (*fig*) pasklaar (*a ~ solution* een pasklare oplossing); '**cut-'back** besnoeiing

cute [kju:t] (*fam*) schrander, slim, vernuftig, bijdehand; aardig, snoezig
cuticle ['kju:tikl] opperhuid; vlies; nagelriem
cutlery ['kʌtləri] *a*) messen, scharen, enz.; *b*) tafelgerei, bestek
cutlet ['kʌtlit] kotelet
cut-off afsnijding; kortere weg; afsluiter; beëindiging (*of debate*); **cut-out** knipplaat, knipsel; coupure; uitsnijding; **cut-price** *sale* tegen uitverkoopprijzen
cutter ['kʌtə] snijder enz. (zie *cut*); coupeur; mes, ijzer, snijmachine; kotter; **cutting** I *bn* snijdend enz. (zie *cut*); scherp (*remark*), grievend, schrijnend (*sorrow*); II *zn* het ... (zie *cut*); afgesneden (afgeknipt) stuk; coupon (*van stof*); (uit)knipsel (*newspaper* ~); stek; door-, uitgraving; holle weg; ~ *edge* scherpe kant
cwt. *hundredweight*
cycle ['saikl] I *zn: a*) kringloop, tijdkring, periode; *b*) cyclus; *c*) rijwiel; II *ww: a*) ronddraaien; *b*) fietsen; '**cyclist** [-ist] fietser; '**cyclone** [-əun] cycloon, wervelwind
cylinder ['silində] cilinder
cynic ['sinik] I *bn* cynisch; II *zn* cynicus; cynisch wijsgeer, cynisch mens; **cynical** [-l] cynisch; **cynicism** ['sinisizm] cynisme

Dd*d*

dab [dæb] I *zn* **1** *a*) tik, lichte aanraking, duw(tje); *b*) klodder, klompje, kleine hoeveelheid, beetje; **2** schar; **3** (*fam*) = ~ *hand* kraan, 'kei' (*at, in* in); II *ww* (aan)tikken, pikken, betten, even aanraken, (bettend) afvegen (~ *at*)
dabble ['dæbl] besprenkelen, (be)morsen; plassen, ploeteren; knoeien; beunhazen, liefhebberen (*in politics*, enz.); **dabbler** [-ə] knoeier, stumper, beunhaas
dachshund ['dækshund] taks, tekkel, dashond
dad [dæd] (*fam*) vader, pa; **daddy** [-i] *dad*
daffodil ['dæfədil] gele narcis
daft [dɑ:ft] dwaas, gek, dol, dom
dagger ['dægə] dolk
daily ['deili] I *bn en bw* dagelijks; ~ *help* werkster voor alle dagen; II *zn* dagblad
dainty ['deinti] I *bn* lekker, sierlijk, fijn, keurig, tenger (*hands*); kieskeurig; voorzichtig; II *zn* lekkernij
dairy ['dɛəri] zuivelfabriek; zuivelwinkel; **dairy-butter** roomboter; **dairy cattle** melkvee; **dairy-cow** melkkoe; **dairy-farm** melkerij; **dairy-farmer** zuivelboer; **dairy-products** zuivelprodukten
dais ['deiis, deis] podium
daisy ['deizi] madeliefje
dally ['dæli] stoeien, minnekozen; treuzelen, talmen; ~ *away* verbeuzelen (*one's time*)
dam [dæm] I *zn* dam, dijk; II *ww:* ~ (*up*) afdammen, indijken, afsluiten; stuiten
damage ['dæmidʒ] I *zn* schade, beschadiging, averij; (*sl*) kosten; ~*s* schadevergoeding; *what's the ~?* (*sl*) hoeveel is de schade (= wat kost het)?; II *ww* beschadigen, schaden; toetakelen; *damaging, ook:* bezwarend (*facts*), ongunstig (*criticism*), nadelig (*to the community*)
Dame [deim] titel, verleend door de vorst aan een vrouw met bijzondere verdiensten, bijv. *Dame Margot Fonteyn* (vgl *Knight* en *Sir*)
damn [dæm] I *ww* verdoemen, (ver)vloeken; veroordelen; onmogelijk maken, vernietigen, afbreken; zich niet bekommeren om (*the consequences*); ~ *this dictionary!* dat vervloekte woordenboek!; ~ (*it*)*!* vervloekt!; *I'll be ~ed if I will* ik wil (doe) het niet; II *zn* (het woord ~ als) vloek; *I don't care* (*give*) *a* ~ het kan me geen donder schelen; III *bn en bw* (volkstaal) vervloekt (*a ~ bad sign*); '**damnable** [-nəbl] vervloekt; **dam'nation** [-neiʃən] verdoeming, verdoemenis; veroordeling (*van toneelstuk*); ~*!* vervloekt!; **damned** [-d] vervloekt; *do one's ~est* alles in het werk stellen; *do your ~est! ook:* je doe(t) maar!; '**damning** [-iŋ] overtuigend (~ *evidence*)

damp [dæmp] I *zn* vocht(igheid); II *bn* vochtig; III *ww* bevochtigen; ontmoedigen; doen bekoelen (*a p.'s zeal*), de domper zetten op (*their joy*); smoren, dempen; '**dampen** [-n] *damp, ww*; '**damper** [-ə] klep, schuif (*van kachel*); (toon-, enz.)demper; trekregelaar; teleurstelling, ontmoediging; domper (*fig*); **dampproof** [-pru:f] tegen vocht bestand

dance [dɑ:ns] I *ww* (laten) dansen; II *zn* dans(partij), bal; **dance-band** dansorkest; **dance-hall** danszaal, 'dancing'; **dancer** danser(es); **dance studio** dansschool

dandelion ['dændilaiən] paardebloem

dandify ['dændifai] opsmukken

dandle ['dændl] laten dansen (op knie, enz.), wiegelen, liefkozen, vertroetelen

dandruff ['dændrəf] roos (*op hoofd*)

dandy ['dændi] I *zn* fat, modegek; II *bn* (*sl*) patent, heerlijk (*a ~ time*)

Dane [dein] *a*) Deen; *b*) Noorman; (*great*) *dane* Deense dog

danger ['dein(d)ʒə] gevaar; *be in ~ of* gevaar lopen te, bedreigd worden door, met; **danger money** gevarengeld; '**dangerous** [-rəs] gevaarlijk; '**danger-signal** [-signəl] onveilig sein (*spoorw*); '**danger-zone** gevaarlijke zone

dangle ['dæŋgl] (laten) slingeren, bengelen; **dangler** [-ə] leegloper; naloper (*after women* van ...)

Danish ['deiniʃ] Deens

dank [dæŋk] (onaangenaam) vochtig

Danube ['dænju:b] Donau

dapper ['dæpə] parmantig; keurig (gekleed)

dapple ['dæpl] (be)spikkelen; spikkels (vlekken) krijgen; **dappled** gevlekt, appelgrauw; **dapple-grey** appelgrauw (paard)

dare [dɛə] I *ww: a*) (aan)durven, wagen; *b*) tarten, uitdagen; *I ~ say* ik geloof (denk); zeker, (dat zal) wel; II *zn* uitdaging; durf; *take a ~* het durven; '**daredevil** I *zn* waaghals; durfal; II *bn* doldriest; **daring** ['dɛəriŋ] I *bn* koen, vermetel, gedurfd, gewaagd, op het kantje af, (te) pikant; opzichtig (*colour*); II *zn* vermetelheid, gedurfdheid, durf

dark [dɑ:k] I *bn* duister, donker; somber; snood; verborgen, geheim(zinnig); onbekend; onwetend; II *zn* donker; duisternis, -heid; *at ~* bij het vallen van de avond; *keep a p. in the ~* onkundig laten; **darken** duister (donker) maken of worden; verduisteren, verdonkeren; vertroebelen; **darkish** vrij ...; '**darkness** duisternis; **darkroom** donkere kamer, doka

darling ['dɑ:liŋ] I *zn* lieveling, lieverd, snoes; II *bn* geliefd, lief, lievelings...

1 darn [dɑ:n] I *ww* stoppen, mazen; II *zn* stop

2 darn(ed) [dɑ:n(d)] (*sl*) *damn(ed)*

darning stopwerk; **darning-cotton** stopgaren; **darning-needle** stopnaald

dart [dɑ:t] I *zn* pijl, werpspies; plotselinge voorwaartse beweging, sprong, worp; pluimpje (voor luchtdrukgeweer); *~s, ook:* werpspel met pijltjes; II *ww* schieten, werpen, snellen, stuiven, (los)stormen (*at, on* op), (uit)steken

dash [dæʃ] I *ww* verpletteren (= *~ to pieces*); beuken, slaan, (zich) werpen; temperen; verijdelen (ook: *~ to the ground, hopes*); ontmoedigen, uit het veld slaan; snellen, vliegen, losstormen (*at* op), botsen; *~!, ~ it* (*all*)!, (*sl*) wel verdraaid!; *~* ***away*** wegsnellen; *~* ***down*** (*~* ***off***) *an article* op het papier gooien; *~* ***out*** doorhalen; *~ed* teleurgesteld, (*sl*) verdraaid; II *zn* slag, geklots, stoot, botsing; tikje, tintje; scheutje, tik; streepje, gedachtenstreep; snelle beweging, aanloop, onstuimige aanval; elan, durf, kranigheid; zwier; (*sp, fam*) sprint; '**dashboard** id., instrumentenbord (*van auto en vliegtuig*); '**dashing** kranig, flink, kloek, koen, krachtig

dastard ['dæstəd] (geniepige) lafaard

data ['deitə] gegevens (meervoud van *datum*); **database** [-beis] (computer) databank, gegevensbestand; **data-processing** informatieverwerking; informatica

date [deit] I *zn* 1 dadel(palm); 2 datum, dagtekening; jaartal; 3 *a*) afspraak; *b*) meisje; ***at*** *an early ~* binnenkort; ***out of*** *~* uit de tijd; (*van rijbewijs, enz.*) verlopen; *our losses* ***to*** *~* tot op heden, op dit ogenblik; ***under*** *~ Jan. 5* onder dato ...; ***up to*** *~* (bijgewerkt) tot heden, tot dusver; (*fig*) op de hoogte (van de tijd); modern; II *ww: a*) dateren, dagtekenen; *b*) de stempel van zijn tijd drukken op; *c*) de kentekenen van zijn tijd dragen (*van kunstwerk, bijv.*), verouderen; *d*) een afspraak(je) maken met, uitgaan met (*a girl*); '**dated** gedateerd; **dateless** tijdloos; **date-line** plaats en datum (voor kranteartikel); uiterste datum; datumgrens

datum ['deitəm] gegeven

daub [dɔ:b] I *ww* bepleisteren, (be)kladden; II *zn* pleisterkalk; smeer

daughter ['dɔ:tə] dochter; **daughter-in-law** [-(r)inlɔ:] schoondochter

daunt [dɔ:nt] afschrikken, ontmoedigen; **dauntless** [-lis] onvervaard

dawdle ['dɔ:dl] beuzelen, lummelen, treuzelen

dawn [dɔ:n] I *zn* dageraad (= *~ of day*), het gloren; II *ww* licht worden, dagen, aanbreken, gloren; **dawning** [-iŋ] het ..., dageraad; het oosten

day [dei] dag, daglicht; tijd (*he has had his ~*); overwinning (*the ~ is ours*); *~ of judg(e)ment* dag des oordeels; *a ~'s journey* een dagreis; ***at*** *this ~* tegenwoordig; *~* ***by*** *~* dag aan dag; ***in*** *his ~* in zijn tijd; *the press* ***of*** *the ~* van die (van deze) tijd; ***to*** *the* (*a*) *~* op de dag af; *to this ~* tot op deze dag; *~* ***in*** (*and*) *~* ***out*** dag in dag uit; ***all*** (*the*) *~, all ~ long* de gehele dag; *every ~* alle dagen; *one* (*fine*) *~* op zekere dag; *these ~s* tegenwoordig; *this ~ fortnight* vandaag over (of: voor) veertien dagen; *the other ~* onlangs; *we will call it a ~* zo is het welletjes (genoeg); **daybreak** het aanbreken van de dag; '**day-dream** I *zn* mijmering, luchtkasteel; II *ww* dagdromen; **day-labourer** dagloner; **day-**

light daglicht; (*sl*) bewustzijn, verstand; *he saw* ~ er ging hem een licht op; ~ *saving time* zomertijd; **day-long** de gehele dag (durende); **day nursery** kinderdagverblijf, crèche; **day-release (course)** *ongev* vormingsdag(en); '**day re'turn, day ticket** dagretour(kaart); **day-shift** dagploeg; **day's-work** dagtaak; **daytime** overdag; **day-trippers** dagjesmensen; **daywork** per dag betaald werk

daze [deiz] I *ww* verdoven, bedwelmen; doen duizelen, verbijsteren; verblinden; II *zn* verdoving; '**dazed** [-d] als versuft, verbijsterd

dazzle ['dæzl] I *ww* verblinden, verbijsteren; II *zn* verblinding; **dazzling** verblindend, verbluffend

D-day ['di:-dei] Dag D (begindag van mil operatie, inz. 6 juni 1944, inval in Normandië)

deacon ['di:kən] diaken

dead [ded] I *bn* dood, levenloos, onbezield; gestorven (*of the smallpox* aan); ongevoelig (*to* voor); uitgedoofd (*cigar, volcano*); (*elektr*) niet geladen (*wire*); *the telephone* (*the line*) *went* ~ viel uit; blind (*door, wall, window*); dof (*gold, sound*); niet meer geldig (*ticket*); doods; plotseling (zie *stop*); volstrekt (*certainty*), totaal (*failure*), volkomen (*in* ~ *earnest*), strikt (*secret*); improduktief; ~ *end* doodlopend eind; II *zn* dode(n); diepte, stilte, hartje (*in the* ~ *of winter*); *at* ~ *of night* in het holst van de nacht; *rise* (*raise*) *from the* ~ uit de dood opstaan (wekken); III *bw* dood... (~ *tired*); uiterst, door en door, totaal, volkomen, precies (~ *on time*); beslist (*certain*); plotseling (*stop* ~); ~ *ahead* recht vooruit; ~ *slow*, (*scheepv*) zeer langzaam; (*op verkeersbord*) stapvoets rijden; **dead-beat** I *bn* doodop; II *zn* (*Am*) schooier, klaploper, luilak; **deaden** verzwakken, (doen) verflauwen; verdoven; doen verschalen; van glans (leven) beroven; **dead end** doodlopend(e weg); **dead heat** (*sp*) wedstrijd met meer dan één winnaar; **deadline** (tijd)limiet; '**deadlock** I *zn* impasse, dode punt; *things are at a* ~ zitten vast; II *ww* tot een ~ brengen; '**deadly** dodelijk, doods; dood(s)...; (*fam*) verschrikkelijk (~ *haste*); ~ *sin* doodzonde; *the seven* ~ *sins* de zeven hoofdzonden; **deadpan** met een effen gewicht; **dead-reckoning** (*scheepv, luchtv*) gegist bestek; **dead weight** inerte massa, (drukkende) last, rem, blok aan het been

deaf [def] doof (*to* voor); ~ *of an ear* doof aan één oor; ~ *and dumb* doofstom; **deaf-aid** gehoorapparaat; **deafen** [-n] doof maken; verdoven, dempen, overstemmen; geluiddicht maken; **deaf-mute** doofstom(me)

deal [di:l] I *zn* 1 hoeveelheid; *a great* (*good*) ~ (*of*) heel veel, heel wat; *a* ~, (*fam*) een hoop; 2 *a*) het (kaart)geven; *b*) transactie; (geheime) overeenkomst; *do* (*make*) *a* ~ een koop sluiten; *it's a* ~ afgesproken!; *big* ~ nou en!; 3 vure-, grenehout(en plank); II *ww* uitdelen (gew.: ~ ***out***), toedelen (*ook:* ~ ***out***); toebrengen (*blows*); geven (*cards*); handelen; ~ ***at*** *a shop* (geregeld) kopen in; ~ ***by*** behandelen (~ *by others as you wish to be dealt by*); ~ ***in*** handelen in; doen aan, zich ophouden met (*gossip*); ~ ***with*** kopen bij; handelen met (over); zich inlaten met; behandelen (*a problem*); afrekenen met; '**dealer** koopman, handelaar; gever (*kaartsp*); **dealings** relaties, omgang; zaken, transacties

dean [di:n] *a*) deken; *b*) hoofd van faculteit; ~ *of studies*, (*Am*) met toezicht op studie belast hoogleraar; **deanery** *a*) decanaat; *b*) woning van de deken, proosdij

dear [diə] I *bn: a*) duur, kostbaar; *b*) lief, geliefd, dierbaar; *the* ~ *things* de schatjes; *c*) geachte, waarde (*aanhef in brief*); II *zn* lieve(ling); snoes; *there's a* ~ dan ben je een beste; III *tw:* ~*!* ~ *me!* wel, wel!; **dearie, deary** ['diəri] lieveling, schat; **dearly** *a*) duur; *b*) innig, zeer; dolgraag

dearth [də:θ] tekort, gebrek

death [deθ] *a*) dood; *b*) sterfgeval; ***at*** ~*'s door* de dood nabij; *bore* ***to*** ~ do(o)d(elijk) vervelen; '**death-blow** dodelijke slag; genadeslag; '**death camp** vernietigingskamp; '**death-duties** successierechten; '**deathlike** dodelijk; doods; '**deathly** dodelijk; doods; dood(s)...; '**death-notice** doodsbericht; '**death penalty** [-penlti] doodstraf; '**death-rate** sterftecijfer; '**death-roll** lijst der omgekomenen; aantal doden; '**death sentence** doodvonnis; '**death's-head** doodshoofd; '**death-struggle** doodsstrijd; '**death throes** doodsstuipen; '**death-trap** levensgevaarlijke plaats, val; '**death-warrant** [-wɔrənt] bevel tot voltrekking van doodvonnis

debase [di'beis] verlagen, vernederen, onteren

debatable [di'beitəbl] betwistbaar, discutabel; ~ *ground* betwist gebied; **debate** [di'beit] I *ww* debatteren (over), bespreken; (bij zichzelf) overleggen; betwisten (*the victory*); II *zn* debat; woordenstrijd

debauch [di'bɔ:tʃ] verleiden (inz.: *a woman*), be-, verderven; **debauchery** [-əri] losbandigheid; uitspatting(en)

debilitate [di'biliteit] verzwakken; **debility** [de'biliti] zwakte, zwakheid

debit ['debit] I *zn* debet(post, -zijde); II *ww* debiteren; **debit-balance** debetsaldo

debonair [debə'nɛə, 'debənɛə] vriendelijk, joviaal, prettig, minzaam; blijmoedig

debrief [di(:)'bri:f] ondervragen over verloop van voltooide opdracht

debris ['de(i)bri:] puin; overblijfselen

debt [det] schuld; ~ *of honour* ereschuld; *be in* ~ schulden hebben; '**debtor** [-ə] schuldenaar, debiteur; ~*-country* schuldenland

debunk [di:'bʌnk] van schijnvertoon ontdoen, van zijn voetstuk stoten

decad(e) ['dekeid, di'keid] tiental (jaren, enz.)

decadence ['dekədəns] verval; '**decadent** I *bn* id.: vervallend, in verval; II *zn* id.

decalcify [di:'kælsifai] ontkalken
decamp [di'kæmp] (het kamp) opbreken; zijn biezen pakken
decapitate [di'kæpiteit] onthoofden
decathlon [di'kæθlɔn] tienkamp
decay [di'kei] I *ww* (doen) vervallen, achteruitgaan, in verval geraken, (doen) verrotten; *~ed tooth* rotte kies; II *zn* verval; achteruitgang; (ver)rotting, bederf; *fall into ~* in verval geraken
decease [di'si:s] *zn* & *ww* overlijden; **deceased** [-t] *the ~* de overledene(n)
deceit [di'si:t] bedrog, list, bedrieglijkheid; **deceitful** [-f(u)l] bedrieglijk, misleidend; **deceive** [di'si:v] bedriegen, misleiden
decelerate [di:'eləreit] snelheid verminderen, langzamer gaan
decency ['di:snsi] welvoeglijkheid, fatsoen; **decent** ['di:sənt] fatsoenlijk, betamelijk; behoorlijk; (*sl*) vriendelijk (*it's awfully ~ of you*); **decent-minded** fatsoenlijk
decentralize [di:'sentrəlaiz] decentraliseren
deception [di'sepʃən] bedrog, misleiding; **deceptive** [di'septiv] bedrieglijk
decide [di'said] beslissen (*against, for* ten nadele, ten gunste van), bepalen, (doen) besluiten, overhalen; *~ that ...* (*ook*) tot de conclusie komen dat ...; *~ against going there* besluiten er niet heen te gaan; **decided** [-id] duidelijk (*a ~ change for the better*); vastbesloten
decimal ['desiməl] I *bn* tientallig; tiendelig; *~ point* decimaalteken; II *zn* tiendelig(e) breuk (getal); (*fig*) greintje; *go ~* overgaan op het tientallig (metriek) stelsel; **decimalize** [-aiz] tiendelig maken; **decimate** ['desimeit] decimeren (*ook fig*); **decimation** [desi'meiʃən] decimering
decipher [di'saifə] ontcijferen, ontwarren
decision [di'siʒən] *a*) beslissing, besluit, uitslag; *b*) beslistheid; **decision-making** besluitvorming; **decisive** [di'saisiv] *a*) beslissend, afdoend; *b*) beslist
deck [dek] I *zn* dek; verdieping (*van bus, enz.*); (*sl*) begane grond; (*Am*) spel kaarten (= *~ of cards*); II *ww* tooien, versieren (ook: *~ out*); **deckchair** dekstoel, ligstoel; **deckhand** dekknecht
declamation [dekla'meiʃən] voordracht(kunst), (hoogdravende) rede
declaration [deklə'reiʃən] verklaring, declaratie; bekendmaking (*of the poll* van de uitslag der stemming); vaststelling (*van dividend*); aangifte (*voor belasting*); belofte (in plaats van eed); *~ of intent* beginselverklaring; **declare** [di'klɛə] verklaren; bekendmaken (*the result of an election*); vaststellen (*a dividend*), constateren; declareren, aangeven (bij douane: *anything to ~?*); **declaredly** [di'klɛəridli] openlijk
declination [dekli'neiʃən] buiging; helling; declinatie (*van ster*); miswijzing van kompasnaald; afwijzing, weigering; **decline** [di'klain] I *ww* hellen, (neer)buigen; dalen; afnemen; afdalen (*to* tot), zich verlagen; vervallen; kwijnen; afslaan, bedanken (voor), weigeren; verbuigen; II *zn* achteruitgang; verval (van krachten), (uit)tering; prijsdaling; **declivity** [di'kliviti] (aflopende) helling
declutch [di:'klʌtʃ] ontkoppelen (auto)
decompose [di:kəm'pəuz] *a*) ontbinden, oplossen, ontleden; *b*) tot ontbinding overgaan
decongestant [ˌdi:kən'dʒestənt] middel tegen verstopte neus
decontaminate ['di:kən'tæmineit] ontsmetten
decorate ['dekəreit] versieren; decoreren; schilderen, behangen, enz. (*a room*); **deco'ration** versiering, versiersel; decoratie, ordeteken; **'decorative** [-rətiv] decoratief, versierings...; **decorator** [-reitə] decorateur; (*house-*) *~* huisschilder, behanger, stukadoor; **decorous** ['dekərəs, di'kɔ:rəs] gepast, fatsoenlijk, welvoeglijk
decoy [di'kɔi] I *zn* lokeend, -vogel, -middel, -aas, valstrik; II *ww* in de val lokken
decrease I *ww* [di(:)'kri:s] verminderen, (doen) afnemen; II *zn* ['di:kri:s, di(:)'kri:s] vermindering, afname
decree [di'kri:] I *zn* decreet, bevel, besluit; ordonnantie; vonnis; *~ nisi* ['naisai] voorwaardelijk echtscheidingsvonnis; II *ww* decreteren, verordenen, bevelen, beslissen
decrepit [di'krepit] afgeleefd, vervallen
decry [di'krai] openlijk afkeuren, afgeven op
dedicate ['dedikeit] (toe-, in)wijden, wijden (aan), opdragen; *~d* (toe)gewijd; hardnekkig; **dedication** [dedi'keiʃən] toewijding, opdracht
deduce [di'dju:s] afleiden (*from* uit); ontlenen; nagaan; **deducible** [-əbl] afleidbaar
deduct [di'dʌkt] aftrekken, onttrekken (*from* aan); **deductible** [-ibl] aftrekbaar; **deduction** [di'dʌkʃən] aftrek, vermindering; korting; gevolgtrekking; **deductive** [-iv] deductief
deed [di:d] *a*) daad; handeling; *b*) akte; **deed-poll** [-pəul] eenzijdige akte
deejay ['di:'dʒei] (*Am sl*) *disc jockey*
deem [di:m] oordelen, achten, denken
deep [di:p] I *bn en bw* diep, diepliggend; krachtig (*feelings*); donker (*blue*); diep-, scherpzinnig; (*sl*) geslepen, bij de hand; II *zn* diepte, diep water, trog (*the Tuscarora D~*); **deepen** dieper (donkerder) maken of worden; uit-, verdiepen; versterken; toenemen, verergeren; **'deep-'freeze** diepvries(apparaat), invriezen; **deep-fry** frituren; **'deep-'rooted** diepgeworteld; **'deep-'seated** diepliggend (*causes*); **'deep-'set** diepliggend
deer [diə] hert(en); **deer-park** hertenkamp; **'deerstalker** [-stɔ:kə] (= *~ cap*) hoofddeksel van wollen stof, met klep voor en achter
deface [di'feis] schenden, misvormen, ontsieren, bekrassen, beschrijven (*walls*); doorhalen, uitwissen
defamation [de-, di:fə'meiʃən] laster, smaad; **defamatory** [di'fæmətəri] lasterlijk, smaad...; **defame** [di'feim] belasteren, smaden

default [di'fɔ:lt] I *zn* gebrek; verzuim; het in gebreke blijven, wanbetaling; (*jur*) verstek; *in ~ of* bij gebreke (ontstentenis) van; *a fine of £3, or seven days imprisonment in ~* subsidiair; II *ww* een verzuim plegen, in gebreke blijven; niet verschijnen (*voor rechtbank*); niet voldoen aan verplichtingen; bij verstek veroordelen; **defaulter** [-ə] wie ...; verduisteraar, wanbetaler; (*mil*) gestrafte
defeat [di'fi:t] I *ww* verslaan; verijdelen; verwerpen (*a motion*); nietig verklaren; ontduiken (*the law*); II *zn* nederlaag; **defeatism** [-izm] defaitisme; het werken voor overgave, daar men de zaak toch verloren acht; **defeatist** defaitist(isch)
defect I *zn* [di'fekt, 'di:fekt] id.; gebrek; tekort; II *ww* [di'fekt] overlopen, asyl vragen; **defection** [di'fekʃən] afval(ligheid); **defective** [-iv] *a*) gebrekkig, onvolkomen, defect; *b*) zwakzinnig; **defector** [di'fektə] overloper
defence [di'fens] verdediging, verweer; *~s* verdedigingswerken; *~ mechanism* afweermechanisme; **defenceless** [-lis] weerloos; **defend** [di'fend] verdedigen; beschermen (*from* tegen); bewaren (*from* voor); **defendant** [-ənt] gedaagd(e); **defender** [-ə] verdediger; **defensible** [di'fensəbl] verdedigbaar; **defensive** [di'fensiv] defensief, verdedigend
defer [di'fə:] **1** uitstellen; talmen; *~red payment system* afbetalingssysteem; **2** *~ to* zich onderwerpen aan (*I ~ to your opinion*), eerbiedigen, zich voegen naar; **deference** ['defərəns] eerbied(iging); *in ~ to* uit achting (eerbied) voor; **deferential** [defə'renʃəl] eerbiedig
defiance [di'faiəns] uitdaging, verzet; *in ~ of* in strijd met; **defiant** [di'faiənt] uitdagend, tartend, opstandig
deficiency [di'fiʃənsi] *a*) gebrek, onvoldoend-, onvolkomenheid; *b*) tekort; **deficient** ontoereikend, onvolkomen, gebrekkig; *protein-~ food* eiwitarm; *be ~ in* te kort schieten in; **deficit** ['defisit] id.: tekort
1 defile ['di:fail, di'fail] (berg)engte, pas
2 defile [di'fail] bevuilen, verontreinigen, bezoedelen; ontwijden; schenden
de'finable definieerbaar, bepaalbaar; **define** [di'fain] begrenzen; bepalen, be-, omschrijven, definiëren
definite ['definit] bepaald, begrensd, duidelijk (omschreven), precies, scherp; **definitely** ['definitli] duidelijk, zeker (*it's ~ true*); *~ not* zeker niet; **definition** [defi'niʃən] definitie, bepaling, omschrijving, begrenzing; (beeld)-scherpte (*van lens, enz.*); **definitive** [di'finitiv] definitief; beslissend
deflate [di'fleit] *a*) lucht (gas, enz.) laten uit (*an airship, enz.*), laten leeglopen (*a tire*); *b*) deflatie tot stand brengen (van: *~ the pound*); (*fig*) verminderen
deflect [di'flekt] (opzij) buigen, (doen) afwijken; afleiden, afbrengen; **deflection** [di'flekʃən] afwijking; ombuiging; uitwijking, uitslag (van naald, wijzer)
deflower [di(:)'flauə] ontmaagden; van bloemen beroven
defoliant [di'fəuliənt] ontbladeringsmiddel; **defoliate** [di'fəulieit] ontbladeren
deforest [di:'fɔrist] ontbossen
deform [di'fɔ:m] misvormen, mismaken, ontsieren; **deformation** [di:fɔ:'meiʃən] misvorming; vervorming, verbastering, vormverandering; **deformed** [-d] mismaakt; **deformity** [-iti] *a*) mismaaktheid; *b*) (wan)gedrocht
defraud [di'frɔ:d] bedriegen, beroven; **defrauder** [-ə] bedrieger
defray [di'frei] betalen, bestrijden (*expenses*)
defrost [(')di:'frɔ(:)st] ontdooien (*meat*); **defroster** [-ə] ontijzelapparaat, (voorruit- enz.) ontdooier
deft vlug, vaardig, handig
defunct [di'fʌŋkt] *a*) overleden(e, -en); *b*) verouderd (*system*), niet meer bestaand, ter ziele
defuse ['di:'fju:z] onschadelijk maken (*a bomb*)
defy [di'fai] tarten, trotseren; uitdagen
degenerate I *bn en zn* [di'dʒenərit] ontaard, gedegenereerd(e); II *ww* [-eit] ontaarden, verbasteren, verwilderen, degenereren
degradation [degrə'deiʃən] ontaarding; vernedering; vermindering, degradatie; **degrade** [di'greid] verlagen, degraderen; verminderen, vernederen; onteren; ontaarden; **degrading** vernederend
degree [di'gri:] graad (*ook academisch*), rang, stand (*men of high ~*); mate; trap, stap; *he took his ~* promoveerde; ***by ~s*** langzamerhand; *in no ~* geenszins; ***to** a high* (*the last*) *~* = (*fam*) *to a ~* buitenmate, in hoge (de hoogste) mate
dehumanize [di:'hju:mənaiz] doen ontaarden; verdierlijken
dehydrate [di:'haidreit] (uit)drogen
deification [ˌdi:ifi'keiʃən] vergoddelijking; **deify** ['dii:fai] vergoddelijken
deign [dein] zich verwaardigen (te geven)
deity ['di:iti] godheid
dejected [di'dʒektid] neerslachtig; ontmoedigd; **dejection** [di'dʒekʃən] neerslachtigheid
delay [di'lei] I *zn* uitstel; vertraging, oponthoud; II *ww* uitstellen, ophouden, vertragen; talmen; op zich laten wachten; *~ed action bomb* tijdbom
delectable [di'lektəbl] verrukkelijk
delegate I *zn* ['deligit] gedelegeerd(e), gemachtigd(e), afgevaardigd(e); II *ww* [-eit] delegeren, afvaardigen, opdragen, overdragen; **delegation** afvaardiging, delegatie
delete [di(:)'li:t] uitwissen, doorhalen; **deletion** [di(:)'li:ʃən] doorhaling, coupure
deliberate I *bn* [di'libərit] *a*) opzettelijk, weloverwogen; *b*) bedachtzaam, bedaard; II *ww* [di'libəreit] overwegen; overleggen, beraadslagen (*upon* over); **deliberation** [diˌlibə'reiʃən] overweging; bedachtzaamheid, bedaardheid
delicacy ['delikəsi] *a*) teer-, zwakheid; kies-

heid, delicaatheid, fijngevoeligheid; *b)* lekkernij, delicatesse; *c)* finesse; **delicate** ['delikit] fijn, keurig; lekker; teer, zwak (*health*); gevoelig (*instrument*); kies, delicaat; moeilijk, netelig; kieskeurig; fijngevoelig (*ear*)
delicious [di'liʃəs] heerlijk
delight [di'lait] I *zn* (groot) genoegen, genot, lust, verrukking; II *ww* verrukken; strelen; behagen scheppen, genot vinden (*in* in); *I shall be ~ed* het zal me hoogst aangenaam zijn; *~ed with* verrukt over; **delightful** [-f(u)l] verrukkelijk
delineate [di'linieit] schetsen, ontwerpen; (*fig*) schilderen; **delineation** [di,lini'eiʃən] omtrek, schets, schildering
delinquent [di'liŋkwənt] id., misdadiger
delirious [di'liriəs] ijlend, dol; *be ~* ijlen; **delirium** [-əm] ijlende toestand, waanzin, razernij
deliver [di'livə] verlossen, bevrijden; overbrengen; overhandigen (= *~ over*), af-, overgeven (*the town to the enemy*); inzenden; aanbieden (*an account*); (aan-, af-, in-, op-, uit)leveren; bezorgen, rondbrengen (*newspapers*), bestellen (*letters*); (uit)werpen; houden (*a lecture, a speech*); toebrengen (*a blow*); *be ~ed* ***of*** *a boy* bevallen van; *~* ***up*** afstaan, overgeven (*a town*); uit-, opleveren; **deliverance** [-rəns] bevrijding, redding; uiting, uitlating; vonnis, uitspraak (*inz. van jury*); **delivery** [di'livəri] bevrijding, verlossing; bevalling; overgave; overdracht; (af-, op)levering; bestelling; bezorging, overhandiging; het toebrengen (*van slag*); het werpen (*of a ball*); het houden (*of a speech*); voordracht; **delivery-van** bestelwagen
dell [del] (*lit*) (nauw, begroeid) dal
delude [di'l(j)u:d] bedriegen, misleiden
deluge ['delju:dʒ] zondvloed, overstroming; wolkbreuk; stroom (*van woorden, enz.*)
delusion [di'l(j)u:ʒən] (zelf)bedrog, misleiding, begoocheling; waan(voorstelling); **delusive** [dil'(j)u:siv] bedrieglijk, misleidend
delve [delv] graven, delven, vorsen
demagogue ['deməgɔg] demagoog, volksmenner; **demagogy** [deməgɔgi] demagogie
demand [di'mɑ:nd] I *zn* eis, (aan)vraag, vordering; II *ww* eisen, vorderen, verlangen; op gebiedende toon vragen; **demanding** veeleisend
demarcation [di:ma:'eiʃən] demarcatie(lijn)
demean [di'mi:n] vernederen; *~ o.s.* zich vernederen (verlagen); **demeanour** [-ə] houding, gedrag, (wijze van) optreden
demented [di'mentid] zwakzinnig
demijohn ['demidʒɔn] mandefles
demilitarize ['di:'militəraiz] demilitariseren
demise [di'maiz] (*vero*) het overlijden; einde, neergang
demist ['di:'mist] onbeslagen, condensvrij houden/maken
demob [(')di:'mɔb] (*fam*) *demobilize*; **demobilization** ['di:,məubilai'zeiʃən] demobilisatie; **demobilize** [di:'məubilaiz] demobiliseren
democracy [di'mɔkrəsi] democratie; **democrat** ['deməkræt] democraat; **democratic(al)** [-'krætik(l)] democratisch; **democratization** [di,mɔkrətai'zeiʃən] democratisering; **democratize** [di'mɔkrətaiz] democratiseren
demography [di'mɔgrəfi] demografie
demolish [di'mɔliʃ] afbreken (*ook van betoog*), slopen, omverwerpen; (*mil*) vernielen; (*fam*) verorberen; **demolition** [demə'liʃən] sloop, vernieling, afbraak
demon ['di:mən] demon, duivel, boze geest; **demoniac** [di'məuniæk] demonisch, duivels; **demonic** [di'mɔnik] wreed, duivels
demonstrable ['demənstrəbl] bewijs-, aantoonbaar; '**demonstrate** [de-] (aan)tonen, bewijzen, demonstreren; uiten (*one's feelings*); een betoging houden; **demon'stration** [de-] bewijs, betoging, demonstratie; schijnbeweging; vertoon; **demonstrative** [di'mɔnstrətiv] aanschouwelijk; aan-, bewijzend, betogend; bewijsbaar; zich uitend, demonstratief; **demonstrator** ['demɔnstreitə] demonstrant
demoralization [di,mɔrəlai'zeiʃən] demoralisatie; **demoralize** [di'mɔrəlaiz] demoraliseren; ontmoedigen, van streek maken
demote [di:'məut] (*mil*) degraderen, terugzetten (in rang)
demur [di'mə:] aarzelen, weifelen; bezwaar maken (*to, at* tegen), protesteren
demure [di'mjuə] stemmig, bezadigd, terughoudend, ernstig, (gemaakt) zedig, preuts
den hol (*ook fig*); kuil; hok; (*fam*) 'kast': kamer
deniable [di'naiəbl] loochenbaar; **denial** [di'naiəl] weigering, ontkenning, (zelf)verloochening
denigrate ['denigreit] denigreren, zwart maken, bekladden; beschimpen
denim ['denim] gekeperd katoen (voor spijkerbroek), spijkerstof; *~ jacket* spijkerjasje; **denims** ['denimz] spijkerbroek, 'jeans'
denominate [di'nɔmineit] (be)noemen; **de,nomi'nation** benoeming; naam, benaming; munteenheid; kerkgenootschap, sekte; **de,nomi'national** [-l] confessioneel (*education* onderwijs); **de'nominator** [-eitə] noemer; (*fig*) standaard
denotation [di:nəu'teiʃən] aanduiding, betekenis; **denote** [di'nəut] aanduiden, aanwijzen, duiden op
denounce [di'nauns] aanklagen; uitmaken (voor), aan de kaak stellen; openlijk veroordelen
dense [dens] *a)* dicht; *b)* dom, traag van begrip, onbevattelijk; **density** ['densiti] dichtheid
dent I *zn* indruk, deuk, moet; *make a ~ in* een begin maken met; II *ww* (in)deuken; **dental** ['dentl] tand...; *~ surgeon* tandarts; **dentist** ['dentist] tandarts; **dentures** ['dentʃəz] (kunst-)gebit
denude [di'nju:d] ontbloten; beroven

denunciation [di'nʌnsieiʃən] openlijke veroordeling of aanklacht
deny [di'nai] ontkennen, (ver)loochenen; weigeren, ontzeggen, onthouden; ~ *o.s.* zich (allerlei) ontzeggen (~ *o.s. every luxury*)
depart [di'pɑ:t] vertrekken, heengaan; afwijken
department [di'pɑ:tmənt] afdeling, werkkring, departement; (*univ*) afdeling, sectie, vakgroep; ~ *store(s)* warenhuis; *State* ~, (*Am*) Ministerie van Buitenlandse Zaken; **departmental** [di:pɑ:t'mentl] departements..., afdelings...
departure [di'pɑ:tʃə] vertrek; afwijking; ook: start (*a fresh* ~ een nieuwe start)
depend [di'pend] afhangen; afhankelijk zijn [*(up)on* van]; vertrouwen, zich verlaten [*(up)on* op]; hangende zijn (*van proces, enz.*); *that* ~*s, it all* ~*s* hangt er (maar) van af; ~ *on it* wees daar zeker van; **dependable** [-əbl] betrouwbaar, vertrouwd; **dependant** [-ənt] wie van een ander afhangt; *my* ~*s* degenen voor wie ik moet zorgen; **dependence** [-əns] afhankelijkheid (*on* van); vertrouwen (*place* ~ *in*); toevlucht; **dependent** I *bn* afhangend; afhankelijk (*on* van); II *zn dependant*
depict [di'pikt] (af)schilderen, afbeelden
depilatory [di'pilətəri] ontharings...
deplete [di'pli:t] ledigen; dunnen; uitputten
deplorable [di'plɔ:rəbl] betreurenswaardig, jammerlijk; **deplore** [di'plɔ:] betreuren, bewenen
deploy [di'plɔi] (*mil*) inzetten, gebruiken
depopulate [di:'pɔpjuleit] ontvolken; **depopulation** ['di:ˌpɔpju'leiʃən] ontvolking
deport [di'pɔ:t] deporteren; **deportation** [ˌdi:pɔ:'teiʃən] deportatie; **deportee** [ˌdi:pɔ:'ti] gedeporteerde; **de'portment** [-mənt] (*vero*) houding, gedrag, manieren
depose [di'pəuz] *a*) afzetten; *b*) (onder ede) verklaren
deposit [di'pɔzit] I *zn* deposito, storting, pand, waarborgsom, statiegeld; bezinksel, afzetting; aangeslibde grond; neerslag; (erts)laag; *on* ~ in deposito; II *ww* (neer)leggen, plaatsen; (af)zetten, (doen) bezinken, neerslaan; aanslibben; achterlaten; deponeren, storten, in bewaring geven; **deposit account** depositorekening; **deposition** [de-, di:pə'ziʃən] afzetting, verwijdering; (beëdigde) verklaring; bijzetting; deposito, inleg; neerslag, bezinksel; **de'positor** spaarder; **de'pository** [-əri] bewaarplaats, magazijn; (*fig*) schatkamer
depot ['depəu] id. (*ook mil*)
depravation [deprə'veiʃən] bederf, ontaarding, verdorvenheid, verloedering; **deprave** [di'preiv] be-, verderven, doen ontaarden; **depravity** [di'præviti] verdorvenheid, slechtheid
deprecate ['deprikeit] protesteren tegen, ernstig afkeuren; **deprecation** protest; afkeuring
depreciate [di'pri:ʃieit] in waarde of prijs (doen) dalen; ook kleineren, onderschatten;
depreciation [diˌpri:ʃi'eiʃən] depreciatie, devaluatie; (afschrijving wegens) waardevermindering
depre'dation [depri'deiʃən] (*vero*) plundering
depress [di'pres] (neer-, in)drukken, neerlaten, verlagen; deprimeren; drukken, neerslachtig maken; **depressing** deprimerend; **depression** [di'preʃən] indrukking; laagte, lager gelegen plaats; depressie, neerslachtigheid; slapte, malaise
deprivation [depri'veiʃən] beroving; verlies; ontbering, armoede; **deprive** [di'praiv] beroven; afzetten; ~ *a p. of s.t., ook:* iem iets onthouden; ~*d, ook:* misdeeld
Dept. *Department*
depth [depθ] diepte; (*fig*) diep-, scherpzinnigheid; hartje (*in the* ~ *of winter*), holst (*of night*); *in* ~ lang; grondig; **depth charge** dieptebom
deputation [depju(:)'teiʃən] *a*) deputatie; *b*) volmacht; **depute** [di'pju:t] *a*) afvaardigen; *b*) op-, overdragen; **deputize** ['depjutaiz] (voor iem) waarnemen, iem vervangen (~ *for a p.*); (*Am*) afvaardigen; **deputy** ['depjuti] afgevaardigde; gevolmachtigde; plaatsvervanger; (*sp*) invaller; *attr:* plaatsvervangend, vice..., onder..., substituut...
derail [di'reil] doen ontsporen, uit de rails (laten) lopen; **derailment** ontsporing
derange [di'rein(d)ʒ] (ver)storen, in de war brengen; **deranged** niet goed bij zijn hoofd
derelict ['derilikt] I *bn* onbeheerd, verlaten; verwaarloosd, vervallen, haveloos; ~ *areas* noodlijdende streken; II *zn* onbeheerd goed; verlaten schip, wrak; **dereliction** [deri'likʃən] het onbeheerd laten; ~ *of duty* plichtsverzuim
deride [di'raid] bespotten, bespottelijk maken, uitlachen; **derision** [di'riʒən] spot, bespotting, hoon; *hold in* ~ bespotten; **derisive** [di'raisiv] spottend; **derisory** [di'raisəri] *a*) *derisive*; *b*) bespottelijk (*offer*)
derivative [di'rivətiv] I *bn* afgeleid; ontleend; II *zn* afgeleid woord, afleiding; (*chem*) derivaat; **derive** [di'raiv] afleiden (*from* van, uit); ontlenen (*from* aan); afstammen (*from* van, uit)
derogatory [di'rɔgətəri] vernederend, geringschattend
derrick ['derik] *a*) laadboom, kraan, bok; *b*) boortoren
derv [də:v] dieselbrandstof
descale [di:'skeil] kalksteen verwijderen (*bv uit ketel*)
descend [di'send] neerdalen, -vallen, -stromen, naar beneden komen, (af)dalen, afgaan, afzakken (*a river*); uitstappen; zich verlagen (*to* tot, te); afstammen (ook: *be* ~*ed from* van); overerven, overgaan (*to, on* op); binnenvallen, overvallen; **descendant** [-ənt] afstammelin; **descent** [di'sent] (af)daling; helling; landing; overval; val; vernedering; afkomst
describe [dis'kraib] beschrijven; **description**

[dis'kripʃən] *a)* beschrijving; signalement; *b)* klasse, soort; **descriptive** [dis'kriptiv] beschrijvend
desecrate ['desikreit] ontheiligen, ontwijden
desegregate [di:'segrigeit] de rassenscheiding opheffen (in)
desensitize ['di:'sensitaiz] ongevoelig maken
1 desert [di'zə:t] verdienste; verdiende loon (gew. mv: *he got his ~s*)
2 desert ['dezət] I *bn* woest, verlaten; II *zn* woestijn; woestenij; III *ww* [di'zə:t] (kwaadwillig) verlaten, in de steek laten; deserteren (van, uit); afvallig worden
deserter [di'zə:tə] deserteur; afvallige; **desertion** [di'zə:ʃən] verlating; desertie
deserve [di'zə:v] verdienen; **deserving** verdienstelijk
desiccate ['desikeit] (op-, uit)drogen
design [di'zain] I *zn* plan, oogmerk, doel; ontwerp, tekening, dessin; ontwerpkunst, vormgeving (*industrial ~*); opzet, uitvoering; *by ~* met opzet; *school of ~* school voor beeldende kunsten; II *ww* schetsen, ontwerpen, opzetten; bedoelen, voorhebben; aanwijzen, bestemmen; **designate** ['dezignit] I *ww* aanwijzen, benoemen; II *bn* benoemd, maar nog niet in functie (*bishop ~*)
designedly [di'zainidli] opzettelijk
designer [di'zainə] ontwerper; ontwerptekenaar; **designing** [di'zainiŋ] I *zn* het ontwerpen; II *bv* intrigerend, listig
desirability [di,zaiərə'biliti] wenselijk-, begeerlijkheid; **de'sirable** wenselijk, begeerlijk; **de'sirably** *ook:* bij voorkeur; **desire** [di'zaiə] I *zn* verlangen, begeerte, wens; *at your ~* op uw verlangen; *by ~* op verzoek; II *ww* verlangen, begeren, verzoeken; *it is all that can* (*it leaves nothing to*) *be ~d* laat niets te wensen; **desirous** [di'zaiərəs] verlangend, begerig
desist [di'sist, di'zist] ophouden (*from* met, te ...); afzien (*from* van); aflaten (*from* van); *~ from, ook:* nalaten
desk lessenaar; schoolbank; bureau; *pay at the ~* aan de kas; **desk clerk** receptionist(e); **desk-work** administratief werk
desolate I *bn* ['desələt] verlaten, eenzaam, woest, onherbergzaam, triest; troosteloos, desolaat; II *ww* ['desəleit] troosteloos maken; **deso'lation** verlatenheid; woestenij
despair [dis'pɛə] I *zn* wanhoop; *cry of ~* wanhoopskreet; II *ww* wanhopen (*of* aan); **despairing** [-riŋ] wanhopig; **desperate** ['despərət] hopeloos, wanhopig, niets ontziend, tot het uiterste gedreven; verschrikkelijk (*storm*); *she was ~ for a cup of tea* verlangde verschrikkelijk naar ...; **desperation** [despə'reiʃən] (moed der) wanhoop
despicable ['despikəbl] verachtelijk; **despise** [dis'paiz] verachten, versmaden
despite [dis'pait] ondanks
despoil [dis'pɔil] beroven, plunderen
despondent [dispɔndənt] moedeloos, mistroostig
dessert [di'zə:t] id., toetje, nagerecht
destination [desti'neiʃən] (plaats van) bestemming; **destine** ['destin] bestemmen; **destiny** ['destini] bestemming, (nood)lot
destitute ['destitju:t] ontbloot (*of* van); behoeftig; **destitution** [desti'tju:ʃən] gebrek (*of* aan), behoeftigheid, uiterste armoede
destroy [dis'trɔi] vernietigen, vernielen, verwoesten; afbreken; verdelgen, uitroeien, te niet doen; **destroyer** [-ə] *a)* vernietiger, verwoester; *b)* torpedojager; **des'tructible** vernietigbaar; **des'truction** vernietiging, verwoesting; ondergang; **des'tructive** *bn* vernietigend, verwoestend; verderfelijk (*of, to* voor); vernielziek
desultory ['desəltəri] onsamenhangend, vluchtig, ongeregeld, te hooi en te gras
detach [di'tætʃ] scheiden, losmaken, -raken; uitzenden, detacheren; **detachable** [-əbl] afneembaar; **detached** [-t] vrijstaand (*house*); los; objectief (*opinions*); afgetrokken; **detachment** detachement; detachering; objectiviteit; afgetrokkenheid; isolement
detail ['di:teil] I *zn* id., bijzonderheid, kleinigheid, bijzaak, onderdeel; *matter of ~* zaak van ondergeschikt belang; II *ww* (voor speciale diensten) detacheren, aanwijzen; **detailed** [-d] uitvoerig, omstandig (*report*), gedetailleerd
detain [di'tein] op-, vast-, aanhouden; **detainee** [-i:] gedetineerde
detect [di'tekt] ontdekken, bespeuren; **detectable** [-əbl] te ...; **detection** ontdekking, speurwerk; (*telec*) detectie; **detective** I *bn* speurend; rechercheurs...; *~ agency* particulier informatiebureau; *the ~ force* de recherche; II *zn* id., rechercheur, speurder; **detector** [-ə] detector; verklikker (*instrument*)
détente ontspanning (*in pol situatie*)
detention [di'tenʃən] detentie (zie *detain*); oponthoud; schoolblijven
deter [di'tə:] afschrikken, afhouden; **detergent** [di'tə:dʒənt] (af)wasmiddel
deteriorate [di'tiəriəreit] verslechteren, slechter maken (worden), schaden; ontaarden
determination [di,tə:mi'neiʃən] beslissing, bepaling, vaststelling; besluit; vastberadenheid; **determine** [di'tə:min] bepalen, vaststellen; (doen) besluiten, beslissen; *~ (up)on* besluiten tot; **determined(ly)** [-d(li)] vastberaden
deterrence [di'terəns] afschrikking; **deterrent** [di'terənt] afschrikkend (middel)
detest [di'test] verfoeien, verafschuwen; **detestable** [-əbl] afschuw-, verfoeilijk; **detestation** [di:tes'teiʃən] (voorwerp van) afschuw
dethrone [di'θrəun] onttronen
detonate ['detəneit, 'di:-] (doen) ontploffen; **detonation** [detə'neiʃən, di:-] ontploffing; **'detonator** [-ə] *a)* slaghoedje; *b)* (*van granaat of bom*) id.; ontstekingsmechanisme
detour ['di:-, 'deituə, di'tuə] I *zn* bocht, omweg, omleiding; II *ww* omleiden (*traffic*)

detract [di'trækt] afnemen; ~ *from* verminderen, verkleinen, afbreuk doen aan; **detractor** [-ə] criticus, lasteraar
detriment ['detrimənt] schade, nadeel; **detrimental** [detri'mentl] nadelig, schadelijk
deuce [dju:s] **1** twee (*op dobbelsteen & kaart*); (*tennis*) 40 gelijk; **2** (*vero*) duivel, drommel; *the ~!* drommels!
devaluate [di:'væljueit] devalueren, depreciëren (*van geld*); **devaluation** [di:ˌvælju'eiʃən] devaluatie, depreciatie, waardevermindering
devastate ['devəsteit] verwoesten; *devastating, ook:* vernietigend (*criticism*); (*fam*) verschrikkelijk (*row* ruzie); **devastation** [devəs'teiʃən] verwoesting; '**devastator** [-ə] ...er
develop [di'veləp] (zich) ontwikkelen, ontvouwen, uitbreiden; ontginnen; tot ontwikkeling komen (brengen); **developer** [-ə] ontwikkelaar, projectontwikkelaar; (*Belg*) bouwpromotor; **developing country** ontwikkelingsland; **development** ontwikkeling; (op)bouw, bebouwing; verloop; nieuwbouw(wijk); ~ *area* ontwikkelingsgebied; **developmental** [diˌveləp'mentl] ontwikkelings...
deviant ['di:viənt] persoon met afwijkend gedrag; **deviate** ['di:vieit] (doen) afwijken, afdwalen; **deviation** [di:vi'eiʃən] afwijking; deviatie; **deviationist** iemand die op bepaalde punten van de politieke leer (partijlijn) afwijkt, afvallige
device [di'vais] plan, oogmerk; list; methode; instrument; middel; kunstgreep; tekening; wapenbeeld, devies, motto; *he was left to his own ~s* werd aan zijn lot overgelaten
devil ['devl] duivel; *poor ~* arme drommel; *the ~!* (wat) drommels!; '**devilish** duivels, verduiveld; '**devil-may-'care** onverschillig, roekeloos, zorgeloos
devious ['di:viəs] (af)dwalend, afwijkend; slinks; niet rechtuit, onoprecht; ~ *course, way* omweg
devise [di'vaiz] verzinnen, bedenken, beramen
devoid [di'vɔid] ontbloot, verstoken (*of* van)
devolve [di'vɔlv] *a*) overdragen; afwentelen (*on* op); *b*) overgaan, neerkomen (*on* op)
devote [di'vəut] (toe)wijden, overgeven; **devoted** (toe)gewijd; (aan elkaar) gehecht
devotee [ˌdevəu'ti:] aanbidder; enthousiast; verslaafde (*of* aan); dweper, kwezel; **devotion** [di'vəuʃən] toewijding; vroomheid, godsvrucht; godsdienstoefening; gehecht-, verknochtheid; ~ *to duty* plichtsbetrachting; *~s* gebeden, godsdienstplichten; **devotional** [-l] godsdienstig, gewijd; stichtelijk (*books*)
devour [di'vauə] verslinden; (*fig ook*) verteren
devout [di'vaut] vroom, godvruchtig; oprecht, ernstig, hartelijk, vurig (*I hope ~ly ...*)
dew [dju:] dauw; vocht; '**dew-drop** dauwdroppel; '**dewy** [-i] bedauwd, dauwachtig
dexterity [deks'teriti] behendigheid, handigheid; **dext(e)rous** ['dekst(ə)rəs] behendig, handig

diabetes ['daiə'bi:tis] id., suikerziekte
diabolic(al) [daiə'bɔlik(l)] duivels
diadem ['daiədem] diadeem
diagnose ['daiəgnəuz] diagnostiseren, de diagnose opmaken (van), vaststellen; constateren; *I had quickly ~d him* gauw 'geschoten', 'in de gaten'; **diagnosis** [daiəg'nəusis] diagnose; **diagnostic** [daiəg'nɔstik] I *bn* de diagnose betreffende; II *zn* symptoom; *~s* diagnostiek
diagonal [dai'ægənl] *bn* & *zn* diagonaal
diagram ['daiəgræm] id., figuur, tekening; **diagrammatic** [daiəgrə'mætik] schematisch
dial ['daiəl] I *zn: a*) zonnewijzer; *b*) wijzerplaat; *c*) kiesschijf (*van telefoon, enz.*); II *ww: a*) meten; aanwijzen; *b*) (*telefoon*) kiezen (*number*), draaien
dialect ['daiəlekt] dialekt
dialling ['daiəliŋ]: ~ *code*, (*telefoon*) netnummer; ~ *tone*, (*telefoon*) kiestoon
dialogue ['daiəlɔg] dialoog, samenspraak
diameter [dai'æmətə] diameter
diamond ['daiəmənd] I *zn: a*) diamant; *b*) ruit; *c*) (*Am*) honkbalveld; *knave of ~s* ruitenboer; II *bn: a*) diamanten; *b*) ruitvormig; '**diamond-cutting** diamantslijpen
diaper ['daiəpə] luier
diaphanous [dai'æfənəs] doorzichtig
diaphragm ['daiəfræm] *a*) middenrif; *b*) tussenschot; *c*) diafragma (*van camera e.d.*)
diarist ['daiərist] dagboekschrijver
diarrhoea [daiə'riə] diarree
diary ['daiəri] dagboek; (zak)agenda
dice [dais] I *zn* dobbelste(e)n(en) (ev soms *die*); dobbelspel; II *ww: a*) dobbelen (*for* om); *b*) tot dobbelstenen snijden (*~d carrots*)
dicey ['daisi] (*sl*) riskant, gevaarlijk
dick(e)y ['diki] I *zn* voorhemdje; schort, slabbetje; II *bn* (*sl*) wankel; zwak (*heart*); onsolide; onzeker
dictate I *zn* ['dikteit] voorschrift, inspraak; II *ww* [dik'teit] dicteren; vóórzeggen; (*fig*) voorschrijven, ingeven; **dictation** [dik'teiʃən] het dicteren; dictee, dictaat; voorschrift
dictator [dik'teitə] id.; **dictatorial** [diktə'tɔ:riəl] gebiedend, dictatoriaal; **dictatorship** dictatuur
diction ['dikʃən] wijze van zeggen, voordracht, dictie; **dictionary** ['dikʃən(ə)ri] woordenboek; **dictum** ['diktəm] uitspraak, gezegde
didactic, didactical [di-, dai'dæktik(l)] didactisch, lerend; **didactics** didactiek
diddle ['didl] (*fam*) bedotten, afzetten
1 die [dai] *a*) (*vero*) dobbelsteen, teerling (*mv dice*); *b*) (munt)stempel (*mv dies*)
2 die [dai] sterven, doodgaan; uit-, be-, wegsterven; uit-, overgaan, bedaren; ~ ***away*** wegsterven, wegkwijnen; gaan liggen (*van wind*), uitgaan (*van vuur*); ~ ***back*** (*van planten*) tot de grond afsterven; ~ ***down*** uit-, af-, wegsterven; uitgaan; bedaren, luwen; ~ ***for*** sterven voor; sterven van; smachten naar (*dying for a*

die

drink); ~ ***hard*** een taai leven hebben; ~ ***of*** *a disease* sterven aan; ~ ***out*** uitsterven, wegsterven; ~ ***with*** *hunger* sterven van; *I am dying* ***to*** *see you* brand van verlangen ...
diehard ['daiha:d] wie tot het einde volhoudt; (*ongev*) reactionair
diet ['daiət] I *zn* dieet; voedsel; II *ww* dieet houden; **dietician** ['daiətiʃən] diëtist(e)
differ ['difə] verschillen; het niet eens zijn (*with, from* met); **difference** ['dif(ə)rəns] verschil, onderscheid; kenmerk; geschil(punt); *split the* ~ het verschil delen; **different** verschillend (*from, to* van), anders (*from, to* dan), ander (*from, than* dan); **diffe'rential** [-ʃəl] I *bn* differentieel (*duties* rechten); kenmerkend; II *zn* -tiaal, -tieel; ~*s* verschillen in loon; **diffe'rentiate** [-ʃieit] (zich) onderscheiden, onderscheid maken (tussen); (zich) verschillend vormen (ontwikkelen), differentiëren; **differentiation** [ˌdifərenʃi'eiʃən] onderscheid, differentiatie, verscheidenheid
difficult ['difikəlt] moeilijk, lastig; **difficulty** [-i] moeilijkheid, bezwaar
diffidence ['difidəns] schroom, bedeesdheid; **diffident** ['difidənt] beschroomd, bedeesd
diffuse I *bn* [di'fju:s] diffuus, verspreid, verstrooid; wijdlopig, omslachtig; II *ww* [di'fju:z] (zich) ver-, uitspreiden, uitzenden, uitgieten; ~*d light* diffuus licht
dig I *ww* (op-, uit)graven; rooien (*potatoes*); doordringen (*into* in); duwen (*one's spurs into a horse*); (*sl*) vatten, appreciëren; ~ *at* bespotten, beschimpen; ~ ***in*** (zich) ingraven; onderwerken (*dung*); (zich) inwerken; toetasten; ~ ***out*** *a*) uitgraven; *b*) voor de dag halen; ~ ***up*** op-, open-, omgraven; rooien; opbreken (*a road*); opscharrelen, opsnorren (*a letter*); oprakelen (*the past*); II *zn* om te spitten stuk grond; (*fam*) stoot, por, steek; opgraving; ~*s*, (*sl*) kamer(s)
digest I *zn* ['daidʒest] samenvatting, overzicht; II *ww* [di-, dai'dʒest] verteren, verkroppen; verwerken; overdenken; in zich opnemen; **digestion** [di-, dai'dʒestʃən] (spijs)vertering; **digestive** [di-, dai'dʒestiv] verterings...; de vertering bevorderend (middel)
digit ['didʒit] vinger, teen; geheel getal onder 10; cijfer; **digital** [-l] vinger..., vingervormig; digitaal (*computer en elektr*)
dignified ['dignifaid] waardig, deftig; **dignify** ['dignifai] vereren; (op)sieren; onderscheiden, opluisteren, verheerlijken; **dignitary** ['dignitəri] hoge (kerkelijke) functionaris, hoogwaardigheidsbekleder; **dignity** ['digniti] waardigheid, deftigheid
digress [dai'gres] afdwalen, uitweiden (*on* over); **digression** [-ʃən] uitweiding
dike [daik] I *zn: a*) sloot; dijk, dam; *b*) (*sl*) lesbische; II *ww* indijken; met sloot enz. omgeven
dilapidated [di'læpideitid] vervallen, bouwvallig, ontredderd, uitgewoond
dilate [dai-, di'leit] (zich) uitzetten, verwijden; uitweiden (*on* over); ~*d eyes* opengesperde ogen
dilemma [di'lemə] id.
diligence ['dilidʒəns] ijver, vlijt; **diligent** ['dilidʒənt] ijverig, vlijtig
dilly-dally ['dilidæli] (*fam*) treuzelen, beuzelen
dilute [dai-, di'l(j)u:t] I *ww* aanlengen, verdunnen, verwateren; II *bn* [*ook:* 'dailju:t] verwaterd; flauw, zwak; **di'luter** [-ə] verdunner; **dilution** [dai-, di'l(j)u:ʃən] verwatering; verdunde oplossing
dim I *bn* donker, dof, mat; flauw, vaag, schemerig; (*fam*) niet erg snugger; zwak (*sight*); *get* ~, (*van spiegel, enz.*) beslaan; II *ww* dof, enz. maken (worden), verflauwen, verduisteren, van de glans beroven, (gedeeltelijk) doven, 'dimmen' (*the lights*); (doen) beslaan (ruiten)
dime [daim] Amerikaans 10-centsstuk
dimension [di-, dai'menʃən] afmeting, dimensie
diminish [di'miniʃ] verminderen, verkleinen, afvallen, afnemen; zijn waarde verliezen; **diminutive** [di'minjutiv] verkleinend, verkleinings...; klein; miniatuur...; minuscuul
dimple ['dimpl] kuiltje (in kin of wang)
din I *zn* lawaai, geraas, gerammel, gekletter; II *ww* ~ *into* inpompen (van leerwerk)
dine [dain] *a*) dineren, eten; *b*) een middagmaal verschaffen; op een diner onthalen; ~ *out: a*) buitenshuis eten; *b*) uit eten gaan; **diner** [-ə] *a*) eter; *b*) (*Am*) restauratiewagen; *c*) (*Am*) goedkoop restaurant; **dinette** [dai'net] eethoek
'ding-'dong I *zn* bim-bam, gebeier; II *ww* beieren, luiden
dinghy ['diŋ(g)i] jol; (rubber)bootje
dingy ['din(d)ʒi] vuil(achtig), goor, groezelig
dining-room ['dainiŋru(:)m] eetkamer, -zaal; **dining set** eethoek
dinky ['diŋki] (*fam*) snoeperig; klein
dinner ['dinnə] I *zn* middagmaal, eten, diner; II *ww* (*fam*) dineren; te dineren hebben; **'dinner-bell** etensbel; **'dinner-jacket** smoking(jasje); **'dinner-party** diner; **'dinner-service, dinner-set** eetservies
dint: *by* ~ *of hard work* door hard werken
dip I *ww* (in)dopen, (in)dompelen, verven; even neerlaten; tasten; naar beneden (doen) gaan, dalen, duiken, hellen; dimmen (*one's lights*); ~ *into*, (*fig*) vluchtig inzien; II *zn* duik; dipsaus; dompelbad; helling; inzinking (van terrein)
diploma [di'pləumə] *a*) oorkonde; *b*) diploma; **diplomacy** [-si] diplomatie; **diplomat** ['dipləmæt] diplomaat; **diplomatic** [diplə'mætik] diplomatiek, diplomatisch; ~ *immunity* diplomatieke onschendbaarheid
dipper pollepel, schep
dipsomania [dipsəu'meiniə] drankzucht
dipstick ['dipstik] peilstok

dire ['daiə] ijselijk, verschrikkelijk, akelig
direct [di-, dai'rekt] I *ww* richten; adresseren; (ge)leiden, (be)sturen; de weg wijzen (*~ a p. to the station*); dirigeren; (*film*) regisseren; last geven, voorschrijven; instrueren, aanwijzingen geven; II *bn* direct, recht(streeks), onmiddellijk; op de man af, recht op het doel afgaand; openhartig; *~ action* directe actie: propaganda van de daad (door stakingen, enz.); *~ current* gelijkstroom; *~ evidence* rechtstreeks bewijs; *~ hit* voltreffer; III *bw* rechtstreeks; **direction** [di-, dai'rekʃən] besturing; richting; bestuur, directie; (*film*) regie; *~s* aanwijzingen, instructie, opdracht, voorschrift; **directional** *wireless* gerichte draadloze telegrafie; **directive** [-iv] leidend; *~s* richtlijnen; **directly** I *bw* direct, recht(streeks); dadelijk, ogenblikkelijk; II *vw* (*fam*) zodra; **director** [di-, dai'rektə] directeur; (*film*) regisseur; bestuurder, leider, raadsman; commissaris (*van maatschappij*); **directorate** [-rit] commissariaat, raad van commissarissen; **directory** [-ri] leidraad; adresboek; *telephone ~* telefoonboek
dirge ['də:dʒ] klaaglied, treurmuziek
dirt [də:t] vuil(nis), slijk, vuiligheid (*ook fig*), grond, aarde; *eat ~* beledigingen slikken; *fling* (*throw*) *~* met vuil gooien; *treat a p. like ~,* als oud vuil behandelen; **'dirt-'cheap** spotgoedkoop; **'dirt-'farmer** (*Am*) boer die zelf werkt; **dirt-road** onverharde weg; **'dirt-track** sintelbaan; **dirty** [-i] I *bn* vuil, smerig, gemeen; oneerlijk verdiend; II *ww* bevuilen; vuil worden
disability [disə'biliti] onbekwaamheid, onvermogen; diskwalificatie; 'handicap'; invaliditeit; *~ insurance* arbeidsongeschiktheidsverzekering; **disable** [dis'eibl, di'zeibl] onbekwaam (onbevoegd, onbruikbaar, onklaar) maken; buiten gevecht stellen; diskwalificeren; **disabled** [-d] *ook:* invalide, ontredderd
disabuse [disə'bju:z] uit de dwaling (de droom) helpen
disadvantage [disəd'vɑ:ntidʒ] nadeel; ongunstige omstandigheid; *sell to ~* met verlies verkopen; *show to ~* op zijn nadeligst uitkomen; **disadvantageous** [ˌdisædvɑ:n'teidʒəs] nadelig
disaffect [disə'fekt] vervreemden; ontrouw maken; **disaffected** ontevreden, misnoegd; afvallig, ontrouw; **disaffection** [disə'fekʃən] ontevredenheid, misnoegdheid; afvalligheid, ontrouw
disagree [disə'gri:] verschillen, het oneens zijn; niet passen (*with* bij); *~ with a proposal* het niet eens zijn met voorstel, een voorstel verwerpen; *wine ~s with me* ik kan niet tegen wijn; **disagreeable** [disə'griəbl] onaangenaam; **disagreement** (menings)verschil, gebrek aan overeenstemming, afwijking, onenigheid
disallow [(')disə'lau] niet toestaan, weigeren, verwerpen; (*sp*) afkeuren (*a goal*)
disappear [disə'piə] verdwijnen; **disappearance** [-rəns] verdwijning
disappoint [disə'pɔint] teleurstellen; verijdelen; *I am ~ed in you* je valt mij tegen; *be ~ing* tegenvallen; **disappointment** teleurstelling
disapproval [disə'pru:vəl] afkeuring; **disapprove** [(')disə'pru:v]: *~* (*of*) afkeuren
disarm [dis'ɑ:m, di'zɑ:m] ontwapenen; ontmantelen; onttakelen; (ook) neutraliseren; **disarmament** [dis'ɑ:məmənt, di'z-] ontwapening
disarrange [disə'rein(d)ʒ] in de war brengen
disarray ['disə'rei] verwarring, wanorde
disaster [di'zɑ:stə] ramp, onheil; **disastrous** [di'zɑ:strəs] rampspoedig, noodlottig
disavow [(')disə'vau] ontkennen, loochenen, verwerpen; **disavowal** [-əl] verwerping, loochening
disband [dis'bænd] *a*) ontbinden, afdanken (*troops*); *b*) zich ontbinden, ontbonden worden
disbelief ['disbi(')li:f] ongeloof; **disbelieve** [(')disbi'li:v] niet geloven
disburse [dis'bə:s] (uit)betalen, (uit)geven
disc [disk] schijf, discus, (grammofoon)plaat; *slipped ~* hernia
discard [dis'kɑ:d] opzij zetten (leggen, schuiven), verwerpen; uittrekken, afdanken
disc-brake schijfrem
discern [di'sə:n, di'zə:n] onderscheiden, bespeuren, waarnemen; **discerning** scherpzinnig; **discernment** [-mənt] onderscheiding(svermogen), in-, doorzicht
discharge [dis'tʃɑ:dʒ] I *ww* ontladen, afschieten, lossen; ontheffen, dechargeren, kwijtschelden; uitstoten, uitlaten, (zich) ontlasten; betalen, afdoen; (zich) kwijten (van), vervullen; etteren, dragen (*van zweer*); (*jur*) vernietigen; II *zn* (ook ['distʃɑ:dʒ]) kwijtschelding; ontslag; rehabilitatie; decharge; losbranding, schot; afvoer; lozing, uitgestorte hoeveelheid; etter(ing); (uit)mond(ing); bewijs van ontheffing, kwitantie; *obtain a full ~* volkomen gerehabiliteerd worden
disciple [di'saipl] discipel, leerling, volgeling; **disciplinary** ['disiplinəri] disciplinair, tucht...; **discipline** ['disiplin] I *zn* id., orde, tucht; tuchtiging, kastijding(smiddel), gesel; tak van wetenschap; II *ww* disciplineren, tuchtigen, kastijden
disclaim [dis'kleim] ontkennen, verwerpen; **disclaimer** [-ə] ontkenning, verwerping; afstand
disclose [dis'kləuz] onthullen, laten zien, aan de dag brengen, openbaren, blootleggen; **disclosure** [dis'kləuʒə] onthulling, openbaring
discolour [dis'kʌlə] (doen) verkleuren, verbleken; **discolourment** [-mənt] verkleuring
discomfiture [dis'kʌmfətʃə] (*lit*) ontsteltenis, verlegenheid; **discomfort** [dis'kʌmfət] I *zn* ongemak; onbehagen; II *ww* onbehaaglijk maken, hinderen
disconcert [diskən'sə:t] doen ontstellen, van de wijs brengen; *~ed* ontsteld

disconnect [(')diskə'nekt] afsnijden; los-, afkoppelen, uitschakelen; afzetten
disconsolate [dis'kɔnsəlit] troosteloos
discontent [(')diskən'tent] I *zn* ontevredenheid; II *bn* ontevreden; **discontented** ontevreden; **discontentment** ontevredenheid
discontinue ['diskən'tinju(:)] afbreken, ophouden met, staken, opheffen (*a business*), opzeggen (*a paper*)
discord ['diskɔ:d] tweedracht, disharmonie, gebrek aan overeenstemming, onenigheid; wanklank; dissonant; **discordance** [dis'kɔ:dəns] gebrek aan overeenstemming, disharmonie; wangeluid; **discordant** [dis'kɔ:dənt] niet overeenstemmend, tegenstrijdig; disharmonisch, wanklinkend
discotheque ['diskətek] discobar, discotheek
discount I *zn* ['diskaunt] korting; disconto; disagio; *at a ~*: *a*) met korting; *b*) niet in trek (aanzien); II *ww* [dis'kaunt] buiten beschouwing laten; verminderen; **discount-bank** ['diskaunt-] discontobank; **discount card** kortingkaart; **discount store (shop)** winkel met lage prijzen
discourage [dis'kʌridʒ] ontmoedigen, afschrikken; ont-, afraden; tegengaan; **discouragement** [-mənt] ontmoediging; moedeloosheid
discourse I *zn* [dis'kɔ:s, 'diskɔ:s] verhandeling, toespraak, redevoering, preek; II *ww* [dis'kɔ:s] spreken (*of, upon* over), een redevoering (verhandeling) houden
discourteous [dis'kə:-, dis'kɔ:tiəs] onbeleefd
discover [dis'kʌvə] ontdekken, onderscheiden, openbaren, aan de dag leggen; **discoverer** [-rə] ontdekker (*ook*) uitvinder; **discovery** [-ri] ontdekking
discredit [dis'kredit] I *zn* diskrediet, oneer, schande; II *ww: a*) niet geloven (in); *b*) in diskrediet brengen; tot schande strekken
discreet [dis'kri:t] verstandig, oordeelkundig, tactvol, voor-, omzichtig; discreet, bescheiden; stemmig
discrepancy [dis'krepənsi] gebrek aan overeenstemming; wanverhouding, verschil
discretion [dis'kreʃən] goedvinden, vrijheid (van handelen); verstand; tact, (wijs) beleid; voorzichtigheid; geheimhouding
discriminate [dis'krimineit] onderscheiden, onderscheid maken (*against* ten nadele van); **discriminating** onderscheid makend; scherpzinnig; **discrimination** [dis,krimi'neiʃən] onderscheiding(svermogen); onderscheid; discriminatie
discuss [dis'kʌs] bespreken, (be)discussiëren; **discussion** [dis'kʌʃən] bespreking; discussie; *be down for ~* op de agenda staan
disdain [dis-, diz'dein] I *ww* versmaden, verachten; beneden zich achten; II *zn* verachting; **disdainful** [-f(u)l] verachtend, verachtelijk (*look*)
disease [di'zi:z] ziekte, kwaal; **disease-prone** [-prəun] vatbaar voor ziekten
disembark [(')disim'bɑ:k] (zich) ontschepen; **disembarkation** [,disembɑ:'keiʃən] ontscheping
disenchanted [(')disin'tʃɑ:nt] ontgoocheld; **disenchantment** [-mənt] ontgoocheling
disengage [(')disin'geidʒ] (zich) vrij-, losmaken; bevrijden; *~d* vrij (*I shall be ~d to-morrow*); los; onbezet
disentangle [(')disin'tæŋgl] (zich) ontwarren, bevrijden, losmaken
disfavour [(')dis'feivə] tegenzin, afkeuring; ongunst, ongenade; *look with ~ on, ook:* ongaarne zien
disfigure [dis'figə] misvormen, bederven, ontsieren; **disfigurement** [-mənt] misvorming, ontsiering; wanstaltigheid
disgorge [dis'gɔ:dʒ] uitbraken; (zich) ontlasten (uitstorten); (het gestolene) teruggeven
disgrace [dis-, diz'greis] I *zn* ongenade; schande (*be a ~ to …* voor); II *ww* te schande maken; ontsieren, onteren; *~ o.s.* zich schandelijk gedragen; **disgraceful** [-f(u)l] schandelijk
disgruntled [dis'grʌntld] ontevreden
disguise [dis'gaiz] I *ww* vermommen; verbergen, maskeren, verbloemen; II *zn* vermomming; dekmantel, mom
disgust [dis'gʌst] I *zn* walging, afkeer; II *ww* doen walgen; *be ~ed at* walgen van; **disgusting** walglijk, stuitend; (*fam*) afschuwelijk, 'misselijk'
dish [diʃ] I *zn* schotel, schaal, gerecht; *~ (aerial)* schotelantenne; II *ww* (*fam*) naar de maan helpen; ruïneren, totaal bederven; *~ out* uitdelen, opdienen; *~ up* opdienen
dishearten [dis'hɑ:tn] ontmoedigen
dishevel [di'ʃev(ə)l] in de war brengen; losmaken (*the hair*); *~led* met verwarde haren (kleren); verward; slordig
dishonest [dis'ɔnist] oneerlijk, onoprecht; **dishonesty** [-i] oneerlijkheid
dishonour [dis'ɔnə] I *zn* oneer, schande; II *ww* onteren, te schande maken; **dishonourable** [-rəbl] oneervol; eerloos
dishwasher afwasmachine; **dishwater** afwaswater
dishy (*fam*) knap, appetijtelijk
disillusion [disi'l(j)u:ʒən] I *zn* ontgoocheling; II *ww* ontgoochelen, de illusie benemen
disinclination [,disinkli'neiʃən] tegenzin; **disincline** [(')disin'klain] afkerig maken (*for, to* van); **disinclined** ongenegen, afkerig
disinfect [disin'fekt] ontsmetten; **disinfectant** [-ənt] I *bn* ontsmettend; II *zn* ontsmettingsmiddel
disintegrate [dis'intigreit] (zich) ontbinden; uit elkaar (doen) vallen (springen), losmaken; **disintegration** [dis,inti'greiʃən] ontbinding, desintegratie
disinterested [dis'intristid] belangeloos, onbaatzuchtig
disk [disk] (*computer*) idem
dislike [dis'laik] I *ww* niet houden van, een he-

kel hebben aan; II *zn* afkeer (*for, of* van), tegenzin; *take a ~ to* een hekel krijgen aan
dislodge [dis'lɔdʒ] verdrijven (uit stelling, enz.); (zich) verwijderen; losmaken
dismal ['dizməl] akelig, triest, naargeestig, somber, treurig, ijselijk
dismantle [dis'mæntl] ontmantelen, onttakelen, ontwapenen, demonteren
dismay [dis'mei] I *zn* ontzetting, verslagenheid; II *ww* met schrik vervullen; ontzetten, onthutsen, geheel ontmoedigen
dismember [dis'membə] aan stukken snijden (scheuren); verdelen, versnipperen
dismiss [dis'mis] wegzenden; ontslaan, afzetten, afdanken; afschepen; (*jur*) afwijzen; laten gaan (*a class*); van zich afzetten (*an idea*); (laten) inrukken; *~!* (*mil*) ingerukt!; *the case was ~ed* niet ontvankelijk verklaard; **dis'missal** [-əl] ontslag; afwijzing
dismount [(')dis'maunt] (doen) afstijgen, uitstappen; afwerpen, uit het zadel lichten; demonteren
disobedience [disə'bi:djəns] ongehoorzaamheid; **disobedient** ongehoorzaam; **disobey** [(')disə'bei] niet gehoorzamen, ongehoorzaam zijn (aan)
disorder [dis'ɔ:də] wanorde, verwarring; ongeregeldheid; ongesteldheid, kwaal; **disorderly** wanordelijk, bandeloos, ongeregeld, oproerig; de openbare orde verstorend; aanstootgevend
disown [dis'əun] verloochenen, niet erkennen
disparage [dis'pæridʒ] in diskrediet brengen; verkleinen, kleineren, afgeven op; **disparagement** [-mənt] het ...
disparity [dis'pæriti] verschil, ongelijkheid
dispassionate [dis'pæʃənit] kalm, koel(bloedig), onbewogen, bezadigd, onpartijdig
dispatch [dis'pætʃ] af-, verzenden; (*vero*) afmaken, naar de andere wereld helpen; vlug afdoen; snel naar binnen werken, verorberen; **dispatch-rider** motor-ordonnans, koerier
dispel [dis'pel] verdrijven, verstrooien
dispensary [dis'pensəri] apotheek; **dispensation** [dispen'seiʃən] uitdeling, toediening; dispensatie; politiek of religieus systeem; **dis'pense** uitdelen, toedienen; (medicijnen) klaarmaken; dispensatie verlenen, ontheffen (*from* van); *~ with* het stellen zonder; ontheffing (verlichting) geven van, te niet doen; overbodig maken; **dis'penser** [-ə] (doserend) buisje, doosje, enz. (*voor tabletten, scheermesjes, enz.*), automaat (*soft-drink ~*); **dispensing-chemist** [-kemist] apotheker
dispersal [dis'pə:sl] verspreiding, verstrooiing; **dis'perse** (zich) verstrooien, verspreiden, uiteenjagen; uiteengaan; **dis'persion** verspreiding, verstrooiing
dispirited [dis'pirited] ontmoedigd
displace [dis'pleis] verplaatsen; afzetten; vervangen, verdringen; *~d persons* ontheemden
display [dis'plei] I *ww* ten toon spreiden, uitstallen, ontplooien; aan de dag leggen; II *zn* uitstalling; ontplooiing verto(o)n(ing); tentoonstelling, 'collectie'; demonstratie(vlucht = *air ~*)
displease [dis'pli:z] onaangenaam zijn, mishagen; **displeased** ontstemd (*at* over); **displeasing** [dis'pli:ziŋ] onaangenaam; **displeasure** [dis'pleʒə] I *zn* misnoegen, ontstemming; II *ww* ergeren, mishagen
disposable [dis'pəuzəbl] beschikbaar; weggooi..., wegwerp... (*~ lighter* wegwerpaansteker); **disposal** [dis'pəuzl] (be)schikking; *at your ~* tot uw beschikking; **dispose** [dis'pəuz] (rang)schikken, plaatsen; regelen; *~ of* afrekenen met, zich ontdoen van
disposition [dispə'ziʃən] neiging; aard
dispossess [(')dispə'zes] uit het bezit stoten, verdrijven, beroven, onterven; onteigenen; (*Am*) uit het huis zetten; *~ed, ook:* misdeeld
disproportion [(')disprə'pɔ:ʃən] wanverhouding; **disproportionate** [-it] onevenredig
disprove [dis'pru:v] weerleggen
dispute [dis'pju:t] I *ww* (be)twisten, redetwisten, disputeren (*on* over); bespreken; bestrijden; II *zn* dispuut, (woorden)twist, geschil
disqualify [dis'kwɔlifai] diskwalificeren, onbevoegd verklaren, ongeschikt maken, uitsluiten
disquiet [dis'kwaiət] I *zn* onrust, ongerustheid; II *bn* onrustig; III *ww* verontrusten
disregard [disri'gɑ:d] I *ww* in de wind slaan, geringschatten, negéren; II *zn* geringschatting, onverschilligheid
disrepair [(')disri'pεə] verval, bouwvalligheid
disreputable [dis'repjutəbl] berucht, schandelijk, ongunstig (uitziend); **disrepute** [(')disri'pju:t] slechte naam, oneer, schande; *bring into ~* in diskrediet brengen
disrupt [dis'rʌpt] ontwrichten
dissatisfy [dis'sætisfai] niet voldoen, mishagen, teleurstellen
dissect [di'sekt] ontleden, uit elkaar nemen; **dissecting-room** [-ru(:)m] ontleedkamer
dissemble [di'sembl] *a*) verbergen; *b*) veinzen, huichelen; **dissembler** [-ə] huichelaar, veinzer
disseminate [di'semineit] verspreiden, uitstrooien; **dissemination** [di,semi'neiʃən] verspreiding
dissension [di'senʃən] tweedracht, onenigheid; **dissent** [di'sent] I *ww* verschillen (in gevoelen, godsdienstige overtuiging), afwijken (zich afscheiden) van de Staatskerk; *~ing views* afwijkende meningen; II *zn* verschil van gevoelen of mening; afscheiding; **dissenter** [-ə] nonconformist
dissertation [disə(:)'teiʃən] verhandeling, betoog, dissertatie
dissident ['disidənt] verschillend, onenig, andersdenkend(e), afgescheiden(e)
dissimilar [di'similə] ongelijk
dissimulate [di'simjuleit] *a*) ontveinzen, verbergen; *b*) veinzen, huichelen

dissipate ['disipeit] verstrooien, verdrijven; vernietigen; verdwijnen; verkwisten, verspillen; zich aan uitspattingen overgeven; **dissipated** *ook:* losbandig, verlopen; **dissipation** [disi'peiʃən] verdrijving; verkwisting; losbandigheid
dissociate [di'səuʃieit] (af)scheiden; ~ *o.s. from, ook:* zich losmaken van (niet inlaten met), verklaren niet mee te gaan met (*a statement*)
dissolute ['disəl(j)u:t] losbandig, liederlijk
dissolve [di'zɔlv] (zich) ontbinden, (zich) oplossen; wegsmelten (*in, into tears*)
dissonance ['disənəns] wanklank; onenigheid
dissuade [di'sweid] af-, ontraden; afbrengen (*from* van)
distance ['distəns] afstand, tussenruimte; verte (*in the* ~); *at a* ~ op een afstand; ~ *education* afstandsonderwijs; **distant** ['distənt] ver, verwijderd; koel, op een afstand; ~ *likeness* zwakke gelijkenis; **distantly** [-li] zwak, vaag; afwezig (*smile* ~ afwezig glimlachen); koel, kil (*behave* ~ zich koeltjes gedragen)
distaste [(')dis'teist] afkeer, antipathie, tegenzin; **distasteful** [-f(u)l] onaangenaam, tegenzin opwekkend; onsmakelijk (*lett*)
distemper [dis'tempə] I *zn* 1 muurverf; 2 hondeziekte; II *ww* met muurverf schilderen; 'sauzen'
distend [dis'tend] (doen) uitzetten, (op)zwellen
distil [dis'til] (doen) afdruppelen, sijpelen; doen doordringen; distilleren; gedistilleerd worden; zuiveren; **distillation** [disti'leiʃən] distillatie
distinct [dis'tiŋ(k)t] onderscheiden, verschillend; apart, gescheiden; duidelijk, helder; bepaald, beslist; *absolute as* ~ *from relative knowledge* tegenover; **distinction** [dis'tiŋ(k)ʃən] onderscheid(ing); aanzien, rang, gedistingeerdheid, distinctie, voornaamheid; **distinctive** [-iv] I *bn* onderscheidend, kenmerkend; II *zn* kenteken
distinguish [dis'tiŋgwiʃ] onderscheiden; onderscheid maken; *be ~ed by* (*for*) zich onderscheiden door; **distinguishable** [-əbl] te onderscheiden; **distinguished** [-t] onderscheiden, voornaam, voortreffelijk, eminent; gedistingeerd; ~ *writer* schrijver van naam
distort [dis'tɔ:t] verdraaien, vervormen, verwringen; *~ing mirror* lachspiegel; **distortion** [dis'tɔ:ʃən] vervorming, verdraaiing
distract [dis'trækt] afleiden; verwarren, in beroering brengen, verbijsteren, krankzinnig maken; **distracted** verward, verbijsterd, radeloos, dol, (als) krankzinnig; **distraction** [dis'trækʃən] afleiding; verstrooiing, ontspanning; verwarring; beroering; krankzinnigheid
distraught [dis'trɔ:t] inwendig verscheurd
distress [dis'tres] I *zn* droefheid, smart, pijn; angst, zorg, benardheid, ellende, nood (*ship in* ~); uitputting; tegenspoed; II *ww* benauwen, beangstigen, bedroeven, kwellen, verdriet doen, uitputten; **distressed** [-t] diep bedroefd, overstuur, bekommerd, beangst, benauwd; noodlijdend (*areas*); **distressing** [-iŋ] beangstigend; kommervol; rampspoedig, jammerlijk; **distress-signal** noodsein
distribute [di'stribjut] uit-, rond-, verdelen; verspreiden; distribueren; **distribution** [distri'bju:ʃən] uit-, rond-, verdeling; distributie; verspreidingsgebied; uitkering, dividend; **di'stributor** [-ə] wederverkoper; stroomverdeler (*auto*)
district ['distrikt] id., wijk, afdeling, streek, gebied; '**district 'nurse** wijkverpleegster
distrust [dis'trʌst] wantrouwen; **distrustful** [-f(u)l] wantrouwend
disturb (ver)storen, verontrusten, in beroering (van streek, in de war) brengen; **disturbance** (ver)storing, rustverstoring, verwarring; ~ *of the peace* verstoring van de openbare orde
disuse I *zn* [dis'ju:s] onbruik; *fall into* ~ in onbruik geraken; II *ww* [dis'ju:z] niet meer gebruiken of beoefenen; **disused** *ook:* oud
ditch [ditʃ] I *zn* sloot, greppel; II *ww* (*fig*) bederven; van de hand doen; in de steek laten; ~ *a plane* ... op zee (doen) landen
dither ['diðə] I *ww* beven, trillen; treuzelen; eromheen draaien; II *zn* verwarring
ditto ['ditəu] dito, (de)zelfde, soortgelijk(e)
ditty ['diti] (*vero*) liedje, deuntje
diurnal [dai'ə:nl] dagelijks, dag...
dive [daiv] I *ww* duiken; tasten (*into one's pocket*), dóórdringen (*into* in); zich verdiepen; II *zn* greep; duik; (*sl*) (drank-, dans-, dieven)hol (-tent), bordeel; *make a* ~ *for* duiken (grijpen) naar; **diver** duiker
diverge [dai-, di'və:dʒ] uiteenlopen; (doen) afwijken, (doen) divergeren; **divergency** [-ənsi] afwijking; verschil; **divergent** [-ənt] afwijkend, verschillend, uiteenlopend
diverse [dai'və:s, 'daivə:s] divers(e), onderscheiden, verschillend; **diversify** [dai'və:sifai] veranderen, wijzigen, verschillend maken, variëren, afwisselen; **di'version** [dai-, di-] afwending, afwijking; (weg)om-, (-)verlegging; afleiding, ontspanning, vermaak; schijnbeweging; **di'versity** [dai-, di-] verscheidenheid, ongelijkheid, diversiteit
divert [dai-, di'və:t] afleiden, afwenden, verleggen (*a stream*); doen uitwijken (*a plane*); tot een ander doel aanwenden; (*vero*) afleiding bezorgen, vermaken
divest [dai-, di'vest] ontkleden; ontdoen, beroven, ontbloten, bevrijden (*of* van)
divide [di'vaid] I *ww* (zich) verdelen; (in)delen, splijten, (af)scheiden; deelbaar zijn op (*9 ~s 36*); stemmen; ~ *the House,* (*Parl*) laten stemmen; *~d up into flats* verdeeld in; *~d skirt* rokbroek; II *zn* scheiding; (*inz. Am*) waterscheiding; (*fig*) scheilijn
dividend ['dividend, -(ə)nd] *a*) deeltal; *b*) id.
divider [di'vaidə] ver-, uitdeler; steekpasser

divination [divi'neiʃən] waarzeggerij; **divine** [di'vain] I *bn* goddelijk, godsdienstig, gewijd, gods…; aanbiddelijk; *attend ~ service* de godsdienstoefening bijwonen; II *zn* godgeleerde; geestelijke; III *ww* voorspellen; waarzeggen; een voorgevoel hebben van; gissen; **diviner** [-ə] wichelaar, waarzegger; roedeloper (= *water ~*); **divining-rod** [di'vainiŋrɔd] wichelroede; **divinity** [di'viniti] god(delijk)heid, god; goddelijk schepsel(tje); godgeleerdheid
division [di'viʒən] (ver-, in-, af)deling, rubriek; (politie)wijk; (af)scheiding; tussenschot; verdeeldheid; divisie; (kies)district; stemming; *~ of labour*; **divisive** [di'vaisiv] verdeling zaaiend
divorce [di'vɔ:s] I *zn* (echt)scheiding; II *ww: a*) scheiden; *b*) zich laten scheiden van (*~ one's wife*); *c*) (fig) scheiden, losmaken (*from* van); **divorcee** [divɔ:'si:] gescheiden vrouw (soms ook man)
divulge [dai-, di'vʌldʒ] onthullen, openbaar (bekend) maken; **divulgence** [-ns] onthulling
D.I.Y. *do-it-yourself* do-it-yourself
dizzy ['dizi] I *bn* duizelig; duizelingwekkend; II *ww* duizelig maken; verbijsteren
D.J. *disc jockey*, id.
do [du:] **1** *tr* doen; *who did the cooking?* wie kookte?; maken (*a sum*); aanrichten (*damage*); afmaken; beginnen (*I don't know what to ~*); uitvoeren (*a p.'s bidding*); bewerken, schrijven (*the fashion-article for a paper*); vertalen (*into English*); verkopen (*we ~ them at 5p.*); toebereiden, koken, braden, enz.; spelen voor (*~ Hamlet*), optreden als (*~ the host*), nadoen, imiteren, doen als (*she does Mrs. Thatcher very well*); (*fam*) uitputten, kapotmaken, 'de das omdoen', afleggen; (*fam*) beetnemen, afzetten (*he did me for £20; ~ a person over the price* wat … betreft); *come here or I'll ~ you* of er zwaait wat; (*fam*) paf doen staan; rijden (*~ 120 miles an hour*); (*fam*) bereizen (*~ a country*), bezichtigen (*~ a museum*); *it is not done* dat doet men niet; **2** *intr & hulpww* doen, handelen; het er afbrengen, zich houden (*~ splendidly*); profiteren (*they ~ very nicely out of taxing the profits*); het aanleggen; het maken; *how do you ~?* beleefdheidsformule bij kennismaking: hoe maakt u het?; *be ~ing* werken, aanpakken; *it's ~ or die* pompen of verzuipen; *have done!* schei uit!; *that'll ~* dit is genoeg (goed), zo kan het wel; *that won't (doesn't) ~* dat gaat niet; *he writes better than 'I ~* dan ik; *do you like it? I '~* ja; *'~ tell me* toe, zeg het me, zeg het me toch; *I 'did go* ging werkelijk; *you 'did do it* je deed het wèl; **3** met *bw & vz*: ***~ away* (*with*)** afschaffen; wegnemen (*grievances*); *~ away with, ook:* van kant maken; *she hasn't done **badly**: a*) heeft het er niet slecht afgebracht; *b*) is er niet slecht bij gevaren; *~ a man **down**,* (*sl*) afzetten, een hak zetten; *~ **down*** (*ook:*) kwaadspreken over; *~ **for*** passen (voldoende zijn, dienen) voor; (*fam*) de huishouding doen voor; zorgen (handelen) voor; de das omdoen, ruïneren; zijn vet geven; *~ **in*** (*sl*) ruïneren; 'wippen' (*a minister*); verklikken (aan de politie); bedriegen; van kant maken; de kop indrukken (*a plan*); *done in, ook:* (dood)moe, op; *done in stone* in steen gehouwen; *~ **into** English* vertalen in; *~ a p. **out of*** afzetten, afhandig maken; *he did quite nicely out of the war* profiteerde heel aardig van; *~ **over*** bedekken; overdoen (= *~ over again*); (*sl*) aftuigen; (*Am*) opnieuw inrichten, moderniseren (*a house*); *~ **up*** in elkaar zetten; opknappen; opmaken (*one's hair*); vastmaken; oprollen (*an umbrella*); inpakken (*~ up a parcel*); *done up with the heat* kapot van; *~ **well*** zich goed houden; het goed maken; goede zaken doen; *~ **with*** opschieten (het stellen) met; *that won't ~ with me* dat gaat zo niet bij mij; *~ **without*** het stellen zonder, missen
doc [dɔk] (*fam*) *doctor*
docile ['dəusail] leerzaam, volgzaam, handelbaar; **docility** [dəu'siliti] volgzaamheid, dociliteit
dock [dɔk] I *zn* **1** dok; (*meestal ~s*) haven met opslagplaatsen; sluishaven; **2** afgesloten ruimte voor verdachte in rechtszaal, beklaagdenbank; II *ww* **1** dokken; in de haven komen; meren; koppelen (*spacecraft*); **2** couperen; afsnijden, -knippen; besnoeien; korten (*~ a pound from wages*), inhouden; ontdoen (*of* van); **docker** [-ə] dok-, bootwerker, havenarbeider
docket ['dɔkit] I *zn* korte inhoud(saanduiding op document); etiket, borderel, briefje, bon, aantekening; II *ww* de korte inhoud noteren op (*a document*); etiketteren; (*fig*) 'vastleggen' (*in one's memory*); bestempelen (*as* als)
'dockland havengebied, -kwartier; **dock worker** dokwerker; **dockyard** (marine)werf
doctor ['dɔktə] I *zn* id., dokter; II *ww* behandelen; praktizeren; oplappen, vervalsen, knoeien met; **doctoral** [-rəl] doctoraal; **doctorate** [-rit] doctoraat
doctrinal [dɔk'trainl] leerstellig; **doctrine** ['dɔktrin] leer, leerstuk, dogma
document ['dɔkjumənt] I *zn* id.; bewijsstuk; II *ww* documenteren; **documentary** [dɔkju'mentəri] documentair; *documentary (film)* -aire (film); **documentation** [ˌdɔkjumen'teiʃən] documentatie
dodder ['dɔdə] wankelen, strompelen
doddle ['dɔdl] iets dat gemakkelijk is, een 'makkie'
dodge [dɔdʒ] I *ww* opzij springen, ontwijken, ontduiken, uitwijken; uitvluchten bedenken; bedotten; II *zn* ontwijkende beweging, zijsprong, draai; streek, kunstje, foefje, truc; **dodgem** [-əm] botsautootje, autoscooter; **'dodger** [-ə] ontduiker; slimmerd, gewiekste; **'dodgy** [-i] (*fam*) vol streken; moeilijk te vangen (te doen); riskant, onveilig; gammel

doe [dəu] *a*) hinde; *b*) wijfje (*haas, konijn*)
doer ['du(:)ə] doener, actief persoon
dog [dɔg] I *zn* hond; reu, rekel (*ook* = mannetjeswolf of vos); kerel, vent; *attr ook:* mannetjes...; *sly* ~ slimmerd; *he is a* ~ *in the manger,* (*ongev*) hij kan de zon niet in het water zien schijnen; *weather not fit for* ~*s* takkeweer; II *ww* als een schaduw volgen; achtervolgen (~*ged by ill-fortune*); *the police* ~*ged him* (*his steps*) ging zijn gangen na; '**dog-cart** hondekar; '**dog-collar** halsband; (*fam*) stijve hoge boord, priesterboord; '**dog-dung** hondepoep; '**dog-eared** met ezelsoren; **dogged** ['dɔgid] hardnekkig; vasthoudend; koppig; ~ *does it, it's* ~ (*as, that*) *does it* de aanhouder wint; **doggedness** [-nis] hardnekkig-, vasthoudendheid
doggerel ['dɔgərəl] I *bn* rijmelend; koeterwaals; II *zn:* ~ *verse* kreupelrijm, rijmelarij
'**doggie**, '**doggy** ['dɔgi] (*fam*) hondje; '**doggish** honds, honden...; '**dog-kennel** hondehok; '**dog-lead** [-li:d], '**dog leash** [-li:ʃ] hondelijn, -riem; '**dog-leg(ged)** [-leg(d)] met scherpe hoek; '**dog-licence** hondenbelasting; hondepenning (= ~ *badge*)
dogma ['dɔgmə] id., leerstuk; **dogmatic(al)** [dɔg'mætik(l)] dogmatisch; autoritair; zelfverzekerd; **dog'matics** -tiek; '**dogmatism** [-tizm] -tisme
do-gooder ['du:'gudə] (*iron*) weldoener der mensheid
dog-races (wind)hondenrennen; '**dogsbody** duvelstoejager, factotum; '**dog-show** hondententoonstelling; '**dog-'tired** hondsmoe; '**dog-trot** sukkeldrafje
'**doing**: *it's your own* ~ je eigen schuld; ~*s* handelingen; *nothing* ~ nee(n)
doldrums ['dɔldrəmz] stiltegordel: streek der windstilten (bij de evenaar); *be in the* ~ gedrukt, 'in de put'
dole [dəul] I *zn* aalmoes, uit-, bedeling, steun; *be* (*go*) *on* (*draw*) *the* ~ steuntrekken, een werkeloosheidsuitkering ontvangen; II *ww:* ~ *out* uit-, ronddelen (in kleine hoeveelheden); '**doleful** [-f(u)l] treurig, somber, akelig
doll [dɔl] I *zn* pop (*ook fig*); ~*'s house* poppenhuis; II *ww:* ~ (*o.s.*) *up,* (*fam*) (zich) opdirken; **dolly** ['dɔli] poppetje; goed geklede knappe jonge vrouw (ook: ~ *bird;* verrijdbaar onderstel
dolphin ['dɔlfin] dolfijn
domain [də'mein] domein, (land)goed, gebied
dome [dəum] koepel; gewelf; kop, 'test'; **domed** [-d] koepelvormig, gewelfd
domestic [də'mestik] I *bn* huiselijk, huishoudelijk; binnenlands; huis...; tam; ~ *animal* huisdier; ~ *science* huishoudkunde; ~ *industry* huisvlijt; ~ *servant* dienstbode; II *zn* (huis)bediende, dienstbode; ~*s, ook:* binnenlandse produkten; **domesticate** [-eit] aan huis (land, huiselijk leven) gewennen; temmen; beschaven; ~*d, ook:* huiselijk; **domesticity** [dəumes'tisiti] huiselijkheid
domicile ['dɔmisail, -sil] I *zn* domicilie, woonplaats; II *ww* (zich) vestigen, zijn domicilie hebben
dominance ['dɔminəns] dominantie, overheersing; **dominant** overheersend, dominant; '**dominate** [-eit] (be-, over)heersen, domineren (*ook:* ~ *over*); bestrijken; uitsteken boven (*ook:* ~ *over*); **domineer** [dɔmi'niə] heersen, de baas spelen (over); **domineering** bazig
dominion [də'minjən] heerschappij, gebied; buiten Groot Brittannië gelegen deel van het Britse rijk met volledig zelfbestuur; (*jur*) eigendomsrecht
domino ['dɔminəu] *a*) id.; *b*) dominosteen; ~*es* dominospel
don [dɔn] don; (*univ*) 'don' (hoofd, 'fellow', of 'tutor' van *college*)
donate [dəu'neit] schenken; **donation** [dəu'neiʃən] gift; schenking
done [dʌn] v. dw. van *do;* gedaan; over; gaar; klaar; op (*the beer is* ~); 'weg', erbij; *have* ~ (*with it*)*!* schiet op!; ~*!* top!
donjon ['dɔn-, 'dʌn(d)ʒen] grote slottoren
donkey ['dɔŋki] ezel; *not for* ~*'s* (~*s'*) *years* in geen jaren; '**donkey-engine** (*scheepv*) hulpmachine; '**donkey-work** zwaar werk
doodle ['du:dl] I *zn* krabbel; II *ww* figuurtjes (poppetjes) tekenen (terwijl men ergens naar luistert), krabbelen
doom [du:m] I *zn* lot; ondergang; laatste oordeel; II *ww* doemen, veroordelen, richten; ~*ed* ten dode (ondergang) gedoemd; '**doomsday** [-zdei] dag des oordeels
door [dɔ:] deur, ingang, portier; *two* ~*s off* twee deuren (huizen) verderop; *it was laid at* (*to*) *his* ~ hem ten laste gelegd; *out of* ~*s* buitenshuis; (*with*)*in* ~*s* binnenshuis; *show s.o. to the* ~ iem uitlaten; '**door-frame** deurkozijn; '**door-handle** deurknop; '**door-keeper** portier; '**door-knocker** deurklopper; '**doorman** [-mən] portier; '**door-plate** naamplaatje; '**door-post** deurstijl; '**doorstep** stoep, drempel; '**door-to-'door** huis aan huis (*salesman,* enz.); '**doorway** deuropening; ingang
dope [dəup] I *zn* smeersel, vernis; bedwelmend of opwekkend middel aan bijv. renpaard of atleet toegediend vóór wedstrijd; II *ww:* ~ ingeven, gebruiken of ermee behandelen, bedwelmen; mengen; **dop(e)y** ['dəupi] bedwelmd; beneveld; dom
dormant ['dɔ:mənt] slapend, latent, sluimerend; ongebruikt; ~ *bank balances* niet-opgevraagde ...; ~ *partner* stille vennoot
dormer(-'window) (*bk*) koekoek, dakkapel
dormitory ['dɔ:mitəri] *a*) slaapzaal, -gebouw; *b*) woonwijk van in binnenstad werkenden, forensenbuurt; *c*) (*Am*) studentenhuis
dorsal ['dɔ:səl] dorsaal, rug..., rugvormig
dosage ['dəusidʒ] dosering; dosis; **dose** [dəus] I *zn* dosis; II *ww* afpassen, -meten, -wegen, doseren; een dosering toedienen
doss [dɔs] (*sl*) I *zn: a*) ~ house tehuis voor dak-

lozen; *b*) (korte) slaap, tukje; II *ww* ~ *down* slapen, maffen; **dosser** dakloze zwerver
dot [dɔt] I *zn* stip, punt; *on the* ~ op de minuut af; *the year* ~ het jaar nul; II *ww* stippelen; een punt plaatsen op; bezaaien (*the sea was ~ted with ships*); verspreiden; ~ *your i's* (*and cross your t's*) zet de puntjes op de i; *~ted line* stippellijn
dotage ['dəutidʒ] sufheid, kindsheid
dote [dəut] dol (verzot) zijn [(*up*)*on* op]
dotty ['dɔti] niet goed wijs; verkikkerd (*about* op)
double ['dʌbl] I *bn en bw* dubbel; dubbelhartig; ~ the distance de dubbelee afstand; ~ *parking* dubbelparkeren; ~ *room* = *~-bed room;* ~ *track* dubbelspoor; II *zn* het dubbele; duplicaat; tegenhanger, dubbelganger; plaatsvervanger; (*theat*) doublure; dubbelspel; ~ *or quits* quitte of dubbel; *on the* ~ erg vlug, in de looppas; III *ww* (zich) verdubbelen; dubbelslaan, dubbelvouwen; ballen (*one's fists*); dichtknijpen, over elkaar slaan; in de looppas marcheren; een scherpe bocht (draai) maken; haastig terugkeren (= ~ *back,* ~ *upon one's steps*); ~ *up* dubbelvouwen, dubbelslaan, inéénkrimpen (van pijn, enz.); met een ander delen; '**double-'bass** [-beis] contrabas; '**double-'bed(ded)** (met) 2-persoonsbed; '**double-'breasted** met twee rijen knopen; '**double-'chinned** met onderkin; '**double-'cross** (*sl*) dubbel spel spelen, beide partijen bedriegen; '**double-'decker** tweedekker (*o.a. Londense bus*); '**double-'Dutch** koeterwaals; '**double-'dyed** in de wol geverfd; doortrapt; '**double-'edged** [-edʒd] tweesnijdend; met 2 betekenissen; '**double-faced** [-feist] (*van stof*) aan beide kanten draagbaar; '**double-glazing** dubbele beglazing; '**double-,hearted** dubbelhartig; vals; '**doubleness** het dubbel zijn; dubbelhartigheid; '**double-'talk** quasiverstandige onzin; twee tegengestelde meningen tegelijk verkondigen; '**double-think** het vermogen twee tegengestelde meningen tegelijk aan te hangen; '**double-'time** dubbele beloning (voor overwerk)
doubt [daut] I *zn* twijfel, onzekerheid; *beyond* (*a*) ~, *no* (*without*) ~ zonder twijfel, ongetwijfeld; *in* ~, ook: twijfelachtig; II *ww* twijfelen (*of* aan); weifelen; betwijfelen; *I do not* ~ *that* (*but, but that*) twijfel niet of ...; '**doubtful** [-f(u)l] twijfelachtig; onzeker; verdacht; '**doubtless** [-lis] *bn* & *bw* ongetwijfeld
dough [dəu] deeg; (*sl*) geld, duiten; '**doughnut** (ring)oliebol
dour [duə] hard, streng, onbuigzaam
douse [daus] water gooien over; kletsnat maken; uitdoen (*a light*)
dove [dʌv] duif(je); (*Am*) voorstander van gematigd optreden; *my* ~ lieveling; '**dovecot(e)** [-kɔt, -kəut] duiventil; **dovetail** ['dʌvteil] zwaluwstaarten: met een zwaluwstaarten verbinden; (*fig*) (in elkaar) sluiten
dowager ['dauədʒə] douairière
dowdy ['daudi] slecht (weinig smaakvol) gekleed, slordig, onelegant
down [daun] I *zn* 1 boomloos hooggelegen land; *North D~s, South D~s* grasrijke heuvels in Z-Eng; 2 dons; 3 tegenslag (*ups and ~s*); *have a* ~ *on,* (*fam*) de pik hebben op; II *bw* (naar) beneden, neer, onder, af; (*van waren*) afgeslagen; (*van wind*) gevallen; (*van pers*) neerslachtig; (*ook*) = ~ *in health* 'op', uitgeput, verzwakt; *cash* ~ contant; *~!* koest!, lig!; *be* ~ *and out,* (*boksen*) 'knockout' geslagen; (*fam*) aan lagerwal; berooid; *our journey* ~ naar hier (daar) (*uit hoofd- of academiestad*); ~ *south* naar (in) het Z; ~ *east,* (*Am*) in (naar) *New England;* ~ ***at*** *B.* (daar) ginds in B.; *be* ~ ***for*** ingeschreven (aangewezen) voor; ~ ***in*** *the mouth* neerslachtig, gedrukt, 'down'; *be* ~ (***up***)***on*** overvallen, aanpakken (*a p.*), het gemunt hebben op, moeten 'hebben'; gekant zijn tegen (*be frightfully* ~ *on smoking*); *be* ~ *on one's luck* pech hebben; in moeilijkheden zitten; aan lager wal zijn; *from the mayor* ~ ***to*** *the meanest citizen* van ... tot ...; ~ *to Brighton* van Londen naar Brighton; ~ *to the present day* tot heden; ~ *to the ground* prima, uitstekend; ~ ***under*** bij de tegenvoeters: in Australië en Nieuw Zeeland; ~ ***with*** ...*!* weg met ...!; ~ *with influenza* lijdende aan, in bed met; ~ *with the cash!* betalen!; III *vz* van ... af, afwaarts, langs; naar; ~ *the river: a*) de rivier af; *b*) lager aan de rivier; IV *bn* benedenwaarts; neergaand (*services* leidingen); onder (*the sun is* ~); laag (*the water is* ~); V *ww* (*fam*) neer-, omver-, afgooien; neerhalen, -schieten (*an aeroplane*); onderdrukken; verslaan, nekken; 'afmaken'; ontmoedigen; (*Am*) ondergaan (*van zon*); *he ~ed his drink* dronk zijn glas uit; ~ (*up*)*on a p.* iem overvallen, uitvaren tegen; '**down-and-'outs** (*fam*) armoedzaaier, maatschappelijke schipbreukeling; '**down-at-heel** armoedig; '**downcast** (ter)neergeslagen, neerslachtig; '**downfall** *a*) zware (regen)bui; *b*) instorting, val, ondergang; '**down-grade** I *zn* achteruitgang; *on the* ~ achteruitgaand; II *ww* in rang verlagen; omlaag brengen; '**down'hearted** ontmoedigd, neerslachtig; '**down'hill** I *bn* (af)hellend; (*fig*) gemakkelijk (*work*); II *bw* bergafwaarts, naar beneden; *go* ~, (*fig*) achteruitgaan; '**down payment** aanbetaling; '**downpour** [-pɔ:] plasregen; '**downright** bepaald; rondborstig; echt, volslagen, door en door; '**downstair(s)** [-stɛə(z)] *bn* beneden (*a* ~ *room*); '**down'stairs** *bw* (naar) beneden; *ook:* in de keuken; bij het dienstpersoneel; '**down-'stream** stroomafwaarts; '**down-to-'earth** nuchter, met beide benen op de grond staand; '**down'town** in (uit, naar) de binnenstad, de stad in; '**down-'train** trein van Londen komend, of van het centrum naar de voorsteden; '**downtrodden** platgetrapt, vertrapt

dow

(*ook fig*); '**down-turn** daling (*in the market*); '**downward** [-wəd]; '**downwards** [-wədz] benedenwaarts, naar beneden; *from the 12th century* ~ van ... af
downy ['dauni] donzig
dowry ['dau(ə)ri] bruidsschat
doz. *dozen*
doze [dəuz] I *ww* dutten, suffen; ~ *away* verdutten; ~ *off* indutten; II *zn* dutje, sluimering
dozen ['dʌzn] dozijn; ~*s* (*and* ~*s*) tientallen
dozy ['dəuzi] suf, slaperig
drab [dræb] geel-, vaalbruin; (*fig*) saai, kleurloos; '**drabness** saaiheid, kleurloosheid
draft [drɑ:ft] I *zn* lichting; (*Am*) dienstplicht; ploeg; het (ont)trekken (van geld); wissel; ontwerp, schets, klad, concept; II *ww* detacheren; indelen, inlijven [*be* ~*ed* (*in*)*to the Air Force*]; concipiëren, ontwerpen, opstellen; '**draft-'bill** concept-wetsontwerp; '**draftsman** [-smən] ontwerper, (op)steller, concipiënt; = *draughtsman*
drag [dræg] I *ww* slepen, zeulen, sleuren; trekken; 'hangen' bij het lopen (*van klein kind, enz.*); omkruipen (*van tijd*), niet opschieten (*the affair* ~*ged*); achteraankomen (= ~ *behind*); dreggen (*for* naar); afdreggen (*the river*); ~ ***along*** = ~ *on*; ~ ***by*** omkruipen; ~ ***on*** (zich) voortslepen (*ook fig: one's life*); II *zn* zware eg; ruwe slede; sleepnet; dreg; remschoen, -blok; sleur; rem (*a* ~ *on development*), 'blok aan het been'; (*luchtv*) weerstand; slepende beweging; (*sl*) trekje (aan sigaret); (*sl*) travestie; (*sl*) marihuanasigaret; '**drag-anchor** drijfanker; '**dragline** id. (graafmachine); '**drag-net** sleepnet
dragon ['drægən] draak; '**dragon-fly** waterjuffer; libel
dragoon [drə'gu:n] I *zn* dragonder; II *ww* door troepen onderwerpen (dwingen, kwellen); ~ *into* door geweld brengen (dwingen) tot
drain [drein] I *ww* afvoeren (ook: ~ *off, away*); onttrekken; uitdrinken; af-, uitlopen, afdruipen; afwateren, draineren, rioleren, droogleggen, aftappen; beroven (*of* van), uitputten; *it* ~*ed my purse* kostte me al mijn geld; *the colour* ~*ed from her cheeks* trok weg uit; ~~*ed weight* uitlekgewicht; II *zn* afvoerbuis, -greppel, -sloot; (*med*) id.; riool; afwatering; uitputting; *down the* ~, (*sl*) naar de knoppen; '**drainage** [-idʒ] drainering, waterafvoer, aftap; het afgevoerde water; rioolwater; '**draining-board** afdruiprek; '**drain-pipe** riool-, afvoerbuis
drake [dreik] woerd
drama ['drɑ:mə] id., toneelstuk; **dramatic** [drə'mætik] I *bn* dramatisch; geweldig, enorm; toneel...; ~ *society* toneelclub; II *zn:* ~*s* het drama; theatraal gedoe; '**dramatist** ['dræ-] toneelschrijver; **dramatization** [ˌdræmətai'zeiʃən] dramatisering; **dramatize** ['dræmətaiz] (zich laten) dramatiseren
drape [dreip] I *ww* draperen, bekleden, hullen; II *zn* drapering; (*Am*) gordijn; '**draper** manufacturier; '**drapery** [-əri] (handel, zaak in) manufacturen, stoffenwinkel; drapering; draperie; gordijn(en)
drastic ['dræstik, 'drɑ:stik] drastisch, radicaal, doortastend, ingrijpend, krachtig werkend (middel)
draught [drɑ:ft] I *zn* trek; het trekken; slok, teug, drank(je); diepgang; tocht, luchtstroom; stroom, zuiging, schets, ontwerp, klad; het tappen; damschijf; (*game of*) ~*s* damspel; *beer on* ~ van het vat; ~ *lager* tappils(je); II *ww* schetsen, tekenen; '**draught beer** bier van het vat; '**draughtboard** dambord; '**draught-man** [-mən] damschijf; '**draught-proof** tochtvrij (maken); '**draught-screen** tochtscherm; **draughtsman** ['drɑ:ftsmən] tekenaar; *vrouwelijk: draughtswoman*; '**draughtsmanship** tekenkunst; **draughty** ['drɑ:fti] tochtig
draw [drɔ:] I *ww* trekken, slepen; vestigen (*attention to* ... op); op-, uit-, weg-, dicht- of opentrekken (*a curtain*); neertrekken (*a veil*); ophalen (*a net*); diepgang hebben (*the ship* ~*s ten feet*); aantrekken (~ *the enemy's fire; feel* ~*n towards him*); (uit)loten (~ *for partners*); inademen; putten (*water, consolation*); tappen (*beer*); in ontvangst nemen (*a dividend, one's salary*); laten trekken (*tea*); opbrengen (*the tax* ~*s well*); wekken, ontlokken (*tears from* ...), halen, krijgen (*from* uit, van); uitputten (ook: ~ *dry*); schoonmaken (*a fowl*); tekenen; opstellen, opmaken (*a document*); gelijk spelen, remise maken (*a game*); ~ *a bill* (*a cheque*) *on s.o.* een wissel (cheque) op iem trekken; ~ *a comparison* een vergelijking maken; ~ ***apart*** van elkaar gaan; ~ ***aside*** apart nemen; ~ ***away*** wegtrekken; heengaan; ~ ***back*** (zich) terugtrekken, opentrekken (*the curtains*); achteruitwijken; ~ ***for*** loten om; ~ ***in*** intrekken; arriveren (*van trein, enz.*), naar de kant gaan; inademen; (*van avonden*) lengen, langer worden; (*van één dag, seizoen, enz.*) ten einde lopen; ~ ***in***(***to***) trekken (halen) in, betrekken bij; ~ ***near*** naderen; ~ ***off*** af-, uit-, wegtrekken; (zich) terugtrekken; afleiden; aftappen; afvloeien; ~ ***on*** (*bw*) aantrekken; ver-, meelokken; aanmoedigen tot; met zich meebrengen, na zich slepen; naderen; ~ ***out*** uittrekken; opvragen (*money*); (uit)rekken (*a discussion*); vertrekken (*van trein*); ~ ***over*** overhalen; ~ ***to*** *a close* ten einde lopen; ~ ***together*** samentrekken; bij elkaar brengen of krijgen; ~ ***up*** optrekken; ontwerpen; opstellen (*troops, a report*); zich opstellen; tot staan brengen of krijgen; stilhouden (*the train drew up*); bijschuiven (*a chair*); ~ *o.s. up* zich oprichten; ~ *up to* naderen; ~ *up with* inhalen; ~ ***upon*** trekken op; putten uit (*a work*); gebruik maken van; II *zn* het ...; trek, haal, vangst; attractie, successtuk; getrokken lot, loterij, (ver)loting, trekking, getrokken kaart, enz.;

onbesliste (wed)strijd, gelijk spel, remise; *end in a ~* onbeslist blijven; *she (it) was a ~* trok (publiek); *quick on the ~* vlug met pistool (mes, enz.); '**drawback** schaduwzijde, nadeel, bezwaar; '**drawbridge** ophaalbrug

drawer ['drɔ:, 'drɔə] lade

drawing ['drɔ:iŋ] *a*) trekking; *b*) tekenkunst, tekenen, tekening; *~s* ontvangsten; *out of ~* verkeerd getekend; '**drawing-block** blok tekenpapier; '**drawing-board** tekenplank; '**drawing-pin** punaise; '**drawing-room** ['drɔiŋru(:)m] salon, ontvangkamer

drawl [drɔ:l] (ietwat aanstellerig) langzaam spreken; zo'n manier van spreken

drawn [drɔ:n] v. dw. van *draw;* be-, vertrokken; strak, afgetobd (*face*), onbeslist (*game, battle*)

dread [dred] I *ww* vrezen, duchten; II *zn* vrees (*of* voor); III *bn* (*vero*) gevreesd; verschrikkelijk, ontzagwekkend; '**dreadful** [-f(u)l] vreselijk, ontzaglijk

dream [dri:m] I *zn* droom; (*fig ook*) ideaal; II *ww* dromen (van); *I would not ~ of doing it* zou er niet aan denken; *~ away* verdromen (*one's life*); *~ up,* (*fam*) verzinnen; '**dreamy** [-i] dromerig

dreary ['driəri] somber, akelig, treurig, woest

dredge [dredʒ] I *zn* baggermachine; II *ww* 1 dreggen; (uit)baggeren; 2 (be)strooien; '**dredger** [-ə] baggermachine

dregs grondsop, droesem; (*fig*) onderlaag (*of society*); *to the ~* tot de bodem

drench [dren(t)ʃ] doorweken, doornat maken, (in)dompelen; drenken (dier)

dress [dres] I *ww* (zich) kleden, aankleden; toilet maken; verbinden (*wounds*); klaar-, aanmaken (*the salad*), bereiden; etaleren; *~* ***out*** (zich) uitdossen; *~* ***up*** (zich) opdirken, opsieren; (zich) kostumeren; II *zn* kleding; tenue; toilet; kleed, japon; *attr ook:* bij avondtoilet behorend (*~ tie, trousers*), gala..., statie...; '**dress-'circle** eerste balcon (in schouwburg); '**dresser** [-ə] (*theat*) kleedster; kamenier; aanrecht; dressoir; ladenkast(je); **dressing** kledij; saus, aanmaaksel (voor sla, enz.); vulsel (van braadkip, enz.); verband(middelen); **dressing-'down** uitbrander; pak ransel; '**dressing-gown** kamerjas; peignoir; **dressing-table** toilettafel; '**dress-maker** dameskleermaker; '**dressman** id., man die kleding 'showt'; '**dress model** mannequin; '**dress-re'hearsal** generale repetitie

dribble ['dribl] I *ww* (laten) druppelen; kwijlen; druppelsgewijze meedelen (= *~ out*); (*voetbal*) dribbelen; II *zn* druppeltje; kwijl; nietig stroompje; **drib(b)let** ['driblit] druppeltje, brokje, beetje; **dribs and drabs**: *in ~* beetje bij beetje

drift I *zn* trek, gang, stroom; drift; afwijking; neiging; bedoeling, strekking (*of a story*); voortgedreven regen, stof, enz.; jachtsneeuw; samengedreven sneeuw, zand, enz.; drijvend hout, enz.; bezinksel; II *ww* (af)drijven, meegesleept worden; meevoeren; op hopen drijven; (zich) ophopen; met hopen sneeuw, enz. bedekken; doelloos zwalken, heen en weer slingeren, geen vaste lijn volgen; *~* ***apart*** van elkaar vervreemden; *~* ***away*** *from* vervreemd raken van; *~* ***by*** (*van tijd*) (ongemerkt) voorbijgaan; *~* ***on*** doelloos voortsukkelen; '**driftwood** drijfhout

drill [dril] I *zn* dril(boor); exercitie, het drillen, discipline, oefening; II *ww* doorboren; aanboren; drillen, africhten, exerceren

drily ['draili] droog(jes)

drink [driŋk] I *ww* (op-, uit)drinken; verdrinken (*one's earnings*); zich laten drinken; *~* ***away*** verdrinken (*one's property*); *~* ***down****:* *a*) ineens opdrinken; *b*) verdrinken (*cares*); *~* ***in*** indrinken; (gretig) in zich opnemen (*a p's. words*); *~ (****to****) a p.'s health* drinken op; *~* ***up*** geheel opdrinken; uitdrinken; op-, inzuigen; II *zn* drank; dronk; (iets te) drinken (*give the horse a ~*); borrel; (*sl*) plomp, zee; *have a ~* wat wil je drinken?; *in ~* dronken; *on the ~* aan de drank; '**drinkable** [-əbl] drinkbaar; '**drinker** drinker; drinkebroer; '**drinking-bout** drinkpartij

drip I *ww* (laten) druppelen, druipen (*with* van); *~ping wet* druipnat; II *zn* gedruppel; drup; (*sl*) slome donder; *in a ~* druipnat; '**drip-drip**, '**drip-drop** gedrup; '**drip-dry**: *~ shirt* zelfstrijkend overhemd; **dripping** afdruipsel

drive [draiv] I *ww* (aan-, voort)drijven (jagen); een drijfjacht houden; afjagen, doorzoeken (naar wild); slaan (*a ball, a nail*); mennen, (be)sturen (*a horse, a car*); rijden (*to the station*); boren (*a tunnel*); *~ mad* gek maken; *driving rain* slagregen; *~* ***at*** slaan (gooien) naar, schieten op (ook: *let ~ at*); lostrekken op; hard werken aan (*ook: ~* ***away*** *at*); doelen op; *what are you driving at?* waar wil je heen?; *~* ***away****! ~* ***ahead****!* zeg op! vooruit maar!; *~ people away* wegjagen; *~ s.t. home to* volstrekt duidelijk maken, aan het verstand brengen; *~* ***in*** binnenrijden; inslaan, indrijven; *~* ***off*** wegrijden; terugdrijven; *he drove me* ***over*** *to Paris* bracht mij met zijn auto naar Parijs; *~* ***up*** opdrijven (*prices*); vóórrijden; aan komen rijden; II *zn* rit, rijtoer; drijfjacht; stuwkracht, energie, voortvarendheid; aandrijving; rijweg; (oprij)laan; campagne, actie; wedstrijd (*bridge*); '**drive-in** bioscoop, cafetaria, enz., voor personen in auto

drivel ['drivl] I *ww* wauwelen; II *zn* gewauwel

drive-'on drive-'off rij-op-rij-af

driver koetsier, voerman, bestuurder, chauffeur; machinist; (vee)drijver; **driver's license** rijbewijs; **driveway** oprijlaan; '**driving-belt** drijfriem; '**driving-licence** [-laisəns] rijbewijs; '**driving-mirror** achteruitkijkspiegel; '**driving-test** rijexamen

drizzle ['drizl] *zn & ww* motregen(en)

droll [drəul] snaaks, grappig, zot
drone [drəun] I *zn* dar, hommel; luilak; parasiet; gegevens, gebrom; dreun; II *ww* gonzen, brommen, ronken; (op)dreunen
drool [dru:l] kwijlen, druipen, zeveren
droop [dru:p] (laten) hangen; (weg)kwijnen
drop [drɔp] I *zn* druppel, drop(pel); borrel(tje); oorbel, -knopje, hanger; zuurtje, flikje; val; (prijs)daling; *a ~ in the ocean* een druppel op een gloeiende plaat; *he has taken a ~ too much* is aangeschoten; II *ww* druppelen, druipen; (laten) vallen, neerlaten; niet verder gaan (met); gaan liggen (*van wind*); dalen, zinken; terloops uiten (*hint, remark*); afzetten (*a passenger*); afgeven (*a parcel*); weglaten (*one's h's*); neerslaan (*one's eyes*); laten schieten (*a p.*); afzien van, laten varen, intrekken (*charge* telastlegging); *~ it!* schei uit!; *~ a hint* een wenk geven; *~ me a line* schrijf me een lettertje; *~ one's voice* zijn stem laten dalen; *~* ***asleep*** in slaap vallen; *~* ***away*** afvallen; zich afscheiden; *~* ***by*** aan komen lopen/wippen; *~* ***behind*** achterraken; *~* ***down*** neervallen; afzakken (*a river*); *~* ***in*** binnenvallen; geleidelijk komen; aan-, binnenlopen (*on* bij); *~* ***into*** *port* de haven binnenlopen; *~ into a habit ...* aannemen; *~* ***off*** *= ~ away; ook:* in slaap (*to sleep*) vallen; afnemen; afzetten (*a passenger*); *~* ***out*** uit-, afvallen; verdwijnen; *~ out of things* niet meer meetellen; '**drop-kick** (*sp*) trap tegen bal, die, nadat men hem heeft laten vallen, weer opspringt; '**droplet** [-lit] druppeltje; '**drop-out** (*sl*) iem die de maatschappij verwerpt; schoolverlater zonder diploma; mislukkeling; '**droppings** uitwerpselen (konijn *e.d.*), mest
drought [draut] droogte; '**droughty** [-i] droog, schraal
drove [drəuv] drift, kudde, drom, hoop, troep; '**drover** [-ə] veedrijver, -koper
drown [draun] verdrinken; onder water zetten, overstromen; (*fam*) te veel water doen bij (*the whisky*); (*fig*) smoren, overstemmen, overstelpen; *be ~ed* verdrinken; *~ing man* drenkeling; *death by ~ing* dood door verdrinking
drowse [drauz] I *ww: a*) dommelen, suffen; *b*) slaperig (suf) maken; *~ away the time* de tijd versuffen; II *zn* gedommel, gesuf; **drowsy** ['drauzi] *a*) slaperig, suf; *b*) slaapwekkend
drudge [drʌdʒ] I *zn* werkezel, slaaf, duvelstoejager; II *ww* (zich af)sloven, zwoegen; '**drudgery** [-əri] gezwoeg; geestdodend werk
drug [drʌg] I *zn* id., kruid, geneeskrachtig ingrediënt; bedwelmend middel; II *ww* met een *~* mengen; *~s* toedienen, bedwelmen; bedwelmende middelen gebruiken; '**drug-addict** [-'ædikt] aan drugs verslaafde; '**druggist** [-ist] (*Am*) drogist; apotheker; '**drugstore** (*Am*) apotheek, drogisterij (verkoopt ook sigaretten, verversingen, enz.)
drum [drʌm] I *zn* trommel, trom, bus, ton; getrommel, gekletter; II *ww* trommelen (met, op), bonzen, gonzen; *~* ***down*** overstemmen; *~ s.t.* ***into*** *a p.* erin hameren; *~* ***up*** bijeen trommelen; '**drummer** [-ə] trommelslager, tamboer; **drum'stick** *a*) trommelstok; *b*) vogelboutje
drunk [drʌŋk] v. dw. van *drink;* I *bn* dronken (*with* van); *as ~ as a fiddler* (*a lord*) zo dronken als een kanon; II *zn* dronkeman, dronkaard (*home for ~s*); '**drunkard** [-əd] dronkaard; '**drunken** dronken, dronkemans...; '**drunkenness** dronkenschap
dry [drai] I *bn* droog (*ook:* vrij van alcohol), dor; sec, droog (*van wijn*); II *ww* (laten) drogen, op-, afdrogen; *~* ***up*** op-, uit-, verdrogen; (*fam*) zijn mond houden, uitscheiden (*~ up!*); *the conversation dried up* begon te kwijnen; *the business dried up* ging op de fles; '**dry-'clean(ing)** chemisch reinigen; '**dry-'dock** droogdok; '**dryer** (af)droger; droogapparaat; droogmiddel; '**dry-eyed** met droge ogen; '**dry-goods** *store,* (*Am*) manufacturenwinkel; '**dryly** droog(jes); '**dry-'rot** vuur (in hout); (verborgen) bederf; corruptie
dual ['dju:əl] tweevoudig, -ledig; dubbel; **dual 'carriagway** (hoofd)weg met gescheiden rijbanen
dub [dʌb] betitelen; van een nieuwe geluidsstrook voorzien, nasynchroniseren
dubious ['dju:biəs] twijfelachtig; van twijfelachtig gehalte
duchess ['dʌtʃis] hertogin; **duchy** ['dʌtʃi] hertogdom
duck [dʌk] I *zn* eend(en); (*fam*) schatje, snoes (*a ~ of a hat*); II *ww* (onder)duiken, (in)dompelen; (zich) buigen, bukken; overslaan; *I can't ~ it,* (*sl*) kan er niet van af; *~ the issue* om de kwestie heendraaien; '**duckling** jonge eend; '**ducky** [-i] I *zn* snoes, schat(je); II *bn* snoezig, schattig
dud [dʌd] (*sl*) I *zn* prul; fiasco; II *bn* vals (*coin*), prullig, prul..., schijn... (*investigation*)
dude [d(j)u:d]: *~ ranch,* (*Am*) ranch als toeristenverblijf geëxploiteerd
due [dju:] I *bn* schuldig, verschuldigd (*to* aan), verplicht; vervallen (*van schuld, enz*); te danken (wijten), toe te schrijven (*to* aan); verdiend (*his ~ reward*); behoorlijk, gepast (*with ~ respect*); *fall* (*become*) *~* vervallen; *in ~ time* (juist) op tijd; ook = *in ~ course* (*of time*) te zijner tijd; *I am ~ to ...* ik moet ...; *I am ~* (*back*) *in P.* moet in P. (terug) zijn; *the train is ~* (*~ out*) *at seven* moet ... aankomen (vertrekken); *it is ~ to you: a*) is aan u te danken; *b*) komt u toe; *take ~ note of* goede nota nemen van; II *bw* vlak (*~ east*); III *zn: a*) wat iem toekomt; *b*) schuld; *~s* schulden; rechten en leges; gelden (*dock-~s*); contributie
duel ['dju:əl] I *zn* duel; II *ww* duelleren
duffer ['dʌfə] sukkel (*at a game* in ...), sufferd, domkop; stumper
dug-out ['dʌgaut] id.; (boom)kano; (*mil*) schuilplaats tegen beschieting

duke [dju:k] hertog; '**dukedom** [-dəm] hertogelijke waardigheid; **dukes** (*sl*) vuisten
dull [dʌl] I *bn* dom, stomp, bot; dof, mat; saai, prozaïsch, suf, loom, traag, flauw, slap (*van zaken*); somber, donker; *be ~, ook:* zich vervelen; *the ~ season* slappe tijd; *~ of hearing* hardhorig; *be ~ of sale* traag van de hand gaan; II *ww: ~* maken of worden; (doen) afstompen; verdoven; bewolken; bezoedelen; '**dullard** [-əd] (*vero*) botterik, sufferd
duly ['dju:li] *a*) behoorlijk; *b*) terecht; *c*) stipt
dumb [dʌm] stom, stil, sprakeloos; **dum(b)-founded** [dʌm'faundid] *be ~* verstomd staan; '**dumb()'show** [dʌm-] gebarenspel; pantomime; '**dumb-'waiter** etenslift (*in restaurant*)
dummy ['dʌmi] I *zn* blinde (*kaartspel*); figurant, stroman; id., iets nagemaakts: lege etalageverpakking, enz.; exercitiepatroon; II *bn* nagemaakt, schijn..., blind (*door*); *~ run* proef of test procedure
dump [dʌmp] I *zn* opslagplaats (*ammunition ~*); vuilnisbelt; II *ww* neergooien, -ploffen; storten (*rubbish*); goederen (in het buitenland) verkopen beneden de (in het binnenland) geldende prijs, 'dumpen'; '**dumping-ground**, '**dumping-tip** stortplaats, vuilnisbelt
dumpling ['dʌmpliŋ] oliebol; *apple ~* appelflap
dumps [dʌmps] gedruktheid; *be in the ~* neerslachtig zijn, in de put zitten
dunce [dʌns] domkop, ezel
dune [dju:n] duin
dung [dʌŋ] mest, drek
dungeon ['dʌndʒən] kerker
dunk [dʌŋk] (in)dopen
dupe [dju:p] I *zn* bedrogene, slachtoffer van bedrog; onnozele hals; II *ww* bedriegen, beetnemen
duplicate ['dju:plikit] I *bn* dubbel; duplicaat...; II *zn* duplicaat, dubbele, afschrift; duplo (*in ~*); *trains ran in ~* er liepen volgtreinen; III *ww* [-keit] verdubbelen, in duplo (op)maken; stencilen; **duplication** [dju:pli'keiʃən] verdubbeling; **duplicator** ['dju:plikeitə] id.; **duplicity** [dju:'plisiti] dubbelhartigheid
durability [djuərə'biliti] duurzaamheid; **durable** ['djuərəbl] duurzaam; (*consumer*) *~s* duurzame (verbruiks)goederen; **duration** [dju'reiʃən] duur; *for the ~* voor de duur van de oorlog
duress [dju'res, 'djuərəs] dwang; gevangenschap; *under ~* door dwang
during ['djuəriŋ] gedurende; voortdurend, duurzaam
dusk [dʌsk] schemering, donker(heid); (*Belg*) valavond; '**dusky** [-i] zwart(achtig), donker, schemerig
dust [dʌst] I *zn* stof; vuilnis; *kick up* (*make, raise*) *a ~* stof opjagen (*ook fig*), herrie maken; II *ww* afstoffen, afkloppen (ook: *~ down, ~ up*); bestuiven, (be)strooien; '**dustbin** vuilnisbak, -vat; **dustcart** vuilnisauto; '**dust-cloth** stofdoek; '**duster** stoffer, stofdoek; '**dust-jacket** stofomslag; '**dustman** [-mən] vuilnisman; '**dustpan** vuilblik; '**dusty** [-i] stoffig, bestoven, droog; vaag (*answer*); vaal (*brown*)
Dutch [dʌtʃ] 1 Nederlands, Hollands; vals, verkeerd; *the ~* de Nederlanders; *go ~* ieder voor zich betalen; *~ auction* verkoping bij afslag; *~ consolation* schrale troost; *~ courage* jenevermoed; *~ crossing* het scheef oversteken; *~ treat* (*lunch,* enz.) partijtje, enz. waarbij ieder zelf betaalt; *talk like a ~ uncle* een strafpredikatie houden; 2 *my* (*old*) *~,* (*sl*) moeder de vrouw; '**Dutchman** [-mən] Nederlander, Hollander; *I'm a ~ if* ... ik laat me hangen, als ...; '**Dutchwoman** Hollandse; '**Dutchy** [-i] (*fam*) Hollander
dutiful ['dju:tif(u)l] *a*) gehoorzaam, eerbiedig, plichtsgetrouw; *b*) plichtmatig, verschuldigd;
duty ['dju:ti] plicht; eerbied(sbetuiging); functie, dienst, werk, werkzaamheden (*of a headmaster*); wacht, surveillance; belasting, (in-, uitvoer)recht (*gew mv*) accijns; *duties,* ook: ambt (zie *take up*); *heavy ~,* (*van machine, enz*) krachtig, sterk; *in ~ bound* door de plicht gebonden, verplicht; (*up*)*on ~* diensthebbend; in dienst, op wacht; *take ~ for a p., take a p.'s ~* voor iem waarnemen; *do ~ for* dienst doen als (voor); vervangen; '**duty-call** beleefdheidsbezoek, verplicht bezoek; '**duty-'free** (*handel*) vrij van rechten, belastingvrij; *~ shop* belastingvrije winkel (*op vliegveld, schip*); '**duty-officer** officier van dienst; '**duty-roster** dienstrooster
duvet ['du:vei] donzen dekbed
dwarf [dwɔ:f] I *zn* dwerg; (*attr ook*) miniatuur... (*bookcase*); II *ww: a*) in de groei belemmeren, klein doen lijken, geheel in de schaduw stellen; *b*) klein worden, kwijnen; '**dwarfish** dwergachtig
dwell [dwel] wonen, verblijven; *~* (*up*)*on* (lang) stilstaan bij, uitweiden over; bepeinzen; (*van oog*) rusten op; '**dweller** [-ə] bewoner, inwoner; '**dwelling** woning; '**dwelling-place** woonplaats
dwindle ['dwindl] afnemen, achteruitgaan, inkrimpen, slinken, uitsterven
dye [dai] I *zn* verf(stof), kleur, tint; II *ww* verven (*van stoffen, enz*); *~ in the wool* (*in grain*) in de wol verven; '**dyer** [-ə] verver; '**dye-stuff** verfstof; '**dye-works** ververij
dyke [daik] zie dike
dynamic [dai'næmik] I *bn* dynamisch, beweeg..., drijf..., stuw..., krachtig, voortvarend; (*med*) functioneel; II *zn* drijf-, stuwkracht; *~s* dynamica
dynasty ['dinəsti] dynastie
dysentery ['disntri] dysenterie
dyslexia [dis'leksiə] dyslexie, woord-, leesblindheid
dyspepsia, **dyspepsy** [dis'pepsiə, -si] dyspepsie: slechte spijsvertering; **dyspeptic** [dis'peptik] I *bn* dyspeptisch; II *zn* lijder aan dyspepsie

dys

Eee

each [i:tʃ] elk, ieder; *they cost 5p.* ~ per stuk; ~ *other* elkaar
eager ['i:gə] vurig, gretig, geestdriftig; verlangend, begerig (*for, after* naar); **eagerness** gretigheid, geestdriftigheid; begeerte, verlangen
eagle ['i:gl] arend, adelaar
ear [iə] 1 oor; gehoor (*no ~ for music*); *be all ~s* geheel oor zijn; *catch s.o.'s* ~ iem naar zich doen luisteren; *be* (*thrown*) *out* ***on*** *one's* ~, (*fam*) eruit vliegen; ***up to*** *the ~s in debt* tot over de oren; *prick up one's ~s* de oren spitsen; 2 aar (*of corn*); '**ear-ache** [-eik] oorpijn; '**ear-drum** trommelvlies
earl [ə:l] (Engelse) graaf
earlobe ['iələub] oorlel
early ['ə:li] *bn* & *bw* vroeg(tijdig); spoedig; bijtijds; ~ *bird* matineus persoon; vroeg aangekomene; ~ *closing day* dag waarop de winkels 's middags gesloten zijn; *in ~ life he had* ... in zijn jonge jaren; *ten minutes* ~ te vroeg; *as ~ as May* reeds in mei; ~ *on* (al) vroeg (*in the evening*); *earlier on* eerder, vroeger
earmark ['iəma:k] I *zn* oormerk, (eigendoms-) merk; kenmerk; II *ww* bestemmen, reserveren voor bepaalde doeleinden (*money*)
earn [ə:n] verdienen, verkrijgen; *it ~ed* (*for*) *him the nickname of* ... bezorgde hem ...
earnest ['ə:nist] I *bn* ernstig, vurig, ijverig, dringend; II *zn* 1 ernst; *in* (*good, dead*(*ly*), *sober*) ~ in (alle) ernst; *I am in* ~ ik meen het; 2 handgeld; (onder)pand; belofte, voorproefje
earning ['ə:niŋ]: ~ *capacity* (*power*) rentabiliteit; **earnings** verdiensten, inkomsten
'**earphone** koptelefoon; '**ear-piece** oortelefoon; *~(s), ook:* koptelefoon; '**ear-plug** oordopje; '**ear-ring** oorbel; '**earshot** gehoorsafstand, bereik der stem; *he was within* (*out of*) ~ kon ons (niet) horen; '**ear-splitting** oorverscheurend
earth [ə:θ] aarde; grond, land; *cost the ~*, (*fam*) onbetaalbaar zijn; *promise the* ~ van alles en nog wat (gouden bergen) beloven; '**earthen** [-ən] aarden; '**earthenware** [-ənwɛə] aardewerk; **earthly** ['ə:θli] aards, stoffelijk; aard...; *what ~ justification can there be for it!* hoe ter wereld kan men het rechtvaardigen!; *of no ~ use* van totaal geen nut; '**earthquake** [-kweik] aardbeving; **earthy** ['ə:θi] aards; aard..., grond... (*smell*)
ear-wax ['iəwæks] oorsmeer; '**earwig** oorworm
ease [i:z] I *zn* gemak; gemakkelijkheid; ongedwongenheid; verlichting; *at* (*one's*) ~ op zijn gemak; *live at* ~ in goeden doen zijn; *put s.o. at his* ~ iem op zijn gemak stellen; *set at* ~ op zijn gemak zetten; *stand at* ~, (*mil*) op de plaats rust staan; II *ww* verlichten, verlichting geven (ook: ~ *up*), gemakkelijker maken; geruststellen, sussen; afhelpen (*a p. of his purse*); losser (slapper) maken (draaien: *a screw*); ~ *down, ook:* voorzichtig neerlaten; ~ *in*(*to*) voorzichtig binnenbrengen, enz.; ~ *off* verlichten; verlicht worden; (doen) afnemen; het meer op zijn gemak doen; (*scheepv*) vieren; ~ *up* de vaart verminderen
easel ['i:zl] (schilders)ezel
easily ['i:zili] gemakkelijk; op zijn gemak (*win* ~); verreweg (~ *the best hotel*); **easiness** ['i:zinis] gemakkelijkheid (zie *easy*)
east [i:st] I *zn* oosten(wind); ~ *by north* oost ten noorden; II *bn* & *bw* oostelijk, oostwaarts, oost(en)..., ooster...; (*to the*) ~ *of* ten O van
Easter ['i:stə] Pasen; ~ *Day, E~ Sunday* 1ste paasdag, paaszondag; ~ *Monday* 2e paasdag
easterly ['i:stəli] oostelijk; oosten...; **eastern** ['i:stən] oosters; oostelijk; **easterner** [-ə] oosterling; **eastward(s)** oostwaarts
easy ['i:zi] *bn* & *bw* gemakkelijk; behaaglijk, op zijn gemak; gerust; kalm, rustig; zacht (*death*); gemakzuchtig; meegaand; welgesteld; ongedwongen; prettig (*on the feet* voor ...); ~ *does it!* rustig aan! haast je niet!; ~ *on the ear* in het gehoor liggend; ~ *on the eye* aantrekkelijk; ~ *come,* ~ *go* zo gewonnen, zo geronnen; *in ~ circumstances* in goeden doen; *make your mind ~!* stel u gerust!; *stand ~!* (*mil*) in de 'dubbele rust' staan!; *take it* (*things*) ~ het gemakkelijk opnemen; *go ~ on s.t.* zuinig aan doen met iets; (*go*) *easy with* ... kalm aan met; ~ *game* gemakkelijke prooi; (*on*) ~ *terms* op afbetaling; '**easy-'chair** leun(ing)stoel; '**easy-,going** licht lopend; gemakzuchtig; de dingen gemakkelijk opnemend; gemakkelijk in de omgang; laconiek
eat [i:t] I *ww* (op)eten; vreten; zich laten eten; *I'll ~ my hat* (*hands, boots*) *if* ... ik mag hangen als ...; ~ *one's words* ... terugnemen, inslikken; *what's ~ing you?* (*Am*) wat scheelt (bezielt) je?; ~ ***away*** weg-, afeten, -vreten, -knabbelen; ~ ***into*** wegvreten, uitbijten; ~ *into one's capital* interen; *the thought had ~en into him all the way through* ... steeds meer gekweld; ~ ***out*** buitenshuis eten, uit eten gaan; ~ ***up*** geheel opeten; verslinden (*ook fig: the distance*); in zich opnemen; verteren; *they just ate it up,* (*fig*) ze smulden er (gewoonweg) van; II *zn: ~s,* (*fam*) eterij; '**eatable** [-əbl] eetbaar; *~s* eetwaren; '**eater**: *poor* ~ kleine eter; '**eating**: *good* ~ goed eten; **eating house (place)** eethuis
eaves [i:vz] overhangende dakrand; **eavesdrop** afluisteren, de luistervink spelen; '**eavesdropper** luistervink

ebb [eb] I *zn* eb; (*fig*) afneming, verval; *at an* (*at a low*) ~ aan lagerwal; zeer laag; in verval; *at the lowest* ~ op het laagste punt; II *ww:* ~ (*away*) ebben, afnemen; **'ebb-'tide** eb(stroom)
ebony ['ebəni] ebbehout(en)
ebullient [i'bʌl-, i'buljənt] kokend; opborrelend, -bruisend; uitbundig (*personality*)
eccentric [ik'sentrik] I *bn* excentrisch; excentriek, zonderling; II *zn* excentriek; zonderling; **eccentricity** [eksen'trisiti] excentriciteit, zonderlingheid
ecclesiastic [iˌkli:zi'æstik] geestelijke; **ecclesiastical** [-l] geestelijk, kerkelijk
echo ['ekəu] I *zn* echo, weer-, naklank; II *ww* weerklinken, terugkaatsen; weergeven
eclipse [i'klips] I *zn* eclips, verduistering; (*fig ook*) verdwijning (van het toneel), ondergang; II *ww* verduisteren, eclipseren, overschaduwen
ecology [i:-, e'kɔlədʒi] (*biol*) ecologie
economic [i:-, ekə'nɔmik] I *bn* economisch, (staat)huishoudkundig; lonend, zonder verlies; II *zn:* ~*s* (staat)huishoudkunde, economie; **economical** [-l] spaarzaam, zuinig, voordelig, economisch; **economist** [i(:)-'kɔnəmist] *a*) econoom, staathuishoudkundige (= *political* ~); *b*) zuinig beheerder; **economize** [i(:)'kɔnəmaiz] spaarzaam zijn met, (be)sparen, bezuinigen (op), praktisch aanwenden; **economy** [i'kɔnəmi] economie; beheer; zuinigheid, bezuiniging, besparing; ~ (*size*) *pack* voordeelpak
ecstasy ['ekstəsi] extase, (geest)vervoering; **ecstatic(al)** [eks'tætik(l)] extatisch, geestdriftig, in vervoering
ecumenical [e-, i:kju:'menikl] oecumenisch
eczema ['eksimə] eczeem
eddy ['edi] I *zn* draaikolk, maalstroom; dwarrelwind; II *ww* (doen) dwarrelen, draaien
edge [edʒ] I *zn* (scherpe) kant, rand, zoom; snede, snee; scherpte; overwicht; rib (*van kubus, enz.*); *this knife has no* ~ is stomp; *the voice had an* ~ *to it* klonk scherp; ***by*** *the* ~ *of the sword* door (met) het zwaard; *be* ***on*** ~ op z'n kant staan; (*fig*) zenuwachtig, ongedurig, overprikkeld zijn; *be all on* ~ *to* ... vurig verlangen om ...; *be on the* ~ *of* op het punt van ...; *take the* ~ ***off*** de scherpte van iets wegnemen; ontzenuwen (*an argument*); *not to put too fine an* ~ *upon it* om het maar ronduit te zeggen; *have the* ~ *on* (*over*) *a p.:* *a*) iem de baas zijn; *b*) een voorsprong op iem hebben; II *ww* scherpen, wetten; (om)zomen, begrenzen; zich in schuine richting bewegen, langzaam (voorzichtig) vooruitgaan (= ~ ***on***); (ongemerkt) dringen (schuiven); ~ ***away*** zich voorzichtig (naar ter zijde) verwijderen; ~ ***in*** binnendringen, -schuiven; ~ ***on*** zie boven; *ook:* aanzetten, ophitsen; ~ *one's way* ***through*** *the crowd* door ... heen dringen; ~ ***up*** dichterbij schuiven; **edged** [-d] scherp, snijdend; (*in sam*) met scherpe kant(en) of randen; **'edging** boordsel, passement, franje, rand, bies; **edgy** ['edʒi] (te) scherp; (*fig ook*) zenuwachtig
edible ['edibl] I *bn* eetbaar; II *zn:* ~*s* eetwaren
edification [ˌedifi'keiʃən] stichting, opbouwing; **edifice** ['edifis] gebouw; **edify** ['edifai] stichten, opbouwen; **edifying** stichtelijk (*books*)
edit ['edit] uitgeven (d.w.z. voor publikatie gereedmaken; monteren (*film*); **edition** [i'diʃən] editie, uitgave; **editor** ['editə] bewerker; redacteur; **editorial** [edi'tɔ:riəl] I *bn* redactioneel; van de ~; ~ *staff* redactie; II *zn* hoofdartikel; commentaar
educate ['edju(:)keit] onderwijzen, opleiden, opvoeden, disciplineren, dresseren; ~*d, ook:* ontwikkeld; verstandig; ~*d guess* gegrond vermoeden; **education** [edju(:)'keiʃən] opleiding, opvoeding; ontwikkeling; onderwijs (*primary, secondary, higher, adult* basis-, voortgezet, hoger, volwassenen-); **educational** [-l] opvoedings..., onderwijs..., school... (*books*); ~ *institution* onderwijsinrichting; **educationalist** onderwijskundige; **educator** ['edju(:)keitə] opvoeder; onderwijsman
eel [i:l] aal, paling
eerie ['iəri] angstig (door bijgeloof); akelig, naar, eng, griezelig
efface [i'feis] uitwissen, doorhalen, onzichtbaar maken, in de schaduw stellen; ~ *o.s.* zich wegcijferen; verdwijnen
effect [i'fekt] I *zn* id., gevolg, resultaat, uitwerking; ~*s* goed(eren), bezittingen, spullen; *of* (*to*) *no* ~, *without* ~ zonder uitwerking; tevergeefs; *I warned him to that* ~ in die zin; *a letter to the* ~ *that* ... hierop neerkomende, dat ...; *bring to* ~, *carry* (*put*) *into* ~ ten uitvoer brengen; *take* ~*:* *a*) uitwerking hebben; *b*) ingaan, van kracht worden (*from* van ... af); II *ww* bewerkstelligen, tot stand brengen (*a sale*), uitvoeren; **effective** [-iv] effect (uitwerking) hebbend, indrukwekkend; werkzaam, krachtdadig, doeltreffend; afdoend; effectief; van kracht, ingaande (*from, as from June 1* per ...); **effectiveness** doeltreffendheid, uitwerking; **effectually** op doeltreffende wijze, met succes; **effectuate** [i'fektjueit] bewerkstelligen, uitvoeren
effeminate [i'feminit] verwijfd (persoon)
effervescence [efə'vesəns] levendigheid, enthousiasme; gisting, het mousseren, bruisen; **effervescent** [-nt] bruisend, mousserend; levendig, enthousiast
effete [i'fi:t] afgeleefd, versleten, steriel
efficacious [efi'keiʃəs] werkzaam, krachtig, krachtdadig, doeltreffend, probaat; **efficacy** ['efikəsi] werkzaamheid; uitwerking
efficiency [i'fiʃənsi] doelmatig-, doeltreffendheid; **efficient** [i'fiʃənt] efficiënt, doelmatig; bekwaam, geschikt; slagvaardig
effigy ['efidʒi] afbeelding, beeld, beeltenis

effluent ['efluənt] I *bn* uitvloeiend; ~ *water* afvoer-, afvalwater; II *zn* zijrivier, tak; het uitstromende; rioolwater, enz.
effort ['efət] poging, (krachts)inspanning; prestatie (*one of my best ~s*); **effortless** [-lis] zonder inspanning, moeiteloos, ongedwongen
effrontery [e'frʌntəri] onbeschaamdheid
effusion [i'fju:ʒən] uitstraling, storting, verspreiding, ontboezeming; hartelijkheid; **effusive** [i'fju:siv] overvloedig; (overdreven) hartelijk, demonstratief, uitbundig
e. g. ['i:'dʒi:, fərig'zɑ:mpl] *exempli gratia* bijv, bijv., bijvoorbeeld
egg [eg] I *zn* ei; *put (have) all one's ~s in one basket* alles op één kaart zetten; *a good ~*, (*sl*) een patente kerel; II *ww: ~ on* aanzetten, ophitsen; **eggcup** eierdopje; '**egghead** (*fam*) intellectueel, geleerde; '**egg-roll** loempia; '**eggshell** eierschaal; '**egg-timer** eierwekker
egoism ['e-, 'i(:)gəuizm] egoïsme, zelfzucht, eigenliefde; **egoist** egoïst; **egotism** [-tizm] egoïsme; **egotist** egoïst
eiderdown ['aidədaun] donzen dekbed
eight [eit] acht(tal); *he'd had one over the ~*, (*sl*) hij was een beetje dronken; **eighteen** ['ei'ti:n; *attr:* 'eiti:n] achttien; *in the ~ fifties* tussen 1849 & 1860; **eighth** [eitθ] achtste; **eightieth** ['eitiiθ] tachtigste; **eighty** ['eiti] tachtig; *the eighties* de jaren tachtig
eisteddfod [ais'tedfəd] id.: zangers- en dichterscongres in Wales
either ['aiðə, 'i:ðə] *a*) een (elk, welke ook) van beide; *b*) beide; *in ~ case* in elk geval (beide gevallen); *of ~ sex* van beiderlei kunne; *~ way your conduct was inhuman* in beide gevallen, hoe dan ook; *will you have tea or coffee? ~* geen voorkeur; *~ ... or* of ... of; *he sent no message ~* zond ook geen boodschap; *not only in the past, ~* en ook niet alleen ...
ejaculate [i'dʒækjuleit] zaad lozen; (*vero*) uitroepen; **ejaculation** [iˌdʒækju'leiʃən] zaadlozing; (*vero*) uitroep
eject [i(:)'dʒekt] uitwerpen, -spuiten, lozen; uit-, afzetten, verdrijven, verbannen; **ejection** uitwerping, lozing; **ejector** [-ə] uitwerper (*van geweer enz.*); *~ seat* (= *ejection seat*) schietstoel
eke [i:k]: *~ out* aanvullen, rekken; *~ out a living* met moeite aan de kost komen
elaborate I *bn* [i'læbərit] met zorg be-, uit-, afgewerkt; ingewikkeld; doorwrocht; in de puntjes; nauwgezet; uitgebreid; II *ww* [i'læbəreit] (met zorg) be-, uit-, verwerken (*into* tot); voortbrengen; voortborduren (*on* op); **elaboration** [iˌlæbə'reiʃən] uitwerking, het voortborduren
elapse [i'læps] verstrijken, verlopen
elastic [i'læstik] I *bn* elastisch, veerkrachtig; rekbaar; ruim (*conscience*); *~ band* elastiek(je); II *zn* elastiek; **elasticity** [e-, ilæs'tisiti] elasticiteit, veerkracht, rekbaarheid
elated [i'leitid] verrukt, in de wolken; **elation** [i'leiʃən] verrukking
elbow ['elbəu] I *zn* elleboog; (scherpe) bocht; *at one's ~* vlak bij; II *ww* met de elleboog duwen, dringen; een bocht (bochten) vormen; *~ one's way* zich een weg banen; **elbow grease** (*fam*) inspanning; '**elbow-room** [-ru(:)m] ruimte van beweging, 'armslag'
elder ['eldə] I *bn* oudere, oudste; II *zn: the ~* de oudste (van twee); ouderling; '**elderly** op leeftijd; *care for the ~* bejaardenzorg; *home for the ~* bejaardenhuis
elect [i'lekt] I *bn & zn* uitverkoren(e), gekozen(e); *the President ~* de nieuw gekozen (*nog niet in functie zijnde*); II *ww* (ver)kiezen (als); **e'lection** verkiezing; uitverkiezing; keus; **e'lective** [-iv] keur..., kies..., verkiezings...; (*Am*) facultatief, keuze-; keuzevak; **e'lectoral** kies..., kiezers... (*roll* lijst), verkiezings...; **e'lectorate** [-rit] kiezers(corps)
e'lectric elektrisch; **e'lectrical** elektrisch; *~ engineer(ing)* elektrotechnicus (-techniek); **electrician** [ilek'triʃən] elektricien; deskundige op gebied van elektriciteit; **electricity** [ilek'trisiti] elektriciteit; **e'lectrify** [-fai] *a*) elektriseren (*ook fig:* doen schrikken; prikkelen; bezielen); *b*) elektrificeren; **electrocute** [i'lektrəkju:t] elektrokuteren, terechtstellen door de elektrische stoel; **electro'lytic** elektrolytisch
electronic [ilek'trɔnik] elektronisch; *~s* elektronica; *~ flash* elektronenflits(er)
elegance ['eligəns] sierlijkheid, bevalligheid, elegantie; **elegant** ['eligənt] sierlijk, bevallig, elegant
element ['elimənt] id., bestanddeel; *~s, ook:* beginselen; **elementary** [eli'mentəri] elementair, eenvoudig, allereerste, aanvangs..., grond...; *~ school* (*Am*) basisschool
elephant ['elifənt] olifant
elevate ['eliveit] ver-, opheffen; opslaan (*one's eyes*); verhogen; **elevated** verheven (*language*); verhoogd; **elevation** verhoging; hoogte, verhevenheid; **elevator** ['eliveitə] id., silo, graanpakhuis (= *grain ~*); (*Am*) lift
eleven [i'levn] elf; elftal; **elevens(es)** (*fam*) iets te eten en drinken om 11 uur voormiddag; **eleventh** [-θ] elfde; *at the ~ hour* te elfder ure
elf elf, kabouter, fee, dwerg; dreumes
elicit [i'lisit] ont-, uitlokken; aan het licht brengen; krijgen (*from* uit)
eligible ['elidʒəbl] verkiesbaar, -lijk, wenselijk; in aanmerking komend, geschikt; *~ for reelection* herkiesbaar; *~ for (a) pension* pensioengerechtigd
eliminate [i'limineit] ver-, uitdrijven, uit-, afscheiden, verwijderen, elimineren; buiten beschouwing laten, ter zijde stellen, uitschakelen; **elimination** [iˌlimi'neiʃən] uitschakeling; eliminatie
elite [i'li:t] elite
elk eland

ellipse [i'lips] ellips; **ellipsis** [i'lipsis] *mv ellipses* [-si:z] ellips: weglating van een woord uit een zin zonder aantasting van de betekenis; **elliptic(al)** [i'liptik(l)] elliptisch
elm iep, olm (= ~ *tree*)
elocution [elə'kju:ʃən] elocutie, voordracht, welbespraaktheid
elongate ['i:lɔŋgeit] (zich) verlengen, uitrekken
elope [i'ləup] weglopen, ervandoor gaan (*met minnaar*), zich laten schaken (*with* door)
eloquence ['eləkwəns] welsprekendheid; **eloquent** ['eləkwənt] welsprekend; *be ~ of* (luide) getuigen (spreken) van
else [els] anders (*how, nowhere, or, who* enz. ~); *or ~,* (*fam*) of er gebeurt wat (onaangenaams)
elsewhere ['els'wεə] elders, ergens anders; *look ~* elders zien te slagen; zich tot een ander wenden
elucidate [i'l(j)u:sideit] toelichten, ophelderen, verklaren; **elucidation** [i,l(j)u:si'deiʃən] toelichting
elude [i'l(j)u:d] ontduiken, ontwijken, ontsnappen aan, ontgaan; **elusive** [i'l(j)u:siv] ontwijkend; moeilijk te vinden (pakken, enz.), ongrijpbaar
emaciate [i'meiʃieit] doen vermageren, uitmergelen, uitteren
emanate ['eməneit, 'i:-] uitstromen, uitstralen, voortkomen (*from* uit); **emanation** [emə'neiʃən] uitstraling; uitvloeisel
emancipate [i'mænsipeit] vrijmaken; mondig verklaren; emanciperen; **emancipation** [i,mænsi'peiʃən] emancipatie
emasculate [i'mækjuleit] verzwakken
embalm [im'ba:m] balsemen
embankment [im'bæŋkmənt] dijk, dam, kade
embargo [em'bɑ:gəu] **I** *zn* id., beslag (*op schip*); verbod, belemmering; **II** *ww* beslag leggen op
embark [im'bɑ:k] (zich) inschepen; zich begeven of wagen (*on, upon* in); zich inlaten (*on speculation* met ...); **embarkation** [embɑ:'keiʃən] inscheping
embarrass [im'bærəs] hinderen, bemoeilijken, in moeilijkheden brengen; in verlegenheid brengen; verlegen maken; **embarrassed** [-t] in (geldelijke) moeilijkheden; verlegen; in verlegenheid gebracht; **embarrassing** verlegen makend, lastig, genant, pijnlijk (*silence*)
embassy ['embəsi] ambassade
embellish [im'beliʃ] verfraaien, versieren; opsieren; **embellishment** [-mənt] op-, versiering, verfraaiing
ember ['embə]: *~s* gloeiende as of sintels
embezzle [im'bezl] verduisteren; verduistering plegen; **embezzlement** verduistering
embitter [im'bitə] verbitteren, vergallen, vergeren
emblem ['embləm] zinnebeeld, embleem
embodiment [im'bɔdimənt] belichaming; **embody** [im'bɔdi] belichamen; uitdrukken; verenigen, inlijven; be-, omvatten
embolden [im'bəuldən] aanmoedigen, verstouten
embrace [im'breis] **I** *ww* (elkaar) omhelzen; omsluiten, omstrengelen; aangrijpen (*an offer*); zich aansluiten bij (*a party*); omvatten; overzien; **II** *zn* omhelzing
embroider [im'brɔidə] borduren (*ook fig*); **embroidery** [im'brɔidəri] borduurwerk
embroil [im'brɔil] verwarren, in de war brengen
embryo ['embriəu] id., onontwikkelde vrucht, kiem
emend [i(:)mend] emenderen, verbeteren (*a text*); **emendation** [,i:men'deiʃən] verbetering
emerald ['emərəld] **I** *zn* smaragd; **II** *bn* smaragden, smaragdgroen
emerge [i'mə:dʒ] op-, verrijzen, opduiken, boven komen, te voorschijn (aan de dag) komen; naar voren treden (*fig*); uitkomen, blijken; zich voordoen; **emergence** [-əns] het te voorschijn (aan de dag) komen; **e'mergency** [-ənsi] onverwachte (onvoorziene) gebeurtenis (moeilijkheid), noodtoestand (= *state of ~*); *attr* nood..., spoed...; *in case of ~, in an ~* in geval van nood; *~ action* noodgreep; *~ debate* spoeddebat; *~ measure* noodgreep; **emergency exit** nooduitgang; **emergency services** politie, brandweer en ambulance (ongev. centraal alarmnummer); **emergent** [i'mə:dʒənt] ...nd (zie *emerge*); eerst kort onafhankelijk (*nation*)
emery ['eməri] amaril; **emery board** kartonnen nagelvijl; **emery paper** schuurpapier
emigrant ['emigrənt] **I** *bn* het land verlatend, emigrerend; **II** *zn* id., landverhuizer; **'emigrate** emigreren, het land verlaten; helpen emigreren, uitzenden; **emi'gration** emigratie
eminence ['eminəns] hoogte; hoge positie; grootheid, uitstekendheid; het uitblinken; verhevenheid; eminentie; **'eminent** id., verheven, uitstekend, uitblinkend; **'eminently** *ook:* op e...e wijze; in hoge mate, zeer
emissary ['emisəri] (af)gezant
emission [i'miʃən] emissie (*ook natuurk*), uitgifte; **emit** [i'mit] uitzenden, uitstralen; afscheiden, afgeven; uiten; uitvaardigen; uitgeven (*banknotes*), in omloop brengen
emotion [i'məuʃən] emotie, aandoening, ontroering, gemoedsbeweging; **emotional** [-l] ontroerend, gemoeds..., gevoels...; licht geroerd, emotioneel; geëmotioneerd
empathy ['empəθi] het zich (kunnen) inleven, meevoelen
emperor ['emp(ə)rə] keizer
emphasis ['emfəsis] nadruk, klem; **emphasize** ['emfəsaiz] de nadruk leggen op; (sterk, sterker) doen uitkomen; **emphatic** [im'fætik] nadrukkelijk; met nadruk sprekend, emfatisch; krachtig
empire ['empaiə] (keizer)rijk, wereldrijk, imperium; heerschappij, macht; machtige combinatie (*one or another of the newspaper ~s*); *hold ~* heerschappij voeren (*over*)

empiric(al) [em'pirik(l)] empirisch, op ervaring gegrond
employ [im'plɔi] I *ww* gebruiken, besteden, aanwenden; in dienst hebben (*a thousand men*); bezig houden; *be ~ed in* bezig zijn met; *~ed* in dienst zijnd; loontrekkend; II *zn* bezigheid; dienst; *in the ~ of* in dienst bij; **employable** bruikbaar; **employee** [im'plɔii:] employé(e), bediende; **employer** [im'plɔiə] werkgever, patroon; **em'ployment** *a*) gebruik, aanwending; *b*) bezigheid, werk, beroep; tewerkstelling; *full ~* volledige werkgelegenheid; *out of ~* zonder werk; *~ agency* uitzendbureau; *~ exchange* arbeidsbureau
empower [im'pauə] machtigen, in staat stellen
empress ['empris] keizerin
emptiness ['em(p)tinis] ledigheid, leegte;
empty ['em(p)ti] I *bn* ledig, leeg(hoofdig); ijdel (*threat, hopes*); nietszeggend, hol (*phrase*); (*fam*) leeg, met lege maag (*feel ~*); *~ of* verstoken van, zonder; II *zn* le(e)g(e) fust, (kist, wagon, enz.); III *ww* ledigen; leeg worden; (zich) ontlasten (uitstorten); *~ of* ontdoen van; **'empty-'handed** met lege handen
emulate ['emjuleit] wedijveren met, opzij streven; **emu'lation** wedijver, rivaliteit
emulsifier, emulsify [i'mʌlsifaiə, -fai] emulgator, emulgeren; **emulsion** [i'mʌlʃən] emulsie; *~ paint* muurverf op waterbasis
enable [i'neibl] in staat stellen
enact [i'nækt] vaststellen, bepalen; tot wet verheffen; opvoeren; spelen (*a part* rol); *be ~ed, ook:* zich afspelen
enamel [i'næm(ə)l] I *zn* email, glazuur, vernis; lak; II *ww* emailleren, vernissen, lakken, moffelen; brandschilderen
enamour [i'næmə]: *~ed of* verliefd (verzot) op
encase [in'keis] in een koker, enz. steken, in-, omsluiten; *~d in black silk* gestoken, gedost in ...; **encasement** [-mənt] omhulsel
enchant [in'tʃɑ:nt] betoveren, bekoren, verrukken; *~ed ring* toverring; **enchanter** [-ə] tovenaar; **enchantment** [-mənt] betovering, bekoring; **enchantress** [-ris] *a*) tove(na)res, heks; *b*) betoverende vrouw
encircle [in'sə:kl] omringen, om-, insluiten; (*mil*) omsingelen
enclose [in'kləuz] in-, op-, omsluiten; omheinen; bevatten; **enclosure** [in'kləuʒə] omsluiting; omheining; omsloten ruimte; bijlage
encompass [in'kʌmpəs] omringen, -sluiten, -geven; be-, omvatten
encore ['ɔŋkɔ:] herhaling; toegift
encounter [in'kauntə] I *ww* ontmoeten, tegenkomen, stoten op, het hoofd bieden; ondervinden; II *zn* ontmoeting; treffen, gevecht
encourage [in'kʌridʒ] aanmoedigen, -zetten, -kweken, bemoedigen; **encouragement** aanmoediging
encroach [in'krəutʃ] te ver gaan, zich indringen; *~ (up)on* inbreuk maken op; **encroachment** inbreuk; aanmatiging, toeëigening
encrust [in'krʌst] met een korst bedekken; inleggen, bezetten
encumber [in'kʌmbə] belemmeren, versperren; belasten, bezwaren (met hypotheek); *~ o.s. (with)* zich belasten (met)
end I *zn* eind(e); uiteinde; eindje, stukje; besluit, uitslag; resultaat; oogmerk, doel; *there is an ~ (of the matter)* daarmee is het uit; *go off the deep ~* zijn zelfbeheersing verliezen; *be at a loose ~* niets te doen hebben; *~ **on*** kop aan (tegen) staart; *~ **up*** met het eind naar boven; *there is **no** ~ to it* er komt geen eind aan; *she helped him no ~* verbazend veel; *gain one's ~(s)* zijn doel bereiken; *make (both) ~s meet* rondkomen; *make an ~ of, put an ~ to* een eind maken aan; ***at** an ~* over, uit, op; *at the ~* ten laatste; ***in** the ~* ten slotte; op den duur; ***on** ~: a*) overeind; *b*) achter elkaar, aan een stuk (*for a fortnight on ~*); *his hair stood on ~* zijn haren rezen te berge; *come **to** an ~* eindigen; ten einde lopen; opraken; *he came to a bad ~* het liep slecht met hem af; *~ to ~* met de einden aan elkaar; in de lengte; *to this ~* met dit doel; *to what ~?* waarom?; *to no ~* tevergeefs; *to the ~ that ...* opdat; II *ww* (be)eindigen, besluiten, ophouden; een eind maken aan; *all's well that ~s well* eind goed, al goed; *~ in* eindigen in (op); uitlopen op; *~ up* eindigen, besluiten; *~ up in prison* ten slotte terechtkomen in; *~ up as* ten slotte worden (*king*)
endanger [in'dein(d)ʒə] in gevaar brengen
endear [in'diə] bemind of dierbaar maken (*to* bij); **endearing** [-riŋ] innemend, sympathiek; *~ terms* lieve namen of woorden; **endearment** het ...; wat bemind maakt; uiting van liefde
endeavour [in'devə] I *ww* pogen, trachten, streven; II *zn* poging, inspanning; streven
endemic [en'demik] inheems, endemisch
ending ['endiŋ] einde; uitgang; *happy ~* goede afloop (*van verhaal*)
endive ['endiv] andijvie
endless eindeloos, zonder eind
endorse [in'dɔ:s] endosseren; aftekenen (*a railway-ticket*); bevestigen, onderschrijven (*a view*); **endorsement** endossement, bevestiging; steun; aantekening (*op rijbewijs, enz.*)
endow [in'dau] begiftigen, doteren: subsidiëren (*state-~ed theatres*); **endowment** [-mənt] schenking, dotatie; talent, gave; *~ policy* lijfrentepolis
endurance [in'djuərəns] het verduren; lijdzaamheid, geduld; uithoudings-, weerstandsvermogen; *~ test* uithoudingsproef; **endure** [in'djuə] *a*) verduren, verdragen, dulden, uithouden; *b*) (voort)duren, in stand blijven; **enduring** blijvend, duurzaam
enemy ['enəmi] I *zn* vijand(en); II *bn* vijandelijk (*ships*)
energetic [enə'dʒetik] *bn* energiek, krachtig; **energetically** *bw* energiek, krachtig
energize ['enədʒaiz] *a*) bezielen; *b*) werken,

zich inspannen; **energy** ['enədʒi] energie, (geest-, wils)kracht; nadruk; arbeidsvermogen; *~-saving lamp* spaarlamp
enervate ['enə:veit] verzwakken, verslappen, ontzenuwen
enfeeble [in'fi:bl] verzwakken
enfold [in'fəuld] *a*) omwikkelen, hullen; *b*) omvatten, omhelzen; *c*) plooien
enforce [in'fɔ:s] kracht bijzetten (*a demand*), de nadruk leggen op (*a moral* zedenles); afdwingen (*obedience, payment*); (krachtig) uitvoeren, de hand houden aan (*a rule*); *~ silence (up)on* opleggen, dwingen tot; **enforceable** [-əbl] uit te voeren, enz.; **enforcement** [-mənt] het afdwingen, het opleggen; doorzetting, handhaving; krachtige uitvoering; *soms:* dwang
engage [in'geidʒ] verbinden; verloven; engageren, aannemen, in dienst nemen, aanmonsteren; in dienst gaan (*with* bij); bespreken (*seats*); (af)huren; zich verbinden, op zich nemen; in beslag nemen (*a p.'s attention*); zich begeven (*in politics*), zich bezighouden (*in* met); wikkelen (in strijd, gesprek); *~ the enemy* aanvallen; inschakelen; (*fig*) contact maken, zich inlaten, zich bezighouden (*with* met); *be ~d* geëngageerd (bezet, niet te spreken; gebonden; bezig) zijn, (= *be ~ to be married*) verloofd zijn; *~d in* (*on*) bezig met; *~d with* werkzaam bij; *number ~d,* (*telefoon*) in gesprek; *~d tone* bezettoon; **engagement** [in'geidʒmənt] verbintenis; afspraak; verplichting; spreekbeurt; engagement, verloving (*to* met); indienstneming; betrekking; bezigheid; gevecht, treffen; *~s, ook:* geldelijke verplichtingen; *I have an ~* ik ben bezet; *under an ~* gebonden (*to* jegens); **engaging** [in'geidʒiŋ] innemend
engender [in'dʒendə] veroorzaken, voortbrengen, opwekken
engine ['en(d)ʒin] machine; motor; locomotief; (*fig*) werktuig, middel; *fire ~* brandspuit; '**engine-driver** machinist; **engineer** [en(d)ʒi'niə] I *zn* ingenieur; geniesoldaat; machinemaker, technicus, mecanicien; (scheeps)machinist; (*univ*) technisch student; (*fig*) aanstichter; *the* (*Royal*) *E~s* de genie; II *ww* het werk van ~ verrichten; bouwen, uitvoeren (*a work*); (*fam*) op touw zetten (*a war*); klaarspelen; **engineering** ingenieurskunst, -bedrijf; bouwkunde; machinebouw (= *mechanical ~*), machinebedrijf (= *~ trade*); technische wetenschappen (*Bachelor of ~* kandidaat in de ...); *civil ~* weg- en waterbouwkunde; *electrical ~* elektrotechniek; *genetic ~* genen-, genetische manipulatietechniek; '**engine-room** [-ru(:)m] machinekamer
English ['iŋgliʃ] *bn & zn* Engels; *she is ~* zij is een E...e; *the King's ~* zuiver Engels; de Engelse taal (*murder the King's ~*); *in plain ~, ook:* ronduit; '**Englishman** [-mən] Engelsman; '**Englishwoman** [-wumən] Engelse
engrave [in'greiv] graveren; inprenten; **engraver** [-ə] graveur, plaatsnijder; **engraving** [in'greiviŋ] *a*) graveerkunst; *b*) gravure
engross [in'grəus]: *~ed in* verdiept in; **engrossing** boeiend (*book*)
engulf [in'gʌlf] verzwelgen, verslinden
enhance [in'hɑ:ns] verhogen, vergroten, verheffen, vermeerderen, versterken, verzwaren
enigma [i'nigmə] raadsel; raadselachtig persoon of ding; **enigmatic** [enig'mætik] raadselachtig
enjoin [in'dʒɔin] opleggen, voorschrijven, bevelen; *~ s.t. upon a p., ook:* iem iets op het hart drukken
enjoy [in'dʒɔi] genieten (van), zich laten smaken; zich verheugen in; bezitten (*good health*); *~ o.s.* genieten; zich amuseren; **enjoyable** [-əbl] *a*) genietbaar; *b*) genotvol, prettig
enlarge [in'lɑ:dʒ] (zich) vergroten (verwijden, op-, uitzetten, uitbreiden, verruimen); *~ (up)on* uitweiden over; **enlargement** [-mənt] vergroting; **enlarger** [-ə] (*fot*) vergrotingsapparaat
enlighten [in'laitn] verlichten; in-, voorlichten, klaarheid geven (*on* omtrent); *~ed* verstandig
enlist [in'list] inschrijven; (aan)werven; inlijven; (voor zich) winnen (*a p.'s friendship*); opwekken (*pity*); te hulp roepen (*a p.'s services*); gebruik maken van; dienst nemen (*with* bij)
enliven [in'laivn] verlevendigen, opvrolijken
enmity ['enmiti] vijandschap; *at* (*in*) *~* in vijandschap
enormity [i'nɔ:miti] afschuwelijkheid, snoodheid; gruweldaad, enormiteit; **enormous** [i'nɔ:məs] enorm, reusachtig, kolossaal
enough [i'nʌf] genoeg; *he was kind ~ to ...* zo vriendelijk ...; *you know well ~* heel goed; *it seemed a small ~ sum* al een heel klein sommetje; *~ and to spare* meer dan genoeg; *~ is as good as a feast* genoeg is beter dan teveel
enquire *zie* inquire
enrage [in'reidʒ] woedend maken
enrapture [in'ræptʃə] in vervoering brengen
enrich [in'ritʃ] verrijken; versieren; vruchtbaar maken; **enrichment** [-mənt] verrijking
enrol(l) [in'rəul] inschrijven; inlijven, in dienst nemen; registreren, te boek stellen; *~ o.s.* dienst nemen, lid worden (*in* van); zich laten inschrijven (als); **en'rolment** inschrijving; (totaal van de) aanmelding; registratie
ensconce [in'skɔns] verbergen, verdekt opstellen; *~ o.s., ook:* zich behaaglijk neervlijen
enshrine [in'ʃrain] om-, op-, wegsluiten
ensign ['ensain, 'ensn] *a*) vaandel, scheepsvlag, standaard; *b*) vaandrig
enslave [in'sleiv] tot slaaf maken; *~d to* verslaafd aan; **enslavement** slavernij; verslaafdheid
ensue [in'sju:] volgen, voortkomen (*from* uit)
ensure [in'ʃuə] zeker maken, verzekeren, beveiligen (*against, from* tegen, voor); waarborgen; vgl *insure*

ens

entail [in'teil] (*fig*) na zich slepen, (met zich) meebrengen, leiden tot
entangle [in'tæŋgl] verstrikken, verwikkelen
enter ['entə] binnengaan, -komen, -treden, -lopen, -dringen, enz.; gaan in; in-, betreden; (*theat*) opkomen; zich begeven in; lid worden van; in-, bijschrijven, (zich) laten inschrijven; boeken; toelaten (als lid); (zich) opgeven; ~ *Hamlet* Hamlet komt op; ~ *the Church* predikant worden; ~ ***against*** boeken op naam van; ~ (*oneself*) ***for*** (zich) opgeven voor; ~ ***into*** aangaan (*a contract*); aanknopen (*conversation*); beginnen; ingaan op (*a subject*); zich indenken (verplaatsen) in (*a p.'s feelings*); ~ ***up*** boeken, bijschrijven; bijwerken (*books*); ~ (***up***)***on*** betreden; in bezit nemen; aanvaarden (*one's duties*); ingaan (*one's 70th year*)
enterprise ['entəpraiz] onderneming(sgeest), initiatief; grote handelsonderneming; (*Belg*) uitbating; **enterprising** ['entəpraiziŋ] ondernemend
entertain [entə'tein] onderhouden, vermaken, bezighouden; gastvrij ontvangen, onthalen, partijen geven; voeden, koesteren (*a hope*); in overweging nemen, ingaan op (*an offer*); ~ *at* (*to*) *dinner* (*tea*, enz.) ... aanbieden; **entertainer** [-ə] wie onthaalt, enz.; gastheer; humoristisch zanger, voordrager, goochelaar, conferencier, enz.; **entertaining** onderhoudend, amusant; **entertainment** het ...; vermaak, amusement; uitvoering; onthaal, feestmaal, partij; het amusementsbedrijf; ~ *tax* vermakelijkheidsbelasting
enthral [in'θrɔ:l] tot slaaf maken: ketenen, boeien, betoveren
enthrone [in'θrəun] op de troon plaatsen, ten troon verheffen; installeren, wijden (*a bishop*)
enthuse [in'θju:z] (*fam*) in geestdrift (vuur) geraken (zijn, brengen), dwepen (*about, over, upon* met); **enthusiasm** [in'θju:ziæzm] enthousiasme, geestdrift, verrukking; **enthusiast** [in'θju:ziæst] enthousiast, geestdriftig bewonderaar (vereerder); **enthusiastic** [in,θju:zi'æstik] enthousiast, geestdriftig
entice [in'tais] (ver)lokken, verleiden
entire [in'taiə] (ge)heel, algeheel; volledig, volkomen, compleet; zuiver; **entirely** [-li] geheel, helemaal; **entirety** [-ti, in'tairəti] geheel; *in its* ~ in zijn geheel
entitle [in'taitl] *a*) betitelen, noemen; *b*) aanspraak of recht geven (*to* op); *be ~d to* recht hebben op
entrails ['entreilz] ingewanden
1 entrance [in'trɑ:ns] verrukken, in geestvervoering brengen
2 entrance ['entrəns] binnenkomst; (*theat*) opkomen; toe-, ingang, entree (*to the hall*); intrede, intocht; aanvaarding (*into, upon* van); toelating (*into college*)
'entrance-fee entree(geld); inschrijfgeld
entrant ['entrənt] deelnemer; (nieuw) lid
entrap [in'træp] in de val laten lopen, verstrikken
entreat [in'tri:t] smeken, dringend verzoeken; **entreaty** [-i] smeekbede
entrench [in'trentʃ] verschansen; versterken; **entrenchment** verschansing; loopgravenstelsel
entrust [in'trʌst]: ~ *a p. with s.t.*, ~ *s.t. to a p.* iem iets toevertrouwen
entry ['entri] (binnen)komst, intocht; in-, toegang; inreis (*visa*); inschrijving, boeking; post; inzending; aangifte; trefwoord; *the number of entries*, (*sp*) het aantal deelnemers
enumerate [i'nju:məreit] opsommen, (op)tellen, opnoemen; **enumeration** [i,nju:mə'reiʃən] opsomming; telling
enunciate [i'nʌnsieit] uitspreken; uiteenzetten
envelop [in'veləp] (om-, in)wikkelen, hullen; **envelope** ['en-, 'ɔnviloup] omslag, enveloppe, omhulsel
enviable ['enviəbl] benijdenswaard(ig); **envious** ['enviəs] afgunstig, jaloers (*of* op)
environment [en'vaiərənmənt] omgeving, (leef-, woon)milieu; (*Belg*) leefmilieu; *Department of the E~* van Milieubeheer; **environmental** [-'mentəl] milieu...; **environmentalist** milieubeschermer; **environs** ['envirənz, in'vaiərənz] omstreken
envisage [in'vizidʒ] onder de ogen zien; beschouwen, overwegen
envy ['envi] I *zn* nijd, (voorwerp van) afgunst; II *ww* benijden, misgunnen
epic ['epik] I *bn: a*) episch; *b*) heldhaftig; II *zn* epos, heldendicht
epidemic [epi'demik] epidemie
epigram ['epigræm] id.: puntdicht; puntig gezegde
epilogue ['epilɔg] epiloog, slotwoord
episcopal [i'piskəp(ə)l] episcopaal(s); *the E~ Church* de Anglicaanse Kerk
episode ['episuəd] episode
epitaph ['epitɑ:f, -æf] grafschrift
epithet ['epiθet] epitheton, (bij-, toe)naam
epitome [i'pitəmi] toonbeeld, voorbeeld; **epitomize** [i'pitəmaiz] het toonbeeld zijn van
epoch ['i:pɔk] tijdstip; tijdperk; **'epoch-making** baanbrekend
equable ['e-, i:kwəbl] gelijkmatig, gelijkmoedig, gelijkvormig
equal ['i:kwəl] I *bn* gelijk; gelijkmatig; onpartijdig; ~(*s*) *sign* (is-)gelijkteken; *on ~ terms* op voet van gelijkheid; ~ *to the occasion* berekend voor zijn taak; *I don't feel ~ to seeing anyone* in staat; II *zn* glijke, weerga; III *ww: a*) gelijk maken; *b*) gelijk zijn (worden) aan, evenaren; *10 less 4 ~s 6*, 10 − 4 = 6; **equality** [i'kwɔliti] gelijkheid; ~ (*of votes*) staking van stemmen; **equalize** [-aiz] gelijkmaken, gelijkstellen (*to, with* met); **equalizer** [-aizə] (*sp*) gelijkmaker; (*elektr*) toonregelingsversterker; **equally** [-i] gelijkelijk, even(zeer), gelijkmatig
equanimity [i:kwə'nimiti, ek-] gelijkmoedigheid; kalmte
equate [i(:)'kweit] gelijkstellen (*to, with* aan,

met); in een vergelijking uitdrukken; rijmen (*with* met); **equation** [i'kweiʒən, -ʃən] vergelijking; gelijkmaking; **equator** [i'kweitə] id., evenaar

equilibrium [i:kwi'libriəm] evenwicht

equinox ['i:-, 'ekwinɔks] id.: dag-en-nacht-evening

equip [i'kwip] uit-, toerusten; **equipment** [-mənt] uitrusting

equitable ['ekwitəbl] billijk, onpartijdig

equities ['ekwitiz] gewone aandelen; **equity** ['ekwiti] billijkheid, rechtvaardigheid; soort van b...srecht ter aanvulling van het gewone recht

equivalent [i'kwivələnt] I *bn* id., gelijkwaardig, gelijkstaand (*to* met); II *zn* id.

equivocal [i'kwivəkl] dubbelzinnig; twijfelachtig, verdacht; **equivocate** [i'kwivəkeit] dubbelzinnig spreken, draaien, eromheen praten; **e,quivo'cation** het er om heen draaien, dubbelzinnigheid

er [ʌ:, ə:] *tw* eh ...

era ['iərə] tijdperk

eradicate [i'rædikeit] uitroeien, verdelgen

erase [i'reiz] doorhalen, uitschrappen, (uit)wissen (*tape-recording*), schoonvegen (*blackboard*); uitgommen; ~ *head* wiskop; **eraser** [-ə] *a*) radeermesje; *b*) vlakgom, radeergom; *c*) bordenwisser; **erasure** [i'reiʒə] doorhaling; uitwissing

erect [i'rekt] I *bn* opgericht, rechtop(gaand), loodrecht, overeind; II *ww* oprichten, -stellen, -trekken, -zetten, -bouwen; monteren; **erection** [i'rekʃən] oprichting, erectie, montage; gebouw

erode [i'rəud] weg-, invreten, af-, uitschuren

erotic [i'rɔtik] erotisch; **eroticism** [e'rɔtisizm] erotisch karakter

err [ə:] (*vero*) een fout begaan, zich vergissen, zondigen

errand ['erənd] boodschap; *go* (*on*) *an* ~ een boodschap doen; *run* (*go*) ~*s* (*on* ~*s*) boodschappen doen

errata [e'rɑ:tə] id., meervoud van *erratum*

erratic [i'rætik] dwalend, doelloos, ongeregeld, van de hak op de tak, grillig, excentriek

erratum [e'rɑ:təm] fout, vergissing

erroneous [i'rəunjəs] verkeerd, onjuist; **erroneously** [-li] *ook:* abusievelijk

error ['erə] dwaling, vergissing, fout, zonde, overtreding; ~ *of judgment* onjuiste beoordeling, (wat getuigt van een) verkeerd inzicht; *by* (*in*) ~ per abuis; *be in* ~ zich vergissen

erupt [i'rʌpt] uitbarsten (*van vulkaan*); **eruption** [i'rʌpʃən] uitbarsting, eruptie; uitval; (huid)uitslag

escalate ['eskəleit] geleidelijk opvoeren (toenemen); **escalation** [eskə'leiʃən] escalatie: trapsgewijze opvoering (*van oorlog, enz.*); **escalator** ['eskəleitə] roltrap

escape [is'keip] I *ww* ontsnappen (*from* uit, aan), ontvluchten, ontkomen (aan); ontvallen (*the word ~d me*); ontgaan (*the reason ~s me*), ontglippen; ~ *with one's life* (*minor injuries*) er het leven afbrengen (er met ... afkomen); II *zn* ontsnapping; vlucht uit de werkelijkheid; ~ *reading* lectuur die ons de werkelijkheid doet vergeten; ~ *velocity* ontsnappingssnelheid (*spacecraft*); *it was a narrow* ~ het was op het nippertje; **'escape-clause** (*in wet*) ontsnappingsclausule; **escapee** [eskei'pi:] ontsnapte; **escapism** [is'keipizm] neiging (in literatuur, enz.) om de werkelijkheid te doen vergeten

escort I *zn* ['eskɔ:t] (gewapend) geleide, escorte; begeleider; metgezel; II *ww* [is'kɔ:t] begeleiden, escorteren

esp *especially*

especial [is'peʃəl] bijzonder; **especially** voornamelijk, hoofdzakelijk, vooral

espionage ['espiənɑ:ʒ] spionage

Esq. [is'kwaiə] *Esquire*

esquire [is'kwaiə]: *George Bell, Esq.* De Weledelgeb. Heer G. B.

essay I *zn* ['esei] *a*) poging, proef; *b*) id.; verhandeling, opstel; II *ww* [e'sei] *a*) op de proef stellen; *b*) pogen, beproeven; **essayist** ['eseiist] id.: schrijver van korte verhandelingen

essence ['esns] *a*) wezen; essentie, kern; *b*) id., uittreksel, extract, vluchtige olie, reukwerk;

essential [i'senʃəl] I *bn* wezenlijk, werkelijk, essentieel; gewichtig; onontbeerlijk; absoluut noodzakelijk; *evening dress is* ~ verplicht; II *zn* het essentiële; onontbeerlijk iets; hoofdzaak, kern; *mv:* hoofdzaken; eerste levensbehoeften; **essentially** *ook:* in (het) wezen (der zaak), in de grond

establish [is'tæbliʃ] oprichten, vestigen, stichten, grondvesten, instellen; tot stand brengen; neerzetten (*in a chair*); vaststellen, staven, bewijzen; vastheid geven aan; ~ *a precedent* ... scheppen; ~*ed, ook:* ingeburgerd; ~*ed Church* Staatskerk; ~*ed truth* uitgemaakte ...; **es'tablishment** stichting, instelling; oprichting; positie; tak van dienst; personeel, huishouding; vast personeel, handelshuis; etablissement; *the E~: a*) de Staatskerk; *b*) de gevestigde orde (en zij die daarin de toon aangeven)

estate [is'teit] (land)bezit, vast goed; landgoed; terrein; terrein met woningen, woonwijk met gemeente-, woningwetwoningen; villapark; plantage; nalatenschap (*the ~ left by* ... de nalatenschap van ...), boedel; toestand, rang; *real* ~ onroerende goederen; **'estate-agent** makelaar in onroerende goederen; **'estate-car** stationcar

esteem [is'ti:m] I *ww* achten, schatten, waarderen, beschouwen (als); II *zn* achting

estimate I *ww* ['estimeit] schatten, ramen, begroten (*at* op), beoordelen (*by* naar); II *zn* [-mit] schatting; prijsopgave; oordeel; *at a rough* ~ naar ruwe schatting; **estimation** [esti'meiʃən] schatting; waardering, achting; mening

estrange [is'trein(d)ʒ] vervreemden, verwijde-

ren, afkerig maken; **estrangement** vervreemding
estuary ['estjuəri] trechtervormige riviermond
etcetera (afk: *etc.*) [it'set(ə)rə] enzovoort, enz., etc.
etch [etʃ] etsen; **etching** ets
eternal [i(:)'tə:nl] eeuwig; **eternity** [i(:)'tə:niti] eeuwigheid
ethic(al) ['eθik(l)] *bn* ethisch; **ethics** *zn* ethiek, zedenleer
eugenic [ju:'dʒenik] eugenetisch, rasveredelings...
eulogy ['ju:lədʒi] lofrede
euphemism ['ju:fimizm] eufemisme: verzachtende (verbloemende) uitdrukking
euphoria [ju:'fɔ:riə] euforie, behaaglijk gevoel
Eurocrat ['juərəkræt] (*fam*) hoge E.E.G.-ambtenaar
Europe ['juərəp] Europa; het vasteland van Europa; **European** [juərə'pi(:)ən] I *bn* Europees; II *zn* Europeaan
evacuate [i'vækjueit] evacueren, ontruimen; ledigen, ontruiming; **evacuation** [iˌvækju'eiʃən] ontruiming; evacuatie
evade [i'veid] ontduiken, ontwijken, ontgaan, ontglippen, tarten (*it ~s definition*)
evaluate [i'væljueit] evalueren; de waarde bepalen van, berekenen; beoordelen (*a proposal*); **evaluation** [iˌvælju'eiʃən] evaluatie; beoordeling; *job ~* taakwaardering, werkclassificatie
evangelic(al) [i:væn'dʒelik(l)] I *bn* evangelisch; II *zn evangelical* aanhanger der evangelische leer (*in Eng:* der *Low Church*); **evangelism** [i'væn(d)ʒəlizm] *a*) evangelieprediking; *b*) evangelische leer; **evangelize** tot het christendom bekeren
evaporate [i'væpəreit] (doen) ver-, uitdampen; drogen (*fruit*); uitwasemen; vervliegen; (*fam*) verdwijnen, uitknijpen, sterven; *~d milk,* (*ongev*) koffiemelk; **eˌvapo'ration** verdamping
evasion [i'veiʒən] ontduiking, ontwijking, uitvlucht (zie *evade*); **evasisive** [i'veisiv] ontwijkend, vol uitvluchten
eve [i:v] vóóravond: avond (dag) vóór ...; *New Year's E~* Oudejaarsavond; *on the ~ of* aan (op) de vóóravond van
even ['i:vn] I *bn* gelijk(matig), effen, regelmatig (*teeth*); gelijkmoedig; in evenwicht, onpartijdig; even (*numbers* getallen); quitte; rond, vol (*in ~ pounds, an ~ hundred*); *I'll be* (*get*) *~ with you* ik zal het je betaald zetten, ik zal je wel krijgen; *~ break* eerlijke kans; *~ chance* gelijke kans; II *bw* zelfs; *~ so, ook:* maar toch; *~ before* al vóór (*1066*); *~ greater* nog groter; *~ now* nu nog, op dit ogenblik; III *ww: ~ out* gelijk verdelen; gelijk worden, op hetzelfde peil komen; *~ up* gelijkmaken, -trekken; **even-handed** ['i:vn'hændid] onpartijdig
evening ['i:vniŋ] avond; **'evening-classes** avondcursus; **'evening'dress** avondtoilet, rokkostuum; **'evening-wear** avondkleding
evenly ['i:vnli] gelijkelijk, gelijkmatig, kalm
evensong ['i:vnsɔŋ] vesper; avonddienst (*Anglicaanse kerk*)
event [i'vent] gebeurtenis; evenement; geval; afloop, gevolg; (sport)nummer; *after the ~* achteraf; *at all ~s* in elk geval; *in either ~* in beide gevallen; *in any ~* in elk geval, wat er ook gebeurt; *in the ~ of* in geval van; *in the ~ of anything happening to you* ingeval u iets overkomt; *pull off the ~* de prijs behalen; succes hebben; *bring off* (*land*) *a double ~* een dubbel succes behalen
even-tempered ['i:vn'tempəd] gelijkmatig van humeur; **eventful** [-f(u)l] veelbewogen (*times*); gedenkwaardig, gewichtig
eventual [i'ventjuəl] uiteindelijk; daaruit voortvloeiend; **eventuality** [iˌventju'æliti] mogelijke (meestal onplezierige) gebeurtenis, eventualiteit; **eventually** ten slotte
ever ['evə] ooit; *hardly ~* bijna nooit, zelden of nooit; *~ after*(*wards*), *~ since* (*that time*) van die tijd af; *for ~* (*and ~*) voor eeuwig; *did you ~!* heb je ooit van je leven!; *he may be ~ so rich* al is hij ook nog zo rijk; *~ so much* verbazend veel, veel en veel; *~ so little* een heel klein beetje; *~ yours, yours ~* steeds ...; *before ~ he had come in* voor ... ook maar; *what ~ do you mean?* wat ... toch?; *what ~ for?* waarvoor toch?; *how* (*who, which, why, when*) *~* hoe, enz. ... toch; *when ~ did I say that?* wanneer toch?; **'evergreen** altijd groene plant; (*fam*) 'eeuwig jeugdig' persoon, nummer, enz.; **everlasting** [evə'lɑ:stiŋ] eeuwigdurend; **evermore** altijd, steeds, voor eeuwig
every ['evri] ieder, elk; *~ bit, ~ whit* volkomen, geheel; *~ day* alle dagen; *~ one* (*of them*) ieder; ook = *~one; ~ other day* om de andere dag; *~ other man* een van elke twee mannen; *~ third day* om de drie dagen; *~ time,* (*fam*) *ook:* zonder uitzondering; *~ now and then, ~ now and again* van tijd tot tijd; telkens; *her ~ gesture* elk harer gebaren; **'everybody** [-bɔdi] iedereen, een ieder; **'everyday** (alle)daags; **'everyone** iedereen; **'everything** alles; *the book did ~ but sell* ging helemaal niet; *and ~* en zo; **'everywhere** overal; overal waar (*~ he turned he found ...*); **'every-which**: *~ way* (*Am*) alle kanten uit
evict [i(:)'vikt] uitzetten, verdrijven; **eviction** [i(:)'vikʃən] uitzetting, verdrijving; *~ order* gerechtelijk bevel tot uitzetting (*uit huis e.d.*)
evidence ['evidəns] I *zn* bewijs(materiaal, -stuk); teken; getuigenis; *be in ~* aanwezig zijn, de aandacht trekken, (veel) voorkomen, zichtbaar zijn; *on the ~ of* naar blijkt uit; op grond van; *bear ~ of* getuigen van; *give ~* getuigenis afleggen; II *ww* bewijzen, staven, getuigen (van), tonen; **evident** duidelijk, zichtbaar, klaarblijkelijk
evil ['i:v(i)l] I *bn en bw* kwaad, boos, slecht; *the E~ One* de boze (= de duivel); II *zn* kwaad, onheil, ongeluk; kwaal; euvel; *of two ~s*

choose the least (*less, lesser*) kies van twee kwaden het minste; '**evil'doer** boosdoener
evince [i'vins] bewijzen, aan de dag leggen
evocation [e-, i:vəu'keiʃən] het oproepen, uitlokken; **evocative** [i'vɔkətiv] suggestief, beeldend; gedachten (enz.) oproepend (*of* aan)
evoke [i'vəuk] op-, te voorschijn roepen
evolution [i:və'l(j)u:ʃən] *a*) ontplooiing, ontwikkeling, evolutie; *b*) (*form*) manoeuvre, zwenking
evolve [i'vɔlv] (zich) ontvouwen (ontplooien, ontwikkelen), geleidelijk ontstaan (*from* uit)
ewe [ju:] ooi (vrouwtjesschaap)
ewer ['ju(:)ə] (*vero*) (lampet)kan
exacerbate [eks'æsə(:)beit] verbitteren, prikkelen, verergeren
exact [ig'zækt, eg-] **I** *bn* nauwkeurig, nauwgezet, precies, stipt; exact (*sciences*); **II** *ww* eisen, afpersen; **exacting** *ook:* veeleisend; **exaction** [ig'zækʃən] afpersing, vordering, buitensporige eis; **exactitude** [-itju:d] nauwkeurigheid, nauwgezetheid; **exactly** *ook:* juist; *what ~ (~ what) do you want?* wat wil je eigenlijk?; *~ so* precies; **exactness** *exactitude*
exaggerate [ig'zædʒəreit] overdrijven, vergroten; **exaggeration** [ig,zædʒə'reiʃən] overdrijving
exalt [ig'zɔ:lt] verheffen, verheerlijken; **exaltation** [egzɔ:l'teiʃən] verheerlijking; (geest)vervoering; **exalted** [-id] *a*) verheven, aanzienlijk; *b*) in vervoering, opgetogen
exam [ig'zæm] (*fam*) examen; **examination** [ig,zæmi'neiʃən] onderzoek, verhoor, examen; *on ~* bij onderzoek; *be under ~* in onderzoek zijn; ondervraagd worden; '**examination-paper** examenopgaaf; **examine** [ig'zæmin] onderzoeken, ondervragen, verhoren; examineren; (nauwkeurig) bekijken; visiteren; *~ into* oonderzoek; **examinee** [ig,zæmi'ni:] examinandus; **examiner** examinator; onderzoeker
example [ig-, eg'zɑ:mpl] voorbeeld, model; opgave; som; exemplaar (van kunstprodukt); *for ~* bijv.; zo; *give* (*set*) *an ~* een voorbeeld geven; *take ~ by* een voorbeeld nemen aan, tot voorbeeld nemen
exasperate [ig'zɑ:s-, ig'zæspəreit] irriteren, ergeren; *exasperating* ergerlijk; **exasperation** [ig,zɑ:s-, ig,zæspə'reiʃən] ergernis
excavate ['ekskəveit] uithollen, (op-, uit)graven, aan het licht brengen; **exca'vation** op-, uitgraving
exceed [ik'si:d] overschrijden, (zich) te buiten gaan; te boven (te ver) gaan, overtreffen; overdrijven; **exceeding(ly)** (*vero*) buitengewoon
excel [ik'sel] overtreffen; uitmunten; **excellence** ['eksələns] uitstekend-, voortreffelijkheid; uitmuntende eigenschap; **excellency** ['eksələnsi] excellentie; **excellent** ['eksələnt] uitmuntend, voortreffelijk
except [ik'sept] **I** *ww* uitzonderen; **II** *vz* uitgezonderd, behalve; *~ for* behalve wat betreft; behoudens; *the room was empty ~ for* ... er was niemand in de kamer, behalve ...; **III** *vw* behalve (dan) dat; **excepting** uitgezonderd, behalve; **exception** [ik'sepʃən] uitzondering (*to* op); tegenwerping; *make an ~ of* een uitzondering maken voor; *take ~ to* (*at, against*) bezwaar maken tegen; **exceptionable** [-əbl] aanstotelijk; **exceptional** [-l] uitzonderlijk; exceptioneel, buitengewoon; **exceptionally** *ook* bij wijze van uitzondering
excerpt ['eksə:pt] uittreksel
excess [ik'ses] buitensporigheid; uitspatting, overdaad, onmatigheid, overmaat; surplus, overwicht, extra (*postage*); overtreding; *in ~ of* meer (groter) dan; *drink to ~* overdadig, buitensporig; *~ luggage* overvracht; **excessive** [-iv] overdadig, buitensporig
exchange [iks'tʃein(d)ʒ] **I** *ww* (ver)ruilen, (ver-, in-, uit)wisselen (*for* voor, met, tegen), vervangen; verruild (ingewisseld) worden; **II** *zn* uitwisseling; ruil; valuta; tegenwaarde; woordenwisseling; beurs; (telefoon)centrale; **exchange rate** wisselkoers (= *rate of ~*); '**exchange-value** ruilwaarde
exchequer [iks'tʃekə] schatkist; kas; *the Chancellor of the E~* de Kanselier van de Schatkist (*ongev de Minister van Financiën*)
excise [ek-, ik'saiz] **1** afsnijden, wegnemen, schrappen; **2** accijns; '**excise-duties** accijnzen
excitability [ik,saitə'biliti] prikkelbaarheid, opgewondenheid; **excitable** [ik'saitəbl] licht opgewonden, prikkelbaar; **excite** [ik-, ek'sait] opwekken; uitlokken (*a smile*); aanzetten, opwinden, spannen, prikkelen (*a nerve*); aan de gang brengen; *the child was very ~d* erg opgewonden; *an -ing story* een spannend verhaal; **excitement** opwinding; opgewondenheid; drukte, roes
exclaim [iks'kleim] uitroepen; *~ against* uitvaren (protesteren) tegen; **exclamation** [eksklə'meiʃən] uitroep(ing), kreet; *~ mark,* (*Am*) *~ point* uitroep(ings)teken
exclude [iks'klu:d] uit-, buitensluiten; **exclusion** [iks'klu:ʒən] uitsluiting; **exclusive** [iks'klu:siv] uitsluitend; eenzijdig, apart; kieskeurig; exclusief, select; *~ of* met uitsluiting van, ongerekend, exclusief
excrement(s) ['ekskrimənt(s)] uitwerpselen
excruciate [iks'kru:ʃieit] martelen, folteren; *excruciating, ook:* ondragelijk (*pain*)
exculpate ['ekskʌlpeit] van blaam zuiveren, verschonen, verontschuldigen, vrijspreken
excursion [iks'kə:ʃən] uitstapje, excursie; *~ boat* rondvaartboot
excusable [iks'kju:zəbl] te verontschuldigen;
excuse **I** *ww* [iks'kju:z] verontschuldigen, excuseren; vergeven, vrijstellen; *~ a p.'s conduct* vergoelijken; *be ~d a lesson* vrijgesteld van; *~ me!* pardon; *~ me for being late* neem me niet kwalijk, dat ...; *may I be ~d? mag ik even naar*

de WC? (*school*); II *zn* [iks'kju:s] verontschuldiging; excuus, uitvlucht
ex-directory *telephone number* geheim telefoonnummer
execrable ['eksikrəbl] afschuwelijk
execute ['eksikju:t] uit-, volvoeren, verrichten; opmaken, passeren (*a deed* akte); ten uitvoer leggen, voltrekken; ten gehore brengen (*a song*); ter dood brengen; overdragen (*an estate*); **exe'cution** uitvoering, voltrekking; verrichting; voordracht, spel; uitwerking; beslaglegging; executie, terechtstelling; *put in(to)* ~, *carry into* ~ ten uitvoer brengen; **exe'cutioner** beul; **executive** [ig'zekjutiv] I *bn* uitvoerend; leidend; verantwoordelijk; voortvarend; ~ *function, job* kaderfunctie; II *zn: a*) uitvoerende macht; *b*) (dagelijks) bestuur (= ~ *committee*), directie; *c*) bewindsman; leidende ambtenaar, hoofd, directeur; **executor** ['eksikjutə] uitvoerder; [ig'zekjutə] executeur (testamentair)
exemplary [ig'zempləri] tot voorbeeld dienend
exemplify [ig'zemplifai] *a*) met een voorbeeld aantonen, toelichten; *b*) als voorbeeld dienen van
exempt [ig'zem(p)t] I *bn* vrij(gesteld), bevrijd; II *ww* vrijstellen, ontheffen (*from* van); **exemption** [ig'zem(p)ʃən] vrijstelling; het vrij zijn (*from* van) **exercise** ['eksəsaiz] I *ww* uit-, beoefenen; (zich) oefenen; gebruiken, aanwenden, in acht nemen (*precaution*); betrachten (*restraint*); exerceren; beweging nemen (geven), afrijden (*horses*); bezighouden; op de proef stellen (*a p.'s patience*); verontrusten, kwellen; II *zn* (be-, uit)oefening; (lichaams)-beweging; exercitie; opgave, thema, taak; **'exercise book** schrift, cahier
exert [ig'zə:t] inspannen, aanwenden, doen gelden, uitoefenen; ~ *o.s.* zich inspannen; **exertion** [ig'zə:ʃən] inspanning; (krachtige) poging
exhale [ig'zheil] uitademen
exhaust [ig'zɔ:st] I *zn* (*techn*) uitlaat (= ~ *pipe*); uitlaatgassen; II *ww* uitputten; verbruiken; **exhausted** [-id] uitgeput; krachteloos; verbruikt; op, uitverkocht; **'exhaust-fumes**, **exhaust-gases** uitlaatgassen; **exhaustion** [-ʃən] uitputting; **exhaustive** [-iv] uitputtend; volledig, grondig
exhibit [ig'zibit] I *zn* bewijsstuk (*jur*); staat, opgave; inzending (*op tentoonstelling*), (tentoongesteld) voorwerp; II *ww* tentoonstellen, exposeren, (ver)tonen; **exhibition** [eksi'biʃən] tentoonstelling, expositie; verto(o)n(ing); blijk, bewijs; studiebeurs, toelage; *make an* ~ *of o.s.* zich (belachelijk) aanstellen; *on* ~ tentoongesteld
exhilarate [ig'ziləreit] opvrolijken, opbeuren; *-rating, ook* opwindend; **exhilaration** [ig,zilə'reiʃən] opwinding; vrolijkheid
exhort [ig'zɔ:t] waarschuwen, aansporen (tot); **exhortation** [-eiʃən] aansporing
exhume [eks'hju:n] opgraven
exigency ['eksidʒ(ə)nsi] nood, behoefte; noodtoestand; *exigencies, ook:* eisen; **exigent** ['eksidʒ(ə)nt] dringend; veeleisend; ~ *of* eisend
exile ['eks-, 'egzail] I *zn: a*) balling; *b*) ballingschap, verbanning; II *ww* (ver)bannen
exist [ig'zist] bestaan; leven (*on one's pension* van); *the ~ing government* de huidige regering; **existence** [-əns] bestaan; het bestaande; wezen; *come into* ~ ontstaan; **existent** [-ənt] bestaand; tegenwoordig
exit ['eksit, 'egzit] I *zn* aftreden (*van toneel*); dood; uitgang; uitreis (*visa*); afslag (*motorway* ~; *op bord:* uit); *he made his* ~ hij trad af, ging heen, stierf; II *ww* afgaan: van het toneel verdwijnen (*ook fig*), vertrekken; ~ *H.* H. af
exonerate [ig'zɔnəreit] zuiveren (*a p. from blame*), verontschuldigen; ontheffen, ontlasten
exorbitance [ig'zɔ:bitəns] buitensporigheid, overdrevenheid; **exorbitant** [ig'zɔ:bitənt] id., buitensporig, overdreven
exorcise, **exorcize** ['eksɔ:saiz] *a*) uitdrijven, (uit)bannen; *b*) bevrijden (van boze geest); **exorcism** ['eksɔ:sizm] geestenbezwering; **exorcist** ['eksɔ:sist] duivelverdrijver
exotic [eg'zɔ-, ek'sɔtik] uitheems, exotisch
expand [iks'pænd] expanderen, (zich) uitspreiden, -breiden, toenemen; (doen) uitzetten (opzwellen); (zich) ontwikkelen (ontplooien); **expanse** [iks'pæns] uitgestrektheid; oppervlakte; uitspansel; **ex'pansion** groei; expansie; uitgestrektheid; uitspansel; **ex'pansive** [-iv] uitzettings...; uitzettend; uitzetbaar; uitgestrekt, wijd; expansief, open(hartig), mededeelzaam, hartelijk
expatiate [eks'peiʃieit] uitweiden (*on* over)
expatriate I *ww* [eks'pæ-, eks'peitrieit] verbannen; ~ *o.s.* zijn land verlaten, uitwijken; II *zn* [eks'peitriit] (vrijwillig) banneling; in het buitenland wonend(e)
expect [iks'pekt] verwachten; (*fam*) veronderstellen, denken; *she is ~ing* in (blijde) verwachting; *~ed,* (*ook*) vermoedelijk; **expectancy** [-ənsi] verwachting, vooruitzicht; te verwachten bezit; **expectant** ver-, afwachtend; vermoedelijk; aanstaande (*mother*); **expectation** [ekspek'teiʃən] ver-, afwachting, vooruitzicht
expedience, **expediency** [iks'pi:diəns(i)] gepastheid; opportuniteit, 'politiek', eigenbelang; **ex'pedient** I *bn* gepast, geschikt, raadzaam; opportuun; II *zn* (hulp-, red)middel
expedite ['ekspidait] bevorderen, bespoedigen; **expedition** [ekspi'diʃən] *a*) expeditie; *b*) vlugheid, spoed
expel [iks'pel] ver-, uitdrijven, verbannen
expend [iks'pend] (*form*) uitgeven, besteden, verbruiken; **expendable** [-əbl] verbruikbaar; niet onuitputtelijk; **expenditure** [-itʃə] het uitgeven; uitgaven; verbruik; **ex'pense** uitgaaf, uitgaven, (on)kosten; (*be*) *at the* ~ *of* ten koste

(gaan) van; *be at the ~ of, ook:* de kosten dragen van; *go to great ~* veel kosten maken; *spare no ~* niet op de kosten kijken; **ex'pense-account** onkostenrekening; **ex'pensive** [-iv] kostbaar, duur

experience [iks'piəriəns] I *zn* ondervinding, ervaring, belevenis; *by (from) ~* bij (uit, door) ondervinding; II *ww* ondervinden, ervaren, beleven, doormaken, ondergaan; **experienced** [-t] ervaren (*teacher*)

experiment I *zn* [iks'perimənt] proef(neming); II *ww* [-ment] proeven nemen, experimenteren; **experimental** [eks,peri'mentəl] proefondervindelijk, experimenteel, ervarings..., proef... (*field*); '**experimentation** [-men-] proefneming

expert ['ekspə:t] I *bn* bedreven (*at, in* in); deskundig (*advice*); gespecialiseerd (*knowledge*); II *zn* id., deskundige, vakman; *~ witness* getuige-deskundige; **expertise** [ekspə:'ti:z] deskundigheid

expiate ['ekspieit] (*form*) boeten (voor)

expiration [ekspai(ə)'reiʃən] (*form*) einde; dood; afloop; vervaltijd; **expire** [iks'paiə] aflopen, verstrijken, vervallen (*this ticket ~d yesterday*); (*lit*) sterven

explain [iks'plein] verklaren, uitleggen; *~ away* wegredeneren, goedpraten; *~ o.s.* zich nader verklaren; **explanation** [eksplə'neiʃən] verklaring; *in ~ of* ter verklaring van; **explanatory** [iks'plænətəri] verklarend

expletive [iks'pli:tiv] vloek, krachtterm

explicable ['ekspli-, eks'plikəbl] verklaarbaar; **explicate** ['eksplikeit] ontvouwen, uiteenzetten (*principles,* enz.)

explicit [iks'plisit] duidelijk, uitdrukkelijk

explode [iks'pləud] (uiteen-, uit)barsten, (doen) springen, ontploffen; opvliegen, uitvallen

exploit I *zn* ['eksplɔit] (helden)daad, wapenfeit, prestatie; II *ww* [iks'plɔit] exploiteren, uitbuiten; **exploitation** [eksplɔi'teiʃən] exploitatie; uitbuiting; **exploiter** [-ə] *a*) exploitant; *b*) uitbuiter

exploration [eksplɔ:'reiʃən] onderzoek; **explore** [iks'plɔ:] onderzoeken, navorsen, verkennen; **explorer** [-rə] onderzoeker, ontdekkingsreiziger

explosion [iks'pləuʒən] explosie, uit-, losbarsting, ontploffing; **ex'plosive** [-siv, -ziv] I *bn* explosief, ontploffend, ontplofbaar, ontploffings..., knal... (*signal*); opvliegend; II *zn* springstof

exponent [eks'pəunənt] verklaarder, vertolker; vertolking; type, vertegenwoordiger, drager (*of a principle*); exponent; **exponential** [ekspəu'nenʃəl] exponentieel

export I *zn* ['ekspɔ:t] uitvoer(artikel), export; II *ww* [eks'pɔ:t] uitvoeren; **exportation** [ekspɔ:'teiʃən] uitvoer, export

expose [iks'pəuz] blootstellen; ontbloten; blootleggen; uiteenzetten; onbedekt laten; belichten (*a photo*); tentoonstellen; ontmaskeren, aan de kaak stellen; *be ~d to* blootstaan aan; *~d, ook:* onbeschut; kwetsbaar; **exposition** [ekspə'ziʃən] blootstelling; uiteenzetting; tentoonstelling; **exposure** [iks'pəuʒə] blootstelling; blootlegging, ontbloting; onbeschutte ligging; onthulling, uitstalling; (*fot*) belichting

expound [iks'paund] verklaren, uiteenzetten

express [iks'pres] I *bn* uitdrukkelijk; speciaal, opzettelijk, expres; nauwkeurig (*image*); *~ delivery* expresse bestelling; II *bw* speciaal; *send ~* per expresse; III *zn: a*) expresse; *b*) expres(trein of -bus); IV *ww: a*) uitdrukken, betuigen; *b*) uitpersen; **expression** uitdrukking; *beyond (past) ~* onuitsprekelijk; **expressive** expressief, veelzeggend; **expressly** bepaald(elijk), opzettelijk

expropriate [eks'prəuprieit] onteigenen

expulsion [iks'pʌlʃən] uit-, verdrijving, enz. (zie *expel*); royement

exquisite ['ekskwi-, eks'kwizit] uitgelezen, voortreffelijk, heerlijk, verfijnd, keurig, gracieus, exquis; uiterst (*~ly painful*)

extant [eks'tænt, 'ekstənt] (nog) bestaande

extend [iks'tend] (zich) uitstrekken; rekken; uit-, toesteken (*a helping hand*); (zich) uitbreiden; doortrekken (*a railway*), verlengen; verlenen (*hospitality, credit*), bewijzen (*a kindness*), aanbieden (*advice*), doen toekomen (*an invitation*), richten (*to* aan), betuigen (*sympathy*); **extendable** [-əbəl] verlengbaar, uitrekbaar; **extension** [iks,tenʃən] uitbreiding; uitgebreidheid; omvang; toevoeging; uitstel (*of time*); *~ (telephone)* tweede (enz.) telefoontoestel; *~ 47* toestel 47; *University E~* colleges en examens voor extraneï; **extensive** [iks'tensiv] uitgebreid; uitgestrekt, veelomvattend, extensief; **extensively** [-li] *ook:* op grote schaal; *travel ~* veel; **extent** [iks'tent] uitgebreidheid, uitgestrektheid, omvang; mate; *to some (a certain) ~* enigermate; *to such an ~ that* zozeer, dat

extenuate [eks'tenjueit] verzachten

exterior [eks'tiəriə] I *bn* uitwendig, uiterlijk, buitenst; II *zn* het uitwendige, de buitenkant, uiterlijk

exterminate [eks'tə:mineit] uitroeien; **exterminator** ongedierteverdelger

external [eks'tə:nəl] I *bn* uitwendig, uiterlijk, van buiten; uitwonend; buitenlands; II *zn* het uitwendige, uiterlijk; uitwonende

extinct [iks'tiŋ(k)t] (uit)geblust, uitgedoofd; uitgestorven; niet meer bestaande (van kracht); **extinction** [iks'tiŋ(k)ʃ(ə)n] uitsterven, ondergang

extinguish [iks'tiŋgwiʃ] (uit)blussen, uitdoven; verstikken; vernietigen, uitroeien; opheffen; **extinguisher** blusapparaat, blusser

extol [iks'təul, -'tɔl] verheffen, prijzen, ophemelen, verheerlijken

extort [iks'tɔ:t]: *~ (from)* afpersen, afdwingen, ontwringen; **extortion** afpersing

extra ['ekstrə] id., extraatje; extra leervak (uitgaaf, nummer, enz.); tijdelijk geëngageerd filmacteur voor ondergeschikte rol, figurant
extra- ['ekstrə] buiten...
extract I *zn* ['ekstrækt] id., fragment, passage; **II** *ww* [iks'trækt] (uit)trekken, (uit)halen; afpersen, afdwingen; **extraction** afkomst; het uittrekken; extractie; **extractor** afzuiginstallatie, afzuigkap; *juice* ~ vruchtenpers
extra-curricular ['ekstrəkə'rikjələ] buiten het gewone studieprogramma om (*activities*)
extradite ['ekstrədait] uitleveren
extramarital ['ekstrə'mæritl] buitenechtelijk
extraneous [iks'treinjəs] vreemd, van buiten, buiten ...
extraordinary [iks'trɔ:dinəri, -dnri] buitengewoon, zeldzaam
extraterrestrial ['ekstrəte'restriəl] buitenaards
extravagance [iks'trævigəns] verkwisting, overdaad, uitspatting; buitensporigheid; **extravagant** buitensporig, overdreven, verkwistend
extreme [iks'tri:m] **I** *bn* uiterst, laatst, verst, hoogst, buitengewoon, extreem (*views*); uiterst hevig (streng); ~ *unction* het Heilige oliesel; **II** *zn* uiterste; uiteinde; uiterste term; hoogste graad; *carry (in)to ~s* op de spits drijven; **extremism** [iks'tri:mism] extremisme; **extremity** [iks'tremiti] uiterste; uiterste nood; extremiteiten
extricate ['ekstrikeit] ontwarren, losmaken
exuberance [ig'zju:bərəns] overvloed, overdaad; uitbundigheid; **e'xuberant** weelderig; geestdriftig, uitbundig, kwistig
exude [ig'zju:d] uitzweten; (*fig*) uitstralen
exult [ig'zʌlt] jubelen, juichen (*at, in* over); **exultant** [-ənt] triomfantelijk
eye [ai] **I** *zn* oog (*ook van aardappel*), neusje (*van appel, enz.*); *have an ~ for* oog hebben voor; *have an ~ to* letten op; het oog hebben op; een oogje hebben op; *have (keep) an ~ (up)on* een oogje houden op; *have (all) one's ~s about one* op zijn qui-vive zijn; *make ~s (at)* lonken (tegen), oogjes geven; *set* (fam *clap*) *~s on* onder de ogen krijgen, zien; *estimate* ***by*** (*the*) ~ schatten op (met) het oog; *an ~* ***for*** *an ~ and a tooth for a tooth* oog om oog en tand om tand; *the boy was well* ***in*** *my ~* ik had ... goed in het oog; *have (s.t., a p.) in one's ~* op het oog hebben; *in my ~(s)* in mijn o(o)g(en); *in the ~ of the law* in het oog der wet; *see ~* ***to*** *~ (with)* het geheel eens zijn (met), dezelfde kijk op iets hebben (als); ***under*** *my very ~s* vlak voor ...; ***up to*** *one's ~s in work* tot over de oren ...; ***with*** *an ~ to* met het oog op; **II** *ww* aankijken, kijken naar, beschouwen; **'eyeball** oogappel, oogbal; **'eyebrow** [-brau] wenkbrauw; *raise an ~* ergens vreemd van opkijken; **'eye-catcher** blikvanger; **'eyecatching** opvallend; **'eye-glass** oogglas; monocle; **'eyelash** wimper; **eyelet** oogje (in stof); **'eyelid** ooglid; **'eye-opener** iets, dat iem de ogen opent, openbaring; **'eyepiece** oculair; **'eyesight** gezicht(svermogen); **'eyesore** gebouw enz. dat zijn omgeving ontsiert; **'eyewash** oogwater; (*sl*) humbug; **'eye'witness** ooggetuige
eyrie ['iəri, 'aiəri] adelaarsnest

Ff*f*

fable ['feibl] fabel, verdichtsel, praatje
fabric ['fæbrik] (ge)bouw, structuur; inrichting; maaksel; weefsel, geweven stof; (*fig*) *ook:* stelsel; **fabricate** [fæbri'keit] verzinnen; fabriceren; **fabrication** [fæbri'keiʃən] het verzinnen; namaak; verzinsel; fabricage
fabulous ['fæbjuləs] fabelachtig, legendarisch
façade [fə'sɑ:d] (vóór)gevel, vóórzijde; (*fig*) schijn, voorwendsel
face [feis] **I** *zn* (aan)gezicht; voorkomen; voor-, bovenkant; (berg-, rots)wand; wijzerplaat; brutaliteit (*have the ~ to ...*); *the ~ of the earth* de aardbodem (*disappear from ...*); *~ downwards* ondersteboven; *lay one's cards ~ up* open; *make* (*pull*) *~s* gezichten trekken; *make* (*pull*) *a long* (*wry*) *~* een lang (zuur) gezicht zetten (*at* tegen); *lose ~* zijn prestige verliezen; *save* (*one's*) *~* zijn figuur redden; *set one's ~ against* zich verzetten (kanten) tegen; ***before** his ~* voor zijn ogen; ***in** ~ of* (vlak) tegenover; *in* (*the*) *~ of* ondanks; tegenover (*fig*); tegen ... in; *fly in the ~ of* tarten, trotseren (*authority*); *laugh in a p.'s ~* iemand in zijn gezicht uitlachen; *shut the door in a p.'s ~* voor de neus dichtdoen; ***on** the ~ of it: a*) op het eerste gezicht, oppervlakkig (beschouwd); *b*) klaarblijkelijk; ***to** his ~* (vlak) in zijn gezicht, zonder omhaal; *~ to ~* tegenover elkaar; *~ to ~ with* tegenover; **II** *ww* het gezicht toekeren; staan (liggen) tegenover, uitzien op; in het gezicht zien; onder ogen zien; (moedig) tegemoet treden; het hoofd bieden; *~ east*(*wards*), (*to*) *the east* op het oosten liggen; *I cannot ~ it* voel me er niet tegen opgewassen; *~ the music* de moeilijkheden (de gevolgen) onder de ogen zien; *he left me to ~ the music* liet mij ervoor opdraaien; *~ **down*** overbluffen, de ogen doen neerslaan (*ook: ~ **out***); brutaal weerspreken (*an objection*); *~ it **out*** er zich brutaal doorheen slaan; *~ **round*** zich omkeren; *~ **up to*** onder de ogen zien; **face cloth**, **face flannel** washandje; **face lift** id.; wegwerken van rimpels in het gezicht; modernisering, verfraaiing (van gebouw, auto enz); **'face-powder** toiletpoeder; **'face-saver**, **-saving** dat wat het figuur redt (doet redden)
facetious [fə'si:ʃəs] (*soms:* gewild) grappig, schertsend, snaaks
'face-'value nominale waarde; *take a p.'s promises at their ~* ze zonder verder onderzoek accepteren
facial ['feiʃəl] gelaats... (*angle*), gezichts...
facile ['fæsail] gemakkelijk; vaardig (*pen*), vlot; luchtig, meegaand; oppervlakkig; **facilitate** [fə'siliteit] vergemakkelijken; **facility** [fə'siliti] vaardigheid; gemak, faciliteit; *provide facilities* voorzieningen treffen
facsimile [fæk'simili]: *~ telegraph* telefax
fact [fækt] feit, daad, werkelijkheid; *for a ~* werkelijk; *in* (*point of*) *~* feitelijk; eigenlijk; *it's the ~ that ...* een feit; *the ~s of the case* toedracht; *the ~s of life: a*) de bijzonderheden der (menselijke) voortplanting; *b*) (*ook ev*) de werkelijkheid; **'fact-finding** enquête, onderzoek naar feiten
factor ['fæktə] factor
factory ['fæktəri] fabriek; *~ farming* bio-industrie
factual ['fæktjuəl] feitelijk, zakelijk, feiten...
faculty ['fæk(ə)lti] vermogen; gave; talent; recht, bevoegdheid; faculteit; al de professoren of docenten
fad ['fæd] gril, rage; **faddy** kieskeurig
fade [feid] (doen) verwelken, verbleken, verschieten; (ook: *~ away, down, out*) vervagen, verflauwen, (geleidelijk) verdwijnen, uitsterven; (*telec*) wegzakken; *~ in,* (*film*) geleidelijk verschijnen (= *~ up*); *~ away, ~ out, ook:* heengaan
fag [fæg] **I** *zn* vermoeiend, onaangenaam werk; uitputting; jongere leerling, die voor een oudere zekere diensten moet verrichten; (*sl*) sigaret; **II** *ww* zich afsloven (= *~ o.s.*); afmatten; afjakkeren; als *~* gebruiken of dienst doen; *~ged* (*out*) doodop; **'fag-'end** zelfkant; rafeleind; eind(je), stompje, sigarettepeukje
faggot ['fægət] (*vero*) takkenbos; bal gehakt; (*sl*) homo
fail [feil] **I** *ww* ontbreken; in de steek laten, teleurstellen; afnemen, verzwakken; uitgaan (*van licht*); uit-, wegsterven; niet uitkomen, niet gaan, mislukken, zijn doel missen; te kort schieten, falen; failliet gaan; (laten) zakken (*in an examination*); zakken voor (*an exam*); *his heart ~ed him* de moed begaf hem; *I ~ to see* zie niet (in); *don't ~ to let me know* laat het mij vooral weten; **II** *zn: without ~* zonder mankeren, stellig; **'failing** *vz* bij gebrek aan, bij ontstentenis van; *~ this* bij gebreke hiervan; **'fail-safe** automatisch beveiligd bij storing; **failure** ['feiljə] het falen, het failliet gaan, het tekortschieten; storing (*van elektr licht*); gemis; gebrek; mislukking, fiasco; mislukkeling
faint [feint] **I** *bn* zwak, verzwakt, uitgeput; wee, flauw (*with hunger* van); vaag, gering; zwoel, drukkend; *I haven't the ~est notion of it* ik heb er geen flauw idee van; *~ at heart* bang te moede; **II** *zn* flauwte, onmacht; **III** *ww* flauw vallen (= *~ away*); **faint-hearted** wankelmoedig; laf
1 fair [fɛə] jaarbeurs, -markt, kermis; *world ~* wereld-tentoonstelling
2 fair [fɛə] *bn & bw* schoon, fraai, mooi; blond,

blank, licht (*skin* huidskleur); zuiver, net, duidelijk; billijk (*share*), eerlijk (*that's not* ~!), geoorloofd; behoorlijk; gunstig, zacht (*wind*); *the* ~ (*sex*) het schone geslacht; ~ *enough* goed, gelijk heb je; *to be* ~ beter gezegd ..., om eerlijk te zijn ...; *by* ~ *means or foul* met alle middelen (hoe dan ook); ~ *play* eerlijk spel; *it bids* ~ *to be successful* belooft te zullen ...; ~ *and square* eerlijk; *copy* (*write out*) ~ in het net schrijven; ~ *copy* net(afschrift)

'**fairly** eerlijk, billijk(erwijze); behoorlijk, tamelijk (*good*), vrijwel; open(lijk); geheel en al; werkelijk, 'letterlijk'; '**fairness** eerlijkheid, billijkheid; zie *fair* 2; *in* ~ *to you* om billijk te zijn tegenover u

fai

fairy ['fɛəri] (tover)fee; (*sl*) homo; **fairy lights** kerstboomlampjes; '**fairy-tale** sprookje

faith [feiθ] geloof, vertrouwen; trouw; (ere)woord; *in good* (*bad*) ~ te goeder (kwader) trouw; *break* (*one's*) ~ *with* zijn woord breken jegens; '**faithful** [-ful] gelovig; trouw(hartig); nauwgezet, getrouw (*copy*); betrouwbaar; *the* ~ de gelovigen; *promise* ~*ly* eerlijk beloven; *yours* ~*ly* hoogachtend

fake [feik] I *ww* namaken, fingeren, vervalsen; ~*d burglary* gefingeerde inbraak; stelen; doen alsof; II *bn* vals; III *zn* bedrog, zwendel, namaak, voorwendsel; bedrieger, zwendelaar

falcon ['fɔ:(l)kən] valk

fall [fɔ:l] I *ww* vallen; (af)dalen; vervallen; gaan liggen (*van wind*); achteruitgaan, verminderen; worden (~ *ill*); raken (~ *vacant*); *his face fell* zijn gezicht betrok; *her eyes fell* zij sloeg ... neer; ~ ***apart*** uit elkaar vallen, bezwijken; ~ ***away*** weg-, uitvallen; hellen, aflopen; ~ ***back*** terugvallen; achteruitgaan, wijken, achterop raken; ~ *back* (*up*)*on* zich terugtrekken op; zijn toevlucht nemen tot; zich behelpen met; achter de hand hebben, uit putten in geval van nood (*some capital to* ~ *back upon*); ~ ***behind*** ten achter (achterop) raken, het afleggen; ~ ***down*** neer-, omvallen; niet opgaan (van redenering); ~ ***flat*** zijn uitwerking missen; mislukken; ~ ***for*** (*fam*) onder de bekoring komen van, verliefd raken op, zich laten inpalmen door, toegeven aan; *he fell for it, ook:* liep (trapte) erin; ~ ***in*** invallen, instorten; (laten) aantreden; ~ *in love* verliefd worden (*with* op); ~ *in with* aantreffen; stoten op; zich aansluiten bij; meegaan met (*a p.'s suggestion*); ~ ***into*** vervallen tot (*sin, error*); zich laten verdelen in (*two kinds*); (verzeild) raken in (*a company*); zich schikken naar; aannemen (*a habit*); ~ *into disrepair* vervallen; ~ *into disuse* in onbruik raken; ~ ***off*** afvallen; achteruitgaan, verminderen; ~ ***on*** (*bw*) aanvallen; (*vz*) neerkomen op (*the expense will* ~ *on me*); zie verder ~ *upon;* ~ ***out*** uitvallen; uittreden; uit het gelid (doen) treden; ruzie krijgen; ~ ***over*** (*bw*) omvallen; (*vz*) vallen over; ~ *over backwards* zich uitsloven; ~ ***short*** te kort schieten; opraken; ~ ***short of*** niet bereiken; niet beantwoorden aan (*one's expectations*); blijven beneden; te kort schieten in (*one's duty*); ~ ***through*** mislukken, in duigen vallen; niet doorgaan, afraken; ~ ***to*** (*bw*) toetasten; aanpakken; slaags raken; (*vz*) zich toeleggen op; beginnen te (~ *to making plans*); ten deel vallen (ook: ~ *to one's lot, share*); vallen op (*the cost* ~*s to you*); ~ *to pieces* in stukken vallen, uiteenvallen; ~ ***under*** vallen onder, behoren tot; ~ ***upon*** vallen op; aanvallen (op); overvallen; aantreffen; treffen (*the ear*); ~ (*flat*) *upon one's face* op zijn gezicht vallen; ~ ***within*** vallen binnen (in, onder); II *zn* val, het vallen; daling; helling; verval (*of a river*); ondergang, dood; waterval (*Niagara Falls*); (*Am*) herfst; *the F*~ de zondeval

fallacious [fə'leiʃəs] bedrieglijk, vals; **fallacy** ['fæləsi] dwaalbegrip; drogreden; bedriegelijkheid

fallen arches platvoeten, doorgezakte voeten

fall guy ['fɔ:l 'gai] zondebok, sul die de schuld krijgt

fallible ['fæləbl] feilbaar

fallout radioactieve neerslag

fallow ['fæləu] braak; *lie* ~ braak liggen (*ook fig*); '**fallow-deer** damhert

false [fɔ:ls, fɔls] vals, verkeerd, onjuist; onecht; onwaar (*true or* ~); ~ *alarm* loos alarm; ~ *bottom* dubbele bodem; ~ *teeth* vallen gebit; '**falsehood** [-hud] onwaarheid, leugen(s); **falsify** ['fɔ:lsifai] vervalsen

falter ['fɔ:ltə] struikelen, wankelen; schommelen; stamelen; weifelen; versagen; ~*ing knees* knikkende knieën

fame [feim] roem, vermaardheid; reputatie; **famed** beroemd, befaamd

familiar [fə'miljə] gemeenzaam; vertrouwd (*with* met); bekend; **familiarity** [fəˌmili'æriti] bekend-, vertrouwdheid; gemeenzaamheid; **familiarize** [-raiz] ~ *o.s. with* zich vertrouwd maken met; **family** ['fæmili] familie; geslacht; (huis)gezin; kinderen (*his wife and* ~; *have a* ~ *of three*); *the W* ~ de familie W; ~ *allowance* kinderbijslag; ~ *circle* huiselijke kring; ~ *doctor* huisarts; ~ *man* huisvader; ~ *planning* geboortenregeling; ~ *tree* stamboom; *in the* ~ *way* in verwachting

famine ['fæmin] hongersnood; **famish** ['fæmiʃ] uithongeren, verhongeren

famous ['feiməs] beroemd, vermaard

fan [fæn] I *zn* 1 waaier; wan; ventilator; blaasbalg; ook = ~-*light*; 2 (*fam*) id., enthousiast (*football* ~; *film* ~); ~ *belt* (*auto*) ventilatorriem; II *ww* koelte toewaaien; aanblazen; aanwakkeren (*hatred*, enz.); ~ ***out*** (zich) waaiervormig verspreiden

fanatic [fə'nætik] I *bn* fanatiek, fanaat; II *zn* dweper, fanaticus; **fanatical** [-l] fanatiek; **fanaticism** [fə'nætisizm] dweepzucht, fanatisme

fanciful ['fænsiful] grillig, fantastisch; **fancy** ['fænsi] I *zn* verbeelding(skracht), fantasie;

hersenschim; inval, gril; zin, smaak, voorliefde, liefhebberij; liefje; *he took a ~ to* (*for*) *it* hij raakte er enthousiast voor; II *ww* zich ver-, inbeelden (voorstellen); menen, geloven; houden van, trek hebben in; (*just*) ~ (*that*)! verbeeld je!; *if you ~ the idea* als het idee je aanstaat; III *bn* fantasie... (*waistcoat*), luxe ... (*horse, dog, note-paper*), kunst... (*skater*); chic; veelkleurig; fantastisch, grillig, overdreven; denkbeeldig; *~-dress ball* gekostumeerd bal; *~ price* bespottelijk hoge prijs

fang [fæŋ] slagtand; hoektand (*van hond, wolf, enz.*); giftand

fanlight ['fænlait] (waaiervormig) venster boven deur

fantastic(al) [fæn'tæstik(l)] fantastisch, grillig; **fantasy** ['fæntəsi, -əzi] fantasie; gril

far [fɑ:] ver, afgelegen; veel (*~ better*); verreweg; *by ~* verreweg; *the F~ East* het verre oosten (China, enz.); *~ and wide* heinde en ver; *he was ~ from being pleased* allesbehalve blij; *the ~ side of the river* de overkant; *as ~ as* tot (aan); *as* (*so, in so*) *~ as* in zoverre; *so ~* (in) zover; tot nu toe; *how ~* (in) hoe ver; *~ between* met grote tussenpozen; *~ into the night* tot diep in de nacht; *he'll go ~* hij zal het ver brengen; *~ gone* ver heen; *he is ~ gone* het loopt af met hem; *~ gone in love* (*liquor*) smoorlijk verliefd (smoordronken); *~-gone in years* hoogbejaard; *~ off* ver weg; *~ out* afgelegen; **far-away** ['fɑ:rəwei] *bn: a*) ver verwijderd, afgelegen; *b*) dromerig (*van blik*)

farce [fɑ:s] klucht(spel)

fare [fɛə] I *zn* reiskosten, -geld, vracht; ritprijs; *what's the ~ to* ... hoeveel is het naar ...; passagier, 'vrachtje'; kost, voedsel; II *ww: how did you ~ there?* hoe is het je daar gegaan?; **'fare-meter** [-mi:tə] taximeter; **'fare-stage** zonegrens (van bus, enz.); **'fare'well** I *tw* vaarwel! adieu!; II *zn* afscheid, vaarwel; ~ ['fɛəwel] *address* afscheidsrede

far-fetched ['fɑ:'fetʃt] vergezocht

farm [fɑ:m] I *zn* boerderij, landbouwbedrijf; fokkerij (*pig-~*), kwekerij (*fruit-~*); II *ww* bebouwen; het boerenbedrijf uitoefenen; *~* ***out*** uitbesteden; **'farmer** boer; **'farm-hand** boerenarbeider; **'farm-'house** boerenwoning; *~ cheese* boerenkaas; **'farming I** *zn* landbouw; II *bn* landbouw...; **'farm-labourer** boerenarbeider; **'farm-land** bouwland; **'farm-produce** landbouwprodukten; **'farm-yard** boerenerf

far-off ['fɑ:rɔ(:)f] ver verwijderd, afgelegen; **far-out** bizar, vreemd; fantastisch; **far-reaching** ['fɑ:'ri:tʃiŋ] verreikend, verstrekkend

farrier ['færiə] hoefsmid

far-sighted ['fɑ:'saitid] verziend

fart [fɑ:t] (*volkstaal*) I *zn* scheet; II *ww* een scheet laten

farther ['fɑ:ðə] verder; zie *further*; **farthest** ['fɑ:ðist] verst

fascinate ['fæsineit] fascineren, betoveren, bekoren; boeien; **fascination** [fæsi'neiʃən] betovering, bekoring

fashion ['fæʃən] I *zn* vorm, trant; mode, aard, manier; *the ~* de mode; *after the ~* naar de mode; *in* (*out of*) *~* (of: *the ~*) in (uit) de mode; *come into ~* mode worden; *set the ~* de toon (de mode) aangeven; II *ww* vormen, fatsoeneren; pasklaar maken (*to* voor); **'fashionable** [-əbl] modieus, chic; deftig; **'fashion designer** modeontwerper; **'fashion-magazine** modeblad; **'fashion-parade** 'modeshow'

fat

fast [fɑ:st] I *ww* vasten; II *zn* vasten(tijd); *break one's ~* ophouden met vasten; III *bn & bw* vast, onbeweeglijk; gehecht, getrouw; wasecht (*colours*), kleurhoudend; snel; vóór (*van uurwerk*); vlug, hard; *go too ~,* (*fig*) te hard van stapel lopen; *pull a ~ one,* (*sl*) een slimme streek uithalen; *put a ~ one over,* (*sl*) overtreffen, de loef afsteken; *~ asleep* in diepe slaap; *~ train* sneltrein; **'fast-day** vastendag; **fasten** ['fɑ:sn] vastmaken, vastleggen, bevestigen, sluiten; *~ down* vastmaken; ~ (***up***)***on*** vastmaken aan (op); vestigen (*one's eyes*) op; houvast hebben (krijgen) aan; ~ ***up*** vastmaken (*a dress*); *the door will not ~* wil niet dicht blijven; **'fastener** [-ə] bevestigingsmiddel, slot, sluiting

fastidious [fæs'tidiəs] kieskeurig, moeilijk te voldoen (*of* wat betreft)

fat [fæt] I *bn* vet, dik (*man*), lijvig (*volume*), vlezig (*plant with ~ leaves*); zalvend (*smile*); rijk, vruchtbaar (*pastures*), goedgespekt (*purse*); *a ~ lot* heel wat (*altijd iron:* [zo goed als] geen); *a ~ lot I care!* het kan me wat schelen!; II *zn* vet(te); beste; *the ~ is in the fire* de poppen zijn aan het dansen; *chew the ~* samen kankeren, een boom opzetten; III *ww: kill the ~ted calf* het gemeste kalf slachten

fatal ['feitl] noodlottig (*to* voor), dodelijk (*~ly wounded*), fataal; rampspoedig; **fatality** [fə'tæliti] -iteit; noodlot; voorbeschikking; ramp, dodelijk ongeluk; *the number of fatalities* het aantal doden; **fate** [feit] noodlot; lot; dood; **'fated** [-id] *ook:* ten ondergang gedoemd; door het noodlot beheerst; **fateful** profetisch; noodlottig

fathead ['fæthed] domkop, sufferd

father ['fa:ðə] I *zn* vader; voorvader (*our ~s*); (*r.k.*) pater, zeereerwaarde heer; II *ww* verwekken; het vaderschap op zich nemen van; **'fatherhood** [-hud] vaderschap; **'father-in-law** schoonvader

fathom ['fæðəm] I *zn* vadem (1,828 m); II *ww* vademen, peilen; omvatten, doorgronden; **fathomless** [-lis] peilloos

fatigue [fə'ti:g] I *zn: a*) vermoeienis, vermoeidheid, moeheid (*ook techn*); *b*) (mil) corvee; werktroep; II *ww* afmatten, vermoeien; *~d, ook:* mat; versleten, haveloos; **fa'tigue-dress** (*mil*) werkpak; **fa'tigue-duty** [-'dju:ti] (*mil*) corvee; **fa'tigue-party** (*mil*) werktroep

fatten ['fætn] mesten, dik maken; '**fatty** I *bn* vet(tig); II *zn* dikkerd
fatuous ['fætjuəs] sullig, dom, dwaas
faucet ['fɔ:sit] (*Am*) kraan
fault [fɔ:lt, fɔlt] I *zn* fout, gebrek, defect, feil; schuld; (*geol*) breuk; *be at ~* de schuld hebben, schuldig zijn; *generous to a ~* al te ...; *find ~* aanmerkingen maken, vitten (*with* op); II *ww* op een fout betrappen; '**fault-finder** vitter; '**faultless** [-lis] onberispelijk; '**faulty** [-i] gebrekkig, defect, onvolmaakt, onjuist

favour ['feivə] I *zn* gunst; begunstiging, protectie; voorkeur; vriendelijkheid; aanhang (*that theory finds general ~*); *rozet, strik(je), insigne; by ~ of* (bezorgd) door vriendelijke tussenkomst van; *in ~ of: a*) ten g...e van; *b*) gunstig gestemd voor; *do a ~* een gunst bewijzen; *look with ~ on* gunstig gezind zijn; *find ~ with* zich de gunst verwerven van; II *ww* begunstigen, gunstig gezind zijn; de voorkeur geven (aan); bevoorrechten; aanmoedigen, steunen; vereren (*with* met); *~ed by*, ook = *by ~ of*; '**favourable** gunstig (gezind); '**favourite** [-rit] I *zn* gunsteling, lieveling; favoriet; II *bn* geliefkoosd; lievelings...; '**favouritism** [-ritizm] vriendjespolitiek
fawn [fɔ:n] kwispelstaarten (*hond*); vleien, pluimstrijken, hielenlikken
fear [fiə] I *zn* vrees (*of* voor), angst; *for ~ of* uit vrees voor; *for ~ that* (of: *lest*), = (*fam*) *for ~* uit vrees dat; *stand in ~ of* bang zijn voor; *go in ~ of one's life* vrezen voor; *in ~ and trembling* met angst en beven; *without ~ or favour* zonder aanzien des persoons, zonder onderscheid; *no ~!: a*) geen nood!; *b*) ik denk er niet aan!; II *ww* vrezen, duchten; bang zijn; *never ~!* geen nood! wees maar niet bang!; *~ for* bang (= bezorgd) zijn voor; '**fearful** [-f(u)l] *a*) vreselijk; *b*) bang (*of* voor), vreesachtig; *~ lest* (of: *that*) bang dat; '**fearless** [-lis] onbevreesd
feasible ['fi:zəbl] uitvoerbaar; geschikt; mogelijk
feast [fi:st] I *zn* feest(maal); kerkelijk feest; II *ww: a*) feestvieren; smullen; zich vergasten (*on* aan), zich verlustigen (*on* in); *b*) onthalen; '**feast-day** feestdag
feat [fi:t] (helden)daad; kunststuk, prestatie
feather ['feðə] I *zn* ve(d)er; pluim(en); *in fine ~* in uitstekende conditie; II *ww* met veren bedekken (versieren), van ve(e)r(en) voorzien; zich vedervormig uitstrekken (bewegen); *~ one's nest* zijn schaapjes op het droge brengen
feature ['fi:tʃə] I *zn* (gelaats)trek; hoofdtrek, het kenmerkende, wat vooral de aandacht trekt; hoofd-, glanspunt, (*journalistiek*) (ook: *~ article*) artikel over speciaal onderwerp (*~ writer, ~ editor*); rubriek; *~ film* hoofdfilm; II *ww* kenmerken; schetsen; vertonen (*in bioscoop, enz.*)
February ['februəri] februari
fed: *be ~ up with s.t.* schoon genoeg van iets hebben, balen
federal ['fedərəl] federaal, bonds...; **fede'ration** federatie, (staten)bond; '**federative** [-ətiv] federatief, verbonden, bond...
fee [fi:] I *zn* (verschuldigd) bedrag; honorarium, loon; examen-, schoolgeld, enz.; fooi; II *ww* engageren (door betaling van honorarium)
feeble ['fi:bl] zwak, krachteloos; onbenullig (*story*); vrij flauw (*~ joke*); '**feeble-'minded** [-maindid] oliedom; zwak begaafd
feed [fi:d] I *ww* (zich) voeden; voe(de)ren; eten (*he ~s out of your hand*); (laten) weiden; de kost (voedsel) geven; onderhouden (*the fire*); voorzien van (*information*); *~ wire* (*data*) *into a machine* invoeren; *~* ***back*** terugkoppelen; door reactie(s) laten merken; *~* ***in*** invoeren (*data*); *~* ***on*** (zich) voeden met; leven (ten koste) van; *~* ***up*** mesten; II *zn* het voeren; voer; voeding (*van kleine kinderen*); '**feedback** terugkoppeling; bruikbare reactie; '**feed-in** invoer (*of information*); '**feeding bottle** zuigfles; '**feeding ground** voederplaats
feel [fi:l] I *ww* (zich) voelen; gevoelen; van mening zijn; (be)tasten, bevoelen; aanvoelen (*like velvet*); *~ free to ask questions!* stelt u alstublieft vragen!; *I don't ~* (*quite*) *myself* voel me niet als gewoonlijk; *~ one's way* op de tast gaan, zich trachten te oriënteren; *~ strongly* een zeer geprononceerde mening hebben (*about, on* omtrent); *~* ***for***: *a*) = *~ after*; *b*) voelen voor; te doen hebben met; *I don't ~* ***like*** *it* (*working, a stroll*), voel me niet in de stemming voor, heb geen zin in; *~* ***with*** meevoelen met; II *zn* gevoel; *know* (*tell*) *by the ~* op het gevoel weten (zeggen); *it is soft to the ~* voelt zacht aan; *have a ~ for good poetry* flair; '**feeler** [-ə] voeler, voelhoorn; verkenner; proefballonnetje [*throw* (*put*) *out a ~* ... oplaten]; '**feeling** I *bn* gevoelvol; diep gevoeld; '*~ly ook:* met gevoel (*speak ~ly*); II *zn* gevoel(en); opinie (*the general ~ was* ...); sympathie; gevoeligheid; opwinding; *~s, ook:* gevoeligheden, hartstochten
feign [fein] veinzen, voorwenden; huichelen
felicitous [fi'lisitəs] gelukkig (gevonden, uitgedrukt)
feline ['fi:lain] felien, katachtig
fell [fel] (neer)vellen
fellow ['feləu] kameraad, maat; vrijer; gelijke; kerel, vent; gewoon lid van genootschap; (*univ*) staflid van *college*, gegradueerde met toelage voor onderzoekingswerk en studie; *attr* mede..., ...makker, ...genoot; *a glove and its ~* en de daarbij behorende; '**fellow-citizen** medeburger; '**fellowship** gemeenschap, omgang; kameraadschappelijkheid (= *good ~*); collegialiteit; genootschap; broederschap
felony ['feləni] zware misdaad
felt: *~-tip(ped) pen* viltschrijver, -stift
female ['fi:meil] I *bn* vrouwelijk, wijfjes..., vrouwen...; *~ plug* contrasteker; *~ screw*

moer; II *zn* vrouwelijk persoon (dier); wijfje; vrouwspersoon; **feminine** ['feminin] feminien, vrouwelijk, vrouwen... (*logic*); **'feminism** [-izm] feminisme; **fe'minity** vrouwelijkheid

fen moeras(land, -plas)

fence [fens] I *zn* omheining, schutting, hek, heg; II *ww* omheinen, af-, insluiten; beschermen; schermen; pareren; eromheen draaien (= ~ *about*); ~ *off* (*out*) af-, uitsluiten; ~ (*off, out*) afweren; **fencing** ['fensiŋ] *a*) omrastering; *b*) het schermen; schermkunst

fend (*gew:* ~ *off*) afweren; afhouden; ~ *for o.s.* voor zichzelf zorgen; **'fender** [-ə] beschutting; haardhekje; stootkussen; (*Am*) spatbord (*van auto*)

fennel ['fenəl] (*plant*) venkel

ferment I *zn* ['fə:ment] *a*) gist(middel, -stof), ferment; *b*) gisting; II *ww* [fə:'ment] (doen) gisten (*ook fig*), fermenteren

fern [fə:n] varen(s)

ferocious [fə'rəuʃəs] woest, wreed, verscheurend; **ferocity** [fə'rɔsiti] woest-, wreedheid

ferret ['ferit] I *zn* fret; II *ww* speuren, navorsen (= ~ *out*)

ferry ['feri] I *zn* veer(recht, -boot); II *ww: a*) overzetten, -brengen; *b*) oversteken; **'ferryboat** veerboot; **'ferryman** [-mən, -mæn] veerman

fertile ['fə:tail] vruchtbaar, rijk (*in, of* aan); **fertility** [fə:'tiliti] vruchtbaarheid; **fertilize** ['fə:tilaiz] *a*) vruchtbaar maken; *b*) bemesten; *c*) bevruchten; **'fertilizer** [-ə] (kunst)mest

fervent ['fə:vənt] id., vurig, geestdriftig; **fervour** ['fə:və] vuur, enthousiasme, geestdrift, ferventie

fester ['festə] zweren, etteren; (*fig*) woekeren, rotten

festival ['festivəl] I *bn* feest...; feestelijk; II *zn* feest(viering); feestdag; festival; muziekfeest; **festive** ['festiv] feestelijk, in feestelijke stemming, feest...; **festivity** [fes'tiviti] feestelijkheid, festiviteit; feestvreugde

fetch [fetʃ] (af-, be)halen; brengen; te voorschijn brengen (*blood, tears*); opbrengen (*a price*); (*van toneelstuk, enz.*) (in)pakken, indruk maken (op), trekken; uit zijn tent lokken; toebrengen (~ *a p. a box on the ear*); bereiken; **fetching** pakkend; innemend

fetid ['fetid] stinkend

fetter ['fetə] I *zn* (voet)boei, keten, kluister; belemmering; II *ww* boeien, belemmeren; binden

fettle ['fetl] conditie (*in fine* ~)

feud ['fju:d] vijandschap, vete; **feudal** ['fju:dəl] feodaal, leen...

fever ['fi:və] koorts; koortsachtige opwinding; **'fevered** koortsig; **'feverish** koorts(acht)ig

few [fju:] weinige(n); *a* ~ enkele(n), een paar; *a good* ~, *quite a* ~ ettelijke; *some* ~ enkele(n); *the* ~ de enkele(n); de minderheid; *during the last* ~ *days* gedurende de laatste dagen; *no* ~*er than* niet minder dan, maar liefst

fiancé [fi'ɑ:(n)sei] verloofde (*man*); **fiancée** [fi'ɑ:(n)sei] verloofde (*vrouw*)

fib I *zn: a*) jokkentje, leugen(tje); *b*) *tell* ~*s* jokken; II *ww* jokken

fibre ['faibə] vezel(s); fiber; (*fig*) aard, karakter; *moral* ~ karaktervastheid; **fibre optic** glasvezel

fickle ['fikl] wispelturig, grillig

fiction ['fikʃən] verdichtsel; verzonnen, niet waar gebeurd verhaal; roman(s), enz.; fictie; **fictional** [-l] verzonnen, fictie...; gefingeerd; **fictitious** [fik'tiʃəs] gefingeerd, verdicht, verzonnen, denkbeeldig, fictief; onecht

fiddle ['fidl] I *zn* viool, vedel; (*fam*) knoeierij, bedrog; doorgestoken kaart; *play first* ~ eerste viool spelen; II *ww* viool spelen, vedelen; beuzelen, hannesen (*at, about, around, met, aan*), *peuteren, frunniken; knoeien, sjoemelen* (*met*) (*one's expense account; with the books*); **fiddler** vedelaar, violist; **fiddlesticks** larie(koek), nonsens; **fiddling** nietig; **fiddly** lastig, peuterig

fidelity [f(a)i'deliti] getrouwheid, trouw; *high* ~ (*van grammofoonplaten*) (*hi fi*) werkelijkheidsweergave

fidget ['fidʒit] I *zn* draaitol, kind dat niet kan stilzitten; zenuwachtig persoon; II *ww* onrustig (zenuwachtig) zijn (maken); (zich) zenuwachtig bewegen; niet stil kunnen zitten, zitten te wiebelen (= ~ *about*); **'fidgety** [-i] gejaagd, zenuwachtig, druk

field [fi:ld] I *zn* veld, akker; slagveld; (veld)slag (*win the* ~); (speel)terrein; gebied (*the whole* ~ *of history*); ~ *of vision* gezichtsveld; *hold the* ~ zich staande houden; alles beheersen (*that problem holds the* ~); *lead the* ~ vooraan rijden (op de jacht); *army **in** the* ~ leger te velde; II *ww* fielden: voor ~*sman* spelen (*cricket, honkbal*); in het veld brengen (*a scratch team*); **field-glasses** verrekijker; **'field-'marshal** veldmaarschalk; **'field-sports** openluchtsport; inz. jacht en vissen; **'field-test** in de praktijk beproeven; **'field-work** veldwerk(zaamheden); wetenschappelijk onderzoek in het terrein

fiend ['fi:nd] (*vero*) duivel; (*fig*) maniak, fanaticus; **fiendish** duivels, demonisch

fierce [fiəs] woest, wreed, meedogenloos; hevig, fel; onstuimig

fiery ['faiəri] vurig, gloeiend, opvliegend

fifteen ['fif'ti:n, *attr:* 'fifti:n] vijftien; (*Rugby voetbal*) vijftiental; **fifteenth** [-θ] vijftiende (deel); **fifth** [fifθ] vijfde (deel); (*muz*) quint; ~ *column* vijfde colonne; **fiftieth** ['fiftiiθ] vijftigste (deel); **fifty** ['fifti] vijftig; *be in one's fifties* in de vijftig zijn; ~-~, (*fam*) half om half; *go* ~-~ sam-sam doen, gelijk op delen, elk voor zich betalen

fig vijg; *I don't care a* ~ geef er geen zier om

fight [fait] I *zn* gevecht, strijd; strijd-, vechtlust; II *ww* vechten, strijden; bevechten, vechten tegen; strijden (vechten) voor (~ *for*);

vechten om (~ *about/over*); vechten tegen (~ *against/with*); laten vechten; (*van kleuren*) vloeken; ~ *a battle* slag leveren; ~ *one's way* zich vechtende een weg banen; ~ ***back*** *a*) terugdringen; *b*) zich verweren; ~ ***down*** onderdrukken; ~ ***off*** afweren; verdrijven (*fear*); ~ ***on*** doorvechten; ~ *it **out*** het uitvechten; ~ ***shy** of* uit de weg gaan, zich niet inlaten met; '**fighter** [-ə] *a*) vechter(sbaas); *b*) gevechtsvliegtuig; '**fighter-plane** gevechts-, jachtvliegtuig

'**fighting-spirit** strijdlust(igheid)

figment ['figmənt]: *a ~ of the imagination* een produkt van de verbeelding, een verzinsel

figurative ['fig(j)urətiv] figuurlijk, zinnebeeldig; **figure** ['figə] I *zn* figuur, vorm, gedaante, gestalte, persoon (*in schilderij*); bespottelijk uitziend persoon, 'vogelverschrikker'; beeld, afbeelding; cijfer; prijs (*at our usual ~*); *do ~s* rekenen; *run into six ~s* meer dan £100.000 bedragen; II *ww* (zich) voorstellen, menen; (be)cijferen; aanwezig zijn (*in* bij, op); voorkomen (*in a p.'s will*), prijken; *it ~s*, (*fam*) (dat is) nogal logisch; ~ ***on*** rekenen op; ~ ***out*** uitrekenen, -maken, -werken; verklaren; bedenken; *let's see how he ~s out* wat hij er van maakt; *it ~s out at* ... komt op; ~ ***up*** optellen; '**figure-head** (*scheepv*) boeg-, spiegelbeeld; (*fig*) hoofd in naam, stroman

filch ['filtʃ] gappen, jatten

file [fail] I *zn* **1** vijl; **2** briefordener; opbergmap, dossier, gerangschikte documenten, enz., (*computer*) id.; legger: oude jaargang(en) van krant, enz.; *box ~* opbergdoos; (*up*)*on ~* gerangschikt, gedeponeerd, in archief; **3** file, queue; *march in ~* met tweeën; *in single ~* met enen, als eenden achter elkaar; *the rank and ~* het gewone (soldaten)volk; II *ww* **1** vijlen, fatsoeneren; ~ *down* afvijlen; **2** rangschikken; invoegen (*cards, slips*), opbergen (in archief), registreren; indienen (*an information* aanklacht); ~ *a divorce petition* (*suit*) scheiding aanvragen; **3** marcheren in eendenmars (met enen achter elkaar); ~ *in* (*out*) achter elkaar binnen (buiten) komen

filial ['filjəl] kinderlijk; ve kind

'**filing-cabinet**, **filing-case** archiefkast, cartotheek

fill [fil] I *ww* (zich) vullen; invullen; (doen) zwellen (*van zeilen*); vol maken of worden; uitvoeren (*an order; Am: a prescription*); stoppen (*a pipe*); verzadigen; vervullen, bekleden, innemen, bezetten (*a vacancy, a part* rol); ~ ***in*** invullen; dichtstoppen, dicht-, volgroeien, dempen; (*fam*) invallen, waarnemen (*for* voor); op de hoogte brengen (*a p. on* van); ~ *in time* de tijd korten; ~ ***out*** (zich) vullen; invullen; vol (gevulder, dik) worden; inschenken; ~ ***up*** (zich) geheel vullen; volproppen; aan-, in-, bijvullen; volgieten; benzine innemen; bezetten (*a post*); stoppen; dempen; dichtslibben; II *zn* bekomst; vulling; *eat* (*drink*) *one's ~* volop; '**filler** vuller; vulmiddel; vulsel; ~ *cap* vuldop

fillet ['filit] filet (*ook van vis:* stuk zonder graat), lendestuk (ook: ~ *steak*); ~ *of veal* kalfsschijf; ~ *of beef* runderhaas

filling ['filiŋ] vulling (ook in tand, kies), vulsel; '**filling-station** tankstation

filly ['fili] merrieveulen

film I *zn* vlies(je); film; waas; draad; ~ *editor* filmmontageleider; ~ *director* filmregisseur; ~ *producer* produktieleider van films; II *ww* (ver)filmen (*a play*); '**film-cartoon** tekenfilm; '**film-censor** filmkeurmeester; '**filmy** [-i] ragdun; wazig

filter ['filtə] I *zn* id.; II *ww* filtreren, doorzijgen, (door)sijpelen; zuiveren; (door)schemeren; (*verkeer*) voorsorteren (~ *lane* sorteer-, opstelstrook); ~ *out*, ~ *through*, (*fig*) uitlekken; '**filter tip** (sigaret) met een filter aan het eind

filth [filθ] vuil(ig)heid; vuile taal; '**filthy** [-i] vuil, vies, smerig

fin vin

final ['fainl] I *bn: a*) laatste, eind..., slot...; *b*) definitief, beslissend, afdoend; *this is ~* hiermee is het uit; II *zn finals* eind(wed)strijd, finale; afsluitend examen; **finality** [fai'næliti] afdoendheid; *he spoke with ~* met beslistheid; **finalize** ['fainəlaiz] afwerken, beëindigen, de laatste hand leggen aan; **finally** ['fainəli] *a*) ten slotte, ten laatste, tot besluit; *b*) afdoend, voorgoed

finance [f(a)i'næns, 'fainæns] I *zn* financiën, financieel beheer (*sound ~*), financiewezen; *~s* financiën, geldmiddelen, fondsen; II *ww: a*) financieren, geld verschaffen (voor), geldelijk steunen; *b*) geldzaken drijven; **financial** [f(a)i'nænʃəl] financieel, geldelijk

finch [fin(t)ʃ] vink

find [faind] I *ww* (be)vinden; ontdekken, bemerken; aantreffen; *he found that* ... het bleek (hem) dat ...; (gaan) zoeken, (gaan) halen (*I must ~ my hat*); verschaffen, bezorgen (*money*); bekostigen; ~ *o.s.* zich bevinden; ~ (*not*) *guilty*, (*jur*) (on)schuldig verklaren; ~ ***for*** (***against***) *the plaintiff*, (*jur*) de eis toewijzen (ontzeggen); *all found* alles inbegrepen; ~ *one's way to* ... erin slagen ... te bereiken; ~ ***out*** ontdekken, (er)achter komen, uitvogelen (*I could not ~ it out*); betrappen; opsporen; (*fam*) niet thuis vinden; II *zn* vondst; '**finder** vinder; zoeker (*kijker, fot*); '**finding** vondst; bevinding, resultaat; conclusie; uitspraak (ook *~s*)

1 fine [fain] I *zn* (geld)boete; II *ww* beboeten

2 fine [fain] I *bn* mooi, schoon, prachtig, uitstekend, heerlijk; fijn; zuiver, rein; gevoelig; droog (*there were 200 ~ days*); *the F~ Arts* de schone kunsten; *you are a ~ fellow*, (*iron*) een mooie (lieve) jongen; ~ *print* kleine lettertjes); II *ww* klaren (ook: ~ *down*), zuiveren; verfijnen

'**finery** [-əri] mooie kleren, opschik

finger ['fiŋgə] I *zn* vinger; vingerbreedte; *little ~* pink; *he is all fingers and thumbs* hij is erg onhandig; *have a ~ in it* (*in the pie*) er de hand in hebben; *keep one's ~s crossed,* (*ongev*) 'duimen'; *lay* (*put*) *one's ~ on the spot* de vinger op de wonde plaats leggen; *put one's ~ on it* het precies aanduiden; II *ww* betasten; beuzelen (spelen) met (*ook: ~ with*); met de vingers aanraken (bespelen); **fingered** [-d] gevingerd; vingervormig; '**fingerprint** vingerafdruk(ken nemen); '**fingertip** vingertop; *have at one's fingertips* op z'n duimpje kennen, bij de hand hebben

finish ['finiʃ] I *ww* eindigen, voltooien, volbrengen, ophouden (met); een eind maken aan; afmaken; aflopen (*a course*), uitlezen, enz.; opgebruiken, opeten, -drinken, enz. (ook: ~ ***up***); de laatste hand leggen aan; afwerken; *I have ~ed writing* ben klaar met; *that ~ed him* toen had hij genoeg; *I am ~ed: a*) klaar; *b*) (dood-) op; ~ ***off*** (be)eindigen, besluiten, afwerken; afmaken, van kant maken; ~ ***up*** afwerken; *zie ook boven; ~ up with* besluiten met; ~ ***with*** afmaken; het uitmaken met (*a girl*); II *zn* einde; voltooiing; afwerking; vernis, glans; (*sp ook*) id.; (*van wijn*) afdronk; (*Belg*) eindmeet; *fight to a ~* tot het einde doorvechten; '**finishing**: *put the ~ touch*(*es*) *to* de laatste hand leggen aan

finite ['fainait] eindig, begrensd; ~ *verb* persoonsvorm ve werkwoord

fink ['fiŋk] (*Am*) verklikker

fir [fə:] den, denneboom, dennehout; spar; **fir-cone** [-kəun] denneappel

fire ['faiə] I *zn* vuur; brand; hitte, gloed; (open) haard (*gas ~*); *catch ~* vuur vatten; *cease ~* staakt het vuren!; *on ~* in brand; *set on ~* (*set ~ to*) in brand steken; II *ww* in brand steken; ont-, aansteken; vuur vatten; (ont)gloeien; (af)vuren; schieten (*at, on, upon* op); afgaan (*van vuurwapen*); (*fam*) ontslaan; ~ ***away*** er op los schieten; van leer trekken; ~ *away!* vooruit (begin) maar!; ~ ***off*** afvuren; afsteken (*a speech*); '**fire-alarm** brandalarm; '**firearm** vuurwapen; '**fire-bomb** brandbom; **firebrand** opruier, ophitser; **firebreak** brandgang; '**fire-brigade** brandweer; '**fire-cracker** voetzoeker; **firedrill** brandoefening; '**fire-engine** brandweerauto; '**fire-escape** brandtrap; '**fire-extinguisher** blusapparaat; **fireguard** haardscherm; **fire-hydrant** brandkraan; **fireman** brandweerman; '**fireplace** open haard; '**fireproof** I *zn* brandvrij, vuurvast; II *ww* brandvrij maken; **fire-resistant**, **fire-retarding** brandwerend; '**fireside** (hoekje van de) haard, huiselijk leven; '**firewood** brandhout; '**fire-work** stuk vuurwerk; *~s* vuurwerk; '**firing-line** vuurlinie; '**firing-squad** [-skwɔd] vuurpeloton

1 firm [fə:m] I *bn* vast, hard, hecht, ferm; standvastig, vastberaden, volhardend; trouw; *as ~ as a rock* onwrikbaar; *a ~ decision* een definitieve beslissing; II *ww* vast (stevig) maken of worden

2 firm [fə:m] firma(naam); *the ~ of* ... de firma ...

first [fə:st] I *bn* eerst; voornaamst; ~ *aid* eerste hulp (bij ongelukken); ~ *cousin* volle neef; *F~ Lady,* (*Am*) vrouw van de President; ~ *name* vóórnaam; ~ *night* première; II *zn* eerste; eerste klas (*bij examen*); eerste prijs; nummer één; *at ~* in het eerst (begin); *from the* (*very*) ~ van het begin af; III *bw* (het) eerst, voor het eerst, ten eerste; eerder, liever; ~ *come, ~ served* die het eerst komt, eerst maalt; ~ *of all, ~ and foremost* (in de) allereerste (plaats); '**first-born** eerstgeboren(e); **first-class** ['fə:st-'klɑ:s; *attr:* 'fə:stklɑ:s] prima; ~ *row* ruzie van je welste; **first-day**: ~ *cover* eerstedagenvelop; **first-hand** [*attr:* 'fə:sthænd] uit de eerste hand; '**firstly** ten eerste, in de eerste plaats, eerstens; **first-rate** ['fə:st'reit; *attr:* 'fə:streit] eersterangs, prima

fiscal ['fiskəl] fiscaal, belasting...; ~ *number* sofi-nummer

fish [fiʃ] I *zn* vis; vissen (*a few ~*); ~ *finger* visstick; *drink like a ~* zuipen; II *ww* (af)vissen; ~ *for a compliment* hengelen naar ...; '**fisherman** ['fiʃəmən] visser; '**fishery** visserij, visgrond, -plaats, -recht; **fishing** het vissen; visrecht, -plaats, -gelegenheid; '**fishing-boat** vissersschuit; '**fishing-fleet** vissersvloot; '**fishing-licence** visakte; (*Belg*) visverlof; '**fishing-line**, **fishing-net** vissnoer, -net; '**fishing-rod** hengel; '**fishing-tackle** vistuig; '**fish-like** visachtig; '**fishmonger** [-mʌŋgə] visverkoper; '**fishwife** viswijf; '**fishy** visachtig; visrijk; vis...; (*sl*) verdacht; *it looks ~* er is een luchtje aan

fission ['fiʃən] splijting, deling; *nuclear ~* atoomsplitsing; **fissure** ['fiʃe] kloof, spleet, splijting

fist vuist

1 fit stuip, toeval, beroerte, aanval, vlaag, gril, bui; *give a p. a ~* iem de stuipen op het lijf jagen; *go into ~s* het op de zenuwen krijgen; *by ~s and starts* bij vlagen, op ongeregelde tijden

2 fit I *bn* geschikt; bekwaam; gepast, betamelijk; gezond, 'lekker' (*feel ~*), in goede conditie (*keep the body ~*); ~ *for work* arbeidsgeschikt; as ~ as a fiddle in blakende welstand; *not ~ to be seen* ontoonbaar; *not ~ to hold a candle to* niet (bij iem) in de schaduw kunnen staan; *see* (*think*) ~ *to* het nodig (dienstig, raadzaam) achten te ...; *as he thinks ~* zoals hem goeddunkt; II *ww* passen (op, bij, voor), voegen; geschikt (passend) maken (*for, to* voor); stellen, zetten, monteren; voorzien (*with* van); uitrusten; *~ted carpet* vaste vloerbedekking, tapijt; ~ ***in*** inlassen; ~ *in with* passen bij (*the furniture*); stroken met (*plans,* enz.), kloppen met (*facts,* enz.); ~ ***out*** uitrusten (*a ship*); III *zn* het passen (zitten); *be a bad ~* slecht zitten (passen); *that is a tight ~* dat zit nauw; dat kan (er) nog net (in)

fitful ['fitf(u)l] ongeregeld; onbestendig, grillig; bij vlagen; ~ *winter* kwakkelwinter; '**fitness** geschikt-, gepastheid; gezondheid; zie 2 fit *bn*

fitter monteur, (gas)fitter; **fitting** I *bn* passend; II *zn* het ...; zie 2 *fit ww*; *have a* ~ moeten passen; ~*s* wat ter inrichting nodig is; bekleding, beslag, monteerbenodigdheden, onderdelen; (*elektr ook*) id.; **fitting-room** [-ru(:)m] paskamer

five [faiv] vijf; ~*s* No. 5 (schoenen, enz.); *a* ~-*day week* een 5-daagse werkweek; '**fivefold** [-fəuld] vijfvoudig; '**fiver** [-ə] (*sl*) bankbiljet van 5 pond (of dollar)

fix [fiks] I *ww* (zich) vestigen, bevestigen, vastmaken, -hechten, -houden, -zetten, -leggen (~ *s.t. in the mind*); bepalen, vaststellen (*at 10p.* op; *for Sunday* op); plaatsen, installeren; een vaste vorm geven (aannemen); fixeren; repareren; in orde brengen, opknappen; klaarspelen (~ *it*); genezen; (*sl*) spuiten (met narcotica); ~ ***on*** vaststellen, bepalen; ~ ***up*** schikken, regelen, bijleggen; afspreken, in orde maken, opknappen; inrichten; afsluiten (*a contract*); voorzien (*with* van); ~ *a p. up for the night,* (*fam*) iem logeren; II *zn* moeilijkheid, klem; kruispeiling; (*sl*) narcotica-injectie, spuit; omkoperij; *be in a* ~ in de knel zitten; '**fixate** fixeren; **fix'ation** fixering; vastheid; (*psych*) fixatie; **fixed** [-t] vast, onbeweeglijk; strak; 'geborgen' (~ *for life*); *be well* ~ er financieel goed voorstaan; '**fixedly** [-idli] vast, enz.; '**fixture** [-tʃə] wat (spijker)vast is; vast iets, iets (iem) dat (die) men altijd ergens aantreft; (datum van) wedstrijd; afspraak

fizz [fiz] I *ww* sissen, bruisen; II *zn* (*fam*) gesis, gebruis; (*fam*) *a*) fut; *b*) mousserende drank, inz. champagne; **fizzle** ['fizəl] sputteren; ~ *out* als een nachtkaars uitgaan; **fizzy** ['fizi] mousserend, bruisend

flabbergasted ['flæbəgɑ:stid] *to be* ~ versteld staan, verbijsterd zijn, overdonderd zijn

flabby ['flæbi] slap, week, zwak, pafferig, kwabbig (*cheeks*)

flaccid ['flæksid] slap, zacht

flag [flæg] I *zn* 1 vlag; ~ *of truce* witte vlag; 2 plavuis, platte vloersteen; II *ww* 1 met vlaggen versieren (seinen); zwaaien (met); markeren, aangeven (met vlaggen); ~ *down* afvlaggen; 2 slap neerhangen, kwijnen, lusteloos worden; verslappen, verflauwen, haperen; **flag day** collecte(dag); **flag pole** vlaggestok

flagrant ['fleigrant] id., in het oog lopend; schandelijk (*abuses*), schreeuwend (*fig*)

'**flagship** vlaggeschip; **flagstone** plavuis

flail [fleil] I *zn* dorsvleugel; II *ww* (rond)slaan, ranselen

flake [fleik] I *zn* vlok, schilfer, afslag; laag; (ijs)schots; plak(je); II *ww* als vlokken vallen; als met sneeuw bedekken; (doen) (af)schilferen

flamboyant ['flæmbɔint] id., zwierig; opzichtig

flame [fleim] I *zn* vlam (*alle bet*), hitte, vuur; *set on* ~ in vlammen zetten; II *ww* (ont)vlammen; schitteren; **flaming** ['fleimiŋ] (*fam*) hartstochtelijk; hooglopend, (*Belg*) hoogoplopend (*row* ruzie); verdomd, verrekt;

flammable ['flæməbl] ontbrandbaar

flank [flæŋk] I *zn* flank, zijde; ribstuk; II *ww* flankeren

flannel ['flænl] I *zn* flanel; dweil; waslapje; ~*s* flanellen goederen (ondergoed, broek, pak, ook als sportkleding); II *bn* flanellen

flap [flæp] I *ww* flappen, slaan, klapp(er)en, fladderen, spartelen; ~ *down* neersmakken; zich laten vallen; II *zn* geflodder, geflapper; klap, tik; klep (*van enveloppe, enz.*); remklep (*van vliegtuig*); neerhangend(e) gedeelte (rand, tafelblad, enz.); slip, pand (*van jas*)

flare [flεə] I *ww* flikkeren, vlammen, schitteren; ~ *up* opvlammen, oplaaien; opstuiven; II *zn* flikkering, schittering, ge..., het ...; helle vlam, signaalvlam, flambouw; vertoon; (*mil*) (parachute)fakkel, lichtkogel; '**flare-path** verlichte landingsbaan; '**flare-up** opflikkering; vlaag, uitbarsting; hevige ruzie

flash [flæʃ] I *zn* vlam, (op)flikkering, straal, flits, glans; vlaag; plotselinge ingeving (= ~ *of intuition*); opzien, vertoon; in-, uitval; radiobericht; *quick as a* ~ in een flits; *in a* ~ in een wip; ~ *in the pan* plotseling doch kortstondig succes hebben; ~ *of lightning* bliksemstraal; ~ *of wit* geestige inval; II *bn* (*fam*) opzichtig, poenig; kort en heftig; III *ww* (doen) flikkeren, schijnen, schitteren; op-, ontvlammen, vliegen; seinen; (*fot*) flitsen; ~ ***up*** (***out***) opvliegen; *the truth* ~*ed* ***upon*** *me* drong ineens tot mij door; '**flashback** (*film, enz.*) id.; herinneringsbeeld; '**flashbulb** flitslampje; '**flashcube** flitsblokje; **flasher** (*auto*) knipperlicht, richtingwijzer; exhibitionist; '**flash-gun** flitser; '**flashing-lamp** seinlamp; '**flashlamp** *a*) flitslamp; *b*) flitslicht; *c*) zaklantaarn; '**flashlight** *a*) flikkerlicht, knipperlicht, zwaailicht; *b*) flitslicht; *c*) zaklantaarn; '**flashy** [-i] schitterend (maar ondegelijk); opzichtig, fatterig

flask [flɑ:sk] flacon, (veld)fles

flat [flæt] I *bn & bw* vlak, plat, gelijkmatig; bot, vierkant (*denial*), absoluut (*contradiction*), compleet (*nonsense*); uniform (*rate, wage*); op de kop af (*fifteen minutes* ~); leeg (*battery, tyre*); zonder uitdrukking, dof, mat (*voice*); flauw; (*muz*) mol (*B* ~), mineur; *fall* ~ mislukken, geen succes hebben (*joke*); *taste* ~ flauw smaken; II *zn* plat (*ook van dak*); platte kant; vlakte, vlak land; platboomd vaartuig, vlet; etage, 'flat'; *block of* ~*s* flatgebouw; (*fam*) lekke band; (*muz*) mol; III *ww* zie *flatten*; '**flat-iron** (niet elektrisch) strijkijzer; **flatlet** ['flætlət] flatje; '**flatly** plat; botweg, vierkant; '**flatten** [-n] plat (smakeloos, saai, eentonig, lusteloos, ontmoedigd) maken of worden; verschalen; afplatten, pletten; kleinkrijgen; verlagen (*a tone*); ~ *out* plat maken of wor-

den; (*luchtv*) *a*) vlak trekken; *b*) vlak gaan liggen
flatter ['flætə] vleien; strelen (*the eye, ear*); flatteren; *the photo ~s you* is geflatteerd; *a ~ing photo* geflatteerd; ~ *into* door vleien brengen tot; **flatterer** [-rə] vleier; **flattery** [-ri] vleierij
flaunt [flɔ:nt] pronken, pralen (met), te koop lopen met
flautist ['flɔ:tist] fluitist
flavour ['fleivə] I *zn* aroma, geur (en smaak); boeket (*van wijn*); (*fig*) (pikant) tintje; *there is an unpleasant ~ about it,* (*fig*) een luchtje aan; II *ww* smakelijk (geurig) maken, kruiden; *highly ~ed* sterk gekruid; '**flavouring** [-riŋ] *a*) het ...; *b*) kruiderij
flaw [flɔ:] I *zn* scheur, breuk, barst; fout; zwakke plaats (*fig*); II *ww* (doen) barsten; bederven; '**flawless** [-lis] onberispelijk, smetteloos
flax [flaeks] vlas; **flaxen** vlasachtig, vlassig
flay [flei] villen, hekelen
flea [fli:] vlo; '**flea-pit** (*sl*) goedkope bios(coop)
fleck [flek] I *zn* vlek, sproet, spikkel; II *ww* (be)spikkelen, vlekken
fledgling [fledʒliŋ] lange vogel, die pas kan vliegen; (*fig*) melkmuil; ~ *industries* jonge industrieën
flee [fli:] vlieden, (ont)vluchten
fleece [fli:s] I *zn* vacht, vlies; (schape)wolkjes, enz.; II *ww* (*fig*) afzetten, het vel over de oren halen; **fleecy** ['fli:si] wollig, vlokkig
fleet [fli:t] vloot; schare; ~ *of taxis,* enz., die van één eigenaar, wagenpark; *F~ Street* middelpunt der dagbladpers, de Britse Pers (*F. S. can make or break a political career*); '**fleeting** snel voorbijgaand, vluchtig, vergankelijk
flesh [fleʃ] (vrucht)vlees; *go the way of all ~* sterven; *get* (*gather, put on*) ~ dik worden; *lose* ~ mager worden; *in the ~: a*) in levenden lijve; *b*) in leven; '**fleshly** vleselijk, zinnelijk; '**fleshy** [-i] vlezig
flex [fleks] I *ww* buigen; II *zn* elektrisch snoer; **flexibility** [fleksə'biliti] aanpassingsvermogen; buigzaamheid, flexibiliteit; '**flexible** [-əbl] buigzaam, soepel; handelbaar, flexibel, plooibaar; **flexitime** systeem van variabele werktijden
flick [flik] I *zn* tik; knip (met de nagel), ruk(je); spat; scheutje; II *ww* tikken; gooien; slaan; rukken; schudden; ~ *away* (*off*) wegknippen, afslaan (*dust*); **flicker** ['flikə] I *ww* (doen) flikkeren, flakkeren; trillen, fladderen, klappen, klapwieken; *not ~ an eyelash,* (*fig*) geen spier vertrekken; II *zn* geflikker, flikkering; flikkerend licht; (*fig*) opflikkering; straaltje (*of hope*), vleugje (*of a smile*)
flies [flaiz] gulp (van broek)
flight [flait] vlucht; het vervliegen (*van tijd*); troep, zwerm, schaar; vliegtuiggroep; loop, vaart; ~ *of capital* kapitaalvlucht; ~ *control* (lucht)verkeersleiding, vluchtleiding; ~ *of stairs* trap of deel van trap tussen 2 *landings; two ~s up* twee trappen hoog; '**flight-engineer** (*luchtv*) boordwerktuigkundige; **flight recorder** vluchtrecorder, "zwarte doos"; '**flighty** [-i] grillig, wispelturig
flimsy ['flimzi] prutsig, ondeugdelijk; dun, luchtig; zwak, nietig; 'doorzichtig'
flinch [flin(t)ʃ] wijken, aarzelen; terugdeinzen (*from* voor), versagen; (ineen)krimpen; tekenen geven van pijn, vrees, enz., (even) rillen
fling [fliŋ] I *ww* gooien (*at* naar), (met kracht) werpen, smijten; afwerpen (*a horseman*); uit het zadel lichten (*fig*); stormen, vliegen (*into, out of the room*); ~ ***away*** *a*) weggooien; *b*) nijdig weggaan; ~ ***in*** binnenstormen; ~ *the door* ***to*** dichtsmakken; ~ *o.s.* (***up***)***on*** zich geheel (over)geven aan (*a p., one's task*); II *zn* worp, gooi; uitspatting; *a bit of a ~* verzetje; *have a ~ at: a*) een gooi doen naar; *b*) te lijf gaan (*fig*); *at full ~* in volle vaart
flint kei-, vuursteen; **flinty** kei-, steenhard (*ook fig*)
flip I *ww* (weg)knippen (*met vingers*), klappen, tikken; spartelen; omgooien, -keren; ~ (*one's lid*), (*sl*) opvliegen; (*door drugs*) flippen; ~ *a coin* opgooien: kruis of munt; ~ *through a book* een boek doorvliegen; *~ping,* (*sl*) verdraaid, verrekt; II *zn* knip, tik, ruk
flippancy ['flipənsi] oneerbiedigheid, frivoliteit; **flippant** ongepast spotziek, te weinig ernstig, oneerbiedig; frivool
flipper ['flipə] vin; zwempoot; (rubber) zwemvlies
flirt [flə:t] I *zn* id.; II *ww* koketteren, flirten; ~ *with, ook:* spelen met (*an idea*); **flir'tation** geflirt
flit I *ww* zweven; fladderen; II *zn* gefladder; *do a ~* met de noorderzon vertrekken
float [fləut] I *zn* drijvende massa; vlot; platboomd vaartuig; dobber; vlotter; wat drijvende houdt, drijver (*van watervliegtuig*); zwemplankje; platte wagen (*in optocht*); wisselgeld; II *ww* (laten) drijven; vlot worden of maken; overstromen; drijvende houden; laten zweven (koers); instigeren; oprichten (*camping*); in aanloop brengen (aandelen); '**floating** drijvend; vlottend (*capital, debt, population*); zwevend (*franc*); *the ~ vote* de stemmen der 'zwevende' kiezers
flock [flɔk] I *zn* 1 kudde, schare; troep; 2 vlok (wol, enz.); II *ww* (samen)stromen
flog [flɔg] slaan, (af)ranselen; ~ *s.t. into* (*out of*) *a p.* erin (eruit) ranselen; ~ *a dead horse* belangstelling trachten te wekken voor afgedane zaak, vergeefse moeite doen; '**flogging** [-iŋ] pak ransel
flood [flʌd] I *zn* vloed, overstroming; stroom; *the F~, Noah's ~* de zondvloed; *in ~,* (*van rivier*) buiten haar oevers getreden; (*van land*) overstroomd; II *ww* (doen) overstromen; onder water zetten; *be ~ed out* door overstroming uit huis verdreven zijn; **flooding** over-

stroming; **floodlight** spreidlicht; **'flood-mark** hoogwaterlijn
floor [flɔ:] I *zn* vloer; bodem; (loon)minimum; minimumprijs (= ~ *price*); verdieping (*first* ~ 1ste ...; *Am* gelijkvloers; *second* ~ 2de ...; *Am:* 1ste ...); *live four ~s up* op de 4e verdieping wonen; *have* (*hold*) *the* ~ het woord hebben (voeren); *take* (*on*) *to the* ~ ten dans leiden; *wipe the* ~ *with* de vloer aanvegen met; *the* ~ *is yours* u hebt het woord; *the shop* ~ de arbeiders (*in fabriek*); II *ww* bevloeren; tegen de grond gooien; neerslaan, 'vloeren'; neerschieten; van de wijs brengen, paf doen staan; verslaan, 'nekken', te machtig zijn; **'floor-cloth** dweil; **'floor-plan** plattegrond; **floorshow** voorstelling in nachtclub; **'floorwalker** winkelchef
flop [flɔp] I *zn* flap, klap; plof; (*sl*) fiasco, id.; II *ww* flappen; neerslaan; (neer)ploffen; (ineen)zakken; mislukken, een 'flop' zijn (worden); III *bw* pardoes; *it came* ~ *down* plofte neer; **'floppy** slap (neerhangend), flodderig; ~ *disc* (computer) diskette
floral ['flɔrəl] planten..., bloemen..., met bloemenpatroon; **florid** ['flɔrid] bloemrijk; bloeiend; opzichtig; zwierig; hoogrood, blozend; **florist** ['flɔrist] bloemkweker, bloemist
floss ['flɔs] tanddraad; ~ *silk* vloszijde
flotilla [flə'tilə] flottielje
flotsam ['flɔtsəm] zeedrift: drijvende wrakgoederen; ~ *and jetsam*, (*fig*) uitschot, rommel
flounder ['flaundə] I *ww* spartelen, ploeteren (in modder, enz.); sukkelen; stuntelen, in de war raken (~ *in one's speech*); steigeren; II *zn* bot
flour ['flauə] I *zn* bloem (van meel), tarwebloem, meel, poeder; II *ww* met meel bestrooien
flourish ['flʌriʃ] I *ww* bloeien, gedijen, tieren, floreren, in zijn bloeitijd zijn, leven; krullen maken; in beeldrijke taal spreken (*upon* over); zwaaien, wuiven met; II *zn* bloemrijke uitdrukking (passage), stijlbloem; (zwierige) zwaai, mooi gebaar; fanfare, geschal; ~ *of trumpets*, (*fig*) tam-tam
flout [flaut] bespotten, tarten, honen (= ~ *at*); spotten met; minachten
flow [flǝu] I *ww* vloeien, stromen; overvloeien; golven; wapperen, fladderen (~*ing hair*); voortvloeien (*from* uit); opkomen (*van getij*); II *zn* vloed, stro(o)m(ing), door-, overstroming, golving; voortgang; overvloed; ~ (*of language, words*) welbespraaktheid, woordenvloed
flower ['flauə] I *zn* bloem, bloesem; bloei (*in* ~); keur; ~ *arranging* bloemschikken; II *ww* bloeien; tot bloeien brengen; met bloemen versieren; **'flower power** ideeën van de *flower children* over universele liefde (± 1965); **'flower-show** [-ʃəu] bloemententoonstelling; **'flowery** [-ri] bloemrijk, gebloemd; bloem(en)...
flu [flu:] (*fam*) influenza, griep
fluency ['flu(:)ənsi] vloeiendheid, (taal)vaardigheid; **fluent** ['flu(:)ənt] vloeiend, vaardig, glad (*van tong*), welbespraakt; *fluency*, (*ook*) (mondelinge) taalvaardigheid
fluff [flʌf] I *zn* dons, pluis; II *ww* opschudden (van kussen); verprutsen; **fluffy** donzig; luchtig (~ *cake*)
fluid ['flu(:)id] I *bn* vloeibaar, niet vast; beweeglijk; vloeiend; ~ *ounce* 1/160 gallon, 28,4 cm³; (*Am*) 1/128 gallon, 29,6 cm³; II *zn* vloeistof, niet-vast lichaam; **fluidity** [flu(:)'iditi] vloeibaarheid, vloeiendheid
flunk [flʌŋk] (laten) zakken (op examen)
fluorescent [flu:ər'esənt] fluorescerend; ~ *lamp* fluorescentielamp, TL-buis; ~ *lighting* TL-verlichting; **fluoridation** [ˌfluər(a)i'deiʃən] fluoridering
flurry ['flʌri] I *zn* (wind)vlaag, (hagel-, regen-, sneeuw)buitje; vlucht (*of birds*); (zenuwachtige) drukte, gejaagdheid; II *ww* in de war brengen, zenuwachtig maken
flush [flʌʃ] I *ww* (uit)stromen; spuiten; doorspoelen (*toilet, drain*); onder water zetten; (doen) gloeien; (doen) blozen; het bloed naar het gezicht jagen; ~*ed* blozend, rood; in extase; opgewonden; verhit (*with wine*), dronken, bedwelmd (*with victory*); II *zn* 1 plotselinge stroom (toeneming); opwinding, roes (*of victory*); fris opgeschoten gras, blaadjes, enz.; doorspoeling (*van riool, enz.*); (koorts)gloed, hitte, blos; frisheid, kracht; *festive* ~ feestroes; 2 (*kaarten*) id.; III *bn* blozend; voorspoedig; effen, gelijk
Flushing ['flʌʃiŋ] Vlissingen
fluster ['flʌstə] I *ww* verwarren, gejaagd maken (zijn); zich druk bewegen; II *zn* verwarring; gejaagdheid; *get into a* ~ zenuwachtig worden
flute [flu:t] I *zn* fluit; II *ww: a*) fluiten (*van vogel*); *b*) fluit spelen
flutter ['flʌtə] I *ww* klapwieken, fladderen; zweven; (doen) trillen (van opwinding); flikkeren; flakkeren; snel heen en weer bewegen; wapperen; zenuwachtig maken, opwinden; ~*ed, ook:* gejaagd; II *zn* trilling, gefladder, geklapwiek; onregelmatige hartslag; gejaagdheid; sensatie (*cause a* ~)
flux [flʌks] vloed; stroom; voortdurende verandering
fly [flai] I *zn* 1 vlieg; kunstvlieg; naam van andere insekten; *cast a* ~ een proefballonnetje oplaten; *he wouldn't hurt a* ~ hij is doodgoed; 2 klep (van kledingstuk), gulp; II *ww* vliegen; omvliegen (*time flies*); zich (weg) haasten; vluchten (uit: ~ *the country*); vliegen over (*the Atlantic*), bevliegen (*the ocean routes*); laten vliegen (*a pigeon*); oplaten (*a kite* vlieger); besturen (*an aeroplane*); (laten) wapperen; voeren (*the British flag*); *let* ~ (af)schieten; losslaan, lostrekken (*at* op); vieren; losgooien; ~ ***at*** aanvliegen (op); uitvaren tegen; ~ ***in***(***to***

New York) per vliegtuig (in NY.) aankomen; ~ *into a passion* (*rage*) driftig (woedend) worden; ~ ***off*** *ook:* plotseling van koers veranderen; ~ ***out*** opstuiven, uitvaren (*at* tegen); ~ ***on*** = ~ *at;* ~ *in the face of* tarten; III *bn* (*sl*) glad, haai, gewiekst; '**fly-blown** door vliegen bevuild; (*fig*) besmet, besmeurd, vuil; '**fly-fishing** vissen met (kunst)vlieg; '**flying** vliegend; *with* ~ *colours* met vlag en wimpel; ~ *saucer* vliegende schotel; ~ *squad* vliegende brigade; '**flyleaf** (niet vastgeplakte helft van) schutblad; '**flyover** viaduct; '**flypast** defilé van vliegtuigen; **flysheet** buitentent; '**fly-swatter** [-swɔtə] vliegemepper

foal [fəul] veulen

foam [fəum] I *zn* schuim; II *ww* schuimen; ~ *at* (*the*) *mouth* schuimbekken; '**foam-plastic** schuimplastic; '**foam-rubber** schuimrubber

fob off ['fɔb 'ɔf] (iets) aansmeren; ~ *with* afschepen met

focus ['fəukəs] I *zn* id., brandpunt; (*van ziekte, aardbeving*) haard; *in* ~ scherp, duidelijk; *out of* ~ onscherp, onduidelijk, (*fig*) verwrongen; *depth of* ~ scherptediepte; II *ww* (als) in een brandpunt verenigen (brengen), (*van gedachten*) (zich) concentreren, (*van ogen*) (zich) vestigen; in-, scherpstellen (*a lens*)

fodder [fɔdə] (vee)voer

foe [fəu] (*vero*) vijand

foetus [fi:təs] id.

fog [fɔg] I *zn* mist; (*fot*) sluier; *be in a* ~ er niets van begrijpen; II *ww* (als) in mist hullen; mistsignalen plaatsen; (*fot*) sluieren; (*fig*) vertroebelen, verdoezelen; in de war brengen, benevelen; '**fog-bank** mistbank; '**fog-bound** in mist gehuld; door mist opgehouden; **fogged** ['fɔgd] zie *fog;* (*fot*) gesluierd; '**foggy** [-i] mistig, nevelig; vaag; beneveld; (*fot*) gesluierd; *I haven't the foggiest* (*idea*), (*fam*) geen flauw idee ervan; '**foghorn** misthoorn

foil [fɔil] I *zn* 1 folie (*aluminium* ~); 2 floret; II *ww* verijdelen; van zijn stuk brengen; (iem) vóór zijn

foist [fɔist] ~ *on* (iets) aansmeren

fold [fəuld] I *zn* 1 schaapskooi; (*fig*) kudde; schoot (der kerk); 2 vouw, plooi; kronkel(ing); het vouwen; II *ww* (zich) vouwen, hullen, wikkelen; sluiten (*in one's arms*); '**folder** vouwbeen; id., vouwblad; '**folding** opvouwbaar (*bed*), vouw...; **fold up** opvouwbaar...

foliage ['fəuliidʒ] gebladerte; loof(werk)

folk [fəuk] I *zn* luitjes, mensen, volk(je) (gew. ~*s*); ~*s, ook:* ouders; familie; *the little* ~*s* het jonge volkje; *the old* ~*s* de oudjes; II *bn* volks...; '**folklore** [-lɔ:] id.; volkskunde; '**folk-song** volkslied (d.i. door het volk gezongen lied)

follow ['fɔləu] volgen (op), nalopen, na-, achtervolgen, najagen; be-, uitoefenen (*a trade*); *it does not* ~ *that* ... daaruit volgt niet, dat ...; ~ ***after*** volgen op, volgen na; ~ ***in*** *a p.'s footsteps* iems ... drukken; ~ ***on*** (*bw*) (blijven) volgen; later volgen; ~ ***out*** opvolgen (*orders*), geheel uitvoeren (*a plan*); ~ *out the spirit of a p.'s instructions* handelen in de geest van; ~ *out* (= ***through***) *a comparison into detail* uitpluizen tot in de bijzonderheden; ~ ***up*** van nabij volgen; nagaan; voortzetten; vervolgen; zich ten nutte maken (*an advantage*); ~ ***upon*** volgen op; *this work* ~*s close upon history* volgt ... op de voet; **follower** [-ə] volger, volgeling, leerling; dienaar; (*fam*) vrijer; **following** I *zn* aanhang; *the* ~ het volgende; de volgende(n); II *bn* volgend; III *vz* na, als gevolg van (*this step*); *a* ~ *letter* een tweede (nader) schrijven; '**follow-(')up** vervolg, voortzetting, nabehandeling; nazorg (= ~ *care*); ~ *order* nabestelling

folly ['fɔli] dwaasheid, domheid

foment [fə(u)'ment] aanstoken; aanmoedigen

fond [fɔnd] *a*) liefhebbend, innig; (al te) teder; *b*) dwaas, mal, verdwaasd; *be* ~ *of* veel houden van; verzot zijn op, gek zijn met; *my* ~*est wish* mijn liefste wens; *he* ~*ly imagines* is zo dwaas zich te verbeelden; **fondle** ['fɔndl] liefkozen, strelen; lief doen; spelen (*with s.t.*); **fondness** tederheid

font [fɔnt] doopvont

food [fu:d] voedsel, spijs, eten, voer; voedingsartikel, levensmiddel(en); ~ *poisoning* voedselvergiftiging; ~ *for reflection* stof tot nadenken; '**foodstuff** voedingsmiddel; ~*s* levensmiddelen

fool [fu:l] I *zn* dwaas, zot, gek; nar; *make a* ~ *of* voor de gek houden; *make a* ~ *of o.s.* zich belachelijk maken (gek aanstellen); II *bn* (*volkstaal & Am*) dwaas, gek; III *ww* dwaas doen; spelen (*with* met); voor de gek houden, bedotten; ~ *about* (*around*) pret maken, streken uithalen; ~ *around with s.o.'s love* iems liefde niet serieus nemen; ~ *away* verlummelen; ~ *a p. into* verlokken (verleiden) tot; *a p. out of s.t.* iem iets aftroggelen (afhandig maken); '**foolery** dwaas-, dolheid, dwaas gedoe; '**foolhardy** roekeloos, doldriest; '**foolish** dwaas, mal, belachelijk; **foolproof** bestemd tegen verkeerd of onoordeelkundig gebruik, bedrijfszeker; **foolscap** ['fu:lskæp] foliopapier; papierformaat 35 × 43 cm

foot [fut] I *zn* voet (als maat *12 inches = 30,5 cm*); versvoet; poot; voeteneinde; *rich? my* ~*!* rijk? mocht wat!; *have* (*get*) *cold feet* (op het laatste moment voor iets) terugschrikken; *have a* ~ *in both camps* beide partijen te vriend houden; van twee walletjes eten; *a* ~ *in the door* tussen ...; *keep one's feet* op de been blijven; *put one's* ~ *down* zijn gezag doen gelden; *put one's* ~ *down upon* een eind maken aan; *carry* (*sweep*) *a p.* ***off*** *his feet,* (*fig*) meeslepen; ***on*** ~ te voet, op de been; aan de gang, op touw (*set on* ~); *he got* **to** *his feet* stond op; *get* ***under*** *a p.'s feet* iem voor de voeten lopen (*fig*); II *ww:* ~ *it* lopen, wandelen; aanbreien (*a stocking*); betalen (*a bill*); ~ *the bill, ook:* het kind van de rekening worden; **footage** ['futidʒ] op film vastgelegde gebeurtenis; '**football** voetbal (*vaak = rugby ~*); '**footboard** treeplank; voettrede, voetplank (van koetsier, enz.); plank aan voeteneinde van bed; '**foot-brake** voetrem; '**foot-bridge** loopbrug; '**footfall** (geluid van) voetstap; '**foothill** heuvel aan voet van gebergte; '**foothold** steun voor de voet; (*fig*) vaste voet, stelling, steunpunt, basis; *keep one's ~* zich staande houden; '**footing** het plaatsen der voeten; voetsteun; vaste positie; vaste voet; '**footlights** voetlicht; **footloose** vrij, ongebonden; '**footman** [-mən] livreiknecht, lakei; '**footmark** voetspoor, voetindruk; '**footnote** voetnoot; '**foot-passenger** voetganger; '**footpath** voetpad; '**footprint** voetindruk, -spoor; '**footstep** voetstap; '**foot-stool** voetbankje; '**footway** voetpad; '**foot-wear** [-wεə] schoeisel

fop [fɔp] modegek, fat; '**foppish** fatterig, kwasterig

for [fɔ:, fə] I *vw* want; II *vz* voor; gedurende (*waited ~ an hour*); om (*send ~ a cab*); naar (*leave ~ E.*); te (*for hire*), tegen (*Nine women have lost their jobs for every five men*); uit (*~ fear of*), wegens (*famous ~ his learning*), van(wege) (*I could not hear ~ the noise, not speak ~ emotion*), om (*killed ~ his money*); van (*a bill ~ £20*); niettegenstaande (*~ all their big talk nothing was done*); wat betreft (*I depend on him ~ money; so much ~ that*); als (*~ presents give books*); *anyone ~ ...?* voelt iem iets voor ...?, doet er iem mee met ...?; *he isn't much ~ writing* geen groot schrijver, schrijft niet gauw; *if it were not ~ that* als dat er niet was; *~ all that: a*) toch; *b*) = *~ all* al, hoewel; *he might have been a stranger ~ all the notice she took of him* zo weinig ...; *~ all I know* (*care*) voor zover ik weet (voor mijn part); *you're ~ it* [juə'fɔrit], (*sl*) je bent erbij; je luist erin; *~ now* voor het ogenblik; *it is not ~ you to say so* het staat niet aan u ...; *he waited ~ it to happen again* totdat ...; *~ a man to be happy it is essential that* ... opdat ... kan zijn; *as ~* (voor) wat betreft; *there's nothing ~ it* er zit niets anders op; zie *go, one, thing, worse*

forbear [fɔ:'bεə] nalaten, zich onthouden van; **forbearing** verdraagzaam

forbid [fə-, fɔ:'bid] verbieden; ontzeggen; *God ~!* God verhoede!; *space ~s* de ruimte laat niet toe; **forbidden** [-n] verboden; *~ ground*, (*ook fig*) verboden terrein; **forbidding** afschrikwekkend, onaanlokkelijk

force [fɔ:s] I *zn* kracht, macht, geweld; strijdkracht; windkracht; gewicht; overtuigingskracht; noodzaak; (*Am*) ploeg arbeiders; *the ~* de politie; *the ~s* de krijgsmacht; *join the ~s* dienst nemen (bij de strijdkracht); *join ~s with* de krachten bundelen; ***by** ~ of* door middel (uit kracht) van; *by ~ of arms* met wapengeweld; *by* (*main*) *~* met geweld; *by* (***from***) *~ of habit* uit gewoonte; ***in** ~* (*van wet, enz.*) van kracht; *come **into** ~* van kracht worden; *put in ~* in werking stellen; *in* (*great*) *~* in groten getale; II *ww* (af)dwingen, dwingen tot, noodzaken; dringen, drijven, met alle middelen aansturen op (*an immediate election*); overweldigen, met geweld nemen; open-, doorbreken, forceren; banen (*one's way*); trekken (*plants*); klaarstomen (*pupils*); *~ an entry* zich met geweld toegang verschaffen; *~ the issue* een beslissing forceren; *~ a smile* gedwongen glimlachen; *~ **back*** terugdringen, -drijven, onderdrukken (*emotions*); *~ **down** one's breakfast* er met moeite inwerken; *~ one's way **in*** binnendringen; *~ **on*** zie *~ upon; ~ **out*** met geweld (moeite) uitbrengen; *~ s.t. **out of** a p.* iem iets afdwingen; *~ s.t. **upon** a p.* iem iets opdringen; **forced** [-t] geforceerd (*march*), gedwongen (*smile*), gekunsteld; *~ labour* dwangarbeid; *~ landing* noodlanding; '**force-feed** voeden onder dwang, door de strot duwen (*ook fig*); '**forceful** [-ful] krachtig; gespierd (*style*); '**force-land** noodlanden

forcemeat ['fɔ:smi:t] vulling, vleesvulsel

forcible ['fɔ:səbl] gewelddadig; krachtig, indrukwekkend; **forcibly** ['fɔ:səbli] met geweld (kracht, overtuiging), nadrukkelijk

ford [fɔ:d] I *zn* voorde, doorwaadbare plaats; II *ww* doorwaden

fore [fɔ:] I *bn & bw* voor(aan); II *zn* voorschip; *come to the ~* op de voorgrond treden, naam maken; '**fore-and-'aft** (*scheepv*) *a*) aan de voor- en achterkant; *b*) van voor- tot achterkant; '**forearm** voorarm; **forebear** voorouder; **fore'boding** angstig voorgevoel; '**forecast** I *zn* (weer)voorspelling, weersverwachting; II *ww* (*ook* [fɔ:'kɑ:st]) voorzien; voorspellen; '**fore-court** voorhof, -plein, -terrein; '**forefinger** voorvinger; '**forefoot** voorpoot; '**forefront** voorgevel; voorste deel; voorste gelid (gelederen); **forego** [fɔ:'gəu] zich onthouden van, laten varen, opgeven; **foregone** ['fɔ:gɔn] *conclusion* reeds uitgemaakte zaak, iets vanzelfsprekends; '**foreground** voorgrond; **forehead** ['fɔrid, 'fɔ:hed] voorhoofd

foreign ['fɔrin] vreemd (*to, from* aan); buitenlands; uitwendig, van buiten; niet tot de zaak behorende; *that is ~ to the subject* heeft niets te maken met; *~ affairs* buitenlandse zaken; *~ aid* ontwikkelingshulp; *~ exchange* deviezen; *~ made* van buitenlands fabrikaat; *F~ Office* (*Secretary*) Ministerie (Minister) van Buitenlandse Zaken; '**foreigner** [-ə] vreemdeling; buitenlander

'**foreman** [-mən] voorzitter (van jury); meesterknecht, voorman, ploegbaas; voorwerker; '**foremost** [-məust, -məst] voorste, eerste; voorop; zie *first*; '**forename** vóórnaam; '**forepart** voorste (eerste) deel; '**foreplay** (liefdes)-voorspel; '**fore'runner** voorbode, -loper; **fore'see** voorzien; **fore'seeable** te voorzien, afzienbaar; **foreshadow** [fɔ:'ʃædəu] voor-

beduiden, aankondigen, de voorbode zijn van; '**foreshore** strand tussen hoog en laag tij, waterkant; **fore'shorten** [-ʃɔ:tn] verkorten; '**foresight** het vooruitzien; overleg
forest ['fɔrist] woud, bos
forestall [fɔ:'stɔ:l] vóór zijn, voorkómen
'**forester** ['fɔristə] houtvester; boswachter; '**forestry** [-ri] boscultuur, houtvesterij; *F~ Commission* Staatsbosbeheer
'**foretaste** voorproefje; **fore'tell** voorspellen; '**forethought** voorzorg, overleg
forever [fə'revə] (*and ever*) voor eeuwig, voorgoed
fore'warn vooraf waarschuwen; '**foreword** voorwoord
forfeit ['fɔ:fit] I *zn* het verbeurde; boete; pand; verbeuring; *play* (*at*) *~s* pandverbeuren; II *bn* verbeurd; III *ww* verbeuren, verspelen; '**forfeiture** [-ʃə] verbeuring, verlies; verbeurdverklaring; boete
forge [fɔ:dʒ] I *zn* smidse, smederij; smidsvuur; smeltoven; II *ww* 1 smeden; verzinnen; bedrieglijk (na)maken (*a document*), vervalsen; valsheid in geschrifte plegen; 2 ~ (*ahead, on, one's way*) (gestadig) vooruitkomen, zich baan breken; '**forger** [-ə] vervalser; valse munter; '**forgery** [-əri] vervalsing; valsheid in geschrifte; namaak
forget [fə'get] vergeten; *I ~ his name* ik ben zijn naam vergeten; *I forgot to* ... ik heb vergeten (verzuimd) te ...; *~ it*, (*fam*) laat maar; vergeet het maar; ~ *o.s.* zich(zelf) vergeten, zijn zelfbeheersing verliezen; **forgetful** [-f(u)l] vergeetachtig; **forgetfulness** vergeetachtigheid
forgivable [fə'givəbl] vergeeflijk; **forgive** [fə'giv] vergeven, kwijtschelden; *~ me for coming so late* vergeef me dat ik zo laat kom; **forgiveness** vergeving; vergiffenis; vergevingsgezindheid; **for'giving** vergevinsgezind
fork [fɔ:k] I *zn* vork; tweesprong (*a ~ in the road*); vertakking, tak (van rivier; *vooral Am*); II *ww* zich vertakken; op de vork nemen; **forked** [-t] gevorkt; zigzag (*lightning*); '**fork-lift** (*truck*) (vork)heftruck
forlorn [fə'lɔ:n] verlaten, troosteloos, wanhopig, hopeloos; ellendig (uitziend); ~ *hope* wanhopige onderneming
form [fɔ:m] I *zn* vorm (*ook typ*), gedaante; (school)klas; (school)bank; formulier; formaliteit; (*sp*) vorm, conditie; *good* (*bad*) ~ (on)gepastheid; *be in bad ~, be out of ~, be off ~* uit vorm, niet in conditie (slecht op dreef) zijn; II *ww* (zich) vormen; ~ *into* (zich) vormen tot; **formal** ['fɔ:məl] vormelijk, formeel; officieel (*dress, occasion*); stijf; nadrukkelijk; naar (voor) de vorm; vorm..., beleefdheids...; '**formalism** [-izm] formalisme; **formalist** I *zn* id.: aan de vorm (de vormen) gehecht persoon; II *bn* formalistisch; **formality** [fɔ:'mæliti] vormelijkheid, formaliteit; '**formalize** [-aiz] de rechte vorm geven aan; formeel maken; formaliseren; stileren; '**formally** formeel, vormelijk; **formation** [fɔ:'məiʃən] vorming, formatie; **formative** ['fɔ:mətiv] vormend, vormings...; waarin iems karakter gevormd wordt (*years*)
former ['fɔ:mə] I *zn: fourth-~* 4de-klasleerling; II *bn* voorafgaand, vroeger, eerste, eerstgenoemde; *the ~ and the latter, ook:* deze en gene; '**formerly** [-li] vroeger, eertijds
formidable ['fɔ:midəbl] geducht, ontzagwekkend, formidabel
formless ['fɔ:mlis] vormeloos
form-master ['fɔ:m'mɑ:stə] klasseleraar
formula ['fɔ:mjulə] *mv ook: -ae* [-i:] formule; formaliteit, leeg gebaar; recept; **formulate** ['fɔ:mjuleit] formuleren; **formulation** [ˌfɔ:mju'leiʃən] formulering
fornicate ['fɔ:nikeit] echtbreken, overspel plegen
forsake [fə'seik] verzaken, verlaten, in de steek laten; begeven
forswear [fɔ'swɛə] afzweren
fort [fɔ:t] fort, sterkte; *hold the ~*, (*fam*) waarnemen, invallen
forth [fɔ:θ] voort, uit, te voorschijn; *and so ~* enz.; *bring ~* voortbrengen; **forth'coming** opdagend, komend; aanstaande; ter beschikking; toeschietelijk; openhartig; *no answer is ~* het antwoord blijft uit; **forthright** ['fɔ:θrait] rechtuit, ronduit, rondborstig; **forthwith** ['fɔ:θ'wiθ, -'wið] onmiddellijk, op staande voet
fortieth ['fɔ:tiiθ] veertigste (deel)
fortification [ˌfɔ:tifi'keiʃən] versterking, fortificatie; **fortify** ['fɔ:tifai] versterken
fortitude ['fɔ:titju:d] geestkracht, kloekmoedig-, vastberaden-, standvastigheid
fortnight ['fɔ:tnait] 14 dagen; *to-day ~* vandaag over (*soms:* vóór) 14 dagen; '**fortnightly** [-li] om de 14 d.; veertiendaags (tijdschrift)
fortress ['fɔ:tris] vesting, sterkte, fort
fortuitous [fɔ:'tjuitəs] toevallig
fortunate ['fɔ:tʃ(ə)nit] gelukkig; **fortune** ['fɔ:tʃən] geluk, fortuin, succes, lot; (*mv ook*) lotgevallen, wel en wee; *by good ~* gelukkig; *~ favours the bold* wie waagt, die wint; *tell ~* waarzeggen; *I had my ~ told* liet me waarzeggen; '**fortune-hunter** gelukzoeker; '**fortune-teller** waarzegger, -ster
forty ['fɔ:ti] veertig; *~ winks* een dutje
forward ['fɔ:wəd] I *bn* voorwaarts, naar voren (gelegen); vooruitstrevend, geavanceerd (*opinions*); gevorderd; (vroeg)tijdig, voorlijk, vroegrijp; vrijpostig, brutaal; II *zn* (*sp*) voorspeler; III *ww: a*) bevorderen, vooruithelpen, begunstigen; *b*) ver-, op-, doorzenden; *please ~* verzoeke door te zenden (*van brief*); IV *bw* vooruit, voorwaarts; *from this day ~* in het vervolg; *there is something* (*going*) ~ iets aan de hand (gaande); *balance brought ~* te betalen bedrag; *look ~ to* (verlangend) uitzien naar; '**forwarding-agent** expediteur; '**for-**

ward-looking progressief op de toekomst gericht
fossil ['fɔs(i)l] I *bn* fossiel, versteend; opgedolven; II *zn* fossiel (*ook fig*)
foster ['fɔstə] kweken, aanmoedigen, koesteren; '**foster-parents** pleegouders
foul [faul] I *bn* vuil, onrein, stinkend, vies, bedorven (*air*), laag, gemeen (*blow*); lelijk; ongunstig (*tide, wind*); smerig (*weather*); ongeoorloofd, oneerlijk; verstopt; ~ *copy* klad; ~ *play* vals (gemeen) spel, boos opzet; II *zn* overtreding; (*sp*) fout; *fall* ~ *of* last krijgen met, in aanvaring komen met; III *ww* vuil (verstopt) worden; bevuilen; onklaar (in de war) raken; (*sp*) een overtreding begaan; ~ *up*: *a*) bevuilen; *b*) verknoeien; '**foul-'mouthed** [-mauðd] smerige taal gebruikend
found [faund] 1 stichten, grondvesten, oprichten; gronden; *be founded on* gebaseerd zijn op; *well* (*ill*) ~*ed* gegrond (ongegrond); 2 gieten (*metal*); **foun'dation** oprichting; fundatie; stichting; fonds; fundering, fondament, grond(slag), basis; (*bij gelaatsverzorging*) onderlaag; ~ *garments* (~*s*) korsetten, bustehouders, enz.; **foun'dation-stone** eerste steen; **founder** ['faundə] I *zn* stichter (zie *found*); ~ *member* (mede)oprichter, lid sinds de oprichting; II *ww* zinken; (doen) vergaan; mislukken
foundling ['faundliŋ] vondeling
foundry ['faundri] (metaal)gieterij
fountain ['fauntin] bron, fontein; reservoir; drinkbak; '**fountain-head** bron, oorsprong; '**fountain-pen** vulpen
four [fɔ:] vier; viertal; vierriemsboot; bemanning van vier; *on all* ~*s* op handen en voeten; '**fourfold** viervoudig; '**four-'handed** vierhandig; (*muz ook*) à quatre mains; **four-legged** [-legd] met 4 poten; '**four-'letter word** schuttingwoord, drieletterwoord; '**four-'poster** (*bed*) hemelbed; '**foursome** [-səm] I *bn* voor 4 personen; II *zn* viertal; **four-square** vierkant (*ook fig*), potig, stevig; '**four-stroke engine** 4-taktmotor
fourteen ['fɔ:'ti:n; *attr:* 'fɔ:ti:n] veertien; **fourteenth** ['fɔ:'ti:nθ, *attr:* 'fɔ:ti:nθ] veertiende; **fourth** [fɔ:θ] vierde; vierde man; kwart; '**fourthly** ten vierde; '**fourth-rate** vierderangs
fowl [faul] hoen(ders), kip, haan; *wild*~ gevogelte (eenden, enz. waarop gejaagd wordt); '**fowlhouse** kippenhok; '**fowling** vogelvangst
fox [fɔks] I *zn* vos; II *ww* sluw doen; *be* ~*ed by* zitten met (*a problem*); **foxhole** (*mil*) schuttersput(je); '**fox-hunt** vossejacht; '**foxy** [-i] sluw; rossig
fraction ['frækʃən] fractie, breuk, gebroken getal; brok; onderdeel (*in a* ~ *of a second*); **fractional** [-l] gebroken, fractioneel, gedeeltelijk; onbeduidend; **fractious** ['frækʃəs] dwars, lastig, kribbig; **fracture** ['frækʃə] I *zn* (been-) breuk; fractuur; breking, barst, kloof; II *ww* breken
fragile ['frædʒail] breekbaar, kwetsbaar, bro(o)s, zwak, teer, tenger; **fragility** [frə'dʒiliti] breekbaarheid, kwetsbaarheid, broosheid
fragment ['frægmənt] I *zn* id., (brok)stuk; scherf; II *ww* [fræg'ment] versplinteren; **fragmentary** [fræg'mentəri] fragmentarisch; **fragmentation** [-'eiʃən]: ~ *bomb* splinterbom
fragrance ['freigrəns] geur(igheid); **fragrant** ['freigrənt] geurig, welriekend
frail [freil] broos, teer, zwak; '**frailty** [-ti] broosheid, teerheid
frame [freim] I *zn* id., bouw, opzet, vorm; kader (*of reference* referentie...); samenstel(ling) (*of society*); lichaam (*sobs shook her* ~); geraamte (*van gebouw*); chassis; montuur (*van bril*) (*ook:* ~*s*); draagstel (*van rugzak*); lijst (*van schilderij*), (borduur)raam; kozijn; broeibak, -raam; (gemoeds)gesteldheid; (*fot*) beeldje, opname; ~ *of mind* gemoedstoestand; ~ *of reference* referentiekader; II *ww* bouwen, vormen, samenstellen; in de rechte stemming brengen; op touw zetten; verzinnen (= ~ ***up****: a story*); opstellen (*an answer*), onder woorden brengen (*an idea*); regelen; omlijsten; in de val laten lopen, opzettelijk vals beschuldigen; ~*d charge* valse aanklacht; '**frame-up** (*Am*) I *zn* komplot; valse aanklacht; II *bn* verzonnen, vals; '**framework** (ge)raam(te), lijstwerk, omlijsten, kader; vakwerk; bouw, opzet (van gedicht, enz.), samenstelling (*of society*)
France [frɑ:ns] Frankrijk
franchise ['fræn(t)ʃaiz] stemrecht; concessie
frank [fræŋk] I *bn* openhartig, oprecht; II *ww* portvrij verzenden; machinaal frankeren; ~*ing machine, meter* frankeermachine
frankfurt(er) ['fræŋkfə:t(ə)] worstje
frankly ['fræŋkli] oprecht, ronduit (gezegd); **frankness** ['fræŋknis] openhartigheid
frantic ['fræntik] dol, gek, buiten zichzelf (*with pain, rage* van ...), razend
fraternal [frə'tə:nl] broederlijk; **fraternity** [frə'tə:niti] broederschap; (*Am*) school-, studentenclub
fraud [frɔ:d] bedrog; (*fam*) bedrieger; '**fraudulence** [-juləns] bedrieglijkheid; bedrog
fray [frei] I *zn* 1 strijd, ruzie; 2 rafel; II *ww* (uit)rafelen
freak [fri:k] I *zn* gril, kuur; (wan)gedrocht (= ~ *of nature*), monster; ongewoon verschijnsel; rariteit; zonderling, fanaticus; (*sl*) verslaafde; enthousiast; II *bn* grillig, buitenissig, onregelmatig, abnormaal; III *ww:* ~ *out* psychisch in de war raken door druggebruik; **freakish**, **freaky** [-iʃ, -i] vreemd, grilig, bizar; '**freak-out** hallucinerende ervaring als gevolg van drugs
freckle ['frekl] (zomer)sproet, vlekje; **freckled** [-d] sproeterig; gespikkeld
free [fri:] I *bn en bw* vrij (*a* ~ *people*); gratis, kosteloos (*school*); los, ongedwongen; onbelemmerd; zonder regeringsinmenging (*enterprise, radio*); gunstig (*wind*); vrijwillig

for

(*gift*), bereid (*to confess*), overvloedig; vrijgevig, royaal (*of, with his money*); open(hartig), ronduit; grof, plat (*talk*); franco; ~ *from* vrij van, zonder (*pain, care*); ~ *port* vrijhaven; ~ *speech* vrije meningsuiting, het vrije woord; ~ *style* vrije slag (*zwemmen*); *leave the bill to the ~ vote of the House* de Kamer vrij laten wat betreft ...; *you are ~ to go* het staat je vrij ...; ~ *of charge, ~ cost* franco; kosteloos, gratis; ~ *on board* vrij aan boord; *make ~* **with** zich vrijheden veroorloven met; een (te) vrij gebruik maken van; *they made ~ with my house* ze deden alsof mijn huis van hen was; ~ *and easy* ongedwongen, ongegeneerd; II *ww* bevrijden (*from* [uit] *chains, of* [van] *gas*); vrijlaten, -maken, -stellen; van zijn woord ontslaan; ~ *one's mind* zijn hart uitstorten; '**freedom** vrijheid; vrijmoedigheid (*spoke with great ~*); vrijdom; gemakkelijkheid; ~ *of the press* persvrijheid; **free-for-all** (*fight*) algemeen ...; '**free-'handed** vrijgevig, royaal; '**freehold** I *zn* vrij goed, vrij (grond)bezit; II *bn* vrij (*estate*); '**freeholder** bezitter van *freehold*; '**free 'kick** (*voetbal*) vrije trap; '**freely** vrij(elijk), openlijk; overvloedig; met milde hand (*give ~*); *bleed ~* erg; '**freeman** [-mæn, -mən] vrije; (stemgerechtigd) burger; ereburger; '**freepost** *ongev* antwoordnummer; '**free-range** scharrel... (*eggs, hens*); '**free style** vrije slag, borstcrawl; vrij (worstelen); '**freeway** (*Am*) snelweg; '**free'wheel** 'freewheelen'; een vrij leven leiden; zich niet aan de regels storen

freeze [fri:z] I *ww* vriezen; (doen) bevriezen (ook van kredieten enz.); (doen) stollen; verstijven (*frozen with fear*); stil laten staan (*a movie picture*); (*fig*) ijzig koel behandelen; *be frozen in, ~ in* invriezen; ~ *over, be frozen over* be-, dichtvriezen; *be frozen up* be-, dicht-, invriezen; II *zn* vorst; bevriezing, (studenten-, enz.) stop; *building ~* bouwstop; *student ~* numerus fixus; '**freezer** diepvriezer, koelkast, vrieskast (= *upright ~*), vrieskist (= *chest ~*); **freezing** (*fam*) = *~-point;* (*fig*) ijskoud, ijzig; ~ *mixture* koudmakend mengsel; '**freezing-point** vriespunt

freight [freit] I *zn* vracht(prijs); lading; ~ *paid* franco; *send by slow ~*, als vrachtgoed (ver)zenden; II *ww* (ver)laden, bevrachten; '**freight-car** goederenwagen; '**freight-train** goederentrein

French [fren(t)ʃ] Frans; *the ~* de Fransen; *F~ fries* patates frites; ~ *kiss* tongzoen; *take ~ leave* met de noorderzon vertrekken; ~ *letter,* (*fam*) condoom; ~ *window* openslaande glazen deur, tuin-, balkondeuren; '**Frenchman** [-mən] Frenchman; '**French-woman** Française

frenzied ['frenzid] waanzinnig, dol; '**frenzy** [-zi] waanzin, razernij

frequency ['fri:kwənsi] herhaald voorkomen, herhaling, veelvuldigheid; snelheid (*of the pulse*); (*natuurk*) frequentie, trillingsgetal; **frequent** I *bn* ['fri:kwənt] herhaald, veelvuldig; II *ww* [fri'kwent] (dikwijls) bezoeken, omgaan met; gebruiken (*a road*); **frequently** ['fri:kwəntli] herhaaldelijk

fresh [freʃ] fris (*air, breeze*); vers (*milk*); nieuw; onervaren, 'groen'; zoet (*water*); schoon (*clothes*); vrij krachtig (*wind*); (*Am*) al te vrij, brutaal; ~ *paint!* pas geverfd!; ~ *from Paris* kersvers uit ...; *as ~ as a daisy* (*as paint*) zo fris als een hoentje; '**freshen** [-n] ver-, opfrissen; aanwakkeren (ook: ~ *up*); ontzouten; '**freshener** [-(ə)nə] opfrisser(tje); lichaamsbeweging (*van paard*); '**fresh-'faced** met een fris gezicht; '**freshly** *a*) fris, vers, krachtig; *b*) pas; '**freshman** [-mən] (*Am*) eerstejaarsstudent; nieuweling; '**freshwater** zoetwater... (*fish*)

fret I *zn* ergernis; II *ww* knagen, (weg-, in)vreten; prikkelen, irriteren; (zich) ergeren; tobben, (*van kind*) verdrietig zijn; '**fretful** [-f(u)l] gemelijk, verdrietig, kribbig; **fretwork** snijwerk

friar ['fraiə] (bedel)monnik, broeder

friction ['frikʃən] wrijving, frictie

Friday ['fraid(e)i] vrijdag

fridge [fridʒ] (*fam*) koelkast

fried [fraid] gebakken

friend [frend] vriend(in); kennis; ~*s* ook: familie(leden); *my honourable ~,* (*Parl*) de geachte afgevaardigde; *a ~ in need is a ~ indeed* in de nood leert men zijn vrienden kennen; *make ~s: a*) vrienden maken; *b*) vriendschap sluiten, vrienden worden; '**friendless** zonder vrienden; '**friendly** [-li] *bn* vriendschappelijk, welwillend, vriendelijk (*to me* tegen mij); gunstig gezind; bevriend (*nations*); vriendschaps...; '**friendship** vriendschap

frieze ['fri:z] (*bk*) fries

fright [frait] schrik, vrees; 'vogelverschrikker' (*you look a ~*); *you gave me a ~* deed me schrikken; *in a ~* verschrikt; *put in a ~* bang maken; *take ~* bang worden; '**frighten** ['fraitən] bang maken, doen schrikken; ~ *away* (*off*) wegjagen; ~ *into obedience* door vrees tot ... brengen; ~*ed out of one's wits* buiten zichzelf van schrik; ~*ed of* bang voor; '**frightful** [-f(u)l] verschrikkelijk

frigid ['fridʒid] koud, koel, kil, ijzig, frigide; **frigidity** [fri'dʒiditi] koudheid, kilte, ijzigheid, frigiditeit

fringe [frin(d)ʒ] I *zn* franje; rand, zoom, buitenkant, 'zelfkant', marge; ponyhaar; *attr ook:* onofficieel, onconventioneel, alternatief, avant-garde; ~ *area* randgebied; ~ *benefits* secundaire arbeidsvoorwaarden; II *ww* met franje versieren; omzomen; (*fig*) de buitenkant raken van (*a problem*)

frippery ['fripəri] snuisterij, prul

frisk I *ww* springen, dartelen; oppervlakkig fouilleren; II *zn* dartele sprong; pretje; gril

frivolity [fri'vɔliti] frivoliteit; **frivolous** ['frivələs] beuzelachtig, nietig, frivool, wuft

fri

frizz ['friz] I *zn* krulhaar, gekroesd haar; II *ww* krullen
frizzle ['frizl] (doen) sissen (knetteren), braden
frizzy ['frizi] kroes, krullend
fro [frəu]: *to and* ~ heen en weer, af en aan
frock [frɔk] (*vero*) jurk(je), japon; '**frock 'coat** geklede jas
frog [frɔg] kikvors, kikker
frolic ['frɔlik] I *zn* gekheid, grap, pret(je), fuif; II *ww* dartelen, rondspringen, pret maken
from [frɔm, frəm] van; uit; van ... af; naar (*paint ~ nature*); (te oordelen) naar (~ *his looks he might be a soldier*); wegens, door (*it is all ~ his obstinacy*); namens (*tell him ~ me ...*); ~ *now on* van nu af aan; *in three hours ~ now* over 3 uur; ~ *my youth up* van ... af; ~ (*t*)*here* verder (*where do we go ~ there* hoe verder); ~ *on high* van boven
front [frʌnt] I *zn* id.; voorkant, voorste deel, (voor)gevel; zee-, rivierkant, (strand)boulevard; (*fam*) camouflage, dekmantel; stroman; *first-floor ~* voorkamer 1ste verdieping; *change ~* van richting veranderen; *cold ~* koufront; *put on a good ~* zich goed trachten te houden; *put a bold ~ on the situation* de toestand moedig onder de ogen zien; *the driver is* ***at*** *the ~ of the car* vóór op de tram; ***in*** ~ vooróp, -in, enz.; van voren, ervoor (*a house with a tree in ~*); (*fot*) en face; *be, get in ~* vóór zijn, komen; *in ~ of* vóór, tegenover, in het bijzijn van; *what is in ~ of us, ook:* wat ons wacht; *bring to the ~* naar voren brengen; *come to the ~* op de voorgrond treden, van zich doen spreken; II *bn* voorste, eerste, voor... (*name*); ~ *bench* ministers- (of: oud-ministers)bank; ~ *door* voordeur; ~ *line* frontlijn, -linie; ~ *runner* koploper; ~ *seat* plaats vooraan, op de voorste rij; III *ww* uitzien (*to, towards, upon* op, naar); staan tegenover; ~ *about* zich omkeren; *he was ~ed with great difficulties* stond voor ...; **frontage** [-idʒ] voorgevel, façade; '**frontal** [-l] voorhoofds... (*bone*), frontaal; front... (*attack*); '**front-'bencher** (ex-)minister (zie *front bn*)
frontier ['frʌntiə] grens
'**front line** voorste linie; '**front-page** *news* belangrijk nieuws; '**front rank** I *zn* eerste gelid; *be in the ~* tot de besten behoren; II *bn* eersteklas (*artist*); '**front runner** koploper
frost [frɔ(:)st] I *zn* vorst; rijp; (ijs)bloemen; (*fig*) koelheid; *he* (*it, the dinner,* enz.) *was a ~,* (*fam*) een mislukking; II *ww* doen bevriezen (*plant*); berijpen; doen grijzen; glaceren (*cakes*); matteren (*glass, metal*); *the crop was ~ed* bevroor; *be ~ed off* afvriezen; *~ed glass* matglas; '**frostbite** bevriezing; '**frostbitten** [-bitn] bevroren; '**frost-flowers** ijsbloemen; '**frosty** [-i] vriezend; bevroren; ijskoud, ijzig; berijpt; grijs
froth [frɔ(:)θ] I *zn* schuim; gebazel; oppervlakkigheid; II *ww* (doen) schuimen; schuimbekken [= ~ *at* (*the*) *mouth*]
frown [fraun] I *ww* het voorhoofd fronsen; dreigend kijken (*at, on, upon* naar); ~ (*up*)*on,* (*fig*) ongaarne zien, afkeuren; II *zn* frons; ontevreden blik; afkeuring
frozen ['frəuzn] v. dw. van *freeze;* diepvries... (*peas*); (*fig*) ijskoud, ijzig
frugal ['fru:g(ə)l] matig, zuinig (*of* met), sober
fruit [fru:t] I *zn* vrucht(en), fruit; II *ww* vruchten (doen) dragen; '**fruitcake** vruchtencake; '**fruiterer** [-ərə] fruithandelaar; '**fruitful** [-f(u)l] vruchtbaar; ~ *of results* vruchten opleverend; **fruition** [fru(:)'iʃən] genot; rijpheid, vervulling, verwezenlijking; *come to ~* tot rijpheid komen, in vervulling gaan; '**fruitjuice** vruchtesap; '**fruitless** zonder vrucht(en); niets opleverend, vruchteloos; '**fruity** fruitig, vruchtachtig, vrucht..., pikant
frump [frʌmp]: (*old*) ~ tuthola
frustrate [frʌs'treit] verijdelen, tenietdoen; dwarsbomen, teleurstellen, schaakmat zetten; frustreren; **frustration** [frʌs'treiʃən] verijdeling, teleurstelling; frustratie
fry [frai] I *zn* jonge vissen (vooral zalm); broedsel; *small ~* jong goedje (volkje); kleine luiden; kleingoed; II *ww* bakken (in pan), braden; *fried egg* spiegelei; '**frying pan** braadpan, koekepan; *from* (*out of*) *the ~ into the fire* van de wal in de sloot; '**fry-up** snel opgebakken maaltijd
fuck [fʌk] (*plat*) neuken; ~ *off* opdonderen; ~ *up* verzieken, in de war helpen; **fucking** (*plat*) verdomd
fudge [fʌdʒ] I *zn* soort toffee; II *ww* knoeien (met), vervalsen; (ook: ~ *up*) (samen)flansen; onzin praten; verdoezelen; halfslachtig optreden
fuel ['fjuəl] I *zn* brandstof; stookmiddel; (*fig*) voedsel; *add ~ to the fire* olie in het vuur gieten; ~ *injection engine* injectiemotor; II *ww* van brandstof voorzien; voeden (*the fire*); brandstof (benzine, enz.) innemen, tanken
fugitive ['fju:dʒitiv] I *bn* vluchtig; kortstondig, voorbijgaand; voortvluchtig; II *zn* vluchteling, uitgewekene; ~ *from justice* voortvluchtige
fulfil [ful'fil] vervullen; beantwoorden aan (*the purpose*); voldoening schenken (*a p.*); waarmaken (*oneself*), volbrengen, uitvoeren; '**fulfilment** [-mənt] vervulling, het voldoening schenken
full [ful] I *bn* vol, gevuld; verzadigd; volledig (*details*); voltallig (*meeting*); heel (~ *leather binding*); uitverkocht (*house*); ~ *up* (helemaal) vol; ~ *marks* het maximum-aantal punten; (*fig*) een tien, alle respect; ~ *powers* volmacht; (*at*) ~ *speed* in volle vaart; ~ *stop* (*point*) punt; II *zn turned on* ***at*** ~ geheel opengedraaid; *the moon was at the* (*her*) ~ vol; ***in*** ~ ten volle; voluit; ***to*** *the ~* ten volle, geheel; III *bw* ten volle, helemaal, in alle opzichten (~ *as interesting as ...*); vlak (*look a p. ~ in the face*); *the car caught him ~ on* vlak van voren; '**full-'back**

(*sp*) back, achterspeler; '**full-'blood(ed)** [-blʌd(id)] volbloed(ig); '**full-'blown** in volle bloei; geheel ontwikkeld (ontplooid); volslagen; '**full 'board** volledig pension; '**full-'bodied** zwaar, stevig; gecorseerd (*wine*); '**full-cream** *cheese* volvette kaas; '**full-'face** en face; '**full-'grown** volwassen; '**full-length** *portrait* ten voeten uit; ~ *play* avondvullend stuk; '**fullness** vol(ledig)heid; *the* ~ *of time* de volheid der tijden; '**full-page** *bn:* ~ advertisement advertentie van een hele pagina; '**full-scale** volledig; '**full-time** voltijd(s), ~ *job* volledige betrekking; '**fully** [-i] ten volle, vol, geheel

'**fulminate** [-eit] fulmineren, uitvaren (tegen)

fumble ['fʌmbl] tasten, zoeken (*after, for, the right word* naar ...); (ver)knoeien, frunniken, frutselen, frommelen met, morrelen (aan); *fumbling, ook:* onhandig

fume [fju:m] damp, stank, uitlaatgassen afgeven; opstijgen (*van damp*); koken (van woede); **fumes** (kwalijke) dampen, (stinkende) uitlaatgassen; **fumigate** ['fju:migeit] ontsmetten

fun [fʌn] pret, grap(pen), speels-, grappigheid; *attr* amusant; *ongev* ontspannings...; *for* (*in*) ~, *for the* ~ *of the thing* voor de aardigheid; *make* ~ *of, poke* ~ *at* voor de gek houden, de gek steken met

function ['fʌŋkʃən] I *zn* functie, ambt; plechtigheid; partij, feest; II *ww* functioneren, werken; **functional** [-l] doelmatig, functioneel; **functionary** [-əri] functionaris, ambtenaar, beambte

fund [fʌnd] I *zn* fonds; voorraad (*of knowledge*); ~*s* geld, kapitaal; II *ww: a*) consolideren (*a debt*); *b*) van fondsen voorzien, fondsen verschaffen, financieren

fundamental [fʌndə'mentəl] I *bn* fundamenteel, oorspronkelijk, grond... (~ *note, tone*); ~*ly, ook:* in de grond; II *zn* basis, grondslag, -beginsel, -waarheid, -toon

funeral ['fju:nərəl] I *bn* begrafenis..., graf..., lijk..., doods...; ~ *contractor* (*furnisher, Am: director*) begrafenisondernemer; ~ *honours* laatste eer; ~ *oration* lijkrede; ~*parlo*(*u*)*r*, (*inz. Am*) rouwkamer; ~ *pile,* ~ *pyre* brandstapel; ~ *procession,* ~ *train* begrafenisstoet; II *zn* begrafenis(stoet); (*Am*) rouwdienst; **funereal** [fju(:)'niəriəl] begrafenis..., treur...; akelig, somber

funfair ['fʌnfɛə] kermis, pretpark

fungus ['fʌŋgəs] paddestoel; zwam

funicular railway [fju:'nikjələ 'reilwei] kabelspoorweg

funk [fʌŋk] (*sl*) I *zn* grote angst; *be in a* (*blue*) ~ (vreselijk) in de rats zitten; II *ww* bang zijn (voor); niet aandurven (~ *it*); bang maken

funnel ['fʌnl] I *zn: a*) trechter; *b*) schoorsteen(pijp), pijp; *c*) lucht-, lichtkoker; II *ww* (door een trechter) gieten

funny ['fʌni] *a*) grappig, koddig, om te lachen; *b*) vreemd, raar

fur [fə:] I *zn* bont(werk), pels, bontjas, enz.; vacht; beslag op tong; ketelsteen; II *bn* bonten, bont... (*coat*); III *ww* met bont voeren (afzetten)

furious ['fjuəriəs] woedend, dol, furieus

furnace ['fə:nis] (smelt)oven, vuurhaard, vuurgang; (*van centrale verwarming*) kachel; (*fig ook*) broeinest; ~ *oil* huisbrandolie

furnish ['fə:niʃ] voorzien (*with* van); uitrusten, meubileren; verschaffen, leveren (soms: ~ *forth*); **furnisher** [-ə] meubelmaker; '**furnishing** voorziening; garnering; verstrekt geld; '**furnishings** woninginrichting, woningtextiel; **furniture** ['fə:nitʃə] meubilair, huisraad; **furniture-polish** meubelwas; '**furniture-van** verhuiswagen

furrier ['fʌriə] bontwerker, bonthandelaar

furrow ['fʌrəu] I *zn* voor, groef, rimpel; II *ww* doorploegen, groeven, rimpelen

furry ['fə:ri] met bont bekleed (gevoerd); zacht; bont...; (*van stem*) gevoileerd

further ['fə:ðə] I *bn en bw* verder; nader (~ *particulars* nadere bijzonderheden, *till* ~ *notice* tot nader order; ~ *education* volwassenenonderwijs; *the* ~ *side* de overkant; ~ *to my letter of this morning* ten vervolge op; II *ww* bevorderen; '**furtherance** [-rəns] bevordering, hulp; *in* ~ *of* ter bevordering van; '**further'more** verder; bovendien; '**furthermost** verst; **furthest** ['fə:ðist] verst(e)

furtive ['fə:tiv] steels, heimelijk; gestolen; diefachtig; '**furtively** steelsgewijs, heimelijk

fury ['fjuəri] woede, razernij; furie; *like* ~, (*fam*) als de weerlicht; *won't they be in a* ~! wat zullen ze woedend zijn!

1 fuse [fju:z] (samen-, door)smelten, doorslaan (*zekering*)

2 fuse [fju:z] I *zn* lont; buis (*van granaat*); (*elektr*) (smelt)veiligheid, zekering; II *ww* van een ~ voorzien

'**fuse box** (*elektr*) zekeringendoos, -kast

fuselage ['fju:zilɑ:ʒ, -lidʒ] id.: romp van vliegtuig

fusion ['fju:ʒən] (samen)smelting; (kern)fusie (= *nuclear fusion*); coalitie

fuss [fʌs] I *zn* (onnodige) drukte, omslag, ophef, poeha; opwinding; *make a* ~ *of* drukte maken om; II *ww: a*) zich druk maken, drukte maken; *b*) zenuwachtig maken; **fussy** [-i] pietluttig, (zenuwachtig) druk

fusty ['fʌsti] muf, duf

futile ['fju:tail] vergeefs, nutteloos; onbetekenend; doelloos; **futility** [fju(:)'tiliti] vergeefsheid, nutteloosheid; *the* ~ *of* ..., *ook:* het vergeefse van ...

futon ['fju:tən] zitslaapbank

future ['fju:tʃə] I *bn* toekomstig; toekomend; aanstaande; II *zn* toekomst; toekomende tijd; aanstaande; *in* (*for the*) ~ voortaan, in het vervolg; *in the* ~ in de toekomst; ~*s* termijnzaken; ~(*s*) *market* termijnmarkt

fuzz [fʌz] I *zn* dons, pluis; donzig goedje; (*sl*)

politie, smeris; **II** *ww* rafelen, pluizig worden; '**fuzzy** [-i] rafelig, vlokkig, donzig; ruig, kroes; doezelig, vaag; beneveld

Ggg

gab [gæb] **I** *ww* kakelen, kletsen; **II** *zn he has the gift of the ~* hij kan praten als Brugmans; **gabble** ['gæbəl] snateren, kwebbelen, afraffelen

gable ['geibl] gevelspits: bovendriehoek van gevel; **gabled** [-d] voorzien van *gable(s)*

gad-fly ['gædflai] horzel

gadget ['gædʒit] instrumentje, slim bedacht apparaatje; truc, foefje

Gaelic ['geilik, 'gælik] (Schots) Keltisch

gaffe ['gæf] flater, stommiteit; **gaffer** ['gæfə] (ploeg)baas, voorman; oude man, ouwe

gag [gæg] **I** *zn* prop (in mond), knevel; mop, grap; gekke situatie; **II** *ww* de mond snoeren, monddood maken (*the press*); kokhalzen

gaiety ['geiəti] vrolijkheid, pret

gain [gein] **I** *zn* (aan)winst, voordeel; **II** *ww* winnen, (ver)krijgen, verwerven, verdienen (*a livelihood* de kost); bereiken (*the other side, one's ends*); behalen (*the victory, the day* overwinning); vóórlopen (*van uurwerk*); toenemen (in gewicht); *~ ground (up)on* veld (terrein) winst op, geleidelijk inhalen; '**gainful** [-f(u)l] winstgevend; betaald, bezoldigd

gait [geit] gang, pas, manier van lopen

gaiter ['geitə] slobkous, beenkap

galaxy ['gæləksi] melkweg

gale [geil] harde wind, storm; *moderate, fresh, strong, whole ~* harde wind, stormachtige wind, storm, zware storm; *~ warning* stormwaarschuwing

gall [gɔ:l] **I** *zn* gal(blaas); bitterheid; (*fam*) brutaliteit, lef; **II** *ww* kwetsen; ergeren, verbitteren

gallant ['gælənt] dapper, fier; schitterend, prachtig, statig; [gə'lænt] galant, hoffelijk; erotisch; **gallantry** ['gæləntri] dapperheid; hoffelijkheid, galanterie

galleon ['gæliən] galjoen

gallery ['gæləri] galerij (*ook mil & van mijn*); langwerpige zaal; brede gang; tribune; (*strangers' ~* publieke ...); schellinkje; kunst-, schilderijenmuseum; galerie

galley ['gæli] galei; kombuis

Gallic ['gælik] Gallisch (*ook voor* Frans)

gallivant [gæli'vænt] op stap gaan (inz. met de andere sekse); flaneren; flirten

gallon ['gælən] id.: inhoudsmaat (Brits = *imperial ~*, 4,54 l, U.S. 3,79 l)

gallop ['gæləp] **I** *zn* galop; *at a ~* in galop; (*at*) *full ~* in volle galop; **II** *ww* (laten) galopperen; *~ over (through) a book* doorvliegen

gallows ['gæləuz] (*mv met ev bet*): *a ~* een galg; *~ humour* galgehumor; '**gallows-tree** galg

Gallup ['gæləp]: *~ poll* opinieonderzoek
galore [gə'lɔ:] I *zn* overvloed; II *bw* in overvloed, plenty
galoshes [gə'lɔʃiz] (rubber of plastic) overschoenen
galvanic [gæl'vænik] galvanisch; *a ~ effect* een overdreven sterk effect; **galvanize** ['gælvənaiz] galvaniseren; (*fig*) met een schok tot actie brengen
gambit ['gæmbit] (*schaakspel*) gambiet; (*fig*) (slimme) eerste zet, lokzet
gamble ['gæmbl] I *ww* spelen, dobbelen, gokken; *~ away* verspelen, verdobbelen; *~ on the fact that ...* rekenen (speculeren) op ..., het erop gokken dat ...; II *zn* gokkerij; (*fig*) gok(je), speculatie, loterij; **gambler** [-ə] gokker, dobbelaar; '**gambling-debt**, **gambling-den**, **gambling-joint** speelschuld, -hol, -hol
gambol ['gæmb(ə)l] I *zn* (kromme) sprong; II *ww* springen, huppelen, dartelen
game [geim] I *zn: a*) spel; partij (*biljart*); wedstrijd; pret(je); spelletje, toeleg; *b*) wild; *big ~* grof wild; *~ of chance* kans-, hazard-, gokspel; *the ~ is not worth the candle* het sop is de kool niet waard; *what is the ~? a*) hoe is de stand?; *b*)) wat heb je in de zin? wat is er aan de hand?; *is that your little ~?* voer je dat in je schild?; *he is up to some ~* voert wat in zijn schild; *what a ~!* wat een komedie; *that is forbidden ~* daar moet je afblijven; *be* ***in*** *the ~* meedoen (aan het spelletje); *it is all in the ~* dat hoort er zo bij; *the ~ is up* je bent erbij, het spel is uit; II *bn* 1 moedig, flink, kranig; *be ~ for anything* voor alles te vinden zijn, alles durven; *are you ~ (to do it)?* ben je bereid, durf je ...?; *I'm ~* ik doe mee; 2 (*van arm, been, enz.*) lam, kreupel; III *ww* gokken; *~ away* verspelen; '**game-act** jachtwet; '**game-bag** weitas; '**game grid** wildrooster (*in de weg*); '**gamekeeper** jachtopziener; (*Belg*) jachtwachter; '**game-laws** jachtwetten; '**game-licence** [-lais(ə)ns] jachtakte; **games** (buiten)gymnastiek (*vak op school*); *the Olympic Games* de Olympische Spelen; '**gamesmanship** de kunst te winnen zonder ècht gemeen te spelen
gammon ['gæmən] gerookte ham (*~ of bacon*)
gamut ['gæmət] gamma, gehele omvang, gehele register
gander ['gændə] mannetjesgans
gang [gæŋ] I *zn* bende, kliek, troep; (*Am ook*) vriendenkring (van jongens); ploeg (*of workmen*); II *ww ~ up on* (*against*) zich keren tegen, te lijf gaan, samenspannen tegen
gangling ['gæŋgliŋ] slungelig
gangplank ['gæŋplæŋk] loopplank
gangrene ['gæŋgri:n] gangreen, koudvuur
gangster ['gæŋstə] id., bendelid
gangway ['gæŋwei] *a*) (gang)pad, doorgang; *b*) (*scheepv*) gangboord, loopplank, brug (voor passagiers)
gannet ['gænit] (*vogel*) jan-van-gent
gantry ['gæntri] onderstel, stellage
gaol(er) [dʒeil(ə)] *jail(er)*
gap [gæp] gat, opening; bres; hiaat, lacune; tekort (*the dollar ~*); kloof; *stop (fill, supply) a ~* een tekort aanvullen (*ook fig*); *bridge the ~ between imports and exports* het invoeroverschot compenseren
gape [geip]: *make people ~* de mensen versteld doen staan; *~ at* aangapen; *~ after (for)* snakken naar; *~ open* openstaan
gap-toothed ['gæptu:θt] met uiteenstaande tanden
garage ['gærɑ:ʒ, -idʒ] I *zn* id.; garagebedrijf; II *ww* stallen in een garage
garb [gɑ:b] kostuum, dracht, gewaad, kledij
garbage ['gɑ:bidʒ] (keuken)afval, vuilnis; (*fig*) vuil; uitschot; '**garbage-can** (*Am*) vuilnisbak; '**garbage collector** vuilnisman; '**garbage-truck** (*Am*) vuilniskar
garble ['gɑ:bl] verkeerd voorstellen, verdraaien, verminken, verknoeien
garden ['gɑ:dn] I *zn* tuin; hof (*of Eden*); *~ city* tuinstad; *lead a p. up the ~ path* iem om de tuin leiden; II *ww* tuinieren; '**gardening** het tuinieren; '**garden-party** tuinfeest; '**garden-peas** doperwten
gargantuan [gɑ:'gæntjuən] reusachtig
gargle ['gɑ:gl] I *ww* gorgelen; II *zn* gorgeldrank
gargoyle ['gɑ:gɔil] waterspuwer (*aan oude gevels*)
garish ['gɛəriʃ] (*kleuren, licht*) opzichtig, hel, schel, bont
garland ['gɑ:lənd] I *zn* guirlande, krans; II *ww* be-, omkransen
garlic ['gɑ:lik] knoflook
garment ['gɑ:mənt] kledingstuk
garnish ['gɑ:niʃ] I *ww* versieren, tooien, garneren; voorzien (*with* van); II *zn* garnering, garnituur; (schotel)versiering
garret ['gærət] vliering, zolderkamertje
garrison ['gærisn] I *zn* garnizoen; II *ww* een garnizoen leggen in; bezetten; in garnizoen leggen
garrulous ['gær(j)uləs] praatziek
garter ['gɑ:tə] kouseband; (*Am*) sokophouder; *the G~* de Orde van de Kouseband
gas [gæs] I *zn* gas; (*Am*) benzine; (*fig*) geklets; bluf; II *ww* van gas voorzien; met gas verlichten (vullen, bedwelmen, doden, behandelen); vergassen (*a dog*); '**gas-cooker** gasfornuis, gasstelletje; **gaseous** ['geiʃiəs, 'gæsiəs] gasachtig, gasvormig, gas...; vluchtig; '**gas-fire** gaskachel; '**gas-fired** gasgestookt; '**gas-fitter** gasfitter
gash [gæʃ] I *zn* houw, gapende wond, snede; II *ww* een diepe wond toebrengen; snijden
'**gas-heater** gaskachel; **gasify** ['gæsifai] vergassen
gasket ['gæskit] (hennep-, leder-, rubber-, enz.) pakking
gasolene, **gasoline** ['gæsəli:n] gasoline; (*Am*) benzine

gasp [gɑ:sp] I *ww* (naar adem) snakken; hijgen; ~ *for* (*after*) snakken naar; ~ *out* hijgend uitbrengen; *it made me* ~ ik stond er paf van; II *zn* het ...; het stokken van de adem; snik
'**gas-ring** gaskomfoor, gaspit, 'gasje'; '**gas-station** (*Am*) benzinestation, benzinepomp
gastric ['gæstrik] maag... (*catarrh, ulcer*), ~ *juices* maagsappen; **gastritis** [gæs'traitis] id.: maagcatarre
'**gasworks** gasfabriek(en)
gate [geit] poort, sluis, deur, ingang, hek, afsluitboom; (*sp*) *a*) aantal betalende bezoekers (*a* ~ *of 3000*); *b*) (= ~ money) entreegelden, recette; '**gatecrash** (*fam*) ongenood op een partij verschijnen; '**gatehouse** portierswoning; '**gatekeeper** *a*) portier; *b*) baanwachter (bij overweg); '**gatepost** stijl van hek, hekpaal; '**gateway** (toegangs)poort
gather ['gæðə] (zich) verzamelen, vergaren, bijeenbrengen, bij elkaar nemen; plukken, oogsten, binnenhalen (*the corn*, enz.; ook: ~ ***in***); opkomen (*van onweer, enz.*); rijp worden (*van zweer*); toenemen (*in omvang, kracht*); de indruk krijgen (*I* ~ *that* ...); afleiden, opmaken, besluiten (*from* uit); ~ *breath* op adem komen; ~ *colour* kleur krijgen; ~ *way*, ~ *speed* vaart krijgen; *the demand ~ed weight* werd sterker; *you are staying here, I ~?* als ik het goed begrijp?; *as far as I can* ~ nagaan; ~ ***up*** opnemen, bij elkaar nemen, samentrekken, -vatten; verzamelen (*one's thoughts*); ~ *o.s. up* zich oprichten; '**gathering** het ...; verzameling; bijeenkomst, gezelschap
gauche [gəuʃ] links, onhandig
gaudy ['gɔ:di] opzichtig, opgesmukt, bont, schitterend
gauge [geidʒ] I *zn* (standaard)maat; peil(glas, -stok); *oil pressure* ~ oliedrukmeter; maatstok; ijkmaat; mal; kaliber; spoor(wijdte); *take the* ~ *of* opnemen, schatten; II *ww* meten, peilen, ijken, kalibreren; normaliseren; (*fig*) peilen, schatten, zich een idee vormen van; '**gauge-glass** peilglas
gaunt [gɔ:nt] (brood)mager, hologig; naar(geestig), grimmig
gauntlet ['gɔ:ntlit] 1 *a*) handschoen ve harnas; *b*) rij-, scherm, sport-, werkhandschoen; *throw down* (*take up*) *the* ~ de handschoen neerwerpen (opnemen); 2 spitsroede; *run the* ~ spitsroeden lopen
gauze [gɔ:z] gaas; ~ *pad* (verband)gaasje; *wire* ~ metaalgaas
gavel ['gævl] (voorzitters-, afslagers)hamer
gawk [gɔ:k] aangapen, aanstaren; '**gawky** [-i] slungelig; onhandig
gay [gei] vrolijk, opgewekt; luchtig; los(bandig); fleurig, kleurig, bont; (*sl*) homofiel; '**gayness** homofilie; vrolijkheid, opgewektheid; fleurigheid
gaze [geiz] I *ww* staren (*at, on* naar); II *zn* (starende, strakke) blik
gazette [gə'zet] Staatscourant
gazetteer [gæzi'tiə] aardrijkskundig woordenboek; lijst van aardr namen in atlas
G.B. *Great Britain*
gear [giə] I *zn* tuig; gereedschappen; toestel, inrichting; drijf-, raderwerk; overbrenging; versnelling (*on its top* ~ met de grootste ...); uitrusting, spullen; (*sl*) hippe kledij; *in* ~ ingeschakeld; *put in*(*to*) ~ in de versnelling zetten (*a car*); *throw* (*slip*) *into* ~ inschakelen, in de versnelling gooien; *out of* ~ uitgeschakeld; *throw out of* ~ uitschakelen; II *ww*: ~ *into*, (*van tandrad*) grijpen in; *industry ~ed to* (*up for*) *present-day needs* ingesteld op de behoeften van ...; '**gearbox** versnellingsbak (*van auto*), tandwielkast; **geared** [giəd] met tandwieloverbrenging; *be* ~ *up* in opgewonden afwachting verkeren; ~ *for war* ingesteld op, overgeschakeld op; '**gear-lever** versnellingshandel; '**gear-shift** (*Am*) versnellingshandel
gee [dʒi:] jee(tje)
geese [gi:s] ganzen; zie *goose*
gee-up ['dʒi:'ʌp] vort
gel [dʒel] I *zn* id; II *ww* geleiachtig worden; helder worden, uitkristaliseren
'**gelding** ruin; gecastreerd dier
gem [dʒem] juweel (*ook fig*), edelsteen, kleinood
gender ['dʒendə] (*inz.* grammaticaal) geslacht
gene [dʒi:n] (*biol*) gen, factor (in geslachtscel)
genealogic(al) [,dʒi:niə'lɔdʒik(l)] genealogisch; *~al tree* stamboom; **genealogist** [dʒi:ni'ælədʒist] geslachtkundige; **genealogy** [dʒi:ni'ælədʒi] *a*) genealogie; *b*) stamboom
general ['dʒenərəl] I *bn* algemeen; gewoon; ~ *delivery*, (*Am*) poste restante; ~ *elections* algemene verkiezingen; *G~ Post Office* hoofdpostkantoor; posterijen; ~ *practitioner*, ~ *physician* huisarts, niet-specialist; *the* ~ *public* het grote ...; *the* ~ *reader* de gewone ...; ~ *shop* (*store*) winkel voor allerlei waren, warenhuis; ~ *strike* algemene staking; *in a* ~ *way* in het algemeen; in algemene zin; II *zn* het algemeen; generaal (*ook kloosterorden, Heilsleger, enz.*); veldheer; *G~ of the Army*, (*Am*) hoogste generaalsrang (= veldmaarschalk); *in* ~ in (over) het algemeen. i.h.a.; **generality** [dʒenə'ræliti] algemeenheid; **generalization** [,dʒenərəlai'zeiʃən] generalisering; **generalize** [-aiz] algemeenmaken, verbreiden; generaliseren; '**generally** algemeen, gewoonlijk; in (over) het algemeen; ~ *speaking* ... over het algemeen ...
generate ['dʒenəreit] voortbrengen (*ook in wisk enz.*), (ver)wekken; opwekken (*electricity*); ontstaan; leiden tot, met zich meebrengen (*new demands*); *-ing station* elektrische centrale; **gene'ration** voortbrenging, opwekking; voortplanting; ontstaan; geslacht, generatie; ~ *gap* generatiekloof
generic [dʒi'nerik] geslachts..., generisch; algemeen
generosity [dʒenə'rɔsiti] edelmoedigheid, gul-

gas

heid; **generous** ['dʒenərəs] edel(moedig), mild, royaal, gul; vruchtbaar; overvloedig
genesis ['dʒenisis] begin, ontstaan
genetic [dʒi'netik] I *bn* genetisch, wordings..., ontstaans...; II *zn:* *~s* genetica, erfelijkheidsleer
genial ['dʒi:niəl] groeizaam (*climate*); zacht, prettig, warm; opwekkend; opgewekt; hartelijk, sympathiek, joviaal, vriendelijk, gul; **geniality** [dʒi:ni'æliti] groeizaamheid; hartelijkheid, vriendelijkheid
genital ['dʒenitl] I *bn* geslachts...; II *zn:* *~s* geslachtsdelen, genitaliën; *female ~s* vrouwelijkheid
genitive ['dʒenitiv] genitief, (ook: *~ case* 2e naamval)
genius ['dʒi:njəs] *a*) genie (*ook pers*), talent, aanleg; geest, karakter; *b*) genius, geest
genocide ['dʒenəusaid] rassenmoord
gent [dʒent] (*volkstaal & winkels*) *gentleman; ~s,* (*fam*) (openbaar) mannentoilet; **genteel** [dʒen'ti:l] onnatuurlijk deftig; keurig; overbeschaafd; chic
gentile ['dʒentail] niet-jood(s); ongelovig(e); heiden(s); **gentility** [dʒen'tiliti] deftigheid; goede manieren
gentle ['dʒentl] zacht; zachthellend; licht; teder, vriendelijk; *the ~* (*= fair*) *sex* het schone geslacht; '**gentlefolk(s)** [-fəuk(s)] (*vero*) mensen van goede familie; **gentleman** ['dʒentlmən] heer; man van beschaving en eer, fatsoenlijk man, 'gentleman'; *-men!* (mijne) heren!; *~'s ~,* (*iron*) bediende; *a ~'s* (*-men's*) *agreement* (of: *bargain*) afspraak tussen mannen van eer, maar zonder wettelijke kracht; *~ farmer* hereboer; '**gentlemanly** gentlemanlike, als heer uitziend, beschaafd, fatsoenlijk, zoals een heer betaamt; '**gentlewoman** (beschaafde) dame; '**gently** voorzichtig
gentry ['dʒentri] voorname stand (lager dan de adel)
genuflect ['dʒenju(:)flekt] de knie buigen; **genuflection**, **genuflexion** [dʒenju(:)'flekʃən] knieling, knieval
genuine ['dʒenjuin] echt, onvervalst, oprecht (*contribution*); '**genuineness** [-nis] echtheid; oprechtheid
genus ['dʒi:nəs] geslacht, klasse, soort
geographer [dʒi'ɔgrəfə] aardrijkskundige, geograaf; **geographic(al)** [dʒiə'græfik(l)] aardrijkskundig, geografisch; *~al mile* zeemijl: 1854 m; **geography** [dʒi'ɔgrəfi] aardrijkskunde
geological [dʒiə'lɔdʒikl] geologisch; **geologist** [dʒi'ɔlədʒist] geoloog; **geology** [dʒi'ɔlədʒi] geologie
geometric(al) [dʒiə'metrik(l)] meetkundig, geometrisch; **geometry** [dʒi'ɔmitri] meetkunde
geophysics [ˌdʒi(:)əu'fiziks] geofysica
Georgian ['dʒɔ:dʒiən] *a*) (bewoner) van *Georgia,* georgisch; *b*) van de *Georges* (1714-1811)

geriatric [dʒeri'ætrik] geriatrisch; **geriatrics** geriatrie, geneeskundige ouderdomszorg
germ [dʒə:m] I *zn* kiem; bacil; II *ww* ontkiemen
German ['dʒə:mən] *bn & zn* Duits(er, -e); *~ clock* Schwarzwalder klok; *~ flute* dwarsfluit; *~ measles* rodehond
germane [dʒə:'mein] verwant; in nauw verband staande (*to* met)
Germanic [dʒə:'mænik] *a*) (*stijl, uiterlijk*) Duits (*hist: ~ Empire*); *b*) Germaans
'**germicide** kiemdodend (middel); '**germinate** [-ineit] (*ook fig*) (doen) ontkiemen of ontspruiten; **germi'nation** ontkieming
gerontocracy [ˌdʒerɔn'tɔkrəsi] gerontocratie
gerontology [ˌdʒerɔn'tɔlədʒi] gerontologie, ouderdomskunde
gerund ['dʒerənd] zelfstandige werkwoordsvorm op *ing*
gestation [dʒes'teiʃən] zwangerschap, dracht(igheid); *in ~, ook:* in wording
gesticulate [dʒes'tikjuleit] gesticuleren; door gebaren kenbaar maken; **gesture** ['dʒestʃə] I *zn* gebaar (*ook fig*), beweging, geste; daad, zet, stap; II *ww gesticulate*
get (ver)krijgen, winnen, vangen, vatten; verdienen (*£ 300 a year*); kopen, aanschaffen (*got himself a new hat*); verschaffen, bezorgen (*~ a p. a place, ~ s.t. for a p.*); halen; klaarmaken (*~ dinner*); maken (*~ it ready*); bereiken (*~ to London*), klimmen (*~ over a wall*), komen; raken (*~ lost*); (*get lost* smeer 'm!); worden (*drunk*); (*fam*) snappen (*I don't quite ~ you*), begrijpen, verstaan (*now ~ this* versta dit goed!); (*sl*) pakken; te machtig zijn; te pakken krijgen; *I've got it* ik heb het; *you've got it* je hebt het geraden; *you've got s.t. there* daar zit wat in; *it's got to be* (*done*) het moet (gedaan worden); *~ going* aan de gang komen (maken); *~ talking* aan de praat raken (krijgen); *~ caught* erinlopen; *~ it done* het laten doen, zorgen dat het gebeurt; *~ done with it* het afmaken; *~ drunk,* (*ook:*) zich bedrinken; *~ your dinner first* ga eerst eten; *what has got him? a*) wat is er met hem gebeurd?; *b*) wat bezielt hem?; *what ~s me is ...,* (*fam*) waar ik niet bij kan, wat ik niet snap, is ...; *I've got you* nu heb ik je; *where can it have got to?* gebleven zijn; *~ to know* leren kennen; *I got to like him* begon hem aardig te vinden; *~* ***about*** (rond)lopen (*he is so weak that he can't ~ about*); *I know enough French to ~ about* om me te redden; *~* ***abroad*** bekend raken (*news*); *~* ***across*** oversteken; *~ across* (*the footlights*) succes hebben; *the message did not ~ across* kwam niet goed over, werd niet duidelijk; *~* ***along*** vooruitkomen, voortmaken; het maken (*how are you ~ting along?*); opschieten (*~ along well together*); *~ along with you!* maak dat je wegkomt!; *~* ***among*** *thieves* terechtkomen (verzeild raken) onder; *~* ***around*** de ronde doen (*a rumour got around that ...*); veel mensen spreken (*How did you hear that?--Oh, I ~ around*);

~ *around to doing s.t.* ergens toe komen; ~ ***at*** komen aan (bij, achter; ~ *at the truth*); bereiken, te pakken krijgen; *I know what you're ~ting at* waar je heen wilt; *they are always ~ting at each other* ze zitten elkaar steeds dwars; ~ ***away*** wegkomen, -gaan, -krijgen; ontkomen, ontsnappen (*the one that got away*); *you can't ~ away from that* daaraan ontkom je niet, daar kom je niet onderuit; dat kun je niet ontkennen; ~ *away with it, ook:* slagen, het 'em lappen; *commit forgery and ~ away with it* ongestraft ... plegen; ~ ***back*** terugkrijgen, -komen; ~ ***behind*** (*bw*) achterraken; ~ ***by*** (*vz*) zich redden; ~ ***down*** naar beneden gaan (komen, krijgen); af-, uitstappen; *I could not ~ my food down* naar binnen krijgen; ~ *down to it* aanpakken, eraan beginnen; *that sort of thing ~s me down* daar kan ik niet tegen(op); ~ ***in*** erin (binnen)komen, -gaan, -krijgen; ertussen krijgen (*a word*); gekozen worden; instappen; binnenhalen (*the crops*); innen; ~ ***into*** krijgen (komen, raken) in; belanden in; te pakken krijgen (*a subject*); ~ *s.t. into a p.* iem iets aan z'n verstand brengen; ~ ***off*** (*vz*) af-, vrijkr.ijgen(komen) van; ~ *off a horse* afstijgen; ~ ***off*** (*bw*) vertrekken; beginnen; af-, uitstappen; vrijkomen, er goed afkomen (~ *off safely*); ~ *off* (*to sleep*) in slaap vallen; ~ *one's daughters off* aan de man brengen; *his lawyer got him off* zijn advocaat wist vrijspraak voor hem te krijgen; ~ ***on*** (*vz*): ~ *on a horse* bestijgen; ~ ***on*** (*bw*) aankrijgen, aantrekken (~ *your coat on*); vooruitkomen, verder gaan; opschieten (~ *on with a p.*); ~ *on for* lopen naar (*seventy*); ~ *on* (*in years*) (een dagje) ouder worden, op leeftijd komen; *how are you ~ting on?* hoe maak je het?; ~ ***out*** eruit komen, -raken, -krijgen, enz.; voor de dag halen; uitstappen; ~ *out!* eruit!; ~ ***out of*** komen (raken, krijgen, halen, zich redden, enz.) uit, zich afwennen; ~ ***over*** (*vz.* te boven komen; beter worden van (*the chicken-pox*); zich overheen zetten (*I can't ~ over that*); ~ (*something*) ***over*** (*and done with*), (*bw*) doorzetten, door de zure appel heenbijten; ~ *over, ook* = ~ *across;* ~ ***round*** (*vz*) bepraten, bedotten, inpalmen, ontduiken, omzeilen (*a difficulty*); ~ *round a p.'s objections* hem afbrengen van; *you can't ~ round that* daaraan ontkom je niet, daar is niets aan te doen; ~ ***round*** (*bw*) bijkomen, er bovenop komen; *the story got round to him at last* kwam hem eindelijk ter ore; ~ ***so*** (*that*) zover komen dat; ~ ***through*** (*vz*) krijgen (komen, enz.) door, afmaken, afdoen (*an enormous amount of work*); aangenomen worden door (*the bill got through the Commons*); ~ *through,* (*bw*) erdoor komen (krijgen); (*telefoon*) aansluiting krijgen; ~ ***to*** komen (krijgen, beginnen, enz.) te (aan, enz.); *I got to like him* raakte op 'm gesteld; ~ *to work* aan het werk gaan; ~ *s.o. to* iem overhalen om ...; ~ ***together*** bijeenbrengen, -komen; (*Am*) het eens worden; ~ ***up*** opstaan, -stijgen, -steken (*van wind*); organiseren (*a party*), op touw zetten; ~ *up to a p.* naar iem toegaan; ~ ***upon*** zie ~ *on* (*vz*); '**getaway** het heengaan; ontsnapping, vlucht (*ook attr*); *make one's ~* ervandoor gaan, ontsnappen; '**get-up** uitrusting; uitvoering (*van boek*); aankleding (*of a play*)

geyser ['gi:zə] geiser

ghastly ['gɑ:stli] doodsbleek; afschuwelijk, ijzingwekkend, akelig

gherkin ['gə:kin] augurk(je)

ghost [gəust] I *zn: a*) geest(verschijning), spook; *b*) schijntje, zweem; *he has not the ~ of a chance* niet de geringste kans; II *ww* (literair enz.) werk doen voor een ander; '**ghost-writer** iem die redevoeringen, memoires, enz. voor politicus enz. schrijft

ghoulish [gu:liʃ] (*ongev*) demonisch

giant ['dʒaiənt] I *zn* reus; II *bn* reusachtig; '**giantess** [-is] reuzin

gibber ['dʒibə] brabbelen; **gibberish** ['dʒi-, 'gibəriʃ] brabbeltaal, koeterwaals

gibe [dʒaib] I *ww* spotten (*at* met), honen, (be)-schimpen; II *zn* spotternij, hatelijkheid, venijnige opmerking

giddy ['gidi] duizelig; draaierig; duizelingwekkend; (*vero*) onbezonnen, dwaas

gift gift, gave, geschenk, cadeau(tje) (*ook fig*); aanleg; *I would not have it at* (of: *as*) *a ~* zelfs niet voor niets; *look a ~ horse in the mouth* een gegeven paard in de bek zien; ~ *coupon* cadeaubon; ~ *parcel* geschenkzending; '**gifted** [-id] begiftigd; begaafd

gig sjees, cabriolet; (*muz sl*) schnabbel

gigantic [dʒai'gæntik] reusachtig, gigantisch

giggle ['gigl] I *ww* giechelen; II *zn* gegiechel; (*fam*) iets om van te gieren; *~s* giechelbui (*get the ~s*); *have a fit of ~s* de slappe lach hebben

gild *ww; ovt gilt, v dw gilt* vergulden

gill **1** [gil] kieuw; kaak; vlees onder de kin; **2** [gil] ravijn, bergstroom; **3** [dʒil] *0,25 pint* (0,14 l)

gilt verguldsel; '**gilt-edged** [-edʒd] verguld op snee; solide (~ *securities* staatsleningen)

gimcrack ['dʒimkræk] prullig

gimlet ['gimlit] fretboor(tje), schroefboor; *eyes like ~s* een doordringende blik

gimmick ['gimik] (*fam*) foefje; vondst

gin [dʒin] jenever; (*Am*) sterke drank; 'gin' (*Britse sterke drank*); *a ~ and bitters* een bittertje

ginger ['dʒin(d)ʒə] gember; (*sl*) fut (*there is no ~ in him*); (*sl*) 'rooie' (*met rood haar*); '**ginger-'ale**, '**ginger-'beer** gemberlimonade; **ginger group** pressiegroep; **gingerly** ['dʒin(d)ʒəli] voorzichtig, behoedzaam

gipsy ['dʒipsi] zigeuner(in); zigeunertaal

gird [gə:d] (*vero*) omgorden, omringen, insluiten (*a town*); begiftigen, uitrusten (*with strength*); ~ (*on*) aangorden; '**girder** ['gə:də] (steun-, dwars)balk, ligger; **girdle** ['gə:dl] I *zn*

get

gordel, band, ring; 'step-in'; II *ww* omgorden; omringen; ringen
girl [gə:l, *soms:* gɛəl] meisje; dienstmeisje; *old ~* beste meid; *the old ~* het ouwe mens; '**girl-friend** (*van meisje*) vriendin, (*van jongen*) meisje, vriendinnetje; '**girl** '**guide** [-gaid] padvindster; '**girlhood** [-hud] meisjesjaren; '**girlie** [-i] meisje; (*sl*) met veel vrouwelijk naakt, bloot (*magazine*); '**girlish** [-iʃ] meisjesachtig, meisjes...
giro ['dʒaiərəu] id.
girth [gə:θ] *a)* buikriem; gordel; *b)* omvang
gist [dʒist] hoofdinhoud, kern, strekking (*of a letter*)
give [giv] I *ww* geven, schenken, (ver)lenen; opgeven, noemen (*he gave his name as Mr. S.;* bezorgen; toestaan (*interview*); brengen tot, doen, laten (*~ to believe, think*); meegeven, bezwijken, toegeven (*to* aan); *don't ~ me that!* kom me daar niet mee aan!; *~ and take* geven en nemen; *ook* = *~ or take* plus of min (*half a dozen*); *~ a cough* (opzettelijk) hoesten (kuchen); *~ a hand* een handje helpen; *I don't ~ a hang,* (*Am*) het kan me niets schelen; *he ~s the impression of being rather conceited* maakt de indruk ...; *~ a lecture* een lezing houden; *~ pleasure* (*pain*) genoegen (leed) doen; *~ a whistle* fluiten; *I('ll) ~ you Mr. ...,* (*telefoon*) ik verbind u (zal u verbinden) met ...; *she is always cheerful, I'll ~ her that* dat moet ik haar nageven; *~ to think* (*understand*) *that ...* te kennen geven; *~* ***away*** weggeven, -schenken; uitdelen (*prizes*); verraden, verklappen (*a p., a secret, o.s., the show* de boel); *~ away the bride* de bruid aan de bruidegom overgeven (bij trouwplechtigheid); *~* ***back*** teruggeven; *~* ***in*** toegeven; het opgeven, zich gewonnen geven; inleveren; *my luck gave in* de fortuin verliet me; *~* ***into*** uitkomen op, toegang geven tot; *~* ***off*** afgeven, uitstralen (*light*); *~* ***on,*** *~* ***on to*** uitkomen op, uitkijken op (*the garden*); *~* ***out*** aankondigen; publiceren, mededelen, bekendmaken; opgeven (*lessons*); afgeven (*a smell*); uitdelen; opraken (*the petrol gave out*); het opgeven, bezwijken (*his strength, his eyes, gave out*); *~ o.s. out for* zich uitgeven voor; *~* ***over to*** zich overgeven aan (*~ o.s. over to drinking*); bestemmen voor (*the building was given over to a bingo hall*); *the door gave* ***to*** ... kwam uit op; *~* ***up*** opgeven, afstand doen van, (na)laten (*smoking*); afgeven (*one's ticket*); overleveren; afleveren (*a house in good repair*); overgeven (*a fortress*); besteden (*~ up the afternoon to games*); opgeven (*patient*); *~ o.s. up* zich gevangen geven; *~ up the ghost* de geest geven; *~* ***upon*** = *~ on;* II *zn* het meegeven; elasticiteit; *a lamppost has no ~ in it* geeft niet mee; '**give-and-'take** geven en nemen, compromis; **given** ['givn] gegeven (*ook zn*), bepaald; zie *give; ~ that* aangenomen dat; *~ time* bij voldoende tijd; *any ~ week* elke willekeurige week; *~ to* geneigd tot, houdend van, verslaafd aan (*drink*); *~ name* voor-, doopnaam
glacial ['glei-, 'glæsiəl, 'gleiʃəl] ijzig, ijs... (*period*), gletsjer...; **glacier** ['glæsjə] gletsjer
glad [glæd] blij (*of* om), verheugd (*of, about, at* over); *I shall be ~ to ...* ik zal graag (gaarne) ...; *we are ~ to inform you* het doet ons genoegen ...; '**gladden** [-n] verblijden, verheugen
glade [gleid] open ruimte in een bos
gladly ['glædli] met blijdschap; gaarne
glamorize ['glæməraiz] romantisch voorstellen, mooier doen lijken dan iets is; **glamorous** ['glæmərəs] betoverend, zeer aantrekkelijk; **glamour** ['glæmə] betovering; (valse) glans, (uiterlijke) charme; *cast a ~ over* begoochelen; *~ girl* charmante verschijning (in film enz.)
glance [glɑ:ns] I *zn* (vluchtige) blik, oogopslag; schampschot; *at a ~* met één oogopslag; II *ww* (even) kijken; glinsteren; afschampen (ook: *~ off*); *~ at* kijken naar, een blik werpen op (toewerpen); *~ over* (*through*) vluchtig doorzien
gland [glænd] klier; '**glandular** [-julə] klierachtig, klier...; *~ fever* ziekte van Pfeiffer
glare [glɛə] I *zn* (felle) gloed; verblindend licht; woeste blik; II *ww* met verblindend licht schijnen; woedend (aan)kijken (*at*); sterk opvallen; '**glaring** vlammend (*eyes*), schel, hel; in het oog springend (*defects*); grof (*error*); schreeuwend (*injustice*)
glass [glɑ:s] I *zn* glas(werk); broeikas(sen); zandloper (= *sandglass*), spiegel (= *looking glass*); lens, kijker, vergrootglas; barometer, weerglas; (*pair of*) *~es* bril; *grown under ~* onder glas gekweekt; II *bn* glazen; *~ case* vitrine; '**glasshouse** broeikas; '**glassware** glaswerk; '**glass-works** glasblazerij, glasfabriek; '**glassy** [-i] glasachtig, glazig; (spiegel)glad
glaze [gleiz] I *ww* van glas (ruiten) voorzien, beglazen; in glas zetten; verglazen, vernissen; glanzen, polijsten; glazuren; glazig maken of worden; (*van ogen*) breken; *~d eye* glazig ...; *~d frost* ijzel; *double ~d windows* dubbele ramen; II *zn* glazuur, glacé, glans, vernis; waas; **glazier** ['gleiziə] glazenmaker; **glazing** ['gleiziŋ] zie *glaze; a)* glazuur; *b)* ruiten (*van huis*); *double ~* dubbel glas
gleam [gli:m] I *zn* glans, schijnsel, straal; *~ of humour* sprankje humor; II *ww* glanzen, schijnen, glimmen, blinken
glean [gli:n] (aren) lezen; nalezen; bijeengaren, -verzamelen; afleiden (*from* uit)
glee [gli:] *a)* meerstemmig lied; *b)* vrolijkheid; '**glee-club** zangvereniging; '**gleeful** [-f(u)l] vrolijk
glen (nauw) bergdal
glib (al te) glad, rad van tong, welbespraakt, gemakkelijk, oppervlakkig (*ongunstig van betekenis*)
glide [glaid] I *ww* (doen) glijden, zweven, sluipen; zweefvliegen; *~ into* ongemerkt over-

gaan in; **II** *zn* het ...; glij-, zweefvlucht; '**glider** [-ə] glijder; zweefvlieger, -vliegtuig
'**glimmer** **I** *ww* glimm(er)en, schemeren, flikkeren, zacht schijnen; **II** *zn* schijnsel, flikkering; '**glimmering** schijnsel, (op)flikkering; schijntje, straaltje (*of hope*); flauw begrip; **glimpse** [glimps] **I** *zn* glimp, schijnsel, vluchtige blik, kijkje; *catch a ~ of* eventjes zien; **II** *ww* vluchtig zien; **glint** **I** *zn* schijnsel, glinstering, straal(tje); **II** *ww* (doen) glinsteren, schitteren, flikkeren; **glisten** ['glisn] glinsteren, flikkeren, schitteren, fonkelen; glimmen (*with perspiration*); **glitter** ['glitə] **I** *ww* flonkeren, flikkeren, schitteren, blinken; *all that ~s is not gold* het is niet alles goud wat er blinkt; **II** *zn* schittering, geflonker, glans; '**glittering** glanzend, flonkerend, schitterend

gli

gloat [gləut]: ~ (*up*)*on* (*over*) met de ogen verslinden, met (wrede) wellust beschouwen; zich verlustigen (verkneuteren) in
global ['gləubəl] wereld- (*flight*), wereldomspannend, -omvattend (*warfare*), globaal (*estimates*); **globe** [gləub] (aard)bol, hemellichaam; globe; rijksappel; oogbal; (lampe)ballon; (vis)kom; '**globetrotter** id., wereldtoerist; **globular** ['glɔbjulə] bolvormig
gloom [glu:m] somberheid, enz. (vgl *~y*); '**gloomy** donker, duister, somber, droefgeestig
glorify ['glɔ:rifai] verheerlijken; *glorified, ook:* (*vaak spottend*) verfraaid, een verbeterde editie van ...; **glorious** ['glɔ:riəs] roemrijk, glorierijk; heerlijk, prachtig; **glory** ['glɔ:ri] **I** *ww ~ in* genieten van, zich verlustigen in; **II** *zn* roem, glorie, eer, lof; majesteit, heerlijkheid
1 gloss [glɔs] **I** *zn* glans, luister; **II** *ww ~ over* verbloemen, verdoezelen, vergoelijken (*a p.'s faults*)
2 gloss [glɔs] **I** *zn* glos(se), aantekening, (tekst-)verklaring; **II** *ww* verhelderen, toelichten, van commentaar voorzien
glossary ['glɔsəri] verklarende woordenlijst
glossy ['glɔsi] glanzend, glad; schoonschijnend; **glossy magazine** op duur, glanzend papier gedrukt (mode) tijdschrift
glove [glʌv] handschoen (*ook:* bokshandschoen); *throw down* (*take up*) *the ~* de handschoen toewerpen (opnemen); *the ~s are off* het wordt menens
glow [gləu] **I** *zn* gloed, vuur; rode kleur; schijnsel; *in a ~* = (*fam*) (*all*) *of a ~* gloeiend; **II** *ww* gloeien, stralen (*with* van); *~ing* geestdriftig (*a ~ing description*); **glower** ['glauə] **I** *ww* dreigend (boos, woest) kijken (*at, upon* naar); **II** *zn* woeste (enz.) blik; **glow-worm** ['gləuwə:m] glimworm
glue [glu:] **I** *zn* (hout)lijm; *~ sniffer* lijmsnuiver; **II** *ww* lijmen, hechten, kleven; *his eyes ~d on* (*to*) ..., ... strak gevestigd op
glum [glʌm] somber, triest, sip
glut [glʌt] **I** *ww* (over)verzadigen, overladen, overvoeren (*the market*); **II** *zn* (over)verzadiging, overlading; overvoerde toestand
glutinous [glu:tinəs] klevend, kleverig
glutton ['glʌtn] gulzigaard, slokop; '**gluttonous** [-əs] gulzig; '**gluttony** [-i] vraatzucht, gulzigheid
GMT *Greenwich Mean Time*
gnarl [nɑ:l] knoest; **gnarled** [-d] knoestig; (*van hand*) knokig
gnash [næʃ]: *~ one's teeth* knarsetanden
gnat [næt] mug
gnaw [nɔ:] (af)knagen, knabbelen
gnome [nəum] aardmannetje, kabouter
GNP *Gross National Product* (*econ*) bruto nationaal produkt
go [gəu] **I** *ww* gaan, lopen; *~ fishing* gaan vissen; (voortdurend) zijn (*~ hungry*); voorbijgaan; *two weeks to ~* nog twee weken; worden (*mad, grey*); gelden, gezag hebben (*his word ~es*); gebeuren (*whatever he says ~es*); (goed) werken (lopen), in orde zijn (*all systems ~*); luiden (*how does the quotation ~?*); aflopen; bezwijken, stukgaan; bederven (= *~ bad: the meat is ~ing*); *anything ~es* alles is goed, het doet er niet toe; *~!* (*bij wedstrijd*) af!; (*right*) *from the word ~* van het allereerste begin af; *look where you're ~ing!* kijk uit je doppen!; *~ bad* (*vlees*) bederven; *~ carefully* voorzichtig te werk gaan; *~ unrewarded* (*unpunished*) niet ... worden; *the line went dead,* (*telec*) de verbinding werd verbroken (viel uit); *~ free* vrij (onaangetast, enz.) blijven; *not a bad boy as boys ~* vergeleken met andere ...; *young as statesmen ~* voor een staatsman; *rather fair as things ~* naar omstandigheden; *as far as climate ~es* wat het klimaat aangaat; *here ~es!* daar gaat ie!; *~ one* ***better*** het beter doen; meer bieden; een ander overtreffen; *~* ***far*** het ver brengen; voordelig zijn in het gebruik; *£5 does not ~ very far* (*a long way*) met ... kom je niet ver; *I made my money ~ as far as I could* heb ... zo ver mogelijk uitgesmeerd; *that ~es far towards being the right solution* komt (gaat) een heel eind in de buurt (richting) van ...; *~* ***it*** *alone* iets helemaal alleen doen; *he is still ~ing* ***strong*** maakt het nog best; *~* ***about*** rond-, omlopen, heen en weer lopen; lopen (*van gerucht*); omgaan (*with* met); *~ about one's work* ter hand nemen, aanpakken; zich bezig houden met; *~* ***after*** achterna gaan, nazetten, nalopen (*a girl*); *~* ***against*** ingaan tegen; ongunstig aflopen (uitvallen) voor (*van strijd, rechtszaak, enz.: the decision went against him*); *everything ~es against me* loopt me tegen; *it went against me to ...* stuitte me tegen de borst te ...; *~* ***ahead*** beginnen; vooruit gaan, voorop gaan (lopen); *~* ***along*** verder gaan, voortgaan; *~ along* (*with you*)*!* loop heen; *you will understand it as you ~ along* naarmate je vordert; *as we ~ along, ook:* onder de bedrijven door; *~ along* (*with*) meegaan (met), inspelen op; *~* ***at*** aanvallen; *~* ***away*** weggaan, verdwijnen; *~* ***back*** *on* terugnemen (*one's word*), terugkomen van, zich

terugtrekken uit; weer aan het werk gaan; ~ *back to, ook:* voortkomen uit; ~ ***before*** voor(af)gaan; ~ ***beyond*** overschrijden, overtreffen; ~ ***by*** voorbijgaan; ~ *by a rule* (*one's feelings*) volgen, zich richten naar (laten leiden door), afgaan op; ~ *by a name* bekend staan onder; ~ ***down*** naar beneden gaan; zinken; ondergaan; dalen (in prijs: *bread has gone down*); slinken; zich uitstrekken, teruggaan (*its history ~es down to the year 1700*); *it will ~ down to* (*in*) *history as* ... zal in de geschiedenis vermeld worden als ...; *the play went down well* ging er goed in; ~ *down with influenza* griep krijgen; ~ ***for*** gaan om, halen; gelden (opgaan) voor; de voorkeur gaan aan, zijn voor; te lijf gaan; ~ *for a walk* gaan wandelen; *that ~es for nothing* (*with me*) betekent niets (telt niet bij mij); *all my trouble went for nothing* haalde niets uit; ~ ***in*** naar binnen gaan; meedoen (*aan wedstrijd*); *his money went in books* werd besteed aan; ~ *in for* (gaan) doen aan (*art*); (gan) doen (handelen) in (*sugar*); ijveren voor; ~ *in for an examination* zich opgeven voor; ~ ***into*** gaan in; uitkomen op (*the door ~es into the garden*); deelnemen aan (*a war*); afdalen in (*particulars*); ingaan op (*the matter*), zich verdiepen in, onderzoeken; besteed worden aan (*the money that ~es into food*); nodig zijn voor (*the skill that ~es into making watches*); ~ ***off*** af-, weg-, heengaan (*ook:* sterven), ervandoor gaan; afnemen, achteruitgaan (*her looks are ~ing off*); verwelken; van de hand gaan (*at high prices*); in slaap vallen (ook: ~ *off to sleep*); flauwvallen, bewusteloos worden; verlopen (*how did the meeting ~ off?*); ~ ***on*** (*bw*) door-, voortgaan; gebeuren; te keer gaan (*at* tegen; *about s.t.* over iets); zeuren (*about s.t.* over iets); zich gedragen; ~ *on! ook:* loop heen!; *he went on reading* ging door met; *he went on to read the letter* vervolgens las hij ...; *he goes on to say* ... dan zegt hij verder ...; ~ *on for six* lopen naar; *the shoe would not ~ on* wou niet aan; *s.t. to ~ on with* om (mee) verder te kunnen; ~ ***on*** (*vz*) handelen volgens (*a principle*), zich baseren op; *we have nothing to ~ on* geen houvast; ~ ***out*** uitgaan; aflopen (*van getij*); het land (het ouderlijk huis) verlaten, in betrekking gaan; het werk staken (= ~ *out on strike*); (*telec*) uitgezonden worden; *my thoughts ~ out to him* gaan naar hem uit; *my heart ~es out to her* ik heb diep medelijden met haar; ~ ***over*** (*vz*) gaan over (door: *a house*); doorlopen (*a letter*), nagaan, -kijken (*lessons*); *why ~ over it all again?* weer op te halen; ~ ***over*** (*bw*) overgaan (*ook:* naar andere partij, enz.); omkantelen; ~ ***round*** rondgaan; omlopen; aanlopen (*to* bij); voldoende zijn; *not enough to ~ round* voor allen (alles); ~ ***through*** (*vz*) (er)door gaan; nagaan (*accounts*); doorzoeken; vervullen; doorstaan (*suffering*); beleven (*many editions*); erdoor brengen (*one's fortune*); ~ *through with* doorzetten, ten einde brengen (*a plan*); ~ ***through*** (*bw*) doorgaan (*the plans went through* werden officieel goedgekeurd); *all this ~es **to** show that* ... uit dit alles blijkt ...; ~ ***together*** samengaan, bij elkaar passen; ~ ***towards*** ten goede komen aan; besteed worden voor; leiden tot; ~ ***under*** ondergaan, te gronde gaan; ~ *under the name of* bekend staan onder; ~ ***up*** opgaan, omhooggaan; stijgen; ~ *up* (*to London*) naar Londen gaan; *the ship went up in smoke* vloog de lucht in; ~ ***upon*** zie ~ *on,* (*vz*); ~ ***with*** (*vz*) gaan met (*a girl*); samengaan (gepaard gaan) met; behoren bij (*the land goes with the house*); passen bij (*blue does not ~ with green*); (*bw*) meegaan; ~ ***without*** *one's dinner* het stellen zonder ..., geen eten krijgen; *that ~es without saying* spreekt vanzelf; II *zn* het gaan; vuur, energie, fut (*he has plenty of ~ in him*); bezieling; poging, beurt; portie, dronk; *I read the book at one ~* ineens uit; *have a ~ at a p.* iem te lijf gaan; onder het mes nemen; de mantel uitvegen; *have a ~* (*at it*) het (ook eens) proberen; *we had a ~ at the sherry* gingen aan de ...; *make a ~* (*of it*) er een succes van maken, erin slagen, het 'em lappen; (*it's*) *no ~,* (*fam*) het gaat (lukt) niet; *all systems ~* klaar voor de start (*ruimtevaart*); *from the word ~* vanaf het begin; *that was touch and ~,* (*fam*) op het kantje af; (*up*)*on the ~,* (*fam*) *a*) in de weer; *b*) in verval, aan het afnemen

goad [gəud] prikkelen, aanzetten, drijven (*into, to* tot); ~ *on* voortdrijven

goal [gəul] bestemming; doel(punt), goal; *get* (*score*) *a ~* een goal maken; ~ *difference* doelsaldo; '**goalie** [-i] (*fam*) doelverdediger; '**goalkeeper** doelverdediger; '**goal-post** doelpaal

'**go-as-you-'please** aan geen regels gebonden; vrolijk en niet veeleisend

goat [gəut] geit; **goatee** [-i:] sik

gobble ['gɔbl] schrokken (ook: ~ *up, down*)

go-between ['gəubitwi:n] tussenpersoon, bemiddelaar

goblet ['gɔblit] drinkbeker, bokaal

goblin ['gɔblin] kabouter, boze geest

God, god [gɔd] id.; *the ~s* het schellinkje; *~'s* (*own*) *country* aards paradijs; *inz.* Amerika; *~'s truth* de waarachtige waarheid; '**godchild** petekind; **god-'dam(n)** [-dæm] godverdomme; '**goddess** [-is] godin; '**godfather** I *zn* peet; II *ww* als peet optreden voor; zijn naam geven aan; '**god-fearing** godvrezend; '**god-forsaken** *a*) godvergeten, door God (en mensen) verlaten; *b*) ellendig, treurig; **godhead** ['gɔdhed] god(delijk)heid; '**godless** [-lis] goddeloos; '**godlike** goddelijk; '**godly** [-li] vroom, godvruchtig; '**godparent** peet; **godsend** ['gɔdsend] geschenk des hemels; meevaller, buitenkansje; '**god-speed**: *bid* (*wish*) ~ goede reis (succes) wensen

goggle ['gɔgl]: *~s* stof-, zonne-, vliegbril; oogkleppen; (*sl*) bril met ronde glazen; '**goggle box** (*sl*) kijkdoos, kijkkastje (= T.V.)

going ['gəuiŋ] I *zn* het gaan, gang; toestand van terrein, wegen, enz.; *it's hard* (*heavy*) ~ gaat moeilijk, is moeilijk te volgen (begrijpen); *go while the ~ is good* terwijl je nog kunt; II *bn* gaande; voorhanden; gangbaar (*rate* tarief); *be ~ to* gaan, zullen, van plan zijn; ~ *on fifteen* in zijn 15de jaar; ~ *on for* tegen de (*20 years*); *s.t. to be ~ on with* om (eerst, mee) verder te komen; *the greatest rascal ~* die er bestaat; *any breakfast ~?* hoe staat het met het ontbijt?; *here's a good job ~* vacant; *set* (*keep*) ~ aan de gang brengen (houden, blijven); ~, ~, *gone!* eenmaal, andermaal, verkocht!; '**going-'over** onderzoek, controle; inspectie; aframmeling; **goings-on** ['gəuiŋz'ɔn] (ongewenste) activiteiten; gedoe; *there are some queer ~ there* het gaat daar raar toe; **go-kart** skelter

gold [gəuld] I *zn* goud; II *bn* gouden; '**gold-digger** goudgraver; **golden** ['gəuldn] gouden; gulden; goudkleurig; ~ *age* gouden eeuw; ~ *mean* de gulden middenweg

'**gold-'leaf** bladgoud; '**goldmine** goudmijn; '**gold-plated** [-pleitid] verguld; '**gold-rush** trek (tocht) naar de goudvelden; '**goldsmith** [-smiθ] goudsmid

golf [gɔlf] I *zn* id.; II *ww* golfen, golf spelen; '**golf-club** *a*) golfstok; *b*) golfclub; '**golf-course** [-kɔ:s] golfbaan; '**golfer** golfspeler; '**golf-links** golfbaan

golliwog ['gɔliwɔg] lappen negerpop

golly ['gɔli] (*vero*) (*by*) ~! gossiemijn!

gondola ['gɔndələ] gondel

gong [gɔŋ] *zn*: *a*) id.; *b*) (platte) bel

gonna ['gə-, 'gɔnə] (*plat & Am fam*) *going to*

good [gud] I *bn* goed (*at* in), knap, braaf; lekker; zoet (*van kind*); fatsoenlijk (*girl*); solide; veilig (*debts*); prettig (*to be here*); (*Am*) goed in orde, lekker (*feel ~*); *as ~ as gold* heel zoet; *it's not ~ enough* geen manier van doen; *a ~ ten miles* een goeie ...; *a ~ while* geruime tijd; *G~ Friday* Goede Vrijdag; ~ *humour* opgeruimdheid, goed humeur; ~ *nature* goedaardigheid; ~ *temper* goed humeur; *a ~ thing* goed zaakje, gelukkig(e) (gezegde, inval, enz.); ~ *things* lekkernijen; *he is ~* ***at*** *telling a story* kan goed vertellen; *are you ~* ***for*** *a long walk?* durf je ... aan?; *he is ~ for another ten years* kan nog wel ... leven; ~ *for you!* goed zo! flink gedaan!; *my ~ man!* (nadruk op *good*), hoe kunt u zo iets doen; *that is a ~* ***one*** (*'un*) die is goed; ***make*** ~ goedmaken, vergoeden (*the damage*); aanvullen; houden (*a promise*); slagen in (*make good one's escape*); waarmaken, bewijzen (*an accusation*); verdedigen, handhaven (*one's position*); *he has* ***seen*** (***thought***) ~ *to* ... hij geeft het goed geoordeeld; *you as ~ as told me so* hebt het mij feitelijk verteld; II *bw* (*Am*) goed; III *zn* goed, best, welzijn; voordeel; *what's the ~ of it?* wat voor nut heeft het? wat geeft het?; ***do*** ~ goeddoen; *much ~ may it do you!* dat het je veel geluk brenge (goed bekome)! (*dikwijls iron*); *it will do you all the ~ in the world* je zult er verbazend van opknappen; *it is* ***no*** ~ geeft (helpt) niet, het heeft geen zin; *it is no ~ the master saying* ... het geeft niets of ... al zegt ...; *he is no ~* deugt niet; *he will come to no ~* het zal slecht met hem aflopen; *he is after* (*up to*) *no ~* heeft niets goeds in de zin; *an influence* ***for*** (*the*) ~ ten goede; *for his ~* om zijn bestwil; *for ~* (*and all*) voorgoed; *it is all to the ~* kan niet anders dan goed werken (zijn) goederentrein; **good afternoon** goede middag; **good-bye** I *tw* ['gud'bai] (goeden)dag; II *zn* [gud'bai] afscheid; ~ *kiss* afscheidszoen; *I will not say ~* ik zie je nog wel; **good()day** ['gud'dei] goedendag; **good evening** goedenavond; '**good-for-,nothing** I *bn* niet deugend, onnut; II *zn* deugniet, nietsnut; '**good-'humoured** [-hju:məd] opgeruimd; '**goodie** = *goody*; '**goodies** lekkernijen, bonbons, snoepjes (*ook fig*); '**goodish** goedig, vrij goed (groot, enz.: *a ~ number*); '**good-'looking** knap, mooi; **good-morning** (vgl *good-day*) goedemorgen; '**good-'natured** gemoedelijk, goedmoedig; '**goodness** goedheid; deugd(elijkheid); ~ (*gracious*)! goeie genade!; '**good()'night** goede(n) nacht (avond); wel te rusten (*ook iron*); **good offices** goede diensten (*through the ~ of*); **goods** goederen; '**good()'sense** gezond verstand; **goods train** goederentrein; '**good-'tempered** goedgehumeurd; '**good'will** welwillendheid; ijver; (*handel*) klandizie, relaties (*zaak*), 'goodwill' (als deel der activa); ~ *towards men* 'in mensen een welbehagen'; '**goody** [-i] I *zn* bonbon; de goede (figuur) (*in boek of film*); II (*uitr*) heerlijk; '**goody(-'goody)** goed, sullig, sentimenteel; vroomschijnend; *talk goody(-goody)* kwezelen; ~! hemeltjelief

goof [gu:f] I *zn* (*sl*) sul, idioot; II *ww* (ver)luieren; '**goofy** raar, gek, niet goed snik

goon [gu:n] *a*) clown, uilskuiken; *b*) (*Am sl*) gehuurde moordenaar, bandiet

goose [gu:s] *zn* gans; (*fig*) gans(je), uilskuiken; *every man thinks his own geese swans* elk denkt zijn uil een valk te zijn; *kill the ~ that lays the golden eggs* de kip met ... slachten; **gooseberry** ['guzbəri, *inz. Am* 'gu:s-] kruisbes(sestruik, -senwijn); '**goose-flesh** (*fig*) kippevel (*I am ~ all over*); '**goose pimples** kippevel

gore [gɔ:] I *zn* geronnen bloed; II *ww* doorboren, spietsen (met horens)

gorge [gɔ:dʒ] I *zn* ravijn; II *ww* (op)schrokken, (ver)zwelgen; volproppen; (zich) volproppen (*on meat* met ...), kanen

gorgeous ['gɔ:dʒəs] schitterend, prachtig

gorse [gɔ:s] (*plantk*) brem (struik)

gory ['gɔ:ri] bloedig, bloedstollend

gosh [gɔʃ] (*by*) ~! gossie(mijne)!; g(r)ut!

gosling ['gɔzliŋ] gansje

go-slow ['gəu'sləu] langzaam-aan-actie

gospel ['gɔsp(ə)l] evangelie (*ook fig*); '**gospel-truth** [-tru:θ] de waarachtige waarheid
gossamer ['gɔsəmə] herfstdraden, -draad; zeer fijn gaas (weefsel, enz.)
gossip ['gɔsip] I *zn: a*) kletskous; *b*) gebabbel, praatje(s), (ge)roddel; ~ *column* rubriek in krant waarin allerlei nieuwtjes worden verteld, roddelrubriek; II *ww* babbelen, kwebbelen; kwetteren (*~ing sparrows*); '**gossipy** [-i] praatziek, babbelachtig; keuvelend
Gothic ['gɔθik] I *bn* gotisch; (*fig*) barbaars, somber; II *zn: a*) Gotisch(e taal); *b*) gotiek (= *bouwstijl*)
gotten ['gɔtn] (*vero & Am*) v. dw. van *get*
gouge [gaudʒ] I *zn* guts, holbeitel; gat; II *ww* gutsen; uithollen; uitdrukken (*an eye*)
gourd ['guəd] pompoen, kalebas
gout [gaut] jicht
govern ['gʌvən] regeren (*the king reigns, ministers ~*), besturen, leiden, regelen, beheersen; (*gramm*) regeren; *~ing body* bestuur (*van school enz.*); '**governess** [-is] gouvernante; **government** ['gʌvənmənt] bestuur, regering, ministerie; leiding; gouvernement; ~ *agencies* overheidsinstellingen; ~ *bonds* staatsobligaties; **governmental** [gʌvən'mentl] rijks..., regerings..., overheids...
governor ['gʌvənə] gouverneur, landvoogd; bestuurder; president (*van Eng Bank*); directeur (*van gevangenis*); (*sl*) 'ouwe (heer)', patroon, meneer; *Board of G~s* bestuur, curatorium
gown [gaun] japon, kleed, (lange) jurk; tabberd, toga
G.P. *general practitioner* huisarts
grab [græb] I *zn* greep; roof; *make a ~ at* een greep doen naar; *up for ~s,* (*sl*) voor het grijpen; II *ww* grijpen (*at* naar), pakken, vatten, naar zich toehalen, in de wacht slepen
grace [greis] I *zn* gratie, bevalligheid; fatsoen, gepastheid, beleefdheid; gunst, genade; (*theol*) genade; uitstel; tafelgebed; *the G~s* de Gratiën; ***with*** (*a*) *good* ~ vriendelijk, goedschiks; zó dat men zijn figuur weet te redden; *with* (*a*) *bad* ~ onvriendelijk, met tegenzin; *be* ***in*** *a p.'s good ~s* bij iem in de gunst staan; ***by*** *the ~ of God* bij de gratie (genade) Gods; *say ~* bidden, danken (*aan tafel*); *His* (*Her, Your*) *G~* titel van hertog(in) en aartsbisschop; II *ww* (ver)sieren, opluisteren; begunstigen; vereren; '**graceful** [-f(u)l] bevallig, elegant, gracieus; '**graceless** [-lis] onbeschaamd; onbevallig; **gracious** ['greiʃəs] genadig; goedgunstig; minzaam; hoffelijk; gracieus, elegant; *good(ness) ~!* ~ *me!* lieve hemel! goeie genade!
gradation [grə'deiʃən] trapsgewijze opklimming, gradatie; trap; (onmerkbare) overgang, nuancering, nuance; **grade** [greid] I *zn* graad, stap, rang, klasse; kwaliteit; helling(shoek); (*Am*) *a*) klas van lagere school; *b*) cijfer (*op school*); II *ww* rangschikken, sorteren (*~d apples*); (*Am*) beoordelen (als), cijfers geven (op school); **grade school** (*Am*) basisschool; **gradient** ['greidiənt] helling(shoek) (*van weg*); **gradual** ['grædjuəl] geleidelijk; '**gradually** [-i] trapsgewijze, geleidelijk, langzamerhand, gefaseerd; **graduate** I *zn* ['grædjuit] *a*) afgestudeerde ve universiteit; *b*) (*Am*) gediplomeerde; II *ww* ['grædjueit] in graden verdelen; geleidelijk (doen) opklimmen (overgaan); promoveren (*intr& tr*); een bevoegdheid verwerven; (*Am*) een diploma behalen of verlenen; ~ *away* geleidelijk minder worden; **gradu'ation** graduatie; het behalen van een academische graad, promotie
graffiti [grə'fi:ti] schuttingwoord(en) of -tekeningen
graft [grɑ:ft] I *zn* 1 ent; enting; entspleet; arbeid, gezwoeg; 2 (*inz. Am*) (politiek) geknoei; omkoopgeld, steekpenningen; II *ww* 1 enten; transplanteren; 2 (*Am*) knoeien; zwendelen
Grail [greil] graal
grain [grein] I *zn* graan(soort), (graan)korrel; grein(tje) (*of sense* verstand); weefsel, draad (*van hout, vlees*), nerf (*van leer*), structuur; korrelig (ruw) oppervlak; aard; ***against*** *the ~* tegen de draad in; *it goes against the ~* (*with me*) stuit me tegen de borst, staat me tegen; II *ww* korrelen; granuleren
gram, gramme [græm] gram
grammar ['græmə] spraakkunst; juist spraakgebruik; *it is bad ~* ongrammaticaal; '**grammar school** gymnasium; **grammatical** [grə'mætikl] taalkundig, spraakkunstig; grammaticaal zuiver (*he spoke French fluently and ~ly*)
gramophone ['græməfəun] grammofoon
grampus ['græmpəs] stormvis (*soort dolfijn*); puffend (blazend) persoon
granary ['grænəri] graanschuur, -zolder
grand [grænd] I *bn* groot(s), verheven, voornaam(ste), edel, plechtig, weids (*name*); (*fam*) prachtig, kostelijk (*had a ~ time*); *G~ National* jaarlijkse hindernisren te Aintree bij Liverpool; *G~ Old Party,* (*Am*) Republikeinse partij; *~ piano* vleugel; '*~(-)stand* hoofdtribune; ~ *total* totaal generaal; ~ *tour* reis door Europa als onderdeel van de opvoeding van de 19e-eeuwse jonge rijke Engelsman; uitgebreide rondleiding; II *zn* (*Am sl*) 1000 dollars; **grandad** ['grændæd] grootvader, opa; '**grandchild** kleinkind; '**granddaughter** kleindochter; **grandeur** ['grændʒə] grootsheid, pracht; '**grandfather** grootvader; *~('s) clock* staande kastklok; **grandiloquent** [græn'diləkwənt] bombastisch, hoogdravend, snoevend; '**grandiose** [-diəus] groots, weids, grandioos; '**grandma** [-mɑ:] oma; '**grandmother** I *zn* grootmoeder; *tell that to your ~* maak dat je grootje wijs; *your ~!* je grootje!; II *ww* vertroetelen, grootmoeder spelen over; '**grandparents** grootouders; **grandson** ['græn(d)sʌn] kleinzoon; '**grandstand** tribune; ~ *view* prachtig gezicht (*of* op)

grange [grein(d)ʒ] landhuis (vaak met bijbehorende boerderij)
granite ['grænit] graniet(en)
granny ['græni] oma; grootje, opoe
grant [grɑ:nt] I *ww* toestaan, inwilligen, geven (*God* ~ ...); verlenen (*rights*), schenken, toewijzen; toegeven, toestemmen; *~ed* (*~ing*) *you are right* toegegeven (aangenomen) dat ...; *take for ~ed* als waar (vanzelfsprekend, zonder bewijs) aannemen, zich weinig gelegen laten liggen aan; *he takes things* (*everything*) *for ~ed, ook:* hij gelooft het wel; *we will take the rest for ~ed* de rest (van het verhaal) schenken we je; II *zn* het ...; schenking, toewijding; toelage, subsidie; (studie)beurs
granular ['grænjulə] korrel(acht)ig; '**granulate** korrelen, granuleren; *~d sugar* kristalsuiker; '**granule** [-ju:l] korreltje
grape [greip] druif; *sour ~s!* de druiven zijn zuur!; '**grape-vine** [-vain] wijnstok; (*fam*) *I heard it on the ~* bij geruchte
graph [græf, grɑ:f] grafische voorstelling, grafiek, kromme; **graphic(al)** ['græfik(l)] grafisch, teken..., schrift..., schrijf...; aanschouwelijk; levendig; **graphics** grafiek; **graphite** ['græfait] grafiet; **graphology** [græ'fɔlədʒi] grafologie: karakterlezen uit handschrift
grapnel ['græpnəl] klein anker, enterhaak, dreg (= *~-anchor*); **grapple** ['græpl] enteren, aanklampen; vastklemmen; aanpakken, handgemeen worden (met); ~ *with* enteren; aangrijpen; worstelen met; aanpakken (*a problem*)
grasp [grɑ:sp] I *ww* grijpen (*at* naar); vastpakken, -houden; (om)vatten, begrijpen (~ *the situation*); II *zn* greep; houvast; bereik, macht; bevatting(svermogen: *the ~ of his mind*); *beyond* (*above*) *my ~* buiten mijn bereik; mij te hoog; '**grasping** inhalig
grass [grɑ:s] I *zn* gras; wei(land); (*sl*) marihuana, hasj; *he does not let the ~ grow under his feet* laat er geen gras over groeien; *be* ***at*** *~* in de wei lopen (*ook fig*); vrij zijn; weggestuurd zijn; *go* ***to*** *~: a*) de wei ingaan (*ook fig*); *b*) tegen de grond geslagen worden; *put* (*send, turn out*) *to ~* de wei insturen (*ook fig*); zijn congé geven; *send to ~, ook:* tegen de grond slaan; *land* ***under*** *~* gras; II *ww* met gras bedekken; (*sl*) tegen de grond slaan; (*sl*) verlinken (*on a p.* iem ...); *~ed* met gras begroeid; '**grasshopper** sprinkhaan; '**grass-roots** achterban, basis; *attr* in nauw contact met het volk (*an efficient '~' organization*); rechtstreeks uit het volk voortkomend; '**grass-'widow** onbestorven weduwe; (*dialect*) ongehuwde moeder; '**grassy** [-i] grazig, grasrijk; grasachtig, gras...
grate [greit] I *zn* rooster; haard; II *ww* raspen; knarsen (op); schuren, wrijven (tegen); kraken, krassen; ~ (*up*)*on* pijn doen (*it ~s upon my ear*)
grateful ['greitf(u)l] dankbaar
grater ['greitə] rasp
gratification [,grætifi'keiʃən] bevrediging, voldoening; beloning, gratificatie; **gratify** ['grætifai] bevredigen, voldoen (aan); strelen; belonen; *~ing, ook:* prettig, aangenaam
grating ['greitiŋ] traliewerk; rooster
gratitude ['grætitju:d] dankbaarheid
gratuitous [grə'tju(:)itəs] gratis, vrij, kosteloos; ongemotiveerd; zonder noodzaak; **gratuity** [grə'tju(:)iti] fooi, gift; gratificatie
1 grave [greiv] *zn* graf; *make s.o. turn in his ~* iem zich in zijn graf doen omdraaien
2 grave [greiv] *bn* ernstig (*van ziekte:* zeer ernstig), plechtig, deftig; somber, donker; diep (*van toon*)
gravel ['græv(ə)l] grind, kiezel, (goudhoudende) kiezellaag
graven ['greivn] gesneden, gegraveerd
'**gravestone** grafsteen; **graveyard** ['greivjɑ:d] kerkhof
gravitate ['græviteit] graviteren; (aan)getrokken worden (*to, towards* tot), neigen, overhellen (*towards conservatism*); **gravitation** [grævi'teiʃən] aantrekking(skracht); zwaartekracht; **gravity** ['græviti] gewicht; ernst; zwaarte(kracht)
gravy ['greivi] jus, vleesnat; (*sl*) extraatje, buitenkansje; ~ *boat* juskom; *get on the ~ train* een gemakkelijke bron van extra-inkomsten hebben
gray [grei] enz., zie *grey*
graze [greiz] I *ww* **1** rakelings gaan (strijken) langs (ook: ~ *against, along, by, past*), schampen, even aanraken; schaven; **2** (laten) grazen, weiden; hoeden; II *zn* 1 schampschot; schaafwond, ontvelde plaats, schram
grease I *zn* [gri:s] vet, smeer; II *ww* [gri:z, gri:s] (be)smeren, invetten, oliën; **grease gun** handvetspuit; '**greasepaint** schmink; '**greaseproof** vetvrij; **greasy** ['gri:zi, -si] vettig, vuil, nat & glibberig
great [greit] I *bn* groot; voornaam (*point*); (*sl*) heerlijk (*that's ~*), prachtig; verwoed (*reader*); *a ~ big loaf*, (*fam*) verbazend groot; *a ~ little car* pracht-autootje; ~ *at* (*golf*) knap in; ~ *on* (*dogs*) zeer geïnteresseerd in; *at a ~ age* op hoge leeftijd; II *zn* de groten der aarde, belangrijke personen; '**greatcoat** (*mil*) overjas; '**great-'grandaunt** overoudtante; '**great-'hearted** grootmoedig; '**greatness** grootte, grootheid; '**great-uncle** oudoom
Grecian ['gri:ʃən] (*klassiek*) Grieks; **Greco** (klassiek) Grieks; **Greece** [gri:s] Griekenland
greed [gri:d] hebzucht, begerig-, gulzigheid; '**greedy** gulzig; hebzuchtig, begerig (*of, for* naar), gretig; ~ *of honour* eerzuchtig
Greek [gri:k] I *bn* Grieks; II *zn: a*) Griek; *b*) Grieks; *that is* (*all*) ~ *to me* daar snap ik niets van
green [gri:n] I *bn* groen (*ook fig*); onrijp; fris, nieuw, onbelegen; *keep one's memories ~* levendig houden; *~ fingers* slag om met planten om te gaan; *a ~ hand* een onbedrevene, nieu-

weling; *give the ~ light* het groene licht, toestemming geven, het teken geven dat men z'n gang kan gaan; *~ pea* doperwt; *on the ~ side of fifty* nog geen 50; *~ vegetable(s), greens* (blad)groente(n); *be ~ with envy* groen (scheel) zien van afgunst; II *zn* groen (*ook kleur van Ierland; the wearing of the ~, the ~ Isle*); grasveld; dorpsplein, brink; (blad)-groente(n); III *ww* groen worden (maken, verven); '**green-belt** strook land waarop niet mag worden gebouwd rond stad of dorp; '**greengrocer** groenteboer, -handelaar; '**greenhorn** nieuweling, groentje; broekje; '**greenhouse** (broei)kas, oranjerie; '**greenish** groenachtig; **greenroom** artiestenkamer

greet [gri:t] (be)groeten; '**greeting** groet; *~s telegram* gelukstelegram

gregarious [gri'gεəriəs] in kudden of groepen levend, gezellig; bijeengroeiend; *~ person* gezelschapsmens

gremlin ['gremlin] boze geest, duiveltje

grenade [gri-, gre'neid] (hand)granaat; **grenadier** [grenə'diə] id.

grey [grei] I *bn* grijs, grauw; (*fig*) donker, somber; *~ friar* franciscaan; II *zn: a*) grijs, grauw; *b*) schimmel; *~s* grijze tinten; III *ww* grijs worden (maken); '**greyhound** hazewind; *~ racing* windhondenrennen

grid *a*) (braad)rooster; *b*) traliewerk; *c*) (bagage)rek van auto (= *luggage ~*); *d*) net(werk); (*electric*) ~ hoogspanningsnet; koppelnet; *e*) coördinatenstelsel, vierkantennet (van stafkaart = *National ~*); *~ reference* coördinaten; **gridiron** ['gridaiən] *a*) (braad)rooster; *b*) traliewerk

grief [gri:f] smart, droefheid; *good ~!* mijn hemel!; *come to ~* een ongeluk krijgen; verongelukken; kapot gaan; komen te vallen; mislukken; *he will come to ~ over it* het zal hem de nek breken; *bring to ~* doen verongelukken; **grievance** ['gri:v(ə)ns] grief; **grieve** [gri:v] bedroeven, smarten; treuren (*at, for, over* over); *be ~d at* treuren (bedroefd zijn) over; *I ~ to ...* het spijt me te ...; *I am very ~d for you* heb erg met je te doen; **grievous** ['gri:vəs] smartelijk, pijnlijk; ernstig, zwaar (*bodily harm*); afschuwelijk

grill [gril] I *zn* rooster; geroosterd(e) vlees (vis, schotel); scherpe ondervraging (*put on the ~* daaraan onderwerpen); II *ww* roosteren, braden (*ook fig*); scherp ondervragen; *~ing hot* smoorheet; **grille** ['gril] rooster, traliewerk, hek(je)

grim bars, onverbiddelijk, streng, wreed (*the ~ reality*); grimmig, akelig, beroerd; verbeten (*struggle*); fel, heftig (*debate*); somber (*prospects*)

grimace [gri'meis, 'griməs] I *zn* grimas, grijns; II *ww* gezichten trekken, grijnzen

grime [graim] vuil; roet; **grimy** ['graimi] vuil, vies

grin I *zn* brede glimlach; grijns; II *ww* grijnzen, grinniken (*at* over); *~ and bear it* zich goed houden, de tanden op elkaar zetten (*fig*)

grind [graind] I *ww; ovt ground, v dw ground* (ver)malen; afbeulen (*ook: ~* ***down***); slijpen (ook: *~* ***up***); draaien (*an organ*); schuren, wrijven, knarsen (op: *one's teeth*); blokken, vossen, ploeteren, (***at, away at*** op ...); drillen (*a pupil* ***in*** *a subject*); erin stampen; *~* ***down*** fijn malen; *~ to a halt* (krakend) tot stilstand komen; II *zn* het ...; vermoeiend, taai werk; (*Am*) blokker; '**grinder** maler, molen (*coffee ~*); kies; slijpmachine; *~s,* (*fam*) tanden

grip I *zn* greep, (hand)vat, houvast; handdruk; begrip; macht, meesterschap, vat (*of* op); *at ~s* handgemeen; *come to ~s* handgemeen worden; *come (get) to ~s with, get a ~ on* vat krijgen op; *the story lacks ~* 'pakt' niet; *he lost ~ of his audience* kon ... niet meer boeien; *he is losing ~, ook:* de fijne puntjes gaan eraf; *take (get) a ~ on o.s.* zich aanpakken (bedwingen); II *ww* grijpen, vasthouden, pakken, boeien (*~ping article*)

gripe [graip] I *zn* geklaag, gejammer, gekanker; II *ww* jammeren, klagen

grisly ['grizli] akelig, griezelig

grist ['grist]: *bring ~ to the mill* koren op de molen zijn; zoden aan de dijk zetten

grit I *zn* zand, steengruis; korreltje zand, enz.; (*fam*) flinkheid, durf (*full of ~*); II *ww* krassen, wrijven, knarsen (op: *one's teeth*); **gritty** [-i] korrelig; flink, kranig; pittig

grizzled ['grizld] grijs, grauw; **grizzly** ['grizli] I *bn* grijsachtig; II *zn* grijze beer

groan [grəun] I *ww* kreunen, steunen, zuchten (*under* onder); kraken (*~ing shelves*); II *zn* gekreun, gesteun, gezucht, gekraak

grocer ['grəusə] kruidenier; '**groceries** [-riz] kruidenierswaren; kruidenierswinkel; '**grocery** kruidenierswinkel

grog [grɔg] grog; '**groggy** [-i] onvast op de benen; zwak

groin [grɔin] lies

groom [gru(:)m] I *zn* stal-, rijknecht; bruidegom; II *ww* verzorgen; voorbereiden (*for the Presidency*); *well ~ed* keurig verzorgd

groove [gru:v] I *zn* groef, voor, gleuf, sponning; (*fig*) routine, sleur; *fall into a ~: a*) sleurwerk worden; *b*) een sleurmens worden; *in the ~,* (*sl*) uitstekend; II *ww* groeven; **groovy** ['gru:vi] (*sl*) hip, aantrekkelijk, 'bij', perfect

grope [grəup] (rond)tasten (*for, after* naar), zoeken (*for the right word*); *~ one's way* tastend z'n weg zoeken; '**gropingly** onzeker

gross [grəus] I *bn* grof, dik, vet, lomp; erg; gemeen, plat, onbeschoft; bruto (*national product, weight*); omvangrijk; *~ negligence* grove nalatigheid; II *zn* gros (12 dozijn); III *ww* bruto verdienen; belopen

grotesque [grəu'tesk] I *zn* groteske; II *bn* grotesk, fantastisch, potsierlijk

grotto ['grɔtəu] grot

grouch ['graut] mopperen, slecht gehumeurd zijn

ground [graund] I *zn* grond, bodem; grondgebied, -verf, -kleur; terrein (*forbidden ~; ~s* park, terrein (*om huis*); gronden (*of a decision*); droesem, koffiedik (= *coffee ~s*); grondkleur; *no ~s* geen termen aanwezig (*antwoord op verzoek*); *be sure of one's ~* zeker van zijn zaak; *break fresh ~*, (*fig*) pionierswerk verrichten, nieuw terrein betreden; *change* (*shift*) *one's ~* van standpunt (argumenten, enz.) veranderen; *cover much ~* een lange afstand afleggen; veel terrein doorkruisen (bestrijken); *cover* (*the*) *~* niets overslaan, reizen over een bepaalde afstand; *cut the ~ from under a p.'s feet: a*) iem het gras voor de voeten wegmaaien; *b*) iems argumenten ontzenuwen; *give ~* wijken; *hold* (*stand*) *one's ~* standhouden, voet bij stuk houden; *lose ~* terrein verliezen; *touch ~* vaste grond onder de voeten krijgen; *it suits me* ***down*** *to the ~*, (*Am:* ***from*** *the ~ up*) helemaal, in alle opzichten; *learn the business from the ~ up* van onder op; *the house stands* ***in*** *its own ~s* is geheel door een tuin omgeven; *get* ***off*** *the ~* van de grond komen, op gang komen (*van plan, enz.*); ***on*** *the ~ of* op grond van; *on ~s of health* om gezondheidsredenen; *on religious ~s* op godsdienstige gronden; *he was on strong* (*firm*) *~ in saying so* stond sterk ...; *his hopes were dashed* ***to*** *the ~* verijdeld; *bring the government to the ~* ten val brengen; II *ww* gronden; baseren, grondvesten; (grondig) onderleggen; aan de grond houden (*van vliegtuig*); (doen) stranden, aan de grond lopen; *well ~ed: a*) gegrond; *b*) goed onderlegd; **'ground-crew** (*luchtv*) landingsploeg; **'ground-'floor** begane grond, benedenverdieping; **'grounding** *have a good ~ in* goed onderlegd zijn in; **'groundless** ongegrond; **'ground-'plan** plattegrond; **'ground-rules** terreinreglement; (*fig*) geldende regels; **'groundsheet** grondzeil; **'groundsman** [-zmən] (*sp*) terreinknecht; **groundswell** grondzee

group [gru:p] I *zn* groep; concern; II *ww* (zich) groeperen; **'groupie** [-i] id., meisje dat met popgroep optrekt; **'grouping** indeling in groepen; **'group practice** groepspraktijk (*artsen e.d.*)

grouse [graus] korhoen(ders) (= *black ~*); sneeuwhoen(ders) (= *white ~*)

grove [grəuv] bosje; heilig woud

grovel ['grɔvl] (in het stof) kruipen (*ook fig*); *~ in the dust* (*dirt*) zich in het stof vernederen

grow [grəu] (aan)groeien, wassen; uitlopen (ook: *~* ***out****: the potatoes in the cellar have begun to ~*); ontstaan; worden (*~ old, suspicious*); verbouwen, kweken, voortbrengen; laten staan (groeien: *a beard*); *~n* (*over, up*) *with* begroeid met; *she has ~n a woman* is volwassen, vrouw geworden; *~ too fast for one's strength* uit zijn krachten groeien; *~* ***away*** *from*, (*fig*) vervreemden van; *~* ***down****(****ward****)* (*fig*) afnemen; *~* ***into*** *one* tot één worden; *~* ***out of*** groeien (voortkomen) uit; ontgroeien (*we've ~n out of that*); *~* ***to*** aangroeien tot; *~* ***up*** opgroeien; ontstaan; *~* (***up***)***on*** *a p.* macht (invloed) krijgen over (op); *the book ~s upon the reader* begint steeds meer te boeien; *bad habits will ~ upon a man* worden met de tijd sterker; **'grower** [-ə] kweker, verbouwer; **growing pains** groeistuipen

growl [graul] I *ww* brommen, grommen, snauwen, knorren; II *zn* gebrom, gegrom; snauw

grown [grəun] v. dw. van *grow;* volwassen, groot; zie *grow*; **'grown-up** volwassen(e); *~s* grote mensen; **growth** [grəuθ] groei; toeneming; aanwas; gewas, produkt, gezwel, uitwas; *of one's own ~* zelf gekweekt; *attr* groei... (*industry*)

grub [grʌb] I *zn* larve, made; (*sl*) eten, eterij; II *ww* (om-, op-, uit)graven; (om)wroeten; snuffelen; schransen; **'grubby** [-i] smerig, groezelig; slonzig

grudge [grʌdʒ] I *zn* wrok, grief; *have a ~ against a p., bear* (*owe*) *a p. a ~* een wrok tegen iem hebben; II *ww* misgunnen; met tegenzin geven (toestaan, doen); *he ~s himself nothing* ontzegt zich niets

grudging *ook:* ongaarne gegeven (*consent*); **'grudgingly** [-li] met tegenzin, node

gruelling ['gruəliŋ] vinnig, afmattend, slopend (*fight*); zeer streng (*test*)

gruesome ['gru:səm] ijselijk, griezelig

gruff [grʌf] nors, bars

grumble ['grʌmbl] I *ww* mopperen (*at, about, over* over); brommen, grommen; II *zn* gemopper

grumpy [grʌmpi] knorrig, mopperig

grunt [grʌnt] I *ww* knorren, brommen; II *zn* gebrom, geknor

guarantee [gærən'ti:] I *zn: a*) borg, garant; *b*) waarborg, garantie; *municipal ~* gemeentegarantie; *~-fund* garantiefonds; *c*) aan wie iets gegarandeerd wordt; II *ww* garanderen, waarborgen; vrijwaren (*against, from* voor); **guarantor** [gærən'tɔ:] borg, garant

guard [gɑ:d] I *zn* wacht, bewaking, hoede, waakzaamheid; garde; bewaker; (*Am*) gevangenbewaarder; conducteur (*van spoor*); beveiliging(smiddel), borg; (vuur)scherm; beschermer (*ankle-~*); *G~s* gardetroepen; *~ of honour* erewacht; *keep ~* de wacht houden; ***on*** *~* op wacht; *be* (*stand*) *on one's ~* op zijn hoede zijn; *put a p. on his ~* iem waarschuwen; ***off*** *one's ~* niet op zijn hoede; *put* (*throw*) *a p. off his ~* iems aandacht afleiden; *take* (*catch*) *a p. off his ~* iem overrompelen, betrappen; II *ww* bewaken, behoeden; verzekeren; beschermen (*against, from* tegen); zich hoeden, waken (*against mistakes*); **'guarded** [-id] voor-, omzichtig, behoedzaam, op zijn hoede; *in ~ terms* in bedekte termen; **guardian** ['gɑ:djən] voogd(es); curator; opziener, bewaarder, bewaker; *~* (*angel, spirit*) beschermengel, -geest; **'guardianship** voogdij(schap), bewaking, hoede; '**guard-rail** *a*) leuning; *b*) vangrail; '**guard-room** [-ru(:)m] *a*) (*mil*) wachtlokaal; *b*) arrestantenlokaal; **guardsman** ['gɑ:dzmən] gardeofficier of -soldaat

guess [ges] I *ww* gissen, raden (*at* naar); *I ~*, (*Am*) ik geloof, denk; *keep a p. ~ing* aan het lijntje houden; II *zn* gis(sing); *it's anybody's ~* niemand kan het voorspellen; *at a ~* naar gissing; *by ~* op de gis, op goed geluk; *give* (*have*) *a ~* raden; '**guesswork** gissing, onderstelling

guest [gest] gast (*ook:* parasiet); logé(e); introducé, genodigde; *be my ~,* (*fam*) doe alsof je thuis bent; *~ of honour* eregast; '**guest-chamber**, '**guest-room** logeerkamer; '**guest-house** huis voor betalende logés; '**guest-night** avond (in club, enz.) voor introducés

guffaw [gʌ'fɔ:] I *zn* bulderlach; II *ww* brullen (van het lachen)

guidance ['gaidəns] hulp, advies; bestuur, leiding; richtsnoer; **guide** [gaid] I *zn* gids; geleider; bestuurder; padvindster (*ook: girl ~*); leidraad, -stang, -kabel; reisgids; II *ww* (ge)leiden, (be)sturen; gidsen; tot richtsnoer dienen; *~d missile(s)* op afstand bestuurde raket(ten) (geleide wapens); *~d tour* begeleide reis; '**guide-book** reisgids; '**guide-dog** (blinden)-geleidehond; '**guideline(s)** richtsnoer

guild [gild] gilde, vereniging

guilder ['gildə] gulden

guildhall ['gild'hɔ:l] gildehuis

guile [gail] bedrog, list, valsheid; '**guileless** [-lis] argeloos, onschuldig

guilt [gilt] schuld; misdaad; '**guiltless** onschuldig, schuldeloos; '**guilty** [-i] schuldig (*of* aan); schuldbewust (*he murmured guiltily*)

guinea ['gini] guinje: vroegere munt, later rekenmunt van 21 shillings; '**guinea-pig** guinees biggetje, cavia, zgn marmot; proefkonijn

guise [gaiz] uiterlijk, voorkomen, schijn; gedaante; voorwendsel; *in the ~ of* uitgedost als; *under the ~ of* onder het mom van

guitar [gi'tɑ:] gitaar

gulf [gʌlf] golf, zeeboezem; afgrond; (*fig*) kloof; *G~ Stream* [-stri:m] Golfstroom

gull [gʌl] meeuw

gullet ['gʌlit] slokdarm

gullible ['gʌlibl] lichtgelovig, onnozel

gully ['gʌli] ravijn; geul; rioolput; sloot

gulp [gʌlp] I *ww* (haastig of met moeite) (in)-slikken, inslokken (gew.: *~ down*); slokken; *~ down a sob* een snik onderdrukken; II *zn* slok; slikbeweging; *at a* (*one*) *~* in één teug

gum [gʌm] I *zn* **1** tandvlees (gew. *~s*); **2** gom-(boom); soort drups; II *ww* gommen; *~ down an envelope* dichtplakken; **gumboots** rubber laarzen

gun [gʌn] I *zn* kanon; (jacht)geweer; revolver; (spuit-, enz.)pistool; *great* (*big*) *~* hoge ome, belangrijke figuur; *great ~s!* lieve hemel!; *jump the ~* te vroeg starten (handelen), een oneerlijk voordeel verwerven; *stand* (*stick*) *to one's ~s* van geen wijken weten; voet bij stuk houden; II *ww* schieten; '**gunboat** kanonneerboot; '**gundog** jachthond; '**gun-fire** kanonvuur; '**gunman** [-mən] gewapende bandiet, 'gangster'; '**gunner** [-ə] *a*) artillerist, kanonnier; *b*) (*scheepv*) konstabel; '**gunnery** [-əri] *a*) artilleriewetenschap, ballistiek; *b*) kanon-, geweervuur; '**gunpoint**: *at ~* onder bedreiging met een vuurwapen; '**gunpowder** buskruit; *~ plot* buskruitverraad (5 nov. 1605); '**gun-runner(running)** smokkelaar (smokkelarij) van geweren; '**gunsmith** geweermaker; **gun-wale** ['gʌnl] (*scheepv*) dolboord (*van roeiboot*)

gurgle ['gə:gl] klokken, murmelen; (*van klein kind*) kirren; (*van stervende*) rochelen

gush [gʌʃ] I *zn* (krachtige) stroom; uitstroming; uitbarsting; opwelling, ontboezeming; vlaag; sentimentaliteit; II *ww* stromen, gutsen; uitstorten; dwepen (*about, over* met); overdreven sentimenteel doen; '**gusher** [-ə] spuiter: spuitende (petroleum)bron

gust [gʌst] (wind)vlaag; uitschieter

gusto ['gʌstəu] id., smaak, genot, vuur, animo

gusty ['gʌsti] stormachtig, winderig; vlaagsgewijze

gut [gʌt] I *zn* darm (ook als materiaal voor snaren, enz.); *~s* ingewanden; inhoud; (*sl*) fut, durf, lef; *hate a p.'s ~s* iem hartgrondig haten; *sweat one's ~s out* zich doodzweten; II *ww* uithalen (*fish*); leeghalen, plunderen, uitbranden (*the ~ted shell of a church*)

gutter ['gʌtə] goot, geul; *bring down to the ~* straatarm maken; *take* (*pick*) *out of the ~,* (*fig*) van de straat oprapen; **guttering** dakgoten; '**gutter press** schandaalpers

guttural ['gʌtərəl] I *bn* keel...; II *zn* keelklank, -letter

guv (*sl*) *governor*; **guv'nor** (*sl*) *governor* (*sl*)

guy [gai] vent, kerel; scheerlijn; pop, *Guy Fawkes* voorstellende, op 5 nov. (*Guy Fawkes Day*) verbrand ter herinnering aan het buskruitverraad; *a regular* (*a great*) *~,* (*Am*) een patente kerel

guzzle ['gʌzl] (op)zuipen, zwelgen, (op)-schrokken; *~ away* verzuipen (*money*)

gym [dʒim] (*fam*) id.: gymnastiek(zaal); *~ slip* gymnastiekrokje; **gymnasium** [dʒim'neizjəm] gymnastiekzaal; **gymnastic(s)** [dʒim'næstik(s)] gymnastiek

gynaecologist [gaini'kɔlədʒist] gynaecoloog, vrouwenarts; **gynaecology** [gaini'kɔlədʒi] gynæcologie, leer der vrouwenziekten

gypsum ['dʒipsəm] gips

gypsy ['dʒipsi] zigeuner(in)

gyrate [dʒaiə'reit] omwentelen, ronddraaien; **gyration** [dʒaiə'reiʃən] omwenteling, ronddraaiing; winding

gyroscope ['gaiə-, 'dʒaiərəskəup] gyroscoop

Hh*h*

haberdasher ['hæbədæʃə] winkelier in fournituren; (*Am*) winkelier in herenkleding; '**haberdashery** [-ri] *a*) fournituren, garen, band, kant, enz.; *b*) (*Am*) herenmodes
habit ['hæbit] gewoonte, hebbelijkheid, aanwensel; habijt, monnikspij, nonnenkleed; *by* ~ uit gewoonte; *be in* (*get, fall into*) *the* ~ *of* ... gewoon zijn (zich aanwennen) te ...
habitable ['hæbitəbl] bewoonbaar; **habitat** ['hæbitæt] id.: natuurlijke woon-, groeiplaats van dier of plant; woonplaats; **habitation** [hæbi'teiʃən] *a*) bewoning; *b*) woning, woonplaats
habitual [hə'bitjuəl] gewoon; gewoonte...; **habitually** [-i] gewoonlijk; **habituate** [hə'bitjueit] (*to*) (ge)wennen (aan)
hack [hæk] I *zn* 1 hak, houweel; houw, snee, kerf, jaap; trapwond (*bij voetbal*); 2 huurpaard, rijpaard, knol; loonslaaf, broodschrijver (= ~ *writer*); (*Am*) taxi; II *ww* 1 hakken, houwen, kerven, een jaap geven; kuchen; (*voetbal*) een scheentrap geven; ~*ing cough* droge kuchhoest; 2 (be)rijden (in de gewone pas); '**hacker** computerkraker
hackles ['hækəlz] nek-, rugharen; nekveren; *my* ~ *rise* ik word nijdig
hackney ['hækni] rij-, huurpaard; **hackneyed** [-d] afgezaagd
haddock ['hædək] schelvis
haemo- zie *hemo-*
hag [hæg] (oude) heks, toverkol
haggard ['hægəd] verwilderd uitziend, afgetobd, hologig, vervallen, hevig ontdaan (*look*)
haggle ['hægl] knibbelen, kibbelen, pingelen
1 hail [heil] I *tw* heil!; II *zn* aanroep, welkom(stgroet); III *ww* begroeten (als: *he was* ~*ed king*); aanroepen (*a cab*), praaien; ~ *from* komen (afkomstig zijn) van (*he* ~*s from France*)
2 hail [heil] I *zn* hagel; II *ww* hagelen; doen neerkomen (~ *blows upon a p.*)
hailstone ['heilstəun] hagelsteen; **hailstorm** ['heilstɔ:m] hagelbui, -jacht, -slag
hair [hɛə] haar, haren; *against the* ~ tegen de draad in, tegen de zin; *to a* ~ tot op een haar; *get in a p.'s* ~ iem irriteren (*he* ... ik krijg wat van hem); *keep your* ~ *on!* (*sl*) maak je niet dik!; *let down one's* ~, (*fam*) uit de plooi komen, zich laten gaan, z'n reserve afleggen; '**hairbreadth** [-bredθ] haarbreedte; '**hairbrush** haarborstel; '**haircut** haarknippen, kapsel; **hairdo** ['hɛədu:] (*fam*) kapsel, coiffure; '**hairdresser** kapper; '**hair-dye** haarverf; **haired** harig, behaard; '**hair-grip** soort haarspeld; '**hairless** onbehaard; '**hair-line** haarlijn(tje); ophaal (*bij het schrijven*); ~ *crack* haarscheurtje; '**hair-piece** haarstukje; '**hairpin** haarspeld; ~ *bend* haarspeldbocht; '**hair-raiser** (*fam*) iets, dat iem de haren te berge doet rijzen; '**hair-set** haarlak; '**hair-slide** haarspeldje; '**hair-splitting** haarkloverij; '**hair-tonic** haarmiddel; '**hairy** [-ri] harig, behaard, haarachtig; (*sl*) gewaagd, riskant, opwindend
halcyon ['hælsiən] kalm, rustig, vredig
half [hɑ:f] I *bn en bw* half; ~ *a dozen* een half dozijn; ~ *the town* de halve stad; ~ *of it* de helft ervan; *a* ~ *smile* (glim)lachje; ~ *past two* half drie; ~ *as much again* anderhalf maal zoveel; *was he annoyed? not* ~*!* nou en of!, reken maar!; *that's not* ~ *bad* lang niet kwaad; II *zn* helft; *too clever by* ~ veel te; *do nothing by halves* half; *go halves* half staan, gelijk op delen; '**half-and-'half** I *zn* half om half; II *bn* half en half, halfslachtig; '**half-'back** (*sp*) half(speler), middenspeler; '**half-'baked** halfgaar (*ook fig*); '**half-bred** I *bn* van gemengd ras; II *zn* halfbloed (paard, enz.); '**half-brother** halfbroeder; '**half-caste** halfbloed; '**half-'grown** halfwassen; '**half-'hearted** lauw, weifelend, niet van harte, halfslachtig, flauw (*attempt*); '**half-'holiday** vrije middag; '**half-'hourly** *a*) om het halve uur, halfuur... (*service* dienst); *b*) een halfuur durend; **half-life** (*natuurk*) halveringstijd, halfwaardetijd; '**half-'light** schemering; '**half-'mast** halfstok; '**half-'monthly** halfmaandelijks; '**half-'pay** I *zn* nonactiviteit(-traktement), wachtgeld; II *bn* nonactief; **halfpenny** ['heipni] halve stuiver; '**half-'term** tussentijdse vakantie; (*in okt. en/of november*) herfstvakantie; '**half-'timbered**: ~ *houses* met vakwerkgevel; '**half-'time** I *bn en bw* voor de halve tijd; II *zn* (*sp*) id.: rust; '**half-timer** iem die slechts de halve tijd werkt, op school komt, enz.; '**half-'way** [*attr:* 'hɑ:fwei] halverwege; (*fig*) half (*measures*), halfslachtig; ook = ~ *house* pleisterplaats; (*fig*) tussenstadium, -ding, middenweg; ~ *proposal* tussenvoorstel; '**half-'wit(ted)** *zn, bn* dwaas, idioot; '**half-'yearly** halfjaarlijks, enz.
halibut ['hælibət] heilbot
hall [hɔ:l] zaal; rechtszaal; (*univ*) eetzaal, maaltijd; slot; vestibule, hal, gang
hallmark ['hɔ:lmɑ:k] I *zn* stempel (*ook fig: van echtheid, enz.*), keur (*op goud en zilver*), waarborgstempel, waarmerk; kenmerk; II *ww* stempelen, waarborgen, waarmerken
hallow ['hæləu] heiligen, wijden
hall-porter ['hɔ:l'pɔ:tə] portier; **hall-stand** ['hɔ:lstænd] (staande) kapstok
hallucinate [hə'lu:sineit] verbijsteren, begoochelen; **hallucination** [həˌlu:si'neiʃən] hallucinatie, zinsbedrog, zinsbegoocheling

hallway ['hɔ:lwei] gang, hal, vestibule
halo ['heiləu] id.; ring, stralen-, heiligenkrans
halt [hɔ:lt] I *zn: a)* halt, stilstand; (*mil ook*) rust; *b)* halte; *call a ~: a)* halt commanderen; *b)* = *make a ~* halt houden; II *ww* 1 halt (doen) houden, tot staan komen (brengen); 2 weifelen; stokken (*van gesprek*); mank gaan (*fig*); te kort schieten; *~ between two opinions* op twee gedachten hinken
halter ['hɔ:ltə] *a)* halster; *b)* strop
halve [hɑ:v] in tweeën delen, halveren
ham [hæm] I *zn* 1 *a)* bil, dij; *b)* ham; 2 (*fam*) (zend)amateur; slecht of overdreven acteur (= *~ actor*); II *ww* (*theat, fam*) chargeren, slecht acteren (*~ it up*); **'ham-fisted**, **'ham-handed** onhandig
hamlet ['hæmlit] gehucht
hammer ['hæmə] I *zn* hamer; (*van vuurwapen*) haan; *come* (*go*) *to* (*under*) *the ~* onder de hamer komen; *throwing the ~,* (*sp*) hamerwerpen, kogelslingeren; II *ww* hameren, slaan, smeden (*~ed iron*); scherp kritiseren; een zware nederlaag toebrengen; *~* (*away*) ***at*** loshameren, -beuken op, onverdroten werken aan; *~ s.t.* ***in***(***to***) *a p.* erin hameren; *~* ***out*** ontwerpen, scheppen, verzinnen; tot oplossing brengen (*a problem*)
hammock ['hæmək] hangmat
hamper ['hæmpə] I *zn* (grote) (sluit)mand (*gew* met levensmiddelen); II *ww* belemmeren, verstrikken, verwarren, in de weg zitten, dwarszitten
hamstring ['hæmstriŋ] I *zn* kniepees; II *ww* de ~ doorsnijden; (*fig*) verlammen, fnuiken
hand [hænd] I *zn* hand; voorpoot; werkman, arbeider, matroos; (*fam*) persoon; handtekening; hand(schrift) (*a legible ~*); wijzer (*van klok, enz.*); handbreedte; speler; ***all*** *~s on deck* alle hens aan dek; *an* ***old*** *~* een ouwe rot; *an old* (*a clever*) *~ at* uitgeslapen (knap) in; *I am* ***no*** *~* (*a poor ~*) *at it* ik heb er helemaal geen slag van; *serve a p. ~ and* ***foot*** slaafs, op zijn wenken; *be ~ in* (*and*) ***glove*** koek en ei, dikke vrinden; *win ~s* ***down*** op zijn dooie gemak; *~s* ***off****!* handen thuis!; *~s* ***up****!* handen omhoog! geef je over!; ***declare*** *one's ~* zijn kaarten op tafel leggen; *not* ***do*** *a ~'s turn* geen slag uitvoeren; ***get*** *one's ~ in* er de slag van krijgen; *get the upper ~* (*of*) controle hebben (krijgen) over, in de macht krijgen; ***give*** *a* (*helping*) *~* meehelpen, een handje helpen; *give him a big ~* luid applaus; *he* ***had*** *a ~ in the game* (*in it*) hij had er de hand in; ***hold*** *a p.'s ~* iems hand vasthouden, iem helpen; *hold one's ~* (voorlopig) van bemoeiing of inmenging afzien; ***lay*** *~s on* de hand leggen op (slaan aan); de handen opleggen; ***play*** *a cool ~* koel te werk gaan (optreden); ***put*** (*set*) *one's ~ to it* zijn hand eronder zetten; aanpakken; ***take*** *a ~* ingrijpen, zich met de zaak bemoeien; ***tell*** *a p.'s ~* iem de hand lezen; ***try*** *one's ~* proberen, een poging doen; ***at*** *~* bij de hand; op handen (*the time is at ~*); *at first* (*second*) *~* uit de eerste (tweede) hand; ***by*** *~* met (uit) de hand (*made by ~*); *live* ***from*** *~ to mouth* van de hand in de tand ...; ***in*** *~* in de (z'n) hand (*sword in ~*); in handen (*have an offer in ~*); onder handen (*have a work in ~*); in bedwang (*keep one's passions in ~*); *cash in ~* contanten; *payment in ~* contante betaling; *have time in ~* ... over hebben; *the matter in ~* de zaak (het onderwerp) onder behandeling (beschouwing); *take in ~* aanpakken, ondernemen, zich belasten met; (*written*) *in his own ~* eigenhandig; *it is* ***off*** *my ~s* daar ben ik af; *take s.t. off a p.'s ~s* iem van iets ontlasten; ***on*** *~* in voorraad, aanwezig; voorhanden (*the stock on ~*); *the subject on ~* aan de orde; *on the one ~ ... on the other ~* aan de éne kant ... aan de andere kant, enerzijds ... anderzijds; *on all ~s, on every ~* van (aan) alle kanten; *he has too much on his ~s* te veel te doen; *he may die on your ~s* onder de hand; ***out of*** *~* onmiddellijk, kortweg, op staande voet (*she married him ...*); *the job got out of ~* liep uit de hand; *~* ***over*** *~, ~ over fist* hand over hand; geleidelijk; snel (*make money ...*); (*ready*) ***to*** *~* ter beschikking, kant en klaar; *nearest to ~* het dichtst bij de hand; *come to ~* ter (voor de) hand komen; ***with*** *one's own ~* eigenhandig; II *ww* overhandigen, aangeven; overmaken, doen toekomen (*a cheque*); geleiden; *~* ***down*** aangeven; nalaten, overleveren; bekend maken (*a decision*), uitspreken, wijzen (*a verdict* vonnis); *~* ***in*** inleveren; aanbieden (*a telegram*); *~* ***on*** over-, doorgeven; *~* ***out*** aanreiken, uitdelen; *~* ***over*** overhandigen, -dragen, -leveren; betalen; het bevel enz. overdragen; *~* ***round*** ronddienen, -delen; **'handbag** handtas(je), damestasje; **'handbill** strooibiljet, affiche; **'handbook** handboek, handleiding, gids; **'handcuff** I *zn* handboei; II *ww* de handboeien aanleggen; **'hand-feed** uit de hand voeren; **'handful** [-f(u)l] hand(je)vol; *he* (*it*) *is a ~* ik heb mijn handen aan hem (eraan) vol
handicap ['hændikæp] I *zn* id.: *a)* wedren, -strijd met vóórgift, extra belasting, enz. (= *~ race*); *b)* voorgift, extra belasting, bezwarende conditie; (*fig*) belemmering, nadeel; II *ww* belemmeren, benadelen, achterstellen; *be ~ped* achterstaan; *~ped, ook:* gehandicapt, misdeeld; onvolwaardig; **handicraft** ['hændikrɑ:ft] vaardigheid met de handen, handwerk; **handiwork** ['hændiwə:k] (hand)werk
handkerchief ['hæŋkətʃif, -tʃi:f] zakdoek
'hand-knitted met de hand gebreid
handle ['hændl] I *zn* handvat, steel, kruk, hendel, stuur, gevest, knop, oor, greep, heft; (*fig*) 'vat', gunstige gelegenheid; II *ww* met de handen aanraken, betasten, bevoelen; hanteren, bedienen (*the guns*); behandelen, aanpakken; afhandelen (*passengers*), verwerken (*goods*); handelen in, verhandelen; **'handlebar(s)** stuur (*van fiets*)

'hand'made met de hand gemaakt, handwerk; **hand-me-down** tweedehands (~ *clothes*); **'hand-out** *vgl ww*; gift; aalmoes; communiqué; folder; **'hand-pick** (*fig*) met zorg kiezen; **'handrail(ing)** leuning; **'handshake I** *zn* handdruk; **II** *ww* (elkaar) de hand geven

handsome ['hænsəm] mooi, knap, schoon; nobel, mild, royaal, ruim; flink (*price*); **'handsomely** [-li] ook: (*scheepv*) langzaam, geleidelijk

'hand-to-'hand *fight* handgemeen; **'hand-to-'mouth** van de hand in de tand (levend), zorgeloos; bekrompen; **'hand-work** handwerk (tegenover machinaal werk); **'handwriting** (hand)schrift; **'handwritten** handgeschreven

handy ['hændi] handig; bij de hand (nabij); *come in* ~ van pas komen; **'handyman** klusjesman; knutselaar

hang [hæŋ] **I** *ww* (op)hangen; behangen; laten hangen (*one's head*); zweven; weifelen; talmen, geen voortgang hebben; ~ *it* (*all*)! wat drommel!; *let him go* ~! *be* ~*ed to him!* hij mag naar de drommel lopen!; ~ *the expense!* wat kunnen mij de kosten schelen!; ~ *fire* niet dadelijk afgaan, 'nabranden' (*van schot*); talmen, hangende zijn, traineren; ~ ***about***, ~ ***around*** omhangen (~ *about street-corners* op ...), rondlummelen; ***back*** aarzelen, niet toebijten, zich afzijdig houden; ~ ***behind*** achterblijven; ~ ***down*** *one's head* laten hangen; ~ ***on*** aanhangen, -kleven; zich vastklemmen aan (ook: ~ *on to*); afhangen van, steunen op; ~ *s.t. on a p.* iem de schuld van iets geven; ~ *on,* (*bw*) blijven hangen; zich vastklemmen, niet loslaten; ergens blijven; het niet opgeven; ~ *on a minute!* wacht even, blijf even (aan de telefoon)!; ~ ***out*** uithangen; ~ ***together*** (goed) samenhangen; een lijn trekken; ~ ***up*** ophangen; onder het loodje leggen, op de lange baan schuiven; (de telefoon) ophangen; het er (voorlopig) bij laten; **II** *zn* hangende houding; helling; het zitten (*van kleding*); richting, gang; inrichting (*of the house*); *get the* ~ *of it* de slag ervan beet krijgen, het door krijgen, erachter komen; *I don't care* (*Am give*) *a* ~, (*fam*) het kan me geen lor schelen

'hangdog beschaamd (*look, face*); **'hanger** [-ə] hanger, knaapje; **'hang-glide(r)** id., zeilvliegen (-vlieger); **'hanging I** *bn* (over)hangend, hang...; **II** *zn* het (op)hangen; ~*s* wandtapijten, draperieën, behang; ~ *affair* (*matter*) halszaak; **'hangman** [-mən] beul; **'hang-out** (*sl*) verblijf, 'hol'; stamkroeg; **'hangover** kater, katterigheid; overblijfsel; **'hang-up** (*sl*) obsessie, complex

hanker ['hæŋkə] hunkeren, onweerstaanbaar verlangen (*after, for* naar)

hankie, hanky ['hæŋki] (*fam*) zakdoek

hanky-panky ['hæŋki'pæŋki] onzedelijk gedoe

hansom (cab) ['hænsəm('kæb)] (*vero*) tweewielig huurrijtuig (*koetsier achterop*)

haphazard ['hæp'hæzəd] **I** *zn* toeval; *at* (*by*) ~ op goed geluk (af); **II** *bn en bw* toevallig, lukraak, op goed geluk af (gedaan, enz.)

happen ['hæp(ə)n] gebeuren, plaatshebben; (*fam*) toevallig komen (gaan), verschijnen, ontstaan; ~ (*up*)*on* toevallig treffen (vinden); *I* ~*ed to meet him* ontmoette hem toevallig; *as it* ~*s*, ... nu wil het geval dat ...; *it so* ~*s that I am* ... toevallig ben ik ...; **'happening** [-iŋ] gebeurtenis; id.: soort opwindende manifestatie

happiness ['hæpinis] geluk; **happy** ['hæpi] gelukkig, blij, onbezorgd; *keep a p.* ~, *ook:* iem zoet houden; **'happy-go-'lucky** onbezorgd, zorgeloos; lukraak, op goed geluk (gedaan enz.)

harangue [hə'ræŋ] **I** *zn* heftige (felle) toespraak; **II** *ww* toespreken

harass ['hærəs, hə'ræs] afmatten, kwellen, bestoken, teisteren; **'harassment** [-mənt] afmatting, kwelling; teistering, bestoking

harbinger ['hɑ:bin(d)ʒə] voorloper, voorbode

harbour ['hɑ:bə] **I** *zn* haven; schuilplaats; **II** *ww: a*) herbergen (*a fugitive,* enz.); voeden, koesteren (*suspicions*); *b*) ankeren in haven; **'harbour-board** havenbestuur; **'harbour-dues** havengeld

hard [hɑ:d] *bn* & *bw* hard; vast; moeilijk (*times*); vermoeiend; met moeite; zwaar (*hit* getroffen); hardvochtig, wreed, streng; vrekkig; onvermoeid, taai (*he is* ~ *stuff*); nuchter (~ *facts*); aandachtig, strak (*look* ~ *at* ...); (*van markt*) vast; (sterk) alcoholisch (*liquor*); ~ *and fast line* (*rule*) scherpe grens(lijn), vaste regel; ~ *cash* klinkende munt; ~ *core* harde kern; steengruis; ~ *dealing* hard(vochtig)heid; ~ *drinker* stevige drinker; ~ *hat* (veiligheids)-helm; ~ *labour* dwangarbeid ~ ***of*** *hearing* hardhorig; ~ ***by*** vlak bij; ~ ***up*** in geldverlegenheid; *be* ~ *up for* groot gebrek hebben aan; *I was* ~ *up for s.t. to say* wist niets te zeggen; ~ ***upon*** vlak bij; *it shall go* ~ *but* ... het moet al heel gek lopen, of ...; ~ *on* (*s.o.'s*) *heels* iem op de hielen zitten; *think* ~ ingespannen denken; *try* ~ (*one's* ~*est*) hard zijn best doen, zich tot het uiterste inspannen; **'hardback** (boek) in harde band; **'hard-'bitten** (*fig*) taai (*in gevecht*), doorgewinterd, hardnekkig; **'hard-'boiled** hardgekookt; hard, ongevoelig, stug; door de wol geverfd; uitgeslapen; nuchter; **'hardbound** met hard kaft; **'hardcore** hard (*porno*), verstokt (*revolutionary*); **'hardcover** *hardbound*; **'hard-driven** afgebeuld, overstelpt met werk; **'hard-'earned** zuur verdiend; **'harden** [-n] (zich) (ver)harden; verkalken (~*ing of the arteries*); een vastere vorm aannemen, veld winnen (*van mening*); (*van markt, prijzen*) vaster worden, stijgen; **'hard-'handed** hardhandig; **'hard-'headed** praktisch, nuchter; **'hard-'hearted** hardvochtig; **'hard-'hit** zwaargetroffen; **hardliner** ['ha:d-'lainə] voorstander van harde lijn; **hard luck** pech; **hardly** ['hɑ:dli] hard, ruw (*treated*); moeilijk, met moeite (*earned*); nauwelijks, bijna niet; bepaald niet (geen); eigenlijk niet (*it's* ~ *fair*); *I* ~ *think that* ... denk wel niet, dat

...; ~ *anything* bijna niets; ~ ... *when* (of: *before*) nauwelijks ... of; '**hardsell** agressieve verkoopmethode; '**hardship** ontbering, last, ongemak; ~ *money* toeslag voor gevaarlijke (zware, langdurige) arbeid; '**hard shoulder** vluchtstrook (van autoweg); '**hardware** ijzerwaren; apparatuur; zware uitrusting; '**hard-'wearing** [-wɛəriŋ] sterk, duurzaam (*cloth*); '**hard-worked** overwerkt (*nurses*), afgebeuld; afgezaagd (*joke*); '**hardy** [-i] stout(moedig); gehard, sterk; winterhard

hare [hɛə] I *zn* haas; II *ww* (*fam*) rennen; '**hare-brained** onbesuisd, dolzinnig (*scheme*)

hark [ha:k] (*vero*) luisteren; ~ *back* teruggaan (*to* op, tot), dateren (*to* van)

harlequin ['hɑ:likwin] harlekijn

harlot ['hɑ:lət] (*lit*) hoer

harm [hɑ:m] I *zn* kwaad, nadeel, schade, letsel; *he took no* ~ hij kreeg geen letsel; *you'll come to no* ~ er zal je geen kwaad overkomen; (*there's*) *no* ~ *done* er is niets verloren, het is niets; *he is out of* ~*'s way* er kan hem geen kwaad overkomen; II *ww* kwaad doen, schade (letsel) toebrengen, deren; '**harmful** [-f(u)l] nadelig, schadelijk; '**harmless** [-lis] onschadelijk, ongevaarlijk, onschuldig; schuldeloos, argeloos; onbeschadigd

harmonious [hɑ:'məunjəs] harmonisch; eenstemmig; harmonieus, welluidend; **harmonize** ['hɑ:mənaiz] (doen) harmoniëren (overeenstemmen); (*muz*) harmoniseren: van een begeleiding voorzien; **harmony** ['hɑ:məni] harmonie, eensgezindheid, overeenstemming

harness ['hɑ:nis] I *zn* (paarde)tuig, gareel; *die in* ~ midden in zijn werk; II *ww* optuigen; (in)spannen (*to* voor); (voor beweegkracht, enz.) aanwenden, bruikbaar maken (*a waterfall*); temmen (*the hydrogen bomb*)

harp [hɑ:p] I *zn* harp; II *ww* op de harp spelen; ~ (*up*)*on a subject* (*on the same string*) op het zelfde aambeeld hameren; **harpist** [-ist] id.

harpoon [hɑ:'pu:n] I *zn* harpoen; II *ww* harpoen(er)en

harpsichord ['hɑ:psikɔ:d] clavecimbel

harrow ['hærəu] I *zn* eg(ge); II *ww* eggen, (open)scheuren, wonden; kwellen, pijnigen; ~*ing tale* aangrijpend

harry ['hæri] aanvallen, verdrijven, lastig vallen

harsh [hɑ:ʃ] ruw, wrang, scherp, krassend; hard(vochtig), wreed, streng, nors

hart [hɑ:t] (mannetjes)hert (*inz. na het 5de jaar*)

harum-scarum ['hɛərəm'skɛərəm] onbesuisd, onbezonnen

harvest ['hɑ:vist] I *zn* oogst(tijd); II *ww* oogsten, (ver)garen; '**harvester** [-ə] *a*) oogsten; *b*) oogstmachine

has [hæz, həz, əz, z, s] 3e pers ev ott van *have*; **has-been** ['hæzbi(:)n] iem, die (iets, dat) er geweest is (zijn tijd gehad heeft), verleden tijd

hash [hæʃ] I *ww*: ~ (*up*) hakken, fijn maken; II *zn* 1 hachee (*fig*) *a*) mengelmoes, poespas, knoeiboel; *b*) 'opgewarmde kost'; *make a* ~ *of it* de boel verknoeien; 2 hasj(isj)

hasp [hɑ:sp] grendel, beugel, gesp

hassle ['hæsl] (*fam*) I *zn* herrie, ruzie; drukte, opwinding; II *ww* ruziën; lastig vallen

haste [heist] haast, spoed; overhaasting; **hasten** ['heisn] (zich) haasten, snellen; verhaasten; **hasty** ['heisti] haastig; overhaast(ig), overijld

hat [hæt] hoed; *old* ~ afgezaagd, ouderwets; *at the drop of a* ~ plotseling; *a bad* ~ slecht iemand; *my* ~*!* nu breekt mijn klomp!; *send* (*pass*) *round the* ~ een collecte houden; *talk through one's* ~ bluffen, kletsen, onzin vertellen; *keep it under your* ~ houd het geheim

hatch [hætʃ] I *zn* 1 deurtje; (dien)luik; loket; (*scheepv*) luik(gat) = ook ~ *way;* sluispoortje; *down the* ~, (*sl*) door het keelgat; 2 het broeden; broedsel; II *ww* (ook: ~ *out*) (uit)broeden; uitkomen; (ook: ~ *up*) smeden (*a plot*), verzinnen (*a reason*); '**hatchback** id., (auto met) achterklep of vijfde deur; '**hatchery** (vis-) broedplaats, kwekerij

hatchet ['hætʃit] bijl, bijltje; '**hatchet-man** gangster; iem die louche karweitjes voor een politicus opknapt; onscrupuleus journalist

hate [heit] I *ww* haten; een hekel hebben aan; *I* ~ *to trouble you, but* ... het spijt me erg u lastig te moeten vallen, maar ...; II *zn* haat; '**hateful** [-f(u)l] *a*) hatelijk; gehaat; akelig, weerzinwekkend; onsympathiek; *b*) haatdragend

hat-rack ['hætræk] kapstok

hatred ['heitrid] haat

'**hatstand** kapstok; '**hatter** [-ə] hoedenkoopman, -maker, -maakster; '**hat-trick** (*sp*) het maken van 3 goals door dezelfde speler; dergelijke prestatie op ander gebied

haughty ['hɔ:ti] trots, hooghartig

haul [hɔ:l] I *ww* (met inspanning) (op)halen, trekken (*at, upon* aan); slepen, vervoeren; (*scheepv*) wenden, van koers veranderen; (*van wind*) draaien; oproepen, dagvaarden; ~ *down the flag* neerhalen; strijken; ~ *a p. up,* (*fam*) een standje maken; II *zn* het (op)halen; haal, trek, vangst; winst(je); '**haulage** [-idʒ] (weg)transport; het slepen; trekkracht; sleeploon; '**haulier** [-iə] vrachtrijder, sleper (*ook in kolenmijn*)

haunch [hɔ:n(t)ʃ] lende(stuk), bil, dij, bout

haunt [hɔ:nt] I *ww* veelvuldig bezoeken, rondwaren in, zich ophouden in (bij, enz.); nalopen; achtervolgen, niet loslaten (*the idea* ~*ed him*); ~*ed* door geesten bezocht; ~*ed house* spookhuis; II *zn* veel bezochte plaats; gewone verblijfplaats, verblijf, trefpunt; hol (*van dieren, rovers, enz.*)

have [hæv, həv, (ə)v] I *ww* hebben; houden; moeten (*do I* ~ *to go now?*); ontvangen (*news*); krijgen (*a child*); kennen (~ *no Greek*); te pakken hebben (*you* ~ *it badly; I had you there*); doen (*a game, a walk*); gaan (*a swim*); nemen (*a bath*); ~ *a smoke* (een sigaretje, enz.) roken;

~ *a try* proberen; nemen, gebruiken (*a cup of tea*); laten komen, halen (~ *him* ***in, up, back***, enz.); laten (~ *it painted red*); maken dat (~ *a p. wondering*); (*sl*) beetnemen; *you were had over that car* met die auto ben je genomen; *you ~ something there* daar zit wat in, dat is nog zo gek niet; *he had his salary raised* zijn salaris werd verhoogd; *I won't ~ it spoken about* wil niet, dat ... wordt; *he had £200 left him* er werd hem ... nagelaten; *I wouldn't ~ you do that* zou niet willen, dat ...; *it is not a nice thing to ~ said about one* niet prettig, dat zo iets van je gezegd wordt; *I had a coat made* liet ... maken; *I had him write the letter* liet ... schrijven; ~ *done!* schei uit!; *he's had it*, (*sl*) *a*) hij is er geweest; *b*) hij is het zat; *let him ~ it!* geef hem er van langs!; *let us ~ it! ook:* zeg op!; *you ~ it* je hebt het (geraden, enz.); *what ~ you* noem maar op; *he will ~ it that* ... beweert, dat ...; *we can't ~ this* toelaten; ~ *no money* ***about*** *one* bij zich hebben; *he hasn't got it* ***in*** *him* het zit niet in hem; ~ ***on*** op-, aanhebben, enz.; *he has got it on you* (*sl*) is je de baas, trekt aan het langste eind; *he has nothing on me*, (*sl*) *a*) heeft niets op mij voor; *b*) kan me niets maken, heeft geen bewijzen tegen me; *you're having me on* neemt mij ertussen; *let us ~ it* ***out*** het uitvechten, afrekenen, de zaak tot klaarheid brengen; *I'll ~ it out of you* zal je wel krijgen; ~ ***up*** voor het gerecht brengen (*a p.*); (boven) laten komen, ontbieden; laten aanrukken (*a bottle*); **II** *zn: the ~s and the ~-nots*, (*fam*) de bezitters en niet-bezitters

haven ['heivn] (veilige) haven

havoc ['hævək] verwoesting, vernieling, ravage; *make ~ of* verwoesten, vernielen; *play ~ with* (*among*) geducht huishouden in (onder)

hawk [hɔ:k] **I** *zn* havik, valk; (*fig, pol*) havik: voorstander van krachtig optreden; **II** *ww* venten; (*fig*) te koop lopen met, verspreiden; ~ *about* rondventen; '**hawker** [-ə] venter; *no ~s* aan de deur wordt niet gekocht; '**hawk-eyed** [-aid] met adelaarsblik

hawser ['hɔ:zə] kabel, tros

hawthorn ['hɔ:θɔ:n] meidoorn

hay [hei] hooi; *make ~* hooien; '**hay-fever** hooikoorts; '**hay-field** hooiland; '**haymaker** *a*) hooi(st)er; *b*) hooimachine; '**haystack** hooiberg; '**haywire**: *go ~*, (*fam*) in de war raken, buiten controle raken

hazard ['hæzəd] **I** *zn* kans, toeval; gevaar, risico; ~ *light* waarschuwingsknipperlicht; *at* (*by*) ~ op goed geluk; *put at ~* op het spel (in de waagschaal) zetten; **II** *ww* op het spel zetten; wagen, riskeren; wagen op te merken, enz.; '**hazardous** [-əs] *a*) gewaagd, gevaarlijk; *b*) onzeker

haze [heiz] **I** *zn* damp, waas, wasem, nevel(achtigheid); (onzeker) gevoel (*a ~ of tiredness*); **II** *ww* in nevelen hullen, nevelig maken; wasemen

hazel ['heizl] hazelaar; hazelnotehout; lichtbruin; '**hazel-eyed** met lichtbruine ogen

hazy ['heizi] nevelig, heiig, wazig, vaag; beneveld, aangeschoten; *I'm rather ~ about* ..., ... staat me niet duidelijk voor de geest

he [hi:] hij; mannetje; (*attr*) mannelijk, mannetjes... (~*-goat*)

head [hed] **I** *zn* hoofd, kop (*ook van zweer*); top, kruin; gewei; voorste deel, voorsteven; voorgebergte; beeldenaar; aar; krop (*van sla*); stronk (*van andijvie*); schuim (*op bier*); spits (*van pijl, piek & leger*); blad (*van bijl*); hoofd-, boveneinde; beginpunt; opschrift; stuk(s) (*20 ~ of cattle*); chef, directeur, leider; categorie, rubriek, afdeling, post; hoogtepunt, crisis; bron, oorsprong; *a ~*, (*fam*) hoofd-, haarpijn; *3p a ~* per persoon; ~(*s*) *or tail*(*s*) kruis of munt; *I cannot make ~ or tail of it* kan er geen touw aan vastmaken; *two ~s are better than one* twee weten meer dan één; ~ *first*, ~ *foremost* met het hoofd (de kop) vooruit; *the trains collided ~ on* liepen tegen elkaar op, botsten frontaal; *he rose ~ and shoulders above them* stak een heel eind boven hen uit; ~ *over heels* hals over kop; ***beat*** *a p.'s ~ off* iem totaal verslaan; ***give*** *a horse* (*a person*) *his ~* de teugel vieren, zijn gang laten gaan; *give a ~*, (*fam*) haarpijn bezorgen; *she* ***has*** *a ~ on her* is goed bij; ***keep*** *one's ~* zijn verstand bij elkaar houden; *keep one's ~ down* zich gedekt houden; ***knock*** *one's ~ against* zijn hoofd stoten tegen, in botsing komen met; ***lose*** *one's ~*, (*fig*) het hoofd verliezen; *she has lost her ~ over him* is stapel(gek) (verliefd) op hem; ***make*** ~ vooruitkomen, -dringen; *make ~ against* het hoofd bieden; ***show*** *one's ~* zich vertonen; ***take*** *the ~* de leiding nemen; ***at*** *the ~ of* aan het hoofd van; *drag in* ***by*** *the ~ and ears* met de haren erbij slepen; ***from*** ~ *to foot* (*to heel*) van top tot teen; *put s.t.* ***in***(***to***) *a p.'s ~* iem iets aanpraten; *he takes it into his ~ to* ... haalt (krijgt) het in het hoofd om te ...; ***off*** *one's ~* niet goed bij het hoofd; ***up***(***on***) *that ~* op dat stuk (punt); *did it come* ***out of*** *his own ~?* uit zijn eigen koker? is het zijn eigen werk?; *put s.t. out of one's* (*a p.'s*) ~ zich (iem) iets uit het hoofd zetten (praten); ***over*** ~ *and ears* tot over de oren; *his writings go over my ~* gaan mij te hoog; *it was done over my ~* zonder dat ik geraadpleegd werd; *the house was sold over his ~* terwijl hij erin woonde; *come* ***to*** *a ~* rijp worden (*van zweer*); rijpen (*van plan*); tot een crisis komen; *bring things to a ~* op de spits drijven; **II** *ww* het hoofd enz. vormen van; bovenaan staan op (*a list*); aan het hoofd staan van, aanvoeren; vóór zijn; koers (doen) zetten naar (~ *west*); sturen, 'loodsen'; (*sp*) koppen (*the ball*); ~ (*be headed, heading*) ***for*** (***towards***) aansturen (afgaan, afkoersen, afstevenen) op, op weg zijn naar, tegemoet gaan (*bankruptcy*); ~ ***off*** de pas afsnijden (*ook fig*), voorkómen; '**head-ache** [-eik] hoofdpijn; (*fam*) moeilijkheid, probleem; '**head-dress** kapsel, hoofdtooi(sel); '**headed** met hoofd (kop); (*van papier*) met (gedrukt) hoofd; '**header** duik (met het hoofd vooruit); (*sp*) kopbal; *take a* ~ duiken; '**headgear** [-giə] hoofdtooi(sel), -deksel; hoofdstel; '**head** '**hunter** iemand die personen zoekt voor goedbetaalde, verantwoordelijke functies; '**heading** titel, opschrift; rubriek; '**headlamp** koplamp; '**headland** [-lənd] voorgebergte; '**headlight** koplamp; '**headline** I *zn* opschrift, titel, 'kop' (van kranteartikel); (*telec*) voornaamste punten (vh nieuws); II *ww* met grote koppen aankondigen; '**headlong** hals over kop, met het hoofd vooruit; regelrecht; onstuimig, onbesuisd, dolzinnig; steil; '**headly** [-i] opvliegend, onstuimig; (*van drank*) koppig; '**head**'**master** schoolhoofd, directeur, rector; (*Belg*) studieprefect; '**head**'**mistress** directrice, hoofd; '**head-(')on** *collision* frontale botsing; '**headpiece** helm; hoofddeksel; koptelefoon; bovenstuk, titelvignet, kopstuk (*in boek*); **head**'**quarters** hoofdkwartier(en); hoofdbureau(s); '**headrest** hoofdsteun(tje), hoofdkussentje; '**headroom** doorrijhoogte; stahoogte; **head shrinker** (*fam*) psychiater; **head start** voordeel, goede uitgangspositie; '**headstone** *a*) hoeksteen; *b*) (staande) grafsteen; '**headstrong** koppig, onhandelbaar; '**head**-'**waiter** ober(kelner); '**head-water(s)** bovenwater, bron(nen), bovenloop; '**headway** vaart, (vooruit-, voort)gang; doorrij-, doorvaarthoogte *make* ~ opschieten; '**head-wind** tegenwind

heal [hi:l] helen (ook: ~ *up, over*), genezen, gezond maken; **health** [helθ] gezondheid; gezondheidsleer (*als schoolvak*); *in good* (*in bad*) ~ (niet) gezond; *your* ~! op je gezondheid!; '~ *centre* gezondheidscentrum, consultatiebureau; ~ *insurance company* ziektekostenverzekeraar; '**health-foods** reformartikelen; '**healthful** [-f(u)l] gezond, heilzaam; '**health-officer** ambtenaar van de gezondheidsdienst; '**health-resort** [-ri'zɔ:t] gezondheidsoord; '**health-service** gezondheidsdienst; '**healthy** [-i] gezond

heap [hi:p] I *zn* hoop, menigte; ~*s of time*, (*fam*) 'hopen', volop; ~*s better*, (*fam*) stukken beter; *think* ~*s* (*a* ~) *of*, (*fam*) verbazend veel op hebben met, een hoge dunk hebben van; II *ww*: ~ (*up*) ophopen, stapelen; ~ … *upon* overladen met …

hear [hiə] horen, luisteren; verhoren (*a prayer*); van (over) iets horen, vernemen; (*jur*) in verhoor nemen; behandelen (*a case*); ~ *from* horen (bericht ontvangen) van; ~ *of* horen over; ~ *out*, ~ *through* ten einde toe aanhoren; ~, ~! bravo; zeer juist!; '**hearer** (toe)hoorder; '**hearing** gehoor; gehoorsafstand (*be within* ~, *out of* ~); (*jur*) verhoor, behandeling; hoorzitting; *I wrote it down from* ~ op het gehoor; *it was said in my* ~ zó, dat ik het kon horen; *power of* ~ gehoorvermogen; '**hearing-aid** gehoorapparaat; **hearsay** ['hiəsei] (losse) praatjes, geruchten; *I have it by* (*from, on*) ~, *on* ~ *evidence* van horen zeggen

hearse [hə:s] lijkwagen

heart [hɑ:t] hart; binnenste, kern (*of the forest, of the matter*); moed; ~*s* harten (*kaartspel*); ~ *condition* hartkwaal; *I had not the* ~ *to* … kon het niet over mijn hart verkrijgen om te …; *eat one's* ~ *out* door hartzeer verteerd worden; *have one's* ~ *in* geïnteresseerd zijn in; *keep* (*a good*) ~ moed houden; *lose* ~ de moed verliezen; *put one's* ~ *into* zich met hart en ziel toeleggen op; *set one's* ~ *on* zijn zinnen zetten op; *take* ~ moed vatten, zich vermannen; *he wears his* ~ *upon his sleeve* draagt zijn hart op de tong; ***(a)cross** my* ~! met de hand op het ~! op mijn woord!; *a man **after** my* (*own*) ~ naar mijn hart; *a good fellow **at*** ~ in de grond; *I have your interests at* ~ beoog, behartig; *learn **by*** ~ van buiten, uit het hoofd; *put in*(*to*) ~ opbeuren; *it goes **to** my* ~ mij aan het hart; *take to* ~ zich aantrekken; *soms:* ter harte nemen; *touched to the* ~ tot in de ziel geroerd; ***with** all one's* ~ van ganser harte; '**heartache** [-eik] hartzeer; '**heart attack** hartaanval; '**heartbeat** hartslag; '**heart-breaking** hartverscheurend; '**heart-broken** gebroken (*door smart*); '**heartburn** zuur (*in de maag*); '**hearten** [-n]: ~ (*up*) bemoedigen, bezielen; '**heartfailure** hartverlamming; '**heartfelt** diep, innig, hartgrondig

hearth [hɑ:θ] haard, haardstede

'**heartily** van harte, enz. (zie *hearty*); *eat* ~ met smaak; '**heartland** centrum (van het land); '**heartless** harteloos; '**heart-rending** hartverscheurend; '**heart-sick** geheel ontmoedigd; van hartzeer vervuld; '**heart-to-**'**heart** openhartig (*talk*), innig; *ook als zn* = ~ *talk* enz.; '**heart-trouble** hartkwaal; '**heartwarming** hartverwarmend; '**heart-wood** kernhout; '**hearty** [-i] hartelijk; oprecht, hartig; gezond (van hart); krachtig, stevig (*meal*)

heat [hi:t] I *zn* hitte (*ook* = warm weer), warmte (*ook natuurk*); vuur, gloed; heftigheid, drift; bronst, loopsheid; (hitte)puistjes; prikkeling; scherpte, pikantheid; (*sp*) loop, ren, manche, serie, partij; *at a* ~ in één stuk, achtereen; *on* (*in*) ~ loops; *put* (*turn*) *on the* ~, (*sl*) iem onder druk zetten; II *ww* (zich) verhitten, warm maken (worden, lopen); opwinden; broeien (*van hooi*); ~ *up* aan-, opwarmen; '**heated** *ook:* driftig, heftig; '**heater** *a*) verwarmer; *b*) verwarmingstoestel, kachel(tje), (…)verwarmer, geiser, voorwarmer (= *feedwater* ~)

heath [hi:θ] heide(veld)

heathen ['hi:ðən] heiden(s); *the* ~, *ook:* de heidenen; '**heathendom** heidendom; '**heathenish** heidens; '**heathenism** [-izm] heidendom; barbaarsheid

heather ['heðə] heide(plant)

'**heat rash**, '**heat spot** hittepuistje; '**heatstroke** bevanging door de hitte, zonnesteek; '**heat-wave** hittegolf

heave [hi:v] I *ww* opheffen, hijsen, lichten (*anchor*); slaken (*a sigh*); (*fam*) gooien; (op)zwellen; rijzen, op en neer gaan, deinen; (*van boezem*) zwoegen; misselijk zijn, overgeven; hijgen; trekken (*at* aan); ~ *to* bijdraaien; II *zn* het ...; deining; duw, trek; nijging
heaven ['hevn] hemel; ~*s: a*) hemelen; *b*) hemel: uitspansel; '**heavenly** hemels, goddelijk; hemel... (~ *body*); heerlijk, zalig (*day*)
heavily ['hevili] zwaar, hevig; moeizaam;
heavy ['hevi] I *bn* zwaar, zwaarbeladen; drukkend; gedrukt, zwaarmoedig; saai, loom, dom; zwaar op de hand; moeilijk te bewerken; slecht (*road*); (*van brood*) klef; treurig (*news*); bezwaard (*heart*); zwaar op de hand; *with a* ~ *foot* schoorvoetend; ~ *industries* zware industrie; ~ *traffic* druk verkeer; ~ *type* vette letter; *lie* (*sit*) ~ *on* zwaar drukken op; ~ *in* (*on*) *hand* zwaar op de hand (*ook fig*); *time hangs* (*lies*) ~ *on his hands* de tijd valt hem lang; II *zn* (*theat enz.*) schurk; (*sp en fig*) zwaargewicht; III *bw* zwaar; '**heavy-'duty** voor zwaar werk (*handsaw*); '**heavy-'handed** onhandig; met volle handen; drukkend; hardhandig; '**heavy-'hearted** [-ha:tid] zwaarmoedig, gedrukt; '**heavy-'laden** zwaarbeladen; '**heavy-set** zwaar, dik, gezet; '**heavyweight** I *zn* (bokser, jockey) (van) zwaar gewicht; zwaar gebouwd paard; (*fig*) man van gewicht; II *bn* zwaar(gewicht)
Hebrew ['hi:bru:] Hebreeuws
heckle ['hekl] (een verkiezingskandidaat, enz.) interrumperen, lastige vragen stellen
hectic ['hektik] (*fig*) koortsachtig, wild
hector ['hektə] donderen, tiranniseren, négeren
hedge [hedʒ] I *zn* heg, haag; (*fig*) afsluiting, slagboom, belemmering; II *ww: a*) ook: ~ *in* (*about, round*) omheinen, insluiten; belemmeren; *off* afsluiten; *b*) zich dekken door op beide zijden te wedden (ook: ~ *a bet*); (*speculatie*) zich dekken; *c*) zich gedekt (een slag om de arm) houden; eromheen draaien, weifelen; '**hedgehog** egel; '**hedge-hop** (*luchtv*) (*fam*) laag vliegen; '**hedgerow** [-rəu] haag
heed [hi:d] I *ww* (*vero*) letten op, ter harte nemen (*a warning*); zich bekommeren om; II *zn* aandacht, zorg; *take* ~ oppassen; *give* (*pay*) ~ opletten, acht slaan (*to* op); '**heedful** [-f(u)l] opmerkzaam; behoedzaam; *be* ~ *of* letten op; '**heedless** [-lis] achteloos; *be* ~ *of* niet letten op, niet tellen
hee-haw ['hi:hɔ:] ia, gebalk; luid gelach
heel [hi:l] I *zn* hiel (*ook van kiel, mast, roer, sabel*), hak; (uit)einde; muis (van hand); (*sl*) schoft; ~! (*tot hond*) achter!; ***at*** ~ (*van hond*) achter; *have a p. at* ~ onder de duim; *be at* (***on, upon***) *a p.'s* ~*s* iem op de hielen zitten; *down at* ~ (met) afgetrapt(e hakken); haveloos; *turn* ***on*** *one's* ~ zich plotseling omkeren; *bring* ***to*** ~ mores leren, klein krijgen, weer in het gareel brengen; *come to* ~ zich onderwerpen; *take to one's* ~*s* de hielen lichten; *turn up one's* ~*s* doodgaan; *show one's* ~*s* (*a clean pair of* ~*s*) de hielen lichten; II *ww* 1 hakken zetten onder; op de hielen zitten; 2 ~ ***over*** (doen) overhellen (*van schip*)
hefty ['hefti] (*fam*) stevig, stoer, potig (*fellows*); zwaar (*a* ~ *amount of work*)
hegemony [hi'geməni] hegemonie
heifer ['hefə] vaars
height [hait] hoogte; verhevenheid; hoogtepunt, top(punt); (lichaams)lengte; *the gale was at its* ~ op zijn hoogst; *the* ~ *of summer* het hartje; '**heighten** [-n] verhogen, versterken
heinous ['heinəs] afschuwelijk, snood
heir [εə] erfgenaam; **heiress** ['εəris] erfgename; '**heirloom** [-lu:m] erfstuk
hell [hel] (de) hel; *what the* ~? *why in* ~? wat drommel?; *the* ~ *you won't* (*I will*) om de donder niet (wel); ~ *of a noise* hels lawaai; *a* ~ *of a lot,* (*fam*) geweldig veel; *for the* ~ *of it,* (*fam*) voor de gein, voor het avontuur; *then there was* ~ *to pay* toen had je de poppen aan het dansen; *we gave them* ~, (*fam*) we gaven ze van katoen, flink op hun donder; *the* ~ (*to* ~) *with* ... laat ... naar de duivel lopen; *get to* (*get the*) ~ *out of this!* (*fam*) donder op!; '**hell-bent** (*fam*) vastbesloten (*on going* te ...); '**hell-cat** feeks; '**hellish** hels
hello [(')he'ləu] hallo; *say* ~ dag zeggen
helm helmstok, stuurrad, roer (*ook fig*)
helmet ['helmit] helm
helmsman ['helmzmən] roerganger
help I *ww* helpen, bijstaan, ondersteunen; bedienen (~ *yourself*); het helpen, er aan doen, voorkómen, nalaten; *I could not* ~ *laughing* moest wel ...; *not* ~ *matters* de zaak er niet beter op maken; *he couldn't* ~ *himself* kon er niets aan doen; *he shan't go, if I can* ~ *it* als ik er iets aan doen kan; *don't be longer than you can* ~ dan nodig is; *it can't be* ~*ed* er is niets aan te doen; ~ ***along*** (***forward, on***) voort-, vooruithelpen; bevorderen; ~ *a p.* ***off*** (***on***) *with his coat* helpen uit-, aandoen; ~ *a p.* ***out*** eruit (uit de moeilijkheid) helpen, meehelpen, bijspringen; ~ ***to*** helpen aan, bedienen van; II *zn* hulp, bijstand, steun; help(st)er; dienstbode (= *domestic* ~), knecht; *there is no* ~ *for it* er is niets aan te doen; '**helper** help(st)er, handlanger; '**helpful** [-f(u)l] hulpvaardig, behulpzaam; nuttig; '**helping** het ...; portie (eten); '**helpless** hulpeloos, machteloos; onbeholpen; ~ *with laughter* slap van; '**helpmate**, '**helpmeet** (*bijb*) help(st)er; levensgezel(lin)
'**helter-'skelter** I *bw* holderdebolder, hals over kop; II *bn* overijld, onbekookt, onbesuisd; III *zn* dolle haast (vlucht, enz.); soort glijbaan
hem I *zn* [hem] zoom, boord; II *ww* zomen, omboorden; ~ *in* (*about, round*) in-, omsluiten, omsingelen
he-man ['hi:mæn] (*fam*) mannetjesputter
hemisphere ['hemisfiə] halfrond, halve bol

hemorrhage ['hemәridʒ] bloeding; **hemorrhoids** ['hemәrɔidz] aambeien
hemp *a*) hennep; *b*) hasjisch
hen kip, hen; pop (*vogel*); (*volkstaal*) vrouw; (*attr dikwijls*) wijfjes... (*canary, crab,* enz.); (*volkstaal*) vrouwelijk, vrouwen...
hence [hens] van hier; van nu af; vandaar, daarom; *a week* ~ over een week; '**hence**'**forth** [-fɔ:θ] van nu af, voortaan
henchman ['hen(t)ʃmәn] volgeling, trawant, handlanger
'**hen-house** kippenhok; '**hen-party** (*fam*) vrouwenpartijtje, 'geitenfuif'; '**henpecked** [-pekt]: ~ *husband* pantoffelheld; '**hen-run** kippenren
her [hә:] haar; zij (*was that* ~?)
herald ['herәld] I *zn* (wapen)heraut, bode, voorloper; II *ww* aankondigen; ~ (*in*) inleiden, inluiden; **heraldic** [he-, hi'rældik] heraldisch, wapenkundig; '**heraldry** [-ri] heraldiek, wapenkunde
herb [hә:b] kruid; **herbaceous** [hә:'beiʃәs] kruidachtig, d.i. niet-houtachtig (*plants*); ~ *border* rand van overblijvende planten in tuin; '**herbalist** [-әlist] *a*) kruidkundige; *b*) kruidendokter; '**herbicide** [-isaid] (onkruid)-verdelgingsmiddel; **herbivorous** [hә:'bivәrәs] plantenetend
herd [hә:d] I *zn* 1 kudde; troep; *the common* (*vulgar*) ~ de grote hoop; 2 herder, hoeder; ~ *animals* kuddedieren (*ook fig:* stemvee, enz.); II *ww* 1 in kudden leven; hokken (~ *together*); zich verenigen; samen-, omgaan (*with* met); 2 hoeden, voortdrijven; '**herdsman** [-zmәn] veehoeder
here [hiә] hier; hierheen; present; *ah,* ~ *they come!* daar ...; ~*'s to you!* ~ *'s how!* ~ *'s luck!,* proost!; ~ *goes!* daar gaat ie!; *I want it doing* ~ *and now* meteen; *that is neither* ~ *nor there* dat doet niets ter zake; ~ *you are* ziehier, alstublieft; ~*! I can't allow that!* zeg eens! ...; '**here**'**about(s)** hieromtrent, hier in de buurt; '**here**'**after** I *bw* hierna, verderop; later; hiernamaals; II *zn* toekomst; hiernamaals; '**here**'**by** hierbij; hierdoor
hereditary [hi'reditәri] erfelijk; erf...; **heredity** [hi'rediti] erfelijkheid, overerving
heresy ['herәsi] ketterij; **heretic** ['herәtik] ketter; **heretical** [hi'retikl] ketters
hereto ['hiә'tu:] hierbij (behorende), met betrekking hierop; **hereupon** ['hiәrә'pɔn] hierop; **herewith** ['hiә'wið] hiermede; bij deze(n)
heritable ['heritәbl] erfelijk; erfgerechtigd, erf...; **heritage** ['heritidʒ] erfenis, erfdeel, erfgoed
hermaphrodite [hә:'mæfrәdait] tweeslachtig (wezen); hermafrodiet
hermetic(al) [hә:'metik(l)] hermetisch, luchtdicht; esoterisch, duister; ~ *art* alchemie
hermit ['hә:mit] kluizenaar, heremiet; '**hermitage** [-idʒ] kluis
hero ['hiәrәu] held; halfgod; **heroic** [hi'rәuik] heldhaftig, helden...; hoogdravend; drastisch (*measures*)
heroin ['herәuin] heroïne
heroine ['herәuin] heldin; halfgodin; **heroism** ['herәuizm] heldenmoed
heron ['herәn] (blauwe) reiger
herring ['heriŋ] haring; *red* ~ bokking, (*fig*) afleidingstruc
hers [hә:z] de (het) hare, van haar; **her**'**self** zich-(zelf), (haar)zelf; vgl *oneself*
hesitancy ['hezitәnsi] aarzeling; '**hesitant** aarzelend, besluiteloos; '**hesitate** aarzelen, weifelen; stamelen, haperen; **hesi**'**tation** aarzeling, weifeling; stameling, hapering
het (*v dw* van *heat*) (*fam*) verhit; ~ *up* opgewonden
hetero ['hetәrә] (*in sam*) ander, verschillend; '**heterodox** onrechtzinnig, afwijkend (*in mening*); '**heterogeneous** [-'dʒi:niәs] heterogeen, ongelijksoortig
hew [hju:] (be)houwen; hakken, vellen; ~ *down: a*) neerhouwen; *b*) bekappen
hexa ['heksә] (*in sam*) zes; '**hexagon** [-gәn] zeshoek; **hexagonal** [hek'sægәn(ә)l] zeshoekig; ~ *key* inbus-, stiftsleutel
hey [hei] ha, hei, hoera!; ~ *for R.!* leve R.!; **heyday** bloei, fleur, toppunt; glansperiode; **hey presto** plotseling, eensklaps
hi [hai] hee! hallo!
hiatus [hai'eitәs] gaping, leemte, hiaat
hibernate ['haibә:neit] *a*) een winterslaap doen; *b*) overwinteren; **hibernation** [ˌhaibә:'neiʃәn] *a*) winterslaap; *b*) overwintering
hiccough, **hiccup** ['hikʌp] I *zn* hik (= ~*s*); (*fam*) moeilijkheid, probleempje; II *ww* de hik hebben, hikken
hick [hik] (*Am*) *zn* & *bn* kinkel, boer(s)
hide [haid] I *zn* huid; *save one's* ~ zijn hachje redden; II *ww* (zich) verbergen (*from* voor), zich verschuilen; III *zn* schuilplaats; schuilhut (om wild te bespieden); **hide-and-seek** ['haidәn'si:k] verstoppertje; '**hideaway** schuilplaats; **hidebound** ['haidbaund] bekrompen
hideous ['hidiәs] afschuwelijk, afzichtelijk, afstotelijk
hideout ['haidaut] schuilplaats
hiding ['haidiŋ] 1 het verbergen; schuilplaats; *be in* ~ zich schuil houden; 2 (*fam*) pak ransel; '**hiding-place** schuilplaats
hierarchic(al) [haiә'rɑ:kik(l)] hiërarchisch; '**hierarchy** [-i] hiërarchie (*ook fig*)
hieroglyph ['haiәrәglif] hiëroglyfe; **hieroglyphic** [haiәrә'glifik] I *bn* hiëroglyfisch; II *zn* hiëroglyfe; ~*s* hiëroglyfenschrift
higgle ['higl] (af)dingen, marchanderen, pingelen
'**higgledy**-'**piggledy** *bw* & *bn* onderstboven, overhoop, verward
high [hai] *bn, bw* & *zn* hoog, verheven, edel; machtig; intens (*pleasure*); hard (*wind*); vrolijk, opgetogen (*his heart was* ~); gewichtig, ernstig; overdadig; geëxalteerd; weelderig

(*living*); adellijk (*van wild*); hoog in prijs; streng (in de leer: ~ *Calvinist*); (*sl*) aangeschoten; id.; *six feet* ~ hoog, lang; ~ *and dry* hoog en droog; hulpeloos (*leave* ... achterlaten); geborgen; niet met de tijd meegaand, star (*conservatism*); ~ *and low* hoog en laag, overal; *search* ~ *and low* alles afzoeken; ~ *and mighty* arrogant; ~ *comedy* meer ernstig blijspel (zo ook: ~ *comedian*); *H~ Command* Opperbevel; *H~ Court* (*of Justice*) Hoog-gerechtshof; *carry things with a* ~ *hand* willekeurig (eigenmachtig) optreden; ~ *life* (het leven van) de grote wereld; ~ *noon* het midden van de dag; *on the* ~ *seas* in volle zee; ~ *summer* midden in de zomer; ~ *tea* theemaaltijd met vlees; ~ *water* hoogwater, vloed; '~'*water mark* hoog peil; (*fig*) hoogtepunt; *on* ~ omhoog; in de hemel; '**high-back(ed)** *chair* met hoge rug; '**high-born** van hoge geboorte; '**highbrow** [-brau] I *zn* intellectueel; II *bn* geleerd, klassiek, 'zwaar' (*music*), superieur; '**high chair** kinderstoel; '**high-'class** voornaam, prima; **high-falutin** ['haifə:'lu:tin] hoogdravend, bombast(isch); '**high-flown** hoogdravend, opgeblazen; '**high-flyer** (*fig*) iem met hoge (d.i. eerzuchtige) aspiraties; bolleboos; fantast; '**high-grade** superieur; hoogwaardig (*oils*); '**high-'handed** aanmatigend, eigenmachtig, bazig; '**high-jump** hoogtesprong; (*sp*) hoogspringen; '**high-keyed** opgewonden, luidruchtig; '**highland** [-lənd] hoogland(s); '**Highlander** [-ləndə] (Schotse) Hooglander; '**high-'level** op hoog niveau; '**high-light** I *zn* hoog licht (*van schilderij, enz.*); (*fig*) hoogte-, glanspunt; II *ww* de nadruk leggen op, accentueren; '**highly** ho(o)g(elijk); hoogst (~ *improbable*), zeer; met lof (*speak* ~ *of*); ~ *finished* fijn (glad) afgewerkt; *think* ~ *of* een hoge dunk hebben van; '**high-'minded** grootmoedig, edel; '**highness** hoog-, verhevenheid; hoogte; '**high-'pitched** hoog (*toon*), schel (*voice*); hooggestemd, verheven; steil (*roof*); hoog van verdieping; '**high-power(ed)** (*van motor, enz.*) van grote capaciteit; '**high-'principled** [-prinsəpld] met edele beginselen, hoogstaand; '**high-'rise** hoogbouw; ~ *block* (*of flats*) torenflat; '**high school** middelbare school; '**high-speed**: ~ *gas* aardgas; ~ *train* hoge-snelheidstrein; '**high-'spirited** vurig, fier, stoutmoedig; '**high-'strung** hooggespannen; fijnbesnaard; overgevoelig, overprikkeld, geëxalteerd; '**high-'tension** (*elektr*) hoogspanning; '**high-'treason** hoogverraad; '**high-up** (*fam*) hoge (ome); '**highway** straatweg, grote weg; (*fig*) verkeersweg; ~ *code* verkeersvoorschriften; '**highwayman** [-weimən] struikrover (*gew* te paard); **high wire** slappe koord (van koorddanser)

hijack ['haidʒæk] kapen; **hijacker** kaper

hike [haik] I *zn* voetreis, mars, 'trek'; II *ww: a*) *een* ~ *maken*; *b*) trekken, rukken, gooien, brengen, enz.; '**hiker** [-ə] trekker

hilarious [hi'lɛəriəs] vrolijk; **hilarity** [hi'læriti] vrolijkheid, hilariteit

hill heuvel, berg; helling (in weg); '**hill-billy** (*Am*) (onontwikkeld) plattelandsbewoner; **hillock** ['hilək] heuveltje; **hilly** ['hili] heuvel-, bergachtig

hilt gevest, hecht; (*up*) *to the* ~ volkomen, geheel, zonneklaar

him hem; (*fam*) hij (*it's* ~); **him'self** zich(zelf); (hem)zelf; vgl *oneself*

hind [haind] 1 hinde; 2 achterste; achter...

hinder ['hində] (ver)hinderen, belemmeren, beletten; ~ *a p. from coming* beletten te

hindmost ['haindməust] achterste; **hindquarters** ['haind,kwɔ:təz] achterdeel, achterlijf (*van dier*)

hindrance ['hindrəns] hindernis, hinderpaal

hindsight ['haindsait] wijsheid achteraf

hinge [hin(d)ʒ] I *zn* scharnier, hengsel; (*fig*) spil; *off the* ~*s* in de war; II *ww: a*) (als) met scharnier(en) verbinden; *b*) draaien (*everything* ~*s on that* om); steunen; *one thing* ~*s on to another* hangt aan; ~*d* met ~(*s*)

hint I *zn* wenk; zinspeling; zweem, tikje; *give a* ~ *that* ... te verstaan geven, laten blijken; II *ww* op bedekte wijze te kennen geven (opperen), laten doorschemeren; aanduiden; zinspelen op (gew.: ~ *at*)

hinterland ['hintəlænd] achterland

hip I *zn* heup; II *bn* (*sl*) id., op de hoogte (*to* van), 'bij', blits; III *tw* hiep! (~, ~, *hurrah!*); '**hip-bath** zitbad; **hip-pocket** ['hip,pɔkit] achterbroekzak

hippodrome ['hipədrəum] id.: renbaan; circus

hippopotamus [hipə'pɔtəməs] nijlpaard

hippy ['hipi] hippie

hire ['haiə] I *zn* huur, loon, beloning; *for* (*on*) ~ te huur; *on* ~ verhuurd (*to* aan); (*taxi*) bezet; II *ww* huren; in dienst nemen; omkopen; ~ (*out*) verhuren; lenen (*to* aan); ~ *out*, (*Am*) *ook:* zich verhuren; ~*d girl*, (*Am*) dienstbode; '**hireling** huurling; '**hire-'purchase** [-'pə:tʃis] huurkoop, koop op afbetaling; '**hirer** [-rə] huurder

his [hiz] zijn, de (het) zijne(n); van hem

hiss [his] I *ww* sissen; fluiten (*van pijl*); uitfluiten (*ook:* ~ *at*); ~ *a p. down* door sissen het spreken beletten; II *zn* gesis, gefluit; sisklank

historian [his'tɔ:riən] geschiedschrijver, historicus; **historic** [his'tɔrik] historisch, beroemd, gewichtig (~ *meeting*); **historical** [-l] historisch, geschiedkundig (~ *novel, importance*); **history** ['histəri] geschiedenis, verhaal; *make* ~ een daad van historisch belang verrichten

histrionic [histri'ɔnik] I *bn* toneel(spelers)...; theatraal; huichelachtig; II *zn:* ~*s* toneelkunst, theatraal gedoe

hit I *ww; ook ovt & v dw* raken, treffen, slaan (*at* naar); toebrengen (~ *a p. a blow*); stoten (*one's foot against* ...); gissen, raden; (*Am*) (aan)komen te (op, bij); ~ *or* (~ *and*) *miss* lukraak; ~*-and-run driver* automobilist die na

hig

aanrijding doorrijdt, doorrijder; ~ *the bottle,* (*sl*) teveel drinken; ~ *the floor* tegen de grond slaan (*intr;* ~ *the mark* het treffen, raden; de spijker op de kop slaan; ~ *100 miles an hour* halen; ~ *the road* op de weg komen; (gaan) reizen; ~ *the roof* (*ceiling*) woedend zijn; ~ *the town,* (*sl*) uitgaan; ~ *it* het raken, raden; de spijker op de kop slaan; ~ ***at*** proberen te treffen of te slaan; ~ ***back*** terugslaan; (*fig*) van zich afbijten; ~ ***off*** juist raden, precies treffen (weergeven: *a likeness, the situation*); vinden (*the scent*); ~ *it off with* het goed (kunnen) vinden met; ~ ***on*** = ~ *upon;* ~ ***out*** slaan (*at* naar); er duchtig op los slaan, van zich afslaan; ~ ***upon*** treffen, vinden (*the right word*), komen op (*an idea*); II *zn* slag, houw, stoot; treffer; rake opmerking, gelukkige gissing; steek (onder water) (*at* op) succes; 'hit'

hitch [hitʃ] I *ww* (aan-, vast)haken, vastmaken; (zich) (vast)hechten (*to, on to* aan); blijven haken (vastzitten); liften; ~ *up* inspannen; optrekken (*one's trousers*); II *zn* ruk; kink (in de kabel), defect, hapering, storing, oponthoud, beletsel; (*scheepv*) knoop; lift (*in auto*); '**hitch-hike** liften; '**hitch-hiker** lifter

hither ['hiðə] hier(heen), herwaarts; ~ *and thither* her- en derwaarts; '**hither'to** tot nu toe

hit list dodenlijst; **hit man** huurmoordenaar

hive [haiv] I *zn* bijenkorf; zwerm; ~ *of industry* drukke plaats, drukte; II *ww* korven (*bees*); huisvesten; verzamelen (= ~ *up*); samenwonen; ~ *off* (zich) afscheiden, overhevelen; afstoten (*unprofitable business*); **hives** netelroos

hoar [hɔ:] (*lit*) I *bn* grijs, grauw, wit; II *zn* grijs-, grauwheid; rijp

hoard [hɔ:d] I *zn* voorraad; hoop; spaargeld; schat; II *ww* vergaren, (op)sparen, oppotten (= ~ *up*), opleggen; hamsteren; koesteren (*revenge,* enz. *in one's heart*); **hoarding** ['hɔ:diŋ] schutting; reclamebord

hoar-frost ['hɔ:'frɔ(:)st] rijp

hoarse [hɔ:s] schor, hees, krassend

hoary ['hɔ:ri] grijs, grauw, wit, vergrijsd, (oud en) eerbiedwaardig; ~ *joke* ouwe bak

hoax [həuks] I *zn* mystificatie, grap, mop; II *ww* voor de gek houden, foppen

hob [hɔb] *a*) zijplaat van fornuis om iets warm te houden; *b*) pin

hobble ['hɔbl] (doen) strompelen, hinken, hakkelen; belemmeren

hobby ['hɔbi] id., liefhebberij; '**hobby-horse** stokpaardje; hobbelpaard

hobgoblin ['hɔb͵gɔblin] kabouter; boeman; **hobnail** ['hɔbneil] schoenspijker met dikke kop; **hobnob** ['hɔbnɔb] vertrouwelijk (omgaan) (*with* met)

hobo ['həubəu] (*Am*) landloper, zwerver

hock [hɔk] 1 hak- (schijnbaar knie)gewricht in achterpoot van paard, enz.; knokkeleind van ham; 2 rijnwijn; 3 (*Am*) *a*) pand; *b*) (*sl*) gevangenis; *in* ~, (*Am sl*) *ook:* in de schuld

hod [hɔd] kalk-, stenenbak

hodge-podge ['hɔ:dʒ pɔ:dʒ] (*Am*) mengelmoes, wirwar, hutspot

hoe [həu] schoffel(en)

hog [hɔg] I *zn* (gesneden) varken; (*fig*) zwijn, vuilak, veelvraat; *road* ~ wegpiraat; II *ww* (op)schrokken; inpikken, beslag leggen op; woest rijden; '**hogwash** [-wɔʃ] larie, nonsens, kletskoek

hoist [hɔist] I *ww* (op)hijsen, (op)lichten; II *zn* het ...; hijstoestel; lift; *give a* ~ *up* een zetje geven

hoity-toity ['hɔiti'tɔiti] hooghartig, uit de hoogte

hold [həuld] I *ww* (vast-, tegen-, aan-, in-, be)houden; (kunnen) bevatten (*bottle ~s one pint*); in zijn bezit (macht) hebben (*shares, a fortress*); bekleden (*a post*); dragen (*a title*); boeien, in beslag nemen (*a p.'s attention*); erop nahouden (*an opinion*); het er voor houden, van oordeel zijn, houden voor (*I* ~ *it true*); beslissen (*the Court held that* ...); het uithouden, niet loslaten; binnenhouden, verdragen (*one's liquor*); goed blijven (*if the weather ~s*); (*van regel, enz.*) doorgaan, van kracht zijn (blijven); ~ *it!* stop even!; ~ *one's* ***own*** standhouden, niet wijken; (*van zieke*) niet achteruitgaan; *don't* ~ *it* ***against*** *him* maak er hem geen verwijt van; ~ ***back*** achter-, terug-, tegenhouden; zich onthouden (inhouden); niet aanpakken (toebijten); ~ ***by*** zich (vast-) houden aan, blijven bij (*one's choice*); het eens zijn met; ~ ***down*** (*fig*) in bedwang houden, onderdrukken; ~ *down a position* bekleden; ~ ***forth*** het woord voeren; uitweiden (*on* over); ~ ***good*** (*van regel*) opgaan; *my offer still ~s good* is nog van kracht; ~ ***off*** (zich) op een afstand houden; zich onzijdig houden; uitblijven (*the rain held off*); ~ ***on*** (*bw*) zich vasthouden (*by* aan, met); aanhouden, door-, voortgaan; volhouden; *he succeeded in ~ing on* aan (in functie) te blijven; ~ *on* (*a bit*)! (*fam*) wacht even!; ~ ***out*** uit-, toesteken (*one's hand*); in het vooruitzicht stellen; volhouden, het uithouden, zich staande houden; (tot het laatst) verdedigen; (*van voorraad, enz.*) duren, toereikend zijn; ~ *out on a p.* iets voor iemand verbergen; ~ ***over*** tot later verschuiven (uitstellen), aanhouden; ~ *s.t. over a p.* dreigen met; ~ ***to*** houden aan; zich houden aan (*a rule*), niet afwijken van (*one's purpose*), trouw blijven aan (*one's party*); ~ ***up*** op-, omhoog-, boven-, rechtop-, tegenhouden, stremmen (*the traffic*); opsteken (*one's hand*); (onder)-steunen; opschorten (*a plan*); vasthouden (*stocks, goods*); aan-, ophouden (*a train*), overvallen (een inval doen in) en beroven, aanranden, bedreigen (met vuurwapen, enz.); zich staande houden; ~ *up to ridicule* belachelijk maken; ~ *up as an example* tot voorbeeld stellen; ~ ***with*** het houden (het eens zijn, meegaan) met; goedkeuren; houden van; II *zn* 1 houvast, greep, steun, vat; invloed, macht (*lose one's* ~); *catch* (*get, seize, take*) ~ *of, lay* ~ *of* (*on*) aangrijpen, -tasten, vastpakken; *keep* ~ *of* vasthouden; *don't let go your* ~ (*of it*) laat niet los; *take* ~ vaste voet krijgen; *get* (*have*) *a* ~ *on* (*over*) macht (vat) krijgen (hebben) over (op); 2 (scheeps)ruim; '**holdall** weekendtas; '**holder** houder; bezitter; huurder; houvast; (sigarette)pijpje; '**holding** bezit (*aandelen, enz.*), bestand (*library* ~(*s*)); pachthoeve; ~ *company* id.: maatschappij die alle, of de meeste der aandelen bezit in andere maatschappij(en), 'houdstermaatschappij'; '**hold-up** stremming, oponthoud; aanhouding, roofoverval, aanslag

hole [həul] gat, kuil, hol; 'hok', krot; opening; (*biljart*) zak; (*golf*) id.; *in every* ~ *and corner* in alle hoekjes en gaatjes; *be in a* ~, (*fam*) in de klem zitten; '**hole-and-'corner** geheim, stiekem (*engagement*)

holiday ['hɔlədi, 'hɔlidei] I *zn* vakantie(dag), feest(dag); ~*s* vakantie; *take a* ~ vakantie (vrijaf) nemen; *be on* ~ met vakantie zijn; II *bn* vakantie..., feest..., zondags; III *ww* ['hɔlidei] de vakantie doorbrengen (*be* ~*ing in* ...); met vakantie gaan (zijn); '**holiday camp** vakantiekolonie; '**holiday-course** vakantiecursus; '**holiday craft** pleziervaartuig; '**holiday job** vakantiewerk; '**holiday-maker** vakantieganger; '**holiday-rush** vakantiedrukte

holiness ['həulinis] heiligheid

holler ['hɔlə] (*fam*) schreeuwen

hollow ['hɔləu] I *bn en bw* hol; ondeugdelijk; onoprecht, geveinsd; *beat a p.* ~ iem totaal verslaan, ver achter zich laten; II *zn* holte; laagte; het holst (*of the night*); III *ww* uithollen (= ~ *out*); hol maken (*one's hand*)

holly ['hɔli] hulst

holocaust ['hɔləkɔ:st] algemene slachting

holster ['həulstə] holster

holy ['həuli] heilig, gewijd; *H~ See* Heilige Stoel; *H~ Writ* de Heilige Schrift

homage ['hɔmidʒ] I *zn* hulde(betuiging); *do* (*pay, render*) ~ hulde brengen (betuigen); II *ww* huldigen

home [həum] I *zn* thuis, (te)huis; verblijf; geboorteplaats, -land; honk; bakermat, zetel; (*sp*) = ~ *match;* ***at*** ~ thuis; in het vaderland; te spreken (*I am not at* ~ *to him*); *at* ~ *2–4* spreekuren ...; *be at* ~ *in* (*on, with*) *a subject* thuis zijn in; *make yourself at* ~ doe, alsof je thuis bent; ***in*** *the* ~ in de woning; *attr* huiselijk (*circle*), huis...; binnenlands (*consumption, products, trade*); ~*base* (*honkbal*) thuishonk; ~ *club,* (*sp*) thuisclub; ~ *economics* huishoudkunde; ~ *industry* huisarbeid, -industrie; huisvlijt; ~ *match,* (*sp*) thuiswedstrijd; *H~ Office* Ministerie van Binnenlandse Zaken; ~ *referee,* (*sp*) thuisfluiter; *H~ Rule* zelfbestuur; ~ *run,* (*honkbal*) id., thuisloop: 'run' om het hele veld heen; *H~ Secretary* Minister van Binnenlandse Zaken; ~ *side* thuisclub; ~ *thrust* rake stoot (zet, waarheid); II *bw* naar huis; (weer) thuis (*I shall be* ~ *by nine*); naar (in) het vaderland; naar (bij) honk; raak, op de man af; stevig, vast, dicht (*he banged the door* ~); *bring s.t.* ~ *to a p.* iem van iets doordringen, aan het verstand brengen; *bring a charge* ~ *to a p.* iems schuld bewijzen; *the war was being brought* ~ *to them* ze voelden ... aan den lijve; *it came* ~ *to me* het werd me bewust; trof me diep; *the remark came* (*went*) ~ was raak; maakte diepe indruk; *drive a nail* (*an attack; an argument*) ~ stevig inslaan (doorzetten; volkomen duidelijk maken); *go* ~ naar huis gaan; raak zijn; *strike* (*hit*) ~ raak slaan, gevoelig treffen; III *ww: a*) naar huis gaan (*inz. van duif*); ~ (*in*) *on* afgaan, -komen op; aanvliegen; *b*) wonen; *c*) huisvesten; '**homecoming** thuiskomst; '**home 'help** gezinshulp, -verzorgster; '**homeland** [-lənd] geboorteland; (*Z-Afr*) thuisland; '**homeless** dakloos; '**homelike** huiselijk; gemoedelijk; '**homely** [-li] *a*) huiselijk; *b*) eenvoudig, alledaags, doodgewoon; *c*) (*inz. Am*) lelijk; '**home-'made** eigengemaakt; '**homesick**: *be* ~ heimwee hebben; '**home-spun** eigengesponnen (stof); eenvoudig, ongekunsteld (stijl, enz.); '**homestead** [-sted] hofstede; '**homeward** [-wəd] huiswaarts; ~ *bound* op (gereed voor) de thuiswerk; '**homewards** [-wədz] huiswaarts; '**homework** huiswerk; voorbereidend werk

homicidal [hɔmi'saidl] moorddadig, moordzuchtig; **homicide** ['hɔmisaid] *a*) dood-, manslag; *b*) wie ... begaat, doodslager

homing-instinct ['həumiŋ-] (*of bees, birds*) instinct om het huis weer te vinden; '**homing-pigeon** [-pidʒin] postduif

homogeneity [ˌhɔmə(u)dʒi'ni:iti] homogeniteit; **homogeneous** [hɔmə'dʒi:niəs] homogeen, gelijksoortig; **homogenized** [hə'mɔdʒənaizd] gehomogeniseerd; **homo-sexual** ['həumə(u)-, 'hɔmə'seksjuəl] homoseksueel

Hon. *Honorary; Honourable*

honest ['ɔnist] eerlijk; braaf; oprecht; '**honest-to-'goodness** echt, werkelijk; deugdelijk; '**honesty** [-i] eerlijk-, oprechtheid

honey ['hʌni] honi(n)g; (*my*) ~*!* snoes, schat(je); '**honeycomb** [-kəum] I *zn* honingraat; raatvormig werk of patroon; II *ww* in alle richtingen doorboren, -kruisen, ondermijnen; **honeyed** [-d] honingrijk, honingzoet, honig...; '**honeymoon** I *zn* wittebroodsweken; huwelijksreis; II *ww* de wittebroodsweken doorbrengen, op de huwelijksreis zijn; '**honeysuckle** kamperfoelie

honk [hɔŋk] I *ww* (doen) toeteren (*van claxon*); snateren (*van wilde ganzen*); II *zn* getoeter

honorary ['ɔnərəri] honorair, ere... (*president*); onbezoldigd; ~ *secretary* (onbezoldigd) secretaris; ~ *degree* doctoraat (of andere academische graad) *honoris causa*; **honour** ['ɔnə] I *zn* eer, ere; eergevoel; ereteken; sieraad (*he is* *an ~ to his profession*); *~s* eerbewijzen, onderscheidingen; *~s list* lijst van onderscheidingen op verjaardag van koning(in) of met nieuwjaar; (ere)titels; honneurs; *Your H~* Edelachtbare; *last ~s, funeral ~s* laatste eer; *~s degree,* (*univ*) graad behaald na gespecialiseerde studie; *do the ~* de honneurs waarnemen; *do ~: a*) eer bewijzen, huldigen; *b*) tot eer strekken (*it does you ~ = it is **to** your ~*); *~ bright,* (*fam*) op mijn (je) woord van eer; ***in** ~ of* ter ere van; II *ww* (ver)eren; honoreren (*a bill*), uitbetalen (*a cheque*); nakomen (*obligations*); *holidays ~ed* vakantieaanspraken worden overgenomen; *I shall be ~ed,* (*fam*) *~ed!* het zal me een eer zijn; '**honourable** [-rəbl] eervol, rechtschapen, honorabel; aanzienlijk, voornaam; (*ongev*) Hoog(wel)geboren, Edelhoogachtbaar, enz.; (*parl*) *~ member ongev* geachte afgevaardigde

hood [hud] I *zn* kap (*ook van rijtuig, schoorsteen, enz.*); capuchon, muts; tent (*van gondel*); zuurkast; (*univ*) cappa; (*Am*) motorkap (*van auto; =* Eng *bonnet*); (*sl*) = *hoodlum*; II *ww* van een ~ voorzien, met een ~ bedekken; (*univ*) de cappa verlenen; '**hooded** [-id] met een *hood* bedekt; half toegeknepen (*eyes*); **hoodlum** ['hu:dləm] straatschender, -terrorist; **hoodwink** ['hudwiŋk] blinddoeken; misleiden

hooey ['hu:i] (*sl*) klets, larie

hoof [hu:f] *a*) hoef; *b*) stuk vee; (*scherts*) voet, 'poot'; *on the ~,* (*van vee*) levend

hook [huk] I *zn* (vis)haak; sikkel, snoeimes; kram, duim; scherpe bocht; landtong; (*sl*) dief; (*boksen*) hoekstoot; *by ~ or by crook* met eerlijke of oneerlijke middelen, hoe dan ook; *off the ~* uit de problemen; uit de puree; II *ww* (zich) vast-, aanhaken; van haken voorzien; aan de haak slaan; (*fam*) bedotten; (*sl*) gappen; *~ it,* (*sl*) ervandoor gaan, 'm smeren; *~ in* (*up*) vasthaken; inspannen; *~ on* vasthaken, ineenhaken; aan elkaar sluiten; *be ~ed on* gek zijn op (met), verslaafd zijn aan; *~ up, ook:* (*Am*) trouwen; connecties aanknopen (*with* met); (*telec*) aansluiten (*stations*) voor gelijktijdige uitzending; (*sp*) aansluiten (*caravan*) op water, elektr e.d.; **hooked** [hukt] krom, haakvormig, hakig; (*sl*) verslaafd; '**hooker** [-ə] (*Am sl*) prostituée; '**hook-up** connectie, aansluiting; (*telec*) gelijktijdige uitzending; '**hooky** [-i]: *play ~,* (*Am sl*) spijbelen

hooligan ['hu:ligən] straatterrorist, straatschender; voetbalvandaal; '**hooliganism** [-izm] straatterrorisme, straatschenderij; voetbalvandalisme

hoop [hu:p] I *zn* hoepel; hoepelrok; beugel, ring; II *ww* (met hoepels) beslaan; omringen; samenbinden

hoot [hu:t] I *ww* (uit)jouwen; krassen (*van uil*); toeteren (*van hoorn, enz.*); *~ at* (*after*) uit-, najouwen; II *zn* getoeter, gejouw, gekras; (*fam*) giller; *not care a ~* (*two ~s*), (*fam*) er geen lor om geven; **hooter** ['hu:tə] stoomfluit, sirene; (*sl*) neus

hoover ['hu:və] stofzuigen

hop [hɔp] I *zn* 1 hop(plant); 2 sprongetje; (*fam*) dans(feest)je; (*van vliegtuig*) (non-stop) vlucht, ruk, sprong, etappe (*the first ~*), *on the ~: a*) in de weer; *b*) (*fam*) onvoorbereid, niet op zijn hoede; II *ww* 1 *~ped* (*up*), (*Am*) bedwelmd; opgevoerd (*van motor*); 2 hinken; hupp(el)en, springen (over); (*fam*) dansen; (*Am*) springen op (*a wagon*); *~ it!* (*sl*) ruk uit! schiet op!; *~ off: a*) ophoepelen; *b*) (*van vliegtuig*) opstijgen; *~ping mad* woest, woedend

hope [həup] I *zn* hoop (*of* op), verwachting; II *ww* hopen (*for* op), verwachten; *~ against ~* hopen tegen beter weten in; '**hopeful** [-f(u)l] hoopvol; *~ of* vol hoop op; *young ~* veelbelovend jongmens (*iron*); '**hopefully** *ook* hopelijk; '**hopeless** [-lis] hopeloos, uitzichtloos (*struggle*); *you are ~, ook:* er is niets met je te beginnen

hopper ['hɔpə] silo

horde [hɔ:d] horde, bende, troep

horizon [hə'raizn] id., gezichtskring; **horizontal** [hɔri'zɔntl] horizontaal; *~ bar* rekstok

hormonal [hɔ:'məunəl] hormonaal; **hormone** ['hɔ:məun] hormoon

horn [hɔ:n] I *zn* horen, (drink-, voel-, telefoon)hoorn; arm van kruis; riviertak; landpunt; vleugel (*van leger*); II *ww: ~ in,* (*sl*) zich indringen, zich bemoeien (*on* met), zich in iets mengen; **hornet** ['hɔ:nit] horzel; *stir up a ~'s nest* zijn hand in een wespennest steken; '**horn-'rimmed** (*van bril*) met hoornen montuur; '**horny** [-i] hoornachtig; vereelt; hoorn...; (*sl*) heet, geil

horrendous [hɔ'rendəs] (*fam*) vreselijk, afschuwelijk

horrible ['hɔribl] afschuwelijk, afgrijselijk, gruwelijk, verschrikkelijk; **horrid** *horrible*; **horrific** [hɔ'rifik] afschuwwekkend, verschrikkelijk; **horrify** ['hɔrifai] met afschuw vervullen, ontzetten; aanstoot geven; **horror** ['hɔrə] afgrijzen; huivering; gruwel; griezel (*film*), monster (*fig*); *the ~s* angstbui; *give the ~s* doen ijzen; '**horror-stricken** [-strikn], '**horror-struck** van afgrijzen vervuld, ontzet

horse [hɔ:s] I *zn* paard (ook *gymn & scheepv*); cavalerie, paardenvolk; steunbok; (droog-)rek; schraag; (*sl*) heroïne; *~ opera,* (*fam*) cowboyfilm; *~ show* springconcours; paardententoonstelling; *a dark ~* iem met verborgen capaciteiten; *hold your ~s* hou je kalm; *back* (*put one's money on*) *the wrong ~* op het verkeerde paard wedden (*lett & fig*); *put one's money on a losing ~* een verloren zaak steunen; *take ~* opstijgen; uitrijden; *straight from the ~'s mouth* uit de eerste hand; II *ww* van paard(en) voorzien; te paard zetten; inspannen (*a carriage*); rijden; op de rug dragen; *~ around* (*about*) ruw stoeien, ruwe grappen uithalen; '**horseback**: *on ~* te paard; *ride ~,* (*Am*)

hor

paardrijden; '**horse-box** paardentrailer; vee-auto; '**horse-dealing** (*fig*) koehandel; '**horse-dropping(s)** paardevijg(en); '**horse-fair** paardenmarkt; '**horse-flesh** *a*) paardevlees; *b*) paarden; *judge of* ~ paardenkenner; '**horse-laugh** ruwe lach; '**horseman** [-mən] ruiter; '**horse-manship** rijkunst; '**horse-play** ruwe grappen, ruw gestoei; '**horse-power** paardekracht; '**horse-race** wedren; '**horse-sense** gezond verstand; '**horse-shoe** hoefijzer (-vormig); '**horse-trading** (*fig*) keihard zaken doen; **hors(e)y** ['hɔ:si] paardachtig; gek op paarden, rennen, enz.

horticulture ['hɔ:tikʌltʃə] tuinbouw; **horticulturist** [hɔ:ti'kʌltʃərist] tuinbouwkundige

hose [həuz] I *zn: a*) (*vero*) kousen; *b*) (brand-, tuin)slang; II *ww* bespuiten (= ~ *down*); '**hose-pipe** (brand-, tuin)slang; **hosiery** ['həuziəri] sokken, kousen, maillots enz.

hor

hospitable ['hɔspitəbl] herbergzaam, gastvrij; **hospital** ['hɔspit(ə)l] ziekenhuis, hospitaal, gasthuis; **hospitality** [hɔspi'tæliti] gastvrijheid; '**hospitalize** [-aiz] in *hospital* opnemen, hospitaliseren

host [həust] 1 gastheer (*ook van parasiet*); waard; ~ *family* gastgezin; 2 menigte; 3 hostie; **hostage** ['hɔstidʒ] gijzelaar; onderpand; '**hostage-taker** gijzelnemer; **hostel** ['hɔstəl] hospitium, studentenhuis; tehuis (*women's* ~); jeugdherberg; **hostess** ['həustis] *a*) gastvrouw; *b*) waardin; *c*) id., stewardess

hostile ['hɔstail] vijandig, vijandelijk (*to* tegen); **hostility** [hɔs'tiliti] vijandigheid, vijandelijkheid; oorlogshandeling

hot [hɔt] heet, warm (*ook in spel*); warmgelopen (*axle*); (*elektr*) stroomvoerend; (*fam*) radioactief; (*sl*) gestolen (en moeilijk verkoopbaar); pikant, gepeperd; vurig, heftig, driftig; 'heet', geil; (*van personen*) goed geïnformeerd, deskundig; *be* ~ *on* heet (gebrand) op; *not so* ~, (*fam*) niet zo best, maar zo-zo; ~ *and bothered* geagiteerd; ~ *under the collar* verontwaardigd; ~ *from Rome* zó uit Rome; ~ *air*, (*sl*) gezwam, gebluf; *in* ~ *blood* in drift; *they sell like* ~ *cakes* gaan erin als koek; ~ *dog*, (*Am*) broodje met warm worstje; ~ *favourite*, (*sp*) grote favoriet; ~ *line* permanent ingeschakelde telefoonverbinding; snelle communicatielijn; ~ *rod*, (*Am*) eigengemaakte sprintauto; ~ *seat*, (*Am sl*) elektrische stoel; (*fig*) onprettige situatie; *be in* (*get into*) ~ *water* lelijk in de knel zitten (raken); *I gave it him* (*let him have it*) ~ (*and strong*) gaf hem er ongenadig van langs; '**hotbed** *a*) broeibak; *b*) broeinest; '**hot-'blooded** heetbloedig, heetgebakerd, vurig

'**hotchpot(ch)** hutspot, mengelmoes

hotel [həu'tel] id.; '**hotel-keeper** hotelhouder, hotelier; '**hotel-register** [-'redʒistə] gastenboek

'**hotfoot** in aller ijl; '**hothead** driftkop, heethoofd; '**hot-'headed** heethoofdig; '**hothouse** broeikas; '**hotplate** *a*) kookplaat (in fornuis); *b*) verwarmd aanrecht; '**hotpot** jachtschotel; **hot potatoe** (*ook*) netelige kwestie; '**hot-'spirited** vurig; driftig; '**hot spot** (*pol*) brandhaard; '**hot-'tempered** opvliegend

'**hot-'water** *bottle* warme kruik

hound [haund] I *zn* (jacht)hond; hondsvot; II *ww* (*met honden*) vervolgen, nazetten, aanhitsen (*at* op); ~ *a p. from public life* iem in het openbare leven onmogelijk maken

hour [auə] uur; *after* ~*s*: *a*) na de werktijd; *b*) na sluitingstijd (*sell drink after* ~*s*); *keep good* (*early*), *bad* (*late*) ~*s* steeds vroeg (laat) naar bed gaan (thuiskomen) en opstaan; '**hour-glass** zandloper; '**hour hand** uurwijzer; **hourly** ['auəli] uur…; ieder uur, per uur, van uur tot uur, voortdurend; '**hour-plate** wijzerplaat

house I *zn* [haus; *mv*: 'hauziz] huis (ook handels-, vorstenhuis, enz.), woning; schuur, stal, hok; klooster; *college* (*van univ*); internaat van *public school*; bioscoop-, schouwburg-(zaal) (~ *full* uitverkocht); voorstelling (*between the two* ~*s*); gezin; *the H*~ het Lagerhuis; (*Am*) het Huis van Afgevaardigden; ~ *and home* huis en hof (erf); *bring the* ~ *down* enthousiast ontvangen worden; *drinks on the* ~ op kosten van de kastelein, enz.; *like a* ~ *on fire* als de wind; *get on like a* ~ *on fire* reusachtig opschieten; *keep* ~ huis houden, de huishouding doen; *keep the* ~ in huis blijven; II *ww* [hauz] huisvesten, onder dak brengen, binnenhalen (*the crops*); stallen; huizen; '**house-agent** (huizen)makelaar; '**houseboat** woonark, -boot; '**house-bound** aan huis gebonden; '**housebreaker** inbreker; '**housecoat** duster; '**housecraft** [-krɑ:ft] huishoudkunde; **household** ['haushəuld] I *zn* (huis)gezin, huishouding; II *bn* huis…, huiselijk, huishoudelijk; ~ *word* bekend(e) naam (gezegde), 'begrip'; **householder** [-ə] gezinshoofd; '**house-hunting** het zoeken naar een huis; '**house-keeper** *a*) huishoudster; *b*) huisbewaarder, -ster; '**housekeeping** huishouden; ~ *book* huishoudboek; ~ (*money*) huishoudgeld; '**housemaid** werkmeid; '**houseman** [-mən] inwonend medicus (in ziekenhuis); '**housemaster** hoofd van internaat aan *public school*; '**house-mate** huisgenoot; '**house-party** op een buiten gegeven partij; '**house-physician** inwonend geneesheer; '**houseproud** vol zorg voor het huis; '**house-rent** huishuur; '**house-room** ruimte in een huis; logies, huisvesting; bergruimte; *I would not give it* ~ zou het niet cadeau willen hebben; '**house-search** huiszoeking; '**house-squat** kraakactie; '**house-to-'house** (*canvassing*, *distribution*) huis-aan-huis; '**house-trailer** (*Am*) caravan; '**house-trained** zindelijk (*dog*); '**house-warming** feestje ter inwijding van een huis; '**housewife** [-waif] huisvrouw; '**housework** huishoudelijk werk; **housing** ['hauziŋ] huisvesting; onderdak; huizen, bijgebouwen; (*techn*) huis; ~ *act* woningwet; ~ *association* woningbouwvereniging, -corporatie; ~ *conditions* woningtoestanden; ~ *development*, ~ *estate* woonwijk, woningblok

hovel ['hɔvl, 'hʌvl] stulp, krot; (vee)loods

hover ['hɔvə, 'hʌvə] I *ww* zweven, hangen, fladderen; staan (van roofvogel); (ergens) omhangen (= ~ *about*), zich heen en weer bewegen; weifelen; II *zn* het ...; onzekerheid; '**hovercraft** luchtkussenvoertuig, zweefboot, -tuig, id.

how [hau] hoe; wat (~ *he drinks!* ~ *silly!*); ~ *are you?* hoe maak je het?; ~ *right you are!* u hebt volkomen gelijk!; ~ *crazy* (*etc.*) *can you be* (*get*)? kan het nog gekker (enz.)?; ~*'s that for an idea?* (*fam*) wat zeg je van ...?; ~ *about* ...? hoe staat het met ...? wat zeg je van ...?; ~ *come* ...? hoe komt het dat ...?; ~ *much?* hoeveel is het?; *and* ~! en hoe! en niet zuinig; **how(-d'ye)-do** ['hau(djə)'du:] (*fam*) goeiendag!; *a fine* ~ een mooie boel; **however** [hau'evə] *a*) hoe ... ook; *b*) (*ook* ['hauevə]) evenwel, echter; hoe het ook zij; intussen

howl [haul] I *ww* huilen, janken; ~ *down* overschreeuwen, door geschreeuw het spreken beletten; II *zn* gehuil, gejank; '**howler** [-ə] huiler, janker; (*sl*) stommiteit; '**howling** ontzettend (*cad*), geweldig (*success*), verschrikkelijk (*shame, wilderness*)

hoyden ['hɔidn] wilde meid, wildebras

hub [hʌb] naaf; (*fig*) middelpunt; **hubbub** ['hʌbʌb] geraas, rumoer, herrie; **hubcap** ['hʌbkæp] wieldop

huckster ['hʌkstə] (*vero*) venter, kramer; agressieve (louche) verkoper

huddle ['hʌdl] I *ww:* ~ (*together*) opeen-, dooreengooien; (zich) opeendringen, -hopen, bijeen-, ineenkruipen; ~ *o.s. up* in elkaar duiken; II *zn* opeenhoping, (verwarde) hoop; verwarring

hue [hju:] **1** tint, kleur(schakering); **2** ~ *and cry* geschreeuw van: 'houdt de dief', enz.; *raise the* (*a*) ~ *and cry*, (*fig*) moord en brand schreeuwen (*against*)

huff [hʌf] I *ww* puffen, blazen; II *zn* nijdige bui (*go into a* ~), geraaktheid; **huffy** gepikeerd

hug [hʌg] I *ww* tegen zich aandrukken, omhelzen, omknellen, pakken (*a baby*), liefkozen; in het gevlij komen; koesteren (*a prejudice*), toegeven aan (*sorrow*); ~ *the shore* dicht langs de kust houden; II *zn* (krachtige) omhelzing; omknelling

huge [hju:dʒ] reusachtig, kolossaal, enorm

hugger-mugger ['hʌgə(')mʌgə] *bn & bw: a*) heimelijk; *b*) verward, rommelig

hulk [hʌlk] oud onttakeld schip; gevaarte, klomp; log mens, 'vleesklomp'; '**hulking** [-iŋ] (p)lomp, log, onbeholpen

hull [hʌl] **1** (peul)schil, dop; omhulsel; **2** romp (*van schip*)

hullabaloo [ˌhʌləbə'lu:] rumoer

hullo(a) ['hʌ'ləu] hallo

hum [hʌm] I *ww* gonzen, snorren, brommen, neuriën; vol leven en bedrijvigheid zijn (*van land, enz.*); vlot gaan, floreren; *make things* ~ leven in de brouwerij brengen; het zaakje doen floreren; II *zn* gegons, gebrom, geneurie; III *tw* h'm! hum!

human ['hju:mən] I *bn* menselijk, mensen...; *I'm only* ~ ik ben maar een mens; II *zn* mens(elijk wezen) = ~ *being*; **humane** [hju'mein] *a*) humaan, menslievend; *b*) humanistisch; ~ *killer* slachtmasker; **humanism** ['hju:mənizm] humanisme; **humanist** I *zn* id.; II *bn* humanistisch; **humanistic** [hju:mə'nistik] humanistisch; **humanitarian** [hju(:)ˌmæni'tɛəriən] *bn* humanitair; menslievend; **humanity** [hju(:)'mæniti] menselijkheid; mensdom; mensheid; menslievendheid; *-ities* humaniora, geesteswetenschappen; '**humanize** [-aiz] menselijk(er) maken (worden); beschaven, veredelen; '**human'kind** [-kaind] het mensdom, de mensheid; '**humanly** [-li] menselijk(erwijs); **humanoid** ['hju:mənoid] I *zn* robot; II *bn* mensachtig, op mens gelijkend

humble ['hʌmbl] I *bn* nederig, armoedig, bescheiden, onderdanig; *eat* ~ *pie* zoete broodjes bakken; vernederd worden; II *ww* vernederen

humbug ['hʌmbʌg] I *zn* id., (boeren)bedrog, zwendel, verlakkerij; onzin, larie; bluf; praatjesmaker, bedrieger; II *ww* bedriegen, verlakken, beetnemen

humdinger [hʌm'diŋə] 'kei'; iets buitengewoons

humdrum ['hʌmdrʌm] saai, eentonig, alledaags, banaal

humid ['hju:mid] vochtig, nattig; **humidifier** [hju:'midifaiə] luchtbevochtiger, (water)verdamper; **humidity** [hju'miditi] nattigheid, vochtigheid

humiliate [hju(:)'milieit] vernederen; **humiliation** [hju(:)ˌmili'eiʃən] vernedering; **humility** [hju'militi] nederigheid, ootmoed

'**humming-bird** kolibrie

humorous ['hju:mərəs] humoristisch, geestig; **humour** ['hju:mə] I *zn* stemming; humeur, luim, gril; humor; *out of* ~ ontstemd; *out of* ~ *with o.s.* boos op zichzelf; II *ww* toegeven (aan), zoet houden, zijn zin geven

hump [hʌmp] I *zn* (vet)bult, uitsteeksel; (*sl*) land(erigheid); *it gives me the* ~ maakt me landerig; *have the* ~ het land hebben; *over the* ~ over de ergste moeilijkheid heen; II *ww* krommen (= ~ *up*); op de rug dragen (~ *it upstairs*); ~ *one's back* een hoge rug zetten; nijdig worden; '**humpback** I *zn* gebochelde, bult; II gebocheld; '**humpbacked** [-bækt] gebocheld

hunch [hʌn(t)ʃ] I *ww* krommen; optrekken (ook: ~ *up: one's shoulders*); voorover leunen; *sit* ~*ed up* ineengedoken; II *zn* bochel, bult; homp (*of bread*); wenk; (voor)gevoel, idee, ingeving; '**hunchback(ed)** gebocheld(e)

hundred ['hʌndrəd, -drid] honderd; '**hundredfold** [-fəuld] honderdvoudig; **hundredth** [-θ] honderdste
hunger ['hʌŋgə] I *zn* honger; (*fig*) hunkering, dorst (*for fame*); II *ww* hongeren; hunkeren (*for, after* naar); uithongeren; '**hunger-march** hongeroptocht; '**hunger-strike** I *zn* hongerstaking; II *ww* deze toepassen; **hungry** ['hʌŋgri] hongerig; hunkerend, verlangend (*for* naar); schraal (*van bodem*); *be* (*feel*) ~ honger hebben
hunk [hʌŋk] homp, (groot) brok
hunt [hʌnt] I *ww* jagen (op), najagen, nazetten, zoeken; afjagen, afzoeken; voor de jacht gebruiken (*horses, hounds*); ~ *after* (*for*) jacht maken op, (verwoed) zoeken naar; ~ *down* in het nauw drijven, opsporen, achterhalen; ~ *out* (*up*) opsporen, opsnorren; II *zn* (vosse)-jacht; gezoek; jachtgezelschap, -stoet, -club, -gebied; '**hunter** [-ə] jager; jachtpaard; **hunting** ['hʌntiŋ] de jacht; het jagen; '**hunting ground** jachtveld; (*fig*) (jacht)terrein [(*happy*) ~ *of pickpockets* (dankbaar) ...]; **huntsman** ['hʌntsmən] *a*) jager; *b*) jager, die de honden aanvoert
hurdle ['hə:dl] I *zn*: *a*) horde, hek; *b*) horde (*bij rennen*); II *ww* een horde nemen, over een horde springen; ~ (*off*) door horden afsluiten
hurl [hə:l] slingeren, werpen; schreeuwen, (uit)vloeken (~ *curses at* ...); **hurly-burly** ['hə:li(')bə:li] lawaai, tumult
hurray [hu'rei] I *tw en zn* hoera!; II *ww*: *a*) hoera roepen; *b*) met hoera begroeten
hurricane ['hʌrikən] orkaan; wervelstorm; '**hurricane-lamp**, **hurricane-lantern** [-læntən] stormlamp
hurried ['hʌrid] overijld, gehaast; '**hurriedly** [-i] *ook*: inderhaast; **hurry** ['hʌri] I *zn* (overgrote) haast; *what's the* ~? waarom zo'n haast? *be in a* ~ haast hebben; *you won't beat that in a* ~ zo gauw (zo gemakkelijk) niet beter doen; II *ww* (zich) haasten, jachten, drijven; verhaasten, haast maken (met); ~ ***about*** haastig heen en weer lopen; ~ ***along*** *a*) voortdrijven; *b*) zich voortspoeden; ~ ***up*** *a*) (wat) voortmaken (met); *b*) aanporren, opschieten
hurt [hə:t] I *zn* letsel, wond(e); nadeel; kwaad; pijn; II *ww* pijn (zeer) doen, wonden; kwetsen, krenken; deren; beschadigen, benadelen, treffen; kwaad doen; '**hurtful** [-f(u)l] nadelig, schadelijk (*to* voor)
hurtle ['hə:tl] vliegen, ratelen, snorren (~ *past*)
husband ['hʌzbənd] I *zn* man, echtgenoot; II *ww* zuinig beheren, sparen; '**husbandry** [-ri] landbouw
hush [hʌʃ] I *zn* stilte, rust; het sussen; *policy of* ~ politiek van de doofpot; II *ww*: *a*) tot zwijgen (bedaren) brengen, sussen; *b*) stil worden; zwijgen; ~*ed* geheimzinnig stil (*feeling*); ~ *up*: *a*) verzwijgen, stilhouden, in de doofpot stoppen; *b*) stil worden; III *tw* st! stil!; '**hush-'hush** *bn* diep geheim; stiekem; **hush money** zwijggeld
husk [hʌsk] schil, dop, kaf(je); omhulsel
husky ['hʌski] schor, hees; (*Am*) sterk; potig
hustings ['hʌstiŋz] (*Am*) spreekgestoelte tijdens verkiezingen; (*fig*) verkiezingscampagne
hustle ['hʌsl] I *ww* dringen, duwen; door elkaar schudden, hutse(le)n; aanporren; jachten, drijven; druk uitoefenen (op); agressief verkopen; II *zn* gedrang; gejacht; (*Am*) voortvarendheid
hut [hʌt] huisje, hut; (*mil*) barak
hutch [hʌtʃ] hok (*van dieren*)
hybrid ['haibrid] I *zn* hybride, bastaard(vorm); II *bn* hybridisch, bastaard...
hydrant ['haidrənt] id., standpijp
hydraulic [hai'drɔ(:)lik] I *bn* hydraulisch (*press, etc.*); II *zn*: ~*s* hydraulica
hydro- [haidrəu] water-; '**hydro-'electric**: ~ *station* waterkrachtcentrale; '**hydrofoil** (draag)vleugelboot; **hydrogen** ['haidrədʒən] waterstof; ~ *bomb* waterstofbom; **hydrophobia** [ˌhaidrə'fəubiə] watervrees; hondsdolheid; '**hydroplane** *a*) watervliegtuig; *b*) glijboot; **hydro'ponics** [-'pɔniks] hydro-, watercultuur
hyena [hai'i:nə] id.
hygiene ['haidʒi:n] hygiëne, gezondheidszorg; gezondheidsleer; **hygienic** [hai'dʒi:nik] I *bn* hygiënisch; II *zn*: *hygienics* gezondheidsleer
hymn [him] I *zn* (kerk)gezang, hymne; II *ww* lofzingen; '**hymnal** [-nəl] I *bn* lof...; II *zn* gezangboek; '**hymn-book** gezangboek
hypercritical ['haipə(:)'-] overkritisch; **hypermarket** ['haipəma:kit] weidewinkel; '**hyper'sensitive** overgevoelig; **hypertension** ['haipə'tenʃən] hoge bloeddruk
hyphen ['haifən] koppelteken; **hyphenate** [-eit] door een koppelteken verbinden; ~*d name* dubbele ...
hypnosis [hip'nəusis] hypnose; **hypnotic** [hip'nɔtik] I *bn* slaapwekkend, hypnotisch; II *zn*: *a*) slaapmiddel; *b*) gehypnotiseerde; '**hypnotize** [-taiz] hypnotiseren
hypocrisy [hi'pɔkrisi] veinzerij, huichelarij; **hypocrite** ['hipəkrit] huichelaar, hypocriet; **hypocritical** [hipə'kritikl] schijnheilig, huichelachtig
hypodermic [haipəu'də:mik] onderhuids(e inspuiting, middel); *ook* = ~ *syringe* injectiespuitje
hypothesis [hai'pɔθisis] *mv hypotheses* [-i:z] hypothese; **hypothesize** [hai'pɔθisaiz] een veronderstelling maken, aannemen; **hypothetical** [haipəu'θetikl] hypothetisch, aangenomen
hysteria [his'tiəriə] hysterie; **hysteric** [his'terik] hystericus, -ca; ~*s* zenuwtoeval; **hysterical** [-l] hysterisch

hun

Ii

I [ai] ik
iamb ['aiæm(b)] jambe; **iambic** [ai'æmbik] jambisch (vers)
ice [ais] I *zn* ijs; *an* ~ een ijsje; *break the* ~ het ijs breken; *cut no* ~ geen gewicht in de schaal leggen; *on thin* ~, (*fig*) op glad ijs; II *ww* (doen) bevriezen (= ~ *over*); met ijs bedekken; glaceren (*cake*); in ijs zetten; kil (koud) maken; '**iceage** ijstijd; '**iceberg** [-bə:g] ijsberg; '**icebound** ingevroren, door ijs ingesloten; **icebox** (*Am*) ijskast, koelkast; '**ice-breaker** ijsbreker; **ice-bucket** wijnkoeler; ijsemmer; '**ice-cap** ijsdek, -kap, landijs; '**ice-'cream** roomijs; '**ice-cube** ijsblokje; '**ice-drift** ijsgang
Iceland ['aislənd] IJsland; '**Icelander** [-ə] IJslanderer; **Icelandic** [ais'lændik] IJslands
'**iceman** [-mæn] ijsverkoper; '**ice-pack** *a*) pakijs; *b*) ijszak; '**ice-pail** ijsemmer; '**ice-rink** (kunst)ijsbaan; '**ice-skate** schaatsen; **icicle** ['aisikl] ijskegel; **icing** ['aisiŋ] suikerglazuur; ~ *sugar* poedersuiker
icon ['aikɔn] (*Oosterse kerk*) ico(o)n; **iconoclast** [ai'kɔnəklæst] id., beeldstormer; omverwerper van gevestigde ideeën, enz.
icy ['aisi] ijsachtig, ijskoud, ijzig, ijs...
I'd [aid] *I would; I had*
idea [ai'diə] idee, denkbeeld, begrip, plan; *the* (*very*) ~*!* wat een idee! *what's the* (gew. iron: *the big, the great*) ~*?*: *a*) wat is de bedoeling?; *b*) wat moet dat?; *in my* ~ naar ...
ideal [ai'diəl] I *bn*: *a*) ideaal; *b*) ideëel; *c*) denkbeeldig; II *zn* ideaal; **idealism** [-izm] idealisme; **idealist** id.; **idealistic** [ai,diə'listik] idealistisch; **idealize** [-aiz] idealiseren; **ideally** idealiter, ideaal bezien (~, *it should not be necessary*)
identical [ai'dentikl] zelfde, gelijk(luidend), gelijkwaardig, identiek (*to, with* aan, met); **identification** [ai,dentifi'keiʃən] identificatie, enz. (zie *identify*); **identify** [ai'dentifai] gelijkmaken, -stellen, vereenzelvigen; identificeren; ~ (*o.s.*) *with* zich identificeren met; **identikit** [ai'dentikit] ~ *picture* compositietekening, montagefoto; **identity** [ai'dentiti] identiteit, volkomen gelijkheid; persoonlijkheid; individualiteit; '**identity card** persoonsbewijs; (*Belg*) identiteitskaart
ideological [aidiə'lɔdʒikl] ideologisch; **ideology** [aidi'ɔlədʒi] ideologie, begripsleer; (politieke) theorie, denkwijze, ideologie
idiocy ['idiəsi] idiootheid, onnozelheid, idioterie
idiom ['idiəm] *a*) idioom, taaleigen; *b*) dialect; **idiomatic(al)** [,idiə'mætik(l)] idiomatisch
idiosyncrasy [,idiə'siŋkrəsi] eigenaardigheid, individuele gesteldheid (neiging, enz.)
idiot ['idiət] idioot; **idiotic(al)** [idi'ɔtik(l)] idioot
idle ['aidl] I *bn* nietsdoend, niet aan het werk; zonder werk; stil(staand, -liggend), opgelegd (*shipping*); lui; ongebruikt; braak (*keep land* ~); ongegrond (*rumour*); doelloos, nutteloos, ijdel; ~ *talk* beuzelpraat; II *ww* leeglopen, luieren; (*techn*) vrijlopen, onbelast (stationair) draaien; ~ *away* verlummelen (*one's time*); '**idleness** luiheid; werkloosheid; het niets doen; '**idler** [-ə] leegloper
idol ['aidl] afgod(sbeeld); (drog)beeld; **idolater** [ai'dɔlətə] afgodendienaar; vergoder, aanbidder; **idolatry** [ai'dɔlətri] afgodendienst; **idolize** ['aidəlaiz] *a*) ver(af)goden; *b*) afgoden aanbidden
idyl(l) ['idil, 'aidil] idylle; **idyllic** [i'dilik] idyllisch
i.e. ['ai 'i:] *id est* d.w.z.
if indien, zo, als, ingeval; al, al ... ook, zo al, zij het ook (*comfortable* ~ *shabby chairs*); zelfs al; of (*asked me* ~ ...); ~ *he be ever so rich* al is hij ook nog zo rijk; ~ *not* zo neen; ~ *so* zo ja
igneous ['igniəs] ~ *rock*(*s*) stollingsgesteente
ignite [ig'nait] in brand steken (raken); ontsteken, (doen) ontbranden; gloeiend maken; **igniter** [-ə] ontstekingsapparaat; **ignition** [ig'niʃən] ontbranding, ontsteking (*van motor*); ~ *key* contactsleuteltje (*van auto*)
ignoble [ig'nəubl] laag, gemeen, verachtelijk
ignominious [ignə'miniəs] schandelijk, onterend, smadelijk, oneervol (*dismissal*); **ignominy** ['ignəmini] verachtelijkheid, schande, oneer, smaad
ignoramus [ignə'reiməs] domkop, sufferd; **ignorance** ['ignərəns] onwetenheid, onkunde, onbekendheid; '**ignorant** onwetend, onontwikkeld; onkundig, onbekend (*of* met); onbeleefd, onopgevoed; **ignore** [ig'nɔ:] niet willen weten (kennen, zien); negeren, stilzwijgend voorbijgaan
I'll [ail] *I will*
ill [il] I *bn* slecht, kwaad; ziek; misselijk (*smoking makes him* ~); II *zn* kwaad, ramp, kwaal; III *bw* slecht, kwalijk, met moeite; ~ *at ease* niet op zijn gemak; '**ill-ad'vised** onwijs, onverstandig; **ill-assorted** ['ilə'sɔ:tid] slecht bij elkaar passend; '**ill-'bred** onopgevoed, lomp; '**ill-conceived** onberaden; '**ill-con'sidered** onbezonnen, onberaden (*marriage*); '**ill-dis'posed** slechtgezind
illegal [i'li:gəl] illegaal, onwettig, onrechtmatig; **illegality** [ili'gæliti] illegaliteit, onwettigheid, onrechtmatigheid
illegible [i'ledʒibl] onleesbaar
illegitimacy [ili'dʒitiməsi] onwettigheid, onechtheid; **illegitimate** [ili'dʒitimit] I *bn* onwettig, onecht; ongewettigd; II *zn* bastaard

'**ill-'famed** berucht; '**ill-'fated** ongelukkig, rampspoedig, noodlottig (*day*); '**ill-'favoured** *a*) lelijk, misvormd; *b*) onaangenaam; '**ill-'feeling** vijandige gezindheid, kwaad bloed; '**ill-'founded** ongegrond; '**ill-'health** slechte gezondheid; '**ill-'humour(ed)** [-hju:mə(d)] slecht (ge)humeur(d)

illicit [i'lisit] onwettig; ongeoorloofd, verboden, clandestien (~ *whisky still*)

ill-informed slecht ingelicht, slecht op de hoogte

illiteracy [i'litərəsi] ongeletterdheid; **illiterate** [i'litərit] I *bn* ongeletterd; niet kunnende lezen of schrijven; II *zn* ongeletterde, analfabeet

'**ill-'judged** onberaden, onverstandig; '**ill(-)'luck** ongeluk, tegenspoed; '**ill-mannered** ongemanierd; '**ill-'matched** niet bij elkander passend; '**ill-'natured** [-neitʃəd] kwaadaardig; '**illness** ziekte

illogical [i'lɔdʒikl] onlogisch

'**ill-'tempered** humeurig

illuminate [i'l(j)u:mineit] ver-, voor-, toe-, belichten; verhelderen; opluisteren; illumineren; verluchten (*manuscripts*); **i,llumi'nation** verlichting; verluchting; illuminatie; glans, luister

illusion [i'l(j)u:ʒən] illusie, (zins)begoocheling, -bedrog; visioen; **illusive**, **illusory** [i'l(j)u:siv, -səri, -zəri] illusoir, denkbeeldig; bedrieglijk

illustrate ['iləstreit] illustreren; ophelderen, toelichten; ~*d*(*s*) geïllustreerd(e) blad(en); **illustration** [iləs'treiʃən] toelichting; illustratie; aanschouwing (*teach by* ~); **illustrative** ['iləstreitiv, i'lʌstrətiv] aanschouwelijk, illustratief

illustrious [i'lʌstriəs] doorluchtig, beroemd, vermaard, roemrijk

ill-will ['il'wil] kwaadwilligheid, wrok; tegenzin

image ['imidʒ] (even-, toon)beeld; afbeeldsel, beeltenis; indruk naar buiten, karakteristiek beeld, id.; ~ *carrier* beelddrager; ~ *transceiver* beeldtelefoon; '**imagery** [-(ə)ri] beeld(werk); beelden; (natuur)tafereel; beeldspraak; **imaginable** [i'mædʒinəbl] denkbaar; **imaginary** [i'mædʒinəri] denkbeeldig, imaginair(e grootheid); **imagination** [i,mædʒi'neiʃən] verbeelding(skracht), fantasie, voorstelling(svermogen); **i'maginative** [-nətiv] rijk aan (getuigend van) fantasie, fantasierijk; verbeeldings...; **imagine** [i'mædʒin] zich voorstellen (verbeelden); zich (in)denken, *just* ~ stel je voor!

imbalance [im'bæləns] gebrek aan evenwicht

imbecile ['imbisi:l, -sail] imbeciel; idioot; (*soms*) fysiek zwak

imbibe [im'baib] (in)drinken, inzuigen, (in zich) opnemen (*ideas*)

imbue [im'bju:] doortrekken, drenken; verven, doordringen, bezielen

imitable ['imitəbl] navolgbaar; **imitate** ['imiteit] nabootsen, -maken, -volgen, -apen; **imi'tation** nabootsing, imitatie, namaak; ~ *leather* kunstleer; '**imitative** [-ətiv] imiterend, nabootsing...; ~ *of* navolgend; '**imitator** [-eitə] nabootser, imitator

immaculalate [i'mækjulit] onbevlekt; vlekkeloos, onberispelijk; (*biol*) ongevlekt

immaterial [imə'tiəriəl] onstoffelijk; onbelangrijk; onverschilig (*it is quite* ~ *to me*)

immature [imə'tjuə] onrijp, onvolwassen

immeasurable [i'meʒərəbl] onmeetbaar; onmetelijk, oneindig

immediacy [i'mi:djəsi] directheid; **immediate** [i'mi:djət] onmiddellijk; (*op brief, enz.*) spoed

immemorial [imi'mɔ:riəl] onheuglijk (*since time* ~ sinds onheuglijke tijden), eeuwenoud (*elm*)

immense [i'mens] onmetelijk, oneindig; reusachtig; **immensity** [i'mensiti] onmetelijkheid, oneindigheid

immerse [i'mə:s] in-, onderdompelen, indopen; ~*d in* verdiept (verzonken) in; **immersion** [i-'mə:ʃən] onderdompeling; het verdiept zijn (*in* in); ~ *heater* dompelaar, dompelelement

immigrant ['migrənt] id.; (*Belg*) inwijkeling; **immigration** ['imi'graiʃən] immigratie

imminence ['iminəns] het dreigen(de) (*of* van); dreigend gevaar; nadering; **imminent** [-nənt] voor de deur staand, dreigend, boven het hoofd hangend, ophanden, aanstaande

immobilize [i'məubilaiz] onbeweeglijk maken; verstarren, immobiel maken (*troops*)

immoderate [i'mɔdərit] onmatig, buitensporig

immoral [i'mɔrəl] immoreel, onzedelijk; **immorality** [imə'ræliti] immoraliteit, onzedelijkheid

immortal [i'mɔ:tl] onsterfelijk(e), onvergankelijk(e); (*fam*) onverslijtbaar; **immortality** [imɔ:'tæliti] onsterfelijkheid; **immortalize** onsterfelijk maken, vereeuwigen

immune [i'mju:n] immuun, onvatbaar (*from, to, against* voor); **immunity** [-iti] immuniteit, onvatbaarheid (*from* voor); vrijstelling, ontheffing; **immunize** ['imjunaiz] immuniseren: immuun (onvatbaar) maken

immutable [i'mju:təbl] onveranderlijk

imp duiveltje, kabouter; (kleine) schelm

impact ['impækt] stoot, slag; aanslag (*van projectiel*); schok; botsing; inwerking (*on* op), invloed, uitwerking, effect

impair [im'pɛə] benadelen, beschadigen; aantasten; verzwakking

impart [im'pɑ:t] mededelen, geven, schenken

impartial [im'pɑ:ʃəl] onpartijdig; **impartiality** [im,pɑ:ʃi'æliti] onpartijdigheid

impassable [im'pɑ:səbl] onbegaan-, onberijdbaar, ontoegankelijk; niet te overschrijden

impassioned [im'pæʃənd] hartstochtelijk, vurig

impassive [im'pæsiv] ongevoelig, onaandoenlijk, gevoelloos; onverstoorbaar

impatience [im'peiʃəns] ongeduld; afkeer (*of* van: ~ *of oppression*); **impatient** [im'peiʃənt] ongeduldig; vurig verlangend (*for* naar)

impeach [im'pi:tʃ] beschuldigen (*of, with* van); (wegens hoogverraad) in staat van beschuldiging stellen; **impeachment** [-mənt] het ...; aanklacht en vervolging
impeccable [im'pekəbl] feilloos, onberispelijk
impede [im'pi:d] belemmeren, beletten, verhinderen; **impediment** [im'pedimənt] belemmering; beletsel
impel [im'pel] aan-, voortdrijven, aanzetten, dringen
im'pending voor de deur staand (*fig*), dreigend
impenetrable [im'penitrəbl] ondoordringbaar; ondoorgrondelijk; ongevoelig
imperative [im'perətiv] gebiedend, noodzakelijk, verplicht (*on, upon* voor)
imperceptible [impə'septəbl] onmerkbaar
imperial [im'piəriəl] keizerlijk, keizer(s)..., rijks...; **imperialism** [-izm] imperialisme, streven naar wereldmacht; **imperialistic** [im,piəriə'listik] imperialistisch
imperil [im'peril] in gevaar brengen
impermeable [im'pə:miəbl] ondoordringbaar; ~ *to water* waterdicht
impersonate [im'pə:səneit] verpersoonlijken; voorstellen; zich voordoen als; **impersonation** [im,pə:sə'neiʃən] verpersoonlijking; persoonsverwisseling
impertinent [im'pə:tinənt] onbeschaamd; ongepast; niet ter zake dienend
imperturbable [,impə'tə:bəbl] onverstoorbaar
impervious [im'pə:viəs] ondoordringbaar; ontoegankelijk, doof (*to* voor)
impetuous [im'petjuəs] onstuimig, heftig
impetus ['impitəs] beweeg-, drijf-, stuwkracht, stoot; aandrift; aanmoediging
impish ['impiʃ] schelms, duivelachtig
implacable [im'plækəbl] onverzoenlijk
implant [im'pla:nt] (in)planten, zaaien; inprenten
implement I *zn* ['implimənt] gereedschap, werktuig; II *ww* ['impliment, impli'ment] uitvoeren (*a contract, a plan*); nakomen (*a promise*); aanvullen; van gereedschappen voorzien, outilleren
implication [impli'keiʃən] (stilzwijgende) gevolgtrekking; bijgedachte; *by* ~ stilzwijgend; **implicit** [im'plisit] impliciet, stilzwijgend; erin begrepen; onvoorwaardelijk, blind (*faith*)
implore [im'plɔ:] smeken (*for* om); afsmeken
imply [im'plai] insluiten; stilzwijgend eronder begrijpen; laten doorschemeren; betekenen, inhouden
impolite [impə'lait] onbeleefd, lomp
imponderable [im'pɔndərəbl] onweegbaar (iets)
1 import ['impɔ:t] *zn: a*) invoer; *b*) betekenis, inhoud, strekking; *c*) belang, gewicht; ~*s* invoer(artikelen); ~ *duties* invoerrechten
2 import [im'pɔ:t] *ww: a*) invoeren; *b*) betekenen, inhouden; *c*) van belang zijn voor, aangaan
importance [im'pɔ:təns] belang, betekenis, gewicht(igheid); **important** [-ənt] belangrijk, gewichtig (doend); **importation** [impɔ:'teiʃən] *a*) invoer(ing); *b*) ingevoerd artikel
importunate [im'pɔ:tjunit] lastig, áánhoudend, zich opdringend
impose [im'pəuz] opleggen; indruk maken; ~ (*up*)*on* imponeren; opleggen; in de handen stoppen; gebruik (misbruik) maken van (*a p.'s good nature*); bedriegen; **im'posing** indrukwekkend
impossibility [im,pɔsə'biliti] onmogelijkheid; **impossible** [im'pɔsəbl] onmogelijk
impostor [im'pɔstə] bedrieger
impotent ['impətent] id
impound [im'paund] beslag leggen op, inhouden
impoverish [im'pɔvəriʃ] verarmen; uitputten
im'practicable ondoenlijk, onmogelijk, onuitvoer-, onhandel-, onbegaanbaar; **impractical** [im'præktikl] onpraktisch
impregnable [im'pregnəbl] onneembaar, onaantastbaar, bestand (*to* tegen)
impregnate ['impregneit, im'pregneit] bezwangeren, bevruchten; impregneren, doortrekken, doordringen (*with* van); verzadigen
impress [im'pres] in-, afdrukken; stempelen; inprenten; indruk maken op, imponeren, treffen; doordringen (*with* van); ~ *s.t. upon a p.* iem iets inprenten, op het hart drukken; **impression** [im'preʃən] het in-, afdrukken; indruk (*ook:* mening, idee), afdruk; stempel; oplage, (onveranderde) uitgave; imitatie (van bekend persoon); **impressionable** [-əbl] vatbaar voor indrukken, ontvankelijk; **impressive** [im'presiv] indrukwekkend
imprint I *zn* ['imprint] af-, indruk; stempel; II *ww* [im'print] in-, afdrukken, stempelen
imprison [im'prizn] gevangen zetten (houden); ~ *for debt* gijzelen; **imprisonment** [-mənt] gevangenzetting; gevangenschap
improper [im'prɔpə] *a*) ongeschikt; *b*) ongepast, onbetamelijk, onfatsoenlijk, onwelvoeglijk; *c*) onjuist; **impropriety** [imprə'praiəti] onfatsoenlijkheid, onbetamelijkheid
improve [im'pru:v] verbeteren, beter maken of worden, vooruitgaan; stijgen; veredelen (*the mind*), ontwikkelen, stichten; verhogen; *-ing*, (*ook*) stichtelijk, leerzaam (*tale*); ~ (***up***)***on*** verbeteren (*a plan*), overtreffen (*a first attempt*), beter doen; **improvement** verbetering; beterschap; vordering, vooruitgang; nuttig gebruik; stichting; hoger bod
improvidence [im'prɔvidəns] zorgeloosheid, gebrek aan voorzorg; **improvident** [im'prɔvidənt] zorgeloos, niet vooruitziend
improvisation [,imprəvai'zeiʃən] improvisatie; **improvise** ['imprəvaiz] improviseren
impudence ['impjudəns] onbeschaamdheid, schaamteloosheid; **impudent** ['impjudənt] onbeschaamd, schaamteloos
impugn [im'pju:n] in twijfel trekken

impulse ['impʌls] stoot; aandrang, aandrift, prikkel, spoorslag; aanzet (*give the first ~ to ...*); opwelling, impuls, vaart; **impulsive** [im'pʌlsiv] aandrijvend; impulsief

impunity [im'pju:niti] straffeloosheid

impure [im'pjuə] onrein, onzuiver; onkuis; **impurity** [im'pjuəriti] onreinheid, onzuiverheid, onkuisheid

impute [im'pju:t] toeschrijven, aantijgen, wijten, ten laste leggen

in I *vz* in; bij (*sell ~ thousands; ~ crossing the street*); over (*~ a few days*); van (*a coat ~ black cloth; weak ~ judgement*); op (de) (*not one ~ ten*); van de (*nine ~ ten*); met (*a gentleman ~ spectacles, ~ a black beard, covered ~ green lino*); aan (*pay £10 ~ taxes; blind ~ one eye*); uit (*she is one ~ a thousand*); voor (*~ the window*); op (*not bad ~ itself*); naar, volgens (*~ my opinion*); ter (*~ payment of*); *sell ~ ones* per stuk; *be ~ the (one's) fifties* in de 50; *sold ~ building-plots* als bouwterrein; *the prettiest thing ~ hats* een beeld (snoes, dot) van een hoed(je); *be ~ it* betrokken zijn bij; erachter zitten; eraan meedoen (*for the money*); *there is nothing ~ it* daar is niets (van) aan; daar steekt niets in; het is van geen belang; het maakt geen verschil; *I did not think he had it ~ him* dat er zo iets in hem stak; *there is not much ~ him* er zit niet veel bij hem; II *bw* (naar) binnen; thuis, aanwezig, er (*is Mr. B. ~?*); aan, binnen (*the boat, the train is ~*); in huis; aan de regering (*the Liberals are ~*); (*in samenst ook*) onder elkaar; *~ between* (er)tussen(in); *we are ~ for a lively time* er wacht ons ...; *be ~ for a post* meedingen; *be ~ on* meedoen aan; *be ~ on it* van de partij zijn; *be ~ with* het eens zijn met; *he's all ~*, (*fam*) kapot, op, niets meer waard; *~ and out* in en uit; door en door (*know a man ~ and out*); III *zn: ~s and outs* hoeken en gaten; (kleinste) bijzonderheden, finesses

inability [inə'biliti] onbekwaamheid, onvermogen

inaccessible [ˌinæk'sesəbl] ontoegankelijk, ongenaak-, onbereik-, onbeklimbaar

inaccuracy [in'ækjurəsi] onnauwkeurigheid; **inaccurate** [in'ækjurit] onnauwkeurig

inactive [in'æktiv] werkeloos, niet handelend, traag, passief; flauw (*van markt*); **inactivity** [ˌinæk'tiviti] werkloosheid, traagheid

inadequacy [in'ædikwəsi] ontoereikendheid; onvolwaardigheid; **inadequate** [in'ædikwit] ontoereikend, onevenredig; onvolwaardig

inadmissible [inəd'misəbl] ongeoorloofd

inadvertent [inəd'və:tənt] onachtzaam, onoplettend; onopzettelijk; onbewust

inalienable [in'eiliənəbl] onvervreemdbaar

inane [i'nein] ledig; zinloos, idioot

inanimate [in'ænimit] onbezield, levenloos

inapplicable [in'æplikəbl] ontoepasselijk, ongeschikt, niet toe te passen

inappropriate [inə'prəupriit] ongeschikt, ongepast; *it is ~* het gaat niet aan (*to* om te)

inapt [in'æpt] ongeschikt, ongepast, slecht gekozen, onbekwaam; onhandig

inarticulate [inɑ:'tikjulit] ongearticuleerd; onduidelijk, onverstaanbaar; sprakeloos, zwijgend; zich moeilijk uitend

inasmuch [inəz'mʌtʃ]: *~ as* aangezien

inattentive [inə'tentiv] onoplettend, onattent

inaudible [in'ɔ:dəbl] onhoorbaar

inaugural [i'nɔ:gjurəl] inaugureel, inwijdings..., openings... (*~ address, speech*); **inaugurate** [i'nɔ:gjureit] installeren; inhuldigen; inwijden, onthullen, openen; **inauguration** [iˌnɔ:gju'reiʃən] installatie; inwijding, inhuldiging, onthulling

inauspicious [inɔ:s'piʃəs] onheilspellend, ongelukkig, ongunstig

inborn ['in'bɔ:n, *attr:* 'inbɔ:n] aangeboren

incalculable [in'kælkjuləbl] onberekenbaar, niet te berekenen, onmetelijk (groot)

incandescence [inkæn'desns] gloeiing; gloeihitte; **incandescent** [-nt] (wit)gloeiend, gloei... (*lamp, light, mantle*)

incapable [in'keipəbl] onbekwaam (ook dronken = *drunk and ~*), onbevoegd; *~ of* niet in staat tot

incapacitate [inkə'pæsiteit] ongeschikt maken; onbevoegd verklaren (*for, from* voor); uitschakelen; **incapacity** [inkə'pæsiti] ongeschiktheid, onbevoegdheid

incarcerate [in'kɑ:səreit] gevangenzetten

incarnate I *bn* [in'kɑ:nit] vleselijk (*devil ~*); vlees-, mensgeworden (*the ~ Son of God*); II *ww* [in'kɑ:neit] incarneren, vlees (mens) doen worden, belichamen; **incarnation** [inkɑ:'neiʃən] incarnatie, vleeswording, belichaming, verpersoonlijking

incendiary [in'sendjəri] I *bn* brandstichtend; brand... (*bomb*); (*fig*) opruiend, ophitsend; II *zn* brandstichter; brandbom

1 incense [in'sens] woedend maken, vertoornen; *~d by* gebelgd over

2 incense ['insens] wierook (*ook fig*)

incentive [in'sentiv] I *bn* aansporend, prikkelend; II *zn* aansporing, prikkel(ing), motief

inception [in'sepʃən] begin, opzet

incessant [in'sesnt] onophoudelijk, voortdurend

incest ['insest] id.

inch [in(t)ʃ] I *zn* Eng duim: *1/12 foot* 2,54 cm; *~es* lengte, grootte (*a man of your ~es*); *~ by ~, by ~es* stukje bij beetje, langzamerhand, voetje voor voetje; *die by ~es* langzaam; *to an ~* precies; *not budge* (*give*) *an ~* geen duimbreed wijken; II *ww* (zich) duim voor duim (voetje voor voetje) bewegen (*up to* naar, *ahead* vooruit), stukje bij beetje verplaatsen, enz.

incident ['insidənt] id., voorval; episode; *~ to* (zelden *on*) verbonden met; eigen aan, voortvloeiend uit; **incidental** [insi'dentl] I *bn* toevallig; bijkomstig (*expenses*), incidenteel, bijbehorend; II *zn: ~s* bijkomstige omstandig-

heid (uitgave, enz.); **incidentally** [insi'dentəli] *ook:* terloops, onder de hand, tussen twee haakjes
incinerate [in'sinəreit] (tot as) verbranden, verassen; **in'cinerator** verbrandingsoven
incipient [in'sipiənt] beginnend, aanvangs...
incision [in'siʒən] insnijding, kerf, snede; scherpte; **incisive** [in'saisiv] snijdend, scherp, snij... (*teeth*); (*fig*) beslist, scherp(zinnig), krachtig; **incisor** [in'saizə] snijtand
incite [in'sait] aansporen, -zetten, -hitsen, opruien, prikkelen; **incitement** aansporing, opruiing; prikkel
inclination [inkli'neiʃən] helling; inclinatie; buiging; neiging, genegenheid; **incline** [in-'klain] I *ww* buigen, neigen, geneigd maken (zijn); (doen) hellen of overhellen (~ *to conservatism*); een neiging vertonen (~ *to corpulence*); ~*d* hellend (*plane* vlak); geneigd, genegen, gestemd; II *zn* [*ook:* 'inklain] helling; hellend vlak
include [in'klu:d] insluiten, be-, omvatten; opnemen; meerekenen; ~ *out,* (*sl*) niet meetellen, er buiten laten; **inclusive** [in'klu:siv] (alles) insluitend, omvattend, inclusief; *be* ~ *of* omvatten; *from Monday to Friday* ~ tot en met vrijdag
incoherent [inkəu'hiərənt] id., onsamenhangend
income ['in-, 'iŋkəm, -kʌm] inkomen, inkomsten; **'income tax** inkomstenbelasting; **incoming** ['inkʌmiŋ] in-, binnenkomend; opkomend (*tide*); opvolgend, nieuw
incomparable [in'kɔmpərəbl] onvergelijkelijk, weergaloos
incompatible [inkəm'pætəbl] onverenigbaar, (tegen)strijdig; *be* ~ niet bij elkaar passen
in,compre'hensible onbegrijpelijk; **in,compre'hension** niet-begrijpen, onbegrip
inconceivable [inkən'si:vəbl] onbegrijpelijk; ondenkbaar; onvoorstelbaar
inconclusive [inkən'klu:siv] niet beslissend, niet overtuigend, niet afdoend, weifelend
incongruity [inkɔŋ'gru(:)iti] ongelijksoortigheid; (tegen)strijdigheid, ongerijmdheid; **incongruous** [in'kɔŋgruəs] ongelijk(soortig), (tegen)strijdig; niet passend (*with, to* bij); ongepast, ongerijmd; inconsequent
inconsequent [in'kɔnsikwənt] id., onlogisch, niet ter zake (dienend), ontoepasselijk, onsamenhangend, veranderlijk; **inconsequential** [in,kɔnsi'kwenʃəl] onbelangrijk
inconsiderate [inkən'sidərit] onbezonnen, onbedachtzaam; onattent, nonchalant
inconsistency [inkən'sistənsi] inconsequentie; tegenstrijdigheid; **inconsistent** [inkən'sistənt] *a*) onbestaanbaar (*with* met), (tegen)strijdig; *b*) onlogisch, inconsequent
inconsolable [in'kənsəuləbl] ontroostbaar
incontrovertible ['inkɔntrə'və:təbl] onomstotelijk
inconvenience [inkən'vi:njəns] I *zn* ongerief, ongemak; II *ww* in ongelegenheid brengen; dwarszitten; **inconvenient** [inkən'vi:njənt] lastig, ongerieflijk
incorporate I *bn* [in'kɔ:pərit] als rechtspersoon erkend; nauw (in één lichaam) verenigd; belichaamd; II *ww* [-eit] (zich) tot één (lichaam) verenigen; opnemen (*in, into* in); indelen, inlijven (*with, in, into* bij); als rechtspersoon erkennen, incorporeren; be-, omvatten; ~*d company,* (*Eng*) koninklijk goedgekeurde Mij; (*Am*) naamloze vennootschap (*Inc.* = NV. = Eng *Ltd*)
incorrigible [in'kɔridʒəbl] onverbeterlijk(e)
increase I *ww* [in-, iŋ'kri:s] (doen) toenemen, aangroeien, wassen, vermeerderen, vergroten, versterken; hoger, groter worden; II *zn* ['inkri:s] toeneming, groei, (aan)was; nakomelingschap, kroost; *be on the* ~ toenemen; wassen
incredible [in'kredəbl] ongelofelijk; **incredulity** [inkri'dju:liti] ongelovigheid, ongeloof; **incredulous** [in'kredjuləs] ongelovig (*of* wat betreft)
increment ['in-, 'iŋkrimənt] aanwas, (waarde)-vermeerdering; (salaris)verhoging
incriminate [in'krimineit] (van misdaad) beschuldigen, in een aanklacht betrekken
in'cumbent bekleder van (kerkelijk) ambt
incur [in'kə:] oplopen, zich op de hals halen
incurable [in'kjuərəbl] ongeneeslijk
incursion [in'kə:ʃən] inval, strooptocht; het zich op vreemd gebied begeven, poging
indebted [in'detid] schuldig, verplicht; **indebtedness** *a*) het schuldig zijn; *b*) verplichting; *c*) schuld(en)
indecency [in'di:snsi] onfatsoenlijkheid, onzedelijkheid; **indecent** [in'di:snt] id., onwelvoeglijk, onfatsoenlijk, onzedelijk; ~ *assault* (*exposure*) aanranding (openbare schennis) der eerbaarheid
indecision [indi'siʒən] besluiteloosheid; **indecisive** [indi'saisiv] niet beslissend, onbeslist, niet afdoend; besluiteloos; vaag
indeed [in'di:d] inderdaad, voorwaar, heus, in werkelijkheid; met recht; trouwens (*what, ~, do we know of the origin of life?*), weliswaar (*not perfect ~, but ...*), om de waarheid te zeggen; tenminste (*if, ~, he comes*); dan ook; ja (zelfs) (*I'm not fond of beer, ~ I dislike it*); *very fine* ~ werkelijk erg mooi; wat je zegt; och kom! ja wel! het mocht wat! dat kun je begrijpen!; ~*?* o ja? zo?
indefatigable [indi'fætigəbl] onvermoeibaar, onvermoeid
indefinite [in'definit] onbepaald, onbegrensd
indelible [in'delibl] onuitwisbaar
in'demnity [in'demniti] schadeloosstelling, vergoeding; vrijwaring; amnestie
indent [in'dent] *a*) (uit)tanden, insnijden; *b*) inspringen (*bij het drukken*); *c*) bestellen (*goods*)
indenture [in'dentʃə] gezegeld contract; leercontract (ook ~*s*)

independence [indi'pendəns] *a)* onafhankelijkheid (*on, of* zelden: *from* van); *b)* onafhankelijk bestaan (inkomen); **inde'pendent** onafhankelijk, zelfstandig
indescribable [indis'kraibəbl] onbeschrijfelijk
indestructible [indis'trʌktəbl] onverwoestbaar, onvernietigbaar
indeterminate [indi'tə:minit] onbepaald, vaag, onbeslist
index ['indeks] I *zn* wijzer, stift; leidraad, aanwijzing, teken; alfabetisch register; index (*r-k*); exponent; II *ww* van een index voorzien; in een (op de) index plaatsen; aanduiden (= ~ *out*); indexeren; '**index finger** wijsvinger
India ['indjə] id., Voor-Indië; '**Indiaman** [-mən] (*hist*) Oostindiëvaarder; **Indian** ['indjən] I *bn: a)* Indisch; *b)* Indiaans; ~ *summer* mooie herfst, nazomer; II *zn: a)* Indiër; Indischman; *b)* Indiaan (= *Red*~)
ind
'**indicate** [-eit] aanwijzen, aanduiden, wijzen op, aangeven, te kennen geven; aanstippen; '**indicator** [-eitə] (aan)wijzer; clignoteur, richtingaanwijzer; indicatie, aanwijzing
indict [in'dait] aanklagen (*for* wegens); **indictment** [-mənt] aanklacht; akte van beschuldiging
in'different onverschillig; onpartijdig, neutraal; (zeer) middelmatig, maar zo zo, vrij slecht (*sleep ~ly*); onbelangrijk, van geen betekenis; indifferent; stabiel (*equilibrium*); *in ~ health* niet goed gezond; **in'differently** *ook:* door elkaar (*these words are used~*)
indigenous [in'didʒinəs] *a)* inheems, inlands; *b)* aangeboren
indigent ['indidʒənt] behoeftig, arm
indigestible [indi'dʒestəbl] onverteer-, ongenietbaar (*talk*)
indignant [in'dignənt] verontwaardigd; **indignation** [indig'neiʃən] verontwaardiging; **indignity** [in'digniti] onwaardige behandeling; smaad, hoon, belediging
indirect [indi'rekt] id., niet recht(streeks), middellijk; zijdelings; onoprecht, slinks
indiscreet [indis'kri:t] onverstandig, onbezonnen, onvoorzichtig; ondoordacht, tactloos; indiscreet; **indiscretion** [indis'kreʃən] onbezonnenheid, ondoordachtheid, tactloosheid; indiscretie; *years of~* vlegeljaren
indiscriminate [indis'kriminit] geen onderscheid makend, zonder onderscheid, (in den) blind(e), in het wilde weg
indispensable [indis'pensəbl] onmisbaar (iets, persoon), onontbeerlijk noodzakelijk
indisposed [indis'pəuzd] *a)* ongesteld; *b)* ongenegen (*to* te); slecht gezind
indisputable [ˌindis'pju:təbl, in'dispjutəbl] onbetwistbaar
indistinguishable [indis'tiŋgwiʃəbl] niet te onderscheiden
individual [indi'vidjuəl] I *bn* individueel, afzonderlijk, persoonlijk, eigenaardig; II *zn* individu; enkeling; persoon
indivisible [indi'vizəbl] ondeelbaar (iets)
indolence ['indələns] traagheid, ondolentie; **indolent** ['indələnt] id., lusteloos, traag
indomitable [in'dɔmitəbl] ontembaar, onbedwingbaar, onoverwinnelijk
indoor ['indɔ:] binnen(shuis), huiselijk, huis..., kamer...; overdekt (*swimming-pool*); (*sp ook*) id., zaal-; **indoors** [in'dɔ:z] binnen(shuis)
induce [in'dju:s] bewegen, nopen; leiden tot, veroorzaken, teweegbrengen (*a habit of mind*); afleiden; **inducement** [-mənt] drijfveer, motief, prikkel; lokmiddel; **induction** [in'dʌkʃən] installatie; aanvoering (*van feiten, enz.*); ~ *course* inleidingscursus; (*elektr*) inductie; gevolgtrekking; ~ *coil* inductieklos; **inductive** [-iv] aanleiding gevend; inductief: uit waargenomen feiten afleidend
indulge [in'dʌldʒ] toegeven, verwennen (*a p.*); toegeven aan, uitleven (*one's passions*); koesteren (*a dream*); ~ *o.s.* aan zijn neigingen toegeven; ~ *o.s. in* zich overgeven aan; ~ *in swimming* doen aan; **indulgence** [in'dʌldʒəns] (te grote) toegeeflijkheid; gunst; het toegeven (*of, in* aan); (zelf)bevrediging; genot, uitspatting; aflaat(brief); **indulgent** [in'dʌldʒənt] (te) toegeeflijk
industrial [in'dʌstriəl] industrieel, nijverheids..., bedrijfs...; ~ *action* acties in de bedrijven: stakingen, enz.; ~ *art* kunstnijverheid; **industrialist** industrieel; **industrialization** [inˌdʌstriəlai'zeiʃən] industrialisatie; **industrialize** [-aiz] industrialiseren; **industrious** [in'dʌstriəs] vlijtig, nijver, arbeidzaam, onverdroten; **industry** ['indəstri] ijver, vlijt; industrie, bedrijf; *industries fair* jaarbeurs
inebriate I *bn* [i'ni:briit] dronken; II *zn* dronkaard; dronken persoon; III *ww* [-ieit] dronken m
inedible [in'edibl] oneetbaar
ineffable [in'efəbl] onuitsprekelijk
ineffective [ini'fektiv] zonder uitwerking; vruchteloos; onbruikbaar (mens); **ineffectual** [ini'fektjuəl] vruchteloos; onbekwaam
inefficient [ini'fiʃənt] onbekwaam, ongeschikt, onhandig; krachteloos; zonder voldoende uitwerking, inefficiënt, ondoelmatig
ineligible [in'elidʒibl] onverkiesbaar; niet in aanmerking komend
inept [in'ept, i'nept] onbekwaam, onhandig; dwaas, ongerijmd; **ineptitude** [-itju:d] onbekwaamheid, onhandigheid; ongeschiktheid
inequitable [in'ekwitəbl] onbillijk; **inequity** [in'ekwiti] onbillijkheid
inert [i'nə:t] traag, willoos, log, loom, inert; ~ *gases* edelgassen; **inertia** [i'nə:ʃiə] traagheid, inertie; ~ *reel* (*seat*) *belt* oprolgordel, autogordel met oprolautomaat; ~ *selling* het ongevraagd toezenden van goederen
inescapable [inis'keipəbl] onontkoombaar
inestimable [in'estiməbl] onschatbaar
inevitability [inˌevitə'biliti] onvermijdelijkheid; **inevitable** [in'evitəbl] onvermijdelijk

inexhaustible [inig'zɔ:stəbl] onuitputtelijk
inexorable [in'eksərəbl] onverbiddelijk
inexplicable [in'eksplikəbl, 'iniks'plikəbl] onverklaarbaar
inextricable [in'ekstrikəbl, ˌiniks'trikəbl] onontwarbaar; waar men zich niet uit kan redden
infallible [in'fæləbl] onfeilbaar; stellig
infamous ['infəməs] schandelijk; berucht; (*jur*) eerloos; **infamy** ['infəmi] eerloosheid; beruchtheid; schande
infancy ['infənsi] *a*) kindsheid (*ook fig*); *b*) minderjarigheid; **infant** ['infənt] I *zn* zuigeling (= ~ *in arms*); kleuter, kind onder 7 (op school: van 5-7) jaar; minderjarige; II *bn* jong, kinderlijk, kinder... (*diseases*); ~ *class* kleuterklas; **infantile** ['infəntail] kinder..., kinderlijk, -achtig; '**infant-like** kinderlijk, -achtig
infatuate [in'fætjueit] verdwazen; verblinden; *~d, ook:* dwaas verliefd, dol (*with* op); **infatuation** [inˌfætju'eiʃən] verdwaasdheid; dwaze verliefdheid, kortstondige liefde
infect [in'fekt] besmetten, aansteken; **infection** [in'fekʃən] besmetting, infectie; aanstekelijkheid; smetstof; **infectious** [in'fekʃəs] besmettelijk, aanstekelijk
infer [in'fə:] *a*) afleiden, een (de) conclusie trekken; *b*) insluiten, betekenen; **inference** ['infərəns] gevolgtrekking; **inferential** [infə'renʃəl] afleidbaar; afgeleid
inferior [in'fiəriə] I *bn* lager, minder, ondergeschikt; inferieur, minderwaardig; onder...; II *zn* inferieur, ondergeschikte; **inferiority** [inˌfiəri'ɔriti] minderwaardigheid; minderheid, ondergeschiktheid
infernal [in'fə:nl] hels; duivels; (*fam*) beroerd
infest [in'fest] teisteren, onveilig (ondraaglijk) maken; aantasten (*~ed by woodworm*)
infidel ['infidəl, -del] ongelovig(e); **infidelity** [infi'deliti] ongeloof, ontrouw
in-fighting ['infaitiŋ] onderlinge strijd (binnen een groep), bedekte machtsstrijd
infiltrate ['infiltreit] (doen) insijpelen, doordringen, dóórdringen; **infiltration** [infil'treiʃən] doordringing, infiltratie (*ook mil, enz.*)
infinite ['infinit] oneindig; oneindig veel; **infinitesimal** [ˌinfini'tesiməl] oneindig klein(e hoeveelheid); **infinitive** [in'finitiv] onbepaald(e wijs); **infinity** [in'finiti] oneindigheid; oneindige hoeveelheid (uitgestrektheid)
infirm [in'fə:m] zwak; weifelend (= ~ *of purpose*); **infirmary** [-əri] ziekenhuis, -zaal (*in school, armhuis, enz.*); **infirmity** zwakheid, zwakte, gebrek, ziekelijkheid
inflame [in'fleim] (doen) ontvlammen; aanvuren; in woede of (geestdrift) (doen) ontsteken; (*med*) ontsteken; **inflammable** [in'flæməbl] I *bn* ontvlambaar; II *zn* licht ontvlambare stof; **inflammation** [inflə'meiʃən] ontbranding; opwinding; ontsteking; **inflammatory** [in'flæmətəri] *a*) opwindend, opruiend, ophitsend, prikkel... (*literature*); *b*) met ontsteking gepaard gaand
inflatable [in'fleitəbl] opblaasbaar, opblaas...; **inflate** [in'fleit] opblazen, doen uitzetten; oppompen (*a tire*), vullen (*a balloon*); opgeblazen maken; opdrijven (*prices*); **inflated** [-id] gezwollen (*language*); **in'flation** het ... (zie *inflate*); *opgeblazen-, gezwollenheid; inflatie, te grote uitgifte van papiergeld*; **in'flationary** [-əri] inflationistisch, inflatoir, inflatie... (*policy, spiral*)
inflect [in'flekt] verbuigen; **inflexibility** [inˌfleksə'biliti] onbuigzaamheid, onverzettelijkheid; **inflexible** [in'fleksəbl] onbuigbaar, -zaam, onverzettelijk; **inflexion** [in'flekʃən] (ver)buiging; verbogen vorm; buigingsvorm; stembuiging
inflict [in'flikt] toedienen (*punishment*), toebrengen (*a wound upon a p.* iem ...)
inflow ['infləu] instroming, toevloed
influence ['influəns] I *zn* (onbewuste) invloed (*on, upon* op: *the ~ of insects on plants*), (bewuste) invloed (*with* bij: *I have no ~ with him*), macht; protectie, 'kruiwagen(s)'; II *ww* invloed hebben op, beïnvloeden; **influential** [influ'enʃəl] invloedrijk
influx ['inflʌks] instroming, toevloed
inform [in'fɔ:m] berichten, mededelen; ~ *against* aanklagen, aanbrengen, verklikken; ~ *about, of* berichten, melden, verwittigen van, op de hoogte stellen van; (*well*) *~ed, ook:* (goed) ingelicht, op de hoogte, ontwikkeld, des-, zaakkundig (*criticism*), bevoegd (*opinion*)
informal [in'fɔ:məl] informeel, niet officieel; **informality** [infɔ:'mæliti] informaliteit
informant [in'fɔ:mənt] zegsman, id.
information [infə'meiʃən] inlichting(en), mededeling, kennis(geving), bericht; gegevens; voorlichting; aanklacht; *for* ~ ter kennisneming (informatie)
informative, informatory [in'fɔ:mətiv, -əri] inlichtingen verstrekkend, informatief, leerzaam; **informer** [in'fɔ:mə] aanklager; tipgever; (*common*) ~ (beroeps)aanbrenger, geheim agent
infraction [in'frækʃən] schending, (in)breuk
infra dig. ['infrə'dig] (*fam*) (= *dignitatem*) beneden iemands waardigheid
in'frequent zeldzaam; *not ~ly* niet zelden
infringe [in'frin(d)ʒ] inbreuk maken op, aantasten, schenden, overtreden (*the law*); **infringement** [-mənt] schending, overtreding
infuriate [in'fjuərieit] woedend maken
infuse [in'fju:z] (in)gieten, ingeven, inprenten; doen dóórdringen; doordringen (*with* van); laten trekken (*tea*); (*van thee, enz.*) (af)trekken; **infusion** [in'fju:ʒən] aftreksel, infusie
ingenious [in'dʒi:njəs] vernuftig, vindingrijk; **ingenuity** [indʒi'nju(:)iti] vindingrijkheid; vernuft

ingenuous [in'dʒenjuəs] openhartig; ongekunsteld, onschuldig; **ingenuousness** ongekunsteldheid, onschuld
ingle-nook ['iŋglnuk] hoekje bij de haard
ingot ['iŋgət] baar, staaf, blok (*van metaal*)
ingrained [in'greind; *attr:* 'ingreind] ingeworteld; doortrapt, verstokt
ingratiate [in'greiʃieit]: ~ *o.s.* zich bemind maken, in het gevlij trachten te komen (*with* bij); *ingratiating, ook:* innemend, beminnelijk; **ingratitude** [in'grætitju:d] ondankbaarheid
inhabit [in'hæbit] wonen in, bewonen; **inhabitable** [-əbl] bewoonbaar; **inhabitant** [-ənt] be-, inwoner
inhale [in'heil] inademen, inhaleren; **inhaler** [-ə] respirator; inhaleertoestel
inherent [in'hiərənt, in'herənt] inherent, onafscheidelijk verbonden, eigen (*in* aan)
inherit [in'herit] erven; **inheritable** [-əbl] erfelijk; **inheritance** [-əns] *a*) erfenis; *b*) erfdeel
inhibit [in'hibit] verbieden (*from* te ...); schorsen (*a clergyman*); tegengaan, beletten, weerhouden, remmen, onderdrukken; **inhibition** [in(h)i'biʃən] remming
inhospitable [in'hɔspitəbl] onherbergzaam, ongastvrij
inimical [i'nimikl] vijandig; schadelijk
inimitable [i'nimitəbl] onnavolgbaar, weergaloos, 'onbetaalbaar'
iniquity [i'nikwiti] onrechtvaardig-, ongerechtigheid, zonde
initial [i'niʃəl] **I** *bn* begin..., aanvangs..., voor...; eerste, voorste; **II** *zn* voorletter, initiaal, aanvangs-, begin(hoofd)letter; **III** *ww* paraferen, goedkeuren
initiate I *ww* [i'niʃieit] inwijden; beginnen; op gang brengen, het initiatief nemen tot; als lid opnemen (*into society* in ...); **II** *bn en zn* [i'niʃiit] ingewijd(e); **initiative** [i'niʃiətiv] eerste stap, begin; (recht van) initiatief (*take the* ~)
inject [in'dʒekt] inspuiten, -werpen, -brengen; **injection** [in'dʒekʃən] inspuiting; injectie
injunction [in'dʒʌŋkʃən] uitdrukkelijk bevel; rechterlijk verbod of bevel
injure ['in(d)ʒə] *a*) onrecht aandoen, krenken, benadelen; *b*) kwetsen, wonden, blesseren; **injurious** [in'dʒuəriəs] *a*) krenkend, beledigend; *b*) nadelig, schadelijk; **injury** ['in(d)ʒəri] onrecht; schade; belediging, krenking; kwetsuur, letsel, blessure; ~ *time* blessuretijd; **injustice** [in'dʒʌstis] onrecht(vaardigheid)
ink [iŋk] **I** *zn* inkt; **II** *ww* inkten
inkling ['iŋkliŋ] flauw vermoeden
'**ink-stand** inktstel; '**ink-well** iinktpot; '**inky** [-i] beïnkt, iinktachtig; inktzwart
inland ['inlənd, 'inlænd; *bw:* in'lænd, 'in'lænd] binnenland(s); in (naar) het binnenland; ~ *duty* accijns; ~ *revenue* opbrengst van belastingen en accijnzen; ~ *sea* binnenzee
in-law ['inlɔ:, in'lɔ:] (*fam*) aangetrouwd familielid; ~*s, ook:* schoonouders
inlay I *ww* [(')in'lei] inleggen; **II** *zn* ['inlei] ingelegd werk, mozaïek; vulling (van tand of kies); *slip* ~ inlegkruisje; **inlet** ['inlet] in-, toegang; inham, kreek
inmate ['inmeit] (mede)bewoner, huisgenoot; patiënt, verpleegde, gevangene, enz.
inmost ['inməust, -məst] binnenste; geheimste
inn [in] herberg; ~*s of Court* (gebouwen van) 4 rechtsgeleerde genootschappen, die opleiden en examen afnemen voor advocaat
innards ['inədz] ingewanden; het inwendige, inwendige delen
innate [(')i'neit, 'ineit] in-, aangeboren
inner ['inə] inwendig, innerlijk, binnenste, binnen...; intiem; ~ *cabinet* kernkabinet; ~ *city* binnenstad; ~ *office* privékantoor; '**innermost** [-məust, -məst] binnenste
innkeeper ['inki:pə] herbergier, waard
innocence ['inəsns] onschuld; onnozelheid; **innocent** ['inəsnt] **I** *bn* onschuldig (*of* aan), schuldeloos; onschadelijk; **II** *zn* schuldeloos persoon (kind)
innocuous [i'nɔkjuəs] onschadelijk
innovate ['inəveit] nieuwigheden (vernieuwingen) invoeren, vernieuwen, innoveren; **innovation** [inəu'veiʃən] vernieuwing; nieuwigheid, novum; innovatie; **innovative** ['inəveitiv] vernieuwend; **innovator** ['inəveitə] vernieuwer; nieuwlichter
innuendo [inju:'endəu] insinuatie, (hatelijke) toespeling
innumerable [i'nju:mərəbl] ontelbaar, talloos
inoculate [i'nɔkjuleit] (in)enten; **inoculation** [iˌnɔkju'leiʃən] inenting
inoffensive [inə'fensiv] *a*) onschadelijk, onschuldig, argeloos; *b*) geen aanstoot gevend
inoperable [in'ɔpərəbl] niet opereerbaar
inoperative [in'ɔpərətiv] zonder (uit)werking, niet in werking; niet van kracht
inopportune [in'ɔpətju:n] ongelegen, ontijdig
inordinate [i'nɔdinit] ongeregeld; buitensporig, onmatig; **inordinately** [-li] *ook:* bovenmate
in-patient ['inpeiʃənt] in ziekenhuis verpleegde patiënt
input ['input] invoer, inbreng, wat wordt toegevoegd; (*elektr*) toegevoegd vermogen; (*elektr*) ingang, invoer
inquest ['inkwest] onderzoek; (*coroner's*) ~: *a*) gerechtelijke lijkschouwing; *b*) jury voor de lijkschouwing
inquietude [in'kwaiitju:d] *a*) ongerustheid; *b*) onrust(igheid)
inquire [in'kwaiə] vragen (naar: *the time, the way*), informeren; onderzoeken; ~ *after a p.* vragen (informeren) naar iemands gezondheid; ~ *for* vragen om (*a particular book*); ~ *into* onderzoeken; ~ *of a p.* informeren bij iem; ~ *s.t. of a p.* iem (naar) iets vragen; **inquiry** [in'kwaiəri] vraag, onderzoek, enquête (*into* naar); aan-, navraag; *public* ~ hoorzitting; *make inquiries* vragen, onderzoek doen, informaties inwinnen

inquisition [inkwi'ziʃən] onderzoek; inquisitie; **inquisitive** [in'kwizitiv] nieuwsgierig
inroad ['inrəud] vijandelijke inval; inbreuk; aantasting (*van gezondheid*)
insalubrious [insə'lu:briəs] ongezond
insane [in'sein] krankzinnig; **insanitary** [in'sænitəri] ongezond; onhygiënisch; **insanity** [in'sæniti] krankzinnigheid
insatiable [in'seiʃjəbl] onverzadelijk
inscribe [in'skraib] in-, opschrijven; graveren, (in)beitelen; (in)prenten (= ~ *on the memory*); opdragen (*a book*); (*meetk*) beschrijven (in); **inscription** [in'skripʃən] in-, opschrift, inscriptie; opdracht
inscrutable [in'skru:təbl] onnaspeurlijk, ondoorgrondelijk
insect ['insekt] insekt; (*fig*) hinderlijk of minderwaardig sujet; ~ *bite* insektebeet; **insecticide** [in'sektisaid] insektendodend (middel)
insecure [insi'kjuə] onveilig, onvast
inseminate [in'semineit] insemineren; **insemination** inseminatie
insensible [in'sensəbl] *a*) onmerkbaar; *b*) bewusteloos; onbewust
insensitive [in'sensitiv] ongevoelig (*to* voor)
inseparable [in'sepərəbl] onscheidbaar; onafscheidelijk
insert I *ww* [in'sə:t] (in)zetten, -voegen, -lassen, -planten, werpen; opnemen, plaatsen (*in krant*); II *zn* ['insə:t] inlas, inzetstuk; **insertion** [in'sə:ʃən] invoeging, inlassing; plaatsing, tussenzetsel
'in-'service: ~ *training* bijscholing
inset I *ww* [in'set] inzetten, -lassen; II *zn* ['inset] in-, tussenzetsel; ingelast(e) blad(en), bijlage, bijvoegsel; bijkaartje (= ~ *map*)
inshore ['in'ʃɔ: *attr:* 'inʃɔ:] naar (bij, onder) de kust, kust...; ~ *of* dichter bij de kust dan
inside ['in'said; *ook* 'insaid, in'said] I *zn* binnenkant; huizenkant (*van trottoir*), kant (*van voetpad*) het verst van de weg; het inwendige; [in'said] maag, ingewanden; ~ *out* binnenste buiten; II *bn* binnenste, binnen...; intiem (*the* ~ *history of the conflict*); van binnenuit (*job*); ~ *information* inlichtingen van ingewijden; III *bw* (van, naar) binnen; binnengaats; binnenlangs, -in, -door, enz.; (*van dubbeldeksbus*) beneden; IV *vz* (binnen)in; binnen; **insider** [(')in'saidə] ingewijde; id.; lid
insidious [in'sidiəs] verraderlijk, arglistig
insight ['insait] inzicht
insignia [in'signiə] insignes, onderscheidingstekens, ordetekenen, versierselen
insignificance [insig'nifikəns] onbetekenendheid, onbeduidendheid; **insignificant** [insig'nifikənt] onbetekenend, onbeduidend, (*soms*) zonder betekenis
insincere [insin'siə] onoprecht; **insincerity** [insin'seriti] onoprechtheid
insinuate [in'sinjueit] (ongemerkt) indringen, -brengen, -steken, -leiden; bedekt te kennen geven, insinueren; ~ *o.s. into a p.'s favour* zich indringen in ...; **in,sinu'ation** het ...; insinuatie
insipid [in'sipid] smakeloos, laf, flauw
insist [in'sist] aandringen; aan-, volhouden; (nadrukkelijk) beweren; ~ (*up*)*on* staan (aandringen) op, blijven bij; **insistence** [-əns] het ...; aandrang; **insistent** aanhoudend, dringend; zich opdringend; *she was* ~ ze hield vol
insolence ['insələns] onbeschaamdheid; **insolent** ['insələnt] onbeschaamd
insoluble [in'səljubl] onoplosbaar
insolvency [in'səlvənsi] insolventie, onvermogen om te betalen; **insolvent** [in'səlvent] insolvent(e schuldenaar)
insomnia [in'səmniə] slapeloosheid
inspect [in'spekt] onderzoeken; in ogenschouw nemen, inspecteren
inspection [in'spekʃən] onderzoek, op-, toezicht, inspectie; **inspector** [in'spektə] onderzoeker; opzichter, inspecteur, controleur; ~ *of weights and measures* ijker
inspiration [inspi'reiʃən] ingeving; inspiratie; **inspire** [in'spaiə] bezielen, inspireren; inblazen, ingeven, inboezemen
instability [instə'biliti] onbestendigheid, onvastheid, instabiliteit
install [in'stɔ:l] installeren; plaatsen, aanbrengen (*lighting apparatus*); **installation** [instə'leiʃən] installatie; **in'stalment** (afbetalings-) termijn, aflossing, aflevering (*insert an article in* ~*s*); *on the* ~ *system* op afbetaling
instance ['instəns] I *zn* aandrang, verzoek (*at the* ~ *of* op ...); geval; voorbeeld (*for* ~ bij ...), bewijsplaats; *in the first* ~: *a*) in de eerste plaats, eerst; *b*) in eerste instantie; II *ww: a*) (als voorbeeld) aanhalen; *b*) met voorbeeld(en) bewijzen
instant ['instənt] I *bn* dringend; dezer (*the 5th* ~); ogenblikkelijk; kant-en-klaar; direct klaar (*camera, photography*); ~ *coffee* oploskoffie; II *zn* ogenblik; *this* ~, *on the* ~ ogenblikkelijk; **instantaneous** [instən'teinjəs] ogenblikkelijk; **instantly** ['instəntli] onmiddellijk
instead [in'sted] (*of*) in plaats (daar)van
instep ['instep] wreef (*van voet*)
instigate ['instigeit] aansporen, ophitsen, aanzetten (tot), aanstichten; **insti'gation** aansporing, aanstichting, instigatie
instil(l) [in'stil] *a*) indruppelen; *b*) (geleidelijk) inprenten, bijbrengen, inboezemen
instinct ['instiŋ(k)t] id., natuurdrift; intuïtie; **instinctive** [in'stiŋ(k)tiv] instinctief, instinctmatig
institute ['institju:t] I *zn* instituut, instelling, genootschap; II *ww* instellen, stichten; aanstellen, installeren (*to, into* in); bevestigen (*in een geestelijk ambt*); **institution** [insti'tju:ʃən] stichting; installatie; vaste gewoonte, wet, instituut, instelling, gesticht; **institutional** [-l] ingesteld, gevestigd; wets..., genootschaps..., institutioneel; **institutionalize** institutionaliseren; in een instituut of tehuis opnemen

ins

instruct [in'strʌkt] *a*) onderrichten, onderwijzen; *b*) gelasten, last geven; **instruction** [in'strʌkʃən] *a*) onderricht, onderwijs, les; *b*) last, instructie; **instructive** [-iv] leerzaam, leerrijk; **instructor** [-ə] onderwijzer, leraar; instructeur; (*Am univ*) docent
instrument ['instrumənt] id., werktuig, gereedschap; ~ *flying* blind vliegen; **instrumental** [instru'mentl] *a*) instrumentaal; *b*) dienstbaar, behulpzaam, bevorderlijk; **instrumentalist** [instru'mentəlist] id., bespeler van een i.; **instrumentation** [ˌinstrumen'teiʃən] *a*) (*muz*) instrumentatie; *b*) gebruik van instrumenten; *c*) bemiddeling
insubordinatie [insə'bɔ:dinit] ongehoorzaam, weerspannig
insufferable [in'sʌfərəbl] onverdraaglijk, onduldbaar, onuitstaanbaar
insufficient [insə'fiʃənt] onvoldoende
insular ['insjulə] eiland..., insulair; (*fig*) geïsoleerd; bekrompen; **insularity** [insju'læriti] insulaire positie; bekrompenheid; **insulate** ['insjuleit] tot een eiland maken; afzonderen; (*natuurk*) isoleren; **'insulating-tape** isolatieband; **insu'lation** afzondering; isolatie; **'insulator** isolator
insult I *zn* ['insʌlt] belediging, hoon; II *ww* [in'sʌlt] beledigen, honen
insuperable [in'sju:pərəbl] onoverkomelijk
insupportable [insə'pɔ:təbl] on(ver)draaglijk
insurance [in'ʃuərəns] assurantie, verzekering; ~ *company* verzekeringsbedrijf; **'insurance-broker** assurantiemakelaar; **insure** [in'ʃuə] verzekeren, assureren; **insured** verzekerde(n); **insurer** [-rə] verzekeraar, assuradeur
insurgence [in'sə:dʒəns] oproer; **insurgent** [in'sə:dʒənt] I *bn* oproerig; II *zn* oproerling
insurrection [insə'rekʃən] opstand
intact [in'tækt] id., gaaf, heel, onbeschadigd
intake ['inteik] opneming; het op-, ingenomene; (*univ*) aantal nieuwaangekomen studenten; aantal nieuwe rekruten; inlaat(opening); vernauwing; (*Am*) ontvangsten
integral ['intigrəl] *a*) integrerend; *b*) geheel, volledig, integraal; inpandig (*garage*); ~ *calculus* integraalrekening
integrate I *bn* ['intəgrit] geheel, volledig; II *ww* [-greit] *a*) aanvullen (tot een geheel); integreren, tot een geheel verenigen, tot een eenheid vormen; *b*) de integraal vinden van; *c*) (*Am*) de rassenscheiding opheffen; **integration** integratie
integrity [in'tegriti] geheel (*in its* ~); volledig-; zuiverheid, integriteit, onkreukbaar-, rechtschapen-, onomkoopbaarheid
intellect [intə'lekt] id., verstand; **intellectual** [inti'lektjuəl] I *bn* intellectueel, verstandelijk, geestelijk, verstands...; II *zn* intellectueel
intelligence [in'telidʒəns] *a*) verstand, oordeel, begrip, schranderheid, intelligentie; *b*) bericht(en), inlichtingen, nieuws; ~ *agency* (*service*) inlichtingendienst; **intelligent** [in'telidʒənt] id., vlug van begrip, bevattelijk; *discuss it* ~*ly* met verstand; **intelligible** [in'telidʒəbl] begrijpelijk; verstaanbaar
intemperate [in'temp(ə)rit] onmatig; zich te buiten gaande (*inz. aan drank*); heftig; (*van klimaat*) guur
intend [in'tend] van plan zijn, voorhebben, bedoelen, menen; bestemmen; **intended** I *bn* voorgenomen, aanstaande; opzettelijk; II *zn* (*vero*) aanstaande (*his* ~); **intending** aankomend, aanstaande; ~ *purchasers* gegadigden
intense [in'tens] krachtig, ingespannen, hevig, geweldig, intens; diep gevoelend, emotioneel; **intensely** *ook:* door en door; **in'tensify** [-fai] verhogen, versterken (ook: *fot*), verscherpen; **in'tensity** intensiteit, kracht, nadruk, hevigheid; **in'tensive** intensief, ingespannen, grondig (*search*), versterkend (woord, enz.); ~ *care* id., intensieve verpleging
intent [in'tent] I *zn* bedoeling, voornemen; *to all* ~*s* (*and purposes*) in de grond, feitelijk, in elk opzicht; II *bn* ingespannen; opmerkzaam, doelbewust; strak (*look*); scherp (*listen* ~*ly*); ~ *upon* gericht (zinnende, uit) op, opgaande in, vervuld van, ijverig bezig met (*one's work*); **intention** [in'tenʃən] voornemen, bedoeling, oogmerk; ~*s*, (*fam*) (on)eerbare bedoelingen t.o.v. meisje; **intentional** [-l] opzettelijk, expres; **intentionally** opzettelijk, willens en wetens
1 inter [in'tə:] ter aarde bestellen, begraven
2 inter ['intə(:)] (*Lat*) onder, tussen
interact [intər'ækt] op elkaar inwerken; **interaction** [intər'ækʃən] wisselwerking
intercede [intə(:)'si:d] tussenbeide komen, een goed woordje doen (*with* bij)
intercept [intə(:)'sept] onderscheppen, opvangen, (de pas) afsnijden; **interception** [intə(:)'sepʃən] onderschepping, interceptie
intercession [intə(:)'seʃən] tussenkomst, voorspraak (*with* bij), voorbede, bemiddeling
interchange I *ww* [intə(:)'tʃein(d)ʒ] (uit-, af-) wisselen, ruilen; II *zn* ['intə(:)tʃein(d)ʒ] uitwisseling; ruil; knooppunt (van autosnelwegen); **interchangeable** [intə(:)'tʃein(d)ʒəbl] verwisselbaar, ruilbaar
intercourse ['intə(:)kɔ:s] omgang, verkeer; geslachtsgemeenschap (= *sexual* ~)
interdependent [-ənt] van elkaar afhangend, onderling afhankelijk
interest ['intrist, 'int(ə)rest] I *zn* belang (*it is to your* ~ in ...); voordeel; recht, aandeel; invloed (*have little* ~ *with* bij); protectie, 'kruiwagens' (*he got the post by* ~); (voorwerp van) belangstelling, interesse; (persoonlijk) belang (*declare an* ~); rente (*at* ~ op ...); ~ *group* belangengroep; *of* ~ belangwekkend, interessant; *have an* ~ *in the business* geïnteresseerd zijn bij; II *ww* belang(stelling) inboezemen (*in* voor); interesseren; ~ *o.s. in* (*for*) belang stellen in, zich interesseren voor; *be* ~*ed in* belang stellen in (*a p.'s fate*), belang hebben bij; ~*ed*

betrokken; belanghebbend, belangstellend; zelfzuchtig; '**interest-account** interestrekening; '**interesting** belangwekkend, interessant; **interests** ['intrists, 'intrəsts] (groep van) belanghebbenden, onderneming, bedrijf, organisatie e.d.

interfere [intə'fiə] tussen beide komen, zich ermee bemoeien; aanslaan; ~ *with* zich bemoeien met; zich vergrijpen aan (*a girl*); aantasten; belemmeren, (ver)storen (*a p.'s plans*); **interference** [-rəns] tussenkomst; bemoeiing, aantasting, storing, stoornis, last, hinder; (*natuurk*) interferentie

interim ['intərim] I *bw* intussen; II *zn* tussentijd; *in the* ~ intussen = ~ *period*; III *bn* tijdelijk, tussentijds (*report*), voorlopig (*dividend*)

interior [in'tiəriə] I *bn* inwendig; binnenlands; innerlijk, binnen...; ~ *decorator* binnenhuisarchitect; II *zn* binnenste; interieur (ook schilderij = ~ *picture*); binnenland

interject [intə(:)'dʒekt] ertussen gooien, opmerken; **interjection** [intə(:)'dʒekʃən] tussenwerpsel; uitroep

interlace [intə(:)'leis] door(een)vlechten, ineenstrengelen; elkaar doorkruisen

interlope [(')intə(:)'ləup] beunhazen; onderkruipen; zich indringen

interlude ['intə(:)l(j)u:d] pauze, tussenspel, interludium, entr'acte, intermezzo (*ook fig*)

intermarry [intə(:)'mæri] onder elkaar huwen

intermediary [intə(:)'mi:djəri] I *bn* bemiddelend, tussen...; II *zn: a*) tussenpersoon, bemiddelaar, intermediair; *b*) bemiddeling (*through the* ~ *of*); **intermediate** I *bn* [intə(:)-'mi:djət] tussenliggend, tussen...; ~ *frequency*, (*radio*) middenfrequentie; II *ww* [-dieit] bemiddelen

interminable [in'tə:minəbl] eindeloos

intermission [intə(:)'miʃən] tussenpoos, pauze; onderbreking; *without* ~ zonder ophouden; **intermittent** [intə(:)'mitənt] intermitterend, bij tussenpozen werkend; ~ *light* flikkerlicht

intern [in'tə:n] I *zn* (*Am*) inwonend arts-assistent; II *ww* interneren; **internal** [in'tə:nl] I *bn* inwendig, innerlijk, intern (*medicine* geneeskunde); binnenlands; binnen...; inwonend (*student*); ~ *combustion engine* verbrandingsmotor; II *zn:* ~*s* het innerlijke; **internalize** (zich) eigen maken

international [intə(:)'næʃ(ə)n(ə)l] I *bn* internationaal; ~ *law* volkenrecht; II *zn* (*sp*) interland(wedstrijd); internationaal; **internationalism** [-izm] internationalisme; **internationalize** [ˌintə(:)'næʃnəlaiz] internationaliseren

internecine [intə(:)'ni:sain] moorddadig (*war*), elkaar verdelgend

internee [intə:'ni:] geïnterneerde; **internment** [in'tə:nmənt] internering

interpellate [in'tə:peleit] interpelleren (*in niet-Eng Parl*)

interplay ['intə(:)plei] wisselwerking (*of mind upon mind*); het in elkaar grijpen

interpolate [in'tə:pəuleit] inschuiven, inlassen, tussenvoegen, interpoleren

interpose [intə(:)'pəuz] tussenplaatsen; tussenbeide komen (met); in de rede vallen

interpret [in'tə:prit] verklaren, uitleggen (*into* als), (ver)tolken, interpreteren; **interpretation** [inˌtə:prə'teiʃən] vertolking, interpretatie; **interpreter** [-ə] tolk

inter'racial [-reiʃ] tussen verschillende rassen (bestaande); **interregnum** [-'regnəm] id., tijd die verloopt tussen aftreden (of overlijden) van een functionaris en optreden van zijn opvolger; **interre'late** met elkaar in verband brengen

interrogate [in'terəgeit] (onder)vragen; **interrogation** [inˌterə'geiʃən] ondervraging; vraag; **interrogator** [in'terəgeitə] (onder)vrager

interrupt [intə'rʌpt] onder-, afbreken, in de rede vallen, interrumperen, storen; onderscheppen; belemmeren (*the view*); **interruption** [intə'rʌpʃən] onderbreking, storing; belemmering; interruptie

intersect [intə(:)'sekt] *a*) (door)snijden, kruisen; *b*) elkaar snijden; **intersection** [intə(:)-'sekʃən] doorsnijding; snij-, kruispunt; (*motorway*) ~ verkeersplein

intersperse [intə(:)'spə:s] verspreiden; strooien; (be)sprenkelen; doorspekken

inter-state ['intə(:)steit] tussen (N-Am, Austr, enz.) staten onderling (bestaande) (*commerce*); door het gebied van verschillende staten lopende (= ~ *highway*)

interstice [in'tə:stis] tussenruimte, reet, spleet

intertwine [intə(:)'twain] (zich) dooreenvlechten, -strengelen

interval ['intəvəl] *a*) tussenruimte, -tijd, pauze; *b*) interval; *at* ~*s* bij tussenpozen, nu en dan; van afstand tot afstand

intervene [intə(:)'vi:n] tussenbeide komen; zich voordoen, gebeuren; liggen tussen; (*handel*) interveniëren; **intervention** [intə(:)-'venʃən] tussenkomst, interventie

interview ['intəvju:] I *zn: a*) onderhoud; *b*) id., vraaggesprek; II *ww* interviewen, ondervragen; '**interviewer** [-ə] id.

intestine [in'testin] I *bn* inwendig; binnenlands; ~ *war* burgeroorlog; II *zn* darm; *large* (*small*) ~ dikke (dunne) darm; ~*s* ingewanden

intimacy ['intiməsi] vertrouwdheid, vertrouwelijkheid; intimiteit; (ongeoorloofde) geslachtsgemeenschap; '**intimate** [-mət] I *bn* vertrouwelijk, vertrouwd, intiem; innig; grondig (*knowledge*); innerlijk; *be* ~ *with, ook:* geslachtsgemeenschap plegen met; II *zn* boezemvriend(in); III *ww* [-meit] bekendmaken, te kennen geven, laten doorschemeren; **inti'mation** kennisgeving; aanduiding, teken, wenk

intimidate [in'timideit] intimideren, vrees aanjagen; **intimidation** [inˌtimi'deiʃən] intimidatie, vreesaanjaging

int

into ['intu; *voor medeklinker:* 'intə] in; tot; (*fam*) geïnteresseerd in; (*almost*) ~ *the city* de ... in (bijna in ...); *two* ~ *eight is four* ... op de ...; *reason a p.* ~ ... overreden (door redenering brengen) tot ...; *well* ~ *the night* tot diep in ...; *we've been* ~ *all that before* hebben dat alles reeds vroeger besproken (onderzocht)
intolerable [in'tɔlərəbl] on(ver)draaglijk; **intolerance** [in'tɔlərəns] onverdraagzaamheid; **intolerant** [in'tɔlərənt] onverdraagzaam
intonation [intəu'neiʃən] intonatie
intoxicant [in'tɔksikənt] dronken makend, bedwelmend (middel); sterke drank; **intoxicate** [in'tɔksikeit] dronken maken, bedwelmen; in vervoering brengen; **intoxication** [in,tɔksi'keiʃən] bedwelming; dronkenschap, roes (*ook fig*), vervoering
intractable [in'træktəbl] onhandelbaar
intransigent [in'trænsidʒənt, in'trænzidʒənt] id.: wars van geschipper, onverzoenlijk
intransitive [in'træn-, in'trɑ:nsitiv] onovergankelijk (ww)
intrepid [in'trepid] onverschrokken
intricacy ['intrikəsi] ingewikkeldheid, verwardheid; **intricate** ['intrikit] ingewikkeld, verward
intrigue [in'tri:g] I *zn* intrige, gekonkel, kuiperij; amourette; II *ww* intrigeren (*ook:* nieuwsgierig maken, boeien: *an intriguing story*), kuipen, konkelen; het aanleggen (*with* met)
intrinsic [in'trinsik] innerlijk, intrinsiek
introduce [intrə'dju:s] in-, binnenleiden; (in)brengen, plaatsen, steken (*into* in); invoeren; introduceren, voorstellen; indienen (*a bill*); ter sprake brengen (*a topic*); *well* ~*d,* (*handel*) goed ingevoerd; **introduction** [intrə'dʌkʃən] inleiding; indiening; introductie; **intro'ductory** [-əri] inleidend (*remarks*)
introspection [intrə'spekʃən] zelfonderzoek, -bespiegeling; **introspective** [-iv] zelfbespiegelend
introvert [intrəu'və:t] naar binnen gericht; ~*ed nature* in zichzelf gekeerde aard
intrude [in'tru:d] (zich) indringen, (zich) opdringen (~ *o.s. upon a p.* aan iem); storen, ongelegen komen (*I hope I don't* ~); **intruder** [-ə] indringer; **intrusion** [in'tru:ʒən] het ...
intuition [inju(:)'iʃən] intuïtie, ingeving; **intuitive** [in'tju(:)itiv] intuïtief
inundate ['inʌndeit] onder water zetten; overstromen; inunderen; **inundation** [inʌn'deiʃən] overstroming, inundatie; (*fig*) stortvloed, zwerm
inure [i'njuə] gewennen (*to* aan)
invade [in'veid] binnenvallen, -dringen; (*fig*) aangrijpen; inbreuk maken op; **invader** binnendringer, invaller
1 invalid I *bn & zn* ['invəli(:)d] sukkelend(e), ziek(e), invalide; ~ *chair* ziekenstoel; II *ww* [invə'li:d] invalide (bedlegerig) maken; ongeschikt maken (verklaren, worden) voor de dienst (zijn werk)
2 invalid [in'vælid] niet van kracht, ongeldig; **invalidate** [-eit] krachteloos (ongeldig, nietig) maken; ontzenuwen; **invalidism** ['invəli:dizm] (chronisch) gesukkel; percentage zieken; invaliditeit; **invalidity** [invə'liditi] ongeldigheid, krachteloosheid
invaluable [in'væljuəbl] onschatbaar
invariable [in'vɛəriəbl] onveranderlijk, constant; **invariably** [-əbli] altijd
invasion [in'veiʒən] inval, invasie; inbreuk, schending, aantasting (*of privacy*)
invective [in'vektiv] scheldwoord(en)
inveigh [in'vei] uitvaren, schelden (*against* op)
inveigle [in'veigl, -'vi:gl] (ver)lokken, verleiden (*into* tot)
invent [in'vent] uitvinden; verdichten, verzinnen; **invention** [in'venʃən] uitvinding; verzinsel, bedenksel; vinding(rijkheid); **inventive** vindingrijk; **inventiveness** vindingrijkheid; **inventor** uitvinder
inventory ['invəntri] I *zn* inventaris, lijst, boedelbeschrijving; II *ww* inventariseren
inverse [(')in'və:s] I *bn* omgekeerd; ~ *current,* (*elektr*) tegenstroom; II *zn* het omgekeerde; **inversion** [in'və:ʃən] omkering, omzetting, inversie; **invert** [in'və:t] omkeren, omzetten; ~*ed commas* aanhalingstekens
invertebrate [in'və:tibrit] ongewerveld (dier); (persoon) zonder ruggegraat, zwak(keling)
invest [in'vest] bekleden (*ook fig: with power*); installeren (*in an office*); beleggen (*money*), investeren, geld steken (*in* in)
investigate [in'vestigeit] onderzoeken, navorsen, nasporen, rechercheren; **investigation** [in,vesti'geiʃən] onderzoek; **in'vestigator** [-ə] onderzoeker
in'vestment *a*) bekleding; *b*) omsingeling, blokkade; *c*) (geld)belegging, investering; **investor** [in'vestə] belegger (zie *invest*)
inveterate [in'vetərit] ingeworteld, ingekankerd, chronisch; verstokt, onverbeterlijk
invidious [in'vidiəs] netelig, niet benijdenswaard, naar, gehaat; onmogelijk (~ *comparison*)
invigilate [in'vidʒileit] surveilleren (*bij examen*); **invigilator** [-ə] surveillant
invigorate [in'vigəreit] kracht geven of bijzetten, versterken
in'vincible onoverwinnelijk; onoverkomelijk
inviolable [in'vaiələbl] onschendbaar
invisible [in'vizəbl] onzichtbaar; ~ *export* onzichtbare uitvoer, dienstverlening
invitation [invi'teiʃən] uitnodiging; **invite** [in'vait] uitnodigen, inviteren, (beleefd) vragen; aan-, uitlokken, vragen om (*war, criticism*); ~ *questions* gelegenheid geven vragen te stellen
invoice ['invɔis] I *zn* factuur; II *ww* factureren
invoke [in'vəuk] aan-, op-, inroepen; een beroep doen op
involuntary [in'vɔləntəri] onwillekeurig
involve [in'vɔlv] (ver)wikkelen (*in difficulties*), betrekken (*in* bij); ingewikkeld maken; inslui-

int

ten, meebrengen, meeslepen; *be ~d with* een verhouding hebben met; **involvement** betrokkenheid (*in* bij); ingewikkeldheid; (financiële) moeilijkheden
invulnerable [in'vʌlnərəbl] onkwetsbaar
inward ['inwəd] I *bn* inwendig, innerlijk; II *bw* naar (van) binnen; landwaarts in; **inwardly** [-li] innerlijk, inwendig; binnenwaarts; in zichzelf; **inwards** [-z] *inward bw*
iodin(e) ['aiədi:n] jodium
I O U ['aiəu'ju:] schuldbekentenis (= *I owe you* ik ben u schuldig)
irascible [i'ræsibl] lichtgeraakt, opvliegend;
irate [ai'reit] toornig, woedend
iridescent [iri'desnt] regenboogkleurig
iris ['airis] iris
Irish ['aiəriʃ] I *bn* Iers; ~ *stew* hutspot van schapevlees, aardappelen en uien; II *zn: the ~* de Ieren; **'Irishman** [-mən] Ier; **'Irishwoman** Ierse
irk [ə:k] ergeren, hinderen, vervelen; **irksome** ['ə:ksəm] vervelend, ergerlijk, drukkend, hinderlijk, knellend
iron ['aiən] I *zn* (strijk-, brand)ijzer; *~s* boeien; II *bn* ijzeren; ijzerachtig, -hard; *the ~ age* de ijzertijd, het ijzeren tijdperk; ~ *ration,* (*mil*) noodrantsoen; III *ww* strijken; ~ *out* gladstrijken, wegwerken, vereffenen (*differences*); **'iron-foundry** ijzergieterij
ironic(al) [ai'rɔnik(l)] ironisch; **ironically** *ook:* door een zonderlinge samenloop van omstandigheden
ironing-board ['aiəniŋbɔ:d] strijkplank
'iron-like ijzerachtig; **'ironmonger** [-mʌŋgə] ijzerwarenhandelaar; **'ironside(s)** geharde kerel, ijzervreter; **'ironware** ijzerwaren; **ironwork** ijzerwerk; **'ironworks** ijzergieterij, -fabriek(en)
irony ['aiərəni] ironie
irradiate [i'reidieit] (be-, uit)stralen; verlichten; ver-, ophelderen; doen stralen
irrational [i'ræʃ(ə)nl] redeloos; onredelijk; ongerijmd; irrationeel
irreconcilable [iˌrekənsailəbl, irekən'sailəbl] onverzoenlijk; onverenigbaar
irrecoverable [iri'kʌvərəbl] niet te herkrijgen, onherroepelijk verloren; oninbaar
irredeemable [iri'di:məbl] onafkoopbaar; onaflosbaar; onherstelbaar; onverbeterlijk
irrefutable [i'refjutəbl, iri'fju:təbl] onweerlegbaar
irregular [i'regjulə] I *bn* onregelmatig, tegen de regel; ongeregeld; II *zn: ~s* ongeregelde troepen; **irregularity** [iˌregju'læriti] onregelmatigheid
irrelevant [i'relivənt] niet ter zake (dienende)
irremediable [iri'mi:diəbl] onherstelbaar
irreparable [i'repərəbl] onherstelbaar
irreplaceable [iri'pleisəbl] onvervangbaar
irrepressible [iri'presəbl] niet te onderdrukken; onbedwingbaar
irreproachable [iri'prəutʃəbl] onberispelijk
irresistible [iri'zistəbl] onweerstaanbaar
irresolute [i'rezəl(j)u:t] besluiteloos
irrespective [iris'pektiv] niets (niemand) ontziend; ~ *of* afgezien van; zonder rekening te houden met; ~ *of persons* zonder aanzien des persoons
irresponsible [iris'pɔnsəbl] onverantwoord(elijk) (*in alle bet*), ontoerekenbaar
irretrievable [iri'tri:vəbl] onherstelbaar; reddeloos (verloren)
irreverent [i'revərənt] oneerbiedig
irreversible [iri'və:səbl] onherroepelijk; onveranderlijk; niet omkeerbaar
irrevocable [i'revəkəbl] onherroepelijk
irrigate ['irigeit] besproeien, bevloeien, irrigeren, bevochtigen; **irrigation** [iri'geiʃən] bevloeiing; irrigatie
irritability [ˌiritə'biliti] prikkelbaarheid; **irritable** ['iritəbl] prikkelbaar, geprikkeld; **irritant** ['iritənt] irriterend, id., tergend; prikkelend (middel); irritant geval (enz.); **irritate** ['iriteit] prikkelen, irriteren, verbitteren; (*med*) irriteren, branderig maken; **irritation** [iri'teiʃən] prikkeling; geprikkeldheid; branderigheid, irritatie
is [iz; z, s] is; (*in lijd vorm*) wordt
island ['ailənd] *a*) eiland; *b*) vluchtheuvel = *traffic ~*; **islander** [-ə] eilandbewoner; **isle** [ail] eiland (*alleen in eigennamen*); *the 'I~ of 'Man* (*of Wight*) (het eiland) Man (Wight)
isolate ['aisəleit] afzonderen, isoleren; **isolation** [aisə'leiʃən] afzondering; isolement; **isolationist** id., voorstander van isolement
issue ['isju:, 'iʃu:] I *zn* uitstroming, uitstorting, afvloeiing, lozing; einde, beslissing (*bring a matter to an ~*); kroost, nakomelingen (*die without ~*); uitkomst, resultaat; kwestie, (geschil)punt; problematiek; uitvaardiging; verlening (*van vergunningen bijv.*), uitgifte (*of banknotes*), emissie; oplage, uitgave; nummer (*of a newspaper*); ***at*** ~ verdeeld (*in opinie*), (met elkaar) in strijd; aan de orde, in kwestie; *the point* (*question*) *at* ~ het geschilpunt; ***in*** *the* ~ ten slotte; II *ww* (uit)komen, uitstromen, te voorschijn komen (ook: ~ *forth, out*); voortkomen (*from* uit), verschijnen; afstammen; eindigen (*in* in), aflopen, uitlopen (*in* op); uit-, afgeven, verstrekken; voorzien (*with* van); (zich) uitstorten; uitvaardigen, verlenen; in omloop brengen (*banknotes*)
isthmus ['is-, 'isθ-, 'istməs] landengte
it het; je ware, dè man (*he is It*), dàt (*it isn't ~*); *this is 'it* dit is hèt (waar we zo lang naar gezocht hebben), dit is onovertrefbaar; *'that's ~* juist; goed zo; klaar is kees; ho maar; *and that would have been ~* en dat was dan dàt geweest; *is 'that ~?* is dat goed zo?; *~ says in the Bible* in … staat; *we had a splendid time* (*a hard day*) *of ~* we hadden een heerlijke tijd (een zware dag); *walk ~* te voet gaan
Italian [i'tæljən] Italiaan(s)
italic [i'tælik] cursief; *~s* cursivering, cursieve druk; *in ~s* cursief, schuin gedrukt

Italy ['itəli] Italië
itch [itʃ] I *zn* jeuk(ing); schurft; hunkering, zucht (*for* naar), aanvechting; II *ww* jeuken; hunkeren (*for* naar); *I (my fingers) ~ to* ... de vingers jeuken me om te ...; '**itching** I *zn* jeuk; aanvechting; II *bn* jeukerig; (*Am*) netelig (*questions*); *he is ~ to go to his club* zit te springen om ...; '**itchy** [-i] jeukerig; schurftig
item ['aitəm] onderdeel, bestanddeel, stuk; punt, nummer (*op programma*); post (*op rekening*), (nieuws)bericht, artikel = *news ~;* vraagstuk (*op examen e.d.*); **itemize** ['aitəmaiz] specificeren, uitsplitsen, opsommen
itinerary [ai-, i'tinərəri] I *zn* (reis)route, reisweg, -beschrijving, -gids, -plan; II *bn* reis...; rondtrekkend
its zijn, haar; zie *it*; **it's** [its] *it is, it has*
itself [it'self] zich(zelf); *by ~* alleen; op zichzelf; *in ~* op zichzelf; *of ~* vanzelf
I've [aiv] *I have*
ivory ['aivəri] I *zn* ivoor; ivoren voorwerp; (*mv, sl*) *a*) tanden; *b*) biljartballen; *c*) dobbelstenen; *d*) toetsen; II *bn* ivoren (*tower*)
ivy ['aivi] klimop; '**ivy-clad**, '**ivy-covered**, '**ivy-mantled** met klimop begroeid

Jj

jab [dʒæb] I *ww* (hard, ruw) porren, steken; *~ at* hameren, meppen (op); II *zn* (harde, ruwe) por, steek; korte stoot; (*sl*) spuitje
jabber ['dʒæbə] kakelen, snateren, brabbelen, wauwelen; uitkramen
jack [dʒæk] I *zn* **1** boer (*kaartspel*); (zaag)bok; dommekracht, vijzel, krik, hefboom; witte bal bij *'bowling'*; **2** (*scheepv*) geus (= vlag voor op marineschip); II *ww: ~ in* stoppen, beëindigen; *~ (up)* opvijzelen, opkrikken, geleidelijk opdrijven (*prices*); (*fam*) ruïneren
jackal ['dʒækɔ:l] jakhals
jackass ['dʒækæs] (*vero*) ezel (*fig*)
'**jackboot** kap-, waterlaars
jackdaw ['dʒækdɔ:] (kerk)kauw
jacket ['dʒækit] I *zn* buis, jekkertje, jak, jasje, colbert; mantel (*ook van stoomketel, enz.*); omhulsel; omslag (*van boek*); vel, pels, vacht, huid, schil; *dust a p.'s ~* iem op zijn donder geven; II *ww* met een ~ omgeven
'**jack-in-the-box** duiveltje in een doosje; '**jack-knife** I *zn* groot knipmes; II *ww* dubbelklappen, scharen; '**jack of 'all trades** manusje van alles; duizendkunstenaar; '**jackpot** een pot in *poker, fruit-machine,* enz.; *hit the ~* (bij poker, enz.) winnen; (*fig*) enorm succes hebben; '**jack-towel** [-tauəl] rolhanddoek
jade [dʒeid] *zn* **1** (oude) knol; wijf; **2** id.; (*als kleur*) lichtgroen; *~d, ook:* afgestompt
jag [dʒæg] I *zn* **1** uitsteeksel, punt, tand; **2** (*sl*) stuk in de kraag, roes; (*fam*) drinkgelag (*a 24-hour drinking ~*); II *ww* kerven, tanden, scheuren, rijten; '**jagged** [-id] puntig, gepunt, getand, hoekig, geschaard; (*Am*) dronken
jail [dʒeil] I *zn* gevangenis; (*Am*) huis van bewaring; II *ww* gevangen zetten; '**jail-bird** (*vero*) (gevangenis)boef; '**jail-break** ontsnapping, uitbraak (*uit gevangenis*); '**jailer**, '**jailor** [-ə] cipier
jalop(p)y [dʒə'lɔpi] (*fam*) oud(e) en gammel(e) auto of vliegtuigje
jam [dʒæ(:)m] I *zn* **1** jam; *money for ~,* (*fam*) (al te) makkelijk; *such a life isn't all ~* geen lolletje; *real ~,* (*fam*) mazzel, zwijn, buitenkansje; **2** gedrang; opstopping, knoop (*traffic ~*); moeilijkheid, knel (*be in a ~*), klem(ming); (*radio*) storing; *~ session,* (*Am*) geïmproviseerd jazzconcert; II *ww* vastzetten, -zitten, klemmen (*the lid ~med*), knellen; versperren; volproppen; (samen)drukken, -duwen; (*radio*) storen, hinderen; *~ on the brakes* op de rem staan, met kracht remmen; **jammy** ['dʒæmi] (*sl*) gemakkelijk (*the exam was ~*); gelukkig, fortuinlijk (*a ~ fellow*)

jam-packed overvol, volgepropt
jangle ['dʒæŋgl] onaangenaam (doen) klinken; (doen) rinkelen, tingelen, rammelen (met), ratelen; ontstemmen; van streek maken (*a p.'s nerves*); kibbelen
janitor ['dʒænitə] portier, conciërge, huisbewaarder
January ['dʒænjuəri] januari
Japan [dʒə'pæn] Japan(s); **japan** [dʒə'pæn] (ver)lakken; **Japanese** [(')dʒæpə'ni:z] Japans, Japanner(s)
jar [dʒɑ:] I *zn* 1 wanklank, geknars; schok, onaangename gewaarwording; wrijving (*fig*), onenigheid, ruzie; 2 pot, kruik, (stop)fles; II *ww* knarsen, krassen, stoten, botsen; (doen) trillen (dreunen), schokken; ontstemmen, onaangenaam aandoen (= ~ *upon*); (met elkaar) in strijd zijn; kibbelen
jargon ['dʒɑ:gən] id.; vaktaal
jasmin(e) ['dʒæsmin, 'dʒæz-] (echte) jasmijn
jaundice ['dʒɔ:ndis] geelzucht (= *yellow* ~); **jaundiced** [-t] (*fig*) afgunstig; scheef
jaunt [dʒɔ:nt] uitstapje; plezier-, snoepreisje; '**jaunty** [-i] zwierig, luchtig, monter
javelin ['dʒæv(ə)lin] werpspies; (*sp*) speer
jaw [dʒɔ:] I *zn* kaak; (*fam*) geklets, gezwam, geboom; ~*s* bek (*van wolf, bankschroef, enz.*); II *ww* (*fam*) kletsen, zwammen; '**jaw-bone** kakebeen; '**jaw-breaker**, **jaw-cracker** moeilijk uit te spreken woord
jay [dʒei] vlaamse gaai; '**jay-walker** (*fam*) nonchalante voetganger op rijweg
jazz [dʒæz] I *zn* id.; (*sl*) onzin, drukte (*... and all that* ~); II *ww* de jazz dansen; ~ (*up*), (*sl*) prikkelen, aanporren, -zetten, opvrolijken, verfraaien; ~ *it up*, (*Am*) leven in de brouwerij brengen; **jazzy** ['dʒæzi] lawaaierig, hard, druk, grillig, bont, opzichtig
jealous ['dʒeləs] jaloers, afgunstig, naijverig (*of* op); angstvallig bezorgd of wakende (*of a p.'s honour* voor, over ...); waakzaam; **jealousy** [-i] jaloersheid, afgunst, naijver; bezorgdheid (*for one's reputation*)
jeans [dʒi:nz] (*blue*) ~ spijkerbroek
jeep [dʒi:p] id., lichte legerauto
jeer [dʒiə] I *ww* spotten, schimpen (*at* op); bespotten; honen; ~ *at*, (*ook:*) uitjouwen; II *zn* hoon, spot(ternij)
jell [dʒel] opstijven, stijf worden, geleiachtig worden; (*fig*) uitkristalliseren; **jelly** ['dʒeli] I *zn* gelei; (vlees)dril; gelatinepudding; II *ww* (doen) stollen; '**jellyfish** kwal
jemmy ['dʒemi] I *zn* breekijzer (van inbreker); II *ww* openbreken met ~
jeopardize ['dʒepədaiz] in gevaar brengen; wagen (*one's life*); **jeopardy** ['dʒepədi] gevaar
jerk [dʒə:k] I *zn* ruk, stoot, trek; zenuw-, spiertrekking; schok; (*sl*) sukkel, mafkees, oen; *put a* ~ *in it!* (*sl*) schiet wat op!; II *ww* rukken, stoten, schokken, trekken
jerkin ['dʒə:kin] (wam)buis
jerky ['dʒə:ki] I *bn* hortend, met rukken, met horten en stoten, stoterig; krampachtig; II *zn* sukkel, mafkees
jerry-building ['dʒeribildiŋ] revolutiebouw
jest [dʒest] I *zn* grap, mop, scherts; komedie, paskwil; mikpunt van spotternij; II *ww* schertsen, grappen maken; '**jester** [-ə] nar
jet [dʒet] I *zn* 1 git; 2 straal (water, stoom, enz.); (gas)vlam, (gas)pit; straalpijp (*van spuit*); straalvliegtuig; ~ *bomber, engine,* enz., straal...; *the* ~ *set* de mondaine kringen; II *bn* gitten; III *ww* (uit)spuiten, uitwerpen; per straalvliegtuig reizen; '**jet-'black** [*attr:* 'dʒetblæk] gitzwart; '**jet lag** moeilijkheden bij straalvliegtuigpassagiers om zich aan te passen aan grote tijdsverschillen; '**jet-prop(elled)** met straalaandrijving; '**jet-propulsion** straalaandrijving
jetsam ['dʒetsəm] zeeworp: overboord geworpen lading; strandgoed; zie *flotsam*; **jettison** ['dʒetisn] (*scheepv*) (uit nood) overboord werpen (*ook fig*)
jetty ['dʒeti] havenhoofd, pier, steiger
Jew [dʒu:] I *zn* jood; II *bn* joods
jewel ['dʒu(:)əl] I *zn* juweel, kleinood; steen (*in uurwerk*); II *ww* met juwelen versieren; '**jeweller** [-ə] juwelier; '**jewel(le)ry** [-ri] juwelen; juwelierswerk
Jewess ['dʒu(:)is] jodin; **Jewish** ['dʒu(:)iʃ] joods
jib [dʒib] I *zn* 1 (*scheepv*) kluiver, (kluif)fok; 2 giek: zwaaiarm van kraan; spie; II *ww* (*van paard*) weigeren verder te gaan; (*fig*) zich verzetten, bezwaar maken, achteruit krabbelen; ~ *at* terugschrikken voor, niet gediend zijn van
jibe [dʒaib] (*Am*) harmoniëren, kloppen (met)
jiff(y) ['dʒif(i)] (*fam*) ogenblik; mum (van tijd)
jig [dʒig] I *zn* (*ongev*) horlepijp; (*techn*) pasmal; II *ww* huppelen, hossen
jiggered ['dʒigəd] wel verdraaid!
jiggle ['dʒigl] I *ww* (zacht) schudden, wrikken, rukken; spartelen; II *bn* pikant, prikkelend
jigsaw ['dʒigsɔ:] uitsnij-, treezaag; ook = ~ *puzzle* legkaart, legpuzzel
jilt [dʒilt] I *zn* meisje, dat haar minnaar (*soms:* jongen, die zijn meisje) laat zitten; II *ww* de bons geven
jimjams ['dʒimdʒæmz] vrees, paniek; 'rats' (*have the* ~ in de ... zitten)
jingle ['dʒiŋgl] I *ww* (laten) rinkelen, klinken, klingelen, rinkinken; rijmelen; II *zn* ge...; herkenningsdeuntje in pop-programma (*radio*); (reclame)versje; rijmelarij
jingo ['dʒiŋgəu] I *zn* id.: (oorlogszuchtige) chauvinist; *by* (*the living*) ~*!* voor de drommel! jandorie!; II *bn* jingo..., chauvinistisch; **jingoism** [-izm] jingoïsme, chauvinisme
jink [dʒiŋk] zigzaggend (weg)rennen
jinx [dʒiŋks] (*Am*) iem die (iets dat) ongeluk brengt; *to be* ~*ed* (voortdurend) pech hebben
jitters ['dʒitəz] (*sl*) paniek; *get* (*the*) ~ bang worden; **jittery** ['dʒit(ə)ri] (*sl*) zenuwachtig

jive [dʒaiv] (*sl*) id.: dans uit jaren 40 en 50
job [dʒɔb] I *zn* karwei, werk; zaak(je), baantje; vak (*know one's* ~); knoeierij, gekonkel; (*fam*) geval (*the plane, a single-engine* ~); ~-*assessment,* ~ *ranking* functiewaardering; ~ *fair* banenmarkt; *J~ Release Scheme* Vervroegde Uittredingsregeling, V.U.T.; ~ *specification* taakomschrijving; *a good* ~, *too* en maar goed ook; *make a (good)* ~ *of it* het er goed afbrengen; *he gave it up as a bad* ~ omdat het niet lukken wou, enz.; *that's a bad* ~ dat ziet er lelijk uit; *just the* ~ net wat we nodig hebben, komt prachtig van pas; ***by** the* ~ bij aanneming; per stuk; per dagwerk (*be paid by the* ~); *be **on** the* ~, (*sl*) (met hart en ziel) met iets bezig zijn, in de weer zijn; II *ww* karweien (karweitjes) aannemen (uitvoeren); verhandelen (*stocks, goods*); in effecten handelen; ~ ***out*** uitbesteden; ~*bing gardener* losse tuinman; **jobber** ['dʒɔbə] tussenhandelaar; makelaar; **jobless** ['dʒɔblis] werkeloos
jockey ['dʒɔki] I *zn* id.; II *ww* bedriegen, beetnemen; knoeien (met), konkelen; manoeuvreren; ~ *a p. into* (*out of*) door list (bedrog) brengen tot (afhandig maken); ~ *for position* de gunstigste plaats trachten te krijgen
jocular ['dʒɔkjulə] grappig, snaaks, schertsend; **jocularity** [dʒɔkju'læriti] grappigheid, scherts
jocund ['dʒɔ-, 'dʒəukənd] vrolijk, opgewekt
jodhpurs ['dʒɔdpəz] rijbroek
jog ['dʒɔg] I *zn: a*) duwtje; schok (*his finances received a nasty* ~); *b*) sukkeldraf; II *ww: a*) schudden; (aan)stoten, stompen; aanzetten, -porren; opfrissen (*a p.'s memory*); *b*) horten; sukkelen, sjokken; *c*) trimmen, joggen; ~ *on* (*along*) voortsukkelen; *I can just* ~ *along,* (*fam*) rondkomen; *I must be* ~*ging,* (*fam*) opstappen; **jogger** *a*) afstandsloper; *b*) trimmer, jogger
joggle ['dʒɔgl] (op en neer) schudden, heen en weer gaan
jog-trot ['dʒɔgtrɔt] sukkeldrafje; (*fig*) routine, sleur, 'gangetje'
join [dʒɔin] I *zn* verbinding; II *ww* bij elkaar voegen (plaatsen, enz.); (zich) verbinden, verenigen (*to, with* met), voegen (*to* bij); bij elkaar brengen; grenzen aan (*the land* ~*s the town*); aan elkaar grenzen (*our gardens* ~); zich voegen (aansluiten) bij, lid worden (van), toetreden tot, dienst nemen (in) (~ *the army*); *will you* ~ *us?* doe (ga, eet, enz.) je mee? kom je bij ons zitten?; (*this road* enz.) ~*s the main road at X.* ... komt uit op ...; ~ *battle* slaags raken; de strijd beginnen; ~ *forces* zich met elkaar verbinden, de krachten bundelen; ~ *hands* de ... vouwen (in elkaar leggen); elkaar de hand reiken; de ... inéénslaan, samenwerken; ~ *ship* monsteren, aan boord gaan; ~ ***in*** *an undertaking* deelnemen (meedoen) aan; ~ *in,* (*bw*) meedoen, -zingen, enz.; ~ ***up*** verbinden; dienst nemen; ~ *up as a member* lid worden; ~ ***with*** *a p.* zich aansluiten bij (verenigen met); **joiner** ['dʒɔinə] schrijnwerker, meubelmaker; **joint** [dʒɔint] I *zn* verbinding(sstuk), gewricht, scharnier, geleding, voeg, naad; (groot stuk) vlees; rotsspleet; (*sl*) id., stickie; (*sl*) (clandestiene) kroeg, danshuis, restaurant, 'gelegenheid', 'tent'; *out of* ~ uit het lid, ontwricht, uit de voegen (*ook fig*); II *bn* verenigd, verbonden, gezamenlijk, mede...; ~ (*consultative*) *committee* ondernemingsraad; III *ww* verbinden, lassen; '**jointed** geleed; '**jointly** gezamenlijk; '**joint**-'**owner** medeëigenaar; '**joint**-'**stock** [*attr:* 'dʒɔintstɔk] maatschappelijk kapitaal; ~ *company* maatschappij op aandelen
joist [dʒɔist] dwarsbalk, bint
joke [dʒəuk] I *zn* grap, scherts, kwinkslag; mikpunt van grappen, bespotting; *in* ~ uit de grap; *it is no* ~ geen gekheid (grapje), niet mis; II *ww: a*) grappen maken, schertsen; *b*) voor de gek houden, plagen; '**joker** [-ə] *a*) grappenmaker; *b*) (*sl*) vent, kerel; *c*) (*in kaartspel*) id.
jollity ['dʒɔliti] joligheid; jool; **jolly** ['dʒɔli] I *bn* vrolijk, jolig, lollig; (*fam*) aardig, kostelijk; *it's a* ~ *shame* gewoonweg schande; II *bw* (*fam*) aardig, kostelijk; heel; ~ *good* wàt goed; *a* ~ *good fellow* een patente kerel; *he is* ~ *rich* zit er aardig bij; *have* ~ *bad luck* lelijk wanboffen; ~ *well* zeker, wel degelijk; *you'll* ~ *well have to* je zult wel moèten; III *ww:* ~ *a p.* (*along*), (*fam*) iem met een zacht lijntje ergens toe krijgen
jolt [dʒəult] I *ww* schokken, horten, stoten; II *zn* schok, ruk, stoot; (*fig*) *ook:* ontnuchtering
jostle ['dʒɔsl] I *ww* stoten, duwen, (ver)dringen; II *zn* het ..., duw, botsing
jot [dʒɔt] I *zn* jota; *not a* ~ geen jota, geen zier; II *ww:* ~ (*down*) (vlug) opschrijven, schetsen, noteren; **jotter** aantekenboekje, notitieblok; '**jotting** notitie, losse aantekening
journal ['dʒə:nəl] dagboek, journaal; dagblad, tijdschrift; **journalese** [dʒə:nə'li:z] (*fam*) krantetaal; '**journalism** [-izm] journalistiek; '**journalist** id., dagbladschrijver; **journalistic** [dʒə:nə'listik] journalistisch; ~*ally* uit journalistisch oogpunt, als journalist
journey ['dʒə:ni] I *zn* reis (*gew over land*); *go* (*on*) *a* ~ op reis gaan; *break one's* ~ de reis onderbreken; *take a* ~ een reis maken; II *ww* reizen; '**journeyman** [-mən] *a*) handwerksgezel, knecht; *b*) loonslaaf, handlanger
joust [dʒaust, dʒu:st] I *zn* steekspel, toernooi; II *ww* aan een steekspel deelnemen
jovial ['dʒəuvjəl] vrolijk, opgewekt, joviaal; **joviality** [dʒəuvi'æliti] vrolijkheid, opgewektheid, jovialiteit
jowl [dʒaul] kaak, wang
joy [dʒɔi] vreugde, blijdschap, genot; lieveling; *I wish* (*give*) *you* ~ (*of it*) feliciteer je (ermee; *ook iron*); '**joyful** [-f(u)l] *a*) blij; *b*) verblijdend, heerlijk; '**joyless** treurig, somber; '**joyous** [-əs] (*lit*) *joyful;* '**joy-ride** I *zn* id.:

wederrechtelijke rit met andermans auto; II *ww* een ~ maken; **joystick** stuurstok ('knuppel') van vliegtuig; hendel bij computerspelletjes

jubilant ['dʒu:bilənt] juichend, jubelend; '**jubilate** [-eit] jubelen, juichen; **jubilee** ['dʒu:bili:] (*joods & r.-k.*) jubeljaar; 50ste gedenkdag; jubileum; vreugdefeest, -betoon

judder ['dʒʌdə] vibreren, schudden

judge [dʒʌdʒ] I *zn* rechter; (*Am*, ook) politierechter; jurylid (*bij tentoonstelling enz.*), beoordelaar, kenner; *investigating* ~ onderzoeksrechter; II *ww* oordelen (*by, from* naar; *of* over), be-, veroordelen; rechtspreken (over, in: ~ *a p., a cause*); beslissen; achten; schatten (*distances*); **judg(e)ment** ['dʒʌdʒmənt] oordeel(velling), vonnis, uitspraak; godsgericht; verstand, overleg, inzicht; *last* ~ laatste oordeel; *against your* (*own*) *better* ~ tegen beter weten in; *in my* ~ naar mijn mening: *give* (*pass, pronounce*) ~ uitspraak doen (*on* over; *against a p.* iem de eis ontzeggen)

judicature ['dʒu:dikətʃə] rechtspleging; rechtersambt; rechterlijke macht; rechtbank; **judicial** [dʒu'diʃəl] rechterlijk, gerechtelijk, rechter(s)...; kritisch; **judiciary** [dʒu'diʃiəri] I *bn* rechterlijk, gerechtelijk; II *zn* rechterlijke macht; **judicious** [dʒu'diʃəs] oordeelkundig, verstandig

jug [dʒʌg] I *zn* kan, kruik; (*sl*) 'doos', gevangenis (= *stone* ~); II *ww* (in een pot) stoven

juggernaut ['dʒʌgənɔ:t] grote vrachtwagen, wegkolos

juggle ['dʒʌgl] *a*) jongleren, goochelen; *b*) bedotten; knoeien (~ *with the accounts*); '**juggler** [-ə] jongleur, goochelaar; knoeier

juice [dʒu:s] I *zn* sap; (*fig*) pit, fut (*full of* ~); (*sl*) benzine; elektriciteit; II *ww* (uit)persen; ~ *up* verlevendigen, opvrolijken; **juicy** ['dʒu:si] sappig; interessant; pittig; 'rijk' (*van mop, enz.*)

July [dʒu(:)'lai] juli

jumble ['dʒʌmbl] I *ww* dooreengooien, -haspelen (= ~ *up, together*); samenflansen (= *up*); spartelen, door elkaar rollen; II *zn* warboel, rommel, mengelmoes; schok; *all of a* ~ schots en scheef door elkaar; '**jumble-sale** liefdadigheidsbazaar van goedkope of tweedehands artikelen

jumbo ['dʒʌmbəu] id., kolossaal (~ jet)

jump [dʒʌmp] I *zn* sprong; plotselinge beweging (als van schrik); (*rensp*) hindernis; (*bij schot*) (terug)stoot; *give a* ~ een sprong doen; opschrikken; *give a p. the* ~*s* een schrik op het lijf jagen; *on the* ~ erg zenuwachtig; II *ww* (doen) springen; omhoogschieten (*van prijzen*); sprong over; (*Am*) sprong op, overvallen (*a train*); (*Am*) uitvaren tegen; een schok geven (*a p.'s nerves*); overeenstemmen; bespringen, zich meester maken van; bedriegen; overslaan (*a chapter*); (*Am*) plotseling verlaten (*the country*), in de steek laten; ~ *clear*, ~ *to safety* eraf (opzij, enz.) springen zonder zich te bezeren; ~ *the gun* te vroeg starten (*bijv. in wedstrijd*); ~ *the* (*traffic*)*lights* door ... heenrijden; ~ *the queue* zich naar voren dringen; ~ *the rails* uit ... vliegen; ~ ***at*** aanspringen op; *the resemblance* ~*ed at me* viel me dadelijk op; ~ *at a proposal* met beide handen aangrijpen; ~ ***on*** zie ~ *upon;* ~ ***to*** *conclusions* voorbarige gevolgtrekkingen maken; ~ *to it* zich haasten; ~ ***upon*** bespringen; op het lijf vallen; uitvaren tegen; *and* ~ *upon it!* (*fam*) en gauw ook!; '**jumper** [-ə] springer; springpaard; '**jumping-off** *place* (*point*) vertrek-, startpunt; **jump jet** verticaal opstijgend of landend straalvliegtuig; **jumpy** ['dʒʌmpi] (*fam*) hortend, zenuwachtig, schrikachtig; woelig (*sea*)

junction ['dʒʌŋkʃən] verbinding, vereniging(spunt); knooppunt (van spoorwegen); aansluiting (van wegen); **juncture** ['dʒʌŋktʃə] samenloop van omstandigheden; kritiek ogenblik (*at this* ~), tijdsgewricht

June [dʒu:n] juni

jungle ['dʒʌŋgl] oerwoud, rimboe

junior ['dʒu:njə] id., jonger(e), lager geplaatst(e); schoolkind van 7-11 jaar; (*Am*) 3dejaarsstudent; *he is my* ~ *by one year* een jaar jonger dan ik; ~ *clerk* (*partner*) jongste bediende (firmant); ~ *college*, (*Am univ*) de eerste twee studiejaren; ~ *school* lagere school

junk [dʒʌŋk] **1** jonk; **2** *a*) (oude) rommel, oud roest; *b*) homp; *c*) verdovend middel (*inz.* heroïne); ~ *shop* rommelwinkel

junket ['dʒʌŋkit] fuiven; reizen op kosten van de schatkist, een snoepreisje maken

junk food gemakkelijk te bereiden, maar ongezond voedsel; '**junk mail** ongevraagd toegestuurd drukwerk

junkie ['dʒʌnki] (*sl*) verslaafde (meestal aan verdovende middelen), enthousiasteling, fanaat

jurisdiction [dʒuəris'dikʃən] rechtspraak, rechtsbevoegdheid, -gebied, jurisdictie, ressort; **jurisprudence** ['dʒuəris,pru:dəns] jurisprudentie, rechtsgeleerdheid; **jurist** ['dʒuərist] id., rechtsgeleerde

juror ['dʒuərə] gezworene, jurylid; **jury** ['dʒuəri] id., gezworenen; 12 leden (die met algemene stemmen het schuldig of niet-schuldig uitspreken); '**jury-box** bank(en) der jury; **jury(wo)man** ['dʒuəri(wu)mən] jurylid

just [dʒʌst] I *bn* rechtvaardig, -matig; welverdiend; gerechtvaardigd, gegrond; juist; II *bw* juist, precies, net; eenvoudig, enkel, (alleen) maar (*he* ~ *smiled*); in één woord, 'gewoon' (*he* ~ *worships you*); (eens) even (~ *come here*); ~ *a moment!* een ogenblikje!; *there was* ~ *a note of impatience in his voice* een tikje; ~ *a trifle* een heel klein beetje; *it is* ~ *possible* niet onmogelijk; ~ *what happened?* wat ... precies?; *you don't know what you are saying! Don't I,*

~! (fam) Nou maar, óf ik!; *~ now: a)* op dit ogenblik; *b)* zoëven; *~ about here* hier ergens; *~ about enough* zo ongeveer genoeg; *~ so!* juist!; *not ~ yet* (nu) nog niet; **justice** ['dʒʌstis] gerechtigheid; rechtvaardigheid; recht; juistheid; justitie (in: *court of ~,* enz.); rechter, vooral in Hooggerechtshof; (= *~ of the peace*) politierechter, (*Belg*) vrederechter; *bring to ~* de gerechte straf doen ondergaan; *do o.s. ~* zijn eer (goede naam) ophouden; **justifiable** ['dʒʌstifaiəbl] gerechtvaardigd, verdedigbaar; **justification** [ˌdʒʌstifi'keiʃən] rechtvaardiging (zie *justify*); **justify** ['dʒʌstifai] rechtvaardigen, wettigen; verdedigen; staven, bewaarheiden; *justified,* (*ook:*) verantwoord; *the shop has justified itself* zijn recht van bestaan bewezen; '**justly** zie *just;* ook: met recht, terecht

jut [dʒʌt] uitsteken, vooruitspringen

juvenile ['dʒu:vinail] I *bn* jeugdig, jong, kinder...; II *zn: a)* jongeling; *b)* 'jeune premier' (= *~ lead, leading ~*); (*Am*) jongens- (*of* meisjes)boek; *~ court* kinderrechter, (*Belg*) jeugdrechtbank; *~ delinquent* jeugdig misdadiger

juxtapose ['dʒʌkstəpəuz, ˌdʒʌkstə'pəuz] naast elkaar plaatsen; **juxtaposition** [ˌdʒʌkstəpə'ziʃən] naast elkaar plaatsing

Kk*k*

kale [keil] (boeren)kool

kaleidoscope [kə'laidəskəup] kaleidoscoop

kangaroo [kæŋgə'ru:] kangoeroe

kart [kɑ:t] id., uitgekleed raceautootje; '**karting** racen hiermee

kayak ['kaiæk] kajak

kebab [kə'bæb] kabab, kebab

keel [ki:l] kiel; *on an even ~* horizontaal, vlak; (*fig*) in evenwicht, kalm, gestaag, rustig; '**keel-haul** [-hɔ:l] kielhalen

keen [ki:n] scherp (*edge, glance*); fel (*wind, competition*), hard (*frost*); hevig (*pain*); levendig (*interest*); vurig, hartstochtelijk (*angler*); *~ about* (*for, on*) belust (fel, gebrand) op (*~ on money*); *be very ~ on s.t.* iets dolgraag willen; '**keenness** felheid, hardheid, scherpte, vurigheid (zie *keen*); '**keen-'set** hongerig; sterk verlangend (*for* naar)

keep [ki:p] I *ww* houden; hebben (*a shop*); er op nahouden (*a car*); in voorraad hebben, verkopen (*do you ~ figs?*); nakomen; in acht nemen (*the Sabbath*); vieren (*one's silver wedding*); bewaken, beschermen, (be)hoeden (*may God ~ you!*); bewaren (*a secret*); in orde houden, onderhouden; bijhouden (*accounts*); ophouden (*I fear I am ~ing you*); bedwingen, weerhouden; blijven (*indoors, close to*); doorgaan met (*crying*); goed blijven (*van eetwaren, enz.*); (*fam*) wonen, zich ophouden; *~ alight* (*burning*) aanhouden, aanblijven; *~ it going* aan de gang houden; *~ a p. waiting* laten wachten; *that letter will ~* kan wachten; *~ going,* (*fig*) zich staande houden; *~ **at** it* er (steeds) mee doorgaan; *~ **away*** wegblijven; op een afstand houden; *~ **back*** (zich) terughouden, achterhouden; *~ **down*** onderdrukken, inhouden (*one's tears*); weren; laag houden (*expenses*); *~ **from*** afhouden van (*~ a p. from his lessons*); wegblijven van, zich onthouden van; onthouden; verzwijgen voor; verhinderen te (*~ a p. from coming*); *~ **in*** in-, binnen-, schoolhouden; aanhouden (*the fire*); *~ in with,* (*fam*) voeling houden met; op goede voet blijven met; *~ **off*** afweren; op een afstand houden (blijven); uitblijven (*the rain ~s off*); afblijven van; *~ off!* verboden toegang!; *~ **on*** ophouden (*one's hat*); blijven houden, aanhouden (*one's room*); doorgaan met, blijven (*raining*); *~ (going) straight on* rechtuit blijven gaan; *~ **out*** buiten houden (blijven); *~ **over*** (vast)houden (tot later); *~ **to*** (*vz*) (zich) houden aan (bij) (*a promise, one's own people*); *~ (o.s.) to o.s.* in zichzelf gekeerd zijn, zich weinig met anderen bemoeien; ~ ***together*** bijeenhouden, -blijven; ~ ***under*** onder houden; onderdrukken, in toom houden (*one's passions*); ~ ***up*** ophouden, hooghouden; volhouden; moed houden; in stand houden (*a road, an army*); onderhouden (*one's French, a correspondence;* uit het bed houden; opblijven; ~ *it up!* houd vol!; ~ *up to* (zich) houden aan (~ *up to the letter of the contract*); op de hoogte houden van; ~ *up with a p.* (*new developments*) iem bijhouden (bijblijven); ~ *up with the Joneses* zijn stand ophouden voor de buren; II *zn* bewaking, bewaring, hoede; onderhoud, voer, kost (*earn one's* ~); slottoren; *in good* ~ in goede conditie; *for ~s,* (*fam*) om te houden, voorgoed; *play for ~s* in ernst spelen; '**keeper** houder, bewaarder, conservator, bewaker, oppasser, hoeder; jachtopziener; cipier; ook = *goal-, wicketkeeper*; '**keeping** [-iŋ] het ... (*zie keep*); bewaring, hoede (*in safe* ~); onderhoud; harmonie, overeenstemming; *in* (*out of*) ~ *with* in (niet in) overeenstemming met, (niet) passend bij; '**keepsake** [-seik] herinnering, aandenken

keg vaatje; bier uit het vat

ken gezichtskring, horizon (*ook fig*); *beyond my* ~ buiten mijn gezichtskring

kennel ['kenl] hondehok; kennel (= ~*s*)

kerb [kə:b] trottoirband; '**kerbside** aan de kant van het trottoir; '**kerbstone** trottoirband

kerchief ['kə:tʃif] hoofd-, halsdoek

kernel ['kə:nl] pit, korrel, kern

kerosene ['kerɔsi:n] kerosine, zuivere petroleum, vliegtuigbrandstof

kettle ['ketl] ketel; '**kettle-drum** [-drʌm] keteltrom, pauk

key [ki:] I *zn* sleutel (*ook fig*); toets; klep; toon(aard); pin, spie, wig; (*fig*) (grond)toon; *attr dikwijls:* sleutel..., voornaamste, hoofd..., essentieel (*factor*); ~ *personnel* onmisbaar personeel; *sing off* ~ vals; *be out of* ~ er niet bij (niet bij elkaar) passen; II *ww* stemmen (*ook fig*); spannen; afstemmen (*to* op); ~ ***up*** opschroeven, opdrijven, spannen; opwekken; ~*ed up,* (*fig*) hoog gespannen; '**keyboard** I *zn* klavier; toetsenbord; II *ww* bedienen (van computer e.d.); '**keyhole** sleutelgat; '**key-'man** hoofdpersoon, 'spil'; onmisbaar arbeider of functionaris; '**key-money** sleutelgeld; '**keynote** grondtoon; (*fig ook*) leidend beginsel, kernthema; '**keypad** toetsenbord (van rekenmachine e.d.); **keystone** sluitsteen, hoeksteen (ook *fig*)

kick [kik] I *zn* schop, trap; (terug)stoot (*van geweer*); (*fig*) fut, (veer)kracht, prikkel; (*sl*) bevlieging; verzet, bezwaar, klacht; (*voetbal ook*) trapper; *he still has a good deal of* ~ *left in him: a*) de fut is er nog lang niet uit; *b*) hij is nog allesbehalve onschadelijk; *get a* ~ *out of life* van het leven genieten; *for ~s,* (*sl*) voor de lol; *give a* ~ in verzet komen; II *ww* trappen (***at*** naar), schoppen; achteruitslaan; stoten (*van vuurwapen*); zich verzetten (***about, against, at*** tegen), tegenstribbelen, klagen; ~ *the bucket,* (*sl*) het hoekje omgaan; (*sl*) kappen met (*a habit*); ~ *one's heels* staan wachten; ~ ***about*** *Africa* rondreizen in Afrika; ~ *about,* (*fam*) (*van papieren, enz.*) rondslingeren; ~ ***around*** (*fam*) = ~ *about;* ~ ***downstairs*** de trap af (eruit) trappen; ~ ***off*** (*voetbal*) aftrappen; ~ ***out*** trappen (*at* naar); eruit trappen; (*voetbal*) uittrappen; ~ ***up*** tegenstribbelen; ~ *up a dust* (*row, shindy*) herrie schoppen; ~ *a p.* ***upstairs,*** (*fig*) wegpromoveren; *be ~ed upstairs,* (*ongev*) omhoogvallen; '**kickback** smeergeld; '**kick-'off** (*voetbal*) aftrap; (*sl*) begin; ~ *grant* aanloopsubsidie

kid I *zn* geitje, bokje, jonge geit; geiteleer; glacé (handschoen); (*fam*) kind, kleuter, spruit, 'jong'; ~*s' stuff* kinderwerk; ~ *sister* jongere (jongste) zuster; II *ww* beetnemen, een loopje nemen met, iets wijsmaken, doen alsof; ~ *a p. along* iem 'voeren'; *you're ~ding* dat meen je niet; *no ~ding?* hou je me niet voor de gek?

kiddie, kiddy ['kidi] (*fam*) kleine peuter

kid()glove ['kid'glʌv] I *zn* glacé handschoen; II *bn* (*fig*) met glacé handschoentjes (met zachte hand) aanpakken

kidnap ['kidnæp] ontvoeren

kidney ['kidni] nier; aard, soort; **kidney machine** kunstnier

kill [kil] I *ww* doden, doodslaan, enz.; slachten; laten doodgaan (~ *the hero in the last chapter*); afmaken (*a bill* wetsontwerp); tenietdoen; afzetten (*motor*); schrappen (*last paragraph*); overstelpen, overladen (met bewondering, enz.) (~ *s.o. with admiration*); ~ *a bottle* leegdrinken; ~ *time* de tijd doden; *dressed to* ~ piekfijn; *be ~ed* (*ook:*) om het leven komen; ~ ***off*** slachten, afmaken, uitroeien; II *zn* het ...; gedode prooi; als lokaas gebruikt dier; *be in at the* ~ het succes meebeleven; *it is a case of* ~ *or cure* erop of eronder; ~ *or cure remedy* paardemiddel; '**killer** doder; moordenaar; *rabies is a* ~ dodelijk; '**killing** I *bn* dodelijk; (*fig*) onweerstaanbaar (grappig), overweldigend; moordend (*tempo*); II *zn* het ...; prooi; *make a* ~, (*fam*) winst (fortuin) maken; succes hebben; '**kill-joy** spelbederver, saaie vent

kiln (kalk)oven

kilo(gram), kilo(gramme) ['kiləgræm] kilo(gram); **kilometre** ['kiləmi:tə; ki'lɔmitə] kilometer

kilt id.: rokje der Schotse Hooglanders

kin familie; bloedverwantschap; *next of* ~ naast(e) verwant(en)

kind [kaind] I *zn* soort, aard; geslacht (*human* ~); *pay in* ~*: a*) in natura; *b*) met dezelfde munt; *s.t. of the* ~ iets dergelijks; *nothing of the* ~*: a*) niets van dien aard; *b*) geen sprake van!; *coffee of a* ~ wat je koffie belieft te noemen; *three of a* ~, (*poker*) id., drie kaarten van gelijke rang; *the best of its* ~ in zijn soort;

I ~ of thought ..., (*fam*) ik dacht zo half en half; II *bn* vriendelijk, goed (*to* voor); (*van weer*) gunstig; *with ~ regards* met vriendelijke groeten
kindergarten ['kindəgɑ:tn] kleuterschool
kind-hearted ['kaind'hɑ:tid, *attr:* 'kaindhɑ:tid] goedhartig, goedaardig
kindle ['kindl] ontsteken, aansteken, (doen) ontvlammen (ontbranden); (doen) gloeien;
kindling ['kindliŋ]: ~(*s*) aanmaakhout, vuurmaker(s); '**kindling-wood** aanmaakhout
kindly ['kaindli] I *bn* vriendelijk, goedaardig, gemoedelijk, humaan; (*van weer, enz.*) prettig, gunstig; II *bw* zie *kind, bn*; ~ let me know wees zo goed ...; **kindness** ['kain(d)nis] goedheid, vriendelijkheid; zie *kind*
kindred ['kindrid] I *zn: a*) verwantschap; *b*) verwanten; II *bn* verwant
kinetic [ki'netik] kinetisch
king [kiŋ] *a*) koning, vorst, heer; *b*) dam (*damspel*); '**kingdom** [-dəm] koninkrijk; rijk (*animal ~*); *go to ~ come*, (*sl*) naar de andere wereld verhuizen; '**kinglike** koninklijk; '**kingly** koninklijk; '**king-maker** wie een ander aan de macht helpt; '**kingpin** (*kegel*) koning; (*fig*) spil waarom iets draait; '**kingship** koningschap
kink [kiŋk] kink, kronkel, slag (in touw), knik (in ijzerdraad enz.); krul (in haar); (*fig*) gril, (verstandelijke, morele) afwijking; wenk, foefje; **kinky** ['kiŋki] kronkelig; kroes (*hair*); (*fam*) excentriek, buitenissig, verknipt
kinsfolk(s) ['kinzfəuk(s)] familie; **kinship** ['kinʃip] verwantschap; **kinsman, kinswoman** ['kinzmən, -wumən] bloedverwant(e)
kip I *zn* (*sl*) slaapplaats, bed; slaap; *go off to ~* gaan maffen; II *ww* (*sl*) maffen
kipper ['kipə] gezouten en gedroogde (of gerookte) vis, inz. haring
kirk [kə:k] (*Sc*) kerk
kiss [kis] I *zn* kus; *~ of life* mond-op-mond beademing; II *ww* kussen; (*biljart*) klotsen (tegen); (elkaar) even aanraken; *~ and be friends* het afzoenen (en weer goed op elkaar zijn); *~ the dust: a*) in het stof bijten; *b*) zich in het stof werpen; *~ the ground* zich voor iem in het stof werpen; *~ away* wegkussen (*tears*); '**kisser** [-ə] (*sl*) gezicht, mond
kit *a*) uitrusting, bagage, gereedschap; *b*) zooi(tje), stel (*the whole ~*); *c*) bouwpakket, -doos; '**kitbag** *a*) valies; *b*) plunjezak; *c*) gereedschapszak
kitchen ['kitʃin] keuken; **kitchenette** [kitʃi'net] keukentje, inz. in *flat*; '**kitchen garden** moestuin; '**kitchen-'range** [-rein(d)ʒ] keukenfornuis; '**kitchen 'sink** keukengootsteen; (*attr*) de goorheid van het huiselijk (arbeiders)leven uitbeeldend (*drama, painting*)
kite [kait] *a*) wouw; *b*) vlieger; *fly a ~* een proefballonnetje oplaten
kith [kiθ]: ~ (*and kin*) (*vero*) familie en kennissen

kin

kitten ['kitn] I *zn* katje (*ook meisje*), poesje; jong; *have ~s: a*) = *~ ww*; *b*) (fam) de zenuwen hebben; II *ww* jongen werpen; '**kittenish** als een katje; speels, dartel; **kitty** ['kiti] 1 katje; 2 pot (*bij kaartspel, enz.*); gemeenschappelijk fonds; portemonnee
klaxon ['klæksn] claxon
knack [næk] slag, handigheid, kneep, kunstgreep; gewoonte, hebbelijkheid
knacker ['nækə] *a*) (paarden)vilder; *b*) (huizen)sloper
knackered ['nækəd] afgemat, uitgeput
knapsack ['næpsæk] ransel, rugzak
knave [neiv] *a*) (*vero*) schurk, schelm; *b*) boer (*kaartsp*)
knead [ni:d] *a*) kneden; *b*) masseren; *c*) vormen (*the character*)
knee [ni:] I *zn* knie; kniestuk; knieval; *~ by* (*to*) ~ zij aan zij; *bring a p. to his ~s* iem klein krijgen; II *ww: a*) met de knie aanraken; *b*) met kniestuk bevestigen; *~ to* een knieval doen voor; '**knee-breeches** [-britʃiz] kniebroek; '**kneecap** I *zn: a*) kniebeschermer; *b*) knieschijf; II *ww* door de knieschijf (knieschijven) schieten; '**knee-'deep** tot aan de knieën; **kneel** [ni:l] knielen (*to* voor), op z'n knieën zitten; **knees-up** (*sl*) fuif
knell [nel] doodsklok; gelui
knickerbockers ['nikəbɔkəz] id., soort plusfours
knickers ['nikəz] damesslip
knick-knackish prullig; **knick-knacks** ['niknæks] snuisterijen
knife [naif] I *zn* mes; *have* (*get*) *one's ~ into a p.* op iem zitten te hakken, de pik op iem hebben of krijgen; II *ww* (door)steken; (*Am sl*) stiekem de voet dwars zetten; '**knife-edge** *a*) snede van mes, scherp; *b*) mes (van balans); *c*) scherpe bergrug; *on a ~*, (*fig*) in grote spanning, overprikkeld; *~ crease* messcherpe vouw; '**knife-grinder** messen- (en scharen)slijper; '**knife-rest** messelegger; '**knife-sharpener** mesaanzetter
knight [nait] I *zn: a*) ridder (zie *sir*); *b*) paard (*schaaksp*); *~'s move* paardesprong; II *ww* tot ridder slaan (verheffen), ridderen; '**knighthood** [-hud] ridderschap; titel van ridder (*receive a ~*); ridderlijkheid; '**knightlike**, '**knightly** (*vero*) ridderlijk
knit [nit] *ww; ook ovt & v dw* breien; knopen; fronsen; zich samentrekken (*van wenkbrauwen*); (zich) verenigen; ineenstrengelen (*one's fingers*); zich zetten (*van bot*); *~ one's brow* zijn voorhoofd fronsen; '**knitter** [-ə] brei(st)er; '**knitting** *a*) het breien; *b*) breiwerk; '**knitting needle**, '**knitting pin** breinaald, -pen; **knitwear** ['nitwεə] gebreide goederen
knob [nɔb] knobbel, knop, knoest, kwast; brok(je), kluit(je), klontje (*of butter*); heuvel; '**knobb(l)y** [-(l)i] knobbelig, bultig
knock [nɔk] I *ww* kloppen (*ook van benzine, enz.*) slaan, stoten, botsen; 'pakken' (*the pub-*

lic); (*fam*) afkammen, afgeven op; ~ *wood* 'afkloppen'; ~ ***about***: *a*) rondzwerven, -slingeren; omgaan met; *b*) toetakelen, afranselen; ~ *the place about* alles kort en klein slaan; ~ ***against*** *a p.* iem tegen het lijf lopen; ~ ***down*** neerslaan, neervellen; aanrijden; omverrijden; verslaan; afbreken; uit elkaar nemen; (*fam*) verlagen (*prices*), verminderen; ~ ***in*** erin (naar binnen) slaan; tegen het lijf lopen; ~ *the two rooms* ***into*** *one* bij elkaar trekken; ~ ***off*** afslaan; laten vallen (*van prijs*); ophouden; schaften; ophouden met (*work*); beroven (*a bank*); (*sl*) achteroverdrukken, gappen; (*plat*) naaien; (*sl*) naar de andere wereld helpen; afdoen, eraan geven (*tobacco*); ~ ***on*** *the head*, (*fig*) afmaken, de kop indrukken (*an opinion*); ~ ***out*** (*fig*) leggen, *'knock out'* slaan (*a boxer*), verslaan, uitschakelen; paf doen staan; (*fam*) in elkaar flansen; ~ ***over*** omgooien, overrijden; ~ ***together*** in elkaar flansen (gooien); ~ ***up*** haastig in elkaar zetten (*a building, a plan*); (op)kloppen (wekken); verdienen; uitputten, afmatten; 'op' raken; afbreken; (*Am sl*) zwanger maken (*a girl*); ~ *up against a p.* tegen het lijf lopen; *~ed up* doodop; II *zn* slag, klop, stoot, duw; opstopper; *there's a* ~ er wordt geklopt; *it was a bit of a* ~ *for me* ik was er verbouwereerd van; *take the* ~, (*sl*) een harde slag (een klap) krijgen (*ook fig*); '**knockabout** meer praktisch dan mooi; ~ *clothes* die tegen een stootje kunnen; '**knock-down** I *bn* verpletterend (*news*); ~ *price* minimumprijs (*veiling*); II *zn* geweldige slag; vechtpartij; (*fam*) schok, tegenslag; (*fam*) kritiek; '**knocker** [-ə] klopper; (*fam*) afkammer, vitter; *~s*, (*plat*) tieten; **knock-knees** X-benen; '**knock-out** *a*) slag, die een der partijen buiten gevecht stelt (= ~ *blow*), genadeslag; *b*) (*sl*) een van de bovenste plank; *this is a* (*fair*) ~, (*sl*) daar sta je (werkelijk) paf van; *sell at a* ~ *price* tegen ruïnerend lage prijs; ~ *drops*, (*sl*) middel om slachtoffer te bedwelmen; '**knock-up** (*cricket*, enz.) oefenpartijtje

knoll [nəul, nɔl] (*lit*) heuveltje

knot [nɔt] I *zn* knoop (*in touw en zeevaart*); strik(je); knot (*garen*); groep(je), verzameling; knobbel, knoest, kwast (*in plank*); moeilijkheid, verwikkeling; II *ww* knopen; *~s* vormen; fronsen (*one's brows*); knobbelig maken; verbinden; verwikkelen; in de war maken (raken); '**knotty** [-i] *a*) knoestig, knobbelig; *b*) netelig, lastig (*point*)

know [nəu] I *ww* kennen; herkennen (*I'd* ~ *him anywhere*); weten; verstaan; ondervinden, merken, zien; *that's something to* ~ de moeite waard om te weten; *I wouldn't* ~ dat weet ik niet, daar heb ik geen weet van; *he ~s what he is* ***about*** weet wat hij doet; *I* ~ *something about it* weet ervan mee te praten; ~ *about horses* verstand hebben van; ~ *all the answers* overal antwoord op (denken te) weten; *not* ~ *A* ***from*** *B geen a voor een b kennen;* ~ ***of*** weten, afweten van; *not that I* ~ *of* niet dat ik weet; *run* (*do*) *all you* ~ ... wat je kunt; *I don't* ~ *which is which* ken ze niet uit elkaar; *I never knew him do it* heb nooit gezien (gemerkt) dat ..., bij mijn weten ...; *I* ~ ***better*** (*than that*) dat maak je mij niet wijs; ik ben wel wijzer; *he ~s better than to* ... is te verstandig om ...; ***not*** *if I* ~ *it!* daar zal ik wel voor oppassen; ik denk er niet aan!; *such a bore, don't you* ~? weet je; II *zn: be in the* ~ er alles van weten, ingewijd zijn; *keep a p. in the* ~ op de hoogte houden; '**know-all** weetal; '**know-how** (technische) kennis; '**knowing** op de hoogte, schrander, glad, slim, gewiekst; veelbetekenend (*wink*); *a* ~ *one* een gewiekste; *there is no* ~ men kan niet weten; *~ly, ook:* bewust, willens en wetens, met opzet; met kennis van zaken; veelbetekenend

knowledge ['nɔlidʒ] *a*) kennis, wetenschap, geleerdheid; *b*) weten, vóórkennis; *changed out of all* ~ tot on(her)kenbaar wordens toe ...; *it has come to my* ~ ik heb vernomen; *not to my* ~ niet voor zover ik weet; *to the best of my* ~ naar mijn beste weten; '**knowledgeable** [-əbl] (*fam*) *a*) kundig, knap; *b*) goed ingelicht

knuckle ['nʌkl] I *zn* knokkel, knook; schenkel; kluif (~ *of pork* varkens...); 'knik' (*van scharnier*); *near the* ~ op het kantje; II *ww* met de knokkels slaan (wrijven); ~ *down* aanpakken; ~ *under* zich gewonnen geven; **knuckle-duster** [-dʌsta] boksbeugel, -ijzer

kow-tow ['kau 'tau] (*sl*) onderdanig zijn, kruipen voor...

kudos ['kju:dɔs] (*sl*) roem, glorie, eer

L l *l*

L [el] L; *learner* (op auto)
label ['leibl] I *zn* etiket, label, strookje; II *ww* etiketteren, van ~(*s*) voorzien; (*fig*) (be)stempelen
laboratory [lə'bɔrətəri, (*Am*) 'læbərətəri] laboratorium, werkplaats; ~ *assistant* amanuensis
Labor Day ['leibədei] (*Am, Austr*) Dag van de Arbeid (in Am, wettelijke vakantiedag op 1ste maandag van sept.)
laborious [lə'bɔ:riəs] werk-, arbeidzaam; moeilijk, bewerkelijk; **labour** ['leibə] I *zn* arbeid, werk; (*Belg*) labeur; werkkrachten, arbeiders; *in* ~ in barensnood; *L~* (*Party*) Arbeiderspartij; II *ww* arbeiden, zich inspannen, zwoegen; (in bijzonderheden) uitwerken; ~ *under difficulties* te kampen hebben met; ~ *under a mistake* in dwaling verkeren, zich vergissen; '**labourer** [-rə] arbeider; '**labour-exchange** arbeidsbureau; (*Belg*) tewerkstellingsdienst; '**labour-market** arbeidsmarkt
laburnum [lə'bə:nəm] goudenregen
labyrinth ['læbərinθ] labyrint, doolhof
lace [leis] I *zn* veter, snoer; kant; vitrage; II *ww* rijgen; vast-, doorrijgen; ineenstrengelen; (ver)mengen
lacerate ['læsəreit] (ver)scheuren
lack [læk] I *zn* gebrek, gemis, behoefte; *for* ~ *of* wegens (bij) gebrek aan; II *ww* gebrek hebben aan, ontberen; *he* ~*s* (*for*) *nothing* het ontbreekt hem aan niets; *be* ~*ing* ontbreken (*money is* ~*ing*)
lackadaisical [lækə'deizikl] sloom, traag, lusteloos
lackey ['læki] lakei; slaafs volgeling
lacklustre ['læklʌstə] glansloos, dof (*eye*)
laconic [lə'kɔnik] laconiek, kort, bondig
lacquer ['lækə] I *zn* vernis; lak(werk); haarlak; II *ww* vernissen, (ver)lakken
lactation [læk'teiʃən] het zogen, melkafscheiding; **lactose** ['læktəus] id., melksuiker
lad [læd] jongen, knaap, jongmens
ladder ['lædə] ladder (*ook in kous, enz.*); trap(leer)
laden zwaar beladen (belast)
Ladies, Ladies' (room) damestoilet, -w.c.
ladle ['leidl] I *zn* pot-, schep-, gietlepel; II *ww:* ~ (*out*) op-, uitscheppen
lady ['leidi] dame; titel van adellijke dame en van vrouw van *baronet* en *knight;* geliefde, liefje; (*volkstaal & vormelijk*) vrouw (echtgenote: *your good* ~); *attr dikwijls:* vrouwelijk, wijfjes..., ...in, ...es, ...ster, ...trice; ~ *in waiting* hofdame; ~ *of the house* vrouw des huizes; '**ladybird** lieveheersbeestje; '**lady-killer** man die veel succes heeft bij de vrouwen, don Juan; '**ladylike** als een dame, gracieus; '**ladyship** waardigheid (rang) van een *lady; her* ~ mevrouw de gravin, enz.
lag [læg] achteraankomen, achterblijven (ook: ~ *behind*), dralen; niet vlotten; isoleren
lager (beer) ['lɑ:gə('biə)] lager(bier), pils
lagoon [lə'gu:n] lagune
lair [lɛə] leger (*van dier*), hol (*ook fig*)
laity ['leiiti] *a*) het leek-zijn; *b*) (de) leken
lake [leik] meer
lamb [læm] lam(svlees); (*fig*) lammetje, schatje
lame [leim] kreupel (*ook van verzen*), gebrekkig; slap, mat, zonder overtuiging (... *he said* ~*ly*); nietszeggend, armzalig (*excuse*); ~ *duck* invalide; zwakkeling; maatschappelijke schipbreukeling
lament [lə'ment] I *zn* weeklacht, klaaglied; II *ww* (be)treuren, weeklagen (*for, over,* over), jammeren, lamenteren; **lamentable** ['læməntəbl] jammerlijk; beklagens-, betreurenswaardig
laminate ['læmineit] pletten; met folies, enz. bedekken
lamp [læmp] lamp, lantaarn
lampoon [læm'pu:n] I *zn* schotschrift, pamflet; II *ww* in schotschrift(en) aanvallen, hekelen
lamp-post ['læmp,pəust] lantarenpaal; **lamp-shade** ['læmp,ʃeid] lampekap
lance [lɑ:ns] lans; speer; '**lance-'corporal** *ongev:* soldaat 1e klasse; **lancet** ['lɑ:nsit] lancet
land [lænd] I *zn* land; landstreek; landerij(en); *make* ~*: a*) land aanlopen: land in het gezicht krijgen; *b*) land aandoen; *see how the* ~ *lies* poolshoogte nemen; *by* ~ over land; te land; *on* ~ aan land; te land; II *ww* (doen) landen, neerkomen (*van vliegmachine,* ook op water); aan land brengen (zetten), lossen; brengen (~ *a p. in difficulties*); doen belanden; ophalen (*a fish*); een benoeming krijgen (*a job*); opstrijken (*money*); binnenhalen (*a prize*); ~ *a p. with s.t.* opschepen met; '**land-agent** *a*) rentmeester; *b*) makelaar in landerijen; '**landed** grond bezittend; uit land bestaande; land..., grond...; ~ *interests* de gezamenlijke landeigenaren; ~ *nobility* landadel; ~ *property* (*estate*) grondbezit; '**landfall** het in het gezicht krijgen van land; eerste land na zeereis; '**landing** landing, enz.; zie *land;* vangst; aanvoer (~*s of rubber*); landings-, losplaats; trapportaal, overloop; '**landing-craft** landingsvaartuig(en); '**landing-gear** (*van vliegtuig*) landingsgestel, onderstel; '**landing-stage** landings-, lossteiger; '**landlady** [-leidi] *a*) kostjuffrouw, hospita; *b*) waardin; *c*) huiseigenares; *d*) grondbezitster (in betrekking tot haar pachters); '**land-locked** door land ingesloten; '**landlord** ['læn(d)lɔ:d] *a*) landheer, pachtheer; *b*) huisbaas; *c*) hospes; *d*) waard; '**landlubber** [-lʌbə] landrot; '**landmark**

grenspaal; markatiepunt, baken, (bekend) punt; (*fig*) kenteken, baken; mijlpaal, keerpunt; **land registry** kadaster; **landscape** ['læn(d)skeip] I *zn* landschap; II *ww* aanleggen (*a garden*); '**landslide** *a*) aardverschuiving; *b*) geweldige verschuiving in partijensterkte bij verkiezing, grote stembusoverwinning; **landslip** grondverschuiving; '**land-surveying**, '**land-surveyor** [-sə:'veiiŋ, -ə] landmeten, -meter

lane [lein] landweg (tussen heggen); weggetje; (rij)strook; vaargeul, vaarweg (= *ocean* ~); steeg

language ['læŋgwidʒ] taal, spraak; *use* (*strong, bad*) ~ vloeken, gemene taal gebruiken; ~ *laboratory* talenpracticum, (*Belg*) taallab; *programming* ~ computertaal

languid ['læŋgwid] kwijnend, loom, lusteloos, mat, slap, flauw (*market*); **languish** ['læŋgwiʃ] (weg)kwijnen, versmachten, verslappen; smachten (*for* naar); smachtend kijken; **languor** ['læŋgə] mat-, loom-, slapheid; smachtende tederheid; '**languorous** [-rəs] kwijnend, smachtend, mat, loom, zwoel

lank [læŋk] schraal en lang, mager; sluik; '**lanky** [-i] schraal, mager

lantern ['læntən] lantaarn

lap [læp] I *zn* 1 schoot; pand; 2 slag (*van koord om klos, enz.*); ronde (*bij wedstrijd*); *the last* ~ *of a journey*, laatste 'etappe', laatste ruk; ~ *of honour* ererondje; II *ww* 1 (op)likken; kabbelen; lekken (*van vlammen*); 2 (om)wikkelen; omgeven (= ~ *round*), koesteren; 3 (*sp*) 'lappen': één of meer ronden vóórkomen; '**lapdog** schoothondje

lapel [lə'pel] id.

lapse [læps] I *zn* fout, vergissing; misstap, afdwaling; afval(ligheid); (ver)loop (*of time*); II *ww* (ver)vallen, afvallen, afdwalen; glijden, glippen; verlopen

'**lap-top**: ~ *computer* schootcomputer

lapwing ['læpwiŋ] kievit

larceny ['lɑ:səni] diefstal

larch [lɑ:tʃ] lariks

lard [lɑ:d] I *zn* varkensreuzel; II *ww* larderen; (*fig*) doorspekken; '**larder** provisiekamer, -kast

large [lɑ:dʒ] groot, ruim, omvangrijk; fors; veelomvattend, vérstrekkend (*powers* volmachten); op grote schaal (*buyers*); overvloedig; vrijgevig, grootmoedig; breed (*fig*) (*ideas*), onbevangen; *as* ~ *as life*: *a*) levensgroot; *b*) in levenden lijve; ***at*** ~: *a*) op vrije voeten; *b*) volledig; breedvoerig (*quote s.t. at* ~); *c*) in het algemeen (*ask a question at* ~); '**largely** zie *large;* grotendeels; rijkelijk; op grote schaal; in belangrijke mate

lark [lɑ:k] I *zn* 1 leeuwerik; 2 pret(je), lolletje; dolle streek; II *ww:* ~ *about* pret maken, streken uithalen

larva ['lɑ:və] *mv larvae* [-i:] larve

larynx ['læriŋks] strottehoofd

lascivious [lə'siviəs] wulps, wellustig

laser ['leizə] id

lash [læʃ] I *zn: a*) zweepkoord; (zweep)slag, gesel(ing); *b*) wimper, ooghaartje; II *ww* zwepen; zwiepen, slaan (met: *the tail*), geselen; beuken (*van golven*); (*vast*)*sjorren;* ~ ***at*** slaan naar; (*fig*) geselen; ~ ***out*** om zich heen slaan; uitvaren

lass [læs] meisje, meid; '**lassie** [-i] meisje

lassitude ['læsitju:d] moe-, mat-, traagheid

lasso ['læsəu, 'læsu:] lasso

last [lɑ:st] I *bn* laatst; jongst (*the* ~ *day*); vorig; verleden, jongstleden; uiterst; *to every* ~ *detail* tot in alle bijzonderheden; ~ *but one* op één na de laatste; ~ *but not least* het (de) laatste, maar niet het (de) minste; ~ *night: a*) gisteravond; *b*) vannacht (d.i. verleden nacht); II *zn* laatste, einde: *I was glad to see the* ~ *of him* ... dat ik hem kwijt was; ***at*** ~ eindelijk; *at long* ~ ten langen leste; ***to*** (***till***) *the* ~ tot het laatste toe; III *bw* (het) laatst, ten laatste; IV *ww* duren; het uithouden; meekunnen; *it ~ed me four weeks* ik had er ... genoeg aan, kon er ... mee toe; *he cannot* ~ *much longer* het niet lang meer maken; *it will* ~ *his time* zijn tijd uitdienen; '**lasting** [-iŋ] voortdurend, blijvend; vast (*colours*); duurzaam (= niet vervagend); '**lastly** [-li] ten laatste, ten slotte

latch [lætʃ] I *zn: a*) klink; *b*) veerslot (*van deur*); II *ww* op de klink (op slot) doen; in de klink vallen; **latchkey** ['lætʃki:] huissleutel; ~ *child* sleutelkind

late [leit] laat; te laat (*five minutes* ~); vergevorderd; wijlen, overleden; vorige (*the* ~ *Cabinet*); ex-, gewezen; laatst, van de laatste tijd (*the* ~ *rains*); voorheen; (*Belg*) laattijdig; *even at this* ~ *hour*, (*fig*) zelfs nu nog; *of* ~ in de laatste tijd; *of* ~ *years* in de laatste jaren; *as* ~ *as the 12th century* tot aan (in), nog in; *~r on* later, naderhand; *the ~st novelties* het allernieuwste; *at* (*the*) *~st* op zijn laatst; **lately** ['leitli] *a*) onlangs, kort geleden; *b*) in de laatste tijd

latent ['leitənt] latent

lateral ['lætərəl] zijdelings; zij...

lathe [leið] draaibank

lather ['lɑ:ðə, 'læðə] I *zn* zeepsop; schuim; zweet (*van paard*); (toestand van) opwinding; II *ww* inzepen; schuimen; zweten (*van paard*)

Latin ['lætin] I *bn* Latijns (*America*); II *zn: a*) Latijn; *b*) Romaan

latitude ['lætitju:d] *a*) (geografische) breedte; *in* ~ *40 N* op 40° noorderbreedte; *b*) omvang; *c*) ruimte van opvatting; *d*) vrijheid, speelruimte

latter ['lætə] laatste (*van twee*); laatstgenoemde; **latterly** [-li] in de laatste tijd

lattice ['lætis] traliewerk, rasterwerk, open latwerk; *ook* = ~ *window: a*) tralievenster; *b*) glas-in-lood raam (= '*~-paned window*)

laud ['lɔ:d] loven, prijzen; '**laudable** [-əbl] lof-, prijzenswaardig

laugh [lɑ:f] I *ww* lachen; ~ ***at*** lachen om; lachen tegen; uitlachen; ~ ***away*** lachend verdrijven (doorbrengen); zich lachend afmaken van; ~ ***off*** door lachen verdrijven; zich lachend afmaken van (~ *the matter off*); ~ *one's head off* schateren van het lachen; ~ ***out**: a*) luid lachen; *b*) = ~ *off*; II *zn* (ge)lach; *have a good* ~ (*at*) hartelijk (uit)lachen; *for* ~*s* om de lachlust op te wekken; '**laughable** [-əbl] lachwekkend, belachelijk; **laughing stock** ['lɑ:fiŋ stɔk] mikpunt van spot; **laughter** ['lɑ:ftə] gelach

launch [lɔ:n(t)ʃ] I *ww* werpen; slingeren (ook fig: *at, against* naar het hoofd van); lanceren, afvuren (*rockets*); de wereld inzenden; toebrengen (*a blow*); van stapel laten lopen, te water laten (*a ship*), uitzetten (*boats*); aan de gang brengen, op touw zetten (*a campaign*), inzetten, ontketenen (*an attack*); ~ ***into*** (~ ***upon***) *the world* de wereld inzenden; ~ *out on* zich werpen op; zich begeven (***into*** *speculations*); II *zn* 1 tewaterlating; 2 barkas; **launching pad** lanceringsplatform

launder ['lɔ:ndə] wassen en opmaken (*linen*); witwassen (*money*); **laund(e)rette** [lɔ:nd(ə)-'ret] wasserette; **laundress** ['lɔ:ndris] wasvrouw; **laundry** ['lɔ:ndri] *a*) wasserij; *b*) was; wasgoed

laurel ['lɔrəl] *a*) laurier; *b*) lauwerkrans; ~*s* lauweren (*rest on one's* ~*s*)

lavatory ['lævətəri] toilet, WC.

lavender ['lævəndə] *a*) lavendel; *b*) zacht lila

lavish ['læviʃ] I *bn* verkwistend; kwistig (*of, in* met), overvloedig; II *ww* met kwistige hand schenken; verkwisten (*on, in* aan)

law [lɔ:] wet; recht(en); justitie, politie (*the* ~ *was after him*); ~ *and order* orde en wet; *international* ~, ~ *of nations* volkenrecht; ~ *of the jungle* recht van de sterkste; *read* (*study, go in for*) ~ in de rechten studeren; *give* (*the*) ~ *to* de wet voorschrijven; *go to* ~ gaan procederen; *lay down the* ~ de wet stellen; '**law-abiding** ordelievend; '**law-breaker** wetschender; '**lawcourt** rechtbank; '**lawful** [-f(u)l] wettig, rechtmatig; '**lawless** wetteloos; woest, losbandig

lawn [lɔ:n] 1 grasperk; tennis- (enz.) veld; 2 fijne katoenen of linnen stof, batist; '**lawnmower** [-məuə] grasmaaimachine; '**lawnsprinkler** tuinsproeier

'**lawsuit** proces, rechtsgeding

lawyer ['lɔ:jə] jurist, advocaat

lax [læks] los, slap, laks, slordig

laxative ['læksətiv] laxerend (middel)

1 lay [lei] *zn* 1 (*vero*) lied; 2 ligging

2 lay [lei] *bn* wereldlijk, leken...; ~ *brother* lekebroeder; ~ *judge* lekerechter

3 lay [lei] *ww* leggen; plaatsen, zetten (*a trap*); aanleggen, beleggen, bekleden; doen bedaren (verminderen); bannen, bezweren (*a ghost*); dekken (*the table*); klaar zetten (*breakfast*); smeden (*a plot*); (*plat*) naar bed gaan met, versieren (*a woman*); ~ *another cover* (*place*) voor nog iem dekken; ~ ***about*** *one* om zich heenslaan; ~ *a fact **before** a p.* voorleggen; ~ ***down*** neerleggen; opgeven (*hopes*); geven (*one's life*); vaststellen (*a rule*); voorschrijven; ~ *it down to* het toeschrijven aan; ~ ***low*** neerslaan; vernederen; ~ ***off*** (tijdelijk) naar huis sturen, ontslaan (*workmen*); ~ ***on*** opleggen; erop leggen (*the lash*); aanleggen (*gas*); *everything has been laid on* voor alles is gezorgd; ~ ***out*** eruit leggen, klaarleggen of zetten; afleggen (*a dead body*); opbaren; aanleggen (*a garden*); ontwerpen; ~ ***up*** sparen; inslaan, verzamelen; (*vero*) opzij leggen; het bed doen houden; *be laid up with ...* het bed houden wegens ...; ~ *waste* vernietigen

'**lay-by** [-bai] parkeerinham in wegberm

layer I *zn* ['leiə] *a*) legger; *b*) leghen; [lɛə, 'leiə] laag; II *ww* ['leiə, lɛə] afleggen (*a plant*); légeren

layman ['leimən] leek; **lay-off** ontslag(en); tijdelijke werkeloosheid; '**layout** aanleg; opzet, plan, inrichting; (*typ*) id., opmaak(schets), ontwerp

laze [leiz] lummelen, luieren; **lazy** ['leizi] lui, vadsig; '**lazy-bones** luiwammes

L-driver *learner driver* automobilist met oefenvergunning

1 lead [led] I *zn* lood; peillood; (*typ*) interlijn, -linie; *swing the* ~, (*sl*) lijntrekken; II *ww* met lood bedekken (bezwaren); in lood vatten; ~*ed* (*petrol*) gelood

2 lead [li:d] I *ww* leiden; (aan)voeren; er toe brengen (*this led me to believe ...*); vooraangaan, de leiding hebben, de toon aangeven; *the Yugoslav team was* ~*ing the Germans 3-0* leidde met 3-0; (*kaartsp*) uitkomen (met); ~ *a p. to believe ..., ook:* iem wijsmaken ...; ~ *the way* voorgaan; ~ ***along*** (voort)leiden; ~ ***astray*** op een dwaalspoor brengen; ~ ***away*** weg-, verleiden; *be led away by, ook:* zich laten meeslepen door; ~ *a p.* ***by*** *the nose* met iem (kunnen) doen, wat men wil; ~ ***on*** (*fam*) iets wijsmaken; erin laten lopen; ~ *on to a subject* het gesprek brengen op; ~ *the conversation **round** to ...* brengen op; ~ ***to*** leiden tot, veroorzaken; ~ ***up to*** leiden tot; aansturen op; voorbereiden; II *zn* leiding (*take the* ~); eerste plaats; voorsprong (*on, over* op); voorbeeld, aanwijzing, suggestie, aanknopingspunt; het uitkomen (*bij kaartspel*); lijn (riem) van hond; (*elektr*) draad, ader; snoer; (speler van) hoofdrol; inleiding van (krante)artikel; belangrijkste artikel (= ~ *story*); (*attr ook*) eerste, voorste, voornaamste; *give a* ~ leiden (aanwijzingen, het voorbeeld) geven

leaden ['ledn] loden, loodzwaar, drukkend; loodkleurig

leader ['li:də] (ge)leider, gids, aanvoerder; concertmeester; hoofdartikel; aanloopstrook; '**leadership** leiding, leiderschap

leadfree ['ledfri:] loodvrij; ~ *petrol* loodvrije benzine

leading ['li:diŋ] leidend; eerste, vooraanstaand, voornaamste, hoofd…; voorste; ~ *article* hoofdartikel; ~ *card* uitkomst, kaart waarmee men uitkomt; ~ *counsel* eerste advocaat voor partij in proces; ~ *man* (*lady, woman*) eerste acteur (actrice); ~ *question* suggestieve vraag

leaf [li:f] I *zn* blad (*ook van tafel, papier*); *turn over a new* ~ een ander leven beginnen, zich beteren; II *ww* (*Am*) doorbladeren (= ~ *over,* ~ *through*); '**leafless** bladerloos; '**leaflet** blaadje; brochure, traktaatje; '**leafy** [-i] bebladerd, belommerd

league [li:g] 1 'mijl': variërende lengtemaat, ± 4800 m; *marine* ~ = 3 zeemijlen = ± 5564 m; 2 (ver)bond verbintenis, liga; (*voetbal*) competitie; *be in* ~ *with* in verstandhouding staan met

leak [li:k] I *zn* lek(kage); *take a* ~ (*sl*) pissen; II *ww* lek zijn, lekken, doorlaten; (opzettelijk) laten uitlekken (*van nieuws*); ~ *out* uitlekken; '**leakage** [-idʒ] lekkage, lek (*ook* = tekort); '**leaky** lek

1 **lean** [li:n] mager (vlees), schraal

2 **lean** [li:n] I *ww* leunen; scheef staan, overhellen (*ook fig: to*[*wards*] *socialism,* enz.), neigen; doen leunen (steunen); ~ *over* overhellen; ~ (*up*)*on* steunen op; II *zn* schuine stand

leaning ['li:niŋ] I *bn* scheef; II *zn* overhelling, neiging

leap [li:p] I *ww* (laten) springen (over), opspringen, overspringen, overslaan (*a passage*); ~ *at* gretig gebruik maken van; ~ *to the mind* plotseling in de geest opkomen, invallen; II *zn* sprong; *at a* ~ met een (één) sprong; *by* ~*s* (*and bounds*) met sprongen; '**leap-frog** I *zn* haasje-over; II *ww* sprongsgewijs vooruitgaan; '**leapyear** [-jiə] schrikkeljaar

learn [lə:n] leren; vernemen; ervaren, ontdekken, erachter komen; *that I have yet to* ~ dat weet (geloof) ik nog zo niet; ~ (*how*) *to* … leren te …; ~ *it* (*by heart*) het van buiten leren; '**learned** [-id] *bn* geleerd, erudiet; '**learner** [-ə] leerling (automobilist); volontair; '**learning** geleerdheid, wetenschap

lease [li:s] I *zn* huur(contract), pacht; verhuring, verpachting; huurtijd; *put* (*out*) *to* ~, *let* (*out*) *on* (*by*) ~ verhuren, verpachten; (*tenure by*) *long* ~ erfpacht; II *ww* (ver)huren, (ver)pachten; leasen; '**leasehold** [-həuld] I *zn* pacht(goed); II *bn* gepacht, pacht…; '**leaseholder** [-həuldə] pachter

leash [li:ʃ] riem, lijn (*keep a dog on the* ~)

least [li:st] minst, geringst, kleinst; ~ *common multiple* kleinste gemene veelvoud; *to say the* ~ (*of it*) op zijn zachtst uitgedrukt; ~ *of all* (het) allerminst; *at* ~ ten minste; of liever gezegd; *at* (*the*) ~ op zijn minst; (*in*) *the* ~ in het minst; *the* ~ (*little*) *bit worried* een tikkeltje; *not* (*in*) *the* ~ hoegenaamd niet

leather ['leðə] I *zn* leder, leer(tje); zeemleer; II *bn* leren

leave [li:v] I *zn* verlof; ~ *of absence* verlof; *take* (*one's*) ~ afscheid nemen (*of* van); *by your* ~ met uw verlof; *on* ~ met verlof; *take French* ~ met de noorderzon vertrekken; II *ww* laten, na-, achter-, over-, verlaten; uitstellen; in de steek laten, aan zijn lot overlaten; heengaan, vertrekken (*for* naar); laten staan; *you may accept my offer or* ~ *it* aannemen of niet; ~ *hold of* losl; ~ *the rails* ontsporen; *that* ~*s us where we were* dat brengt ons niets verder; ~ *word* een boodschap achterlaten; *there are three left* over; ~ ***alone*** met rust laten; ~ ***about*** laten slingeren; ~ *it* ***at*** *that* het daarbij laten; ~ ***behind*** achter (zich) laten; nalaten; ~ ***off*** afleggen, uitlaten (*clothes*); ophouden (met: ~ *off writing*); ~ ***out*** uit-, weglaten; erbuiten laten; voorbijgaan (*we can't* ~ *him out*); ~ ***over*** overlaten, uitstellen; *I'll* ~ *you* ***to*** *it* ik zal u niet langer ophouden; **leavings** kliekjes, restanten, overblijfsel, rest(jes)

lecherous ['letʃərəs] wellustig; '**lechery** [-ri] wellust, ontucht

lectern ['lektən] lessenaar

lecture ['lektʃə] I *zn: a*) lezing, verhandeling; *b*) college; *c*) les: berisping; *read a p. a* ~ iem de les lezen; *read a* ~ *on* een lezing houden over; II *ww* college geven; een lezing houden (*on* over); onderrichten; de les lezen; '**lecturer** [-rə] (universitair) docent, (*ongev*) wetenschappelijk medewerker; '**lecture-room** collegezaal

ledge [ledʒ] richel, vooruitstekende rand, lijst

ledger ['ledʒə] grootboek; (*Am*) register

lee [li:] lij(zijde), luwte; *under the* ~ onder de lij; ~ *shore* lagerwal: kust aan lijzijde

leech [li:tʃ] bloedzuiger (*ook fig*)

leek [li:k] prei, look

leer [liə] I *zn* sluwe (boosaardige, wellustige) blik; II *ww* sluw (boosaardig, wellustig) kijken (*at* naar), gluren, lonken

lees [li:s] droesem, grondsop

leeward ['li:wəd, 'l(j)u:əd] lijwaarts, naar lij, lij…; *L*~ *Islands* Benedenwindse Eilanden

leeway ['li:wei] speelruimte, speling

1 **left**: ~ *luggage office* bagage-depot

2 **left** I *bn* linker, links; II *bw* links; III *zn* linkerhand, -kant, -vleugel, linker; *the L*~ (*pol*) de Linkerzijde; *to the* ~ (naar) links; ~ *winger* linkervleugelspeler, (*pol*) lid vd linkervleugel vh parlement

left-hand ['left'hænd] linker (*on the* ~ *page* op de linkerpagina; **left-handed** [-id] links(handig) (*ook fig*)

left-over ['left'əuvə] kliek, restant, rest(je)

leg I *zn* been; poot; schenkel; (broeks)pijp; (*cricket*) sector van het veld naast en achter de 'batsman'; (*luchtv enz.*) etappe; (*sp*) ronde; ~ *of mutton* schapebout; *be* ***on*** *one's* ~*s* op de been zijn; *feel* (*find*) *one's* ~*s* proberen te staan (*van kind*); vaste grond voelen; *get* ***on*** *one's* ~*s* opstaan; *give a* ~ (***up***) een zetje geven, helpen; *keep* (***on***) *one's* ~*s* op de been blijven;

pull a p.'s ~, (fam) iem voor de gek houden; *set a p.* ***on*** *his ~s* op de been helpen; *take to one's ~s* ervandoor gaan; *walk a p. off his ~s* laten lopen, tot hij erbij neervalt; **II** *ww: ~ it* lopen; de benen nemen
legacy ['legəsi] legaat, erfenis
legal ['li:gəl] wettelijk, wettig; rechterlijk; rechtsgeldig; rechtskundig (*advice, aid* bijstand); wets...; *no ~ charges,* (*van huis*) vrij op naam; *~ status* rechtspositie; *~ tender* wettig betaalmiddel; **legality** [li(:)'gæliti] wettigheid; **legalization** [ˌli:gəlai'zeiʃən] wettiging; legalisatie; **'legalize** [-aiz] wettigen, wettig maken (*lotteries*); legaliseren
legate ['legət] (pauselijk) gezant, nuntius; **legation** [li'geiʃən] legatie, gezantschap
legend ['ledʒənd] legende; om-, op-, onder-, randschrift; **'legendary** legendarisch
leggings ['legiŋz] beenbeschermers; **legguard** ['leggɑ:d] beenbeschermer; **leggy** ['legi] met lange benen
legibility [ledʒi'biliti] leesbaarheid
legible ['ledʒəbl] leesbaar
legion ['li:dʒən] legioen, krijgsmacht; **'legionary** [-əri] legioensoldaat, legionair
legislate ['ledʒisleit] wetten maken; (*fig*) maatregelen treffen; **legis'lation** wetgeving; **'legislative** [-lətiv] wetgevend; **'legislator** [-ə] wetgever; **'legislature** [-eitʃə] wetgevende macht
legitimate **I** *bn* [le'dʒitəmit] wettig, rechtmatig; echt; gerechtvaardigd; **II** *ww* [-eit] als wettig (echt) erkennen, legitimeren; wettigen
'leg-room (*in vliegtuig, enz.*) beenruimte
leisure ['leʒə] **I** *zn* (vrije) tijd; *at ~: a*) vrij, onbezet; *b*) op zijn gemak; *at my ~* als het mij schikt; **II** *bn* vrij, onbezet; *~ hour* vrij uurtje; *~ wear* vrijetijdskleding; **'leisurely** op zijn gemak (verricht); bedaard
lemon ['lemən] citroen(boom); citroenkleur(ig); **lemonade** [lemə'neid] citroenlimonade; **'lemon-juice** [-dʒu:s] citroensap; **'lemon-'squash** [-skwɔʃ] kwast
lend (uit)lenen; verlenen (*aid*); *~ o.s. to* zich lenen tot; *~ing library* lees-, uitleenbibliotheek
length [leŋθ] lengte, duur, grootte; afstand; stuk, eind(je) (*~ of string*); staaf (*~ of steel*); *this sum will carry us a great ~* een heel eind brengen; ***go*** (*to*) *all ~s with the government* door dik en dun; *go* (*to*) *any ~s to ... ook:* niets ontzien om te ...; ***at*** *~: a*) eindelijk, ten slotte; *b*) uitvoerig, in bijzonderheden; *at great* (*full*) *~* zeer uitvoerig; *he never stayed here for any ~ of time* hij bleef hier altijd maar heel kort; **'lengthen** [-ən] (ver)lengen; langer worden; **'lengthy** [-i] lang(durig)
lenience, leniency ['li:niəns(i)] toegevendheid; **lenient** ['li:niənt] toegevend
lens [lenz] lens; *wide-angle ~* groothoeklens
lent o.v.t. & v. dw. van *lend*
Lent vasten(tijd)
lentil ['lentil] linze
leopard ['lepəd] luipaard, panter; *American ~* jaguar; **leopardess** [-is] wijfjesluipaard
leotard ['liətɑ:d] nauwsluitend tricot
leper ['lepə] melaatse; **leprosy** ['leprəsi] melaatsheid, lepra
lesbian ['lezbiən] lesbienne, lesbisch(e)
less [les] minder, kleiner, min(us); (*all*) *the ~* (des) te minder; *no ~ a p. than* niemand minder dan; *~ ten per cent.* met 10 % korting
lessen ['lesn] verminderen, (doen) afnemen, verkleinen; **lesser** ['lesə] kleiner, minder, geringer; *L~ Asia* Klein-Azië
lesson ['lesn] les; voor te lezen gedeelte uit de bijbel bij godsdienstoefening; *give* (*teach*) *a p. a ~* een lesje geven; *read a p. a ~* de les lezen
lest opdat niet, uit vrees dat
1 let *zn* verhindering; beletsel; *without ~ or hindrance* zonder belemmering (tegenstand)
2 let *a*) laten; toestaan; *b*) verhuren; *~'s go* laten we gaan; *~* ***alone*** ... laat staan ..., om maar niet te spreken van; *to* (*be*) *~* te huur; *~* ***down*** neerlaten, uitleggen (*a hem* zoom); teleurstellen; in de steek laten; verraden; *~ o.s. down* zich laten zakken; *the milkman has ~ me down* heeft me laten zitten (= is niet komen bezorgen); *~* ***fall*** laten vallen; zich laten ontvallen; *~* ***go*** losl (ook: *~ go of*); laten schieten; *~ o.s. go* zich laten gaan, vrijuit spreken; *~ it go at that* het daarbij laten; *~* ***in*** in-, binnenlaten; inzetten; *let o.s. in* (*into the house*) naar binnen gaan; *you don't know what you are ~ting yourself in for* wat je je op de hals haalt; *~ a p. in on* (= *~ a p.* ***into***) *a secret* iem een geheim vertellen; *~* ***loose*** losl; *~* ***off*** vrijlaten, -stellen; kwijtschelden; afvuren, -steken (*fireworks*); laten ontsnappen; *be ~ off lightly* er genadig afkomen; *~* ***on*** (*fam*) klikken, iets verklappen; *~* ***out*** uitlaten; verhuren; zich laten ontvallen; *~* ***through*** doorlaten, laten passeren; *~* ***up*** ophouden, stoppen
lethal ['li:θəl] dodelijk (*weapon*)
lethargy ['leθədʒi] lethargie, (s)loomheid
letter ['letə] letter; brief; *~s* letteren; *man of ~s* letterkundige, literator; *~ of attorney* volmacht; *~ of introduction* aanbevelingsbrief; *~ of protection* vrijgeleide; ***by*** *~* per brief, schriftelijk; ***to the*** *~* letterlijk; **'letter-bomb** bombrief; **'letter-box** brievenbus; **'lettered** *a*) geletterd, geleerd; *b*) met l...s
lettuce ['letis] sla; *a head of ~* een krop sla
level ['levl] **I** *zn* waterpas; niveau, peil, hoogte, stand; *~ of the sea* zeespiegel; (***up***)***on*** *a ~* op dezelfde hoogte, op hetzelfde peil (*with* als); *put on a ~* op één lijn stellen; *on the ~,* (*fam*) eerlijk, braaf, fatsoenlijk, in orde; **II** *bn* & *bw* horizontaal, vlak, gelijk(matig); op één hoogte; *~ crossing* overweg; *~ spoonful* afgestreken ...; *speak in a ~ voice* zonder stemverheffing; *come* (*draw*) *~ with* inhalen, op gelijke hoogte komen met; *draw ~, ook:* gelijk komen; *I'll be ~ with you yet* afrekenen, quitte worden; **III** *ww* gelijk maken, nivelleren, egaliseren; tegen

de grond slaan; aanleggen, richten (*a pistol*) (***at, against*** op); ~ ***down*** naar beneden nivelleren (afronden), neerhalen (*fig*); ~ ***off*** afvlakken, nivelleren, afnemen; '**level-'headed** [-hedid] evenwichtig, nuchter
lever ['li:və] I *zn* hefboom; hendel, handgreep; II *ww* met een hefboom opheffen, enz.; (op)-vijzelen
levity ['leviti] lichtzinnigheid, lichtvaardigheid, gebrek aan ernst
levy ['levi] I *zn* heffing, contributie; rekrutering; II *ww* heffen (*on, upon* van)
lewd [lju:d] ontuchtig, wulps
lexicon ['leksikən] id., woordenboek
liabilities [laiə'bilitiz] passiva; **liability** [laiə'biliti] verantwoordelijkheid, aansprakelijkheid; (geldelijke) verplichting; **liable** ['laiəbl] *a*) verantwoordelijk, aansprakelijk (*for* voor); *b*) blootgesteld, onderworpen, onderhevig (*to* aan); vatbaar (*to* voor); geschikt (~ *to bring us into conflict*); *such things are ~ to happen* gebeuren licht (gauw); *he is ~ to be elected* wordt waarschijnlijk gekozen
liar ['laiə] leugenaar
lib (*fam*) *liberal;* (*women's*) *liberation*
libel ['laibəl] I *zn* schotschrift, smaad(schrift); II *ww* belasteren; een schotschrift schrijven op; **libellous** [-əs] lasterlijk
liberal ['libərəl] I *bn* vrijgevig, mild, royaal (*of* met), overvloedig; ruim (*van opvatting*); liberaal, vrijzinnig; ~ *arts* vrije kunsten; (*Am*) niet-exacte vakken; II *zn* liberaal; '**liberalize** [-aiz] vrijzinnig maken; verruimen (*the mind*); liberaliseren; **liberally** ['libərəli] 1 vrijgevig; 2 in grote hoeveelheden (aantallen)
liberate ['libəreit] bevrijden, vrijlaten, vrijmaken (*ook chem*); **liberated** ['libəreitid] geëmancipeerd; **libe'ration** bevrijding, vrijmaking; ~ *movement* bevrijdingsbeweging; '**liberator** bevrijder; **liberty** ['libəti] vrijheid; *I am not* (*do not feel*) *at ~ to* ... heb (vind) geen vrijheid te ...; *set at* ~ in vrijheid stellen; *take liberties* zich vrijheden veroorloven
librarian [lai'brɛəriən] bibliothecaris; **library** ['laibrəri] bibliotheek, boekerij
lice [lais] luizen (meervoud van *louse*)
licence ['lais(ə)ns] verlof, (drank)vergunning, concessie; losbandigheid; licentie, patent, diploma; rijbewijs; machtiging; *TV* (*and radio*) ~ *fee* omroepbijdrage; **license** ['lais(ə)ns] vergunning geven (tot opvoering, publikatie, van); **licence plate**, **license plate** ['laisəns pleit] kentekenplaat (*auto enz.*); **licensed** [-t] ook: *a*) met vergunning (*premises*); *b*) erkend; **licensee** [laisən'si:] houder van een *'licence';* herbergier, caféhouder; **licensing** ['lais(ə)nsiŋ]: ~ *law* drankwet; ~ *hours* openingsuren (van café e.d.); **licentious** [lai'senʃəs] los(bandig), ongebonden; (*van stijl, enz.*) te vrij
lichen ['laikən, 'litʃən] korstmos
lick [lik] I *ww* (af-, op-, be)likken; ~ *the dust* in het stof bijten; II *zn* lik, veeg; **licking** [-iŋ] aframmeling, afstraffing
licorice ['likəris] zoethout, drop
lid deksel; (oog)lid; *that puts the ~ on* dat is het toppunt; dat doet de deur dicht; *the ~ is off* het hek is van de dam
1 lie [lai] I *zn* leugen; *tell a* ~ liegen; *act a* ~ leugenachtig handelen; *give a p. the* ~ (*direct*) iem (ronduit) zeggen dat hij iets liegt; *give the ~ to* logenstraffen; ~ *detector* leugenontdekker, -detector; *white* ~ leugentje om bestwil; II *ww* liegen; ~ ***to*** *a p.* iem vóórliegen
2 lie [lai] I *ww* liggen; gaan (blijven) liggen; staan (*a large trunk lay on the floor*); rusten; slapen; ~ ***about*** rondslingeren; ~ ***back*** achterover (gaan) liggen (leunen); *take* (*accept*) *it lying **down**,* ~ *down under it* het op zich laten zitten, het slikken (*an insult,* enz.); ~ ***in*** in het kraambed liggen; uitslapen; *as far as in me ~s* naar mijn beste vermogen; ~ ***low*** (dood) ter neer liggen; zich koest (schuil) houden; ~ ***over*** overstaan, blijven liggen (*the article must ~ over till next week*); moeten wachten; ~ ***up*** gaan liggen (wegens ziekte); zijn kamer houden; zich terugtrekken, niets doen; *it ~s **with** you* het staat aan u; *the future ~s with the young* de jeugd heeft de toekomst in handen; II *zn* ligging, richting, toestand; leger (*van dier*); ~ *of the land,* (*fig*) stand van zaken
liege [li:dʒ] leenplichtig, leen...; '**liegeman** [-mæn, -mən] vazal; trouw volgeling
lieutenant [lef'tenənt; *scheepv:* le'tenent (*Am*) lu:'tenənt] *a*) luitenant; *b*) gouverneur; plaatsvervanger
life [laif] leven(swijze-, -beschrijving); (levens)duur; levend model; *long ~ to him!* hij leve lang!; *be the ~* (*and soul*) *of* de ziel zijn van; *he took his ~ in his hand*(*s*) waagde zijn leven; *run **for*** (*dear*) ~, *for one's* ~ uit alle macht; *I can't for the ~ of me see* ... met geen mogelijkheid; *drawn* (*taken*) ***from*** (*the*) ~ naar het leven getekend; *sound **in** ~ and limb* gezond van lijf en leden; *I had the fright **of** my* ~ ben nooit in mijn leven meer geschrokken; (***up***)***on*** *my* ~ op mijn woord; *not on your ~!* om de (dooie) dood niet!; *he would put her **out of** his* ~ niets meer met haar te maken hebben; *bring* (*come*) *to* ~ weer bijbrengen (bijkomen); *large as life: a*) levensgroot; *b*) in levenden lijve; '**life-assurance** levensverzekering; '**lifebelt** reddinggordel; '**lifeboat** reddingboot; '**life-buoy** [-bɔi] redding(s)boei, reddingsgordel; '**lifeguard** *a*) lijfwacht; *b*) strandwacht; '**life-jacket** redding(s)vest; '**lifelike** alsof het leeft, levensgetrouw, echt; '**life-line** reddinglijn; vitale verbindingslijn; '**lifelong** levenslang; '**life-'size(d)** levensgroot; **life-span** (verwachte) levensduur; '**life-time** levensduur; mensenleven
lift I *ww* (op)lichten, (op)tillen, (op)heffen, optrekken; opslaan (= ~ ***up****: one's eyes*); verheffen, (*Am*) verhogen; stelen; omhooggaan, rij-

zen, optrekken (*van mist, enz.*); rooien; ~ *the boycott* ... opheffen; *not ~ a* (*one's*) *finger* (*hand*) geen ... uitsteken; ~ *a p.* ***down*** aftillen (*van wagen, enz.*); ~ ***off*** opstijgen; lanceren; ~ (***up***) *one's hand against* ... opheffen tegen; II *zn* het ...; stijging, rijzing; draag-, stijg-, stuwkracht, lift, hefvermogen; steun(tje), bemoediging; lift; *ask for a ~* vragen te mogen meerijden; *give a ~* mee laten rijden; (*fig*) een handje helpen; '**lift-off** lancering

ligament ['ligəmənt] id., (gewrichts)band

light [lait] I *zn* licht; venster(afdeling); lucifer, vlammetje (*give me a ~*); *~s* licht (*fig*); licht, lichte partijen (*in schilderij*); belichting (*look at it a good ~*); kennis; doorzicht, verstand; *a shining ~* groot geleerde; ***in*** *a certain ~* in zeker opzicht; *in* (*the*) *~ of* in het licht van; *stand in one's own ~* zichzelf in de weg staan, zichzelf benadelen; *bring* (*come*) ***to*** *~* aan het licht brengen (komen); II *bn en bw* 1 licht, helder; 2 licht (van gewicht); luchtig; *~ of foot* vlug ter been; *make ~ of* licht opvatten, licht denken over; *travel ~* met weinig bagage; III *ww* (ver-, be-, bij-, voor)lichten; aan-, opsteken; aangaan, vuur vatten; schitteren; ~ ***up*** opsteken, aangaan; licht maken; vlam vatten; verlichten; verhelderen; ~ (***up***)***on*** neerkomen, -strijken op; (aan)treffen, toevallig tegenkomen; '**light-bulb** gloeilamp; **lighten** ['laitn] 1 (ver)lichten; lossen; lichter worden; 2 verlichten, verhelderen, opklaren; flikkeren, weerlichten, bliksemen; **lighter** ['laitə] lichter (zie *light*); aansteker; '**light-'headed** licht in het hoofd, ijlend; '**light-'hearted** luchthartig, luchtig; '**lighthouse(-keeper)** vuurtoren(wachter); '**lighting** be-, verlichting; '**lightly** licht, luchtig, lichtvaardig; '**light-'minded** [-maindid] luchtig, lichtzinnig, onverstandig, niet serieus; **lightning** ['laitniŋ] I *zn* bliksem; *quick as ~* bliksemsnel; II *bn* bliksemsnel; snel ...; '**lightning conductor** bliksemafleider; **lightning strike** (wilde) staking, proteststaking; '**light-pen** lichtpen; '**lightweight** lichtgewicht

likable ['laikəbl] prettig, aangenaam, aardig, sympathiek

1 like [laik] I *bn* gelijk, der-, soortgelijk, gelijksoortig; gelijkend; geneigd; *what is he* (*it*) *~?* hoe ziet hij (het) eruit? wat voor een man is hij?; *it's rather ~* ... het heeft iets weg van ...; *what's it ~ outside?* wat voor weer is het?; *something ~ £20* zo iets van; *that is ~ you* dat kan men van jou verwachten; *nothing* (*not anything*) *~ as good* lang zo goed niet; *it is not anything ~* (*it*) lijkt er niets op; II *vz* (zo)als; ~ *anything* als de weerlicht, dat het een aard heeft; *don't talk ~ that* zo; III *bw: very ~,* (*as*) *~ as not,* (*fam*) zeer waarschijnlijk; het kan best zijn, dat ...; IV *vw* (*fam*) zoals (*I can't do it ~ you do*); V *zn* gelijke, weerga; *good enough for the ~s of them,* (*fam, vero*) mensen zoals zij; *I never saw the ~* zo iets

2 like [laik] I *ww* houden van, graag hebben (lusten), (graag) willen; *I ~ to do it* ik doe het graag; *I ~ that!* (*iron*) die is goed!; II *zn* voorliefde

likeable zie *likable*

likelihood ['laiklihud] waarschijnlijkheid; **likely** ['laikli] waarschijnlijk, vermoedelijk; aannemelijk; geschikt (lijkend); gunstig; veelbelovend; in aanmerking komend (*candidate*); *not ~!* dat kun je net denken!

likeness ['laiknis] gelijkenis; gedaante; portret

likewise ['laikwaiz] insgelijk, eveneens

liking ['laikiŋ] zin, smaak, lust, (voor)liefde; *is it to your ~?* naar uw zin?

lilac ['lailək] I *zn: a*) sering; *b*) lila; II *bn* lila

lily ['lili] lelie; ~ *of the valley* lelietje van dalen

limb [lim] lid (*arm, been of vleugel*); grote tak; *out on a ~* op zichzelf aangewezen; in een moeilijke positie

limbo ['limbəu] voorgeborchte, toestand van onzekerheid; (*fig*) gevangenis; id.

lime [laim] 1 kalk; 2 limoen: kleine citroen; 3 linde; '**limelight** fel, wit licht; *be in the ~* de algemene aandacht trekken

limerick ['limərik] id.: vijfregelig, grappig nonsensversje

'**limestone** kalksteen; '**lime-tree** lindeboom

limey ['laimi] (*Am, plat*) Engels(man)

limit ['limit] I *zn* grens(lijn); limiet; beperking; (*Am*) wettelijk maximum; *set ~s to* paal en perk stellen aan; *that is the ~* het toppunt (*fig*); *you're the ~* je bent er mij een; *off ~s,* (*Am*) verboden voor militairen; II *ww* begrenzen, beperken; limiteren; **limita'tion** limitering, beperking, grens; '**limited** begrensd, beperkt, bekrompen; ~ *liability* beperkte aansprakelijkheid; ~ (*liability*) *company* naamloze vennootschap

limp [limp] 1 *a*) slap, buigzaam; *b*) lusteloos, hangerig; 2 I *ww* kreupel (mank) gaan, hinken; II *zn: he has a ~ in his walk* loopt kreupel (mank)

limpid ['limpid] helder, klaar, doorschijnend

line [lain] I *zn* lijn; streep; rimpel; spoorlijn; (geregelde) lijndienst; leiding; touw; (hengel)snoer; richtsnoer, gedragslijn; gedachtengang; linie; regel(tje); rij, reeks; (*handel*) branche, vak, tak; (soort van) artikel (*a new ~*); (straf)regels; rol (*van acteur*); ~ *of business* branche; ~ *of conduct* gedragslijn; ~ *of least resistance* weg van de minste weerstand; ~ *of thought* gedachtengang; *it is hard ~s* (*on him*) hard (voor hem); *I draw the ~ at that* zóver wil ik niet gaan; dat zou te ver gaan; *drop s.o. a line* iem een briefje schrijven; *hold the ~,* (*telefoon*) aan het toestel blijven; *keep a ~ on a p.,* (*sl*) iem in het oog houden; *take a firm* (*strong*) *~* flink doortasten; *take the ~ that* ... er van uitgaan dat ...; ***behind*** *the ~s* achter het front; *first* ***in*** *~* voor aan de rij, voorop; *be in ~ with* op één lijn staan (hangen, enz.) met; overeenkomen (kloppen) met; *that is in my ~*

in mijn vak (branche), iets voor mij; *bring* ***into*** ~ (*with*) op één lijn (in overeenstemming) brengen (met); *come into* ~: *a*) zich schikken; *b*) het eens worden; *on the same* ~*s* op dezelfde voet; *have a p. on the* ~ aan de telefoon (de lijn); **II** *ww* (in de lengte) afzetten (*the streets*); voeren, bekleden; spekken (*one's purse*); ~ ***out*** omlijnen (*a plan*); ~ ***up*** (zich) opstellen; *he had everything* ~*d* ***up*** goed voorbereid; ~ ***up with*** zich scharen achter

lineage ['liniidʒ] geslacht, afkomst; nakomelingen; **lineal** ['liniəl] rechtstreeks; in rechte lijn afstammend

linear ['liniə] lijn..., lengte...; lijn-, draadvormig; lineair

linen ['linin] linnen(goed)

liner ['lainə] lijnboot, passagiersschip; (*techn*) voering (*of a cylinder*); (plastic) vuilniszak

linesman ['lainzmən] (*sp*) grensrechter, lijnrechter

linger ['liŋgə] talmen, dralen, toeven, blijven hangen; weifelen; ~ *on* voortkwijnen

linguist ['liŋgwist] talenkenner; id.; **linguistic** [liŋ'gwistik] taal...; **linguistic(s)** taalwetenschap, linguïstiek

liniment ['linimənt] smeersel, balsem, zalf

lining ['lainiŋ] voering(stof), bekleding

link [liŋk] **I** *zn* schakel, schalm; band, relatie; verbinding; ~*s* (= *cuff links*) manchetknopen; **II** *ww* (zich) verbinden, schakelen; inéénslaan (*hands*); ~ *on to* aansluiten bij; ~ *up* (zich) verbinden (aansluiten)

linkman ['liŋkmən] t.v. of radio omroeper of presentator

links [liŋks] golfbaan

linseed ['linsi:d] lijnzaad

lintel ['lintl] bovendrempel, deurstijl

lion ['laiən] leeuw; (*fig*) held van de dag; ~*'s den* leeuwekuil; '**lioness** [-is] leeuwin; '**lion-hearted** manmoedig

lip lip; rand (*of volcano, wound*, enz.); *attr:* lip(pen)..., schijn...; *keep a stiff upper* ~ zich flink houden; '**lip-service** lippendienst

liqueur [li'kjuə] likeur

liquid ['likwid] **I** *bn* vloeibaar; waterig; zacht glanzend; zoetvloeiend; onvast; vlottend (*capital*); ~ *manure* gier; ~ *resources* vlottende (d.i. gemakkelijk te realiseren) middelen; **II** *zn* vloeistof; '**liquidate** [-eit] vereffenen (*a debt*); liquideren; uit de weg ruimen

liquidity [li'kwiditi] (*handel*) liquiditeit

liquor ['likə] (sterke) drank; **liquorice** ['likəris] zoethout, drop

lisp **I** *ww* lispelen; slissen; **II** *zn* gelispel, geslis

list **I** *zn* **1** lijst, catalogus; rand; ~*s* strijdperk; **2** slagzij(de) (*van schip*); overhelling; **II** *ww* **1** een lijst maken van, inschrijven, catalogiseren; noteren, vermelden, opgeven; ~*ed hotel* bondshotel, ~*ed building* op de monumentenlijst geplaatst gebouw; **2** slagzij(de) hebben (*van schip*)

listen ['lisn] luisteren (*to* naar); ~ *in*, (*telec*) luisteren; ~ *in to a telephone conversation* een ... afluisteren; **listener** [-ə] luisteraar

listless ['listlis] lusteloos, loom, onverschillig

list price ['listprais] catalogusprijs

literacy ['litərəsi] het kunnen lezen en schrijven

literal ['litərəl] letterlijk; letter...; prozaïsch, nauwkeurig, nuchter; **literary** ['litərəri] letterkundig, literair; geletterd; **literate** ['litərit] *bn* & *zn* geletterd(e); (iem) die kan lezen en schrijven; **literature** ['lit(ə)ritʃə, -tjuə] letterkunde, literatuur; folder(s)

lithe ['laið] buigzaam, lenig

litre ['li:tə] liter

litter ['litə] **I** *zn* rommel, afval; stalstro, strooisel; strobedekking (*van planten*); worp (*van dieren*), nest (*van jonge honden, enz.*); *cat* ~ kattegrit; (*stray*) ~ zwerfvuil; **II** *ww* (rond)strooien; bezaaien; door elkaar liggen (gooien, halen); (jongen) werpen

little ['litl] klein; kleinzielig; weinig, gering; beetje, kleinigheid; *a* ~ een beetje, wat, ietsjes; een kleinigheid; een poosje; *not a* ~ niet weinig, heel wat; *the* ~ *ones: a*) de kleinen; *b*) de jongen; ~*finger* pink

liturgy ['litədʒi] liturgie

livable ['livəbl] *a*) bewoonbaar; leefbaar; *b*) draaglijk (*life*)

1 live [liv] leven, bestaan, aan de kost komen; wonen; het uithouden (*no boat could* ~ *in such a sea*); doorleven; in leven blijven, ''t halen' (*tell me if he will* ~); *short-*~*d* van korte duur; ~ ***again*** herleven; ~ ***by*** *one's trade* van zijn vak leven; ~ ***down*** *one's past* zijn verleden door een beter leven ongedaan maken; ~ *down sorrow* te boven komen; *I'm just living* ***for*** *it*, (*Am*) ik verheug er mij nu al op, ik vind het dol; ~ ***in*** (*van bediende, enz.*) inwonen, intern zijn; *the house is not* ~*d in* niet bewoond; ~ ***on*** (*bw*) blijven leven; ~ (*up*)*on vegetables* zich voeden met, leven van; ~ ***out*** buitenshuis wonen (*van student enz.*); ~ ***through*** doorléven, doormaken; ~ ***to*** *a great age* bereiken; ~ ***up to*** *one's principles* in overeenstemming met; ~ ***well***: *a*) er goed van leven; *b*) een goed leven leiden

2 live [laiv] levend, in leven; levendig; krachtig; actief; gloeiend (*coal*); onder spanning (*wire, rail*); ~ *broadcast* directe uitzending: niet van bandopname, enz.; ~ *cartridge* scherpe patroon; ~ *question* actueel, brandend; ~ *wire*, (*fig*) energieke vent; dynamische persoonlijkheid

livelihood ['laivlihud] (levens)onderhoud, bestaan

livelong ['liv-, laivlɔŋ] (*dichterlijk*): *the* ~ *day* (*night*) de lieve lange (de ganse) ...

lively ['laivli] levendig; vrolijk; hups; bedrijvig; druk; *Look* ~*!* Schiet op! Gauw wat!; **liven** ['laivn]: ~ (*up*) verlevendigen, opvrolijken

liver ['livə] **1** levende; *he is a good* ~: *a*) leidt een goed leven; *b*) leeft er goed van; **2** lever-(kwaal, -kleur)

livery ['livəri] livrei; embleem, kenteken, "kleuren" (van maatschappij); '**livery-stable** pensionstal

livestock ['laivstɔk] levende have, vee

'**livid** loodkleurig; lijkkleurig, doodsbleek; woest, woedend

living ['liviŋ] I *bn* (als) levend (*ook van water*); ~ *coal,* zie *2 live;* (*with*)*in* ~ *memory* bij mensenheugenis; II *zn: a*) leven; *b*) predikantsplaats; *c*) = *livelihood*; *d*) woonruimte (in tent of caravan); *a* ~ *wage* menswaardig loon; '**living-room** [-ru(:)m] huiskamer

lizard ['lizəd] hagedis

llama ['lɑ:mə] lama(wol)

load [ləud] I *zn* last, lading, vracht; ~*s of fun,* enz., (*fam*) verbazend veel, 'hopen'; *take a* ~ *off a p.'s mind* iem een pak van het hart nemen; II *ww* (be-, in)laden, overláden; belasten; (*van vervoermiddel*) zich vullen; ~ *up* (be)laden; '**loaded** [-id] steenrijk; (emotioneel) geladen; (*sl,* = ~ *up*) dronken; *vgl het ww*; ~ dice valse dobbelstenen; ~ *question* vraag met dubbele bodem; '**loader** [-ə] lader; '**loading** het ..., lading; vracht

1 loaf [ləuf] *zn* brood; ~ *of bread* brood

2 loaf [ləuf] lummelen, (rond)slenteren; ~ *away* verlummelen

loafer ['ləufə] leegloper; lage schoen

loam [ləum] leem

loan [ləun] I *zn* lening; vast voorschot; het ge-, ontleende; het (ont)lenen; *attr ook: a*) ontleend; *b*) in bruikleen (*collection*); (*up*)*on* ~ te leen; II *ww:* ~ (*out*), (*inz. Am*) (uit)lenen; '**loan-word** bastaardwoord; leenwoord

loath [ləuθ] ongenegen, afkerig; **loathe** [ləuð] walgen van, verfoeien, de pest hebben aan; **loathing** ['ləuðiŋ] walging, afschuw

lob [lɔb] hoog werpen; met een boog werpen

lobby ['lɔbi] I *zn* portaal, hal, vestibule, wachtkamer, (wandel)gang; foyer; (*in Am hotel*) = Eng *lounge;* politieke propagandagroep; II *ww* het Parlements- of Congresgebouw bezoeken om leden resp uit te horen of te bewerken, lobbyen

lobe [ləub] lob, (oor)lel, kwab

lobster ['lɔbstə] zeekreeft

local ['ləukəl] I *bn* plaatselijk, lokaal, gewestelijk, plaats...; ~ *authority* (plaatselijke) overheid (gemeenteraad, enz.); II *zn* plaatselijk inwoner, plaatselijke afdeling, enz.; (*fam*) café, kroeg (altijd *the* ~); **locality** [ləu'kæliti] *a*) ligging; *b*) plaats, streek, buurt; **localize** [-aiz] *a*) een plaatselijk karakter geven; *b*) lokaliseren

locate [ləu'keit] de plaats bepalen (opsporen) van, vaststellen, 'thuisbrengen'; plaatsen; (zich) vestigen; *be* ~*d* gelegen (gevestigd) zijn; **lo'cation** plaats(bepaling); ligging; locatie, afbakening; verblijf(plaats)

loch [lɔx, lɔk] (*Sc*) meer; smalle zeearm

lock [lɔk] I *zn* 1 lok; vlok (*of wool*); 2 slot (*ook van geweer*); sluis; *under* ~ *and key* achter slot en grendel; ~, *stock and barrel* alles inbegrepen; II *ww* op slot doen (gaan, kunnen); (in-, om)sluiten; strengelen, klemmen, vastzetten, -raken; ~ ***away*** wegsluiten; ~ ***in*** in-, om-, opsluiten; ~ ***out*** buiten-, uitsluiten (*ook werkvolk*); ~ ***up*** op-, wegsluiten (*from* voor); verbergen; ~ *up* (*for the night*) sluiten; **locker** ['lɔkə] afsluitba(a)r(e) kast(je), lade; '**locker-room** vertrek met *lockers* (*inz. sp*), kleedkamer; **locket** ['lɔkit] medaillon

'**locksmith** slotenmaker

locomotion ['ləukəməuʃən] voortbeweging; **locomotive** ['ləukə'məutiv] locomotief

locust ['ləukəst] sprinkhaan

locution [lə'kju:ʃən] spreekwijze, uitdrukking

lodge [lɔdʒ] I *zn* portierswoning of -kamer(tje) (= *porter's* ~); jachthuis; (vrijmetselaars)loge; II *ww* herbergen, logeren, huisvesten, opsluiten; bevatten; deponeren (*with* bij); indienen inleveren, inzenden (*with* bij); leggen, plaatsen (*power in the hands of* ...); blijven zitten (steken) (*van kogel bijv.*); (in)wonen (*with* bij)

lodger ['lɔdʒə] bij iem inwonende; kamerbewoner; **lodging** ['lɔdʒiŋ] huisvesting, logies, verblijf; ~*s* gehuurde kamer(s); huurkamer

loft [lɔ(:)ft] zolder, vliering; '**lofty** [-i] hoog, verheven, voornaam; hooghartig

log [lɔg] I *zn: a*) blok hout, houtblok; *b*) (*scheepv*) log (*snelheidsmeter*); *c*) = ~*-book*; II *ww* (in het logboek, enz.) noteren; afleggen (*a distance*); '**log-book** logboek, (scheeps)journaal; '**log-cabin** blokhut

loggerhead ['lɔgəhed]: *be at* ~*s* overhoop liggen, het aan de stok hebben

logging ['lɔgiŋ] houthakken

logic ['lɔdʒik] logica; '**logical** [-l] logisch; **logistics** [lɔ'dʒistiks] logistiek

logo ['ləugəu] id., merkteken, vignet

loin [lɔin] lende(stuk); ~*s* lende

loiter ['lɔitə] talmen, treuzelen, omhangen; ~ *about* rondslenteren

loll [lɔl] lui liggen, lummelen, leunen, hangen

lollipop ['lɔlipɔp] lollie; ~ *lady,* ~ *man* (*fam*) volwassen klaar-over

lolly ['lɔli] lollie

lone [ləun], '**lonely** [-li], '**lonesome** [-səm] eenzaam, verlaten

long [lɔŋ; *comp & sup:* 'lɔŋgə, 'lɔŋgist] I *bn* lang(gerekt, -durig); ~ *chance* zeer onzekere kans; ~ *drink* cocktail in groot glas; ~ *jump* het vérspringen; ~ *leave* grote vakantie; *in the* ~ *run* op de lange duur; ~ *shot* ver schot; foto van verre afstand; gewaagde gissing of onderneming; II *zn: the* ~ *and the short of it is* om kort te gaan; *at* (*the*) ~*est* op zijn langst; *before* ~ weldra; III *bw: so* ~*!* (*fam*) tot ziens!; *don't be* ~ maak het kort; *he was not* ~ (*in*) *coming* het duurde niet lang of ...; *not much* ~*er* niet ... meer; IV *ww* verlangen, hunkeren (*for* naar); '**long-'distance**: ~ *race* (lange-) afstandsrit, -ren; ~ *call,* (*Am*) = *trunk-call* interlokaal telefoongesprek; **'long-drawn(-'out)** langgerekt, te lang(durig); **longevity** [lɔn'dʒeviti] lang(e) leven(sduur); **'longhand** gewoon schrift (tegenst *shorthand* steno); **longing** ['lɔŋiŋ] I *zn* verlangen, hunkering; II *bn* verlangend; **'longish** ['lɔŋiʃ] wat lang, vrij lang; **longitude** ['lɔn(d)ʒitju:d] (geografische) lengte; **'long-'lived** [-livd] *a*) lang levend; *b*) langdurig; **'long-range** *gun* vérdragend kanon; **'long-'sighted** [*attr:* 'lɔŋsaitid] *a*) vérziend; *b*) vooruitziend; **'long-standing** oud, die er al lang is; **'long-term** op lange termijn; **'long-'winded** [-windid] langdradig

loo [lu:] (*fam*) W(C.)

look [luk] I *ww* kijken, zien; zorgen; uitzien, eruitzien (als: *~ pale; ~ the typical tourist*); lijken (*Am* ook *~ to be* lijken te zijn); een zekere kant uitgaan of wijzen (*things ~ that way now*); *~ here!* kijk 's! luister 's!; *her eyes ~ distrust* drukken ... uit; *he ~s it* ziet er naar uit; *she ~s her age* je kunt haar haar leeftijd aanzien; *~ sharp: a*) scherp uitkijken; *b*) vlug voortmaken; *~ alive* schiet op!, maak voort!; *~ **about*** rondkijken; *~ **after*** nakijken; zorgen voor, letten op, behartigen (*interests*); *~ **ahead*** vooruitzien; *~ **around*** zoeken (*for* naar); rondkijken; *~ **at*** kijken naar, bekijken; *to ~ at him* naar zijn uiterlijk te oordelen; *~ **back*** terugzien; omzien; *~ing back* achteraf; *he never ~ed **behind** him* hij hield steeds zijn doel voor ogen; *~ **down*** neerzien (*upon* op); de ogen neerslaan; *~ **for*** zoeken (naar); uitzien naar, hopen op, verwachten; *~ **forward** to* tegemoet zien, verlangen naar; *~ **in*** aanlopen (*upon* bij); *~ **into*** kijken in; onderzoeken; *~ **like*** eruitzien als, lijken op; *it ~s like it* het ziet er wel naar uit; *it ~s like rain* het lijkt, alsof het zal gaan regenen; *~ **on*** (*bw*) toekijken; (*vz*) beschouwen als; *~ **out*** uitkijken, uitzien (*on, upon, over, into* op, over, in); *~ out there!* pas (d'r) op!; *~ out for* uitzien naar; *~ **over*** (*vz*) (uit)zien over (op); door-, overkijken, opnemen, onderzoeken; door de vingers zien; *~ **over*** (*bw*) doorkijken; opnemen (*~ a p. over*); *~ **round*** rondkijken; *~ round for help* uitzien naar; *~ **through*** (*bw*) doorzien; *~ **to*** letten op, zorgen voor, denken om (*~ to your manners*); kijken naar (= nazien: *the lock should be ~ed to*); uitzien naar; vertrouwen op; georiënteerd zijn op; verwachten, tegemoet zien; *~ **towards*** kijken naar, uitzien op; overhellen naar; *~ **up*** opkijken; opzoeken (*a word, a p.*); *~ up to* opkijken naar; opzien tegen (*a p.*); *~ a p. up and down* van het hoofd tot de voeten opnemen; *~ **upon*** uitzien op; beschouwen (*as* als); II *zn* blik, kijkje; gezicht, (gelaats)uitdrukking; uitzicht; aanzien; schijn; *have a ~ at it* eens kijken (naar); *I don't like the ~ of it* het staat me niet aan, ik vind het wat verdacht; *good ~s* (knap) uiterlijk; **look-alike** dubbelganger; **looker-on** ['lukər'ɔn] toeschouwer; **'looking-glass** (*vero*) spiegel; **look-out** ['luk-aut] *a*) uitkijk(post); *b*) (voor)uitzicht; *keep a sharp ~* scherp uitkijken

loom [lu:m] I *zn* weefgetouw; II *ww* (vaag, onheilspellend) opdoemen (ook *~ up*); *~ large* van buitengewone omvang (betekenis) zijn (schijnen)

loony ['lu:ni] (*fam*) gek (afk van *lunatic*); **'loony bin** (*fam*) gekkenhuis

loop [lu:p] I *zn* lus, lis, strop; bocht, oog, beugel; 'spiraaltje' (*anticonceptie*); II *ww* lus(sen) maken in; een bocht (lus) maken; met een lus vastmaken (opnemen); **'loophole** leemte (in wet); kijk-, schiet-, sluipgat; uitvlucht, achterdeurtje

loose [lu:s] I *bn & bw* los; vrij, wijd, ruim; *be at a ~ end* niets om handen (te doen) hebben; II *ww* losmaken, -laten; (af)schieten (= *~ off*); lanceren; *~ (one's) hold* loslaten; **loosen** ['lu:sn] los(ser) maken of worden; vieren (*reins*); losgaan; (doen) verslappen; *~ up* loskomen, ontdooien, vrijuit praten; (*sp*) opwarmen

loot [lu:t] I *zn* buit, roof, plundering; II *ww* (uit)plunderen, (be)roven

lop [lɔp] (af)snoeien, afkappen, afhakken; **'lop-eared** met hangende oren; **'lop-'sided** scheef; eenzijdig, onevenwichtig

lord [lɔ:d] I *zn* heer, meester; lord; *the L~ God* God de Heer; *Good Lord! Oh, Lord!* lieve hemel!; (*House of*) *L~s* Hogerhuis; *my ~* [mi'lɔ:d] aanspreekvorm van edelman beneden hertog, van bisschop, Lord Mayor en rechter van het Hooggerechtshof; (*as*) *drunk as a ~* stomdronken; *live* (*treat*) *like a ~* royaal leven (onthalen); *swear like a ~* vloeken als een ketter; *L~ Chancellor* voorzitter van het Hogerhuis, tevens hoogste rechter; *L~ Mayor* titel van de burgemeester van de *City of London, Dublin, York,* enz.; *the L~'s prayer* het Onze Vader; *the L~'s supper* het Avondmaal; II *ww* de baas spelen; heersen (ook: *~ it*) (*over* over); **'lordship** *a*) heerschappij (*of, over* over); *b*) lord(schap); *his ~* Meneer de Baron, enz.

lore [lɔ:] (traditionele, anekdotische) kennis omtrent zeker onderwerp (*animal ~*)

lorry ['lɔri] vrachtauto

lose [lu:z] (doen) verliezen (*from, to* van), verbeuren, verspelen; verzuimen; missen (*one's train*); laten voorbijgaan (*a chance*); kwijtraken; *~ sight* (*view*) *of* uit het oog verliezen; *~ one's way, ~ o.s.* verdwalen; *~ o.s. in* opgaan in, zich verdiepen (verloren gaan) in; *~ **by*** (***over***) *it* erbij (eraan) verliezen; **loser** ['lu:zə] verliezer; **loss** [lɔ(:)s] verlies, nadeel, schade; *at a ~* het spoor bijster; *sell at a ~* met verlies verkopen; *be at a ~ for* verlegen zitten om; *I am at a ~ what to do* weet niet wat ...; **lost** [lɔ(:)st] ovt & v. dw. van *lose:* verloren; vermist; ook: verdwaald (*child*); verongelukt; in gedachten verzonken, 'absent' (= *~ in thought*); niet in zijn element (*feel ~*), verlaten; *get* ~ verloren gaan; verdwaald raken; (*fam*) opdonderen; *get* ~!, (*fam*) barst!; *good words are* ~ *on him* zijn aan hem niet besteed; ~ *property* gevonden voorwerpen

lot [lɔt] *a*) (levens)lot; *b*) aandeel, portie, partij, kavel(ing), perceel, stuk grond, bouwterrein (*inz. Am*); aantal, zo(otje), hoop, heel wat, boel (*of money*); 'stel' (*they are a lazy* ~); *the* ~ de hele partij, alles (*that's the* ~); *he thinks a* ~ *of himself* heeft een hele dunk van ...; *cast* (*cut, draw*) ~*s* loten

lotion ['ləuʃən] id.; eau de toilette; haar-, huidwater

lottery ['lɔtəri] loterij

loud [laud] luid(ruchtig); sterk, onwelriekend; opvallend, opzichtig, schreeuwend (*colours*); **loudmouthed** luidruchtig; **loudspeaker** luidspreker

lounge [laun(d)ʒ] I *ww* slenteren, lanterfanten; lui (gaan) liggen, lummelen, luieren; ~ *away* verluieren; II *zn* slentergang; wandeling; (*in hotel, enz.*) gezelschaps-, conversatiezaal; '**lounge-suit** colbertkostuum

louse [laus] luis; gemene vent; **lousy** ['lauzi] luizig; (*sl*) min, vuil, beroerd, waardeloos; ~ *with* vol, 'vergeven' (van)

lout ['laut] pummel, lummel; voetbalvandaal; '**loutish** [-iʃ] pummelachtig, lummelachtig

lovable ['lʌvəbl] lief, beminnelijk, schattig

love [lʌv] I *zn* liefde (*of, for, to, towards* voor); groet(en); lieveling, geliefde; (*fam*) snoes; (*tennis e.d.*) nul; *six* ~ zes (tegen) nul; *I have no* ~ *for* ... moet niets hebben van; (*give*) *my* ~ *to your sister* groet ... van me; ~ *life* liefdesleven; *make* ~ vrijen, geslachtelijke omgang hebben (*to* met); *there is no* ~ *lost between them* ze mogen elkaar niet; ***in*** ~ verliefd, verzot (*with* op); ***out of*** ~: *a*) uit liefde; *b*) niet meer verliefd; II *ww* beminnen, liefhebben, houden van; (*fam*) dol zijn op; dolgraag willen (doen, enz.; *I'd* ~ *to go*); liefkozen, knuffelen (*a child*), aanhalen (*a dog*); **love affair** liefdesgeschiedenis; **love child** onecht kind; '**lovely** lief(elijk), beminnelijk, verrukkelijk, mooi, prachtig; heerlijk (*smell*); '**love-making** vrijen, geslachtelijke omgang; **lover** ['lʌvə] (be)minnaar; **loving** ['lʌviŋ] liefhebbend, liefdevol, teder

1 low [ləu] *ww* loeien

2 low [ləu] I *bn & bw* laag; diep (*bow*); laag uitgesneden (*dress*); neder... (~ *German*); ordinair, gemeen, plat; gering, armoedig; minnetjes (*van patiënt*), neerslachtig; zacht (*voice*); ~ *spirits* neerslachtigheid; *get* (*run*) ~, (*van voorraad*) opraken; *at* (*its*) ~*est* op zijn laagst (minst); *lie low* zich schuilhouden; II *zn* laag terrein; minimum, lagedrukgebied; laagterecord

'**low-born** van lage afkomst; '**lowbrow** [-brau] I *zn* niet-intellectueel (vgl *high-brow*); II *bn* gewoon, alledaags, begrijpelijk voor een gewoon mens, ordinair; '**low-'class** van slecht gehalte, inferieur

1 lower ['ləuə] I *bn* lager, enz.; zie *low;* beneden ..., onder ..., onderste; ~ *case* kleine letters; *the* ~ *classes* de lagere standen; ~ *deck* benedendek; *L*~ *House* Lagerhuis, 2e kamer; *the* ~ *regions* de onderwereld; II *ww* neerlaten, (laten) zakken; strijken (*the flag, the boats*); neerslaan (*one's eyes*); laag draaien (*the gas*); verlagen (*prices*); verminderen; laag worden, afhellen (*to, towards* naar); vernederen (*a p.'s pride*)

2 lower ['lauə] *ww* dreigend (somber, nors) zien (*at, on, upon* naar); dreigen (*van wolken*)

'**low-key(ed)** gematigd, sober, terughoudend; (*fot*) met veel donkere tinten; '**lowland** [-lənd] (van het) laagland; '**low-'pitched** laag (van toon); '**low-'spirited** neerslachtig; '**low tide** laagwater(lijn)

loyal ['lɔiəl] (ge)trouw, oprecht, loyaal; **loyalist** regeringsgetrouw(e); **loyalty** [-ti] loyaliteit, trouw (aan vorst, enz.); *mv:* banden (van trouw), saamhorigheid

lozenge ['lɔzin(d)ʒ] ruit(vorm); (hoest)tablet

lubricant ['l(j)u:brikənt] I *bn* glad makend; II *zn* smeermiddel; '**lubricate** [-eit] (door)smeren, oliën; omkopen; *-ing oil* smeerolie; **lubri'cation** smering; (*fig*) omkoperij

lucid ['l(j)u:sid] helder, klaar, goed te begrijpen

luck [lʌk] toeval; geluk, fortuin, succes; *bad* ~ ongeluk, pech; *good* ~ geluk; *good* ~ *to you!* het beste! succes!; *hard* ~! pech gehad! *more* ~ *than skill* meer geluk dan wijsheid; ***for*** ~ voor geluk, om geluk te brengen; *be* ***in*** ~ boffen, het treffen; *be* ***out of*** ~ wanboffen, pech hebben; '**luckless** ongelukkig, onfortuinlijk, rampspoedig; **lucky** ['lʌki] gelukkig, fortuinlijk; ~ *number* geluksgetal; **lucky 'dip** grabbelton

lucrative ['l(j)u:krətiv] lucratief, winstgevend, voordelig

ludicrous ['l(j)u:dikrəs] lachwekkend, belachelijk, bespottelijk, koddig

lug [lʌg] slepen, sleuren; trekken

luggage ['lʌgidʒ] bagage; '**luggage rack** bagagerek

lugger ['lʌgə] logger

lugubrious [l(j)u:'g(j)u:briəs] treurig, somber, akelig, naar(geestig), luguber

lukewarm ['l(j)u:kwɔ:m] lauw; niet geestdriftig

lull [lʌl] I *ww* in slaap maken (wiegen); kalmeren, sussen; gaan liggen (*van de wind*), tot kalmte komen; II *zn* tijdelijke stilte, rustig ogenblik; '**lullaby** [-əbai] slaap-, wiegeliedje

lumbago [lʌm'beigəu] lendepijn, spit in de rug

lumber ['lʌmbə] *a*) rommel, prullen; *b*) (ruw bekapt) timmerhout; '**lumberjack** houthakker, -vervoerder; '**lumberroom** rommelkamer

luminous ['l(j)u:minəs] lichtgevend, stralend, licht..., verlicht, helder, lumineus, begrijpelijk

lump [lʌmp] I *zn* klomp, brok, knobbel, bobbel, buil; klonter; klontje (*of sugar*); massa,

hoop; ~ *sum* ronde som, som ineens; II *ww: a)* bij elkaar gooien, over één kam scheren; *b)* klonteren
lunacy ['l(j)u:nəsi] krankzinnigheid
lunar ['l(j)u:nə] van de maan, maan(s) ...; ~ *eclipse* maansverduistering; ~ *module* maanlander; ~ *orbit* baan om de maan
lunatic ['lu:nətik] krankzinnig(e)
lunch [lʌn(t)ʃ] I *zn* id.; II *ww: a)* lunchen; *ongev* koffiedrinken; *b)* een lunch aanbieden; **luncheon** ['lʌntʃən] koffiemaaltijd, lunch; ~ *voucher* maaltijdbon
lung [lʌŋ] long
lunge [lʌn(d)ʒ] I *zn* stoot; uitval (*schermen*); plotselinge voorwaartse beweging; II *ww* een uitval doen; stoten (met) (*at* naar); vooruitschieten
lurch [lə:tʃ] I *zn* 1 plotselinge slingering, zijwaartse of voorwaartse beweging; *give a* ~ plotseling overzij gaan; 2 *leave in the* ~ in de steek laten; II *ww* slingeren
lure ['l(j)uə] I *zn* lokaas, -spijs, -stem; verlokking; II *ww* lokken, verlokken, tronen
lurid ['l(j)uərid] dreigend, akelig, spookachtig, somber, luguber; zinnelijk; schril (*kleur*)
lurk [lə:k] schuilen, zich schuil houden, verscholen zijn
luscious ['lʌʃəs] heerlijk, lekker; zoet, mooi, aantrekkelijk (*girl*)
lush [lʌʃ] weelderig, sappig, mals (*grass*)
lust [lʌst] I *zn* (zinnelijke) lust, wellust; begeerte, zucht (*of* naar); *object of* ~ lustobject; II *ww* begeren; '**lustful** [-f(u)l] wellustig
lustre ['lʌstə] glans, luister, schittering; **lustrous** ['lʌstrəs] glanzend, schitterend
lusty ['lʌsti] krachtig, flink, fors
lute [l(j)u:t] luit
luxuriance [lʌg'zjuə-, lʌg'ʒuəriəns] weelderigheid, weligheid; **luxuriant** [lʌg'zjuə-, lʌk'sjuəriənt] weelderig, welig; **luxuriate** [lʌg'zjuə-, lʌk'sjuərieit] welig tieren; zich aan weelde overgeven; zwelgen; **luxurious** [lʌg'zjuə-, lʌk'sjuəriəs] weelderig, luxueus; **luxury** ['lʌkʃəri] *a)* weelde, luxe; *b)* weeldeartikel; *c)* genotmiddel; *d)* weelderigheid
lynch [lin(t)ʃ] lynchen
lynx [liŋks] id.
lyre ['laiə] lier; **lyric** ['lirik] lyrisch (gedicht); ~*s* tekst van een lied(je), songtekst; **lyrical** [-l] lyrisch; **lyricist** ['lirisist] tekstschrijver voor songs en musicals

Mm*m*

ma'am [*tot leden van de Koninklijke familie:* mɑ:m, mæm; *bediende tot mevrouw:* məm *of* m] *madam*
mac [mæk] (*fam*) *mackintosh* regenjas
macabre [mə'kɑ:brə] macaber, griezelig
macaroni ['mækə'rəuni] id.
mace [meis] 1 staf, skepter; knots; 2 foelie
machinations ['mæʃi'neiʃənz] machinatie(s), kuiperij; **machine** [mə'ʃi:n] I *zn* id., werktuig, apparaat, toestel; (partij)organisatie; II *ww* machinaal vervaardigen (bewerken); **machine-gun** I *zn* machinegeweer; II *ww* daarmee (be)schieten, mitrailleren; **machine-made** machinaal (vervaardigd); **machine-shop** machinewerkplaats; **machine-tool** I *zn* gereedschapswerktuig; II *ww* machinaal bewerken; **machinery** [mə'ʃi:nəri] *a)* machine(rieën); *b)* mechanisme; *c)* opzet (van toneelstuk, enz.); *d)* bovennatuurlijke machten, enz. in letterkunde werk; *e)* bestuursapparaat; **machinist** [mə'ʃi:nist] *a)* machinebankwerker, monteur; *b)* machinedrijver
mackerel ['mækrəl] makreel
mackintosh ['mækintɔʃ] regenjas
macrobiotic [mækrəubai'ɔtik] macrobiotisch
macrocosm ['mækrəkɔzm] heelal
mad [mæd] gek, krankzinnig; razend (*at, about* over); boos (*with* op); ~ *with joy* dol van ...; ~ *on* (*after, about, for*) dol op
madam ['mædəm] mevrouw, juffrouw
madden ['mædn] gek (dol, razend) maken (worden)
made [meid] o.v.t. & v. dw. van *make;* kunstmatig (in elkaar gezet); verzonnen; gebouwd, gevormd (*a stoutly* ~ *man*); *you are a* ~ *man* uw fortuin is gemaakt; *a self-*~ *man* iem die zichzelf heeft opgewerkt d.m.v. eigen inspanning of studie; *ready* ~ *clothes* confectiekleding; ~ *to measure suit* maatkostuum; **made-up** ['meidʌp] kunstmatig; voorgewend; verzonnen (*story*)
mad-headed ['mædhedid] dol; '**madhouse** gekkenhuis; '**madman** [-mən] gek, krankzinnige; '**madness** [-nis] krankzinnigheid; razernij; *love to* ~ tot waanzinnig wordens toe; '**madwoman** [-wumən] gekkin, krankzinnige
maelstrom ['meilstrəum] maalstroom
magazine [mægə'zi:n, 'mægəzi:n] (wapen-, kruit)magazijn; tijdschrift; (televisie)journaal; filminleg (camera)
maggot ['mægət] made, 'worm'; (*fig*) gril; *he has a* ~ *in his head* (*brain*) hij ziet ze 'vliegen'; '**maggoty** [-i] wormstekig; (*fig*) grillig

Magi ['meidʒai] meervoud van *Magus* de 3 wijzen uit het Oosten (*bijb*)
magic ['mædʒik] I *zn* toverij, toverkunst, -kracht; *black* ~ zwarte kunst; *work* ~ toveren; *like* (*as if*) *by* ~ als bij toverslag; II *bn* toverachtig, betoverend, tover... (*lantern*); ~ *eye* foto-elektrische cel, (*radio*) afstemoog; '**magical** [-l] zie *magic bn*; **magician** [mə'dʒiʃən] tovenaar; goochelaar
magisterial ['mædʒis'tiəriəl] meesterachtig, gezaghebbend, autoritair
magistrate ['mædʒistr(e)it] magistraat, overheidspersoon; politierechter; *the chief* ~, (*Am*) President van de V.S.
magnanimity [mægnə'nimiti] grootmoedigheid; **magnanimous** [mæg'nænimǝs] grootmoedig
magnate ['mægneit] magnaat
magnet ['mægnit] magneet (*ook fig*); **magnetic** [mæg'netik] I *bn* magnetisch, magneet...; ~ *card* magneetkaart; II *zn:* ~*s* (leer van) het magnetisme; '**magnetism** [-izm] magnetisme
magnificence [mæg'nifisns] luister, pracht; grootsheid; **mag'nificent** groots, luisterrijk, prachtig; (*fam*) prima, aarts...; '**magnify** [-fai] vergroten; '**magnifying glass** vergrootglas; '**magnitude** [-tju:d] grootte; belang(rijkheid); *of the first* ~ van de eerste rang (grootte) (*star of*...)
magnum ['mægnəm] id.: dubbele fles (ook: ~ *bottle:* ± 1,5 l)
magpie ['mægpai] ekster
mahogany [mə'hɔgəni] mahonie(hout(en))
maid [meid] meid; meisje; kamenier; ~ *of honour: a*) ongetrouwde hofdame; *b*) (*Am*) voornaamste bruidsmeisje; *old* ~ ouwe vrijster; **maiden** ['meidn] I *zn* maagd, meisje; II *bn* maagdelijk, ongetrouwd (*aunt*); nieuw; eerste; ~ *name* meisjesnaam van getrouwde vrouw; ~ *speech* id., redenaarsdebuut; ~ *trip*, ~ *voyage* eerste reis; **maidenhood** [-hud] maagdelijkheid; '**maidservant** dienstmeisje, -bode
mail [meil] I *zn* 1 maliënkolder; 2 post, posterijen; posttrein; II *ww* 1 (be)pantseren; ~*ed fist* gepantserde vuist; 2 per post verzenden, posten, mailen; '**mail-bag** postzak; '**mail-boat** mailboot; '**mail-box** (*Am*) *a*) brievenbus; *b*) postbus; '**mailing-list** verzendlijst; '**mail order** postorder; ~ *firm* (*house*) postorderbedrijf
maim [meim] verminken
main [mein] I *bn* voornaamste, grootste, belangrijkste, hoofd...; *by* ~ *force* (slechts, louter) door geweld; ~ *body* hoofdmacht; ~ *line* hoofdlijn (*van spoorweg*); ~ *pipe*, (*gas, water*) hoofdbuis; II *zn* (ook ~*s*) hoofdleiding, net (*van gas, elektriciteit, enz.*); ~*s switch* hoofdschakelaar; *turn off the gas at the* ~ de hoofdkraan sluiten; *in the* ~ in hoofdzaak, hoofdzakelijk, over het geheel; '**main-'deck** eerste tussendek; '**mainland** [-lənd] vasteland, hoofdland, hoofdeiland; '**mainly** [-li] voornamelijk, in hoofdzaak; '**mainsail** [-seil; *scheepv:* -sl] grootzeil; '**mainstay** (*scheepv*) grote stag; (*fig*) voornaamste steun, steunpilaar; '**mainstream** voornaamste stroming
maintain [men-, mən'tein] handhaven, verdedigen; in stand houden; onderhouden (*ook techn*); ophouden (*one's position*); houden (*a fortress*); voeren (*war, a correspondence*); steunen (*a cause*); volhouden, beweren, staande houden; ~ *one's ground* standhouden; ~*ed school* door overheid gefinancierde school; **maintenance** ['meintinəns] I *zn* handhaving, verdediging, instandhouding; onderhoud; *ongev* alimentatie; ~ *crew* onderhoudspersoneel (van vliegtuig); ~ *order* bevel tot uitkering aan gescheiden of door haar man verlaten vrouw; II *ww* (*techn*) onderhouden
maison(n)ette [meizə'net] huisje; afzonderlijk verhuurd deel van huis; id.
maize [meiz] maïs
majestic [mə'dʒestik] majestueus; **majestically** [-əli] majestueus; **majesty** ['mædʒisti] majesteit
major ['meidʒə] I *bn* groter, grootste, groot (*Prophets, operation*), hoofd...; meerderjarig; majeur (*key* toonaard); belangrijk (*work*); voornaam (*reason*); *A* ~ A majeur, A groot, A grote terts; ~ *road* hoofd-, voorrangsweg; II *zn: a*) majoor; *b*) meerderjarige; *c*) majeur (toonaard); *d*) hoofdvak(student); III *ww:* ~ *in*, (*Am*) als hoofdvak bestuderen (~ *in biology*); **majority** [mə'dʒɔriti] *a*) meerderheid (*Am:* volstrekte ...); *b*) meerderjarigheid; *c*) majoorschap, majoorsrang
make [meik] I *ww* (aan)maken, vervaardigen, scheppen, voortbrengen; doen, nemen (*an experiment* proef); verrichten, uitvoeren (*investigations*); benoemen tot; verdienen; vormen (*wool* ~*s warm clothing*); geschikt zijn voor (*the house would* ~ *an excellent clinic*); opmaken (*a bed*); zetten (*coffee, tea*); bereiden, klaarmaken (*an ice cream soda*); sluiten (*peace*); houden (*a speech*); doen (*an attempt, a promise*); noodzaken, laten (~ *him do it*); zich bewegen (*in the direction of*); in het gezicht krijgen (*an island*); bereiken; binnenlopen (*the port*); pakken, halen (*the train*); halen (*the front page*); doen slagen, tot een succes maken (*it made my holiday*); (*sl*) verleiden (*a girl*); ~ *it*, (*fam*) het klaarspelen; het halen; (erin) slagen; (*sl*) een nummertje maken; *I'm not made that way* zo ben ik niet; ~ *or mar* (*break*) *a plan* doen gelukken of mislukken; *he will never* ~ *a good actor* worden; *have it made* verzekerd zijn van succes; *the ebb* (*flood, tide*) *is -ing* het water loopt af (komt op); ~ *to pass a p.* aanstalten maken om ...; *he will* ~ (*her*) *a good husband* zal ... (voor haar) zijn; ~ *a p. laugh* doen ..., aan het lachen maken; ~ *o.s. understood* zich verstaanbaar maken; *these figures can be made to agree* kunnen met el-

mag

kaar in overeenstemming worden gebracht; ~ *a trick* een slag maken, een trek halen; *what do you ~ the time? what time do you ~ it?* hoe laat is het volgens jou?; ~ *good time* goed vooruitkomen, opschieten; *this ~s pleasant reading* laat zich prettig lezen; *2 and 2 ~ 4* is; ~ ***at*** lostrekken (afstuiven) op; ~ ***away*** ervandoor gaan; ~ *away with* uit de weg ruimen; er doorbrengen; vernietigen; zoek maken; verorberen; ~ *away with o.s.* zich van kant maken; ~ ***for*** zich begeven naar, aansturen op (*ook fig*) lostrekken op; gunstig zijn voor, pleiten voor, bevorderen, leiden (bijdragen) tot (*peace*); afstuiven op; *what do you ~ of that?* hoe leg je dat uit?; ~ *much* (*a great deal*) *of: a*) een hoge dunk hebben van, veel gewicht hechten aan; *b*) aanhalen, liefkozen, met onderscheiding behandelen; *c*) munt slaan uit; *I can't ~ much of it* begrijp er niet veel van; *I can ~ nothing of it* kan er niet uit wijs worden; kan er niets mee beginnen; ~ ***off*** ervandoor gaan; ~ ***out*** opmaken (*a list*); uitschrijven (*a cheque*); tot stand brengen; bij elkaar brengen (*money*); (het) klaarspelen, rondkomen, zich redden, het maken (*how did he ~ out in Australia?*); voorgeven (*not so bad as she ~s out*); beweren; voorstellen (als: *he ~s me out to be a fool*), afschilderen; begrijpen, snappen, ontcijferen; onderscheiden; (trachten te) bewijzen (*a charge*); *how do you ~ that out?* hoe bewijs je dat?; ~ ***out of*** maken van; 'halen' uit; ~ ***over*** overdragen; vermaken, veranderen, herzien, opnieuw maken; ~ ***up*** voltallig (volledig) maken, aanvullen, aanzuiveren; vergoeden (*a loss*); goedmaken, compenseren, inhalen (*view made up for noise; ~ up for lost time*); opmaken (*a list;* ook *typ: a page*); maken (*a dress*); aanleggen (*the fire*); klaarmaken (*a medicine, prescription*); verzinnen (*a story*); bijleggen (*a quarrel*); (zich) grimeren of verkleden voor een rol; ~ *up one's mind* (*one's mind up*) tot een besluit komen, besluiten; ~ *it up, ~ matters up* het weer bijleggen, weer goed op elkaar worden; ~ *it up with* zich verzoenen met; ~ *up into* maken tot; *be made up of* bestaan uit; ~ *up to a p.: a*) afkomen, -gaan op; *b*) bij iem in de gunst trachten te komen, het hof maken; ~ *it up to him* vergoed het hem; II *zn* maaksel, constructie, fabrikaat, fabricage; (lichaams)bouw; natuur, aard; soort; (*elektr*) stroomsluiting (*at ~* ingeschakeld); *a man of his ~* van zijn soort; *be on the ~,* (*fam*) op eigen voordeel bedacht zijn, 'uitgerekend' zijn; proberen carrière te maken; '**make-believe** (soms *-belief*) I *zn* schijnvertoning, komedie, doen alsof; *it was only ~* hij deed maar zo; II *bn* voorgewend, schijn... (*government*); '**maker** maker, fabrikant, schepper; *M~r* Schepper; '**makeshift** I *zn* hulp-, redmiddel; II *bn* om zich mee te behelpen, geïmproviseerd; ~ *bed* kermisbed; '**make-up** *a*) samenstelling, gesteldheid; *b*) id., kosmetiek, grime; vermomming; **making** ['meikiŋ] vervaardiging, (aan)maak; zie *make; ~s: a*) elementen, factoren; *b*) verdiensten; *of your own ~* door je zelf gemaakt (bewerkt, enz.); *that was the ~ of him* dat bracht hem er bovenop; *he has the ~s of an excellent teacher* er schuilt (zit) in hem ...; *in the ~* in (het stadium van) ontwikkeling

maladjusted [mælə'dʒʌstid] slecht geregeld; onevenwichtig, onaangepast (*person*); **maladjustment** [mælə'dʒʌstmənt] slechte regeling (inrichting, schikking), misvorming, onaangepastheid

maladroit ['mælə'drɔit] onhandig, links

malaria [mə'lɛəriə] id.; **malarial** [-l] malaria...

malcontent ['mælkəntent] id.: ontevreden(e)

male [meil] I *bn* mannelijk, mannen..., mannetjes...; II *zn* mannetje; mannelijk persoon

malefactor ['mælifæktə] boosdoener; **malevolence** [mə'levələns] kwaad-, boosaardigheid; **malevolent** [mə'levələnt] kwaadwillig, kwaad-, boosaardig

malfunction [mæl'fʌŋkʃən] (technische) fout, defect

malice ['mælis] boosaardigheid, haat; *with ~ aforethought* met voorbedachten rade; *bear* (*hold*) ~ wrok koesteren; **malicious** [mə'liʃəs] *a*) boos(aardig), kwaadwillig; hatelijk; *b*) plaagziek; *c*) (*jur*) opzettelijk

malign [mə'lain] schadelijk, ongunstig, verderfelijk; (*van ziekte*) kwaadaardig; **malignancy** [mə'lignənsi] kwaadaardigheid; **malignant** [mə'lignənt] kwaadaardig (*ook van ziekte*), boos(aardig), verderfelijk, kwaadwillig

malinger ['mæliŋgə] simuleren, zich ziek houden

mall [mɔ:l] beschutte wandelplaats, promenade; (*Am*) winkelgalerij; verkeersvrije winkelstraat

malleable ['mæl(i)əbl] smeed-, pletbaar; (*fig*) kneedbaar, gedwee

malnutrition [mælnju'triʃən] ondervoeding

malpractice [mæl'præktis] onwettige praktijken, malversatie; verkeerde behandeling, verwaarlozing; wangedrag

maltreat [mæl'tri:t] mishandelen, slecht behandelen; **maltreatment** [-mənt] mishandeling

malversation [mælvə:'seiʃən] malversatie, verduistering, wanbeheer

mammal ['mæməl] zoogdier

mammoth ['mæməθ] I *zn* mammoet; II *bn* reusachtig

man [mæn] mv *men* [men] I *zn* (de) man, (de) mens; bediende, knecht, werkman; vertegenwoordiger (*our ~ in Havana*); (oud-)student (*an Oxford ~*); stuk (*dam-, schaakspel*); (*mv ook*) manschappen; *attr dikwijls* mannelijk (~ *cook,* enz.); *a ~, ook:* men; *I am your ~* ik ben je man! aangenomen!; *I am my own ~* mijn eigen baas; *be ~ enough to* mans genoeg; *he is not ~ enough to feel it* nog te jong; ~ ***for*** ~ man voor man (genomen); *it is not **in** a ~* dat kan een mens (man) niet; ~ ***to*** ~ man tegen man; *as ~ to ~, as one ~ to another* van man tot man, op voet van gelijkheid; *to a ~* als één man, unaniem, zonder uitzondering; ~ *about town* iem die meedoet aan het mondaine leven, uitgaande man; *the ~ in* (*Am: on*) *the street* de gewone man, het grote publiek; ~ *of means* bemiddeld man; *a ~ of men* voortreffelijk mens; ~ *of property* man van bezit, grondeigenaar; ~ *of sense* verstandig man; ~ *of substance* man van vermogen; **II** *ww* bemannen; bezetten (*a post*); ~ *ship,* (*scheepv*) zich langs de verschansing opstellen; ~ *o.s.* zich vermannen; *~ned crossing* bewaakte overweg

manacle ['mænəkl] **I** *zn* (hand)boei; **II** *ww* de handboeien aandoen, boeien, kluisteren

manage ['mænidʒ] hanteren; (de zaken) leiden; beheren, besturen (*a business*); reguleren (*the currency* munt); beheersen, (het) klaarspelen, omspringen, zich redden (met: ~ *a p.; I can ~ it;* (erin) slagen (~ *to get in; I just ~d to get there in time* het lukte me net ...); aankunnen, -durven (*another chop*); zich behelpen, zich redden; rondkomen; '**manageable** [-əbl] te hanteren, handelbaar, gedwee; '**management** hantering; beheer, bestuur, administratie; directie; overleg; list, handigheid; '**manager** [-ə] id., bestuurder, beheerder, directeur, chef, (bedrijfs)leider, gerant, zetbaas; impresario; *his wife is a good ~* huishoudster; *~'s disease* managerziekte; '**manageress** cheffin, bedrijfsleidster; **managerial** [mænə'dʒiəriəl] directeurs..., bestuurs...; bestuurlijk (*level*); '**managing** [-iŋ] ~ *director* directeur

mandarin ['mændərin] mandarijn

mandate ['mændeit, -it] mandaat, bevel(schrift), voorschrift, opdracht; **mandatory** ['mændətəri] bevelend, bevel...; verplicht (*for, upon* voor); ~ *sign* gebodsbord

mane [mein] manen; **maned** [-d] met manen

man-eater ['mæn,i:tə] *a*) menseneter; *b*) mensenetend dier, tijger

manger ['mein(d)ʒə] kribbe, voerbak, trog

mangle ['mæŋgl] **I** *zn* mangel; **II** *ww* **1** mangelen; **2** verscheuren, havenen, verminken; verknoeien

mangy ['mein(d)ʒi] schurftig

'**manhandle** *a*) door mensenkracht bewegen; *b*) ruw aanpakken, mishandelen, toetakelen, er van langs geven; **manhole** ['mænhəul] mangat; **manhood** ['mænhud] mannelijkheid; mannelijke leeftijd; manhaftigheid; mannen (*the whole ~ of the country*); menselijke natuur, menselijkheid; '**man-hour** manuur; **manhunt** ['mænhʌnt] mensenjacht, razzia

mania ['meiniə] waanzin, manie; **maniac** ['meiniæk] maniak; waanzinnig(e); **manic** ['mænik] manisch; *~-depressive* man depressief (persoon)

manicure ['mænikjuə] manicure(n)

manifest ['mænifest] **I** *bn* in het oog vallend, klaarblijkelijk, duidelijk; **II** *zn* (scheeps)manifest; **III** *ww* openbaar maken, aan de dag leggen, bewijzen; manifesteren; (*van geest*) zich manifesteren (ook: ~ *itself*); **manifestation** [,mænifes'teiʃən] openbaarmaking, openbaring; manifestatie; **manifesto** [mæni'festəu] manifest, (partij)programma

manifold ['mænifəuld] **I** *bn* menigvuldig, veelvuldig, onderscheiden; **II** *zn* (*techn*) spruitstuk

manipulate [mə'nipjuleit] (slim, bedrieglijk) behandelen, manipuleren, bewerken (*the press*), knoeien met (*figures*); **ma,nipu'lation** behandeling; manipulatie, handbewerking

mankind [mæn'kaind] het mensdom, de mensheid; ['mænkaind] de mannen; '**manlike** mannelijk, manachtig; gelijk een mens (man); '**manly** [-li] mannelijk, manhaftig

mannequin ['mænikin] mannequin

manner ['mænə] *a*) manier (van doen), wijze, gewoonte; *b*) gemaniëreerdheid; *all ~ of* allerlei; *it is not ~s to ask* past niet; *where are your ~s?* ken je geen manieren?; *his ~s are his own* hij heeft zo zijn eigen manieren; *I'll teach him ~s* manieren (mores) leren; in geen geval; ***in*** *this ~* op deze man; *in a ~* in zekere zin; *in a ~ of speaking* bij wijze van spreken; *in like ~* evenzo; ***to the*** *~ born* van nature daarvoor geschikt; van zijn geboorte af daaraan gewend; '**mannered** [-d] *a*) gemanierd, met ... manieren (~ *like a gentleman, pleasant ~*); *b*) geaffecteerd, gemaniëreerd; '**mannerism** [-rizm] gemaniëreerd-, gemaakt-, hebbelijkheid, aanwensel, maniertje

mannish ['mæniʃ] manachtig (*woman*), als van een man (*airs*), mannen...

manoeuvre [mə'nu:və] **I** *zn* id. (*ook fig*); kunstgreep; **II** *ww* (laten) manoeuvreren, kuipen; ~ *a p. into a marriage* op handige wijze brengen tot

manor ['mænə] (ambachts)heerlijkheid, riddergoed, havezate; (*fig*) terrein, gebied; '**manor house** herenhuis; (adellijk) slot

'**manpower** mankracht, arbeidskracht(en)

manservant ['mænsə:vənt] (*vero*) knecht

mansion ['mænʃən] groot herenhuis; (*block of*) *~s* flatgebouw

'**man-size(d)** *a*) mansgroot; *b*) (als van een) volwassen(e); '**manslaughter** [-slɔ:tə] doodslag

mantelpiece ['mæntlpi:s] schoorsteenmantel

mantle ['mæntl] **I** *zn: a*) mantel; *b*) (*fig*) dekmantel; *c*) gloeikousje (= *incandescent ~*); **II** *ww* bedekken, verbergen

manual ['mænjuəl] **I** *bn* hand(en)... (*labour*); **II** *zn: a*) handboek; *b*) manuaal (*van orgel*)

manufacture [mænju'fæktʃə] **I** *zn: a*) fabrikaat; *b*) fabricage, vervaardiging; *c*) het fabriekswezen, de fabrieken; **II** *ww* vervaardigen, fabriceren (*ook fig:* verzinnen), fabrieken; *~d goods* fabrikaten; *-ing industries* verwerkende industrieën; *-ing town* fabrieksstad; **manufacturer** [-rə] fabrikant

manure [mə'njuə] *zn* mest; *ww* (be)mesten

Manx [mæŋks] (taal, bewoners) van het eiland Man; ~ (*cat*) staartloze kat van het eiland Man
many ['meni] veel, vele; *a good* ~ heel wat; *a great* ~ heel veel; (*so*) ~ *men*, (*so*) ~ *minds* zoveel hoofden, zoveel zinnen; ~ *a man*, ~ *a one* menigeen; ~ *a time and oft*(*en*) herhaaldelijk; ~ *is the time I've seen him do it* vaak heb ik het hem zien doen; *this* ~ *a day* reeds vele dagen; *as* ~ *as fifty* wel; *be one too* ~ over (te veel) zijn; *I am* (*one*) *too* ~ *for you* ik ben je te slim af; *the* ~ de grote hoop; '**many-sided** veelzijdig; '**many-splendoured** luisterrijk
map [mæp] I *zn* (land)kaart; *the place is almost off the* ~ aan het andere eind van de wereld; II *ww*: ~ (*out*) in kaart brengen; ~ *out*, *ook*: ontwerpen, indelen
maple ['meipl] ahorn, esdoorn; '**maple-leaf** ahornblad: zinnebeeld van Canada
mar [mɑ:] bederven, ontsieren
marauder [mə'rɔ:də] stroper, plunderaar
marble ['mɑ:bl] I *zn*: *a*) marmer; *b*) marmeren beeld, enz.; *c*) knikker; *play at* ~*s* knikkeren; *he has lost* (*one of*) *his* ~*s* hij heeft ze niet alle vijf; II *bn* marmeren; (koud, enz.) als marmer; gemarmerd
March [mɑ:tʃ] maart
march [mɑ:tʃ] I *zn* mars; loop (*of events*), (ontwikkelings)gang; opmars; vooruitgang (*of science*); marstempo; een vlieg afvangen, iets afsnoepen; II *ww* (laten) marcheren; (laten) op-, aanrukken (*on a town* op ...); ~ *off* (laten) afmarcheren; wegvoeren; **marching-orders** marsorder(s); *be under* ~ marsorders ontvangen hebben; *give a p. his* ~ iemand zeggen uit (in) te rukken, de laan uit sturen; (*sp*) eruit sturen
marchioness ['mɑ:ʃənis] markiezin
march-past ['mɑ:tʃ'pɑ:st] defilé
mare [mɛə] merrie; *find a* ~*'s nest* zich blij maken met een dode mus
margarine ['mɑ:dʒərin, mɑ:dʒə'ri:n] id.
marge [mɑ:dʒ] (*fam*) margarine
margin ['mɑ:dʒin] rand, kant, grens; marge; overschot, (zuivere) winst, saldo; (speel)ruimte, speling (*leave a* ~); '**marginal** [-(ə)l] kant..., rand...; op de grens (aan de rand) gelegen, marginaal; ~ *constituency* kiesdistrict met weinig stemmenverschil tussen de partijen
marigold ['mærigəuld] goudsbloem
marina [mə'ri:nə] jachthaven
marinade [mæri'neid] I *zn* marinade; II *ww* marineren; **marinate** marineren
marine [mə'ri:n] I *bn* zee... (*painter, insurance*), scheeps..., marine...; kust..., strand... (*parade* boulevard); II *zn*: *a*) handelsvloot; *b*) marinier, zeesoldaat; *tell that to the* ~*s* maak dat je grootje wijs; **mariner** ['mærinə] (*vero*) zeeman, matroos
marionette [ˌmæriə'net] marionet
marital ['mæritl] *a*) van de (een) echtgenoot (~ *authority*); *b*) echtelijk (*joys*); *c*) burgerlijk (*status* staat)
maritime ['mæritaim] zee... (*law* recht), zeevaart..., kust..., maritiem; ~ *power*: *a*) zeemogendheid; *b*) macht ter zee
mark [mɑ:k] I *zn* doel(wit), einddoel, -punt; (brand-, ken)merk, (ken)teken, moet, blijk, spoor, stempel (*leave one's* ~ *on* ... drukken op); type, model (*the Spitfire Mk II*); tekening (op huid van dier bijv.); litteken; punt, cijfer (op school); *full* ~*s* een tien (met een griffel); *hit the* ~ het doel treffen; ***above*** (***below***) *the* ~ boven (beneden) peil; ***near*** *the* ~ er dichtbij, niet ver mis; *be **off** the* ~ zijn score openen, gestart zijn; ***up to*** *the* ~ op peil, voldoende; ***wide** off the* ~ de plank geheel mis, er vierkant naast; ***within*** *the* ~ er dichtbij; II *ww* merken, tekenen (*that* ~*s the man*); kenmerken, onderscheiden; prijzen (*goods*), noteren; punten (een cijfer) geven (op: ~ *papers*), corrigeren; aanduiden, aangeven (*on a map*); bestemmen; markeren; opmerken, letten op; ~ *my words!* let op mijn woorden; ~ *you!* let wel!; ~ ***down***: *a*) op-, aantekenen; *b*) lager noteren (*prices*); *c*) uitpikken, bestemmen; ~ ***off***, ~ ***out*** afbakenen; aanwijzen, bestemmen; onderscheiden; ~ ***up*** hoger noteren; (in prijs) verhogen; **markbook** cijferboekje; '**mark-down** prijsverlaging; **marked** [-t] merkbaar (*improvement*), opvallend (*attention*), gemarkeerd (*enemy*); *beautifully* ~ *animal* mooi getekend; ~ *man* iem, die in het oog gehouden wordt; **markedly** *bw* zie *marked*; '**markedness** [-idnis] *zn*, zie *marked*; '**marker** *a*) opschrijver; *b*) boekelegger; *radio* ~, ~ *beacon* radiobaken; ~ (*pen*) markeerstift, -pen
market ['mɑ:kit] I *zn* markt, afzet(gebied); aftrek, vraag (*for* naar); handel (*there's no* ~ *in the shares*); *buyer's* (*seller's*) ~ door (ver)kopers beheerste markt; marktprijs; hoek (*op de beurs*); ***down*** ~ de onderkant van de markt; goedkoop, voor het grote publiek; *be **in** the* ~ aan de markt (te koop) zijn; *be in the* ~ *for* in de markt zijn voor; *come **into** the* ~ aan de markt komen; *be* (***up***)***on*** *the* ~ aan de markt zijn; *put* (*place*) *on the* ~ aan de markt brengen; II *ww* op de markt brengen, inkopen doen (*go* ~*ing*); verkopen (op de markt), verhandelen, aan de markt brengen; **marketable** [-əbl] *a*) verkoopbaar; *b*) markt... (*value*); '**marketer** marktganger; '**market-'garden(er)** groentekweker(ij); '**marketing** *a*) het op de markt brengen; handeldrijven; *b*) inkoop; *c*) marktgoederen; *d*) marktbezoek; *e*) id., afzet; '**market-place** marktplein; markt; *the* ~, (*ook*:) de handel(swereld); '**market-price**, **market-rate** marktprijs; '**market-research** marktonderzoek; '**market-stall** marktstalletje; '**market-town** marktstad; '**market-value** marktwaarde
marking ['mɑ:kiŋ] het ... (zie *mark*); tekening (*van dier, enz.*); ~ *ink* merkinkt; ~ *iron* brandijzer

mar

marksman ['mɑ:ksmən] (scherp)schutter
mark-up ['mɑ:kʌp] prijsverhoging, winstmarge
marmalade ['mɑ:məleid] marmelade
maroon [mə'ru:n] *a*) kastanjebruin (*bn* & *zn*); *b*) vuurwerk (signaal); *ww* op onbewoonde kust aan land zetten en achterlaten; (*fig*) afsnijden (*~ed by the flood*) isoleren, aan zijn lot overlaten
marquee [mɑ:'ki:] grote (feest)tent
marquess, marquis ['mɑ:kwis] markies
marriage ['mæridʒ] huwelijk; *~ of convenience* huwelijk uit berekening; *by ~* aangetrouwd; **marriageable** [-əbl] huwbaar (persoon); '**marriage-certificate** trouwakte; '**marriage-licence** officiële vergunning tot huwelijk zonder afkondiging van ondertrouw; '**marriage-lines** trouwakte; '**marriage-settlement** huwelijksvoorwaarden (ten behoeve van vrouw en soms kinderen); **married** ['mærid] gehuwd; huwelijks...
marrow ['mærəu] merg; (*fig*) kern, pit; (*vegetable*) ~ mergpompoen; *it goes to the ~ of my bones* dringt me door merg en been; '**marrow bone** mergpijp
marry ['mæri] trouwen (met), huwen; uithuwelijken (*~ off*); (zich) nauw verbinden, aaneenpassen
marsh [mɑ:ʃ] moeras; *tidal ~* kwelder
marshal ['mɑ:ʃəl] I *zn* maarschalk; (*Am*) hoofd van politie; gevangenisdirecteur; II *ww* rangschikken, (zich) scharen, opstellen, ordenen, op een rijtje zetten (*facts*); geleiden, aanvoeren; samenvoegen, bundelen (*resources*); verzamelen (*troops*); '**marshalling-yard** rangeerterrein
marshy ['mɑ:ʃi] moerassig
marten ['mɑ:tin] marter
martial ['mɑ:ʃəl] krijgshaftig, krijgs...; *proclaim ~ law* de staat van beleg afkondigen
martin ['mɑ:tin] huiszwaluw
martyr ['mɑ:tə] I *zn* martelaar; II *ww* de marteldood doen sterven; martelen; '**martyrdom** martelaarschap; marteldood; marteling
marvel ['mɑ:vəl] I *zn* wonder; *the ~ is that* ... het is een wonder, dat ...; II *ww* zich verwonderen (verbazen) (*at* over); zich afvragen; **marvellous** [-əs] wonderbaar, verbazend; heerlijk, verrukkelijk
marzipan [mɑ:zi'pæn] marsepein
mascot ['mæskət, -kɔt] mascotte, gelukbrengend persoon (dier, voorwerp)
masculine ['mæskjulin] I *bn* mannelijk (ook van rijm); (*van vrouw*) manachtig; II *zn* mannelijk geslacht (woord)
mash [mæʃ] I *zn* (warm) mengvoer; pap (*fig*); mengelmoes, knoeiboel; puree; II *ww* fijnmaken, -stampen; *~ed potatoes* puree
mask [mɑ:sk] I *zn* masker; II *ww* maskeren, (zich) vermommen; maskéren, verbergen; *~(ed) ball* gemaskerd bal; *~ing tape* afplakband
mason ['meisn] *a*) steenhouwer, -metselaar; *b*) vrijmetselaar; **masonic** [mə'sɔnik] maçonniek, vrijmetselaars...; '**masonry** [-ri] metselwerk (in steen)
masque [mɑ:sk] toneelstuk (16e en 17e eeuw) met muziek en dans, oorspronkelijk met gemaskerde spelers; **masquerade** [mæskə'reid] I *zn* maskerade; vermomming; II *ww* vermomd zijn, zich vermommen
1 **mass** [mæs] I *zn* massa, grote hoeveelheid; (grote) hoop, het merendeel; *attr ook:* van de massa (*~ opinion*); *~ media* massa-communicatiemiddelen; *she is a ~ of conceit* één bonk (één en al) ...; II *ww* (zich) verzamelen, groeperen, ophopen, samentrekken (*troops*)
2 **mass** [mæs, mɑ:s] mis; *say ~* de mis lezen
massacre ['mæsəkə] I *zn* moord, bloedbad, slachting; II *ww* wreed vermoorden, een slachting aanrichten onder
massage ['mæsɑ:ʒ] *zn* id.; *ww* masseren
massif ['mæsi:f] bergmassief; **massive** ['mæsiv] massief, zwaar; enorm, indrukwekkend; massaal
'**mass-pro'duce** in massa produceren; '**mass-pro'duction** massaproduktie
mast [mɑ:st] mast
master ['mɑ:stə] I *zn* meester, leraar; directeur; heer des huizes, mijnheer (*is your ~ in?*); baas, eigenaar; vader (*van armhuis, enz.*); kapitein, gezagvoerder; jongeheer; *attr:* voornaamste (*his ~ passion*), hoofd...; meester..., ...patroon, ...baas (*~ baker*); moeder... (*sheet, tape*); mantel... (*policy*); *old ~s* (schilderstukken van) oude meesters; *M~ of Arts, ongev* doctorandus in de Letteren; *M~ of Ceremonies* ceremoniemeester; *~ of* (*the*) (*Fox*) *Hounds* jagerm van een vossejachtclub; *M~ of Science, ongev* doctorandus in de natuurwetenschappen; II *ww* overmeesteren, te boven komen, meester (de baas, machtig) worden; besturen; '**masterful** [-f(u)l] *a*) meesterachtig, bazig, despotisch; *b*) meesterlijk, meester...; '**master 'key** [-ki:] loper, moedersleutel; '**masterly** meesterlijk, magistraal; '**master'mind** I *zn* grote geest, leider; II *ww* (achter de schermen) leiden, organiseren; '**masterpiece** meesterstuk, meesterwerk; '**mastership** meesterschap; '**master-switch** hoofdschakelaar; '**mastery** [-ri] heerschappij (*of* over); overhand (*of* op); meesterschap
masticate ['mæstikeit] kauwen
masturbate ['mæstəbeit] masturberen
1 **mat** [mæt] I *zn: a*) mat; kleedje; *b*) verwarde massa (haar, enz.); *leave a p. on the ~* niet willen ontvangen; *we'll have him on the ~,* (*sl*) op het matje laten komen, onder handen nemen; II *ww* dooreenvlechten, verwarren; in de war raken; *~ted hair* aaneenklevende haren
2 **mat** mat, dof
match [mætʃ] I *zn* 1 partij, gelijke, partuur, evenbeeld, tegenhanger; span, paar; 'match', wedstrijd; huwelijk; *be a ~ for* opgewassen

zijn tegen; *he is more than a ~ for you* je de baas; *find* (*meet*) *one's ~* zijn man vinden; *make a happy ~* een gelukkig huwelijk doen; *training ~* oefenwedstrijd; 2 lucifer; lont; II *ww* doen trouwen (*with, to* met); paren; sorteren; opgewassen zijn tegen, evenaren, op kunnen tegen (ook: *~ up to*); vergelijken (*with* met); passen bij (*this ~es it nicely*); = *~ up* bij elkaar passen (*her hat and coat don't ~*); aan elkaar (doen) passen, in overeenstemming brengen; iets passends vinden bij; in overeenstemming brengen (*to, with* met); *well ~ed: a*) aan elkaar gewaagd; *b*) goed bij elkaar passend; *not to be ~ed* niet te evenaren; *~ a p.* (*thing*) *against* (*with*) ... stellen tegenover; *~ o.s. against* zich meten met; '**matchbox** lucifersdoosje; '**matchless** onvergelijkelijk; '**matchmaker** *a*) lucifersmaker; *b*) koppelaar(ster) (*niet ongunstig*); '**matchmaking** vgl *matchmaker*; '**matchwood** hout voor lucifers; splinters; *crumple to ~* versplinteren; *make ~ of* aan splinters slaan

mate [meit] I *zn* 1 maat, kameraad; helper, gezel; mannetje, wijfje; levensgezel(lin); stuurman; 2 mat (*schaakspel*); *fool's ~* gekkenmat; *scholar's ~* herdersmat; II *ww* (zich) paren, in de echt verbinden, trouwen; omgaan (*with* met); samengaan (met)

material [mə'tiəriəl] I *bn* stoffelijk, lichamelijk, materieel; zinnelijk; wezenlijk, essentieel, belangrijk, van belang (*to* voor); *~ noun* stofnaam; *~ proof* concreet bewijs; II *zn* materiaal, (bouw-, grond)stof, bestanddeel; *buy a house for its ~s* voor afbraak; *he is hardly university ~* nauwelijks geschikt voor de universiteit; **materialism** [-izm] -isme; **materialist** *zn* id.; *bn* materialistisch; **materialistic** [mə,tiəriə'listik] materialistisch; **materialize** [-aiz] realiseren; iets opleveren; verwezenlijkt worden, uitkomen (*dream*); *the promised job never ~d* van ... kwam nooit iets; (doen) verschijnen (*van geest*)

maternal [mə'tə:nl] moederlijk, moeder...; van moederszijde; **maternity** [mə'tə:niti] *a*) moederschap; *b*) moederlijkheid; *~ centre* consultatiebureau voor (aanstaande) moeders; *~ dress* positiejapon; *~ home* kraaminrichting; *~ nurse* kraamverpleegster; *~ ward* kraamvrouwenafdeling

matey ['meiti] (*fam*) kameraadschappelijk

mathematic [mæθi'mætik] wiskundig, wiskunde...; **mathematician** [,mæθimə'tiʃən] wiskundige; **mathe'matics** [-s] wiskunde; **maths** [mæθs] (*fam*) = *mathematics*

mating-season ['meitiŋ,si:zn] paartijd

matriculate [mə'trikjuleit] als student inschrijven (ingeschreven worden); **ma,tricu'lation** *~ examination* toelatingsexamen

matrimonial [mætri'məunjəl] echtelijk, huwelijks...; **matrimony** ['mætriməni] huwelijk(e staat)

matrix ['meitriks] *a*) matrijs, gietvorm; *b*) (*wisk*) id.

matron ['meitrən] hoofd van de huishouding; directrice (*van ziekenhuis*); '**matronly** [-li] matroneachtig, tamelijk gezet

matt [mæt] mat, dof

matter ['mætə] I *zn* stof, materie; zaak; inhoud (*his speech contained little ~*); aanleiding, reden (*for, of* tot); aangelegenheid; kwestie (*a ~ of money*); (*typ*) kopij; etter, pus; *printed ~* gedrukte stukken, drukwerk; *in a ~ of hours* in enkele uren; *a ~ of course* iets vanzelfsprekends; *~ of fact* feit, werkelijkheid; *as a ~ of fact* in werkelijkheid; trouwens; *what is the ~?* wat is er?; *what is the ~ with you?* wat scheelt je?; *it is no great ~* betekent niet veel; ***for** that ~, for the ~ of that* wat dat aangaat, trouwens; ***in** the ~ of* in zake; II *ww* van belang zijn, betekenen; *it does not ~* het doet er niet toe; '**matter-of-'course** vanzelfsprekend; '**matter-of-'fact(ly)** zakelijk, nuchter, prozaïsch

mattress ['mætris] matras

mature [mə'tjuə] I *bn: a*) rijp; *b*) vervallen (*van wissels, enz.*); II *ww: a*) rijpen, verwezenlijkt worden; *b*) (*van wissel, enz.*) vervallen; *~d wine* belegen ...; *~d gin* oude ...; **maturity** [mə'tjuəriti] *a*) rijpheid, volle ontwikkeling; *b*) vervaltijd (*van wissels*)

maudlin ['mɔ:dlin] sentimenteel

maul [mɔ:l] verwonden (*door roofdier*); afkraken, sterk kritiseren

mausoleum [mɔ:sə'liəm] id.

maverick ['mævərik] *a*) (*Am*) ongemerkt kalf; *b*) eenling, eenzame, onorthodox (eigengereid) persoon, dwarsligger; buitenbeentje; dissident

maw [mɔ:] *a*) pens, maag; *b*) bek, muil

mawkish ['mɔ:kiʃ] sentimenteel

maxim ['mæksim] leerspreuk; stelregel

maximal ['mæksiməl] maximaal; **maximize** ['mæksimaiz] tot het uiterste vergroten; de verststrekkende uitlegging geven; **maximum** ['mæksiməm] id.

May [mei] mei; *~ Day* één (de eerste) mei

may [mei] (*ovt might*) mogen; (misschien) kunnen; *he ~ come, or he ~ not* misschien komt hij, misschien komt hij niet; *that might be difficult* dat zou wel eens moeilijk kunnen zijn; *might I make this suggestion?* zou ik dit voorstel mogen doen?; *~ you live long* dat u lang moge leven; *be this as it ~* hoe het ook zij; *try as he might* hoe hij ook zijn best deed; *as one ~ say* om zo te zeggen; *who ~ you be?* wie is u (als ik vragen mag)?; *... and well he might* en daar was wel reden voor; '**maybe** [-bi:] misschien, wellicht; '**mayday** (*telec*) id.: internationaal radiofonisch noodsein van schepen en vliegtuigen (= *m'aidez*); **may-flower** ['meiflauə] meidoorn, sleutelbloem, pinksterbloem, koekoeksbloem, enz.; **mayfly** ['meiflai] eendagsvlieg

mayor [mɛə] burgemeester (*ook vrouwelijk*); **mayoress** ['mɛəris] burgemeestersvrouw

maze [meiz] doolhof, labyrint

me [mi:, mi] mij; (*fam*) ik; *it is* ~ ik ben het
meadow ['medəu] gras-, hooiland, weide
meagre ['mi:gə] mager, schraal, iel
meal [mi:l] 1 maal(tijd); *make a* ~ *of*: *a*) verslinden, op(vr)eten (*ook fig*); *b*) overdreven moeilijk maken; *at* ~*s* aan tafel; ~*-on-wheels* maaltijdvoorziening voor ouderen; 2 meel
mealy ['mi:li] melig, meelachtig; (als) met meel bestoven; bleek; '**mealy-'mouthed** [-mauðd] zoetsappig, niet open of rond
1 **mean** [mi:n] laag, gering, min, gemeen; schriel; krenterig; kleingeestig
2 **mean** [mi:n] I *bn* gemiddeld, middelste, middelmatig, middelbaar (*time*); middel..., tussen...; *in the* ~ *time* (*while*) ondertussen; II *zn* midden; middelmaat, -weg, -evenredige; *the happy* (*golden*) ~ de gulden middenweg; ~*s* middel(en), inkomsten; *it is only a* ~*s to an end* slechts een middel, geen doel; *live beyond one's* ~*s* boven zijn inkomen; *by* ~*s of* door middel van; *by all* (*manner of*) ~*s*: *a*) op alle mogelijke manieren; *b*) in elk geval, vooral; zeker; *by no* ~*s* geenszins; in geen geval; *a man of* ~*s* bemiddeld man; *by fair* ~*s or foul* goed- of kwaadschiks
3 **mean** [mi:n] *ww* menen, bedoelen; vóór (in de zin) hebben (~ *no harm*); (vast) van plan (voornemens) zijn (*to go*); bestemmen (*for* voor); betekenen (*what does this word* ~?); *I don't* ~ *to say* wil niet zeggen; *you are meant to* ... het is de bedoeling dat je ...; ~ *well* (*ill*) *by* (*to*) het goed (slecht) menen met; *what do you* ~ *by it?* wat bedoel je ermee?; *ook*: hoe kun je dat toch doen?; ~ *business* ergens ernst mee maken; tot zaken willen komen
meander [mi'ændə] kronkelen, zich slingeren; dolen; doelloos voortbewegen of voortgaan; **meanderings** [-riŋz] gekronkel, afdwaling
meaning ['mi:niŋ] I *bn* veelbetekenend; II *zn*: *a*) bedoeling; *b*) betekenis, zin; '**meaningful** betekenisvol; zinvol; '**meaningless** zonder zin; '**meaningly** *a*) veelbetekenend; *b*) opzettelijk
'**meanly** zie *mean* 1; *think* ~ *of* een geringe dunk hebben van; '**meanness** [-nn-] zie *mean* 1
means [mi:nz] zie *mean* 2
meantime, meanwhile ['mi:n'taim, -'wail] ondertussen, middelerwijl; zie ook *2 mean*
measles ['mi:zlz] mazelen
measly ['mi:zli] (*sl*) miezerig, min, armzalig
measurable ['meʒərəbl] meetbaar; afzienbaar; **measurably** ['meʒərəbli] (*Am*) tot op zekere hoogte; **measure** ['meʒə] I *zn* maat; maatstaf; deler; maatregel; wet(telijke regeling); ~ *of capacity* inhoudsmaat; *no* ~ *of agreement* niet de minste ...; *I have taken* (*got*) *his* ~ ik weet wat voor vlees ik in de kuip heb; *keep* ~ meetbaar houden; *take a p.'s* ~: *a*) iem de maat nemen; *b*) = *take the* ~ *of a p.'s foot* iem opnemen, schatten, zien wat men aan hem heeft; *take* ~*s* maatregelen nemen; ***beyond*** ~ buitenmate; ~ ***for*** ~ leer om leer; ***in*** *a* (*in some*) ~ in zekere mate, tot op zekere hoogte; ***out of*** (*all*) ~ buitenmate; *made* ***to*** ~ op maat gemaakt; ***within*** ~ binnen zekere grenzen, met mate; II *ww* meten; de maat nemen; af-, op-, toemeten; deelbaar zijn op; ~ *one's length* (*on the ground*) languit vallen; ~ ***out*** uitdelen (*punishment*); ~ ***up*** *to* voldoen aan (*requirements, enz.*); **measured** [-d] gelijkmatig, afgemeten; weloverwogen; gematigd (*language, terms*); '**measurement** (af)meting; *four inches inside* (*outside*) ~ binnenwerks (buitenwerks) gemeten; de binnen- (buiten-)maat is ...
meat [mi:t] vlees; *strong* ~ zware kost (*ook fig*); *one man's* ~ *is another man's poison*: *a*) de een zijn brood is de ander zijn dood; *b*) wat voor de een deugt, deugt nog niet voor de ander; *that is not everybody's* ~ valt niet bij iedereen in de smaak; *a part* (*a book*) *with plenty of* ~ *in it* waar heel wat in zit (dat veel stof tot nadenken geeft); '**meatball** gehaktbal; (*Am sl, van pers*) bal gehakt; **meaty** ['mi:ti] vlezig, vleesachtig, vlees...; stevig, degelijk, kernachtig, pittig
mechanic [mi'kænik] werktuigkundige, monteur; **mechanical** [-l] werktuiglijk, machinaal, mechanisch; werktuigkundig (*drawing*); ~ *art*(*s*) werktuigkunde; **me'chanics** mechanica, werktuigkunde; techniek
mechanism ['mekənizm] *a*) mechaniek, mechanisme; *b*) techniek; *c*) materialisme (*fil*); **mecha'nistic** mechanisch, materialistisch (*fil*); **mechanization** [ˌmekənai'zeiʃən] mechanisatie; **mechanize** ['mekənaiz] mechaniseren (~*d warfare*)
medal ['medl] medaille; **medalled** [-d] met *medals*; **medallion** [mi'dæljən] *a*) grote medaille, gedenkpenning; *b*) rond beeldwerk, medaillon (*niet voor haar, portret, enz.*); **medallist** ['medəlist] medaillewinnaar
meddle ['medl] zich bemoeien (inlaten) (*with* met); zich mengen, zijn neus steken (*in* in); '**meddler** [-ə] bemoeial; '**meddlesome**, '**meddling** bemoeiziek
mediate ['mi:dieit] bemiddelen; als bemiddelaar optreden; **mediation** [mi:di'eiʃən] bemiddeling, voorspraak; **mediator** ['mi:dieitə] (be)middelaar; **mediatrix** ['mi:dieitriks, -tris] (be)middelares
medic ['medik] (*sl*) arts; medisch student; '**medical** [-l] I *bn* geneeskundig, medisch; ~ *man* dokter, medicus; ~ *officer*: *a*) officier van gezondheid; *b*) = *civil* ~ *officer* arts van de geneeskundige dienst; *c*) bedrijfsarts; ~ *superintendent* geneesheer-directeur; ~*ly*, *ook*: op medisch advies (*be* ~ *forbidden to* ...); II *zn* (*fam*) keuring, medisch onderzoek; **medicament** [mə'dikəmənt] id., geneesmiddel; '**medicare** [-εə] (*Am*) *medical care* gezondheidszorg; '**medicate** [-eit] *a*) medicinaal bereiden; *b*) geneeskundig behandelen; ~*d* gezondheids... (*soap*), medicinaal (*waters*); ~*d cottonwool* verbandwatten; **medicinal** [me'disinl] geneeskundig, geneeskrachtig, medi-

cinaal, genezend; **medicine** ['meds(i)n, -isn] *a)* geneeskunde; *b)* geneesmiddel(en), medicijn(en); tovermiddel, fetisj; *take (swallow) one's ~, (fam)* de pil slikken, zijn straf ondergaan, de gevolgen van zijn handelingen dragen; '**medicine-chest** medicijnkistje, huisapotheek; '**medicine-man** [-mæn] medicijnman; toverdokter

medieval [medi'i:vəl] middeleeuws

mediocre ['mi:diəukə] middelmatig; **mediocrity** [mi:di'ɔkriti] middelmatigheid

meditate ['mediteit] *a)* bepeinzen, overdenken; in de zin hebben, beramen; *b)* mediteren, bespiegelingen houden, peinzen *(on, over* over); **medi'tation** overpeinzing, meditatie; '**meditative** [-eitiv] peinzend, nadenkend

Mediterranean [ˌmeditə'reinjən] Middelland-s(e Zee)

medium ['mi:diəm] I *zn* (mv *~s, media*) midden, middelsoort, middenweg; tussenpersoon, middel, medium *(ook* = paragnost); voertaal; communicatiemiddel (zie *media*); milieu; II *bn* middelmatig, gemiddeld, doorsnee..., middelsoort...; *~ wave, (radio)* middengolf (tussen 0,4 en 3 Mhz); '**medium-'sized** [-saizd] van middelbare grootte

medley ['medli] I *zn* mengelmoes, -werk, potpourri, mengeling; II *bn* gemengd, bont

meek [mi:k] zacht(moedig, -zinnig), gedwee, deemoedig (= *~-spirited*)

meet [mi:t] I *ww* (elkaar) ontmoeten, tegenkomen, (aan)treffen; bijeen-, samenkomen (= *~ together*); vinden *(one's death)*; tegemoetkomen (aan); voldoen *(a p.'s wishes, one's obligations)*; voldoen, betalen *(a bill)*; voorzien in *(the needs of ...)*; bestrijden *(expenses)*; het hoofd bieden, onder de ogen zien; (trachten te) weerleggen *(an objection)*; *go to ~* tegemoet gaan; *~ a p. at the station* afhalen; *~ a p. half-way* iem tegemoetkomen; *~ trouble half-way* zich voortijdig zorgen maken; *well met!* welkom! goed, dat ik u tref; *have I met you?* is dit wat u verlangt? is dit voldoende?; *~ **up** with, (fam)* inhalen; ontmoeten; *~ **with*** aantreffen, ontmoeten *(a p., instances)*, krijgen *(an accident)*, vinden *(a kind reception)*, wegdragen *(a p.'s approval)*; II *zn (jacht, enz.)* (plaats van) samenkomst; (jacht)gezelschap; '**meeting** ontmoeting; vergadering, bijeenkomst, meeting; *(members') ~* ledenvergadering

megalomania ['megələu'meinjə] megalomanie, grootheidswaanzin

melancholic [melən'kɔlik] melancholiek, melancholisch; **melancholy** ['melənkəli, -kɔli] I *bn* zwaarmoedig, droefgeestig, droevig *(event)*; II *zn* zwaarmoedigheid, droefgeestigheid

mellifluous [me'lifluəs] zoetvloeiend

mellow ['meləu] I *bn* zacht, sappig, rijp; murw; joviaal, hartelijk; zachtsmeltend *(tone)*; zachtgetint; lichtelijk aangeschoten; *at the ~ age of ...* op de rijpe leeftijd van; II *ww* zacht enz. worden of maken, rijpen; benevelen; '**mellowy** [-i] *mellow bn*

melodic [mi'lɔdik] melodisch; **melodious** [mi'ləudjəs] welluidend, melodieus

melodrama ['melədrɑ:mə] id.; **melodramatic** [ˌmeləudrə'mætik] melodramatisch

melody ['melədi] melodie

melon ['melən] meloen

melt (ver-, weg)smelten; zich oplossen; vertederd worden; vertederen; *~ down (Am: up)*, versmelten, omsmelten; *~ into* versmelten tot; ongemerkt overgaan in; *~ into tears* wegsmelten in; *~ing, (fig)* zacht, teder, week; zielroerend; '**melting-point** smeltpunt; '**melting pot** smeltkroes (ook fig: *cast into the ~*)

member ['membə] lid, (onder)deel; lidmaat; afgevaardigde; afdeling, sectie; *~ of Parliament* Lagerhuislid; '**membership** *a)* lidmaatschap; *~ card* lidmaatschapskaart; *b)* ledental

membrane ['membrein] membraan

memento [mi'mentəu] herinnering, aandenken; **memo** ['meməu, 'mi:məu] id.; korte nota of mededeling; **memoir** ['memwɑ:] gedenkschrift; (auto)biografie; *~s* memoires; **memorabilia** [ˌmemərə'biliə] gedenkwaardigheden; **memorable** ['memərəbl] gedenkwaardig; **memorandum** [memə'rændəm] *mv memoranda* [-də] *& ~s* id.; aantekening; (diplomatieke) nota; **memorial** [mi'mɔ:riəl] I *bn* gedenk..., herinnerings..., geheugen...; II *zn* aandenken; gedenkschrift, -teken; herdenking; *M~ Day, (Am)* gedenkdag voor de gevallenen; **memorize** ['meməraiz] memoriseren, van buiten leren; **memory** ['meməri] geheugen; herinnering, gedachtenis, aandenken; *quote from ~* uit het hoofd citeren; *in (to the) ~ of* ter gedachtenis aan

men meervoud van *man*

menace ['menəs, -is] I *ww* (be)dreigen; II *zn* bedreiging

mend I *ww* (ver)beteren, opknappen, herstellen, repareren, stoppen *(stockings)*; zich (ver)beteren *(it is never too late to ~)*; beter worden; *that won't ~ matters* daar wordt het niet beter van; *~ one's ways* zich beteren; II *zn* verstelde plaats; *on the ~* aan de beterende hand

mendacious [men'deiʃəs] leugenachtig; **mendacity** [men'dæsiti] leugenachtigheid; leugen

mending ['mendiŋ] *a)* verbetering (zie *mend*), reparatie; *b)* verstelwerk

menial ['mi:niəl] dienstbaar, dienst...; slaafs, slaven..., laag; *~ work* oninteressant werk, sleurwerk

menstruate [menstru'eit] menstrueren; **menstruation** [menstru'eiʃən] menstruatie

menswear ['menzwεə] herenkleding

mental ['mentl] geestelijk, verstandelijk, geest(es)...; *(fam)* krankzinnig, zwakzinnig, geestelijk gestoord; *~ age* intelligentieleeftijd; *~ deficiency* zwakzinnigheid; *~ faculties* geestvermogens; *~ly handicapped person* zwak-

begaafde; ~ *home,* ~ *hospital* psychiatrische inrichting; *make a* ~ *note of it* het in zijn oor knopen; ~ *patient* zenuwpatiënt; **mentality** [men'tæliti] mentaliteit, geestestoestand, denkwijze; **mentally** ['mentəli] zie *mental; ook:* bij zichzelf; in gedachten; ~ *deficient* (*defective*) zwakzinnig; ~ *retarded* achterlijk
mention ['menʃən] I *zn* (ver)melding, gewag (*make no* ~ *of*); II *ww* (ver)melden, noemen, gewagen van; *don't* ~ *it!* het is de moeite niet! geen dank!; *not to* ~ om niet te spreken van
mentor ['mentɔ:] id.
menu ['menju:] id.
mercantile ['mə:kəntail] handels..., koopmans...
mercenary ['mə:sinəri] I *bn* huur...; baatzuchtig, veil, te koop; ~ *troops* huurtroepen; II *zn* huurling
merchandise ['mə:tʃəndaiz] koopwaar; **merchant** ['mə:tʃənt] koopman, groothandelaar; (*Am*) winkelier; *attr* handels... (*bank*), koopvaardij... (*navy*), koopmans... (*house*); '**merchant navy** koopvaardij(vloot); '**merchantship** koopvaardijschip
merciful ['mə:sif(u)l] genadig, barmhartig; ~*ly he did not ask ...* God zij dank vroeg hij niet ...; **merciless** ['mə:silis] meedogenloos
mercurial [mə:'kjuəriəl] vluchtig, levendig, gevat; kwikzilverachtig, kwik...; kwikhoudend; **mercury** ['mə:kjuri] kwik(zilver)
mercy ['mə:si] genade, barmhartigheid; daad van genade, zegen(ing), weldaad, geluk (*it was a* ~ *that ...*); *at the* ~ *of* overgeleverd aan de genade van; *he had me at his* ~ in zijn macht; ~*!* goeie genade!; ~ *killing* euthanasie
mere ['miə] louter, zuiver, bloot, niets anders dan, (nog) maar (*a* ~ *child*); *by the* ~*st* ['miərist] *chance* door stom toeval; *it would be the* ~*st folly* de grootste dwaasheid; *at the* ~ *thought of it* reeds bij de gedachte eraan; **merely** ['miəli] enkel, alleen, louter
merge [mə:dʒ] (doen) opgaan (verzinken, samensmelten) (*in, into, with* in, met); (*handel*) fuseren; *be* ~*d in* opgaan in; *merging traffic* invoegend verkeer; '**merger** samensmelting; fusie (van maatschappijen)
meridian [mə'ridiən] meridiaan, middagcirkel; hoogte-, culminatiepunt
meringue [mə'ræŋ] schuimgebak(je), schuimpje
'**merit** I *zn* verdienste; *the matter must rest* (*stand, be judged*) *on its* (*own*) ~*s* moet op zichzelf beoordeeld worden; *on the* ~*s of the case* de zaak op zichzelf beschouwende; *the* ~*s and demerits* het voor en tegen; ~ *rating* prestatiebeloning, -loon; II *ww* verdienen; **meritocracy** [ˌmeri'tɔkrəsi] meritocratie: staatsorde gebaseerd op talent en verdienste
mermaid ['mə:meid] meermin
merriment ['merimənt] vrolijkheid; **merry** ['meri] vrolijk; *a little* ~ lichtelijk aangeschoten; '**merry-go-ˌround** draaimolen; '**merrymaking** feestelijkheid, pret(makerij)
mesh [meʃ] I *zn* maas; ~(*es*) netwerk; (*fig ook*) strik(ken); *in* ~ ingeschakeld; II *ww* verstrikt raken
mesmerize ['mezməraiz] hypnotiseren, biologeren
mess [mes] I *zn* war(boel); knoei(boel); mislukking (*his marriage is a* ~); vuile boel, vuiligheid, troep; gemeenschappelijke tafel; (*mil*) id.; kantine; (*scheepv*) bak; *make a* ~ *of* bederven, in de war sturen; *be* ***in*** *a pretty* ~ lelijk in de klem zitten; *he got* (*himself*) ***into*** *a* ~ raakte (bracht zichzelf) in moeilijkheden; II *ww* bevuilen; (ver)knoeien, in de war sturen, bederven (= ~ *up*); (samen) eten, te eten geven; ~ *about* (*around*) knoeien, hannesen, (rond)scharrelen
message ['mesidʒ] boodschap, tijding, bericht; **messenger** ['mesindʒə] boodschapper, koerier, bode
mess-room ['mesru(:)m] eetzaal, -kajuit
Messrs. ['mesəz] de Heren; Fa.
mess-tin ['mestin] (*mil enz.*) eetketel(tje), gamel; '**mess-up** geknoei, warboel; **messy** ['mesi] vuil, vies, slordig, verward
metal ['metl] I *zn* metaal; ~*s* spoorstaven; *leave the* ~*s* ontsporen; II *ww* met metaal bedekken; verharden (*a road*); ~*led road* verharde weg; **metallic** [mi'tælik] metaalachtig, metalen, metaal...
metamorphosis [metə'mɔfəsis] gedaanteverwisseling
metaphor ['metefə] metafoor, beeldspraak; **metaphorical** [-'fɔrikl] overdrachtelijk, figuurlijk, metaforisch
metaphysical [mete'fizikl] metafysisch; abstract; oversubtiel; bovennatuurlijk, bovenzinnelijk; '**meta'physics** metafysica: leer van het bovenzinnelijke
metathesis [me'tæθəsis] id.: letteromzetting
mete [mi:t] (*vero*): ~ *out* uitdelen
meteor ['mi:tjə] meteoor; **meteoric** [mi:ti'ɔrik] meteorisch, meteoor...; (*fig*) op een meteoor gelijkend, kort maar schitterend (*career*); '**meteorite** [-rait] meteoriet, meteoorsteen; **meteorologic(al)** ['mi:tjərə'lɔdʒik(l)] meteorologisch; *Meteorological Office* Meteorologisch Instituut; **meteorologist** [mi:tjə'rɔlədʒist] weerkundige; **meteorology** [mi:tjə'rɔlədʒi] meteorologie; weerkunde
meter ['mi:tə] (gas-, enz.) meter; '**meter-'feeding** bijvullen (van parkeermeter)
method ['meθəd] methode; orde, regelmaat; **methodic(al)** [mi'θɔdik(l)] methodisch
meticulous [mi'tikjuləs] angstvallig nauwgezet
metre ['mi:tə] *a*) dichtmaat, metrum; *b*) meter (100 cm); **metric** ['metrik] I *bn* metriek; ~ *system* decimaal stelsel; II *zn* ~(*s*) metriek; '**metrical** [-l] metrisch; **metrication**, **metricize** [metri'keiʃən, -saiz] overgang (overgaan) op het metrieke stelsel
metropolitan [metrə'pɔlitən] I *bn: a*) metropo-

men

litaans, aartsbisschoppelijk; *b*) tot de hoofdstad (een wereldstad, Londen, New York) behorende; **II** *zn* bewoner van een metropolis
mettle ['metl] aard, temperament; karakter; geest, vuur, moed; *put a p. on* (*upon, to*) *his ~, try a p.'s ~* iemand(s moed, geduld) op de proef stellen, iem aanzetten te laten zien wat hij kan, durft, enz.
Meuse [mə:z] Maas
mew [mju:] miauwen, krijsen
mews [mju:z] stal(len; thans dikwijls garages); stalerf; woning(en) boven stal(len) of garage(s); (*hist*) koninklijke stallen (*Royal ~*)
mezzanine ['mezəni:n] entresol, tussenverdieping (= *~ floor*)
miaow [mi'au] *zn* (ge)miauw; *ww* miauwen
mice [mais] meervoud van *mouse*
microbe ['maikrəub] id.
microchip ['maikrəutʃip] chip; microprocessor
microcosm ['maikrəukɔzm] microcosmos; wereld in het klein, mens; *a ~ of …*, … in miniatuur
microphone ['maikrəfəun] microfoon
microscope ['maikrəskəup] microscoop
microwave ['maikrəuweiv]: *~ (oven)* magnetron(oven)
mid midden… (*~-June*); *in ~ air* in de lucht, tussen hemel en aarde; *M~ West* (*Am*) streek tussen de Ohio en de grote meren
midday ['middei] middag (12 uur)
midden ['midn] mesthoop
middle ['midl] **I** *bn* middelst, midden…, middel…, tussen…, middelbaar (*in ~ age* op …); '*~ 'ages* middeleeuwen, *~ age spread* een buikje; *~ class(es)* burgerklasse, bourgeoisie, middenstand; *~ course* middenweg; *~ distance* middenafstand (*sp*); *M~ East* Midden Oosten; *~ life* middelbare leeftijd; **II** *zn* midden; middel (van het lichaam); *keep to the ~ of the road* de kerk in het midden laten; *~-of-the-road politicians, enz.*, gematigd; *in the ~ of* midden in; **III** *ww* in het midden plaatsen; **middle-aged** ['midl'eidʒd, *attr:* 'midleidʒd] van middelbare leeftijd; '**middle-'class** [*attr:* 'midlkla:s] van de middenstand, burgerlijk (zie ook *middle, bn*); '**middleman** [-mæn] tussenpersoon; '**middlemost** middelste; '**middling** middelmatig, tamelijk (goed)
midge [midʒ] mug; (*fig*) dwerg; **midget** ['midʒit] dwerg, lilliputter; *~ dictionary* vestzakwoordenboek
midland ['midlənd] **I** *zn* binnenland; *the M~s* Midden-Engeland; **II** *bn* binnenlands
'**midnight** middernacht(elijk)
'**mid point**: *at ~* in het midden van
'**midriff** middenrif
midship ['midʃip] midscheeps; '**midshipman** [-mən] adelborst; **midships** ['midʃips] *zn & bw* midscheeps
midst midden: *in the ~ of* te midden van
midsummer ['mid,sʌmə] midzomer
midway ['mid'wei] halverwege, in het midden; *stand ~ between* het midden houden tussen
midwife ['midwaif] vroedvrouw
midwinter ['mid'wintə] id.
miffed [mift] (*sl*) nijdig
might [mait] **1** macht, kracht; *with ~ and main* uit alle macht; **2** ovt van *may* (zie aldaar); '**might-have-been** wat had kunnen zijn; **mighty** ['maiti] **I** *bn* machtig, sterk, kolossaal; **II** *bw* (*fam*) verbazend, ontzaglijk, allemachtig (*~ easy*)
migraine ['mi:grein, 'maigrein] id.
migrant ['maigrənt] **I** *bn* zwervend, nomadisch, trek…; *~ worker* gastarbeider; **II** *zn: a*) zwerver; landverhuizer; *b*) trekvogel; **migrate** [mai'greit, 'maigreit] verhuizen, trekken (naar een ander land, enz.), migreren; **migration** [mai'greiʃən] trek, migratie; *~ of peoples* (*nations*) volksverhuizing; **migratory** ['maigrətəri] zwervend, trekkend; *~ bird* trekvogel
mike [maik] (*sl*) *microphone*
mild [maild] zacht(aardig, -schijnend, -werkend), onschuldig, goedaardig (*ook van ziekte*); licht (*beer, tobacco*); zwak (*attempt*); gematigd (*optimism*); getemperd (*surprise*); op bescheiden schaal (*~ gambling*); *put it ~ly* het zacht uitdrukken; *~ly amused* lichtelijk …
mildew ['mildju:] **I** *zn* meeldauw, schimmel; **II** *ww* (doen) (be)schimmelen
mile [mail] Eng mijl (1609 meter); wedloop over 1 mijl; *~s easier* een heel stuk …; '**mileage** [-idʒ] *a*) afstand in mijlen; *b*) reisgeld, brandstofverbruik per mijl; *c*) nut, voordeel; **milepost** mijlpaal; **milestone** ['mailstəun] mijlsteen, -paal
militant ['militənt] id.: strijdlustig (persoon); **militarism** ['militərizm] militarisme; '**military** [-əri] **I** *bn* militair, krijgs…; (*bw militarily, ook:* uit militair oogpunt); *~ man* militair; *~ police* politietroepen; **II** *zn: the ~* de militairen; **militate** ['militeit]: *~ against* (*in favour of*) pleiten tegen (voor); *~ against, ook:* tegenwerken; **militia** [mi'liʃə] militie(leger)
milk I *zn* melk; zog; *cow in ~* melkgevende koe; *~ of human kindness* menselijke goed(aardig)heid; *there's no help for* (*it's no use crying over*) *spilt ~* gedane zaken nemen geen keer; **II** *ww: a*) melken (*ook fig:* 'plukken'); *b*) melk geven; zich laten melken; '**milkbar** melksalon; '**milker** *a*) melk(st)er; *b*) melkkoe; '**milk float** melkwagentje; '**milk-jug** melkkan(netje); '**milk-maid** melkmeid; '**milkman** [-mən] melkboer; '**milk-pail** melkemmer; '**milkroundsman** melkbezorger; '**milk-run** (*luchtv*) routinevlucht; '**milksop** melkmuil, lafbek; '**milk-tooth** melktand; '**milky** [-i] melkachtig
Milky Way Melkweg
mill [mil] **I** *zn: a*) molen; *b*) fabriek, (ijzer)pletterij, (katoen)spinnerij, (hout)zagerij; *put through the ~* behoorlijk onder handen nemen; *I have been through the ~* daar weet ik van mee te praten, ik ken het klappen van de zweep; **II** *ww* malen; vollen; pletten; frezen; (tot schuim) kloppen; kartelen (*coins*); *~*

around steeds in het rond (doen) lopen (*van vee, enz.*); (*sl*) afranselen, boksen; ~ *up* door elkaar kloppen; **miller** ['milə] molenaar
milligram ['miligræm] id.; **millimetre** ['milimi:tə] millimeter
milliner ['milinə] mode-, hoedenmaakster, modiste
million ['miljən] miljoen; **millionaire** [-εə] miljonair
'**millstone** molensteen
mime [maim] I *zn: a*) gebarenspel (*inz. bij Grieken & Romeinen*); *b*) gebarenspeler, mime; hansworst; *c*) nabootser; II *ww: a*) als mime optreden; *b*) door gebaren voorstellen; *c*) nabootsen; **mimic** ['mimik] I *bn* nabootsend; nagebootst; nabootsings..., schijn..., voorgewend; ~ *art* mimiek; ~ *warfare* manoeuvre(s), spiegelgevecht(en); II *zn* nabootser, naäper; III *ww* nabootsen, -doen, -apen; '**mimicry** [-ri] mimiek; nabootsing, naäping; (*biol*) id.: aanpassing (in kleur, enz.) aan de omgeving
mince ['mins] I *ww: a*) fijn hakken; verdelen; *b*) bewimpelen, vergoelijken; *c*) gemaakt spreken; trippelen (ook: ~ *one's words, one's steps*); *he does not ~ matters* (*his words*) neemt geen blad voor de mond; *~d meat* gehakt; II *zn* fijn gehakt vlees; '**mincemeat** (pastei)vulsel; *make ~ of* tot mosterd slaan, 'inmaken'; geheel ontzenuwen (*arguments*)
mind [maind] I *zn* geest, gemoed, binnenste; herinnering; gedachte(n); mening, opinie; lust, zin(nen), verstand; *the ~'s eye* het geestesoog; *give* (*put*) *one's ~ to* zich wijden aan (toeleggen op); *give a p. a bit* (*a piece*) *of one's ~* iem flink de waarheid zeggen; *have no ~ for s.t.* ergens geen zin in hebben; *have a* (*no*) *~ to* ... er (niet) over denken te ..., (geen) lust hebben te ...; *have a good* (*great*) *~ to* ... veel zin hebben te ...; *have half a ~ to* ... half geneigd zijn te ...; *make up one's ~* een besluit nemen, besluiten tot; *be* ***in*** *one's right ~* bij zijn volle verstand; *have* (*bear, keep*) *in ~* onthouden, denken aan; *have in ~, ook:* in het oog hebben; van zins zijn; *it came* ***into*** *my ~* kwam bij mij op; *be* ***of*** *a* (*one*) *~* het met elkaar eens zijn; *I am of your ~* het met u eens; *of like ~* gelijkgestemd; *that is a load* (*a weight*) ***off*** *my ~* dat pak (die last) is van mijn hart; *have s.t.* (***up***)***on*** *one's ~* iets op het hart hebben; *it is on my ~* drukt mij; *it had gone* (*passed*) ***out of*** *my ~* was me ontgaan; *put it out of your ~* zet het uit je hoofd; ***to*** *my ~* naar mijn mening; *bring to ~* zich herinneren; *call to ~: a*) zich herinneren; *b*) herinneren aan; II *ww* bedenken, denken om, letten (passen) op; oppassen, zorgen voor, bedienen (*a machine*); in acht nemen; geven om, zich storen aan, zich aantrekken (van); erop tegen hebben; ~ (*you*)*!* denk erom! let wel!; ~ *the baby* op ... passen; ~ *the step!* pas op ...!; *I should* (*would*) *not ~ a glass of beer* zou wel lusten; *would you ~ shutting the door?* wil je even ... sluiten?; *if you don't ~* als je het niet erg vindt; *I don't ~ telling you* ik wil je wel vertellen; ~ *your own business* bemoei je met ...; *never ~* het hindert niet; trek het je niet aan; '**mind-blowing** geestverruimend; (*sl*) extase-veroorzakend; '**mind-boggling** verbijsterend; '**minded** geneigd, gezind, van zins; aangelegd (*serious-~*), georiënteerd (*politically ~*); *if you are so ~* als je er zin in hebt; *be air-~* zich aangetrokken voelen tot de lucht (de vliegkunst); '**minder** oppasser; verzorger, bediener; '**mind expanding** geestverruimend; '**mindful** [-f(u)l] ge-, indachtig, opmerkzaam; voorzichtig; *be ~ of* denken om; '**mindless** *a*) geesteloos; stompzinnig; *b*) onoplettend, nonchalant; niet lettende (*of* op); '**mind-reading** gedachtenlezen
mine [main] 1 de (het) mijne, de mijnen, van mij; *a friend of ~* van mij; 2 I *zn* mijn; (*fig*) bron, schatkamer; II *ww* uitgraven, ondermijnen, -graven; ontginnen; winnen (*tin, coal*); in de mijnen werken, graven, delven; *be ~d,* (*van schip*) op een mijn lopen; '**minefield** mijnenveld; '**miner** [-ə] mijnwerker
mineral ['minərəl] I *bn* mineraal, delfstoffen..., anorganisch; ~ *kingdom* delfstoffenrijk; ~ *oil* aardolie, minerale olie; ~ *water* mineraalwater, spa; II *zn* mineraal, delfstof; **mineralogy** [minə'rælədʒi] delfstofkunde
minesweeper ['mainswi:pə] mijnenveger
mingle ['miŋgl] (ver)mengen; zich mengen; zich aansluiten, meedoen (*in, with* aan, met)
miniature ['minitʃə] miniatuur
minimal ['miniməl] minimaal; '**minimize** [-aiz] *a*) tot een minimum terugbrengen; *b*) verkleinen; vergoelijken; '**minimum** [-əm] id.
mining ['mainiŋ] mijnbouw, -wezen; '**mining-industry** mijnbouw
minion ['minjən] gunsteling; slaafs volgeling
minister ['ministə] I *zn* id.; ~ *of the Crown* minister; ~ *of state,* (*ongev*) onderminister; ~ (*resident*) gezant; ~ *plenipotentiary* gevolmachtigd minister; (inz. niet-anglicaans) predikant; II *ww:* ~ *to* verzorgen, bedienen; behulpzaam (bevorderlijk) zijn aan, bijdragen tot; **minis'terial** [-tiəriəl] ministerieel; **ministry** ['ministri] *a*) ministerie; *b*) geestelijkheid; *enter the ~* predikant worden
mink [miŋk] nerts
minor ['mainə] I *bn* kleiner, gering(er), minder; lager (*official*); jonger; minderjarig; (*muz*) mineur; *of ~ importance* van ondergeschikt belang; ~ *operation* kleine operatie; ~ *poet* minder belangrijke dichter, dichter van het tweede plan; ~ *road* secundaire weg; II *zn* minderjarige; **minority** [mai-, mi'nɔriti] minderheid; minderjarigheid
minster ['minstə] kloosterkerk
minstrel ['minstrəl] minstreel
mint I *zn* 1 munt (*instelling*); *in ~ condition* (*van boeken, postzegels, enz.*) (als) nieuw, ongeschonden, onberispelijk; 2 (*plant*) munt; II

ww (aan)munten; '**mint** '**sauce** kruizemuntsaus
minuet [minju'et] menuet
minus ['mainəs] min(us), negatief (*quantity*); (*fam*) zonder, behalve; ~ (*sign*) minteken; *the temperature was* ~ *20* het vroor 20°
minuscule [mi'nʌskju:l] heel klein, minuscuul
1 minute [mai'nju:t] *a*) zeer klein; gering; nietig; *b*) uiterst precies, omstandig, minutieus
2 minute ['minit] I *zn: a*) minuut; ogenblik; *b*) minuut, concept, memorandum; ~*s* notulen (*on* (*in*) *the* ~*s* in de ...); *this* ~: *a*) ogenblikkelijk; *b*) een ogenblik geleden, zoëven; *the* ~ *I saw him* ... zodra; *to the* ~ op de minuut af; *I won't be a* ~ ik ben zo klaar (terug); II *ww* notuleren
'**minute-hand** minutenwijzer
minutely [mai'nju:tli] bijwoord van *minute* 1
minx [miŋks] brutale meid, nest, kat (*fig*)
miracle ['mirəkl] wonder, mirakel; **miraculous** [mi'rækjuləs] wonderbaarlijk
mirage [mi'rɑ:ʒ] luchtspiegeling; (*fig*) waan
mire ['maiə] (*lit*) slijk, slik, modder(poel)
mirror ['mirə] I *zn* spiegel; afspiegeling, toonbeeld; II *ww* weerkaatsen, (af)spiegelen
mirth [mə:θ] vrolijkheid, opgewektheid
misadventure [misəd'ventʃə] ramp, tegenspoed, ongeluk(kig toeval)
misanthrope ['mizənθrəup] mensenhater
misapply ['misə'plai] verkeerd toepassen
misapprehend ['misæpri'hend] misverstaan
misappropriate ['misə'prəuprieit] zich wederrechtelijk toeëigenen, verduisteren
'**misbe'gotten** onecht, bastaard...; wanstaltig; slecht, gemeen; rampzalig
misbehave ['misbi'heiv] zich misdragen
miscalculate ['mis'kælkjuleit] misrekenen
miscarriage [mis'kæridʒ] *a*) mislukking; *b*) het verloren gaan; *c*) miskraam; **miscarry** [mis'kæri] niet slagen, mislukken; verloren gaan (*van brieven*); ontijdig bevallen (*of* van)
miscellaneous [misi'leinjəs] gemengd, afwisselend, veelzijdig; **miscellany** [mi'seləni, 'misiləni] mengeling, mengelwerk
mischance [mis'tʃɑ:ns] ongeluk; *by* ~ bij ongeluk, ongelukkigerwijs
mischief ['mistʃif] onheil; (katte)kwaad; ondeugendheid; onheilstoker, rakker; *do* ~ kattekwaad uithalen; *do a p. a* ~ een ongeluk begaan aan; *make* ~ onrust stoken; *get* (*lead*) ***into*** ~ komen (brengen) tot het uithalen van kattekwaad; ***out of*** (*pure*) ~ uit (louter) moedwil; **mischievous** ['mistʃivəs] *a*) boosaardig, moedwillig, ondeugend; *b*) schadelijk, noodlottig
misconceive ['miskən'si:v] verkeerd begrijpen (opvatten); verkeerd bedenken; '**miscon'ception** verkeerde opvatting; **misconduct** I *zn* ['mis'kɔndəkt] wangedrag; wanbeheer; overspel; II *ww* ['miskən'dʌkt] slecht besturen (beheren); ~ *o.s.* zich misdragen; **misconstrue** ['miskən'stru:] verkeerd opvatten of uitleggen
misdemeanour ['misdi'mi:nə] *a*) misdrijf; *b*) overtreding; *c*) wangedrag
miser ['maizə] vrek
miserable ['mizərəbl] ellendig, rampzalig, diep ongelukkig; beroerd, miserabel
miserly ['maizəli] vrekkig; armzalig, nietig, miserabel
misery ['mizəri] ellende; *put a p. out of his* ~ iem uit zijn lijden helpen
'**mis'fire** ketsen, weigeren; *the joke* ~*d* sloeg niet in; *the plot* ~*d* mislukte
'**misfit** (*fig*) wie (wat) niet in het kader past, maatschappelijke schipbreukeling, mislukkeling
mis'fortune [-fɔ:tʃən] ongeluk; misère
mis'giving angstig voorgevoel
misgovern ['mis'gʌvən] slecht besturen
misguide ['mis'gaid] op een dwaalspoor brengen; **misguided** verblind, verdwaasd
'**mis'handle** verkeerd (ruw) behandelen (hanteren, aanpakken)
mishap ['mishæp] ongeval, ongeluk(je)
misinform ['misin'fɔ:m] verkeerd inlichten
misinterpret ['misin'tə:prit] verkeerd uitleggen
misjudge ['mis'dʒʌdʒ] verkeerd (be)oordelen
mislay [mis'lei] ergens liggen, zodat men het niet terug kan vinden; zoek maken
mislead [mis'li:d] misleiden, op een dwaalspoor brengen
'**mis'manage** verkeerd beheren (aanpakken)
misnomer ['mis'nəumə] verkeerde benaming
'**mis'placed** misplaatst, verkeerd geplaatst
'**mis'print** *zn* drukfout; *ww* verkeerd drukken
mispronounce ['misprə'nauns] verkeerd uitspreken
'**mis'quote** verkeerd citeren
'**mis'read** verkeerd lezen
'**misre'port** (een) verkeerd verslag (geven van)
misrepresent ['misrepri'zent] verkeerd voorstellen, in een verkeerd daglicht stellen
1 miss [mis] (me)juffrouw; juffertje; *the M~ Browns, the M~es Brown* de (jonge)dames B.
2 miss [mis] I *ww* missen, misslaan, niet treffen (krijgen, volbrengen), falen, mislopen; haperen (*van motor*); weigeren (*my fountain-pen never* ~*es*); verzuimen (te bezoeken, te lezen, enz.; ~ *school,* ~ *an opportunity; don't* ~ *this volume*); overslaan (*words,* enz.; *ook:* ~ *out*), over het hoofd zien; *be* ~*ing* vermist worden, weg (zoek) zijn, ontbreken; II *zn* 'misser'; misslag, -schot ('afzwaaier'), -worp, -stoot; gemis (*she feels the* ~ *of her children*); *give a place a* ~ ... vermijden; *give the meeting a* ~ wegblijven van; *a* ~ *is as good as a mile* mis is mis (al scheelt het weinig)
missal ['misl] misboek, missaal
misshapen [mis'ʃeipən] mismaakt, wanstaltig
missile ['misail, (*Am*) 'misl] projectiel, raket
mission ['miʃən] zending (*to seamen,* enz., onder ...), (*r.-k.*) missie; opdracht, missie; (*Am*) gezantschap; zendingspost; roeping;
missionary [-əri] *bn* zend(el)ings...; *zn* zendeling, missionaris

ˈ**mis-ˈspend** slecht besteden, verkwisten
missus [ˈmisəs] *missis*
mist I *zn* id., nevel, motregen; waas (*voor ogen*); *be in a* ~ beneveld zijn; de kluts kwijt zijn; II *ww* benevelen; beneveld worden; ~ *over* (doen) beslaan (*bril, enz.*)
mistake [misˈteik] I *zn* vergissing, fout, abuis, misslag, dwaling; *by* ~ bij vergissing, abusievelijk, per abuis; *give ... in* ~ *for* bij vergissing, (abusievelijk) in plaats van; ..., *and no* ~, (*fam*) daar kun je op aan, daar gaat niets van af; *make no* ~, ..., *ook:* begrijp goed, ...; *my* ~ ik vergis me; II *ww* verkeerd opvatten (begrijpen), misverstaan, zich vergissen (in); ~ *for* ten onrechte houden (aanzien) voor; *there is no mistaking your way* je kunt je niet vergissen (in de weg); **misˈtaken** in dwaling verkerend, verdoold; verkeerd; onjuist; misplaatst (*pity*); ~ *notion* dwaalbegrip; *be* ~ zich vergissen
mistletoe [ˈmisl-, ˈmizltəu] maretak, vogellijm
mistreat [misˈtri:t] mishandelen
mistress [ˈmistris] meesteres, gebiedster; vrouw des huizes; directrice, hoofd; baas (*she is her own* ~); geliefde, liefje, maîtresse; onderwijzeres, lerares
mistrust [ˈmisˈtrʌst] *ww* & *zn* wantrouwen; **mistrustful** [-f(u)l] wantrouwend; *be* ~ *of* wantrouwen
ˈ**misty** mistig, nevelachtig, wazig, beslagen
misunderstand [ˈmisʌndəˈstænd] verkeerd begrijpen, misverstaan; **misunderstanding** misverstand, misvatting, geschil
misuse I *zn* [ˈmisˈju:s] misbruik; verkeerd gebruik; II *ww* [ˈmisˈju:z] *a*) misbruiken, verkeerd gebruiken; *b*) mishandelen
mite [mait] (kaas)mijt; zier(tje); dreumes
mitigate [ˈmitigeit] verzachten, verlichten, matigen, lenigen; tot bedaren brengen
mitre [ˈmaitə] mijter, bisschopshoed
mitt(en) [mit(n)] want; (*oven e.d.*) handschoen
mix [miks] I *ww* (ver)mengen; door elkaar drinken (gooien, enz.); klaarmaken (*medicine, a grog*); zich (laten) mengen; (zich) kruisen (*animals, plants*); omgaan (*with* met); zich aansluiten (*with* bij); zich samen laten drinken, enz.; ~ *it,* (*fam*) de strijd aanbinden; II *zn* mengsel; id.: gebruiksklaar gemengde ingrediënten; (*fam*) warboel; **mixed** [-t] ge-, vermengd; ~ *bag,* (*fam*) ratjetoe, allegaartje; *a* ~ *blessing* geen onverdeeld genoegen; ~ *grill* schotel van verschillende geroosterde vlezen door elkaar; ˈ**mixer** [-ə] id.; mengmachine; onruststoker; *good* (*bad*) ~, (*fam*) wie zich (niet) gemakkelijk aansluit; ˈ**mixture** [-tʃə] mengsel, melange; *two-stroke* ~ mengsmering; ˈ**mix-ˈup** mengsel, warboel
mnemonic [ni(:)ˈmɔnik] geheugensteuntje
moan [məun] *a*) kermen, kreunen; (*van wind*) huilen; (*fam*) klagen, jammeren; *b*) betreuren
moat [məut] (kasteel-, slot-, vesting)gracht
mob [mɔb] I *zn* gepeupel, gespuis; (onordelijke) menigte; bende; (*fam*) stel, kliek; II *ww: a*) omstuwen; *b*) samenscholen
mobile [ˈməubail, -i(:)l] I *bn* beweeglijk, los, mobiel; ~ *home* stacaravan; (*Am*) grote kampeerauto; II *zn* id.; **mobility** [məuˈbiliti] beweeglijkheid, mobiliteit; **mobilization** [ˈməubilaiˈzeiʃən] mobilisatie; **mobilize** [ˈməubilaiz] mobiliseren, mobiel maken
mock [mɔk] I *zn: make a* ~ *of* de draak steken met; II *bn* nagemaakt, onecht, vals, voorgewend, quasi, schijn..., proef...; III *ww* bespotten; de spot drijven met; tarten, misleiden, spotten (*at* met); naäpen; ~ *up,* (*fam*) improviseren; ˈ**mockery** [-əri] spot(ternij), bespotting, schijnvertoning, aanfluiting; ˈ**mock-up** I *bn* geïmproviseerd; II *zn: a*) bouwmodel; *b*) reconstructie; *c*) opmaakmodel (van boek)
modal [ˈməudl] (*gramm*) modaal
mode [məud] wijze, manier; vorm; gebruik; mode; (*muz*) toonaard, toonschaal
model [ˈmɔdl] I *zn* id.: toonbeeld, voorbeeld; mannequin, pasdame; foto-, schilders-, enz. model; II *bn* voorbeeldig; model... (ook ~ *railway,* enz.); ~ *village* miniatuurdorp; III *ww* modelleren, boetseren, fatsoeneren, (naar een voorbeeld) vormen; model staan, poseren, als mannequin enz. fungeren; ~ *after* (*on, upon*) regelen, maken, ontwerpen enz. naar het voorbeeld van; ˈ**modelling-clay** [-iŋklei] boetseerklei
moderate I *bn* [ˈmɔdərit] gematigd, (middel)matig, bescheiden; II *zn* gematigde; III *ww* [ˈmɔdəreit] (zich) matigen, (doen) bedaren, stillen; **modeˈration** matig-, gematigdheid; *in* ~ met mate
modern [ˈmɔdən] I *bn* id., nieuw(erwets); ~ *history* nieuwe geschiedenis; ~ *languages* levende talen; *secondary* ~ *school, ongev* mavo; ~ *side* atheneumafdeling (tegenover de klassieke) in middelbare scholen; II *zn* iem uit (aanhanger van) de nieuwe tijd; ˈ**modernism** [-izm] modernisme, nieuwlichterij; ˈ**modernize** [-aiz] *a*) moderniseren; *b*) moderne manieren enz. aannemen
modest [ˈmɔdist] bescheiden; zedig, ingetogen, eerbaar; **modesty** [-i] bescheidenheid; zedigheid, ingetogenheid
modicum [ˈmɔdikəm] beetje, vleugje
modify [ˈmɔdifai] wijzigen, veranderen, matigen, verzachten, modificeren
modulate [ˈmɔdjuleit] regelen; in overeenstemming brengen (*to* met); (*muz, radio, enz.*) moduleren; **modulation** [mɔdjuˈleiʃən] regeling; modulatie, stembuiging; **module** [ˈmɔdju:l] standaardmaat, maatstaf, modul(us), moduul, module
moist [mɔist] vochtig, nattig, klam; **moisten** [ˈmɔisn] *a*) bevochtigen; *b*) vochtig worden; ˈ**moisture** [-ʃə] vocht(igheid); ˈ**moisturize** [-ʃəraiz] bevochtigen
molar [ˈməulə] (ware) kies, maaltand, molair
molasses [məˈlæsiz] melasse, stroop
mole [məul] 1 moedervlek; 2 havendam, pier; verbindingsdam; binnenhaven; 3 mol (*dier en SI-eenheid*); niet-actief geheim agent

molecule ['mɔlikju:l] molecule
'**molehill** molshoop
molest [məu'lest] molesteren, lastig vallen; **molestation** [məules'teiʃən] molestatie, overlast
mollify ['mɔlifai] verzachten, vertederen
mollusc ['mɔləsk, -lʌsk] weekdier
mom [mɔm] (*Am*) ma(ma)
moment ['məumənt] *a*) ogenblik, moment; *b*) belang, gewicht (*events of great* ~); *one* ~, *half a* ~ een ogenblik; *a* ~ *ago* zoëven, zonet; *the* (*very*) ~ *I came in* zodra ...; *this* ~: *a*) ogenblikkelijk; *b*) zoëven; *at the* ~ op het (dit) ogenblik; *at* ~*s* nu en dan; *for the* ~ voor dit ogenblik, voorlopig; (*up*)*on the* ~ ogenblikkelijk; *to the* ~ op de minuut af; *the clock is timed to the* ~ precies gelijk; '**momentarily** [-ərili] voor een ogenblik; '**momentary** ogenblikkelijk, een ogenblik durend, van (voor) een ogenblik, kortstondig, vluchtig; **momentous** [məu'mentəs] gewichtig; **momentum** [məu'mentəm] *a*) (*mech*) moment; hoeveelheid beweging, impuls; *b*) vaart, stuwkracht, (aan)drang
monarch ['mɔnək] id., vorst(in); '**monarchy** [-i] monarchie
monastery ['mɔnəstri] (monniken)klooster; **monastic** [mə'næstik] klooster..., kloosterachtig
Monday ['mʌnd(e)i] maandag
mondial ['mɔndiəl] mondiaal
monetary ['mʌnitəri] munt..., geldelijk
money ['mʌni] geld; *there is* ~ *in it* daar is geld aan te verdienen; *losing* ~ verliesgevend, -lijdend; *put one's* ~ *on* ... wedden op ...; *throw one's* ~ *about* strooien met geld; *cheap* ***at*** *the* ~ voor het geld; *keep* ***in*** ~ van geld voorzien; *in the* ~: *a*) onder de prijswinnaars; *b*) in goeden doen; *be made* ***of*** ~ bulken van het geld; ***out of*** ~ slecht bij kas; '**money-box** spaarpot; collectebus; '**money-changer** geldwisselaar; wisselautomaat; '**moneyed** [-d] *a*) vermogend; *b*) geldelijk, geld...; '**money-grub(ber)** geldwolf, duitendief; '**money-lender** geldschieter; '**money order** postwissel; (*Belg*) postmandaat; '**money-spinner** iem die (iets waarmee men) geld als water verdient; *a regular* ~ een echt goudmijntje
mongrel ['mʌŋgrəl] I *zn* bastaard(hond, -dier, -plant), mormel; II *bn* bastaard..., halfslachtig, van gemengd ras
monitor ['mɔnitə] I *zn* id.; (*telec*) controleapparaat; iem belast met het beluisteren van radiouitzendingen; opvangpunt; II *ww* meeluisteren, uitzendingen afluisteren, controleren; bewaken; kritisch volgen
monk [mʌŋk] monnik
monkey ['mʌŋki] I *zn*: *a*) aap; *b*) (*sl*) £ 500 (*Am*: 500 dollar); *have* (*get*) *one's* ~ *up*, (*sl*) duivels zijn (worden); II *ww* naäpen; voor de gek houden; streken uithalen, knoeien (*with* aan, met, = ~ *about, around with*); zich bemoeien (*with* met); '**monkey-business** achterbaks gedoe; '**monkeyish** [-iʃ] aapachtig; '**monkey-trick** apekuur, (dolle) streek; '**monkey-wrench** Engelse sleutel
monogamous [mɔ'nɔgəməs] monogaam, -gamistisch; **monogamy** [mɔ'nɔgəmi] monogamie
monogram ['mɔnəgræm] id.: naamcijfer
monolith ['mɔnəuliθ] monoliet: zuil (monument) uit één stuk steen
monologue ['mɔnəlɔg] alleenspraak, monoloog
monoplane ['mɔnəplein] eéndekker
monopolize [mə'nɔpəlaiz] *a*) monopoliseren; *b*) geheel in beslag nemen; **monopoly** [mə'nɔpəli] monopolie, alleenrecht, alleenverkoop
monosyllabic ['mɔnəsi'læbik] éénlettergrepig, monosyllabisch; (*fig*) weinig spraakzaam; **monosyllable** ['mɔnə'siləbl] éénlettergrepig woord, monosyllabe
monotheism ['mɔnəuθi:izm] monotheïsme, eengodendom
monotonous [mə'nɔt(ə)nəs] eentonig, saai; **monotony** [mə'nɔt(ə)ni] eentonigheid, monotonie
monsoon [mɔn'su:n] moesson
monster [mɔnstə] id., gedrocht; **monstrosity** [mɔns'trɔsiti] monster(achtigheid), wangedrocht, monstruositeit; **monstrous** ['mɔnstrəs] monsterachtig
month [mʌnθ] maand; (*not in*) *a* ~ *of Sundays*, (*fam*) (in g)een eeuwigheid; *at three* ~*'s date* 3 maanden na dato; '**monthly** [-li] *bn, bw & zn* maandelijks (tijdschrift)
monument ['mɔnjumənt] id., gedenkteken; **monumental** [mɔnju'mentl] gedenk..., monumentaal; kolossaal (*ignorance, idiot*)
moo [mu:] loeien
mooch [mu:tʃ] slenteren; (*Am*) klaplopen
mood [mu:d] stemming (*I am not in the* ~ *for it*), luim, humeur, gril; *he is in one of his* ~*s* hij is uit zijn humeur, in een zwaarmoedige bui; '**moody** [-i] humeurig, somber (gestemd), gemelijk, knorrig, ontstemd, zwaarmoedig
moon [mu:n] I *zn* maan; (*dichterlijk*) maand; *cry for the* ~ het onmogelijke verlangen (nastreven); II *ww* (zitten, lopen te) dromen, suffen; (dromerig) staren (*at* naar); ~ *about* (*around*) omhangen, rondslenteren; ~ *after girls* ... nalopen; ~ *away* versuffen (*one's time*); '**moonbeam** manestraal; '**mooncalf** uilskuiken; **moonlight** ['mu:nlait] I *zn* maanlicht, maneschijn; II *ww* (*fam*) ('s avonds) een (zwart) bijbaantje hebben, bijverdienen; '**moonlighter** iem die een (zwart) bijbaantje heeft, bijverdiener; **moonlit** ['mu:nlit] door de maan verlicht; '**moonscape** maanlandschap; '**moonshine** hersenschim(men), gezwam, onzin; '**moonshiner** (*sl*) dranksmokkelaar; '**moonstruck** maanziek, halfwijs
moor [muə, mɔə, mɔ:] **1** (vast-, af)meren; **2**

woeste grond, heide; (*dialect*) veen; **mooring** ['muəriŋ]: *~s: a*) meertouwen; *b*) ligplaats; *the ship was blown from her ~s* sloeg los van de kabels; **moorland** ['muələnd] woeste grond, heide

moose [mu:s] eland

moot [mu:t] I *bn* betwistbaar; *~ point* geschilpunt; II *ww* ter sprake brengen

mop [mɔp] I *zn* stokdweil, zwabber; (borden-, vaat)kwast; 'ragebol' (= *~ of hair*); II *ww* dweilen, zwabberen, (af)vegen; *~ up* opdweilen, opnemen (met doek, enz.); in zich opnemen; (*sl*) naar binnen slaan (*a drink*); verslinden (*profits*); inpikken; afmaken

mope [məup] I *ww* kniezen, mokken; II *zn* kniesoor

moped ['məuped] bromfiets

moral ['mɔrəl] I *bn* moreel, zedelijk, zedenkundig, zeden..., zedelijkheids...; feitelijk (*neutrality is ~ly impossible*); *~ law* zedenwet; *~ sense* zedelijkheidsgevoel; *it is a ~ certainty* zo goed als zeker; II *zn* moraal, zedenles; *~s: a*) zeden, zedelijk gedrag; *b*) zedelijkheid (*public ~s*); **morale** [mɔ-, mə'rɑ:l] het moreel (van leger, enz.); **'moralist** id., zedenmeester; **morality** [mə'ræliti] moraliteit, zedelijkheid; zedenleer; zedelijk gedrag; zinnespel; (*mv*) zedelijke beginselen (eigenschappen), zedenwetten; **'moralize** [-aiz] moraliseren; zedelijke bespiegelingen houden (over); een zedenles trekken uit

morass [mə'ræs] moeras (*dikwijls fig*), 'poel'

morbid ['mɔ:bid] ziekelijk, ziekte...; somber; **morbidity** [mɔ:'biditi] ziekelijkheid; ziektetoestand

more [mɔ:] meer; verder; *some ~* nog wat, nog enige; *one ~ question* nog één; *I hope to see ~ of you* u nog eens weer te ontmoeten; (*the*) *~ is the pity* jammer genoeg; *no ~ ... than, ook:* evenmin ... als; *not ~ ... than,* even(zeer) ... als; *no ~ did I* ik ook niet; *so much the ~* des te meer; *the ~, the better* hoe meer, hoe ...; *the ~, the merrier* hoe meer zielen hoe meer vreugd; *~ or less* min of meer; *what's ~* wat meer zegt, ...; *only ~ so* alleen in nog in hogere mate; **moreover** [mɔ:'rəuvə] bovendien

morgue [mɔ:g] lijkenhuis; mortuarium

moribund ['mɔribʌnd] *bn* & *zn* stervend(e), zieltogend(e)

morning ['mɔ:niŋ] morgen, ochtend; vóórmiddag; *the ~ after,* (*fam*) de morgen na een drinkpartij; *in the ~: a*) 's morgens; *b*) morgenochtend; **'morning 'coat** jacquet

moron ['mɔ':rɔn] zwakzinnige, idioot

morose [mə'rəus] gemelijk, knorrig

morphine ['mɔ:fin] morfine

morsel ['mɔ:səl] hapje, stukje; beetje

mortal ['mɔ:tl] I *bn* sterfelijk, dood(s)..., dodelijk; (*sl*) *a*) verschrikkelijk (*in a ~ hurry*); *b*) dodelijk vervelend; *~ agony* doodsangst; *~ enemy* doodsvijand; *four ~ hours* vier eeuwiglange uren; *no ~ power* geen macht ter wereld; *~ sin* doodzonde; II *zn* sterveling; **mortality** [mɔ:'tæliti] *a*) sterfelijkheid; *b*) sterfte(cijfer); **'mortally** dodelijk; *~ afraid* doodsbang, doodsbenauwd

mortar ['mɔ:tə] I *zn: a*) vijzel; *b*) mortier; *c*) mortel; metselkalk; II *ww* metselen

mortgage ['mɔ:gidʒ] I *zn* hypotheek; (*Belg*) woningkrediet; II *ww* (ver)hypothekeren; **'mortgage-bank** hypotheekbank; **'mortgage-deed** hypotheek akte

mortician [mɔ:'tiʃən] (*Am*) begrafenisondernemer

mortification [ˌmɔ:tifi'keiʃən] (zelf)kastijding; afsterving; bittere vernedering; ergernis; **mortify** ['mɔ:tifai] tuchtigen, doden, kastijden (*the flesh*); vernederen; ergeren

mortuary ['mɔ'tjuəri] lijkenhuis, mortuarium

mosaic [məu'zeiik] mozaïek

Moslem ['mɔzlem, -ləm] id., mohammedaan(s)

mosque [mɔsk] moskee

mosquito [mɔs'ki:təu] muskiet; **'mosquito-net(ting)** muskietennet

moss [mɔs] mos; **'moss-grown** met mos bedekt, bemost; **'mossy** [-i] *a*) *moss-grown*; *b*) mosachtig, -kleurig

most [məust] I *bn* (de) meest(e), het meeste, grootst; *at* (*the*) *~* op zijn meest (hoogst, best); *for the ~ part* merendeels; *make the ~ of* zoveel mogelijk profiteren van, uitbuiten; *more than ~* meer dan de meeste mensen; II *bw* meest; zeer, hoogst (*probably*), aller...; **'mostly** meestal, grotendeels, voornamelijk

moth [mɔθ] mot; uil(tje), nachtvlinder; **'moth-ball** *zn* mottenballetje; *ww* veilig (voor motten) bewaren, opleggen (en conserveren) (*~ed ships*), ook *in ~s*; **'moth-eaten** door de motten aangetast, aangevreten; vol motgaten

mother ['mʌðə] I *zn* moeder; *~'s boy* (*son, darling*) moederskindje; *every ~'s son* iedere man, iedereen; II *ww* moeder worden; moedertje spelen over, als een moeder zorgen voor, aanhalen (*a child*); **'mother-church** moederkerk; **'mother-country** moederland; **'motherhood** [-hud] moederschap; **'mother-in-law** schoonmoeder; **'motherless** moederloos; **'motherly** moederlijk; **mother-of-pearl** ['mʌðərə(v)-'pə:l] paarlemoer; **'mother-to-be** aanstaande moeder, vrouw in verwachting; **'mother-tongue** [-tʌŋ] moedertaal

mothy ['mɔθi] vol motten, mottig

motif [məu'ti:f] motief (*in muz, enz.*)

motion ['məuʃən] I *zn* beweging; wenk, gebaar; motie, voorstel; stoelgang (ook *~s*), ontlasting; mechanisme, werk; *put* (*set*) *in ~* in beweging brengen; II *ww* wenken; door een beweging (gebaar) te kennen geven; **'motional** [-l] bewegings...; **'motionless** [-lis] onbeweeglijk; **'motion-picture** (*Am*) film

motivate ['məutiveit] motiveren; aandrijven, aanzetten; **moti'vation** motivering

motive ['məutiv] I *zn* beweegreden, motief; II

bn bewegend, beweeg...; ~ *force, power* beweegkracht; '**motiveless** [-lis] ongemotiveerd, doelloos
motley ['mɔtli] I *bn* bont (*ook fig*); II *zn: a*) bonte mengeling; *b*) narrenpak
motor ['məutə] I *zn* id.; II *bn* id., auto-, bewegend, bewegings..., motorisch; '**motor-bicycle** motorrijwiel; '**motor-bike** (*fam*) *zn* motor(fiets); *ww* motorrijden; '**motor-car** auto(mobiel); '**motor-cycle** motor(fiets); '**motor-cyclist** motorrijder; '**motoring holiday** vakantie per auto; '**motorist** [-rist] automobilist; '**motorize** [-raiz] motoriseren (*the army*); '**motor-launch** [-lɔ:n(t)ʃ] motorbarkas; '**motor-scooter** scooter; '**motor-vehicle** [-'vi:ikl] motorrijtuig, motorvoertuig; '**motorway** auto(snel)weg; (*Belg*) expresweg
mottled ['mɔtld] gevlekt, gespikkeld
mould [məuld] I *zn* 1 losse aarde, teelaarde; 2 (giet)vorm; mal, sjabloon; vorming, aard, gesteldheid; ~(*s*) bekisting; 3 schimmel; II *ww* vormen (*on* naar), kneden, gieten, modelleren; **moulder** ['məuldə] vermolmen, tot stof vergaan, vervallen; **moulding** ['məuldiŋ] lijst(werk), profiellijst; kroonlijst, fries; '**mouldy** [-i] beschimmeld; (half)vergaan; afgezaagd (*joke*), min; beroerd, vervelend
moult [məult] I *ww* ruien, verharen; vervellen; afwerpen; II *zn* het ..., rui, verharing
mound [maund] aardverhoging, wal, dijk, (graf)heuveltje, terp; (*fig*) stapel, hoop
mount [maunt] I *zn* 1 *M~ Etna* de Etna; 2 montuur, omlijsting, beslag, karton, montering; rijdier; II *ww* (be)stijgen, (be)klimmen, opstijgen; opvaren, opgaan; oplopen (van uitgaven, enz.; gew.: ~ *up*); zich verheffen; hoog plaatsen; te paard zetten; opstellen (*a gun, apparatus*), opplakken, monteren (*a picture, play*), inramen (*a slide*); organiseren, inrichten (*an exhibition*), uitvoeren (*an attack*); zetten (*a diamond*); ~ *guard* de wacht betrekken (*over* bij); ~*ed police* bereden ...
mountain ['mauntin] berg (*ook fig*); *make a* ~ (*out*) *of a molehill* van een mug een olifant maken; '**mountain-chain** bergketen; **mountaineer** [maunti'niə] I *zn* bergbeklimmer; II *ww* bergen beklimmen; ~*ing boot* bergschoen; '**mountainous** [-əs] bergachtig; '**mountain range** [-rein(d)ʒ] bergketen; **mountainside** berghelling
mountebank ['mauntibæŋk] kwakzalver; nar
'**mounted** zie *mount*; '**mounting** het ... (zie *mount*); montering, montuur, beslag
mourn [mɔ:n] *a*) treuren (*for, over* over), rouwen, rouw dragen; *b*) betreuren; '**mourner** [-ə] treurende; (*bij begrafenis*) rouwdrager (*chief* ~ eerste ...); '**mournful** [-f(u)l] treurig, droevig, triest; **mourning** ['mɔ:niŋ] het treuren; rouw, rouwkleding; *be in* (*go into*) ~ in de rouw zijn (gaan)
mouse [maus] muis; '**mousetrap** muizeval
moustache [məs-, mus'tɑ:ʃ] (*soms:* ~*s*) snor
mousy ['mausi] muisachtig, -kleurig; muizen...
mouth I *zn* [mauθ] mond, muil, bek; monding, opening; *keep one's* ~ *shut,* (*fig*) niets zeggen (verklappen); *make a* (*wry*) ~ (*make* ~*s*) *at* een lelijk gezicht (gezichten) trekken tegen; ***by*** (***through***) *the* ~ *of* bij monde van; *by word of* ~ mondeling; ***down*** *in the* ~ neerslachtig; *it sounds strange* ***in*** *your* ~ uit uw mond; *put words* ***into*** *a p.'s* ~: *a*) iem ... in de mond leggen; *b*) iem ... ingeven (vóórzeggen); II *ww* [mauð] op hoogdravende toon (uit)spreken, declameren, schetteren, oreren (ook: ~ *it*); ~ *away* er op los schreeuwen; (*wide-*); **mouthed** [mauðd] met een (wijde) mond; '**mouthful** [-f(u)l] mond(je)vol, hapjes; '**mouthpiece** *a*) mondstuk; (*telefoon*) hoorn; *b*) sigarepijpje; *c*) woordvoerder, spreekbuis (*fig*); (*sl*) advocaat; '**mouth-to-'mouth** mond-op-mond (*resuscitation* beademing); '**mouthwash** mondspoeling
movable ['mu:vəbl] I *bn* beweegbaar, beweeglijk; zwevend (*rib*); ~ *feast* veranderlijke feestdag (zoals Pasen); ~ *property* roerend goed; II *zn* meubelstuk; ~*s* roerende goederen
move [mu:v] I *zn* zet (*bij spel, enz.*), stap (*fig: make the first* ~), maatregel; beweging; verhuizing; *get a* ~ *on,* (*sl*) opschieten, in beweging komen, aanpakken; *make a* ~: *a*) een zet (stap) doen; *b*) opstappen; *whose* ~ *is it?* wie is aan zet?; *on the* ~ in beweging; II *ww* (zich bewegen, in beweging komen, verzetten, verschuiven; iets doen, optreden (*against* tegen), stappen doen (*in a matter*); verplaatsen (*troops*), vervoeren, overbrengen; opwekken (*admiration*); (ont)roeren, aandoen; aandrijven; zich wenden tot (rechtbank, enz.); voorstellen (in vergadering); voortgang hebben, opschieten, 'marcheren' (*things* ~*d rapidly*); verhuizen (= ~ *house*); *get moving* in beweging komen, aan het werk gaan; ~ ***about*** (***around***) heen en weer lopen, rondtrekken; ~ ***along*** doorlopen; ~ ***aside*** opzij gaan; ~ ***away*** verhuizen; ~ ***down*** blijven zitten, niet bevorderd worden; ~ ***for*** *a delay* verzoeken om, voorstellen; ~ ***in***: *a*) erop afgaan, tot actie overgaan; *b*) een huis betrekken (= ~ ***into*** *a house*); ~ ***off*** heengaan, vertrekken; ~ ***on*** (doen) doorlopen (~ *on, please!*); opstappen, weggaan; oprukken; ~ ***out*** eruit gaan (trekken), verhuizen; ~ ***over*** op-, inschikken; ~*d* ***to*** *tears* tot tranen bewogen (geroerd); ~ ***up*** op-, inschikken; bevorderd worden, in de volgende klas komen; **movement** ['mu:vmənt] beweging; (voort)gang; opwelling; aandrang; mechaniek, werk (*van uurwerk*); stoelgang; (*muz*) deel; **mover** ['mu:və] *a*) beweger; *b*) voorsteller; *prime* (*first*) ~ oorspronkelijke beweegkracht, eerste oorzaak
movie ['mu:vi] film; ~ *theater* (*Am*) bioscoop; '**movies** (*Am*) bioscoop
moving ['mu:viŋ] bewegend: beweeg..., drijf...; roerend, treffend, aandoenlijk; ~

force drijfkracht; ~ *staircase* roltrap
mow [məu] maaien; ~ *down* (*off*) wegmaaien; **mower** ['məuə] maaier; maaimachine
much [mʌtʃ] veel (*how ~ money? ~ bigger*); zeer (~ *obliged*); verreweg (~ *the largest*); *I thought as ~* dat dacht ik al; *he said as ~* zo iets; *as ~ as to say* alsof hij wou zeggen; *it was as ~ as I could do to prevent it* ik had er mijn handen vol ...; *he never so (as) ~ as looked at me* keek me zelfs niet aan; *so ~ the better* des te ...; *all this talk is just so ~ twaddle* niets anders dan; *so ~ for that* daarmee is dat afgedaan; *not so ~ ... as ...* niet zozeer ... als wel ...; ~ *the same* vrijwel ...; ~ *about as tall as ...* vrijwel even groot als ...; *his words were ~ to this effect* kwamen vrijwel hierop neer; *he is not ~ of a swimmer* zwemt niet best; *it isn't anything ~, is nothing ~, not ~ of a thing* niet veel bijzonders; *too ~ of a good thing* te veel van het goede; ~ *as I regret it* hoezeer ... ook; '**muchness** (*fam*) *much of a ~* vrijwel het zelfde, lood om oud ijzer
muck [mʌk] I *zn* (natte) mest, drek, vuiligheid, smeerlapperij; bocht (*fig*); II *ww: a*) bemesten; *b*) ~ *about*, ~ *around* (rond)lummelen; *c*) ~ *in* (gaan) samenwerken; *d*) ~ *up* bevuilen; verknoeien; *e*) ~ *out* uitmesten (*the stable*); '**muck-raker** iem die graag in vuile zaakjes wroet; '**muck-raking** het ... wroeten; '**mucky** [-i] drekkig; smerig, vuil (~ *weather*)
mucous ['mju:kəs] slijmig, slijm...; ~ *membrane* slijmvlies; **mucus** ['mju:kəs] slijm
mud [mʌd] modder, slijk; leem (~ *floor* lemen ...); *fling* (*throw, sling*) ~ (*at*) met modder gooien (*ook fig*); *stir up ~*, (*fig*) in de modder roeren; *clear as ~* zo helder als koffiedik; ~ *in your eye!* (*sl*) proost!; '**mud-bath** modderbad
muddle ['mʌdl] I *zn* war-, knoeiboel; *make a ~ of* verknoeien; II *ww* benevelen; in de war brengen (sturen); door elkaar gooien (ook: ~ *up*, ~ *together*); verknoeien; knoeien (ook: ~ *about*), modderen; ~ *along* (al knoeiende) voortscharrelen; ~ *through* er komen met vallen en opstaan; '**muddled** [-d] beneveld, doezelig, warrig; '**muddle-headed** warhoofdig; beneveld
muddy ['mʌdi] I *bn* modderig, bemodderd, troebel; wazig, dof; vaal; onduidelijk, verward; II *ww:* modderig maken, bemodderen; '**mudflat(s)** slikken, wad(den); '**mudguard** spatbord; '**mud-stained** bemodderd
muff [mʌf] I *zn* 1 mof; 2 fiasco, knoeiwerk; II *ww* bederven (*a chance*), verknoeien; ~ *it* de boel bederven
muffle ['mʌfl] instoppen, toedekken (= ~ *up*); dempen (*a sound*); ~*d voice* gedempte ...; **muffler** ['mʌflə] *a*) (*vero*) das (onder overjas e.d.); *b*) (*Am*) knaldemper, -pot
mug [mʌg] I *zn* kroes, kan; (*sl*) smoel; II *ww* 1 blokken (*at* op); ~ *up* erin pompen; 2 (*sl*) in elkaar slaan en beroven; **mugger** ['mʌgə] straatrover
muggins ['mʌginz] sul, dwaas
muggy ['mʌgi] zwoel, drukkend, maf, benauwd; duf
mug shot (*sl*) foto van verdachte
mulberry ['mʌlbəri] moerbezie, moerbei (-boom)
mulch [mʌltʃ] tuincompost
mule [mju:l] muildier
multifarious [mʌlti'fɛəriəs] veelsoortig, velerlei, verscheiden, verschillend
multilateral [mʌlti'lætərəl] veelzijdig
multi'national *zn* multinationaal bedrijf (met vestigingen in vele landen)
multiple ['mʌltipl] veelvoudig, -soortig; samengesteld (*collision*); ~ *choice test* meerkeuzetoets; ~ *store* grootwinkelbedrijf
multiplication [mʌltipli'keiʃn] vermenigvuldiging; **multi'plicity** [-plisiti] menigvuldigheid, veelheid; menigte; '**multiplier** [-plaiə] *a*) vermenigvuldiger; *b*) multiplicator; '**multiply** [-plai] (zich) vermenigvuldigen (*by, into* met)
'**multi-purpose** voor vele doeleinden bruikbaar
'**multi-storey** *car park* torengarage
multitude ['mʌltitju:d] menigte, groot aantal; *the ~* de grote hoop; **multi'tudinous** [-tju:dinəs] talrijk, veelvuldig; veelsoortig; onmetelijk
mum [mʌm] I *zn* 1 (*fam*) stilzwijgen; 2 (*fam*) mam; II *tw* st! stil!; ~*'s the word!* mondje dicht!; III *bn* stil; *keep ~!* mondje dicht
mumble ['mʌmbl] mompelen, murmelen, prevelen; mummelen, knauwen (aan)
mumbo-jumbo ['mʌmbəu'dʒʌmbəu] poespas, nonsens, abacadabra
mummer ['mʌmə] toneelspeler, komediant
mummify ['mʌmifai] mummificeren, tot een mummie maken; (*fig*) verschrompelen
mummy ['mʌmi] *a*) mummie; *b*) mammie, mamma
mumps [mʌmps] bof (*ziekte*): *have ~*
munch [mʌn(t)ʃ] hoorbaar kauwen; knauwen (aan, op), knabbelen (*biscuits*)
mundane ['mʌndein] alledaags
municipal [mju(:)'nisipəl] gemeentelijk, gemeente..., stads...; ~ *council* gemeenteraad; **municipality** [mju(:)ˌnisi'pæliti] gemeente(bestuur)
munificent [mju'nifisnt] mild(dadig), vrijgevig
munition [mju'niʃən] (*gew mv*) munitie
mural ['mjuərəl] muur..., wand...; ~ (*painting*) muurschildering
murder ['mə:də] I *zn* moord; *get away with ~* precies kunnen doen wat men wil; II *ww* (ver)moorden; verknoeien; '**murderer** [-rə] moordenaar; '**murderess** [-ris] moordenares; '**murderous** [-rəs] moorddadig
murk [mə:k] duisternis; **murky** ['mə:ki] donker, duister (*ook fig*), somber, triest
murmur ['mə:mə] I *ww* murmelen, suizen, ruisen; mopperen (*at* over), brommen; mompelen; II *zn* gemurmel, gesuis, geruis; gemopper, gemompel

muscle ['mʌsl] spier(kracht); macht, geweld; *not move a ~* geen spier vertrekken; **'muscled** [-d] gespierd; **muscular** ['mʌskjulə] gespierd, spier
1 muse [mju:z] muze
2 muse [mju:z] mijmeren, peinzen (*on*); ~ (*up*)*on, ook:* peinzend kijken naar, beschouwen
museum [mju(:)'ziəm] id.; ~ *piece* museumstuk
mush [mʌʃ] moes, pulp; (*sl*) slapheid, gewauwel, sentimentaliteit
mushroom ['mʌʃru(:)m] I *zn* (eetbare) paddestoel, champignon; *attr,* plotseling verrezen (*city*); paddestoelvormig (~ *cloud* 'atoomwolk'); II *ww: a*) ~*s* zoeken; *b*) (als paddestoelen) uit de grond schieten
mushy ['mʌʃi] zacht, papperig; beurs; (*sl*) we(e)k(elijk), sentimenteel, zoetelijk
music ['mju:zik] muziek; *it was ~ to his ears* klonk hem als muziek in de oren; *set to ~* op muziek zetten; **'musical** [-l] I *bn* muzikaal; muziek...; welluidend; ~ *box* speeldoos; ~ *chairs* stoelendans (*sp*); (*fig*) stuivertjewisselen; II *zn* id.; **musicality** [mju:zi'kæliti] *a*) muzikaliteit; *b*) welluidendheid; **'music hall** variététheater; **musician** [mju(:)'ziʃən] musicus, toonkunstenaar, muzikant; **'music-master, music-mistress** muziekleraar, -lerares; **musi'cologist, musi'cology** musicoloog, -cologie
musk [mʌsk] muskus(dier, -plant)
Muslim ['muzlim, 'mʌslim] moslim
muslin ['mʌzlin] mousseline
muss [mʌs] (*Am fam*) I *zn* warboel; rommel; herrie; II *ww* = ~ *up* in de war brengen; bevuilen; verfrommelen, bederven
mussel ['mʌsl] mossel
mussy ['mʌsi] (*Am*) in de war, slordig, vuil
must [mʌst] **1** moet(en), moest(en); *I ~ not betray the secret* mag niet; *they ~ be John's, ook:* die zijn vast van J.; *a ~,* (*fam*) iets onontbeerlijks, iets dat men in ieder geval moet zien (hebben, enz.); **2** most
mustard ['mʌstəd] mosterd
muster ['mʌstə] I *zn: a*) monstering, inspectie, appèl; *b*) monsterrol; *pass ~* er mee door kunnen; II *ww* monsteren, oproepen, (doen) aantreden voor inspectie; bij elkaar brengen (*I could not ~ a shilling*); ~ (*up*) *courage* zijn moed verzamelen
musty ['mʌsti] schimmelig, muf, verouderd
mutable ['mju:təbl] veranderlijk; **mutation** [mju(:)'teiʃən] verandering; (*biol*) mutatie
mute [mju:t] I *bn* stom, sprakeloos, zwijgend; ~ *consonant* plof(fer); ~ *e* stomme *e*; II *zn* stomme; bidder (*bij begrafenis*); figurant; = ~ *consonant*; III *ww: a*) (*muz*) dempen (ook fig: *the ~d light*); *b*) tot zwijgen brengen; *c*) (*telec*) onderdrukken (*ongewenst bijgeluid e.d.*)
mutilate ['mju:tileit] verminken; **muti'lation** verminking
mutineer [mju:ti'niə] muiter, oproermaker; **mutinous** ['mju:tinəs] opstandig, rebels, oproerig; **mutiny** ['mju:tini] I *zn* muiterij, opstand, oproer; II *ww* aan het muiten slaan, muiten, in opstand komen
mutter ['mʌtə] I *ww* mompelen, mopperen (*at over*); rommelen; II *zn* gemompel, gemopper; **muttering** ['mʌtəriŋ] gemopper
mutton ['mʌtn] schapevlees; **'mutton-'chop** lamskotelet
mutual ['mju:tjuəl] wederkerig, wederzijds
muzzle ['mʌzl] I *zn* muil, bek, snuit; muilband; mond(ing); II *ww* muilkorven (*ook fig*)
muzzy ['mʌzi] beneveld, licht in het hoofd; verward, vaag
my [mai] mijn; (*oh*) ~*!* goeie genade!
myopic [mai'əupik] bijziend
myself [mai'self] (ik-, mij)zelf; *I am not ~* mijzelf niet, niet zoals anders; vgl *oneself*
mysterious [mis'tiəriəs] geheimzinnig; **mystery** ['mistəri] *a*) geheim, raadsel, mysterie, verborgenheid, geheimzinnigheid; *b*) mysterie(spel); **'mystery-tour** tocht met onbekende bestemming
mystic ['mistik] I *bn* verborgen, mystiek; II *zn* mysticus; **'mystical** [-l] mystiek; **mysticism** ['mistisizm] mysticisme, mystiek; **,mystifi'cation** mystificatie, fopperij; **mystify** ['mistifai] foppen, mystificeren
myth [miθ] *a*) mythe; *b*) verdichtsel; fabeltje, sprookje, legende; **mythic(al)** ['miθik(l)] mythisch; **mythologic(al)** [miθə'lɔdʒik(l)] mythologisch; **mythology** [mi'θɔlədʒi] mythologie

Nn*n*

nab [næb] (*sl*) vatten, inrekenen
nag [næg] I *zn: a*) (*ong*) knol; *b*) onprettig (knagend) gevoel; *c*) vitter, treiteraar; II *ww: a*) vitten (*at* op), zaniken; sarren, treiteren; *b*) (aan iem) knagen
nail [neil] I *zn* nagel; spijker; (*as*) *hard as ~s: a*) in uitstekende conditie; *b*) ijzersterk; *c*) keihard, bikkelhard, onverbiddelijk; (*as*) *right as ~s* volkomen juist, gezond, in orde; *drive the ~ home* (*to the head*) iets tot het uiterste doorzetten; ***on** the ~: a*) contant; *b*) dadelijk; *his comments were on the ~* raak; II *ww* (vast)spijkeren, nagelen; (*fam*) zich verzekeren van (ook: *~ **down***), lijmen (*~ a p. for a party*); gappen, pakken; betrappen; vastzetten (*a p.*); aan zijn woord houden; ~ (*down*) ook: aan de kaak stellen; *~ **down*** vast-, dichtspijkeren; *zie ook boven; ~ a p. down **to** his promise* binden (houden) aan; ~ *to* vastspijkeren (nagelen) aan; *~ **together*** (losjes) in elkaar spijkeren; ~ ***up*** vast-, dichtspijkeren; **'nail file** nagelvijltje; **'nail-head** spijkerkop; **nail-polish** nagellak; **'nail-varnish** nagellak
naïve, naive [nɑ:'i:v] naïef, ongekunsteld
naked ['neikid] naakt, bloot, kaal; ongezadeld; ongeïsoleerd (*electric wire*); open (*fire*); onopgesmukt; louter; weerloos; *with the ~ eye* met het blote oog; *~ of* ontbloot van, zonder
name [neim] I *zn* naam; benaming; *what is your ~?* hoe heet je?; *what ~, please?* hoe is de naam? wie kan ik zeggen, dat er is?; *give it a ~* zeg't maar (wat zal het zijn); *you ~ it*, (*fam*) wat je maar wilt; noem maar op; *make a ~ for o.s.* zich naam maken; *put one's ~ down for* zich opgeven voor; *put one's ~ to a document* zetten onder; *I can't put a ~ to him* hem niet thuisbrengen; *call ~s* uitschelden; ***by** ~: a*) met name (*mention by ~*); van naam (*know a p. by ~*); *b*) persoonlijk (*he knew everyone by ~*); *go by the ~ of* bekend staan onder de naam van; ***in** ~* in naam; *in the ~ of: a*) in naam van; *b*) onder de naam van; *it stands in my ~* op mijn naam; *he had not a penny to his ~* geen stuiver, die hij zijn eigen kon noemen; *he has a long list of novels to his ~* op zijn naam staan; II *ww* noemen (*after, from,* Am: *for* naar); benoemen (*to a post*); dopen (*a ship*); een naam geven; **'nameless** *a*) naamloos, anoniem; onbekend; *b*) onnoemelijk, onuitsprekelijk, nameloos; *c*) niet te noemen; walgelijk (*~ vices*); *... who shall be ~* die ik niet zal noemen; **'namely** [-li] namelijk; met name; **'nameplate** naambordje; **'namer** [-ə] naamgever; **'namesake** [-seik] naamgenoot
'nanny *a*) kinderjuffrouw; *b*) *~-goat* geit
nap [næp] I *zn* dutje; *take a ~* een dutje doen; II *ww* **1** dutten; soezen; *catch a p. ~ping* iem overrompelen; betrappen (op fout of verzuim); **2** als zekere winnaar tippen (*a horse*)
nape [neip] nek (*gew: ~ of the neck*)
napkin ['næpkin] servet; (hand)doek; luier;
nappy ['næpi] (*fam*) *napkin:* luier; *~ rash* rode billetjes
narcissus [nɑ:'sisəs] narcis
narcotic [nɑ:'kɔtik] verdovend, slaapwekkend (middel); *~ addiction* drugverslaving
nark [nɑ:k] kwaad maken, ergeren, plagen
narrate [næ'reit] verhalen, vertellen; **narration** [næ'reiʃən] het ...; verhaal; **narrative** ['nærətiv] I *zn* verhaal, verslag; II *bn* verhalend; *~ power* vertelkunst; **narrator** [næ'reitə] verteller
narrow ['nærəu] I *bn* nauw, eng, smal; klein (*majority*), gering (*gain, loss*); bekrompen (*live in ~ circumstances; ~ means; ~ mind*); nauwkeurig, scherp (*examination* onderzoek); onderzoekend (*look at a p. ~ly*); *~ compass* beknopte omvang (ruimte); *have a ~ escape* door het oog van een naald kruipen; *~ gauge* smalspoor; *in the ~est sense* in de beperktste (striktste) zin; *they had a ~ victory* behaalden ternauwernood de ...; II *zn: ~s* (zee)ëngte(n); III *ww* (zich) vernauwen, verminderen; inperken, terugbrengen (*difficulties, suspicion*); *it ~s down to this* het komt tenslotte hierop neer; **narrowish** vrij ...; **narrowly** zie *narrow; ook:* net, juist, op het kantje af, ternauwernood; **'narrow-'minded** kleingeestig, bekrompen
nasal ['neizəl] I *bn* nasaal, neus...; II *zn* neusklank, -letter; **nasality** [nei'zæliti] neusgeluid, nasaliteit
nascent ['næsnt] opkomend, ontluikend
nasturtium [nə'stə:ʃəm] Oostindische kers
nasty ['nɑ:sti] vuil, smerig; akelig; lelijk, gemeen, beroerd; onbeschoft; hatelijk (*remarks*); *a ~ weapon* een gemeen (gevaarlijk) wapen; *turn ~* beginnen op te spelen
natal ['neitl] geboorte... (*day, hour, country*)
nation ['neiʃən] natie, volk; **national** ['næʃ(ə)nəl] I *bn* nationaal, volks..., staats..., rijks..., landelijk (*organization, newspaper*); *~ anthem* volkslied; *~ debt* staatsschuld; *N~ Health Service* Nationale Gezondheidszorg; *N~ Insurance* sociale verzekering; *N~ Service* militaire dienst, dienstplicht; (*Belg*) militie; II *zn gew. mv:* landgenoten (in den vreemde: *British ~s in Iran*); landelijke bladen; **'nationalism** [-izm] nationalisme; **'nationalist** -ist(-isch); **nationality** [næʃə'næliti] nationaliteit; natie; **nationalization** [ˌnæʃnəlai'zeiʃən] nationalisering; **'nationalize** [-aiz] nationaliseren; onteigenen (door de staat), naasten; **nationwide** ['neiʃənwaid] door/over het hele land (*tour, broadcast*)

native ['neitiv] I *bn* geboorte...; aangeboren; natuurlijk, inheems; gedegen (*van metaal*); ~ *country* (*land*) vader-, geboorteland; ~ *language* (*tongue*) moedertaal; II *zn* inboorling, inlander; inheems(e) dier (plant); (*min*) bewoner van een streek, *speak English like a* ~ als een geboren Engelsman; *a* ~ *of Rotterdam* geboren Rotterdammer; **nativity** [nə'tiviti] nativiteit, (feest der) geboorte van Christus; geboorte
natter ['nætə] babbelen, kletsen
natty ['næti] (*fam*) keurig, netjes, handig
natural ['nætʃ(ə)rəl] I *bn* natuurlijk; ongekunsteld; aangeboren, niet gekweekt; natuur...; *that comes* ~ *to him* gaat hem natuurlijk af; ~ *beauty, ook:* natuurschoon; ~ *day* etmaal; ~ *gas* aardgas; ~ *history* natuurlijke historie; ~ *science* verzamelnaam voor schei-, natuurkunde en biologie; II *zn* (*fam*) natuurtalent, geboren ...; gegarandeerd succes; '**naturalism** [-izm] naturalisme; '**naturalist** *a*) id.; *b*) natuurkenner, bioloog; **naturalistic** [nætʃrə'listik] *a*) naturalistisch; *b*) natuur-historisch; **naturalization** [ˌnætʃrəlai'zeiʃən] naturalisatie; ...ing; '**naturalize** [-aiz] -iseren; (zich) inburgeren; acclimatiseren (*plants*, enz.); de natuurk historie beoefenen; '**naturally** *a*) op natuurlijke wijze, natuurlijk; *b*) van nature; *c*) uit de aard der zaak, (als) vanzelf; **nature** ['neitʃə] (de) natuur, aard, karakter; *his better* ~ zijn beter(e) ik; *against* ~: *a*) tegen de natuur; *b*) wonderbaarlijk; *by* ~ van nature, van aard; *draw from* ~ naar de natuur; *in* (*by, from*) *the* ~ *of things* (*of the case*) uit de aard der zaak; per definitie; *in the course of* ~ volgens de natuurlijke loop der zaken; *in a state of* ~ in de natuurlijke staat; naakt; *true to* ~ natuurgetrouw; '**nature-cure** natuurgeneeswijze; '**nature-reserve** natuurreservaat; **nature trail** natuurpad; **naturism** ['neitʃərizm] naturisme, naaktcultuur; **naturist** naturist
naught [nɔ:t] niets, nul; *come* (*go*) *to* ~ op niets uitlopen, mislukken; '**naughty** *bn* ondeugend, stout; onfatsoenlijk
nausea ['nɔ:siə, -ziə, -ʃiə] misselijkheid; walging; **nauseate** ['nɔ:sieit, -zieit -ʃieit] walgen van; verafschuwen; misselijk maken (worden), doen walgen; **nauseous** ['nɔ:siəs, -ziəs, -ʃiəs] walglijk
nautical ['nɔ:tikl] zee..., scheepvaart..., zeevaartkundig; ~ *mile* zeemijl 1852 m
naval ['neivəl] zee..., scheeps..., marine..., vloot...; ~ *battle* zeeslag; ~ *college* marine-instituut; ~ *stores* scheepsbehoeften; ~ *yard*, (*Am*) marinewerf
nave [neiv] schip (*van kerk*)
navel ['neivəl] id.; (*fig*) centrum
navigable ['nævigəbl] *a*) bevaarbaar; *b*) zeewaardig (*in a* ~ *condition*); *c*) bestuurbaar; **navigate** ['nævigeit] (be)varen, (be)sturen; **navi'gation** (scheep)vaart, navigatie, stuurmanskunst; '**navigator** [-ə] id., zeevaarder
navvy ['nævi] polderjongen, grondwerker
navy ['neivi] marine, zeemacht, vloot; '**navy-'blue** marineblauw
nay [nei] *bw* ja zelfs, wat meer is; (*vero*) ja
neap [ni:p], ook: ~ *tide* dood tij
near [niə] I *bw* & *vz* nabij, dichtbij; van nabij (~ *akin*); schriel; ~ *at hand* bij de hand; op handen; ~ *by* dichtbij; *draw* ~ naderbij komen; II *bn* na (verwant); intiem (*friend*); dichtbijzijnd; nauwkeurig (*translation*); krenterig; veel hebbende van, grenzende aan (*a* ~*-mutiny*); schijn..., zogenaamd; ~ *relative* nabestaande, naaste bloedverwant; *it was a* ~ *thing* het kon (ging) net, scheelde maar een haar; *the* ~*est way* kortste; III *ww* naderen; '**nearby** [-bai] naburig; naaste (*future*); '**nearly** bijna, haast (*are you* ~ *ready?*); na (~ *related*); van nabij; nauwkeurig, innig; *not* ~ *so big* lang niet zo ...; '**nearness** [-nis] nabijheid; '**nearside** trottoirkant (*vgl offside*); '**near-'sighted** (*Am*) bijziend
neat 1 [ni:t] rund(vee); 2 net(jes), keurig; knap, handig; smakelijk; onvermengd; kort en bondig; *brandy* ~ cognac puur
nebula ['nebjulə] *mv nebulae* [-i:] nevel(vlek); **nebulous** ['nebjuləs] nevelachtig, troebel, vaag
necessaries ['nesəs(ə)riz] (*mv*) noodzakelijkheden, behoeften (*of life*), benodigdheden; **necessarily** ['nesis(ə)rili, nesə'serili] noodzakelijkerwijze; **necessary** ['nesis(ə)ri, 'nesiseri] *bn* noodzakelijk, nodig; **necessitate** [ni'sesiteit] noodzakelijk maken, noodzaken; **necessity** [ni'sesiti] noodzakelijkheid, noodzaak; behoefte (*for* aan); nood(druft); *there is no* ~ *for it* het is niet nodig; *make a virtue of* ~ van de nood een deugd maken; ***from*** (*sheer*) ~ (enkel) uit nood; ***of*** ~ noodzakelijk(erwijze); onvermijdelijk; *be **under** the* ~ *of ...ing* in de noodzaak verkeren te ...
neck [nek] I *zn* hals; halsstuk (~ *of mutton*); halslengte; (land)engte, landtong; *break one's* ~ zich rotwerken; *run* ~ *and* ~ elkaar prachtig bijhouden; *stick one's* ~ *out* zich blootgeven; *win **by** a* ~ met een halslengte winnen; *he got it in the* ~, (*sl*) kreeg ervan langs; kwam van een koude kermis thuis; *talk through* (*the back of*) *one's* ~ uit z'n nekharen zwammen; *escape **with** one's* ~ er het leven afbrengen; II *ww* (*sl*) omhelzen, vrijen (zonder seks); **neckerchief** ['nekətʃif] halsdoek; '**necklace** [-lis] halssnoer, -ketting; '**neckline** halslijn; '**necktie** das(je)
necrology [ne'krɔlədʒi] necrologie, levensbericht van pas overledene; **necromancy** [nekrə'mænsi] tovenarij, magie, hekserij
nectar ['nektə] id.: *a*) godendrank; *b*) honigsap; '**nectarine** [-rin] nectarijn: gladde perzik
née [nei] geboren (*Mrs. X,* ~ *Y*)
need [ni:d] I *zn* nood, noodzaak; behoefte (*of* aan); nooddruft; ~*s, ook:* benodigdheden (*travel* ~*s*); *there is no* ~ *to cry* (*for crying*) het

nee

is niet nodig te ...; *have (no) ~ to go* moeten (niet behoeven te) gaan; *have ~ of* nodig hebben; *do one's ~s* zijn behoefte doen; *be (stand) in ~ of* nodig hebben; II *ww* (be)hoeven, nodig hebben; vereisen; gebrek hebben; *he ~ not go* (be)hoeft niet te gaan; *it ~s to be done* moet noodzakelijk (dient te) gebeuren; *my shirt needs mending (to be mended)* ... moet versteld worden

needle ['ni:dl] I *zn* naald (*ook:* magneetnaald, gedenknaald, enz.); rotspunt; II *ww* naaien; doorprikken; doorboren; zich een weg banen (door); hinderen, prikkelen, van z'n stuk brengen; aanzetten, voortdurend achternazitten; '**needle-shaped** naaldvormig

needless ['ni:dlis] nodeloos, onnodig

'**needlewoman** (vakkundig) naaister; '**needlework** naaldwerk; naaiwerk; handwerk (-en)

needy ['ni:di] behoeftig, armoedig

nefarious [ni'fɛəriəs] (*lit*) slecht, zondig, schandelijk, snood (*schemes*)

negate [ni'geit] ontkennen, tenietdoen; **ne'gation** ontkenning; weigering; iets negatiefs; **negative** ['negətiv] I *bn* negatief; ontkennend; weigerend, verbods...; *~ sign* negatief teken (–), minteken; II *zn* ontkenning; weigering; negatief (*fot*); -ieve grootheid (pool); *answer in the ~* ontkennend ...; III *ww* verwerpen (*a proposal, a motion*); weerleggen, -spreken, ontkennen; ongedaan maken, neutraliseren

neglect [ni'glekt] I *zn* verzuim; verwaarlozing; onachtzaamheid; II *ww* verzuimen, verwaarlozen, over het hoofd zien; achterstellen (*for* bij); **neglectful** [-f(u)l] *a*) achteloos, nalatig; *b*) verwaarloosd; *be ~ of* verwaarlozen

negligee ['negliʒei] damesnachtkleding

negligence ['neglidʒəns] achteloosheid, nalatigheid, onachtzaamheid; '**negligent** nalatig; onachtzaam, achteloos; ongedwongen; *be ~ of* verwaarlozen; '**negligible** [-dʒəbl] verwaarloosbaar, te verwaarlozen, niet noemenswaard, miniem

negotiate [ni'gəuʃieit] onderhandelen (over); schikken; (het) klaar spelen (met); tot stand brengen; sluiten (*a loan, contract*); verhandelen (*bills*); uit de weg ruimen (*a difficulty*); nemen (*a fence, trench*); oversteken (*a river*); beklimmen (*a mountain*); **ne,goti'ation** onderhandeling; **ne'gotiator** [ni'gəuʃieitə] onderhandelaar

Negress ['ni:gris] (*onbeleefd*) negerin; **Negro** ['ni:grəu] (*onbeleefd*) neger

neigh [nei] *ww* hinniken; *zn* gehinnik

neighbour ['neibə] I *zn* buur(man, -vrouw), nabuur; (*bijb*) naaste; II *ww* grenzen (*upon, with* aan), grenzen aan; '**neighbourhood** [-hud] nabijheid, buurt, omgeving, omtrek, streek; (na)buurschap (*= good ~*); *in the ~ of 50 dollars* om en bij de 50 dollar; '**neighbouring** naburig; '**neighbourly** [-li] een goede buur betamend; (gezellig, vriendelijk) als buren

neither ['naiðə, 'ni:ðə] *a*) geen van beide(n); *b*) noch, (en) ... ook niet (*~ do I*); *~ ... nor* noch ... noch; *~ can I (= me ~!)* ik ook niet!

neolithic [ni:ə'liθik] neolithisch: uit de late steentijd

neon [ni:ɔn] id.

nephew ['nevju(:), 'nefju(:)] neef (*oom-, tantezegger*)

nerve [nə:v] I *zn* *a*) zenuw; *b*) nerf; *strain every ~* alle krachten inspannen); *c*) geestkracht, moed, durf, zelfbeheersing (*keep one's ~*); *~ centre* zenuwcentrum; ~s, ook: zenuwachtigheid; *he has not got the ~ to do it* durft niet; *you've got a ~!* jij durft!; *lose one's ~* de moed verliezen; *recover one's ~* zijn zelfbeheersing (moed) herkrijgen; *be all ~s* een en al zenuw; *get on a p.'s ~s* iem zenuwachtig maken, irriteren; II *ww* kracht (moed) geven; *~ o.s. (one's mind)* zich vermannen; **nerved** [-d] generfd; '**nerveless** zwak, slap, krachteloos; '**nerve-racking** zenuwkwellend, -slopend; **nervous** ['nə:vəs] zenuwachtig, nerveus; bang; zenuw...; *~ breakdown* zenuwinstorting, -inzinking; *~ system* zenuwstelsel; **nervousness** nerveusheid, nervositeit; **nervy** ['nə:vi] (*fam*) zenuwachtig

nest I *zn* nest (*ook fig*), broeinest, ziektehaard, verzameling; *~ of boxes* in elkaar geschoven dozen; II *ww* (zich) nestelen; '**nest-egg** *a*) nestei; *b*) appeltje voor de dorst, achterdeurtje; **nestle** ['nesl] nestelen (*zelden*); zich nestelen; lekker (gaan) liggen (*in a chair*), (zich) vlijen; half verborgen liggen; verbergen; *~ o.s.* zich vlijen (*to, up to* tegen); **nestling** ['nes(t)liŋ] nestvogel

1 net I *bn* netto; II *ww* netto opbrengen of verdienen (*~ a thousand a year*)

2 net I *zn* net(je); (val)strik (*fig*); spinneweb; netwerk; II *ww* (als) met een net bedekken, verstrikken; in de wacht slepen; netten maken; van netwerk voorzien; (*sp*) in het net slaan (werken, enz.)

'**netball** soort korfbal

nether ['neðə] (*vero of scherts*) onderste, onder..., beneden...; *this ~ world* dit ondermaanse; '**Netherlands** [-ləndz] *The ~* (de) Nederland(en)

netting ['netiŋ] netwerk; (metaal)gaas

nettle ['netl] I *zn* (brand)netel; II *ww* (*fig*) prikkelen, ergeren; *~d at* kriebelig (gepikeerd) over; '**nettle-rash** netelroos

network ['netwə:k] net(werk) (*ook van personen*), systeem; (*elektr*) netwerk, schakeling; (*telec*) omroep(maatschappij); programma; zendernet

neurologist, **neurology** [njuə'rɔlədʒist, -dʒi] neuroloog, -logie; zenuwarts, -leer; **neurotic** [njuə'rɔtik] I *bn* neurotisch, zenuw..., zenuwziek; II *zn* zenuwmiddel; zenuwlijder(es)

neuter ['nju:tə] onzijdig (woord, geslacht, persoon); onovergankelijk (ww); geslachtloos (dier, plant); **neutral** ['nju:trəl] I *bn* onzijdig,

nee

neutraal, onbepaald, vaag; grijsachtig; geslachtloos; ~ (*gear*), (*van auto*) vrijloop; II *zn* neutrale, neutraal land, enz.; (*van auto*) = ~ *gear*; **neutrality** [nju'træliti] -heid, neutraliteit; '**neutralize** [-aiz] *a*) neutraliseren, opheffen, opwegen tegen; *b*) neutraal verklaren

never ['nevə] (nog) nooit, nimmer; helemaal niet, niet eens (*we ~ said good-bye to each other*); *he's ~ the one to pay* hij betaalt nooit; *~ a one* geen enkele; *~ once* (zelfs) geen enkele keer; *I am ~ the wiser for it* het maakt me helemaal niets wijzer; *well, I ~!* heb ik ooit van mijn leven!; *~ so much as* niet eens, zelfs niet; *N~ N~ Land*, (*fig*) denkbeeldig land; *zie ook ~-~; never mind* dat geeft niet; '**never-dying** onsterfelijk; '**never-ending** onophoudelijk; '**never-failing** nooit falend, nooit in gebreke blijvend; '**never'more** nimmermeer; **never-never**: *buy something on the ~*, (*fam, vero*) op afbetaling, in huurkoop; **neverthe'less** niettemin, niettegenstaande dat

new [nju:] nieuw; onbekend; onervaren; *he is ~ to the business* nog niet op de hoogte van; *~ town* volledig nieuw gebouwde stad, als overloopgemeente '*N~ 'Year* nieuwjaar; '*N~ Year's 'day* nieuwjaarsdag; '*N~ Year's 'eve* oudejaarsavond; '**new-born 1** pas geboren; *~ baby* pasgeborene; 2 wedergeboren; '**new-built** *a*) pas gebouwd; *b*) verbouwd; '**newcomer** pas aangekomene, nieuweling; nieuwaangesteld; '**new'fangled** [-fæŋgld] nieuwerwets (*ong*); '**new-laid** [-leid] vers (*eggs*); '**newly** *a*) pas, kort geleden; *b*) (op)nieuw; '**newlyweds** pasgetrouwd stel, jonggehuwden; '**new-made** pas gemaakt, nieuw; '**newness** nieuw(ig)heid; **news** [nju:z] nieuws, (nieuws)bericht(en); *be in the ~* zich in de publieke belangstelling verheugen; '**news agency** persbureau, nieuwsagentschap; '**newsagent** krantewinkel (verkoopt ook snoep e.d.); '**newsboy** krantenjongen; '**newscast** uitzending van de nieuwsdienst; '**newscaster** nieuwslezer; '**newsletter** nieuwsblaadje, -brief, bulletin, mededelingenblad; '**newspaper** ['nju:speipə] *a*) krant; *b*) krantenpapier; '**newsprint** krantenpapier; '**newsreel** (bioscoop)journaal; '**newsroom** nieuwsredactie(kamer); '**news-sheet** nieuwsblad, -blaadje; '**news-stand** krantenkiosk; '**newsvendor** [-vendə] krantenverkoper; '**newsworthy** nieuws dat het publiceren waard is

newt [nju:t] watersalamander

next [nekst] I *bn, bw, vz* naast; volgend (op); aanstaande; (daar)na; de volgende keer; *when I ~ see him* als (zodra) ik hem weer zie; *what ~?* wat nu (daarna)?; *ook:* dat is al te gek; *they'll be stopping football ~* straks maken ze nog een einde aan; *who's ~?* wie volgt?; *the ~ best* op één na de (het) beste; *her ~ eldest sister* de zuster direct boven haar; *the ~ few days* de eerste dagen; *the ~ man I see* de eerste de beste ...; *the ~ thing* het volgende, het eerste daarna; *~ before* (*after*) onmiddellijk voor (na); *~ to nothing* zo goed als niets; II *zn* volgende; *~ of kin* naaste bloedverwant(en); *~ of kin have been informed* de familie is gewaarschuwd; *~ please!* wie volgt; *he lives ~ door* hiernaast; *~ neighbour* naaste ...; *~ to* naast

nib punt van ganzepen, pen; punt; spits; **nibble** ['nibl] knabbelen, bijten (aan), afknabbelen (*bait*); niet dadelijk toehappen; vitten (*at* op)

nice [nais] aardig, prettig; lekker; moeilijk te voldoen; precies, nauwgezet, nauwkeurig (*inquiry*); aandachtig (*observer*); beschaafd, fatsoenlijk (*no ~ girl should go there*), netjes (*it is not considered ~*); kies, teer (*question, point*); subtiel, fijn (*distinction*); scherp (*ear, eye*); *a ~ job I've had!* (*iron*) dat was een mooi karweitje!; *~ and warm* lekker warm; '**nice-looking** aardig uitziend; **nicely** ['naisli] *bw* zie *nice*; **nicety** ['naisiti] nauwgezet-, angstvallig-, nauwkeurig-, kies-, kieskeurig-, fijnheid; finesse, spitsvondigheid; *to a ~* zeer nauwkeurig, tot op een haar; *the coat fits to a ~* zit als gegoten

niche [nitʃ, ni:ʃ] nis; (*fig*) hoekje, plaatsje

nick [nik] I *zn* kerf, keep; (*sl*) petoet, nor; *in the* (*very*) *~* (*of time*) precies op tijd, op het nippertje; *in good ~*, (*fam*) in goede conditie; II *ww* inkepen, kerven, snijden; snappen (*a criminal*); (*sl*) jatten, pakken, gappen

nickel ['nikl] I *zn* nikkel; nikkelen munt; Amerikaans 5 cent-stuk; II *bn* nikkelen; III *ww* vernikkelen; '**nickel-plated** [-pleitid] vernikkeld

nick-name ['nikneim] I *zn*: *a*) bijnaam; *b*) roepnaam (*Bill* voor *William*); II *ww* een bijnaam geven

niece [ni:s] nicht (*oom-, tantezegster*)

nifty ['nifti] (*fam*) prima; lekker; handig

niggard ['nigəd] vrek; **niggardly** [-li] gierig, vrekkig, krenterig, karig (*of* met)

nigger ['nigə] (*scheldwoord*) neger, 'nikker'

niggle ['nigl] vitten, muggeziften, irriteren; **niggling** pietepeuterig (*embroidery*); pietluttig

night [nait] nacht, avond, duisternis; *Sunday ~* zondagnacht; ***at** ~: a*) 's avonds; *b*) 's nachts; ***by** ~* bij nacht, 's nachts; ***in** the ~* gedurende de nacht; *~ out* avond(je) uit; (*van dienstbode*) vrije avond; *make a ~ of it* de hele nacht doorzwieren, nachtbraken; '**nightbird** nachtvogel, nachtmens, (*ook fig*); '**nightcap** slaapmuts; (*fig*) slaapmutsje; '**nightclothes** nachtgoed; '**nightdress** nacht(ja)pon; '**night-duty** nachtdienst; '**nightfall** het vallen van de avond; '**night-hawk** nachtmens; '**nightie** [-i] (*fam*) nachtpon(netje); **nightingale** ['naitiŋgeil] nachtegaal; '**night-life** nachtleven; '**night-long** de gehele nacht (durende); '**nightly** *a*) nachtelijk, avond...; *b*) elke nacht (avond); *c*) 's nachts; '**nightmare** nachtmerrie; '**nightmarish** [-mɛəriʃ] (als) van een nachtmerrie; '**night porter** nachtportier; '**night-school**

avondschool; '**night-shift** nachtploeg; '**night-shirt** nachthemd; '**nightspot** (*fam*) nachtclub, nachtlokaal; '**night-things** nachtgoed; '**night-'watch** nachtwacht
nil niets, nul, nihil
nimble ['nimbl] vlug, kwiek, handig, gevat; '**nimble-'fingered** [-fiŋgəd] vingervlug, vaardig met de vingers
nimbus ['nimbəs] id.: *a*) stralenkrans; *b*) regenwolk
nincompoop ['nin-, 'niŋkəmpu:p] stommerik, sul, uilskuiken
nine [nain] negen; *dressed* (*up*) *to* (*got up to*) *the ~s* piekfijn (in de puntjes) gekleed; '**ninefold** [-fəuld] negenvoudig; '**ninepin** kegel; *~s* kegels; kegelspel; '**nine'teen** [*attr:* 'nainti:n] negentien; *talk ~ to the dozen* honderd uit praten; '**nine-'teenth** [*attr:* 'nainti:nθ] 19de; '**ninetieth** [-tiiθ] 90ste; '**ninety** [-ti] negentig
ninny ['nini] sukkel, uilskuiken
ninth [nainθ] 9de
1 nip I *ww* (k)nijpen, klemmen, beknellen; bijten; vernielen; (*van de kou*) beschadigen, doden (*plants*), doen verkleumen; (*fam*) wippen (*~ in, out, upstairs*); *~ in, ook:* tussendringen (*auto*); *~ along* zich voorthaasten; *~ in the bud* in de kiem smoren; *look ~ped* benepen, smalletjes; II *zn* het ...; kneep; beet; scherpe zet (steek); vinnigheid (van kou); beschadiging (door kou); klein stukje; weinigje
2 nip I *zn* borreltje; II *ww* nippen, in kleine teugjes drinken (*o.'s sherry*)
nipper ['nipə] jochie, peuter; straatjongen; *~s* nijp-, buigtangetje; ijzerdraadschaar; '**nipping** scherp, bijtend, vinnig (*cold*)
nipple ['nipl] *a*) tepel; *b*) speen; *c*) verhoging, heuveltje; *d*) (*techn*) nippel
nippy ['nipi] *bn* scherp, vinnig, koud; (*sl*) kwiek; *look ~!* vlug wat!
nit neet, luizeëi; **nitpick** ['nitpik] muggeziften; **nitpicker** muggezifter
nitrogen ['naitrədʒən] stikstof
nitty-gritty ['niti 'griti] kern (vd zaak), essentie
nitwit ['nitwit] leeghoofd, idioot
no [nəu] *a*) geen; niet (*~ longer*); *b*) neen; stem tegen; *~es* tegenstemmers; *oh, ~, but how sweet!* nee maar, ...!; *'T. has resigned!' 'No!'* nee toch!; *'I've got a job!' 'No - never!'* nee maar!; *~ one man can do it* geen man kan het alleen doen; *I will not take ~* (*for an answer*) neem geen weigering aan; *the ~es have it* het voorstel is verworpen; *~ man's land: a*) grond zonder eigenaar; *b*) betwist gebied, niemandsland
nob [nɔb] (*sl*) 1 kop, hoofd; 2 hoge (ome)
nobble ['nɔbl] (*sl*) ongeschikt maken om te winnen (*a racehorse*); bepraten, omkopen, bewerken; gappen; inrekenen
nobility [nəu'biliti] adel (*ook fig*); adelstand; edelheid; **noble** ['nəubl] I *bn* edel (*ook van gas*), nobel; adellijk; prachtig, indrukwekkend, statig; II *zn* edelman; '**nobleman** [-mən] edelman; '**noble-'minded** [*attr:* 'nəubl-maindid] edelaardig, grootmoedig
nobody ['nəubədi] niemand; (*fig*) nul; *a mere ~* een nul; *they are ~ in particular* doodgewone lui, niets bijzonders
nocturnal [nɔk'tə:nl] *bn* nachtelijk, nacht...; *zn* nachtgezang
nod [nɔd] I *ww* knikken (met), knikkebollen; overhellen; *~ to a p.* iem toeknikken; *~ off* (...nde) in slaap vallen; *have a ~ding acquaintance with a p.* (*a subject*) enigszins (oppervlakkig) bekend zijn met; II *zn* knik, wenk; *give a p. a ~* toeknikken; *on the ~,* (*fam*) op de pof
node [nəud] knoest; (jicht)knobbel; knoop(punt); **nodule** ['nɔdju:l] klomp(je); knoest(je); knobbel(tje), knol(letje)
noggin ['nɔgin] (*vero*) neutje; (*sl*) test, kop
no-go ['nəu'gəu]: *~ area* (voor troepen, enz.) niet toegankelijke buurt
nohow ['nəuhau] (*volkstaal*) op geen manier, in het geheel niet
noise [nɔiz] lawaai, leven, rumoer, gerucht; geluid; (*natuurk, enz.*) ruis; *make a ~,* (*fig*) ophef maken (*about* over), beroering (sensatie) veroorzaken; *make a ~ in the world* van zich doen spreken; '**noiseless** [-lis] geruisloos; **noisy** ['nɔizi] druk, lawaai(er)ig, luidruchtig; gehorig; schreeuwend (*colours*)
nomad ['nəumæd] nomade, zwerver; **nomadic** [nəu'mædik] nomadisch, zwervend
nominal ['nɔminl] nominaal, zo goed als geen (*rent,* enz.), miniem; in naam; naam(s)...; naamwoordelijk; *~ price* spotprijs; *~ share* aandeel op naam; '**nominally** in naam
nominate ['nɔmineit] benoemen; kandidaat stellen, voordragen; (*zelden*) noemen; **nomi'nation** benoeming; nominatie, voordracht; **nomi'nation-day** kandidaatstelling(sdag); **nominee** [nɔmi'ni:] *a*) benoemde; *b*) kandidaat, voorgedragene
nonagenarian ['nəunədʒi'nɛəriən] 90-jarig(e)
non-aggression ['nɔnə'grɛʃən]: *~ pact* niet-aanvalsverdrag; **non-aligned** ['nɔnə'laind] niet-gebonden (*nations*); **non-alignment** ['nɔnə'lainmənt] neutraliteit (tussen Oost en West); **non-appearance** ['nɔnə'piərəns] niet-verschijning, verstek
nonce [nɔns]: *for the ~* voor deze gelegenheid; voor deze keer
nonchalance ['nɔnʃələns] id., onverschilligheid; **nonchalant** ['nɔnʃələnt] id., onverschillig
non-commissioned ['nɔnkə'miʃənd] *officer* onderofficier (*in Eng:* sergeant en korporaal); **non-committal** ['nɔnkə'mitl] zich niet bloot gevend (tot niets verbindend), een slag om de arm houdend, vrijblijvend, opzettelijk vaag; '**noncon'formist** id.; niet-anglicaans protestant; '**noncon'formity** *a*) gebrek aan overeenstemming; *b*) afgescheidenheid (van de staatskerk); '**non-con'tributory** premievrij, zonder premiebetaling (*pension*); **nonde-**

script ['nɔndiskript] moeilijk te beschrijven; van geen bepaalde soort of vorm; onbepaald, onopvallend

none [nʌn] niemand, geen (een); niets; (volstrekt) niet; *it is ~ of my business* is mijn zaak niet; *~ other than* niemand anders dan; *it is ~ of the best* niet van de beste; *~ of your cheek here!* hou je brutale mond!; *the wages are ~ too high* volstrekt niet; *~ the better* niets beter; *~ the less* niettemin

nonentity [nɔn'entiti] niet-bestaan(d iets); onbetekenend persoon of ding, nul; **non-event** [nɔni'vent] irreële gebeurtenis; flop, geval van niets; **non-existent** ['nɔnig'zistənt] niet bestaand; **'non-inter'vention** non-interventie; **non-iron** ['nɔn'aiən] zelfstrijkend (*shirts*); **'non-'member** niet-lid; **'non-ob'servance** niet-inachtneming

no-nonsense [nəu'nɔnsəns] zakelijk, nuchter, praktisch

'non-'payment niet-, wanbetaling; **nonplus** ['nɔn'plʌs] I *zn* verlegenheid, klem; II *reduce to a ~ = ww* in het nauw drijven, in verlegenheid brengen, perplex doen staan; **non-'profit organization** organisatie zonder winstoogmerk; **'non-prolife'ration** voorkoming van uitbreiding (*inz.* van kernwapens); **'non-returnable** zonder statiegeld; *~ bottle* weggooifles

nonsense ['nɔnsəns] onzin, nonsens, dwaasheid; onzinnigheid (*an absolute ~*); *stand no ~* geen gekheid verstaan; *there is no ~ about him* het is een ernstige kerel, hij weet wat hij wil; **nonsensical** [nɔn'sensikl] onzinnig, ongerijmd

'non-'smoker niet-roker; niet-rookcoupé; **'non-'stop** id., doorgaand (*express*), zonder tussenlanding (*~ flight; travel ~ from ... to ...*); **'non-'violent** geweldloos

noodle ['nu:dl] soort vermicelli

nook [nuk] hoekje, (gezellig) plekje

noon [nu:n] I *zn* middag; 12 uur 's middags (= *12 ~*); hoogtepunt (*at the ~ of his career*); II *ww* (*Am dialect*) het middagmaal gebruiken; 's middags rusten

noose [nu:s] lus, strik, strop, schuifknoop

nope [nəup] (*Am fam*) neen

nor [nɔ:] noch, en ook niet; (*volkstaal*) dan (*better ~ I*); *and ~* en evenmin; *~ had I: a*) ['- - '-] en ik ook niet; *b*) [-'- -] dat hád ik ook niet

normal ['nɔ:məl] I *bn* normaal, gewoon; loodrecht, volgens de normaal; II *zn* het normale (gewone); gemiddelde; normale temperatuur; normaal, loodlijn; **normality** [nɔ:'mæliti] normaliteit; **normalization** [ˌnɔ:məlai'zeiʃən] normalisatie; **'normalize** [-aiz] normaliseren

Norman ['nɔ:mən] I *zn* Normandiër; II *bn* Normandisch

north [nɔ:θ] I *zn* noorden(wind), noord; II *bn & bw* noordelijk, noordwaarts, noord(en)...; noorder...; (*to the*) *~ of* ten N van; *go ~ about* om de noord varen; *N~ Country* Noord-Engeland, -Engels; *N~ Sea* Noordzee; III *ww* naar het N gaan (*van de wind*); **'north bound** (op weg) naar het N; **'north-'east** noordoosten; noordoost(elijk); **'north-'easter** noordooster, NO wind; **'north-'easterly, north-'eastern** noordoostelijk; **northerly** ['nɔ:ðəli] noordelijk; **northern** ['nɔ:ðən] noordelijk, noord(en)...; noorder...; *~ lights* noorderlicht; **'northerner** [-ə] noorde(r)ling, inz. bewoner der noordelijke V.S.; **'northernmost** [-məust] noordelijkst; **northward(s)** ['nɔ:θwəd(z)] noordwaarts; **'north-'west** noordwest(en); **'north-'wester** noordwester, NW wind; **'north-westerly, north-'western** noordwestelijk

Norway ['nɔ:wei] Noorwegen; **Norwegian** [nɔ:'wi:dʒən] Noor(s)

nose [nəuz] I *zn* neus (*ook van schip, enz. & fig*); reuk, geur; (politie)spion; aanbrenger; uitsteeksel; *bite* (*snap*) *a p.'s ~ off* iem afsnauwen; *follow one's ~* rechtuit, rechtaan gaan; (*fig*) zijn ingeving volgen; *hold one's ~* zijn neus dichtknijpen; *keep one's ~ clean* zich behoorlijk gedragen; moeilijkheden vermijden; *lead (someone) by the ~* (iem) geheel in zijn macht hebben; *not look (see) beyond one's ~* niet verder zien dan zijn neus lang is; *look down one's ~ at* heimelijk neerzien op; *pay through the ~* veel te veel betalen, zich laten afzetten; *put a p.'s ~ out* (*out of joint*) iem verdringen; iem reden tot jaloezie geven (het land doen hebben); *on the ~,* (*Am*) precies; *under my* (*very*) *~* (vlak) onder mijn neus (ogen); *get up a p.'s ~,* (*sl*) iem irriteren (de strot uitkomen); II *ww* erachter komen (= *~ out*); met de neus wrijven tegen; (*van schip, enz.*) voorzichtig zijn weg (doen) zoeken; *~ about* rondsnuffelen, -neuzen; **'nosebag** voederzak (*van paard*); **'nosebleed** neusbloeding; **'nose-cone** neuskegel; **'nosedive** [-daiv] (*luchtv*) I *ww* duiken; II *zn* duik(vlucht); **'nose-gay** ruiker; **'noseless** zonder neus; **'nosey** [-i] (*sl*) met een grote neus; (*sl*) bemoeiziek; *N~ Parker,* (*sl*) bemoeial, pottekijker

nostalgia [nɔs'tældʒiə] nostalgie, heimwee (*inz. naar het verleden*); **nostalgic** [nɔs'tældʒik] nostalgisch, heimwee hebbend; heimwee...

nostril ['nɔstril] neusgat, -vleugel

nosy ['nəuzi] *nosey*

not [nɔt] niet; *~ I* (*me, he, you*)*!* dat kan je nét denken! ik zou je danken!; *~ a word* geen woord; *~ at all* in het geheel niet; *~ but that he is ...* niet dat hij niet ...; *~ so* maar dat is (was) niet zo, toch niet; *~ half* ten zeerste, heel erg; *~ only ... but* (*also*) niet alleen ... maar ook; *~ in the least* in het minst niet; *I believe ~* ik geloof van niet

notable ['nəutəbl] I *bn* merkwaardig, opmerkelijk, aanzienlijk; II *zn* aanzienlijk persoon, kopstuk, notabele

notary ['nəutəri] notaris

notation [nəu'teiʃən] schrijfwijze, aanduiding
notch [nɔtʃ] I *zn* kerf, inkeping, keep, insnijding; II *ww* kerven, inkepen, insnijden; aantekenen (door kepen) (ook: ~ *down, up*), bereiken; ~ *up ook:* verhogen, vergroten; ~*ed, ook* getand
note [nəut] I *zn* noot; toon; toets (*the black ~s of a piano*); geluid, gezang (van vogels); aantekening, notitie; kort artikel; briefje; nota; orderbriefje; bankbiljet; aanzien, reputatie; nota, aandacht; *man of* ~ van betekenis; *make* (*take*) ~*s* aantekeningen maken; *speak without ~s* voor de vuist; *compare ~s* wederzijdse bevindingen vergelijken; II *ww* opmerken; nota (notitie) nemen van; noteren, aantekenen (gew.: ~ *down*); aanduiden; annoteren; '**notebook** aanteken-, zakboek(je); '**noted** bekend, beroemd (*for* wegens); '**notepad** blocnote; '**notepaper** post-, notitiepapier; '**noteworthy** opmerkenswaardig
nothing ['nʌθiŋ] I *vnw* & *zn* niets, nul, nihil; *a mere* ~ onbetekenend iets (persoon), nul; (*in*) ~ *flat* (in) een oogwenk; *he is* ~ *if not critical* bij uitstek kritisch; *that is* ~ *to me: a*) gaat mij niet aan; *b*) laat me koud; *that is* (*has*) ~ *to do with us* is onze zaak niet; *he will have* ~ *of this system* moet niets hebben van; *come to* ~ in het water vallen, mislukken; *it was* ~ *near so witty as I expected* lang niet; *there was* ~ *for it but to get out* er zat niets anders op dan ...; ~ *doing* niets te doen, niets gaande; (*sl*) ''t zal niet gaan', het zit er niet aan; II *bw* helemaal niet
notice ['nəutis] I *zn* kennis(geving), aanzegging, waarschuwing, aankondiging, recensie; convocatie(biljet); aandacht, attentie, notitie, acht; ~ *of* (*intended*) *marriage* ondertrouw, aantekening; *give* ~ kennis geven (*of* van); *give* (*a week's*) ~ (*to quit, to leave*) de huur (de dienst) (met een week) opzeggen; *hand in one's* ~ zijn ontslag indienen; *take* ~ acht op iets slaan; *take no* ~ *of* geen notitie nemen van, niet reageren op; ***at** short* ~ op korte termijn, bijna onmiddellijk, voetstoots; *at a moment's* ~ zonder voorafgaande opzegging; ogenblikkelijk; *at ten minutes'* ~ binnen 10 min; *come **into*** ~ de aandacht (beginnen te) trekken; *bring **to** the* ~ *of* ter kennis (onder de aandacht) brengen van; II *ww* bemerken (*from* aan), opmerken; vermelden, melding maken van; bespreken, recenseren; (extra) notitie nemen van; de dienst (de huur) opzeggen; '**noticeable** [-əbl] *a*) merkbaar; *b*) opmerkelijk; '**noticeboard** bord voor kennisgevingen, aanplakbord; **notify** ['nəutifai] bekend maken, kennis geven (van), aankondigen; verwittigen
notion ['nəuʃən] begrip, notie, benul, idee, denkbeeld; neiging, lust; gril; *he has no* ~ *of doing it: a*) denkt er niet over; *b*) weet niet hoe; *put ~s into a p.'s head* iem malle ideeën bijbrengen; '**notional** [-l] denkbeeldig
notoriety [nəutə'raiəti] (algemene) bekendheid, beruchtheid; bekende persoonlijkheid; **notorious** [nəu'tɔ:riəs] algemeen bekend; berucht; **notoriously** *ook:* opvallend, in het oog lopend
notwithstanding [nɔtwiθ-, nɔtwið'stændiŋ] I *vz* niettegenstaande, ondanks, in weerwil van; II *bw* desniettegenstaande, ondanks dat
nougat ['nu:gɑ:] noga
nought [nɔ:t] niets, nul
noun [naun] (zelfstandig) naamwoord
nourish ['nʌriʃ] voeden, grootbrengen, koesteren; hooghouden (*a tradition*); '**nourishing** voedzaam; '**nourishment** voeding, voedsel
novel ['nɔvəl] I *zn* roman; II *bn* nieuw, ongewoon; **novelette** [nɔvə'let] novelle; '**novelist** romanschrijver; '**novelty** [-ti] nieuwigheid; nieuw artikel; nieuwheid, het nieuwe; **novice** ['nɔvis] id.; nieuweling, beginner
now [nau] I *bw* nu, nou; thans; *I feel it* ~ nu nog; *the time is not* ~ nog niet gekomen; ~, ~*! don't cry* kom, kom! ...; ~..., ~...; ~..., *then* ...; ~..., *again* ... nu eens ..., dan weer ...; ~ *and again,* ~ *and then* nu en dan (zie *every*); *before* ~ vroeger reeds, wel meer; *by* ~ tegen deze tijd, nu (reeds); *just* ~ zoëven, pas; ~ *then* nu dan, vooruit; *I don't think it right. Do you,* ~*?* jij wèl?; *he can hardly expect that, can he,* ~*?* vind je wel?; *isn't that nice,* ~*?* zeg, ...; *'He said so.' 'Did he,* ~*?'* zo?; ~ *really! really* ~*!* nee maar!; II *vw:* ~ (*that*) nu; '**nowaday(s)** [-ədei(z)] I *bw* & *bn* heden ten dage, tegenwoordig; hedendaags; II *zn* het tegenwoordige
nowhere ['nəuwɛə] nergens; *he appeared from* ~ uit het niets; ~ *near* bij lange na niet, zelfs niet in de buurt; *be* (*come in*) ~ nergens zijn: helemaal achteraan komen; niet in tel zijn; *get* ~ (*fast*), (*fig*) niets bereiken; *in the middle of* ~, (*fam*) aan het eind van de wereld, van God en alle mensen verlaten
noxious ['nɔkʃəs] schadelijk, verderfelijk
nozzle ['nɔzl] pijp, mondstuk, straalpijp, tuit
nub [nʌb] brok, knobbel; kern (*of the problem*)
nubile ['nju:bil, -bail] huwbaar
nuclear ['nju:kliə] (atoom)kern..., nucleair; ~ *fission* kernsplitsing; ~ *fusion* kernfusie; ~ *physics* kernfysica; ~ *power* kernenergie; ~ *powered* met kernaandrijving; ~ *reaction* kernreactie; ~ *war* kernoorlog; ~ *waste* kernafval; **nucleus** ['nju:kliəs] kern
nude [nju:d] I *bn* naakt, bloot; ~ *stockings* vleeskleurige ...; II *zn* naaktfiguur; het naakt (model); *in the* ~ naakt
nudge [nʌdʒ] I *ww* zachtjes aanstoten (met de elleboog); schampen, even raken; *the total ~s 7 million* nadert, haalt bijna; II *zn* duwtje
nudism ['nju:dizm] nudisme, naaktloperij; **nudist** ['nju:dist] id., naaktloper; **nudity** ['nju:diti] naaktheid
nugatory ['nju:gətəri] waardeloos
nugget ['nʌgit] (goud)klomp; (*fig*) juweel(tje)

nuisance ['nju:sns] plaag, (over)last, lastpost; burengerucht (= ~ *by noise*); *what a ~! ook:* wat vervelend!; *don't be a ~* wees niet zo vervelend (lastig); *make o.s. a ~* lastig zijn; (*public and private*) *~ act* hinderwet

null [nʌl] krachteloos, nietig, ongeldig; (*zelden*) nihil; ~ *and void* van nul en gener waarde; **nullify** ['nʌlifai] nietig verklaren, vernietigen, opheffen

numb [nʌm] I *bn* verstijfd, verkleumd, verdoofd; II *ww* verdoven, doen verstijven (verkleumen); verlammen (*fig*)

number ['nʌmbə] I *zn* nummer; getal, aantal; (vers)maat; (*sl*) stuk, poes; (*science of*) *~s* getallenleer, cijferkunst; *~s* (*of people*) tal van mensen; *he looks after ~ one* zorgt voor nummer een (zichzelf); *a ~ one company* een eerste-klas (toneel)gezelschap; *his ~ is up,* (*sl*) zijn laatste uurtje heeft geslagen; *he had got her ~* (*right*), (*fam*) hij doorzag haar, hij had haar door; *win **by*** (*force of*) *~s* door overmacht; ***in** great ~s* in groten getale; *published in ~s* in afleveringen; *he is **of** our ~* een van ons; een der onzen; ***to** the ~ of* ten getale van; II *ww* nummeren; tellen (*his days are ~ed*), rekenen (*among, in, with* onder, tot); bedragen; '**numberless** [-lis] talloos; '**number plate** nummerplaat

numerable ['nju:mərəbl] telbaar; **numeral** ['nju:mərəl] I *bn* getalaanduidend, getal...; II *zn* telwoord; getalteken; cijfer, nummer; **numerator** ['nju:məreitə] teller; **numeric** [nju(:)'merik] getal; **numerous** ['nju:mərəs] talrijk

nun [nʌn] non; **nunnery** ['nʌnəri] (*vero*) nonnenklooster

nuptial ['nʌpʃəl] I *bn* (*vero*) huwelijks..., bruilofts...; II *zn: ~s* huwelijk, bruiloft

nurse [nə:s] I *zn* min, baker, kindermeisje, -juffrouw; verpleegster, verpleger; verzorger; II *ww* zogen, voeden (*a baby*); verplegen, verzorgen, passen op; grootbrengen; koesteren (*a grievance*), voedsel geven aan; strelen; zuinig zijn (voorzichtig omgaan) met; sparen (*one's strength*); de handen geslagen hebben om (*one's knee*); ~ *one's cold* uitzieken; ~ *a secret* zorgvuldig bewaren; **nursery** ['nə:s(ə)ri] kinderkamer; kinderbewaarplaats; bakermat; (planten)kwekerij; '**nursery-garden** kwekerij; '**nurseryman** [-mən] boom-, plantenkweker; '**nursery 'rhyme** bakerrijmpje; '**nursery-school** kleuter-, bewaarschool; **nursing**: het ... (*vgl het ww*); verpleegkunde; '**nursing home** verpleeginrichting; particuliere kraaminrichting

nurture ['nə:tʃə] I *zn* voeding, voedsel; koesterende zorg; het grootbrengen; verzorging; opvoeding; II *ww* (op)voeden, grootbrengen, koesteren

nut [nʌt] noot; kluitje (*of butter*); (schroef-)moer; (*sl*) kop, bol; (*sl*) gek; *~s!* onzin!; *~s and bolts,* (*fam*) praktische details, realiteiten; *be* (*dead*) *~s on,* (*sl*) dol (smoorlijk verliefd) op; *be* (*go*) *~s,* (*sl*) gek zijn (worden); *he is off his ~,* (*sl*) niet goed snik; '**nut-brown** lichtbruin; '**nutcracker** notekraker (*gew mv*); '**nuthouse** (*sl*) gekkenhuis; '**nutmeg** notemuskaat

nutrient ['nju:triənt] voedend(e stof), voedingsstof; **nutriment** ['nju:trimənt] voedsel; **nutrition** [nju(:)'triʃən] *a*) voeding(swaarde), voedsel; *b*) voedingsleer; **nutritious** [nju'triʃəs] voedzaam; **nutritive** ['njutritiv] voedzaam

nutshell ['nʌtʃəl] notedop; *in a ~* in een klein bestek; in een paar woorden

nutty ['nʌti] vol noten; nootachtig; smakelijk, geurig, pittig, pikant (*ook fig*); (*sl*) dol, verliefd (*on, about* op); (*sl*) niet goed snik, idioot

'**nutwrench** moersleutel

nuzzle ['nʌzl] wroeten, met de neus wrijven (tegen), besnuffelen; lekker (gaan) liggen

nylon ['nailən] id.

nymph [nimf] nimf

Ooo

oaf [əuf] sukkel, uilskuiken; pummel; '**oafish** [-iʃ] sukkelachtig, dom, sullig, onnozel, stupide
oak [əuk] I *zn* eik; eikehout; II *bn* eikehouten; '**oak-apple** galnoot
OAP *Old Age Pensioner* (AOW'er)
oar [ɔ:] (lange) roeiriem; *stick* (*get, put*) *one's oar in* ongevraagd zijn mening geven; **oarsman** ['ɔ:zmən] roeier; '**oarsmanship** roeikunst; **oarswoman** ['ɔ:zwumən] roeister
oasis [əu'eisis] oase
oasthouse ['əusthaus] eesthuis (om hop te drogen)
oath [əuθ, *mv:* əuðz] *a*) eed; *b*) vloek; ~ *of office* ambtseed; *take* (*swear*) *an* ~ een eed doen; (*up*)*on my* ~*!* ik zweer het!; *be under an* ~ *to*... gezworen hebben te ...
oatmeal ['əutmi:l] havermeel; **oats** [əuts] haver; *rolled* ~ havermout
'**obdurate** ['ɔbdjurit] verstokt, halsstarrig
obedience [əu'bi:djəns] gehoorzaamheid; **obedient** [əu'bi:djənt] gehoorzaam
obeisance [əu'beis(ə)ns] *a*) diepe buiging; *b*) hulde
obese [əu'bi:s] zeer dik, corpulent; **obesity** [əu'bi:siti] zwaarlijvigheid; corpulentie
obey [əu'bei] gehoorzamen (aan)
obituary [ə'bitjuəri] doods-, levensbericht (van overledene = ~ *notice*), 'In Memoriam'
object I *zn* ['ɔbdʒikt, -dʒekt] voorwerp; object; doel; *money is no* ~ is bijzaak; speelt geen rol; II *ww* [əb'dʒekt] tegenwerpen, bezwaar maken (*to, against* tegen); **object glass** [-glɑ:s] objectief; **objection** [əb'dʒekʃən] tegenwerping, bezwaar; *raise* ~*s* bezwaar maken; **objectionable** [-əbl] aan bezwaar onderhevig; aanstotelijk, afkeurenswaardig, laakbaar; onaangenaam
objective [ɔb'dʒektiv] I *bn* objectief; voorwerps...; II *zn: a*) objectief; *b*) doel; **objectivity** [ɔbdʒek'tiviti] objectiviteit
object-lens ['ɔbdʒiktlenz] objectief; '**object-lesson** (*fig*) praktische les, toonbeeld, praktijkvoorbeeld, 'levend bewijs'
objector [əb'dʒektə] opponent, iemand die bezwaar maakt; *conscientious* ~ principieel dienstweigeraar
obligation ['ɔbli'geiʃ(ə)n] verplichting, verbintenis, contract; obligatie, schuldbekentenis; *be under an* ~ *to a p.* verplichting hebben aan; **obligatory** [ɔ'bligətəri, 'ɔbli-] verplicht (*upon* voor), (ver)bindend; **oblige** [ə'blaidʒ] *a*) (aan zich) verplichten, (ver)binden, een dienst of genoegen doen, gerieven; *b*) iets ten beste geven; *be* ~*d to, ook:* moeten; *much* ~*d* dank u zeer!; **obliging** [ə'blaidʒiŋ] voorkomend, vriendelijk, gedienstig, beleefd
oblique [ə'bli:k] scheef (*angle*), schuin; zijdelings (*reference*), indirect; dubbelzinnig; slinks (*dealings*)
obliterate [ə'blitəreit] uitwissen, doorhalen; stempelen (*stamps*); vernietigen; ~ *o.s.* zichzelf wegcijferen; **obliteration** [əˌblitə'reiʃən] vernietiging; uitwissing, doorhaling
oblivion [ə'bliviən] vergetelheid; het vergeten, veronachtzaming; *fall* (*sink*) *into* ~ in vergetelheid raken; **oblivious** [ə'bliviəs] vergeetachtig; ~ *of* (*to*) vergetend, niet bemerkend
oblong ['ɔblɔŋ] *bn* langwerpig; *zn* rechthoek
obnoxious [əb'nɔkʃəs] aanstotelijk; onaangenaam; verafschuwd, gehaat
oboe ['əubəu] hobo; **oboist** [-ist] hoboist
obscene [ɔb'si:n] onzedelijk, ontuchtig; vuil; weerzinwekkend, walglijk; **obscenity** [ɔb'si-:, ɔb'seniti] onzedelijkheid, obsceniteit, weerzinwekkendheid
obscure [əb'skjuə] I *bn* duister, donker, somber, onduidelijk, obscuur, verborgen, onbekend; *he lives very* ~*ly* teruggetrokken; II *ww* verduisteren; doen vervagen; verdoezelen (*the fact that* ...); verbergen; **obscurity** [əb'skjuəriti] verborgenheid, onbekendheid; somberheid; duisternis, donker(te)
obsequies ['ɔbsikwiz] uitvaart; teraardebestelling
obsequious [əb'si:kwiəs] kruiperig, onderdanig, overgedienstig
observance [əb'zə:vəns] *a*) inachtneming, naleving, viering (*of Sunday*); *b*) voorschrift, regel, gebruik (*religious* ~*s*); **observant** [əb'zə:vənt] streng in het naleven van iets; orthodox (*Jew*); opmerkzaam, oplettend; *be* ~ *of forms* ... in acht nemen; **observation** [ɔbzə(:)'veiʃən] waarneming, observatie; opmerking; **observatory** [əb'zə:vətəri] observatorium, sterrenwacht; uitzichttoren, -koepel, -plaats; **observe** [əb'zə:v] in acht nemen, naleven, nakomen, vieren (*the Sabbath*); bewaren (*silence*); waarnemen, gadeslaan, observeren; opmerken; ~ (*up*)*on* opmerkingen maken over; **observer** [-ə] vierder, nalever; waarnemer, observator
obsess [ɔb'ses] obsederen, vervolgen (*van idee, enz.*), kwellen, geen rust laten, geheel vervullen (*be* ~*ed by an idea*); **obsession** [ɔb'seʃən] obsessie, het bezeten zijn, steeds vervolgende gedachte, nachtmerrie (*fig*)
obsolete ['ɔbsəli:t] verouderd
obstacle ['ɔbstəkl] hindernis, -paal, beletsel, obstakel, sta-in-de-weg; ~ *race* hindernisren
obstetrician [ɔbste'triʃən] verloskundige; **obstetrics** [ɔb'stetriks] verloskunde
obstinacy ['ɔbstinəsi] obstinaatheid, koppig-

heid, hardnekkigheid; **obstinate** ['ɔbstinit] hardnekkig (ook van ziekte), stijfhoofdig, koppig, obstinaat
obstreperous [əb'strepərəs] luidruchtig, woelig, rumoerig, woest, weerspannig
obstruct [əb'strʌkt] versperren, verstoppen, belemmeren; (*sp*) afhouden; obstructie voeren (tegen); **obstruction** [əb'strʌkʃən] belemmering, versperring; beletsel; (*sp*) afhouden; obstructie; **obstructive** [əb'strʌktiv] belemmerend (*of, to* voor); hinderlijk; verstoppend; obstructie voerend; **obstructor** [əb'strʌktə] wie (wat) ... (zie *obstruct*)
obtain [əb'tein] *a*) verkrijgen, behalen, bemachtigen; *b*) bestaan, heersen (*this custom ~s in some cities*); **obtainable** [-əbl] verkrijgbaar
obtrude [əb'tru:d] (zich) opdringen (*upon* aan); (zich) indringen; uitsteken; **obtruder** [-ə] opdringer; **obtrusion** [əb'tru:ʒən] op-, indringing; **obtrusive** [əb'tru:siv] opdringerig, bemoeiziek
obtuse [əb'tju:s] stomp, bot; stompzinnig
obverse ['ɔbvə:s] tegengestelde, omgekeerde
obviate ['ɔbvieit] uit de weg ruimen, verhelpen, ondervangen, voorkomen
obvious ['ɔbviəs] voor de hand liggend, in het oog springend, duidelijk, klaarblijkelijk, aangewezen (*the ~ man, means*); 'doorzichtig' (*it was all a little too ~*); *state the ~* een open deur intrappen; **obviously** het is duidelijk dat ...
occasion [ə'keiʒən] I *zn* gelegenheid; aanleiding, reden, behoefte; plechtige (bijzondere) gelegenheid; *there is no ~ for you to go* geen aanleiding; het is niet nodig, dat ...; *give ~* aanleiding geven; *I had ~ to look it up* ik moest ...; *have no ~ for* niet nodig hebben; (*up*)*on that ~* bij die gelegenheid; (*up*)*on ~* bij gelegenheid, nu en dan, als de gelegenheid het meebrengt; (*up*)*on ~ of* naar aanleiding van; *rise to the ~* de zaak goed aanpakken; II *ww* veroorzaken, aanleiding geven tot; **occasional** [ə'keiʒ(ə)nl] nu en dan plaats vindend (zich voordoend) (*an ~ burglary*), gelegenheids..., incidenteel; *~ help* noodhulp; **occasionally** bij gelegenheid, nu en dan, af en toe, in incidentele gevallen
occidental [ɔksi'dentəl] westers, westelijk
occult [ɔ'kʌlt] id., verborgen, geheim
occupant ['ɔkjupənt] bezitter; bewoner; inzittende; **occupation** [ɔkju'peiʃən] bezetting; bezit; bewoning; bezigheid, beroep; *by ~* van beroep; **occupational** [-l] beroeps...; *~ hazard* beroepsrisico; *~ therapy* bezigheidstherapie; **occupy** ['ɔkjupai] bezetten; bezitten; bekleden (*a post*); betrekken (*a house*), bewonen; innemen (*space*); in beslag nemen (*time*); bezighouden
occur [ə'kə:] vóórkomen, gebeuren, zich voordoen; invallen, opkomen (*to* bij); **occurrence** [ə'kʌrəns] het ...; gebeurtenis, voorval
ocean ['əuʃən] oceaan; '**ocean-going** *vessel* zeeschip; '**ocean-lane** scheepvaartroute

ochre ['əuke] oker
octagon ['ɔktəgən] achthoek; **octagonal** [ɔk'tægənl] achthoekig
octane ['ɔktein] octaan; *~ number, ~ rating* octaangetal
October [ɔk'təubə] oktober
octogenarian ['ɔktəudʒi'nεəriən] 80-jarig(e)
octopus ['ɔktəpəs] id., soort achtarmige inktvis
oculist ['ɔkjulist] oogarts
odd [ɔd] oneven; overblijvend; enkel; dat (die) over is (zijn); ongeregeld; toevallig; vreemd, raar; gek; *~ and even* even en oneven; *1900 ~* en zoveel; *forty* (*and*) *~* een goeie veertig; *forty ~ pounds* tussen 40 en 50 pond; *at ~ times* op ongeregelde tijden, nu en dan; *an ~ corner* een vergeten hoekje; *~ job* karweitje; *~ job man* manusje van alles, klusjesman; *~ man out* buitenbeentje; *be* (*the*) *~ man out,* (*fig*) het vijfde wiel aan de wagen zijn; *an ~ number* een losse aflevering; '**oddball** excentriek; **oddity** ['ɔditi] zonderling-, eigenaardigheid; vreemde snuiter; curiositeit; '**odd-jobber** (*fam*) *odd job man* (zie boven); '**oddly** vreemd, gek; '**oddments** restanten, ongeregelde goederen, allerlei dingen; **odds** [ɔdz] ongelijkheden, -heid; verschil; onenigheid; voordeel; overmacht (*face fearful ~*); meerderheid; voorgift (*give, receive ~*); notering: verhouding tussen inzetten bij weddenschap; grootste kans, waarschijnlijkheid; *the ~ are on* (*against*) *our candidate* onze ... heeft de meeste (minste) kans; *be at ~* ruzie hebben, overhoop liggen; *long* (*short*) *~* groot (klein) verschil (*bij weddenschap, enz.*), grote overmacht (*fight against ...*); *it's long ~* tien tegen één; *it is* (*makes*) *no ~* maakt niets uit (geen verschil); *the ~ are that ..., it is ~* (*on*) *that* het is waarschijnlijk (zo goed als zeker), dat ...; *the ~ are in his favour* zijn kans staat het best; *~ and ends* (= (*Br. sl*) *odds and sods*) stukken en brokken, rommel; allerlei karweitjes; ***~-on*** waar meer vóór dan tegen is gewed, algemeen verwacht (getipt) (*winner*); uitermate waarschijnlijk (*chance*)
odious ['əudjəs] afschuwelijk, verfoeilijk, hatelijk
odour ['əudə] geur; stank; (*fig*) luchtje, zweem
of [ɔv, (ə)v] van; bij (*the battle ~ W*); *the three ~ us* wij (ons) drieën; *there are three ~ us* wij zijn met zijn drieën; *it stopped ~ itself* vanzelf; *he ~ all men* juist hij; *all of them* alle(n), allemaal; *the town ~ A.* de stad A.; *~ course* natuurlijk; *~ late* kort geleden; *~ old* lang geleden; *a glass ~ wine* een glas wijn; *as ~* met ingang van, per (*May 1st*); *as ~ now* op dit moment, nu
off [ɔ(:)f] I *bw* (er)af; weg, van hier, van daar (*three miles ~*); uit (*he had his coat ~*); *the milk is slightly ~* ietwat zuur; *the meat is a bit ~* niet helemaal goed meer; *the gas is ~* afgesloten, (*in ander verband*) uit; *that is ~* van de baan, afgelopen; *the meeting is ~* afgelast; *the bet is*

~ gaat niet door; *have a day* ~ een vrije dag; *they are* ~ *now: a*) net weg; *b*) op het punt om te vertrekken; *c*) (*sp*) van start, weg, los; *I am* ~, *ook:* ik ga weg (slapen, enz.); (*be*) ~ ***with** you!* maak dat je weg komt!; *be **well*** (*badly*) ~ het goed (slecht) hebben; *be worse* ~ *than* er slechter aan toe dan; *be **well** ~ for* goed voorzien zijn van; ~ *and **on*** af en toe, bij tussenpozen; II *vz* van (... af); op de hoogte van, voor de kust bij ... (~ *Dover*); *buy* (*win*, enz.) ~ *a p.* ... van; *I copied my work* ~ *his*, ~ *him* schreef over van; *a street* ~ *the Strand* uitkomende op; ~ *white* gebroken wit; *I'm* ~ *it* ik doe't niet meer, ik ben eraf, *ook:* heb het me tegengegeten; ~*-colour* niet helemaal gezond, een beetje gammel; *off-the-peg* (*clothes*) confectie(kleding); *off the record* onofficieel, buiten de notulen om; III *bn* verder, verst; rechter, rechts (*front wheel*, enz.); ~ *moments* vrije; *an* ~ *year for apples* slecht jaar

offal ['ɔfəl] afval, uitschot; kreng; bedorven vlees; uitvaagsel

'offbeat ongewoon, onconventioneel; **'off-'Broadway** (*Am, ongev*) niet-commercieel (*theatre*); **'off()chance** kansje, mogelijkheid; *on the* ~ (*that*) op de gok (dat); **'off-'colour**: *feel* ~ zich niet lekker voelen; **'off(-) (')day** vrije (onbezette, slechte) dag; **off duty** buiten dienst

offence [ə'fens] aanstoot, ergernis; vergrijp, overtreding, strafbaar feit (*commit an* ~); *indictable* (*criminal*) ~, (*ongev*) misdrijf; belediging; (*I meant*) *no* ~ neem me niet kwalijk, ik bedoelde er geen kwaad mee; *give* ~ aanstoot geven; *take* ~ (*at*) aanstoot nemen (aan), zich beledigd voelen (over); *make careless driving an* ~ strafbaar stellen; *quick to take* ~ lichtgeraakt; **offend** [ə'fend] beledigen, aanstoot geven, ergeren; onaangenaam aandoen (*the eye, ear*); zondigen (*against good taste*); *be* ~*ed at* geraakt zijn over; *be* ~*ed with* kwaad zijn op; **offender** [-ə] overtreder; zondaar; **offensive** [ə'fensiv] I *bn* aanvallend, aanvals...; beledigend, aanstootgevend; hinderlijk, onaangenaam, weerzinwekkend, walglijk, kwalijk riekend (*breath*); II *zn* offensief; *take the* ~ tot de aanval overgaan

offer ['ɔfə] I *ww* (aan)bieden, offreren; uitloven (*a prize*); aanvoeren (*reasons*); ten beste geven (*an opinion*); voordoen (*take the first opportunity that* ~*s*); zich aanbieden; II *zn* aanbod, aanbieding, offerte; bod; *be on* ~ aan de markt zijn, aangeboden worden; **'offering** [-riŋ] offerande; aanbieding; gift

off-hand ['ɔ(:)f'hænd] I *bw* ineens, voetstoots, voor de vuist; *I can't tell you* ~ zo maar ineens; II *bn* [*attr:* 'ɔ(:)fhænd] *a*) voor de vuist gegeven (*opinion*); *b*) oneerbiedig, nonchalant, kort(af)

office ['ɔfis] ambt, taak, functie; kantoor, bureau, secretariaat; ministerie (zie *home*, enz.); *by* (*through*) *your good* ~*s* door uw goede zorgen; *be in* ~ een openbaar ambt bekleden, (*van minister*) aan het bewind zijn; *perform the last* ~*s for* de laatste eer bewijzen; **'office block** kantoorgebouw; **'office-boy** kantoorjongen, jongste bediende; **'office-'hours** *a*) kantooruren; *b*) spreekuur; **officer** ['ɔfisə] officier; ambtenaar, beambte, functionaris; politieagent; ook = *prison-*~; **official** [ə'fiʃəl] I *bn* ambtelijk, officieel, ambts..., dienst...; ~ *duties* ambtsbezigheden; ~ *receiver* curator in faillissement; II *zn* ambtenaar, beambte, functionaris; **officialdom** [-dəm] *a*) het ambtenarenkorps; *b*) de ambtenarij; **official'ese** ambtelijke taal

officiate [ə'fiʃieit] *a*) de godsdienstoefening leiden; *b*) dienst doen, fungeren (*as* als), ceremoniemeester zijn

officious [ə'fiʃəs] overgedienstig; bemoeiziek, opdringerig

offing ['ɔ(:)fiŋ] het ruime sop, volle zee; (*fig*) verschiet (*in the* ~)

'off-key uit de toon, vals; **'off-licence** vergunning tot drankverkoop niet voor gebruik ter plaatse, slijtvergunning; ook = ~ *shop* slijterij; **'off-'load** zich ontdoen van (iets ongewensts); van de hand doen; **'off-night** vrije avond; **'off-'peak** buiten de piekuren (de seizoenpiek); **'off-print** overdruk; **'off-'putting** verontrustend; ontmoedigend; **'off 'season** tijd buiten het seizoen, slappe (stille) tijd; **offset** [ɔ:f'set] opwegen tegen, ongedaan maken, goedmaken, neutraliseren; ~ *against* zetten tegenover; **'offshoot** zijtak, uitloper; **'off-'shore** *a*) van de kust af, aflandig (*wind*); *b*) uit (voor) de kust; **'off'side** *a*) verkeerskant van paard, chauffeurskant van auto, enz.; *b*) (*sp*) buitenspel; **'offspring** kroost, nakomeling(schap); **'off-'stage** achter de coulissen, af; **'off-street** zijstraat; **'off-time** vrije tijd; **'off-'white** gebroken wit

often ['ɔ(:)fn, (*soms*) 'ɔ(:)ftn] vaak, dikwijls; *as* ~ *as not* vaak genoeg; *every so* ~ nu en dan; *more* ~ *than not* meestal, vaker wel dan niet

ogle ['əugl] I *ww* (toe)lonken; II *zn* lonk

ogre ['əugə] boosaardige reus (*sprookjes*), boeman, wildeman; **ogr(e)ish** ['əug(ə)riʃ] monsterachtig

oh [əu] o! och! ach!; ~*?* zo?

oil [ɔil] I *zn* olie; petroleum; olieverfschilderij; ~(*s*) olieverf; ~*s* oliepak, -jas; oliewaarden; ~ *and vinegar*, (*fig*) water en vuur; *strike* ~ olie aanboren; (*fig*) een waardevolle ontdekking doen; II *ww* oliën; smeren; van olie voorzien; olie innemen; met olie bereiden (behandelen); **'oil-bearing** oliehoudend; **'oilcake** lijnkoek(en); **'oilcloth** zeildoek; **'oil-derrick** olieboortoren; **oiled**: *well* ~ (*sl*) 'in de olie' (dronken); **'oil-field** petroleumveld; **'oil filter** oliefilter; **'oil-fired** met olie gestookt; **'oil-fuel** stookolie; **'oil paint** olieverf; **'oilrig** booreiland; **'oil-slick** olievlek; **'oil-well** petroleumbron; **'oily** [-i] olieachtig, vettig, geolied, olie...; zalvend (*voice*), glad (*tongue*)

ointment ['ɔintmənt] zalf(je), smeersel
OK. ['əu'kei] (*fam*) id. (*ook attr*), prima, in orde; *als ww:* in orde verklaren; goedkeuren
okay ['əu'kei] *OK.*
old [əuld] I *bn* oud; ouderwets; vroeger; ~ *age* ouderdom, oude dag; ~ *bird* slimme vogel, oude rot; ~ *boy* ouwe jongen; oud-leerling; ~ *boy network,* (*fam*) onderlinge bevoordeling door oud-leerlingen (inz. van enkele vooraanstaande *Public Schools*), vriendjessysteem, -politiek; ~ *guard* oude garde; ~ *girl: a*) oud-leerlinge; *b*) (*fam*) oude vrouw, oud mens; *c*) (*aanspreekvorm*) meid; ~ *hat,* (*fam*) ouderwets, oud nieuws, enz.; ~ *maid* oude vrijster; ~ *man, ook: a*) ouwe jongen; *b*) 'ouweheer'; *c*) baas; *the ~ man, ook:* 'de ouwe' (kapitein); ~ *stuff* oud nieuws, ouwe kost; ~ *wives' tale*(*s*) oudewijvenpraat; *any ~ colour will do,* (*fam*) iedere kleur is goed (ongeacht welke); *any ~ how,* (*fam*) hoe dan ook; *in any ~ place,* (*fam*) overal; II *zn: of ~* oudtijds, weleer; (*from*) *of ~* van oudsher; *in days of ~* in vroeger dagen; **'old-'age** *pension*(*er*) (trekker van) ouderdomspensioen; **'old-'fashioned** ouderwets; **'oldish** oudachtig; **'old-'timer** iem (iets) van de oude tijd (stempel); oudgediende; oude bewoner, enz.; **'old-'womanish** oudwijfachtig, oudewijven...; **'old-world** *a*) van de Oude Wereld; *b*) (echt) ouderwets, van vroeger
O-level ['əulevl] (vak op) gewoon eindexamenniveau
olive ['ɔliv] I *zn* olijf; olijftak, -groen, -hout; ~*s* (*of beef,* enz.) blinde vinken; II *bn* olijfkleurig (*skin*); ~ *branch* olijftak; ~ *oil* olijfolie
omelet(te) ['ɔmlit] id.
omen ['əumen, -mən] id., voorteken
ominous ['ɔminəs] onheilspellend, voorspellend; ~ *of good* iets goeds voorspellend
omission [əu'miʃən] weg-, uitlating; verzuim
omit [əu'mit] weglaten; nalaten, verzuimen
omnipotent [ɔm'nipətənt] almachtig
'omni'present alom tegenwoordig
omniscient [ɔm'nisiənt] alwetend
omniverous [ɔm'nivərəs] omnivoor, allesetend
on [ɔn] I *vz* op; aan (*a ring ~ his finger; maps ~ the wall; a lady ~ his arm; situated ~ the Thames*); bij (*I have no money ~ me; be ~ the general staff; pay ~ delivery; ~ my return*); tegen (*he drew his knife ~ me; just ~ one o'clock*); in (*the house was ~ fire*); na (*~ receipt of the money*); om (*the earth revolves ~ its axis*); over (*a book ~ history*); van (*live ~ bread*); uit (*act ~ principle*); volgens (*I acted ~ your advice*); op het stuk van, wat betreft (*short ~ intellect*); met (*have pity ~ me*); ~ *reaching the place* ... toen ik (hij, enz.) de plaats bereikte ...; ~ *foot* te voet; ~ *sale* te koop; en: *hundreds ~ hundreds; be ~ the committee* lid van; *be ~ the press* bij de pers; *as we are ~ the subject* nu we het er (toch) over hebben; ~ *the minute* op de minuut af; *the drinks are* (*it is*) ~ *me* ik trakteer; II *bw* (er)op; aan (*with his boots ~*); vooruit, voorwaarts; voort, verder, door (*go ~; ~ with the dance*); ***be*** ~ aan (op) zijn (*van kledingstuk*); op het programma staan; doorgaan (*van wedstrijd*); in behandeling (*the case is ~*); aan de gang (*there's a war ~*); aan de beurt; meedoen (*are you ~?*); ingeschakeld zijn; *that just isn't ~* dat gaat gewoon niet, daar kan geen sprake van zijn; *not quite ~* niet helemaal je dàt; *well ~ in the fifties* een heel eind in de 50; *we are ten years ~ now* verder; *be* (*get*) ~ *to* op de hoogte zijn (komen) van, op het spoor zijn (komen); *be ~ to a p.* weten wat voor vlees men in de kuip heeft, iem door hebben
on-and-'offish (*fam*) ongestadig, op en af
once [wʌns] I *bw* eens, eenmaal; ~ *or twice, ~ and again* een enkele keer, van tijd tot tijd; ~ *again, ~ more* nog eens, weer; ~ (*and*) *for all, for ~ and all* ééns voor al; *for ~* (*in a way/while*) een enkele keer, voor ditmaal; ~ *too often* één keer te veel; *at ~: a*) dadelijk; *b*) tegelijk; *all at ~: a*) opeens, plotseling; *b*) allen tegelijk; ~ *upon a time there was* er was eens; II *vw:* ~ (*that*) zodra, wanneer eenmaal; III *zn:* (*for*) *this* (*that*) ~ (voor) deze (die) éne keer; **'once-over** (*fam*) (vluchtig) voorlopig onderzoek; *give a p. the ~* iem (vluchtig) opnemen
oncoming ['ɔnkʌmiŋ] naderend, tegemoetkomend; ~ *traffic* tegenliggers
one [wʌn] een; dezelfde; enig; een zekere, ene (~ *Williams*); men; *there was only the ~* die (dat, deze) ene; ~ *morning* op zekere ...; ~ *or two* een enkele, een paar; ~ *or other of us* de een of ander ...; *a good book and a bad ~* en een slecht; *that ~* die; *which ~*(*s*)*?* welke?; *what kind of ~*(*s*)*?* wat voor soort?; *you're a nice ~* een mooie; *what a ~ you are! you are a ~!* jij bent me er een!; *I'm not* (*a*) ~ *for reading* ik houd niet van ...; *like ~ mad* als een bezetene; ~ *must do ~'s* (*Am* ook: *his*) *duty* men ... zijn ...; *he went to the bar to have* (*a quick*) ~ om er (gauw) eentje te pakken; ~ *and all* allen zonder uitzondering; *it's all ~ to me* totaal eender; *that's ~* (*up*) *for* (*to*) *you, you score ~ there* dat is er een (punt, succes, enz.) voor jou, die slag is voor jou (*fig*); *be ~ up on a p.* iem een slag voor (de baas) zijn; ~ *another* elkander; (*the*) ~ ..., *the other* ... de een ..., de ander; *be* ***at*** ~ het eens (verzoend) zijn; *feel at ~* zich een voelen; ~ ***by*** ~ één voor één; *by ~s and twos* bij énen en tweeën, droppelsgewijze; *I* ***for*** ~ wat mij betreft, ik tenminste; **'one-'armed** [*attr:* 'wʌna:md] éénarmig; '~ '*bandit = fruit machine*; **'onefold** [-fəuld] enkelvoudig; **'one-horse** (*fig*) nietig, pover; ~ *affair* (of: *show*) armoedig spulletje; **'one-man** éénmans..., door één persoon gedreven, enz.; **'one-parent** *family* onvolledig gezin; **'one-piece:** ~ *dress* japon uit één stuk
onerous ['ɔnərəs, 'əunərəs] zwaar, drukkend
one'self zich(zelf); zelf; *by ~* alleen; *of ~* vanzelf; uit zichzelf; *keep ~ to ~* zich weinig met

anderen bemoeien; **'one-'sided** eenzijdig; partijdig; **one-time** voormalig; **'one-track** enkelsporig; ~ *mind* eenzijdige geest; *have a* ... maar aan één ding denken; **one-upmanship** [wʌn'ʌpmənʃip] de kunst anderen de loef af te steken; **'one-way**: ~ *traffic* éénrichtingsverkeer
'on-going lopend (*research*)
onion ['ʌnjən] ui; *off one's* ~, (*sl*) niet goed in zijn bol
onlooker ['ɔnlukə] toeschouwer
only ['əunli] I *bn* enig, enkel (*an* ~ *child*); II *bw* alleen, slechts, maar; pas, eerst; *if* ~ als ... maar; ~ *just* maar net; ~ *too glad* maar al te; ~ *think!* denk eens aan!; *he opened his wallet,* ~ *to find* ... maar ontdekte ...; ~ *yesterday: a*) gisteren pas; *b*) gisteren nog; *c*) alleen gisteren; III *vw* alleen (maar) (*the flowers are lovely,* ~ *they have no smell*)
onrush ['ɔnrʌʃ] het aansnellen, stormloop
onset ['ɔnset] *a*) aanval; *b*) aanvang
onslaught ['ɔnslɔ:t] (woeste) aanval
onus ['əunəs] last, plicht; schuld
onward ['ɔnwəd] *bn* voorwaarts; **onwards** [-z] *bw* voorwaarts, vooruit
oomph [u:mf] (*sl*) geestdrift, vitaliteit
oops [ups] hela! (*wanneer er* (*bijna*) *iets mis gaat*)
ooze [u:z] I *zn* modder, slib, slijk; sijpeling; stroompje; II *ww* (door)sijpelen, druppelen; (door)dringen; (uit)zweten
opacity [əu'pæsiti] ondoorschijnendheid, duisternis; onbegrijpelijkheid
opal ['əupəl] opaal
opaque [əu'peik] ondoorschijnend, duister; onbevattelijk, dom; *the* ~ de duisternis
open ['əup(ə)n] I *bn* open (*to* voor); openlijk, openhartig, openbaar; onverholen; blootgesteld (*to* aan), vatbaar (toegankelijk) (*to reason, to entreaties* voor ...), onderhevig (*to doubt* aan ...); bereid (*I'm* ~ *to discuss the matter*); ontvankelijk, onbevangen (*mind*); vrijgevig; ~ *to the public* geopend (toegankelijk) voor ...; *it is* ~ *to you to* ... staat je vrij te ...; *be* ~ *with* ronduit spreken met; *keep an* ~ *mind* zich nog geen oordeel vormen (*as to* omtrent), toegankelijk zijn voor argumenten, enz.; ~ *question* open (onbesliste) vraag; II *zn* opening; *the* ~ het vrije veld; de open zee (lucht, markt); *come* (*out*) *into the* ~ openlijk voor de dag komen; III *ww* (zich) openen; aanbreken (*a bottle*), opengaan, -stellen, -zetten, -leggen (*a plan*), blootleggen; in exploitatie nemen; ~ *one's heart* (*mind o.s.*) *to* zijn hart uitstorten voor; ~ ***into*** *a passage,* ~ ***on*** (*on to*) *the garden* uitkomen op; ~ ***out*** ontvouwen, uitpakken, blootleggen; openhartig worden; ~ ***to*** *a p.* opendoen; ~ ***up*** toegankelijk maken (*a country*); open-, blootleggen; beginnen (*negotiations*); aanbreken, in exploitatie nemen (*new ground*); zich openen; *then she began to* ~ *up* uit te pakken, op te spelen; **open-cast**: ~ *coal-mining* dagbouw; **'open-'ended** niet vastomschreven (*proposal*); vrij (*discussion*); zonder tijdslimiet (*contract*); **'opener** id. (*vgl het ww*); *for* ~*s* om te beginnen; **'open-'eyed** *a*) met open ogen, waakzaam; *b*) met grote ogen; **'open-'handed** royaal; **'open-'hearted** *a*) openhartig; *b*) ontvankelijk, hartelijk, edel(moedig); **'opening** I *bn* openend; inleidend (*remarks*); II *zn* opening, begin, inleiding; kans, gelegenheid; vacature; afzetgebied; openstelling; **'openly** open(lijk), openhartig; **'open-'minded** onbevangen, onbevooroordeeld, ontvankelijk
opera ['ɔpərə] id.
operable ['ɔpərəbl] opereerbaar
'opera-glass(es) toneelkijker; **'opera-house** opera(gebouw)
operate ['ɔpəreit] opereren (*ook mil* & *Beurs*), een operatie doen; werken, uitwerking hebben; van kracht zijn (*law will not* ~ *till next year*); bewerken, teweegbrengen; in werking brengen, (aan)drijven (~*d by steam*); hanteren, bedienen (*a machine*); leiden, exploiteren; uitvoeren (*services*); verzorgen (*tours*); doen varen (*ships*); ~ (*up*)*on: a*) werken op; *b*) opereren (~ *on a patient for a tumour* aan een gezwel); **operating**: ~ *efficiency* efficiëntie in de bedrijfsvoering; ~ *expenses* bedrijfskosten; ~ *programme* besturingsprogramma; ~ *theatre* operatiezaal; **operation** [ɔpə'reiʃən] operatie; werking, handeling; manoeuvre; be-, uitwerking; kracht, geldigheid; het drijven, enz. (*zie ww*), exploitatie; ~*s, ook:* werkzaamheden; **operational** (*mil, econ*) operationeel; **operative** ['ɔpərətiv] I *bn* in werking, werkend, werkzaam; van kracht; doeltreffend; praktisch; operatief; waar het om gaat (*the* ~ *word*); II *zn* werkman, (fabrieks)arbeider; (*Am*) detective, geheim agent; **operator** ['ɔpəreitə] (be)werker; operateur; bediener van machine, enz.; telegrafist, -fonist
ophtalmic [ɔf'θælmik] oog..., ooglijders...; **ophtalmologist** [ɔfθæl'mɔlədʒist] oogarts; **ophthalmology** [-'mɔlədʒi] oog(heel)kunde
opinion [ə'pinjən] mening, opinie, oordeel, advies (*medical* ~); *have a second* ~ een specialist (iem anders) raadplegen; hoge dunk (*I have no* ~ *of her*); *in my* ~ naar mijn mening; *there cannot be two* ~*s about it* daarover kan geen verschil van mening bestaan; *it's a matter of* ~ daarover kan men van mening verschillen; ~ *poll* opinieonderzoek, -peiling; **opinionated** [-eitid], eigenzinnig, koppig
opium ['əupjəm] opium
opponent [ə'pəunənt] tegenstander, -strever, -partij, -kandidaat
opportune ['ɔpətju:n, ɔpə'tju:n] gelegen, geschikt, juist van pas (komend); opportuun; **opportunism** [-izm] opportunisme; **opportunistic** [,ɔpətju'nistik] opportunistisch; **opportunity** [,ɔpə'tju:niti] (gunstige) gelegenheid

oppose [ə'pəuz] plaatsen (stellen) (*to* tegenover); weerstaan, bestrijden, zich verzetten (tegen); *~d* tegengesteld (*to* aan); *firmly ~d to* ... sterk gekant tegen ...; **opposing** tegengesteld, tegenovergesteld; (*sp*) vijandig; **opposite** ['ɔpəzit] I *bn* tegen(over)gesteld (*to, from* aan); tegenovergelegen, enz.; over..., tegen...; ~ (*to*) *the church* tegenover; ~ *number* tegenspeler, -hanger; II *zn* tegen(over)gestelde; tegendeel; tegenpool; III *bw & vz* tegenover (ook: ~ *to*); aan de overkant; **opposition** [ɔpə'ziʃən] oppositie, tegenstand, verzet; tegengestelde stand, tegenstelling; *be in ~* tot de oppositie behoren, oppositie voeren; *in ~ to* tegenover; in strijd met

oppress [ə'pres] onderdrukken, verdrukken; drukken (op), bezwaren, benauwen; **oppression** [ə'preʃən] onderdrukking; benauwenis; **oppressive** (onder-, ver)drukkend, benauwend; **oppressor** [-ə] onderdrukker

opt [ɔpt] kiezen, opteren (= ~ *for*); ~ *out* (*of*) opzeggen (*a contract*), zich terugtrekken (uit)

optician [ɔp'tiʃən] opticien; **optics** ['ɔptiks] optica: *a*) gezichtkunde; *b*) leer van het licht; *c*) optiek, optische inrichting (uitrusting)

optimism ['ɔptimizm] optimisme; '**optimist** optimist(isch); '**optimistic** [ɔpti'mistik] optimistisch

option ['ɔpʃən] keus, verkiezing; optie; (*at, in*) *our* ~ naar onze keuze; *one-way* ~ geen keus; *keep all one's ~s open* zorgen dat men alle kanten uit kan; **optional** ['ɔpʃənl] facultatief, naar keuze

opulence ['ɔpjuləns] rijkdom, weelde, overvloed; **opulent** rijk, overvloedig, weelderig

or [ɔ:] of; ..., ~ *so he said* tenminste, dat zei hij; (*These things are managed better in America.*) *Or are they?* Hoewel ...; *Is she grand ~ is she?* (*fam*) ... of niet soms?; ~ *else* of anders (zwaait er wat, enz.); *either ... or* óf ... óf

oracle ['ɔrəkl] orakel

oral ['ɔ:rəl] mondeling (*examination*)

orange ['ɔrin(d)ʒ] oranje; sinaasappel; **orangeade** [ɔrin'(d)ʒeid] id., ranja, sinas; '**Orangeman** [-mən, -mæn] lid van politiek protestants genootschap in Noord-Ierland; **orangery** ['ɔrindʒəri] oranjerie

orang-outang [ɔ:ræŋ 'u:tæŋ] orang-oetang

oration [ɔ(:)'reiʃən] rede(voering), oratie; **orator** ['ɔrətə] redenaar; **oratorio** [ɔrə'tɔ:riəu] (*muz*) oratorium; **oratory** ['ɔrətəri] welsprekendheid

orb [ɔ:b] (hemel)bol; rijksappel

orbit ['ɔ:bit] I *zn* baan (*van hemellichaam, elektron*), omloop; (*fig*) kring, (invloeds)sfeer; *go* (*put*) *into* ~ in een baan komen (brengen); II *ww* een baan beschrijven

orchard ['ɔ:tʃəd] boomgaard

orchestra ['ɔ:kistrə] orkest; **orchestral** [ɔ:'kestrəl] orkest...; **orchestrate** ['ɔ:kistreit] orkestreren; *fully ~d,* (*fig*) groots opgezet, in optima forma; **orchestration** [ɔ:kes'treiʃən] orkestratie

orchid ['ɔ:kid] orchidee

ordain [ɔ:'dein] wijden (tot geestelijke), inzegenen; instellen; beschikken, voorschrijven

ordeal [ɔ:'di:(ə)l] godsgericht; (*fig*) beproeving; vuurproef (*by fire*)

order ['ɔ:də] I *zn* orde, klasse, stand (*the military ~; the higher ~s*); soort, rang; ridderorde; volgorde; orde van de (ere)dienst; rust en orde; bevel, bestelling (*for* op); opdracht (*banker's ~* bankorde); *be the ~ of the day* aan de orde van de dag zijn; *~! ~!* tot de orde!; *it is a tall ~,* (*fam*) het is heel wat gevergd, geen kleinigheid, een hele opgaaf; (*holy*) *~s* geestelijke staat; ***by*** ~ op bevel; in opdracht, per order; *by ~ of, by the ~s of* op bevel (last) van; ***in*** *~: a*) in orde; *b*) in volgorde; *c*) aan de orde (*this question is not in ~ now*); *d*) geoorloofd, gepast; *arranged in ~ of size* volgens de grootte; *in ~ to* ten einde; *in ~ that* opdat; *in the ~ of* in de orde (van grootte) van; ***of*** *the ~ of* in de orde (van grootte) van; *it is **on** ~* in bestelling; ***out of*** ~ niet in (op) orde, defect, in wanorde, van streek; (*van spreker*) buiten de orde; ***to*** ~ op bevel, op bestelling, naar maat; II *ww* ordenen, regelen, schikken; beschikken, verordenen, bevelen, gelasten, voorschrijven; bestellen; ~ *a p. about* iem commanderen, ringeloren; ~ *away* (*off, out*) de rode kaart tonen, uit het veld sturen; '**order-form** bestelformulier; **orderly** ['ɔ:dəli] I *bn* ordelijk, geregeld; II *zn: a*) oppasser (*van officier*); *b*) hospitaalsoldaat; '**order-paper** agenda (*van vergadering*)

ordinal ['ɔ:dinl] I *bn* rangschikkend; II *zn* rangtelwoord (= ~ *number*)

ordinance ['ɔ:dinəns] verordening

ordinary ['ɔ:d(i)nri, 'ɔ:dinəri] gewoon, alledaags; *out of the ~* ongewoon

ordination [ɔ:di'neiʃən] wijding (tot geestelijke)

ordnance ['ɔ:dnəns] *a*) geschut; *b*) militaire voorraden en materieel; ~ *map* stafkaart; *O~ Survey* Topografische Dienst

ordure ['ɔ:djuə] drek, vuil

ore [ɔ:] erts

organ ['ɔ:gən] *a*) orgel; *b*) orgaan, werktuig; '**organ-grinder** orgeldraaier

organic [ɔ:'gænik] organisch; '**organism** [-izm] organisme

'**organist** id.

organi'zation organisatie; '**organize** [-aiz] (zich) organiseren; ordenen, op orde brengen; '**organizer** [-aizə] organisator

'**organ-loft** orgeltribune, -galerij

orgasm ['ɔ:gæzm] orgasme, seksueel hoogtepunt

orgy ['ɔ:dʒi] orgie, drinkgelag, braspartij, uitspatting

oriel ['ɔ:riəl] erker; ~ (*window*) erkervenster

orient ['ɔ:riənt] I *zn* oosten, oriënt; II *bn* opgaande (van zon, enz.); oosters; **oriental** [ɔ:ri'entl] I *bn* oosters; II *zn* oosterling; **orientalist** [ɔ:ri'entəlist] id., kenner vh oosten; '**orientate**

[-eit] richting geven (*to* aan); ~ *o.s.* zich oriënteren, richten (*to* naar); **orientation** [ˌɔ:riən-teiʃən] oriëntering
orifice ['ɔrifis] opening, mond
origin ['ɔridʒin] origine, oorsprong, afkomst, bron, begin, oorzaak; **original** [ə'ridʒinl] I *bn* oorspronkelijk, aanvankelijk, origineel; ~ *sin* erfzonde; II *zn* origineel (*ook pers*), (het) oorspronkelijke; **originality** [əˌridʒi'næliti] oorspronkelijkheid, originaliteit; **originate** [ə-'ridʒineit] *a*) in het leven roepen, voortbrengen, bedenken; het eerst gebruiken (*a phrase*); *b*) ontstaan, voortkomen (*from, in* uit); opkomen (*with* bij); **origination** [əˌridʒi'neiʃən] het ... (zie *originate*); ontstaan, opkomst, oorsprong
ornament ['ɔ:nəmənt] I *zn* id., sieraad, versiersel; II *ww* tooien, versieren; **ornamental** [ɔ:nə-'mentl] tot versiering dienend, ornamenteel, sier... (*plants*); ~ *painter* decoratieschilder; **ornamentation** [ˌɔ:nəmen'teiʃən] versiering
ornate [ɔ:'neit] (te) sierlijk, bloemrijk (*style*)
ornithologist [ɔ:ni'θɔlədʒist] vogelkenner; **ornithology** [ɔ:ni'θɔlədʒi] vogelkunde
orphan ['ɔ:fən] I *zn* wees; II *ww* tot wees maken; **'orphanage** [-idʒ] weeshuis; **'orphaned** [-d] ouderloos, verweesd
orthodontics [ɔ:θədɔntiks] orthodontie, tandregulatie; **orthodontist** id.
orthodox ['ɔ:θədɔks] id.: rechtzinnig; algemeen aangenomen, gebruikelijk (*in the ~ manner* op ...); gepast; echt, ouderwets; solide
orthography [ɔ:'θɔgrəfi] spellingleer; (juiste) spelling
orthop(a)edic [ɔ:θəu'pi:dik] orthopedisch
oscillate ['ɔsileit] slingeren, schommelen
osmosis [ɔz'məusis] osmose
ossify ['ɔsifai] verbenen, in been veranderen; (*fig*) verharden, afstompen (*van gevoel, enz.*)
ostensible [ɔs'tensibl] ogenschijnlijk, schijnbaar, voorgewend, zogenaamd; **osten'tation** uiterlijk(e) vertoon (praal), pralerij; **ostentatious** [ɔsten'teiʃəs] praalziek, opzichtig, in het oog lopend, blufferig, ostentatief
osteopath ['ɔstiəpæθ] osteopaat, (botten)'kraker'; **osteopathy** [ɔsti'ɔpəθi] osteopathie
ostracize ['ɔstrəsaiz] verbannen (door schervengerecht), doodverklaren
ostrich ['ɔstritʃ, -idʒ] struisvogel
other ['ʌðə] ander(s), verschillend; nog; *each ~* elkaar; *the ~ day* onlangs, laatst (op een dag); *the ~ morning* laatst op een morgen; *some boy or ~* de een of andere jongen; *on that day of all ~s* juist (bovenal) op ...; *this, that, and the ~* van alles en nog wat; *I can do no ~* kan niet anders; ~ *than, ook:* behalve; *on the other hand* anderzijds; **otherwise** ['ʌðəwaiz] anders, op andere manier, andersom; overigens; *I would rather stay than ~* dan niet; **'other(-)'worldly** bovenaards
otter ['ɔtə] (zee)otter
ought [ɔ:t] behoor(t), behoorde, enz., moest(en) (eigenlijk); *that ~ to do you good* dat zal u wel goed doen
ounce [auns] Engels ons (1/16 Eng pond, ca. 28 g); *he got every ~ out of his car* haalde er alles uit
our [auə] ons, onze; **ours** [-z] de (het) onze, de onzen; ~ *is a nice house* we hebben een prettig huis; vgl verder *yours*; **ourselves** [-'selvz] ons(zelf), wij(zelf), zelf
oust [aust] verdringen, (uit)zetten, ontzetten (*from, of* uit)
out [aut] I *bw* (er)uit, (er)buiten; buitenshuis (*dine, eat ~*); weg; uit de mode (*white gloves are ~*); bekend, verschenen, verzonden (*the invitations are ~*); niet langer aan het bewind (*the liberals are ~*); zonder betrekking; af (bij het spel); ***all ~:*** *a*) (*van team*) af, uit, aan (de) kant; *b*) helemaal mis; *c*) (*fam*) met volle kracht; helemaal; *I'm all ~ for this plan* voel er alles voor; *the secret is ~* uitgelekt; *the stars are ~* staan aan de hemel; *there was a reward ~* uitgeloofd; *you are far ~* (*in your calculation*) hebt het helemaal mis; *driving home was ~* was uitgesloten (onmogelijk); *her Sunday ~* vrije zondag; *on my way ~* op mijn uitreis; ~ *there* daarginds; *be ~* ***for*** *trouble,* (*sl*) eropuit zijn om moeite te veroorzaken; *they are ~ for blood* willen ...; ~ ***of*** uit, buiten, van, zonder (*be ~ of work*); *nine times ~ of ten* van de tien; ~ *of money* slecht bij kas; *I am ~ of tea* mijn thee is op, ik heb geen thee meer in huis; *be ~ of it* erbuiten staan; de kluts kwijt zijn; het mis hebben; eruit zijn (*I am utterly ~ of everything*); *he is well ~ of it* mag van geluk spreken, dat hij er niets mee te maken heeft; *cheat a p. ~ of his money* iem z'n geld afzetten; ~ *of control* stuurloos; ~ *of focus* onscherp; ~ *of order* defect, kapot; ~ *of print* uitverkocht (boek), niet meer in druk; ~ *of repair* slecht onderhouden; ~ *of sight!* (*Am*) fantastisch, schitterend!; *be ~* ***to*** *...,* (*fam*) het erop aanleggen (eropuit zijn) om ...; ~ ***with*** *it!* voor de dag ermee!; *have it ~ with* het uitvechten met; *be ~ with a p.* ruzie hebben met; *be ~ of luck* pech hebben; II *vz: ~ the window,* (*Am*) uit het raam, het raam uit; *from ~* uit (*the window*); III *zn:* uitvlucht, schaduwzijde; *be at ~s,* (*Am*) ruzie hebben; op slechte voet staan (*with* met); *he knows the ins and ~s of it* hij weet er alles van
out: *in sam met ww* dikwijls: harder (beter, enz.) dan
'out()and()'out door en door, helemaal, voortreffelijk, aarts..., door dik en dun (*~ supporter of the government*); **outback** (*Austr*) binnenland; **out'balance** zwaarder wegen dan, overtreffen; **out'bid** meer bieden dan; overtreffen; **'outboard**: ~ *motor* buitenboordmotor; **'outbreak** uitbarsting, het uitbreken; oproer; **'outbuilding** bijgebouw; **'outburst** uitbarsting; uitval; **'outcast** I *zn* verworpeling, verstoteling; II *bn* verworpen, verstoten, ver-

bannen; **out'class** ver overtreffen, van betere klasse (een klasse beter) zijn (dan); **'outcome** resultaat; **'outcrop** te voorschijn tredende aardlaag, metaalader, enz; **'outcry** geschreeuw, misbaar, luid protest; **out'dated** verouderd; **out'distance** ver achter zich laten; **out'do** overtreffen; te veel zijn voor; **'outdoor** openlucht..., buiten(shuis); **out'doors** buiten(shuis); **out'er** [-ə] buiten..., buitenste, uitwendig; ~ *space* de wereldruimte, het wereldruim, de kosmische ruimte; **'outermost** buitenste, uiterste; **out'face** de ogen doen neerslaan, in verlegenheid brengen, trotseren; **out'-fight** beter vechten dan, verslaan; **'outfit** uitrusting, kostuum; (*fam*) *a*) zaak(je), spul, bedrijf; *b*) (reis)gezelschap, 'stel' (mensen); *c*) ploeg werklieden; **'outflow** uit-, afvloeiing, uitstorting; 'vlucht' (*of gold*); **out'fox** te slim af zijn; **'outgoing** uitgaand, vertrekkend, aftredend; aflopend (*tide*); gezellig, vriendelijk; hartelijk (*manner*); **out'grow** harder groeien dan, boven het hoofd groeien; ontgroeien (aan); groeien uit; te boven komen; **'outgrowth** [-grəuθ] uitwas; produkt, uitvloeisel, resultaat; **'outhouse** bijgebouw; **'outing** uitstapje, uitje; **out'landish** als van het buitenland, vreemdsoortig, zonderling; afgelegen; **out'last** langer duren (meegaan) dan; **'outlaw I** *zn* vogelvrij verklaarde, balling, bandiet; **II** *ww* vogelvrij verklaren, buiten de wet stellen (*ook fig:* ~ *war*); **'outlay I** *zn* uitgave(n); **II** *ww* [aut'lei] uitgeven, besteden; **'outlet** [-let, -lit] uitgang, uitweg; uitings- (enz.) mogelijkheid; afvoerkanaal, -buis; contactpunt; ontsnapping; afzetgebied; *sales* ~ verkooppunt; **'outline I** *zn* omtrek, schets (*an* ~, ~*s of English literature*); trekken (*in broad* ~); **II** *ww* schetsen, in hoofdlijnen aangeven; aftekenen (~*d against the sky*); **out'live** langer leven dan, overleven; **'outlook** uitkijk; (voor)uitzicht, kijk, levensopvatting (= ~ *on life*); *be on the* ~ *for* uitzien naar; **'outlying** afgelegen; verwijderd; buiten het gewone vallend; **out'match** overtreffen; **out'moded** ouderwets; **out'number** in aantal overtreffen; een numeriek overwicht hebben op; **'out-of-'date** ouderwets, verouderd; **out-of-the-way** ['autə(v)ðə'wei] afgelegen; ongewoon, buitenissig; **'out-patient** niet in inrichting verpleegd patiënt; ~(*s'*) *clinic* polikliniek; **out'play** beter spelen dan, overspélen; **'outpost** buiten-, voorpost; **'out-pour(ing)** uitstorting, ontboezeming; **'output** produktie, opbrengst, prestatie; (*techn*) nuttig effect; (*elektr*) (uitgangs)vermogen

outrage ['autreidʒ, -ridʒ] **I** *zn* aanranding, geweldaad, wandaad, aanslag (*dynamite* ~); (grove) belediging; grof schandaal; smaad; *moral* ~ verontwaardiging; **II** *ww* geweld (smaad) aandoen, (diep) beledigen, krenken, schenden; ~*d, ook:* diep verontwaardigd; **outrageous** [aut'reidʒəs] gewelddadig, schandelijk, ergerlijk, verschrikkelijk, godgeklaagd

out'ride sneller (beter) rijden dan, achter zich laten; **outrider** lid van (motor)escorte; **out'right I** *bw* ineens, op de plaats zelf (*kill* ~); helemaal; openlijk, ronduit; **II** *bn* ['autrait] volslagen; totaal; **out'run** harder lopen dan; ontlopen; overschrijden; voorbijstreven; **out'sell** meer verkopen (verkocht worden, opbrengen) dan; **'outset** begin, aanvang; *at* (*in*) *the* ~ in het begin; **out'shine** in de schaduw stellen; **outside** ['aut'said] **I** *zn* buiten(kant), buitenste, uiterlijk, uiterste; *twenty at the* (*very*) ~ op zijn (aller)hoogst; *on the* ~ van buiten, buitenop; **II** *bn* buitenste, buiten..., van buiten, buitenstaand; *an* ~ *chance* een heel klein kansje; **III** *bw* (van, naar) buiten, buitenop; **IV** *vz* buiten; **outsider** ['aut'saidə, aut'saidə] buitenstaander, oningewijde, nietlid; paard, dat (kandidaat, enz. die) ogenschijnlijk geen kans heeft; **'outsize** abnormaal gro(o)t(e maat); **'outskirt(s)** zoom, buitenkant, buitenwijken; 'zelfkant'; **out'smart** (*fam*) te slim af zijn; **out'spoken** openhartig, ronduit; **out'standing** in het oog lopend, markant, voortreffelijk, eminent; bijzonder (*of* ~ *importance*); onafgedaan, onbeslist (*there remains one difficulty* ~); onopgelost; ~ *debts* uitstaande schulden; **out'stare** de ogen doen neerslaan, van zijn stuk brengen; **'outstation** buitenpost (in koloniën, enz.); **out'stay** langer blijven dan; *he* ~*ed his welcome* bleef langer dan ons lief was; **out'stretch** *a*) uitstrekken; *b*) overschrijden; **'outstretched**: ~ *arms* uitgestrekte; **out'strip** achter zich laten; overtreffen, overvleugelen; **out'talk** het in het praten winnen van, omverpraten; **out'think** *a*) scherper denken dan; *b*) door denken te boven komen; **out'value** in waarde overtreffen; **out'vote** overstémmen; **outward** ['autwəd] buitenwaarts, uitwendig, uiterlijk; ~ *passage* uit-, heenreis; **'outward-'bound** op de uitreis; **'outwards** [-z] naar buiten, buitenwaarts; **out'weigh** zwaarder wegen dan; (ruim) goedmaken, compenseren; **out'wit** verschalken, te slim af zijn; **'out(-)work** werk buitenshuis verricht; **out'worn** versleten; verouderd; uitgeput

oval ['əuvəl] ovaal, eirond

ovary ['əuvəri] *a*) eierstok; *b*) vruchtbeginsel

ovation [əu'veiʃən] ovatie, hulde

oven ['ʌvn] oven, fornuis; **ovenproof** ovenvast

over ['əuvə] **I** *vz* over, boven; over ... heen; bij; ten opzichte van, wat betreft (*he is in error* ~ *the date*); ~ *and above these* (buiten en) behalve ...; *all* ~ *Europe, all Europe* ~ over geheel Europa; *discuss a thing* ~ *a glass of wine* bij; *he does not cheat you* ~ *the fares* hij bedriegt je niet met de tarieven; *stay* ~ (*the*) *Sunday* ... overblijven; *don't take too much trouble* ~ *it* ervoor; *be quick* ~ *it* wees er vlug mee; *a conference* ~ *the week-end* gedurende; ~ *the way* aan de overkant; *head* ~ *ears in love* tot over z'n oren verliefd; **II** *bw* (er)over; voorbij; afge-

ov

lopen; om (*turn it* ~); omver (*kick it* ~); (*Am*) zie ommezijde (= *see* ~); ~ *and above* bovendien; ~ *again* weer; *all* ~ *again* helemaal opnieuw; ~ *and* ~ (*again*) herhaaldelijk, telkens weer; ~ *against* tegenover; *many times* ~ vele malen (achter elkaar); *pay for it ten times* ~ tiendubbel; *seventy and* ~ meer dan 70; *school is* ~ uit; *it's all* ~ *with me* gedaan, uit; ~ *in America* (ginds) in Amerika; ~ *there* daarginds

over: (*in sam dikwijls*) over, opper; al te zeer, te groot, enz.; **'over'act** overdrijven, chargeren, overacteren; **'overall I** *zn* id., werkjas; (*mv*) id.; II *bn* totaal (~ *length*), globaal (*survey*); over de hele linie (*a common* ~ *policy*); III *bw* [əuvər'ɔ:l] in totaal; **'over-an'xiety** te grote bezorgdheid; **over'awe** ontzag inboezemen, intimideren; **overbearing** [-bɛəriŋ] aanmatigend, uit de hoogte, bazig; **'over'bid** *a*) meer bieden dan; *b*) overtreffen; **'overboard** overboord; **'overburden** overladen; **'over-'busy** al te druk, te bezig; **over'cast** bedekken, verduisteren, een schaduw werpen op; *the sky is* ~ betrokken; **'over'charge I** *ww* overladen, te sterk laden; overdrijven; overvragen (voor), te veel in rekening brengen; II *zn* te sterke lading; surplus; overvraging; het te veel berekende; **'overcoat** overjas; **over'come** overwinnen, te boven komen; *be* ~, *ook:* overmand, geheel van streek, onder de indruk, overstelpt (*with, by grief*); bevangen (*by the heat*); **over'crowd** te vol maken, overláden; ~*ed, ook,* overvol; **over'do** *a*) overdrijven, te ver gaan (in); *b*) te gaar koken (bakken, braden); *c*) te zeer vermoeien, uitputten; **'overdose** [-dəus] al te grote dosis; **'overdraft** [-drɑ:ft] bankschuld, het overdisponeren; debet (door te veel disponeren), voorschot in rekening-courant; **'over'draw** overdrijven; ~ *one's account* overtrekken, overdisponeren (bij bank); **'over'dress** (zich) te sierlijk (opzichtig) kleden; **'over'due** over de vervaltijd (*van wissel*); achterstallig; te laat, over zijn tijd; **'over'estimate** te hoog ramen, overschatten; **'over-ex'pose**, **overex'posure** (*fot*) overbelichten, -ing; **over'flow I** *ww* overstromen, overvloeien, overlopen; *full to* ~*ing* over-, boordevol; II *zn* ['əuvəfləu] overstroming; het overvloeiende; (grote) overvloed; overloop(pijp) (= ~ *pipe*); overlaat; **'over-'full** al te vol; **over'grow** *a*) groeien over, begroeien, bedekken, verstikken; *b*) te groot worden (voor); ~*n, ook:* uit zijn kracht gegroeid; **'overgrowth** [-grəuθ] te weelderige groei; overvloed; overgroeiing; **'over-hand** boven-, overhands; **'over'hang I** *ww: a*) hangen over, boven het hoofd hangen; *b*) overhangen; II *zn* ['əuvəhæŋ] het overhangen(de); **over'haul I** *ww: a*) (uit elkaar halen en) onderzoeken, inspecteren (met het oog op reparatie), reviseren, nazien, grondig nagaan; *b*) inhalen en voorbijvaren; II *zn* ['əuvəhɔ:l] het ...; inspectie, revisie; **over'head I** *bw* boven (het hoofd); II *bn* ['əuvəhed] boven het hoofd (geplaatst), hoog, bovengronds (*conductor, wires* geleiding), lucht... (*railway*); ~ *charges* vaste bedrijfsuitgaven; ~ *price* prijs alles inbegrepen; **overheads** vaste bedrijfsuitgaven, vaste kosten; **over'hear** *a*) toevallig horen; *b*) afluisteren; **'over-hours** overuren; **over'joyed** verrukt; **'overkill** id.: extra vernietigend vermogen (boven wat de situatie vereist); **'over'lade(n)** overladen; **'overland** [*bw:* əuvə'lænd] over land (gaan); **over'lap** (elkaar) gedeeltelijk bedekken, gedeeltelijk samenvallen (met), in elkaar grijpen; verder reiken dan, overlappen; overvleugelen (*an army*); **over'lay** overdekken; **'over'leaf** aan ommezijde; **'over'load I** *ww* te zwaar (be)laden; overladen; overbelasten; II *zn* ['əuvələud] te zware last; overbelasting; **over'look** *a*) overzien, uitzien op; *b*) over het hoofd zien; *c*) door de vingers zien; *d*) toezien op; *e*) beheksen (door het boze oog); **'overlord** opperheer; **'overly** [-li] al te, overdreven; **over'manned** met te gro(o)t(e) bemanning (bezetting, personeel); **over'manning** overbezetting; **'over'much** (al) te veel, te zeer; **'over-'nice** al te kieskeurig; **'over'night I** *bw* de avond (nacht) te voren; gedurende de nacht; in één nacht; zo maar ineens, in een vloek en een zucht; *stay* ~ overnachten; II *bn* ['ouvənait] van de vorige avond (nacht); voor één dag geleend (*money*); tegen (verlaagd) nachttarief (*telegram*); voor de nacht (*clothes*); **over'pass I** *ww* afleggen (*a distance*); oversteken, overschrijden; voorbijgaan, te boven komen, overtreffen; II *zn* ['əuvəpɑ:s] bovenkruising, viaduct; **'over'play** overspelen; overdrijven; ~ *one's hand* te veel wagen; **over'power** overweldigen, overstelpen; **over'rate** overschatten; **over'reach** verder reiken dan; bedriegen; (*dialect*) inhalen; ~ *o.s.* te ver reiken; zich verrekken; zijn doel voorbijstreven, te slim (willen) zijn; **over-re'act** te sterk reageren; **over'ride** rijden over, te paard doorkruisen; omverrijden; met voeten treden (*rights*); opzij zetten, vernielen, te niet doen (*a law*); overheersen; *an overriding consideration* een overweging waarvoor al het andere moet wijken; **over-'rule** verwerpen, vernietigen (*a decision*), opzij zetten, overheersen, overstemmen; *he was* ~*d, ook:* bleef in de minderheid; **over'run** aflopen, afstropen, onder de voet lopen; overstromen; (geheel) begroeien; overschrijden (*limit, time*); harder lopen dan, voorbijlopen; ~ *o.s.* te hard (zich een ongeluk) lopen; *we are* ~ *with mice* we vergaan van de muizen; **'over'sea(s)** overzees, (in of naar landen) overzee; buitenlands; ~ *edition* maileditie; **'over'see** *a*) overzien; *b*) het toezicht houden op; **over'shadow** overschaduwen (*ook fig:* in de schaduw stellen); beschutten; **over'shoot** voorbijschieten; ~ *the mark*, ~ *o.s.* zijn doel voorbijstreven; zijn mond voorbijpraten; te ver gaan; '**oversight** *a*) vergissing, abuis; *b*) toezicht; '**over'simplify** te eenvoudig voorstellen, te veel vereenvoudigen; *-fied* ongenuanceerd; '**oversize(d)** extra groot; buitenmodel; **over'sleep** zich verslapen; slapen tot na (*the usual hour*); '**overspill** I *zn* het gemorste; overtollige; overloop (*ook* = bevolkingsoverschot); II *ww* [əuvə'spil] overlopen; **over'statement** overdrijving; te hoge opgave; **overstay** zie *outstay*; '**over'step** overschrijden; ~ *the mark* te ver gaan; '**over'strung** overspannen, overprikkeld; '**over-sub'scribe** overtekenen (*a loan*)

overt ['əuvə:t] open(lijk) (*hostility*);

over'take inhalen; voorbijstreven; (*van storm, enz.*) overvallen; '**over'tax** te zwaar belasten; te veel vergen van; **over'throw** I *ww* omverwerpen, ten val brengen, te niet doen; II *zn* ['əuvəθrəu] omverwerping; nederlaag, val; '**overtime** overuren (= ~ *hours*); overwerk (= ~ *work*); betaling voor ~; *work* ~ overwerken; ~ *parking* te lang parkeren (bij meter); '**over-'tip** een te grote fooi geven; '**overtones** (*fig, mv*) bijbetekenis; '**over'train** (zich) te sterk oefenen (trainen)

overture ['əuvətjuə] *a*) voorstel, aanbod, eerste stap; *b*) (*muz*) ouverture

over'turn om(ver)werpen, (doen) omslaan; vernietigen; ten val brengen; *be ~ed* omslaan; **overview** overzicht; **over'weening** *a*) aanmatigend, verwaand; *b*) overdreven; '**overweight** I *zn* over(ge)wicht, te zware last; II *bn* te zwaar; III *ww* ['əuvə'weit] te zwaar belasten; **over'whelm** overstelpen; verpletteren; '**overwork** I *zn* overwerk; ['əuvə'wə:k] overmatig werk(en); II *ww* ['əuvə'wə:k] te hard laten werken, afjakkeren, uitputten; zich overwerken (= ~ *o.s.*); **over-'wrought** overspannen, overwerkt; te zeer uitgewerkt

ovulate ['ɔvjəleit] ovuleren

ovum ['əuvəm] id., ei(cel)

owe [əu] schuldig, (verschuldigd, verplicht) zijn; te danken hebben; *sums ~d by me* die ik schuldig ben; *I am ~d a great deal of money* men is mij schuldig; ~ *a p. a grudge* wrok tegen iem koesteren; **owing** ['əuiŋ] (ver)schuldig(d), te betalen; toe te schrijven (*to* aan); *money was ~ to him* men was hem geld schuldig; *pay what is ~* wat er staat; ~ *to your carelessness* tengevolge van

owl [aul] uil (*ook fig*); '**owlish**, '**owly** ...achtig

own [əun] I *bn* eigen; eigendom, eigen familie; *make s.t. one's ~* iets zich eigen maken; *an ~ cousin* volle neef; *an ~ goal* een schot in eigen doel; *my time is my ~* ik heb de tijd aan mijzelf; *it has a value all its ~* een zeer bijzondere ...; *get* (*a bit of, some of*) *one's ~ back*, (*fam*) het iem betaald zetten, zich wreken; *come into one's ~* in het bezit komen van zijn erfdeel; (eindelijk) zijn kans krijgen; *be one's ~ man* onafhankelijk zijn; *this type of car has come into its ~ again* is in ere hersteld; *on my ~* op mijn eigen houtje, voor eigen rekening; *he was on his ~* zelfstandig, stond alleen; II *ww: a*) (in eigendom) hebben; *b*) erkennen, toegeven; *he won't ~ it, ook:* hij wil het niet weten; ~ *o.s. beaten* zich gewonnen geven; ~ *up*, (*fam*) bekennen, opbiechten; **owner** ['əunə] eigenaar; '**ownership** eigendom(srecht)

ox [ɔks] os; rund

Oxbridge ['ɔksbridʒ] Oxford en Cambridge (vgl *redbrick*)

'**oxen** [-ən] meervoud van *ox*

ox-hide ['ɔkshaid] ossehuid

oxidation [ɔksi'deiʃən] oxydatie; **oxide** ['ɔksaid] oxyde

oxtail ['ɔksteil] ossestaart

oxygen ['ɔksidʒən] zuurstof

oyster ['ɔistə] oester; '**oyster-farm** oesterkwekerij

oz(s) *ounce(s)*

ozone ['əuzəun] ozon; ~ *layer* ozonlaag

Ppp

pace [peis] I *zn* stap, pas; telgang; tempo, gang; *keep ~ with* gelijke tred houden met; *set the ~* het tempo (*fig* de toon) aangeven; II *ww* stappen; afpassen, afstappen; op en neer stappen in (*the room*); in de telgang gaan; het tempo aangeven, gang maken; *~ out* afpassen
pacific [pə'sifik] vredelievend, vreedzaam; **pacifier** ['pæsifaiə] vredestichter; (*Am*) fopspeen; **pacifism**, **pacifist** ['pæsifizm, -ist] pacifisme, -ist(isch); **pacify** ['pæsifai] tot bedaren (rust, vrede) brengen, bedaren, stillen, pacificeren
pack [pæk] I *zn* pak(je); last; troep (jachthonden, wolven), meute; bende, horde; spel kaarten (= *~ of cards*); compres; verpakking; *~ of nonsense* (*of lies*) hoop ...; II *ww* (in-, ver)pakken; (zich) samenpakken; bepakken; zich laten pakken (*it ~s easily*); *send ~ing* de laan uitsturen; *~ed lunch* lunchpakket; *~* ***away*** (***off***) opbergen; wegsturen, zijn congé geven; *~* ***up*** (in)pakken, zijn boeltje pakken; '**package** [-idʒ] I *zn*: *a*) pak; *b*) (*Am*) pakje (*of gum, cigarettes,* enz.); *c*) verpakking, emballage; *number of ~s* aantal colli; *~ deal* koppeltransactie; *~ tour* geheel verzorgde reis; II *ww* verpakken (*ook fig*); '**packer** [-ə] (ver)pakker, emballeur; '**packet** [-it] pakje (*of tea, cigarettes,* enz.); *a ~ of trouble* heel wat ...; '**pack ice** pakijs
packing ['pækiŋ] (ver)pakking, enz. (zie *pack*); '**packing-case** [-keis] pakkist
pact [pækt] pact
pad [pæd] I *zn* (stoot)kussen(tje); rol (onder haar); beenkap, -beschermer; zacht zadel; vulsel; onderlegger; blocnote; stempelkussen; spoor (*van dier*); *launching ~* lanceerplatform; II *ww* 1 (op)vullen (ook: *~ out*); bekleden, capitonneren, watteren; 2 met gedempte tred voortstappen; '**padding** (op)vulsel
paddle ['pædl] I *zn* pagaai, peddel; blad (*van roeiriem*); schoep (*van scheprad*); zwemvoet; plat (bladvormig) werktuig; II *ww*: *a*) (in het water) plassen, pootje baden; *b*) pagaaien, peddelen, zachtjes roeien; *c*) slaan met de vlakke hand; '**paddleboat** raderboot; '**paddlewheel** scheprad
paddock ['pædək] id.: omheind stukje grasland inz. naast boerderij of renbaan
paddy [pædi] *~*(*field*) rijstveld
padlock ['pædlɔk] I *zn* hangslot; II *ww* met een hangslot vastmaken
padre ['pɑ:dri] (*fam*) veldprediker; vlootpredikant; aalmoezenier
paediatrician [ˌpi:diə'triʃən] kinderarts
pagan ['peigən] I *zn* heiden; II *bn* heidens; '**paganism** [-izm] heidendom
page [peidʒ] 1 page, piccolo; 2 bladzijde
pageant ['pædʒənt] vertoning, pracht; (historische) optocht; '**pageantry** [-ri] praal(vertoning)
pagoda [pə'gəudə] pagode
paid [peid] ovt & v. dw. van *pay;* (*op rekening*) voldaan; *put ~ to,* (*fam*) afmaken, een eind maken aan (*person, vessel, expectations*)
pail [peil] emmer
pain [pein] I *zn* pijn, lijden, leed; straf; *~s: a*) pijnen; weeën; *b*) moeite; *be in ~* pijn hebben; *on* (*under*) *~ of death* op straffe des doods; *give ~* pijn doen; *put a p. out of his ~* uit zijn lijden verlossen; *take* (*great*) *~s, be at* (*great*) *~s* zich (veel) moeite geven; II *ww* pijn doen, pijnlijk treffen; pijnigen; smarten; leed doen; **pained**: *look ~* ontstemd, bedroefd kijken; er bedroefd uitzien; '**painful** [-f(u)l] pijnlijk; '**pain-killer** pijnstillend middel; '**painless** pijnloos
painstaking ['peinzteikiŋ] ijverig, onverdroten, nauwgezet, moeizaam, angstvallig (*avoid a p. ~ly*)
paint [peint] I *zn* verf; make-up (= *face ~, facial ~*); kleurstof; *box of ~s* kleur-, verfdoos; *~ remover* afbijtmiddel; II *ww* (be-, af)schilderen, (zich) verven; penselen (*a wound*); *~ the town* (*red*) de bloemetjes buiten zetten; '**paintbrush** penseel, kwast; **painter** ['peintə] 1 schilder; 2 (*scheepv*) vanglijn; **painting** *a*) schilderkunst; *b*) schilderij; **paint stripper** (verf) afbijtmiddel
pair [pɛə] I *zn* paar; tweetal; *~* (*of horses*) span; *~ of scissors, spectacles, stairs, tongs, trousers, tweezers* schaar, bril, trap, tang, broek, pincet (*two ~ of* ... twee ...); *up three ~* (*of stairs*) drie hoog; *~ of steps* (vaste of losse) trap; *~ and ~* paarsgewijs; *the ~ of them* allebei; *they are a pretty ~* het is een mooi span (*iron*); II *ww* (zich) paren, paarsgewijze rangschikken, tot een paar (paren) verenigen, een paar vormen; *~ off* in paren heengaan (plaatsen); *~ up* een paar vormen
pal [pæl] (*fam*) kameraad, vriendje
palace ['pælis, -ləs] paleis
palatable ['pælətəbl] smakelijk, aangenaam; **palate** ['pælit] gehemelte; (*fig*) smaak
palatial [pə'leiʃəl] paleisachtig, vorstelijk
palaver [pə'lɑ:və] over en weer gepraat; gewauwel
1 pale [peil] paal; puntige, verticale plank van hek, staak; grenzen; omsloten ruimte; *within* (*beyond*) *the ~* (on)behoorlijk, (on)geoorloofd; binnen (buiten) de grenzen (*of* van)
2 pale [peil] I *bn* bleek, mat, flauw, licht (*~ blue*), dof; II *ww* bleek worden (maken), verbleken
'**pale-face** bleekgezicht (= blanke); '**pale-faced** bleek (van gezicht)

pac

palette ['pælit] (schilders)palet
palisade ['pæli'seid] palissade, omheining
1 pall [pɔ:l] baarkleed, lijkkleed (over de kist)
2 pall [pɔ:l]: *begin to* ~ zijn attractie verliezen
pallbearer ['pɔ:lbɛərə] slippedrager
pallet ['pælit] 1 palet (*van pottenbakker*); 2 strozak, stromatras; 3 id., laadbord
palliate ['pælieit] verzachten; vergoelijken; **palliative** ['pæliətiv] *bn* & *zn* verzachtend, maar niet genezend (middel), lapmiddel
pallid ['pælid] (ziekelijk) bleek
pallor ['pælə] bleekheid
pally ['pæli] (*fam*) kameraadschappelijk, bevriend; *get ~ with, ook:* aanpappen met
palm [pɑ:m] 1 palm; palmtak; zegepalm; (*soms*) tak van wilg, enz.; *bear* (*carry off*) *the* ~ de palm wegdragen; *yield the ~ to* het veld ruimen voor, onderdoen voor; 2 palm (van hand); *P~ Sunday* Palmzondag
palmistry ['pa:mistri] waarzeggerij (uit lijnen in hand)
'**palmoil** palmolie; '**palmtree** palmboom
palpable ['pælpəbl] tastbaar, palpabel
palpitate ['pælpiteit] palpiteren, (snel) kloppen (*van het hart*), trillen, lillen; **palpitation** [pælpi'teiʃən] palpitatie; hartklopping
palsy ['pɔ:lzi] I *zn* verlamming; II *ww* verlammen
palter ['pɔ:ltə] uitvluchten zoeken, eromheen draaien; knoeien, spelen (*with* met); ~ *with the truth* het op een akkoordje gooien met
paltry ['pɔ:ltri] armzalig, miserabel, nietig
pamper ['pæmpə] vertroetelen, verwennen
pamphlet ['pæmflit] brochure, vlugschrift
pan [pæn] I *zn* pan (*ook:* kruit-, zoutpan, enz.); schaal (*van weegschaal*); schotel, bak (*van closetpot*); harde ondergrond; II *ww* 1 ~ *off* (*out*) wassen (goudaarde); *the business did not ~ out* (*well*) ging niet op; kritiseren; 2 (*van camera*) meedraaien; een panoramaopname maken
pancake ['pænkeik] pannekoek; ~ *roll* loempia
panda ['pændə] id.; ~ *car,* (*fam*) (blauw-witte) politie-surveillanceauto; (*P*)~ *crossing* soort zebrapad (met drukknopbediening)
pander ['pændə]: ~ *to* in de hand werken, ter wille zijn
pane [pein] (glas)ruit
panel ['pænl] I *zn* paneel (*ook schilderstuk*); vak; carrosseriedeel (*van auto*); luik (*van triptiek, enz.*); tussenzetsel; grote langwerpige foto; lijst; groep (*of experts*), forum; II werkwoord van ~*s* voorzien; lambrizeren; in vakken verdelen (*a ceiling*)
paneless ['peinlis] zonder ruiten
'**panelling** paneelwerk, lambrizering
pang [pæŋ] plotselinge pijn, steek; (doods-) angst; ~*s of remorse* knagende wroeging
panhandle ['pænhændl] steel van pan
panic ['pænik] I *zn* paniek; panische schrik; *get into a* ~ in paniek raken; II *bn* panisch; paniek... (*measures*); III *ww* door een paniek aangegrepen worden, bang worden of maken; *don't ~,* (*fam*) hou je kalm; '**panicky** [-i] (*fam*) *a*) alarmerend; *b*) paniekerig; '**panic-stricken** door een paniek bevangen
'**pannier-bags** dubbele fietstas
panoply ['pænəpli] volle wapenrusting; (*fig*) *ook:* praal
panorama [pænə'rɑ:mə] id.; **panoramic** [pænə'ræmik] (als) in een panorama; panorama...
pansy ['pænzi] driekleurig viooltje; (*sl*) verwijfd persoon, mietje, flikker
pant [pænt] hijgen, snakken (*for, after* naar); hevig kloppen (van bloed, enz.); ~ (*out*) hijgend uitbrengen
pantechnicon [pæn'teknikən] grote verhuiswagen
panther ['pænθə] panter
panties (*pants*) (dames)onderbroekje, slipje; kinderonderbroekje
pantomime ['pæntəmaim] id., gebarenspel(er)
pantry ['pæntri] *a*) provisiekast of -kamer; *b*) *butler's* (*housemaid's*) ~ kamer voor tafelzilver, glaswerk, enz.; *c*) (*op schip, in vliegtuig*) id.
pants [pænts] (*fam*) *a*) onderbroek; *b*) *panties*; *c*) (Am) broek; *wear the* ~ de broek aanhebben (*van vrouw*)
panty ['pænti] (*Am*) *panties;* ~ *hose* pantie
pap [pæp] pap, pulp; leesvoer, gewauwel
papacy ['peipəsi] pausdom; pausschap; **papal** ['peipəl] pauselijk
paper ['peipə] I *zn* papier (ook papieren geld, wissels), blad, krant, document, agenda; zak(je); behangselpapier; examenopgave; opstel; verhandeling, voordracht; nota, discussiestuk; ~*s, ook:* stukken; *read a ~ on folklore* een lezing houden over; *set a ~ in grammar* een schriftelijke grammaticale oefening opgeven; *commit to* ~ aan het papier toevertrouwen; II *bn* papieren; (*fig*) op papier, schijn... (*blockade*); ~ *cover* papieren band, omslag; ~ *currency,* ~ *money* papiergeld; ~ *tiger* papieren tijger: schijnmacht; III *ww* in papier pakken; behangen (*a room*); met papier beplakken; met schuurpapier behandelen; ~ *over* (opnieuw) behangen; wegstoppen, verbergen (*the cracks* twistpunten, enz.); '**paperback** id., 'pocketboek'; '**paperboy** krantenjongen; '**paper-knife** briefopener, papiermes; '**paperweight** presse-papier; '**paperwork** administratief werk, administratie; '**papery** [-ri] papierachtig
papist ['peipist] *zn* papist; *bn* paaps, rooms
par [pɑ:] gelijkheid; pari; normaalstand, gemiddelde; *at* ~ à pari; *above* (*below*) ~ boven (beneden) pari; boven (beneden) het gemiddelde; heel goed (niet veel bijzonders); *feel up to* (*below*) ~ zich lekker (niet lekker) voelen; *on a ~: a*) gemiddeld; *b*) op één lijn (*with* met)
parable ['pærəbl] parabel, gelijkenis
parabola [pə'ræbələ] parabool

parachute ['pærəʃu:t] I *zn* id.; II *ww* parachuteren; **parachutist** [-ist] id.
parade [pə'reid] I *zn* id.; appèl, het aantreden (~ *at six*); vertoon; appelplaats; openbare wandelplaats, promenade, (strand)boulevard; optocht; *flower* ~ bloemencorso; *make a* ~ *of* te koop lopen met; II *ww* parade laten houden; (laten) aantreden; in optocht marcheren; doortrekken (*bands* ~*d the streets*); (laten) marcheren; pronken met; **parade ground** exercitieveld, paradeplaats
paradise ['pærədais] paradijs; **paradisiacal** [-di'saiəkl] paradijselijk, paradijs...
paradox ['pærədɔks] paradox; **paradoxical** [pærə'dɔksikl] paradoxaal
paraffin ['pærəfin] paraffine (= ~ *wax*); petroleum (= ~ *oil*)
paragon ['pærəgən] toonbeeld (van volmaaktheid)
paragraph ['pærəgra:f] I *zn: a*) alinea; paragraafteken; *b*) kantebericht; II *ww* in paragrafen indelen (*kranteartikel*)
parallel ['pærəlel] I *bn* id., evenwijdig; ~ *bars* brug (*gymn*); II *zn* id., breedtecirkel (= ~ *of latitude*); gelijke; *draw* (*institute*) *a* ~ *between* een parallel trekken tussen; III *ww* evenwijdig lopen met; op één lijn stellen; vergelijken; evenaren; de weerga vinden van; '**parallelism** [-izm] parallellisme, evenwijdigheid, overeenkomst
paralyse ['pærəlaiz] verlammen; **paralysis** [pə'rælisis] verlamming; **paralytic** [pærə'litik] I *bn: a*) verlamd; *b*) aanlegvoor verlamming hebbend; ~ *seizure* beroerte; II *zn* lamme, verlamde
paramount ['pærəmaunt] hoogst, opper..., overheersend, overwegend (*of* ~ *importance*)
paranoia [pærə'nɔiə] id., (grootheids-, vervolgings)waanzin; **paranoid** ['pærənɔid] paranoïde
parapet ['pærəpit] borstwering; (stenen) leuning (van brug, enz.); muurtje
paraphernalia [,pærəfə'neiljə] toebehoren
paraphrase ['pærəfreiz] I *zn* parafrase; II *ww* parafraseren, in eigen woorden weergeven
parasite ['pærəsait] parasiet; klaploper; **parasitism** ['pærəsaitizm] parasitisme; klaploperij; **parasitize** ['pærəsaitaiz] parasiteren op
parasol ['pærəsɔl] id.
paratrooper ['pærətru:pə] valschermjager, para; **paratroops** ['pærətru:ps] para-, valschermtroepen
parboiled ['pa:bɔild] voorgekookt (~ *rice*)
parcel ['pa:sl] I *zn* pak(je), pakket; partij; troep, zooi; (*Belg*) postcollo; perceel, kaveling; ~*s, ook:* (bestel)goederen; ~*s delivery* besteldienst; *a* ~ *of lies* een samenraapsel van leugens; II *ww:* ~ *out* ver-, toedelen; inpakken (= ~ *up*)
parch [pa:tʃ] roosteren; op-, verdrogen, (doen) verschroeien, (doen) versmachten, verdorren
parchment ['pa:tʃmənt] perkament
pardon ['pa:dn] I *zn* vergiffenis, begenadiging, genade, pardon, gratie (= *free* ~); aflaat; amnestie (= *general* ~); II *ww* vergiffenis schenken; '**pardonable** [-əbl] vergeeflijk
pare [pεə] be-, afsnijden, (af)knippen, (*fingernails*), (be)snoeien, beknibbelen (ook: ~ *down*); schillen (*an apple*); ~ *off* (*away*) afsnijden
parent ['pεərənt] ouder: vader, moeder; (*fig*) oorzaak, bron; ~*s* ouders; ~ *company* moedermaatschappij; ~ *plant* moederplant; '**parentage** [-idʒ] geboorte, afkomst; **parental** [pə'rentl] ouderlijk
parenthesis [pə'renθisis] *mv parentheses* [-si:z] parenthese, inlassing, tussenzin; (*fig*) tussenruimte, intermezzo; (*gew mv*) ronde haken, haakjes ( ); *in -ses,* tussen haakjes; *by way of* ~ tussen twee haakjes (*fig*)
parenthood ['pεərənthud] ouderschap; **parent-teacher** *association* oudercommissie, ouderraad
parish ['pæriʃ] (*ecclesiastical* ~) parochie; kerkelijke gemeente; (*civil* ~) district, 'gemeente' (met beperkte bestuurlijke bevoegdheid); *in the same* ~, (*fam*) (van) vergelijkbaar (niveau); *my* ~, (*fam*) mijn afdeling; ~ *clerk* koster, kerkbode; ~ *hall, ongev* wijkgebouw; ~ *priest* (plaatselijke) dominee of pastoor; ~ *register* kerkelijk register (van doop, huwelijken, begrafenissen); **parishioner** [pə'riʃənə] parochiaan
parity ['pæriti] gelijkheid, overeenkomst, analogie; (*handel*) pariteit
park [pa:k] I *zn* park; *National P*~ natuurreservaat; II *ww* parkeren, (zich) plaatsen, (op)bergen, deponeren; ~ *and ride* de auto (aan de stadsrand enz.) parkeren en met het openbaar vervoer verder gaan; *he* ~*ed the child on me* scheepte mij op met
parking parkeer...; '**parking-brake** parkeerrem; '**parking-disc** parkeerschijf; '**parking meter** parkeermeter; '**parking orbit** parkeerbaan (*ruimtevaart*); '**parkingplace**, **parking space** parkeerruimte, -terrein
parley ['pa:li] I *zn* onderhoud, onderhandeling; (*Am*) conferentie; II *ww* onderhandelen
parliament ['pa:ləment] parlement; **parliamentarian** [,pa:ləmen'tεəri ən] parlementariër: iem doorkneed in parlementaire gebruiken; **parliamentary** [pa:lə'mentəri] parlementair; parlements...; ~ *immunity,* ~ *privilege* parlementaire immuniteit
parlour ['pa:lə] salon; *beauty* ~ schoonheidssalon
parochial [pə'rəukiəl] parochiaal; benepen
parody ['pærədi] I *zn* parodie; II *ww* parodiëren
parole [pə'rəul] I *zn* parool: *a*) erewoord (= ~ *of honour*); *b*) wachtwoord; *I am on* ~ ik heb mijn woord gegeven niet te ontvluchten; II *release on* ~ = *ww* op erewoord (*Am ook:* voorwaardelijk) vrijlaten
paroxysm ['pærəksizm] paroxysme, hevige aanval (van ziekte), vlaag

parquet ['pɑ:kei, 'pɑ:ki] parket(vloer)
parricide ['pærisaid] vader-, moedermoord(er), moordenaar van (moord op) nabestaande
parrot ['pærət] I *zn* papegaai; II *ww* napraten
parry ['pæri] pareren
parsimonious ['pa:si'məuniəs] gierig, vrekkig
parsley ['pɑ:sli] peterselie
parson ['pɑ:sn] dominee
part [pɑ:t] I *zn* (aan)deel, gedeelte, part; aflevering (*come out in ~s*); rol; plicht; partij; (*muz*) stem, partij (*the tenor ~*); streek; zijde, kant; *attr dikwijls:* mede-; *the* (*privy*) *~s* geslachtsdelen; *~s of speech* rededelen; *in these ~s* hier, in deze buurt (streek); *in foreign ~s* in den vreemde; *three ~s, ook:* drie kwart (*is three ~s Irish*); *eleven ~s* 11/12; *the best* (*better, greater*) *~ of an hour* meer (langer) dan een half uur, bijna een uur; *it was not your ~ to* ... lag niet op uw weg te ...; *the dreadful ~ of it is* ... het verschrikkelijke ervan; *it's ~ of the game* het hoort er zo bij; *be ~ and parcel of* een integrerend deel vormen van; *play* (*act*) *a ~* een rol spelen; *spare ~* reserveonderdeel; *take the ~ of* partij kiezen (het opnemen) voor; *take ~ in* deelnemen aan; *take* ***in*** *good ~* goed opnemen; *take in ill* (*evil, bad*) *~* kwalijk nemen, verkeerd opnemen; ***for*** *my ~* wat mij aangaat; ***in*** *~* gedeeltelijk; *the work is good in ~s* hier en daar zijn goede gedeelten; ***on*** *the ~ of* van de kant van; *on our ~* onzerzijds; II *bw: partly* (*~ responsible; ~ of iron and ~ of wood*); III *ww* scheiden; uit elkaar gaan, (zich) verdelen, breken (*the rope ~ed*); *~ company* uiteengaan, elk zijn eigen weg gaan; *~ one's hair down the middle* een scheiding in het midden maken; *let us ~ friends* scheiden als ...; *~* ***with*** van de hand doen, afstand doen van; verliezen, afgeven (*heat*); *~* ***from*** scheiden van
partake [pɑ:'teik] (*vero*) deelnemen, deel hebben (*in, of* in, aan); delen (*a p.'s feelings*); eten, drinken, iets gebruiken; *~ of a good dinner* gebruiken
parterre [pɑ:'tɛə] *a*) (complex van) bloemperken; *b*) parterre
partial ['pɑ:ʃəl] *a*) gedeeltelijk, partieel (*eclipse*); *b*) partijdig, eenzijdig; *be ~ to* vooringenomen zijn ten opzichte van, een voorliefde hebben voor, veel houden van (*fruit*); *~ board* half-pension; **partiality** [pɑ:ʃi'æliti] partijdigheid, voorliefde
participant [pɑ:'tisipənt] I *bn* deelhebbend, -nemend (*of* aan); II *zn* id., deelhebber, -nemer; **participate** [pɑ:'tisipeit] participeren, delen (in); deel nemen (hebben) (*in* in, aan); **participation** [pɑ:ˌtisi'peiʃən] participatie, deelname; aandeel; betrokkenheid; inspraak; **participator** [pɑ:'tisipeitə] deelnemer; **participle** ['pɑ:t(i)sipl] deelwoord
particle ['pɑ:tikl] deeltje, greintje
particular [pə'tikjulə] I *bn* bijzonder, speciaal, afzonderlijk; nauwkeurig, omstandig (*a full and ~ account*), precies; nauwgezet; veeleisend, kieskeurig; *it concerns me ~ly, in ~* in het bijzonder, i.h.b., speciaal; II *zn* bijzonderheid; *enter into ~s* in bijzonderheden treden; *~s ook:* (*fam*) signalement; **particularly** [-li] zie onder *particular*
parting ['pɑ:tiŋ] scheiding, enz. (zie *part*); afscheid; vertrek; *~ kiss* afscheidszoen
partisan [pɑ:ti'zæn] I *zn* partijganger, aanhanger, voorstander; partizaan, vrijheidsstrijder; II *bn* partijgangers..., partijdig; **partisanship** [pɑ:ti'zænʃip] partijgeest
partition [pɑ:'tiʃən] I *zn: a*) (ver)deling, scheiding; *b*) tussenschot, scheidswand; *c*) afdeling, vak(je); II *ww* (ver)delen; afscheiden (= *~ off*); '**partition-wall** scheidsmuur
partly ['pɑ:tli] gedeeltelijk, deels
partner ['pɑ:tnə] I *zn* deelgenoot, maat, gezel(lin), 'partner', dame, heer; tafeldame, -heer; compagnon, firmant, vennoot; II *ww: ~ up* tot *partner* geven (*with* aan); de *partner* zijn van; *be ~ed by* (*with*) tot *partner* hebben; '**partnership** deelgenootschap, compagnonschap; vennootschap; *enter into ~ with* zich associëren met
'**part-'owner** [-əunə] mede-eigenaar, -reder
partridge ['pɑ:tridʒ] patrijs
'**part-'time** deeltijds; *~ job* deeltijdbaan
party ['pɑ:ti] partij (*ook* = feest(je)); partijwezen; partijzucht; troep, gezelschap, groep; deelnemer (*to* aan); (*volkstaal* & *Am*) persoon, iemand, (het) mens; *parliamentary ~* kamerfractie; *become a ~ to* deelnemen aan, toetreden tot; *~ game* spelletje; '**party-dress, party-frock** avondjapon; '**party-'line** officiële partijpolitiek; '**party-spirit** partijgeest; *party wall* gemeenschappelijke muur
pass [pɑ:s] I *ww* voorbijgaan, -stromen, -trekken, enz., passeren, gaan; (*van auto, enz.*) inhalen en voorbijgaan; door-, over-, heengaan; (er) doorgaan; er (mee) door kunnen; slagen (voor: *an examination*); aangenomen worden; laten passeren; toelaten (*a candidate*); (medisch) goedkeuren; aannemen (*a bill* wetsontwerp); aangeven, doorgeven (*s.t. from hand to hand*); maken (*remarks on ...*); *~ sentence* het vonnis uitspreken (*on* over); *~* ***along*** verder gaan, doorlopen; *~* ***away*** voorbij-, heengaan, sterven; verdwijnen; verdrijven (*the time*); *~* ***by*** voorbijgaan; geen notitie nemen van; *~ by on the other side,* (*fig*) iemand links laten liggen; *~ by the name of* bekend staan onder ...; *~* ***down*** doorgeven, overleveren; *~* ***for*** doorgaan voor; *~* ***into*** overgaan (worden) tot; *~* ***off*** geleidelijk overgaan (van pijn); voorbijgaan (*the day ~ed off quietly*); laten doorgaan, uitgeven (*for, as* voor); (lichtjes) heenglijden over; *~ it off with a laugh* er zich lachend afmaken; *~* ***on*** (*bw*) verder gaan; dóórlopen; de eeuwige rust ingaan; doorgeven, doorspelen (*a request*); verder vertellen; *~ it on!* zegt het voort!; *~ on to*

overgaan tot; ~ ***out*** vertrekken; een opleiding met succes afsluiten; heengaan, sterven; (*fam*) flauwvallen; bewusteloos worden; ~ ***over*** (*vz*) gaan over, voorbijgaan; overslaan; ~ *over,* (*bw*) overgaan (*into* in); overhandigen; voorbijgaan (~ *it over in silence*); overslaan; passeren (*bij bevordering*); door de vingers zien; de eeuwige rust ingaan, 'overgaan'; ~ ***round*** laten rondgaan; doorgeven; ~ ***through*** gaan (steken, enz.) door; doormaken (*a crisis*); meemaken; ~ ***to*** toespelen (*bal*) aan; II *zn* (berg)pas; doorgang, vaargeul; toelating (*na examen*); (= ~ *degree*) gewone graad (niet *honours*); (kritieke) toestand, crisis, moeilijkheid; verlofpas; pas(poort); doorspeelbal; *annual* ~ jaarkaart; *make a ~ at,* (*fam*) trachten te versieren (*a girl*); pas; *come to* ~ gebeuren; *things had come to such a ~ that* ... het was zó ver gekomen, dat ...; *the number of ~es* het aantal geslaagden (*voor examen*); '**passable** [-əbl] *a*) begaan-, doorwaadbaar; *b*) gangbaar; *c*) draaglijk, tamelijk (vrij) goed

passage ['pæsidʒ] id., door-, overgang; (recht van) doortocht; -vaart; het voorbijgaan, enz. (zie *pass*), overtocht; id., plaats (in boek); gang; ~ *of* (*at*) *arms* het kruisen der degens, schermutseling, toernooi; *he gave me* ~ liet me passeren; *give a p. a rough* ~ het iem moeilijk maken; '**passageway** (*inz. Am*) gang

passenger ['pæsin(d)ʒə] passagier; '**passenger lift** personenlift; '**passenger traffic** personenvervoer; '**passenger train** personentrein

passer ['pɑ:sə] voorbijganger; '**passer-'by** voorbijganger; **passing** ['pɑ:siŋ] I *bn* voorbijgaand; terloops (*remark*); II *zn* voorbijgang, overlijden, enz. (zie *pass*); *in* ~ in het voorbijgaan

passion ['pæʃən] *a*) hartstocht, passie; *b*) drift, toorn, woede; *fly into a* ~ woedend worden; '**passionate** [-it] hartstochtelijk, vurig; driftig, oplopend

passive ['pæsiv] lijdend, passief

pass-key ['pɑ:ski:] *a*) loper; *b*) huissleutel

Passover ['pɑ:səuvə] joods paasfeest

passport ['pɑ:spɔ:t] pas(poort); '**password** parool, wachtwoord

past [pɑ:st] I *bw* voorbij(gegaan), verleden, gelezen; vroeger, vorig, gewezen, *for a week* ~ sedert ...; *for many years* ~ al vele jaren; II *zn* verleden (tijd); *a woman with a* ~ met een (minder goed) verleden; III *vz* voorbij, langs; na, over; buiten; *half ~ four* half vijf; *he is ~ it* hij is er te oud voor; ~ *comprehension* alle begrip te boven gaand; ~ *cure* onherstelbaar; ~ *hope* hopeloos; IV *bw* voorbij (*hasten* ~)

paste [peist] I *zn* (gebak)deeg; pastei (*anchovy ~, liver ~*); plakmeel, plaksel, (stijfsel)pap, stijfsel; pasta; valse diamant; II *ww* (be)plakken; op z'n donder geven; ~ *up* aanplakken; dichtplakken (*a window*); '**paste-board** I *zn* karton; II *bn* kartonnen

pastel ['pæstəl; pæs'tɛl] pastel

pastille ['pæstil] id.

pastime ['pɑ:staim] tijdverdrijf

pastor ['pɑ:stə] zielenherder, predikant; (*Am*) pastoor; leider; '**pastoral** [-rəl] I *bn* herderlijk, herder..., landelijk; ~ *care* zielzorg; II *zn: a*) pastorale: herdersspel, -zang, landelijk gedicht (schilderij); *b*) herderlijk schrijven; '**pastorate** [-rit] *a*) herderlijk ambt; *b*) geestelijkheid

pastry ['peistri] gebak, gebakje(s); korstdeeg

pasture ['pɑ:stʃə] I *zn* weide, gras; II *ww* (laten) weiden, (af)grazen

pat [pæt] I *zn* tikje, klapje; stukje, klompje, kluit(je) (*of butter*); boterspaan (= *butter-~*); *give a p. a ~ on the back,* vgl het *ww*; II *ww* tikken, (zachtjes) kloppen (op); een goedkeurend tikje geven; (*sp*) aaien (*the ball*); ~ *a p. on the back,* (*fig*) iem zijn goedkeuring betuigen; ~ *o.s. on the back* over zichzelf tevreden zijn, zichzelf feliciteren; III *bn & bw* net van pas, geschikt, toepasselijk, pasklaar (~ *formulae*); klaar (*he has his answer* ~), bij de hand; *he has the story* ~ kent ... op zijn duimpje; *say s.t. off* ~ iets vlot achter elkaar opzeggen; *it was all a little too* ~ klopte een beetje te goed; ~ *to time* precies op tijd

patch [pætʃ] I *zn* lap, stuk, pleister; flard; schoonheidspleistertje, mouche; plek; lapje grond (*cabbage, etc.* ~ lapje kool, enz.); werk-, ambtsterrein; (surveillance)wijk (*van politie*); *come out in white ~es,* (*van muur*) (wit) uitslaan; *icy ~es* gladde weggedeelten; *he is not a ~ upon his friend* haalt niet bij; *he struck a bad ~ in his business* het liep hem tegen in ...; II *ww* (op)lappen; samenflansen (= ~ *together*), moesjes plakken op (*a ~ed face*); ~ ***up*** oplappen, lijmen, (haastig, oppervlakkig, tijdelijk) bijleggen (*a quarrel*), tot stand brengen ([*a*] *peace*); slordig in elkaar zetten, samenflansen; '**patch-'pocket** opgenaaide zak; '**patchwork** [-wə:k] lapwerk; ~ *quilt* (*counterpane*) lappendeken; '**patchy** [-i] fragmentarisch (*knowledge*); gelapt, samengeflanst; vlekkig; ongelijk (*a ~ fog*)

pate [peit] (*fam*) kop, 'test'; *bald* ~ kale, kaalkop

patella [pə'telə] knieschijf

patent ['pei-, 'pætənt] I *bn* open(baar), zichtbaar, duidelijk; gepatenteerd, patent...; patent, voortreffelijk; II *zn* patent, vergunning; octrooi; blijk; *take out a ~ for* patent nemen op; III *ww: a*) patent nemen op; *b*) patenteren; '**patent-office** octrooiraad

paternal [pə'tə:nl] vader..., vaderlijk; van vaderszijde (*aunt*); **paternalism** [pə'tə:nəlizm] (overdreven) vaderlijke zorg (van regering); **paternity** [pə'tə:niti] vaderschap

path [pɑ:θ, *mv:* pɑ:ðz] pad, baan, weg

pathetic [pə'θetik] gevoelvol, aandoenlijk, pathetisch; **pathos** ['peiθɔs] id., aandoenlijkheid

pathway ['pɑ:θwei] (voet)pad; (*fig*) weg

patience ['peiʃ(ə)ns] geduld; patience (*sp*); *the*

~ of Job jobsgeduld; *I have no ~ with him* ik kan hem niet uitstaan, hij irriteert mij; **patient** ['peiʃ(ə)nt] I *bn* geduldig, lijdzaam; *be ~ of* (geduldig) verdragen; vatbaar zijn voor (*the fact is ~ of various interpretations*); II *zn* patiënt, zieke, lijder

patina ['pætinə] id.: roest op brons; korst

patrician [pə'triʃən] patriciër

patrimonial [pætri'məunjəl] tot het vaderlijk erfdeel behorende; overgeërfd, erf...; **patrimony** ['pætriməni] vaderlijk erfdeel

patriot ['pæ-, 'peitriət] I *zn* vaderlander, patriot; II *bn* patriottisch; **patriotic(ally)** [pætri'ɔtik(əli)] vaderlandslievend; '**patriotism** [-izm] vaderlandsliefde

patrol [pə'trəul] I *zn* patrouille, ronde; (*Am*) wijk (van politie); *A.A. ~* wegenwacht; II *ww* (af)patrouilleren, de ronde doen; **patrol car** patrouillewagen; **patrolman** (*Am*) politieagent; wegenwacht(er)

patron ['pei-, 'pætrən] beschermer, beschermheer (*ook:* -vrouw); beschermheilige, schutspatroon; (geregelde) klant, begunstiger; *~ saint* schutspatroon, beschermheilige; **patronage** ['pætrənidʒ] patronaat, beschermheerschap; recht van begeving (benoeming); steun, begunstiging, klandizie; neerbuigendheid; **patronize** ['pætrənaiz] beschermen, begunstigen, in bescherming nemen; betuttelen, met neerbuigende minzaamheid behandelen; *patronizing, ook:* neerbuigend, genadig (*nod*)

patter ['pætə] I *ww* **1** aframmelen (*prayers*); snateren, vlug praten, babbelen (*French*); 2 (doen) kletteren (klateren); trippelen, trappelen, ritselen; II *zn* getrappel, getrippel; snel uitgesproken in lied ingelaste woorden; (*sl*) koeterwaals, taaltje; praats; praatje (*salesman's ~*)

pattern ['pætən] I *zn* model, voorbeeld, toonbeeld (*of virtue*), patroon, staal, tekening; *cut to one ~* op dezelfde leest geschoeid; *attr dikwijls:* model... (*husband*); II *ww* modelleren, vormen (*after, upon* naar); met tekening versieren; schakeren; kopiëren; *~ out* volgens zeker patroon aanleggen

patty ['pæti] (*inz. Am*) pasteitje

paucity ['pɔ:siti] schaarsheid

paunch [pɔ:n(t)ʃ] buik, pens; **paunchy** ['pɔ:n(t)ʃi] dikbuikig

pauper ['pɔ:pə] id., arme; armlastig(e), bedeeld(e); **pauperism** [-rizm] *a*) pauperisme, armoede, armlastigheid; *b*) armlastigen; **pauperize** [-raiz] pauperiseren: *a*) verarmen; *b*) armlastig maken

pause [pɔ:z] I *zn* rust, (ogenblik van) stilte, onderbreking, pauze; weifeling; cesuur; gedachtenstreep; *give ~* tot nadenken brengen; II *ww* pauzeren, even rusten; weifelen, nadenken; *~ upon* stilstaan bij; nadenken over; aanhouden (*a note*)

pave [peiv] bestraten, plaveien; bevloeren; *~ the way* de weg banen (*for, to* voor); '**pavement** *a*) bestrating, plaveisel, wegdek, stenen vloer; *b*) trottoir; *c*) (*Am*) rijweg; *on the ~,* (*fig*) op straat (staand); *~ artist* trottoirtekenaar

pavilion [pə'viljən] paviljoen, koepel, clubhuis, tent

paving ['peiviŋ] bestrating; plaveisel; '**paving-stone** straatsteen

paw [pɔ:] I *zn* poot (met klauw); (*fam*) poot(je): hand, schrift; II *ww* krabben (ook van paard met voorpoot); (*fam*) (ook: *~ over*) ruw of onhebbelijk aanraken of aanpakken

pawn [pɔ:n] I *zn* **1** pion (*schaaksp*); (*fig*) 'werktuig'; 2 (onder)pand; *at* (*in*) *~* in pand; in de lommerd; *give in ~* verpanden; *take out of ~* inlossen; II *ww* verpanden, belenen; '**pawnbroker** [-brəukə] lommerdhouder; '**pawnbroking** het houden van een lommerd; **pawnee** [pɔ:'ni:] pandhouder; '**pawner** [-ə] belener; '**pawn shop** lommerd

pay [pei] I *ww* betalen, uitbetalen, uitkeren (*a dividend*), voldoen; vergelden; vergoeden; lonen, renderen (*the business does not ~*); schenken (*attention*); *~ a call* (*a visit*) een bezoek afleggen; *~ a compliment* ... maken; *~* ***back*** terugbetalen; betaald zetten; *~* ***for*** betalen (voor); boeten voor (*one's mistakes; you shall ~ for it!*); *~* ***in*** *money, ~ money* ***into*** *a bank* storten, deponeren (bij een bank); *paid into your account* op uw rekening bijgeschreven; *~* ***off*** (af)betalen; afkopen; afrekenen (*~ off old grudges*); betalen en ontslaan; *~* ***out*** (uit)betalen; het betaald zetten (*I've paid him out for it*); (*scheepv*) vieren (*a cable*); *~* ***over*** (uit)betalen, afdragen (*money*); *~* ***towards*** *one's pension* betalen (bijdragen) voor; *~* ***up*** betalen (*you'll have to ~ up*); afbetalen; volstorten; (*Am*) het betaald zetten; *put paid to* een eind maken aan; II *zn* betaling, loon, salaris, soldij, gage; lonende opbrengst (*van erts, enz.*); *in the ~ of* in dienst van, bezoldigd door; *on* (*full*) *~* met behoud van (het volle) salaris; *~ phone* munttelefoon; *~ restraint* loonmatiging; '**payable** [-əbl] betaalbaar, verschuldigd; lonend; *make ~,* (*van wissel*) betaalbaar stellen; '**paycheck** (*Am*) salaris(cheque); '**pay-claim** looneis, -aanspraak; '**pay-desk** kassa; '**pay-dirt** lonende ertshoudende aarde; waardevolle ontdekking, vondst (*strike ~*)

P.A.Y.E. ['pi:eiwai'i:] *Pay As You Earn* loonbelasting

payee [pei'i:] persoon aan wie betaald wordt; nemer (*van wissel*); '**pay-er** [-ə] betaler; '**pay freeze** loonstop; '**paying** lonend; *~ guest* betalende logé(e); '**payload** (*van vliegtuig enz.*) nuttige lading; '**payment** betaling; loon; '**pay-off** (*fam*) resultaat, afrekening; vergelding; inkomsten (*from prostitution and gambling*); onverwacht slot; '**pay-office** betaalkantoor; **pay'ola** (*sl*) steekpenning aan *disc jockey* enz.; '**payroll** betaalstaat, loonlijst; **payslip** loonstrookje; '**pay-terminal** betaalautomaat, -terminal

pay

pea [pi:] erwt; *be as like as two ~s* op elkaar gelijken als twee druppels water
peace [pi:s] vrede; rust, kalmte; *the King's (Queen's) ~* de openbare orde; *~ of mind* gemoedsrust; *leave me in ~* met rust; *break the ~* de rust verstoren; *hold one's ~* zwijgen; *make ~* vrede sluiten; '**peaceable** [-əbl] vreedzaam, vredelievend; '**peaceful** [-f(u)l] vredig, kalm, gerust; '**peacemaker** vredestichter
1 peach [pi:tʃ] (*sl*) klikken
2 peach [pi:tʃ] perzik; (*fam*) snoes, schatje
peacock ['pi:kɔk] (mannetjes)pauw
peak [pi:k] I *zn* piek (*van berg*); punt, spits; top, hoogtepunt (*unemployment ~; at the ~* op ...); klep (*van pet*); *attr ook:* hoogste, met de hoogste produktie, enz. (*~ year* topjaar); II *ww* een top(punt) bereiken; **peaked** [-t] puntig, spits, scherp; smal, mager (*face*); *~ cap* pet; '**peakhour** (*elektr* & *fig*) piekuur, spitsuur; '**peakload** (*techn*) spitsbelasting, d.i. hoogste belasting; '**peaky** [-i] *peaked;* gammel, beetje ziek
peal [pi:l] I *zn* gelui; geratel, geschater, geschal, (donder)slag; klokkenspel (ook: *~ bells*); *~s of applause* stormachtige bijval; *~s of laughter* schaterend gelach; II *ww* (doen) klinken (luiden, schallen, weergalmen)
'**peanut** pinda; *~ butter* pindakaas; *~ sauce* pindasaus
pear [pɛə] peer
pearl [pə:l] parel, (*fig ook*) juweel; *cast ~s before swine* parelen voor de zwijnen werpen; *mother of ~* parelmoer
peasant ['pezənt] (kleine) boer, plattelander; '**peasantry** [-ri] boerenstand, landvolk
pea-soup ['pi:'su:p] erwtensoep
peat [pi:t] turf, veen; '**peat-bog** laagveen; '**peat-dust** turfmolm; '**peat-litter** turfstrooisel; '**peaty** [-i] turf-, veenachtig
pebble ['pebl] kiezelsteen; *she is not the only pebble on the beach* zij is er niet alleen; anderen hebben ook hun rechten; *ook:* er zijn nog andere te krijgen; '**pebbled** [-d], **pebbly** ['pebli] vol kiezelstenen
peck [pek] I *zn* pik (met snavel); (*scherts*) vluchtige kus; II *ww* pikken; hakken; bikken; knabbelen; *~ at* pikken naar (in); met kleine beetjes eten van; vitten ('hakken') op; *~ at one's food, ook:* kieskauwen; *~ed line* streepjeslijn (- - -); *~ing order* pikorde, rangorde
peckish ['pekiʃ] (*sl*) hongerig
peculiar [pi'kju:liə] eigenaardig; bijzonder; *~ to* eigen aan; **peculiarity** [pi,kju:li'æriti] eigenaardigheid
pecuniary [pi'kju:niəri] geldelijk, geld(s)...
pedagogic(al) [pedə'gɔdʒik(l), -gik(l)] pedagogisch
pedal ['pedl] I *bn* voet...; II *zn* pedaal; III *ww* het pedaal gebruiken; peddelen, fietsen; '**pedal bin** pedaalemmer
pedant ['pedənt] muggezifter; **pedantic** [pi'dæntik] pedant; schoolmeesterachtig
peddle ['pedl] venten, langs de deuren verkopen; (uit)venten, rondvertellen; **peddler** zie *pedlar; dope ~* 'dealer', verkoper van verdovende middelen
pedestal ['pedistl] voetstuk
pedestrian [pi'destriən] I *bn* voet... (*tour*), wandel...; (*fig*) alledaags; saai; II *zn* voetganger; *~ crossing* oversteekplaats voor voetgangers; *~ precinct* voetgangersgebied; **pedestrianized area** voetgangersgebied
pedicure ['pedikjuə] id.
pedigree ['pedigri:] stamboom; afkomst; *~ cattle* stamboekvee; *~ dog* rashond; *~ seed* stamzaad; '**pedigreed** [-d] stamboek...
pedlar ['pedlə] marskramer, venter
pee [pi:] (*fam*) urineren, plassen
peek [pi:k] I *ww* gluren; afkijken; II *zn* kijkje, steelse blik
peel [pi:l] I *zn* schil; II *ww* (af)schillen, pellen, villen, (af)stropen, afschilferen, vervellen; (*sl*) (zich) uitkleden; (*sl*) uittrekken (= *~ off*); **peeler** ['pi:lə] schiller, schilmesje; **peeling(s)** ['pi:liŋ(z)] schil(len)
peep [pi:p] I *ww* 1 piepen; 2 gluren (*at* naar), kijken; gloren (van de dag); zich vertonen (ook: *~ out*); II *zn* 1 gepiep; 2 (heimelijke) blik; kijkje; *at (the) ~ of day (of dawn)* bij het krieken van de dag; *take a ~ at* kijken (gluren) naar; *~ing Tom* gluurder; '**peephole** kijkgaatje; '**peepshow** id.; kijkkast
1 peer [piə] turen, kijken (*at* naar)
2 peer [piə] gelijke, weerga; edelman; *~s of the realm (of the United Kingdom)* die allen zitting hebben in het Hogerhuis
peerage ['piəridʒ] adel(stand); adelboek; '**peeress** [-ris] *a)* vrouw van een *peer*; *b)* vrouw met de rang van *peer* (= *~ in her own right*); '**peerless** [-lis] weergaloos
peevish ['pi:viʃ] gemelijk, knorrig
peewit ['pi:wit] kievi(e)t
peg I *zn* pen, pin, (houten) nagel; paaltje; (tent)haring; kapstok (*ook fig*); *come down (take, bring, let down) a ~ (or two)* een toontje lager (doen) zingen; (*vero*) *~ leg* houten been; *off the ~* confectie; *bought off the ~* klaar gekocht; II *ww* met *~(s)* steunen, vastmaken (ook: *~ down, in,* enz.) of aanduiden; (met ~) slaan (doorboren); bevriezen (*prices*); ***~ away*** (***on, along***) (*fam*) hard werken, ploeteren (*~ away at a translation* aan), volhouden; ***~ down*** binden (*to* aan); ***~ out*** af-, uitbakenen; ophangen (was); (*sl*) sterven; *I am nearly ~ged out* val er haast bij neer
pelican ['pelikən] pelikaan; *~ crossing* voetgangersoversteekplaats (zelf te bedienen)
pellet ['pelit] balletje, prop(je), kogeltje, pil(letje); hagelkorrel; uilebal
pell-mell ['pel'mel] halsoverkop
pellucid [pe'l(j)u:sid] helder; doorschijnend
pelt I *zn* 1 vacht, vel (ongelooide) huid; 2 het gooien, slaan; slag(regen); II *ww* gooien (*at* naar); beschieten; bestormen (*with requests*); slaan, kletteren (*~ing rain*); rennen

pea

pelvis ['pelvis] bekken (van lichaam)
pen I *zn* 1 schaapskooi, hok, perk, (baby-)box; 2 pen; pentekening; II *ww* 1 opsluiten, ophokken (ook: ~ *up, in*); 2 schrijven, (neer)pennen
penal ['pi:nl] straf..., strafbaar; ~ *code* wetboek van strafrecht; ~ *law* strafrecht; ~ *servitude* dwangarbeid; **penalize** ['pi:nəlaiz] strafbaar stellen; (*sp*) straffen, een straf opleggen; (*fig*) achterstellen, benadelen; **penalty** ['penlti] straf; boete; ook = ~ *kick* strafschop; ~ *area* strafschopgebied; ~ *box* strafbank; strafschopgebied; ~ *hit* strafslag; *on* (*under*) ~ *of* op straffe van
penance ['penəns] boete(doening), penitentie
pence [pens] meervoud van *penny* (geldswaarde; zie *pennies*); *take care of the* ~ (*and the pounds will take care of themselves*) pas op de kleintjes
penchant ['pɑ:ŋʃɑ:ŋ, of *Fr uitspr,* ook: 'pentʃənt] neiging, voorliefde
pencil ['pens(i)l] I *zn* potlood; griffel; stralenbundel (= ~ *of rays*); (*fig*) penseel; II *ww* met potlood (op)schrijven (tinten, merken)
pendant ['pendənt] (oor)hanger
pendent ['pendənt] (over)hangend; zwevend; hangende; nog onbeslist; **pending** ['pendiŋ] I *bn* hangende: nog onbeslist; komend, aanstaand; II *vz* hangende: gedurende (*the inquiry*); in afwachting van
pendulous ['pendjuləs] hangend, schommelend, trillend; ~ *breasts* hangborsten; **pendulum** ['pendjələm] slinger (van klok)
penetrant ['penitrənt] doordringend; '**penetrate** [-eit] doordringen (*with* van); doorgronden; dóórdringen; *-ing* doordringend; scherp(zinnig); diepgaand (*study*); **pene'tration** het ...; doordringingsvermogen; scherpzinnigheid
pen-friend ['penfrend] (buitenlandse) penvriend(in), correspondent(e)
penguin ['peŋgwin] pinguïn
penicillin [peni'silin] penicilline
peninsula [pi'ninsjulə] schiereiland
penitent ['penitənt] I *bn* boetvaardig, boete doend; II *zn* boetvaardige, boeteling, biechteling; **penitential** [peni'tenʃəl] berouwhebbend, boetvaardig, boete...; ~ *psalm* boetpsalm; **penitentiary** [peni'tenʃəri] I *bn* boete..., straf...; II *zn* verbeteringsgesticht; (*Am*) staatsgevangenis
penknife ['pennaif] zakmes
penmanship ['penmənʃip] (schoon)schrijfkunst
pen-name ['penneim] pseudoniem
pennant ['penənt] wimpel
penniless ['penilis] arm, zonder geld
penny ['peni] stuiver: *£0.01* (= *new* ~); (*Am*) = *cent; attr ook:* goedkoop, prullig; *a* ~ *saved is a* ~ *gained* (*earned, got*) een stuiver gespaard is een stuiver gewonnen; *it cost me a pretty* (of: *tidy*) ~ een aardige stuiver (duit); **pennyworth** ['peniwə(:)θ]: *a* ~ *of sweets* voor een s...
'**pen-pal** zie *pen-friend*
pension ['penʃən] I *zn* pensioen; *retire on* (*a*) ~ met pensioen gaan; II *ww:* ~ *off* pensioneren; '**pensionable** [-əbl] *a*) pensioengerechtigd; *b*) recht gevend op pensioen; '**pensioner** [-ə] gepensioneerde; *ook:* AOW-er
pensive ['pensiv] peinzend, somber, droefgeestig, zwaarmoedig
pentagon ['pentəgən] vijfhoek; *P~,* (*Am*) Ministerie van Defensie
pentathlon [pen'tæθlən] vijfkamp
Pentecost ['pentikɔst] (joods) Pinksteren
penthouse ['penthaus] (*Am*) luxe flat met terras op bovenste verdieping van flatgebouw
'**pent-'up** v. dw. van *pen up* (zie *pen* II, 1); ~ *rage* ingehouden, opgekropte woede
penultimate [pi'nʌltimit] voorlaatste
penurious [pi'njuəriəs] straatarm, behoeftig; **penury** ['penjuri] armoede
people ['pi:pl] I *zn* volk; lieden, lui; mensen, mens (*men try to remain* ~); men, de mensen; ouders, naaste familie (*my* ~); *go to the people* verkiezingen (of volksstemming) uitschrijven; II *ww: a*) bevolken; *b*) bevolkt worden
pep I *zn* (*sl*) fut, vuur, pit; II *ww:* ~ *up* aanvuren, opkikkeren, pikanter maken; ~ *talk* opwekkend woord; ~ *pill* stimulerend middel
pepper ['pepə] I *zn* peper; *red* (*green*) ~, (*ook*) paprika; II *ww* peperen; spikkelen; (be)strooien; beschieten, bombarderen; ranselen; '**pepper-and-'salt** peper- en zoutkleurig(e stof); '**pepper-box** peperbus; '**peppermint** pepermunt; '**peppery** [-ri] ...achtig; gepeperd; scherp; driftig
per [pə(:)] per; (*Am*) volgens; ~ *an.,* ~ *annum* per jaar; ~ *capita consumption* verbruik per hoofd; ~ *cent.* percent
perambulator [pə'ræmbjuleitə] (*vero*) kinderwagen
perceive [pə'si:v] waarnemen, (be)merken, bespeuren; **perceiving** *ook:* scherpzinnig
per cent [pə'sent] procent; **percentage** [pə'sentidʒ] id.
perceptible [pə'septəbl] waarneembaar (*to* voor); merkbaar; *perceptibly, ook:* zienderogen; **perception** [pə'sepʃən] perceptie, waarneming; gewaarwording; **perceptive** [pə'septiv] waarnemend, scherpzinnig
perch [pə:tʃ] I *zn* 1 baars; 2 stang, roest (*van vogel*); hoge (zit)plaats; II *ww* neerstrijken; roesten (*van vogel*), op iets hoogs gaan zitten (gaan staan, plaatsen)
percolator ['pə:kəleitə] filter; filtreerkan; id. (koffiezetapparaat)
percussion [pə:'kʌʃən] schok, slag; (*muz*) slagwerk; **percussion cap** slaghoedje; klappertje; **percussion-instrument** (*muz*) slaginstrument
perdition [pə:'diʃən] verderf, ondergang, verdoemenis; *go to* ~ naar de verdoemenis gaan
peremptory ['perəm(p)təri, pə'rem(p)təri] onvoorwaardelijk; geen tegenspraak duldend; gebiedend

perennial [pə'renjəl] I *bn* het hele jaar durend; eeuwigdurend, onafgebroken; nooit opdrogend; overblijvend; II *zn* overblijvende plant
perfect ['pə:fikt] I *bn* volmaakt, volkomen, volledig, perfect, echt, voortreffelijk; volslagen (*stranger*); rolvast; ~ *pitch* absoluut gehoor; *have (get) a lesson* ~ perfect kennen (leren); *practice makes* ~ oefening baart kunst; II *zn* voltooid tegenwoordige tijd; III *ww* [pə'fekt] vervolmaken, verbeteren, perfectioneren; voltooien; volvoeren; **perfection** [pə'fekʃən] volmaaktheid; verbetering; volle ontwikkeling; perfectie; toppunt (*of goodness*); *perform to* ~ voortreffelijk spelen; **perfectio'nism** perfectionisme; **perfectio'nist** id.
perfidious [pə'fidiəs] trouweloos, verraderlijk, vals, perfide; **perfidy** ['pə:fidi] trouweloosheid, verraderlijkheid
perforate ['pə:fəreit] doorboren, perforeren; ~ *into* dringen in; **perfo'ration** perforatie; tanding; gat, gaatje; '**perforator** [-ə] perforeermachine
perform [pə'fɔ:m] volvoeren, uitvoeren, volbrengen, vervullen, nakomen, doen, verrichten (*a function*); spelen, uit-, opvoeren (*a play*); een voorstelling (iets ten beste) geven, kunsten maken; *~ing animals* gedresseerde ...; *~ing right(s)* recht van uit-, opvoering; **performance** [-əns] uitvoering, opvoering; werk, daad, spel, voorstelling (*no ~ today*), prestatie (*of a new car*); **performer** uitvoerder; acteur, zanger, enz.
perfume I *zn* ['pə:fju:m] geur, reukwerk, parfum; II *ww* [pə'fju:m] doorgeuren, geurig maken, parfumeren
perfunctory [pə'fʌŋktəri] oppervlakkig, vluchtig
perhaps [pə'hæps, præps] misschien
'**peril** gevaar; risico; *save a p. at the ~ of one's life* met levensgevaar; '**perilous** [-əs] gevaarlijk, gevaarvol, hachelijk
perimeter [pə'rimitə] id., omringende strook gebied
period ['piəriəd] periode (*ook stijlleer, muz, wisk*), tijdperk, -vak, tijdkring, kringloop; lesuur; omloopstijd (van planeet); duur (*ook:* stadium) van ziekte; (vol)zin; rust, punt (*na zin*); *~!* punt, uit!; *~(s)* ongesteldheid: menstruatie; *have one's ~* ongesteld zijn; *attr:* in de stijl van een bepaalde periode (*~ furniture, costume*); *~ room* stijlkamer; **periodical** [-l] I *bn* periodiek; II *zn* periodiek, tijdschrift
peripatetic [,peripə'tetik] rondtrekkend
peripheral [pə'rifərəl] de buitenkant van de zaak rakend; **periphery** [pə'rifəri] periferie: *a*) omtrek; *b*) buitenkant, oppervlak
periscope ['periskəup] periscoop
perish ['periʃ] omkomen, vergaan (*~ed rubber*); *be ~ed with cold* vergaan van; ~ *the thought!* ik moet er niet aan denken!; '**perishable** [-əbl] I *bn* vergankelijk; aan bederf onderhevig, bederfelijk (*goods*); II *zn* (*gew mv*) aan bederf onderhevige waren; '**perisher** [-ə] (*vero sl*) mispunt, kreng; '**perishing** ook: *a*) vergankelijk; *b*) beestachtig (*cold*); *c*) (*vero sl*) verrekt, verdomd (*idiot*)
periwig ['periwig] (*vero*) pruik
perjure ['pə:dʒə]: ~ *o.s.* een meineed doen; '**perjured** [-d] meinedig; '**perjurer** [-rə] meinedige; woordbreker; **perjurious** [pə(:)'dʒuəriəs] meinedig; **perjury** ['pə:dʒəri] meineed; woord-, eedbreuk
perk [pə:k] 1 een hoge borst zetten; zich oprichten; ~ *up* levendig(er) worden, opleven; opkikkeren; *~ed (up)*: *a*) rechtop; *b*) opgemonterd; 2 (*fam*) = *percolate*
perks [pə:ks] (*fam*) *perquisites*
perky ['pə:ki] eigenwijs, verwaand, brutaal
perm [pə:m] (*fam*) I *zn permanent wave; permutation*; II *ww* permanenten
permanence, **permanency** ['pə:mənəns(i)] duur(zaamheid), bestendigheid; **permanency** *ook:* iets permanents, vaste betrekking; **permanent** ['pə:mənənt] id.: duurzaam, bestendig, vast; ~ *wave* id.: blijvende haargolf; '**permanently** *ook:* voorgoed
permeate ['pə:mieit] doordringen, doortrèkken; dringen, trekken (*through* door)
permissible [pə'misəbl] geoorloofd, gepast; **permission** [pə'miʃən] vergunning, verlof, permissie; **permissive** [pə'misiv] veroorlovend; (inz. op zedelijk gebied) toegeeflijk (*society*); **permissiveness** vrije moraal; **permit** I *ww* [pə'mit] toestaan, vergunnen, veroorloven, permitteren; mogelijk maken; ~ *of* toelaten, veroorloven; *if the weather ~s, weather ~ting* als het weer het toestaat; II *zn* ['pə:mit] permissie-, verlofbiljet; machtiging, vergunning, verlof
pernicious [pə:'niʃəs] schadelijk, verderfelijk
pernickety [pə'nikiti] (*fam*) over-precies, kieskeurig, pietepeuterig
peroration [perə'reiʃən] *a*) slotwoord; *b*) oratie
peroxide [pe'rɔksaid] id.
perpendicular [pə:pən'dikjulə] I *bn* loodrecht, steil, recht(op); II *zn* loodlijn; schietlood; (bijna) loodrechte wand (stand, houding); *P~*, (*bk*) late Engelse Gotiek (*na ca. 1350*); *out of the ~* uit het lood
perpetrate ['pə:pitreit] bedrijven, begaan; ~ *a murder* zich bezondigen aan; **perpe'tration** het ...; '**perpetrator** [-ə] bedrijver; dader
perpetual [pə'petjuəl] eeuwig(durend), levenslang; vast; **perpetuate** [pə'petjueit] bestendigen; **perpetuity** [pə:pi'tjuiti] eeuwigheid, eeuwige duur; levenslang bezit; *for (in, to) ~* in eeuwigheid, voor altijd
perplex [pə'pleks] verwarren, verlegen maken, van zijn stuk (in verlegenheid) brengen, te veel zijn voor; **perplexed** [t] verward, verlegen, bedremmeld, verslagen; **perplexing** hoofdbrekend; **perplexity** [-iti] verwardheid; verbijstering, verwarring

per

perquisite ['pɜ:kwizit] emolument, faciliteit, bij een betrekking behorende extra's: 'franje'
persecute ['pɜ:sikju:t] vervolgen, lastig vallen; **persecution** [pɜ:si'kju:ʃən] vervolging
perseverance [pɜ:si'viərəns] volharding; doorzettingsvermogen; **persevere** [pɜ:si'viə] volharden (*in* bij), volhouden; **persevering** [-riŋ] volhardend
persist [pə'sist] hardnekkig volhouden, volharden, doorgaan (*in* met), blijven (*in* bij); aanhouden, voortduren; **persistence** [-əns] het ...; volharding, koppigheid; **persistent** [-ənt] volhardend, hardnekkig; herhaald, blijvend
person ['pɜ:sn] persoon; lichaam; figuur, uiterlijk, voorkomen; **personable** ['pɜ:sənəbl] knap (van uiterlijk); **personage** ['pɜ:s(ə)nidʒ] personage; **personal** ['pɜ:s(ə)nl] persoonlijk; lichamelijk (*deformity*); (*Belg*) persoonsgebonden; ~ allowance belastingvrije voet; ~ *call,* (*telefoon, ongev*) oproep met voorbericht; ~ *column* familieberichten (*in krant*); **personality** [pɜ:sə'næliti] persoonlijkheid; ~ *conflict* conflict van persoonlijkheden; *no -ities, please* niet persoonlijk worden!; ~ *cult* persoonsverheerlijking; '**personalize** [-aiz] *a*) verpersoonlijken; *b*) een persoonlijk cachet geven; '**personally** [-i] zie *personal; ook:* wat mij (persoonlijk) betreft; **personate** ['pɜ:səneit] voorstellen, de rol spelen van, zich uitgeven voor; **personification** [pɜ:ˌsɔnifi'keiʃən] verpersoonlijking; **personify** [pə(:)'sɔnifai] verpersoonlijken; **personnel** [pɜ:sə'nel] personeel
perspective [pə'spektiv] perspectief; perspectivische tekening; verschiet, vooruitzicht; *see things in their true* ~ in hun ware verhouding
perspicacious [pɜ:spi'keiʃəs] scherpziend, scherpzinnig, schrander
perspiration [pɜ:spə'reiʃən] transpiratie, zweet; **perspire** [pəs'paiə] transpireren, zweten
persuade [pə(:)'sweid] overreden, overhalen (*into* tot), bepraten, brengen (*to* tot); overtuigen; ~*d of* overtuigd van; ~ *o.s. of s.t., ook:* zich iets wijsmaken; ~ *from* (*out of*) afbrengen van; **persuasion** [pə(:)'sweiʒən] overreding(skracht); overtuiging, richting, geloof; **persuasive** [pə(:)'sweisiv] overredend, overredings...; welbespraakt
pert [pɜ:t] brutaal, vrijpostig; parmantig
pertain [pə(:)'tein] behoren (*to* tot); betrekking hebben (*to* op); ~*ing to* met betrekking tot
pertinacious [pɜ:ti'neiʃəs] hardnekkig, vasthoudend; **pertinacity** [pɜ:ti'næsiti] hardnekkigheid, vasthoudendheid
pertinent ['pɜ:tinənt] toepasselijk, zakelijk, ter zake, van pas, ad rem
perturb [pə'tɜ:b] (ver)storen, verwarren, in beroering (van streek) brengen, verontrusten
peruse [pə'ru:z] (nauwkeurig) lezen
pervade [pə(:)'veid] doordringen, vervullen; **pervasion** [pə(:)'veiʒən] doordringing; **pervasive** [pə(:)'veisiv] door-, indringend
perverse [pə(:)'vɜ:s] slecht, verdorven; **perversion** [pə(:)'vɜ:ʃən] verdraaiing, (ver)storing, (ongunstige) omkering, perversie; afvalligheid; **perversity** [pə(:)'vɜ:siti] slechtheid, verdorvenheid; perversiteit; **pervert** I *ww* [pə'vɜ:t] verdraaien (*facts, words*); (ver)storen (*the course of justice*); bederven, verleiden, afvallig maken (worden); II *zn* ['pɜ:vɜ:t] afvallige; verdorvene; **perverted** [-id] *bn* tegennatuurlijk, geperverteerd
pessimism ['pesimizm] pessimisme; **pessimist** ['pesimist] id.; **pessimistic** [pesi'mistik] pessimistisch
pest plaag (*the rabbit* ~), schadelijk dier, pest (*gew fig*), lastpost; *a social* ~ bederf (kanker) van de maatschappij; ~*s, ook:* ongedierte; **pester** ['pestə] kwellen, lastig vallen (*for* om), plagen, pesten; '**pesterer** [-rə] plaaggeest; **pesticide** ['pestisaid] verdelgingsmiddel, inz. insektenverdelger
pestilence ['pestiləns] pest, dodelijke epidemie; '**pestilent** [-ilənt] id., verpestend, verderfelijk; (*fam*) id., beroerd
pestle ['pesəl] stamper
pet I *zn* 1 lieveling(sdier): (*domestic*) ~ huisdier; schat (*you are a* ~*!*); *make a* ~ *of* tot huis-, troeteldier maken (*a crocodile*); verwennen (*a p.*); *attr:* lievelings..., troetel..., vlei... (~ *name*); *my* ~ *aversion* waar ik vooral het land aan heb; hoofd...; 2 boze bui; geraaktheid; II *ww* (ver)troetelen, liefkozen, strelen; vrijen (zonder seks)
petal ['petl] bloemblad
peter ['pi:tə]: ~ *out* uitgeput raken (*van mijn*); doodlopen (*van spoor, bijv.*); opdrogen; verlopen, uitgaan als een nachtkaars
petite [pə'ti:t] klein en tenger
petition [pi'tiʃən] I *zn* verzoek(schrift), (smeek)bede, smeekschrift, adres, petitie; II *ww* een verzoekschrift richten tot (indienen); **petitioner** [-ə] verzoeker, rekwestrant
petrify ['petrifai] (doen) verstenen; als versteend doen staan; (*fam*) ontzetten
petrol ['petrəl] I *zn* benzine; II *ww* van benzine voorzien; **petrol bomb** benzinebom, molotofcocktail; **petroleum** [pi'trəuljəm] aardolie; ~ *jelly* vaseline; '**petrol-pump** benzinepomp; '**petrol-station** benzinestation
petticoat ['petikəut] (onder)rok; (*fam*) vrouw
pettifog ['petifɔg] muggeziften; '**pettifogger** [-ə] beunhaas, advocaat van kwade zaken; '**pettifoggery** [-əri] beunhazerij; juristerij; '**pettifogging** [-iŋ] I *zn pettifoggery*; II *bn* kleingeestig
petting ['petiŋ] (*Am*) vrijerij(tje)
pettish ['petiʃ] nukkig, humeurig, lichtgeraakt
petty ['peti] klein, gering, nietig, onbetekenend; kleingeestig; ~ *bourgeois*(*ie*) kleine burger(ij); ~ *bourgeois* kleinburgerlijk; ~ *cash*

kleine kas; ~ *larceny*, (*jur*) diefstal van kleine bedragen; ~ *officer* (*marine*) onderofficier
petulant ['petjulənt] lastig (van humeur), prikkelbaar, gemelijk, kribbig
pew [pju:] kerkbank; (*sl*) stoel, zitplaats; *take a~*, (*sl*) ga zitten
pewit ['pi:wit] kievit
pewter ['pju:tə] peauter, (zgn) tin: mengsel van tin en lood; tinnen kan (gereedschap); (*attr*) tinnen
phantom ['fæntəm] spook(sel), schim, (geest)-verschijning, fantoom; (droom)beeld, schijn; (*attr ook*) schijnbaar, denkbeeldig; onbekend, geheimzinnig (*aeroplane*); geheim (*wireless station*)
pharmaceutic(al) [fɑ:mə'sju:tik(l)] farmaceutisch, artsenijkundig; *pharmaceutical chemist* apotheker; **pharmacist** ['fɑ:məsist] farmaceut, apotheker; **pharmacy** ['fɑ:məsi] *a*) farmacie; *b*) apotheek; (*Am*) = *drug-store*
phase [feiz] I *zn* fase; schijngestalte (van de maan); stadium; *in* (*out of*) ~, (*natuurk*) in (uit) fase; II *ww:* ~ *in* geleidelijk invoeren (*a scheme*); ~ *out* geleidelijk doen afvloeien (*personnel*), geleidelijk opheffen (ophouden te maken, (doen) verdwijnen, enz.); **phased** [feizd] in fasen, geleidelijk, gefaseerd
pheasant ['fezənt] fazant
phenomena [fi'nɔminə] meervoud van *phenomenon*; **phenomenal** [fi'nɔminl] *a*) van de verschijnselen; *b*) waarneembaar; *c*) (*fam*) fenomenaal, zeer buitengewoon; **phenomenon** [fi'nɔminən] verschijnsel
phew [fju:] oef! foei! he!
phial ['faiəl] (medicijn)flesje
philander [fi'lændə] I *ww* er (een) liefje(s) op na houden; verliefd doen, flirten; II *zn* geflirt, hofmakerij; **philanderer** [-rə] niet serieus minnaar, flirt
philanthropic [filən'θrɔpik] menslievend, filantropisch; **philanthropist** [fi'lænθrəpist] mensenvriend, filantroop
philatelist [fi'lætəlist] postzegelverzamelaar; **philately** [fi'lætəli] het verzamelen van postzegels
philharmonic [fil(h)ɑ:'mɔnik] filharmonisch
philologic(al) [filə'lɔdʒik(l)] taalkundig
philosopher [fi'lɔsəfə] filosoof, wijsgeer; *~s' stone* steen der wijzen; **philosophic(al)** [filə'sɔfik(l)] wijsgerig; **philosophize** [fi'lɔsəfaiz] filosoferen; **philosophy** [fi'lɔsəfi] filosofie, wijsbegeerte; levensbeschouwing
phlegm [flem] *a*) slijm, fluim; *b*) flegma; **phlegmatic** [fleg'mætik] flegmatiek, koel, nuchter
phone [fəun] I *zn telephone;* ~ *card* telefoonkaart; II *ww* opbellen; '**phone-in** (*radio*) telefoonprogramma
phonetic [fəu'netik] I *bn* fonetisch; II *zn:* ~*s* klankleer, fonetiek
phoney ['fəuni] (*sl*) I *bn* vals, nep, onecht; verdacht; II *zn* vals geld; onecht persoon, bedrieger
phooey ['fu:i] (*fam*) foei!
phosphate ['fɔsfit, -eit] fosfaat
phosphorescence [fɔsfə'resns] fosforescentie; **phosphorescent** [fɔsfə'resnt] fosforescerend
phosphorus ['fɔsfərəs] fosfor
photo ['fəutəu] (*fam*) *photograph*; '**photocopier** fotokopieerapparaat; **photogenic** [fəutəu'dʒi:nik] fotogeniek; **photograph** ['fəutəgrɑ:f, -græf] I *zn* foto(grafie); portret; *have one's ~ taken* zich laten fotograferen; II *ww* fotograferen; *he ~s well* laat zich goed fotograferen; **photographer** [fə'tɔgrəfə] fotograaf; **photographic** [fəutə'græfik] fotografisch; fotografie...; **photography** [fə'tɔgrəfi] fotografie (*kunst*); **photostat** ['fəutə'stæt] fotokopiëren
phrase [freiz] I *zn* frase (*ook muz*), bewoording(en), uitdrukking, spreekwijze; ~ *book* taalgids, reiswoordenboek; II *ww* uitdrukken, onder woorden brengen
phrenetic [fri'netik] woest, dol, fanatiek
'**physical** [-l] *a*) natuurkundig, materieel, natuur...; concreet, tastbaar (*evidence*); *b*) fysiek, lichamelijk; ~ *education* lichamelijke oefening; ~ *impossibility* absolute onmogelijkheid; ~ *planning* ruimtelijke ordening; ~ *training* lichamelijke oefening, gymnastiek (*schoolvak*); **physician** [fi'ziʃən] dokter, geneesheer, *inz.* internist, tegenover *surgeon*; **physicist** ['fizisist] natuurkundige; **physics** ['fiziks] natuurkunde
physiognomy [fizi'ɔnəmi] gelaat, voorkomen
physiologic(al) [ˌfiziə'lɔdʒik(l)] fysiologisch; **physiotherapist**, **physiotherapy** [ˌfiziə'θerəpist, -pi] fysiotherapeut, -pie
physique [fi'zi:k] lichaamsbouw, -gestel
piano 1 [pi'ænəu] id.; 2 ['pjɑ:nəu] id.: zacht; **pianoforte** [pjænəu'fɔ:ti] (*vero*) piano
picaresque [pikə'resk] picaresk, schurken..., schelmachtig; ~ *novel* schelmenroman
pick [pik] I *zn* 1 houweel, pik-, punthamer; 2 keuze, keur, het beste; *you can take your ~* kunt uitzoeken; II *ww* hakken, pikken, bikken; prikken, peuteren in, uitpeuteren (*one's teeth*); opensteken (*a lock*); krabben; (af)kluiven (*a bone*), knabbelen aan, peuzelen (van), 'muizen', eten; plukken; (uit)kiezen, met zorg kiezen (*one's words*); ~ *pockets* zakken rollen; ~ ***at:*** *a*) plukken aan (*the bedclothes*; *b*) afgeven ('hakken') op; *c*) ongeinteresseerd eten (*one's food*); ~ ***off*** afpikken, -plukken, enz.; nauwkeurig mikken op en neerschieten, uitpikken; ~ ***on:*** *a*) (uit)kiezen; *b*) afgeven op; ~ ***out*** uitpikken; tornen; (uit)kiezen; onderscheiden; ~ ***over*** kritisch bekijken; de beste kiezen uit; ~ ***to pieces*** uit elkaar halen; scherp kritiseren, afbreken, afkammen; ~ ***up*** openbreken; oppikken, -rapen, -nemen; aansluiten (*from* bij); afhalen; zich eigen maken (*a language*); betalen (*a bill*); op de kop tikken (*a rare book*); terechtwijzen, op de vingers tikken; opknappen, er bovenop komen; (een te-

pet

kort) inhalen; (*van wind*) aanwakkeren; (*van motor*) aanslaan; ~ *speed* snelheid vermeerderen, vaart krijgen, op gang komen; ~ *up acquaintance with* toevallig kennis maken met; ~ *up courage* (*one's spirits*) weer moed vatten; ~ *o.s. up* weer overeind krabbelen; ~ *up one's feet* optillen; ~*ed up by radar* opgepikt; ~ *up with a p.* in kennis komen met iem

pickaxe, (*Am*) **pichax** ['pikæks] houweel

picked [pikt] uitgelezen, keur... (*troops*)

picker ['pikə] plukker; iemand die ... (zie *pick*); houweel, tandestoker, enz.

picket ['pikit] I *zn* paal, staak; (*mil*) piket; post(er) (*bij staking*); II *ww* met palen omheinen of bevestigen; aan een paal binden; stationeren (*als piket*); posten (*bij staking*); posten plaatsen bij; lastig vallen door posten (*workers*); ~ *line* stakingspost; '**picketer** post(er)

picking ['pikiŋ] het ... (zie *pick*); pluk; ~*s* restantjes; kleine voordeeltjes, douceurtjes, emolumenten; ~*s* (*and stealings*) wat men in de wacht sleept

pickle ['pikl] I *zn* pekel, azijn, enz. (voor inmaak); (ingemaakt) zuur (*gew:* ~*s*); (*fam*) *a*) klem, knel; *b*) lastpost, rakker (*van kind*); *be in a* (*fine, nice, sad*) ~ (lelijk) in de klem ('in de pekel') zitten; II *ww* pekelen, inmaken; ~*d*, (*sl*) dronken, 'in de olie'

pick-me-up hartversterking, borrel; '**pickpocket** zakkenroller; '**pick-up** (*fam*) meisje dat men op straat 'oppikt'; id., (grammofoon)opnemer; kleine open bestelauto (= ~ *truck/van*); (*sl*) = *pick-me-up*

picnic ['piknik] *zn* picknick; *ww* picknicken

pictorial [pik'tɔ:riəl] I *bn* schilder..., beeld...; geïllustreerd; picturaal; ~ *art* schilderkunst; II *zn* geïllustreerd blad (tijdschrift)

picture ['piktʃə] I *zn* schilderij, plaat, portret, beeltenis, afbeelding, schildering, beeld; toonbeeld (*of health*); (*Am*) gezicht, uiterlijk; *the* ~*s* bioscoop; *her hat is a* ~ een beeld; *be* ***in*** (*be part of*) *the* ~ erbij horen, meetellen; meedoen; *put a p. in the* ~ op de hoogte brengen; *come* ***into*** *the* ~: *a*) = *fit into the* ~ bij het geheel passen; *b*) verschijnen, een rol gaan spelen;.kans hebben; *c*) plaatsgrijpen; *be* ***out of*** *the* ~ niet meetellen, niet in aanmerking komen; ~ *postcard* prentbriefkaart; II *ww* afbeelden, schilderen; ~ (*to o.s.*) zich voorstellen; '**picture-book** prentenboek; '**picture-card** pop (*kaartspel*); '**picture-gallery** schilderijenmuseum; **picturesque** [piktʃə'resk] schilderachtig; '**picture-tube** beeldbuis

piddle ['pidl] een 'plasje' doen

pidgin ['pidʒin] mengtaal

pie [pai] pastei; warboel; (*Am*) *a*) taart; *b*) traktatie (*fig*); *eat humble* ~ zoete broodjes bakken; *have a finger in the* ~ een stem in het kapittel hebben

piebald ['paibɔ:ld] I *bn* bont (zwart/wit); II *zn* bont paard of ander dier

piece [pi:s] I *zn* stuk (*ook:* vat & stuk geschut), geweer, enz.; stuk(je), staaltje (*of impudence*); meid, 'nest' (*a forward* ~), wicht (*a pretty* ~); *say one's* ~ z'n zegje zeggen; ~ *of advice* raad; ~ *of cake,* (*sl*) iets doodmakkelijks; *a two* (*a fifty*) *pence* ~ munt van ...; *a* ~ *of information* inlichting, mededeling; ~ *of* (*good*) *luck* buitenkansje; ~ *of news* nieuwtje; 5*p. a* ~ per stuk; elk; *paid* ***by*** *the* ~ per stuk; ~ *by* ~ stuk voor stuk; ***in*** ~*s* in (aan) stukken; *fall in* ~*s* in stukken (uit elkaar) vallen; *in* (***of***) *one* ~ in (uit) één stuk; *of a* ~ in (uit) één stuk; (*fig ook*) van één soort; van dezelfde kracht; naar rato; *be all to* ~*s,* (*fam*) helemaal kapot (*ook:* ontdaan) zijn; *cut to* ~*s,* (*fig*) in de pan hakken, afmaken; *pull* (*tear*) *to* ~*s,* (*fig*) afmaken (*a book*); *take to* ~*s:* *a*) uit elkaar nemen, ontleden; *b*) uit elkaar genomen kunnen worden; II *ww* lappen, uitstukken, verstellen; samenvoegen, in elkaar zetten; ~ ***together*** aaneenvoegen, -lappen, -flansen; met elkaar in verband brengen (~ *things together*); ~ ***up*** (op)lappen; '**piecemeal** I *bw* (ook: *by* ~) bij stukken en brokken (stukjes en beetjes), stuk(je) voor stuk(je); II *bn* stuksgewijze gedaan of tot stand gebracht (*reforms*); '**piecework(er)** stukwerk(er)

pied [paid] bont, gevlekt

pier [piə] *a*) havenhoofd, -dam, pier; *b*) pijler

pierce [piəs] doordringen, -stéken; (dóór)dringen (in); doorzien, doorgronden; '**piercing** [-iŋ] doordringend; ~ *cold* bijtende koude

piety ['paiəti] vroomheid, piëteit

piffle ['pifl] (*sl*) geleuter, onzin; **piffling** ['pifliŋ] nietig, gering, minuscuul

pig varken, zwijn; wild(e) zwijn(en); (*Am* & *dialect*) big; schrok; beroerling; (*sl*) smeris; *bleed like a* ~ bloeden als een rund; *buy a* ~ *in a poke* een kat in de zak; ~*s might fly, ongev* als er een wonder gebeurt

pigeon ['pidʒ(i)n] duif; *clay* ~ kleiduif; '**pigeon-hole** I *zn* poortje (*van duivenslag*); loket; vakje; *set of* ~*s* loketkast; II *ww* in een vakje leggen; opbergen; vastleggen (in het geheugen); in vakjes verdelen

'**pig-eyed** met varkensoogjes; '**piggy** varkentje; varkens...; '**piggy-bank** spaarvarken; '**pig-'headed** koppig, eigenwijs; '**piglet** big(getje)

pigment ['pigmənt] id., kleur-, verfstof

'**pigskin** varkenshuid, -leer; '**pigsty** [-stai] varkenskot (*ook fig* = zwijnestal); '**pigtail** *a*) varkensstaart; *b*) haarvlecht, 'staart'

pike [paik] *a*) piek, spies; *b*) snoek

pilchard ['piltʃəd] pelser; klein soort haring

pile [pail] I *zn* 1 (hei)paal; 2 stapel, hoop (geld), fortuin; brandstapel; blok gebouwen, groot gebouw; (*natuurk*) zuil, reactor (*atomic, nuclear* ~); *make one's* ~, (*fam*) fortuin maken; 3 pool, dons, wol, pluis, nop; II *ww* 1 heien; 2 (op)stapelen, -hopen; beladen; ~ *in* (*out*) er (met z'n allen) in- (uit)gaan; '**pile-driver** heimachine; '**pile-dwelling**, **pile-**

habitation, **pile-house** paalwoning; '**pile-up** kettingbotsing
pilfer ['pilfə] ontfutselen, gappen; '**pilferage** [-ridʒ] het ...; '**pilferer** [-rə] gapper; kruimeldief
'**pilgrim** pelgrim; *P~ Fathers* Engelse puriteinen, die in 1620 de kolonie Plymouth stichtten; '**pilgrimage** [-idʒ] pelgrimstocht, bedevaart; (*fig*) levensreis
pill [pil] pil; (*fig*) bittere pil; *be on the ~* de pil gebruiken (*geboortenregeling*); *sugar* (*sweeten*) *the ~* de pil vergulden
pillage ['pilidʒ] roof, plundering
pillar ['pilə] (steun)pilaar, zuil; (*mijnb*) pijler; *~s of society* steunpilaren der maatschappij; '**pillar-box** ronde brievenbus (op straat)
'**pill-box** pillendoosje; klein huisje, enz.
pillion ['piliən] duozitting; *ride ~* duo rijden; '**pillion-rider** duorijder
pillory ['piləri] I *zn* kaak, schandpaal; *in the ~* aan de kaak; II *ww* aan de kaak stellen (*ook fig*)
pillow ['piləu] I *zn: a*) (hoofd)kussen; *b*) kussen(blok); II *ww* (als) op een kussen (laten) rusten; *~* (*up*) met kussen(s) steunen; '**pillowcase** [-keis] kussensloop; '**pillowslip** kussensloop
pilot ['pailət] I *zn* loods, gids; (*van vliegtuig*) piloot, bestuurder; ook = *~-boat, enz.; ~ model* proefmodel; II *ww* loodsen, sturen (*aeroplanes*); geleiden; als loods bevaren; '**pilot-boat** loodsboot; '**pilot-flame** waakvlam; '**pilot-lamp** controlelamp; '**pilot-light** *a*) *~-flame*; *b*) *~-lamp*
pimp pooier, souteneur
pimple ['pimpl] puist(je)
pin I *zn* speld; pin, pen; kegel; bout, stift; sleutel (van snaarinstrument); *I don't care a ~* het kan me geen lor schelen; *I have ~s and needles in my leg* mijn been slaapt; II *ww* (vast)spelden, vastmaken (met pin, enz.); (op)prikken; doorsteken; opsluiten; vastgrijpen, -houden, knellen; *~* ***against*** *the wall* drukken tegen; *~* ***down*** vastprikken, neerdrukken, vastleggen; *I am ~ned* (*down*) *to it* eraan gebonden, zit eraan vast; *~ a p.* (*down*) *to a precise definition of his attitude* dwingen tot; *pin s.t. on* (*to*) *a p.* iem iets in de schoenen schuiven; *~* ***up****: a*) op-, vastspelden; opprikken (*insects*); *b*) opsluiten
pinafore ['pinəfɔ:] (kinder)schort
'**pinball** trekspel, flipperen; *~ machine* flipperkast
pincers ['pinsəz] nijptang; schaar (van kreeft)
pinch [pin(t)ʃ] I *ww* (dicht)knijpen, knellen, klemmen; kwellen (van honger, enz.); gebrek (laten) lijden, beknibbelen, krap houden (*in, for, of pocket-money,* enz.); zich bekrimpen, krom liggen (= *~ and scrape;* ook: *~ o.s.*); knijperig (gierig) zijn; (*sl*) *a*) gappen; *b*) bestelen; *c*) inrekenen; *~ money from* (*out of*) afpersen; *~ o.s. of everything* zich alles ontzeggen; *be ~ed for room* gebrek hebben aan ruimte, erg klein behuisd zijn; II *zn* kneep; steek; klem, knel, uiterste nood; wat men tussen duim en vinger kan houden (*~ of salt*) snuifje (= *~ of snuff*); *feel the ~* de nood (der tijden) gevoelen; ***at*** *a ~* desnoods
pincushion ['pinkuʃən] speldenkussen
pine [pain] I *zn: a*) pijn(boom), grove den; *b*) grene-, vurehout; II *ww* (ver)kwijnen; smachten (*after, for* naar); *~ to do it* ernaar smachten om ...; *~ away* wegkwijnen
'**pineapple** ananas; '**pine-cone** [-kəun] denappel; '**pine-tree** pijnboom, grove den
ping [piŋ] I *zn* id.: kort, fluitend, schel geluid; II *ww* fluiten, snerpen; (*van auto*) pingelen
'**pinhead** speldekop; (*fig*) uilskuiken
pinion ['pinjən] de armen binden (boeien), omvatten
pink [piŋk] I *zn* roze(rood); toppunt, puikje, perfectie, toonbeeld (*be the ~ of courtesy*); (*pol*) gematigd 'rode', 'roze'; *in the ~ of condition* (*of health*) in uitstekende conditie (gezondheid); *I'm in the ~,* (*sl*) ik maak het perfect; II *bn* roze; III *ww* 1 doorboren, prikken, doorsteken; perforeren, versieren; (*van motor*) pingelen; *~ing shears* kartelschaar; 2 roze worden of maken; **pinkish** ['piŋkiʃ] rozeachtig
pinnacle ['pinəkl] pinakel, siertorentje; (berg-)top; (*fig*) toppunt
'**pinpoint** I *zn* speldepunt; (*mil*) klein doel; II *ww* nauwkeurig plaats bepalen (van) en/of bombarderen
pinstripe ['pinstraip] *a ~ suit* een kostuum met krijtstreep
pint [paint] pint (*1/8 gallon* = 0,568 l); *have a ~,* (*fam*) een biertje pikken
pin-table ['pinteibl] flipperkast
'**pin-up** (*girl*) pin-up, 'prikkelpop'
pioneer [paiə'niə] I *zn* pionier, baanbreker, voortrekker, wegbereider; II *ww* pionierswerk doen, pionieren; de weg bereiden (voor)
pious ['paiəs] vroom, godvruchtig
pip I *zn: have the ~,* (*sl*) landerig (uit zijn humeur) zijn; oog (op dobbelsteen, enz.); ster op uniform; korte fluittoon, id.; (*the six ~s* Greenwich tijdsein; *the ~s, ook:* in-gesprek-signaal); pit (van appel, enz.); II *ww* (*fam*) *a*) verslaan, de loef afsteken; *b*) raken (met kogel); *~ped,* (*sl*) gezakt (*examen*); *~ped at the post,* (*fam*) op het nippertje geklopt
pipe [paip] I *zn* pijp; buis; leiding; (bootsmans)fluitje; fluit(signaal); stem(metje), gefluit, geluid; *~s* doedelzak(ken); *put that in your ~ and smoke it* steek die in je zak; II *ww* pijpen, fluiten, piepen; door een fluitsignaal oproepen; wegzenden, enz. (*~ the men* ***up, away, to*** *breakfast,* enz.); op de doedelzak spelen; van buizen voorzien; door buizen leiden, aanvoeren (afvoeren = *~* ***away***); *~* ***down*** een toontje lager zingen, de mond houden; '**piper** [-ə] pijper, fluit-, doedelzakspeler; '**piping** I *zn* het ... (zie *pipe*); (stel) pijpen (buizen);

II *bw:* ~ *hot* kokend heet, zó van het vuur, heet van de naald
piquant ['pi:kənt] pikant, prikkelend
pique [pi:k] I *ww* kwetsen (*fig*) pikeren; II *zn* wrok
piracy ['paiərəsi] *a*) zeeroverij; *b*) ongeoorloofde nadruk of kopie (van boek, cassette enz.); **pirate** ['paiərit] I *zn* zeerover(sschip); piraat; ~ *listener/viewer* clandestiene luisteraar/TV-kijker; II *ww: a*) zeeroof plegen; plunderen; *b*) ongeoorloofd nadrukken of kopiëren (van boek of (video)cassette)
piss [pis] (*plat*) I *zn* pis; II *ww* (be)pissen, zeiken; ~ *about* (rond)lummelen; ~ *off, out* opdonderen; ~*ed* straalbezopen, zat
'**pistil** stamper (*van bloem*)
pistol ['pistl] pistool
piston ['pistən] *a*) zuiger; *b*) piston, klep; *c*) zuignapje; '**piston-engined** [-'endʒind] met zuigermotor(en) (*aircraft*); '**piston-rod** zuigerstang; '**piston-valve** [-vælv] zuigerklep
pit I *zn* kuil; groeve, (kolen)mijn, schacht; diepte, putje, kuiltje; ~*s* id., autoherstelplaats op race-circuit; parterre (*theat*); *bottomless* ~ bodemloze put; II *ww* kuiltjes, putjes maken in of krijgen
pit-a-pat ['pitəpæt] tiktak, klop-klop, rikketik
pitch [pitʃ] I *zn* 1 pek, pik; *he who touches ~ will be defiled* = ~ *sticks* wie met pek omgaat, wordt ermee besmet; ~ *dark* pik(ke)donker; 2 het stampen (van schip), enz. (zie ~ *ww*); standplaats (van standwerker, enz.); (*sl*) verkooppraatje; (*sp*) terrein; (*cricket*) id., terrein (om en) tussen de wickets; toppunt; (toon)hoogte, toon; helling, graad, trap; *mount to the highest* ~ ten top stijgen; II *ww* opslaan (*a tent*), kamperen; (be)vestigen, stellen, (overeind) zetten; (*muz*) aangeven (*a tone*); op toon stemmen (*an instrument*); steken, werpen, (op)gooien; opsteken (*hay*); stampen (*van schip*); (*van dak, enz.*) aflopen; ~ ***in*** aanpakken; aanvallen, met graagte eten; ~ (***up***)***on*** kiezen (*a certain date*, enz.), komen op (*the right word*); **pitcher** ['pitʃə] 1 *a*) werper; *b*) straatventer (straatkunstenaar, enz.) met vaste plaats; 2 kruik, (*Am*) kan; '**pitchfork** I *zn* hooivork; II *ww* (met een hooivork) (op)gooien (doorsteken); ~ *a p. into the chair* iem tot voorzitter bombarderen
piteous ['pitiəs] beklagenswaardig, jammerlijk
pitfall ['pitfɔ:l] valkuil; (*fig*) val(strik)
pith [piθ] (het) pit; (rugge)merg; (*fig*) kern (= ~ *and marrow*), pit(tigheid), kracht
pithead ['pithed] (terrein om) mijningang
pithy ['piθi] pittig, bondig, krachtig
pitiable ['pitiəbl] erbarmelijk, jammerlijk, armzalig; *ook:* beklagenswaardig; **pitiful** ['pitif(u)l] *a*) medelijdend; *b*) erbarmelijk, jammerlijk, armzalig; **pitiless** ['pitilis] meedogenloos
pittance ['pitəns] onvoldoende salaris, loon, pensioen of toelage, karige beloning; schijntje; *a mere* ~ een bedroefd beetje
pituitary [pi'tju:itəri]: ~ (*body, gland*) hypofyse, hersenaanhangsel
pity ['piti] I *zn* medelijden; *what a ~! the ~ of it!* hoe jammer; *it's a great* ~ het is erg jammer; *do it, for ~'s sake* in 's hemelsnaam; *in ~ of* uit medelijden met; *have* (*take*) ~ (*up*)*on* medelijden hebben met; ~ *about her gown* jammer van haar japon; *more's the* ~ jammer genoeg; II *ww* medelijden hebben met, beklagen; *he is to be pitied* te beklagen
pivot ['pivət] I *zn* spil, stift, tap; draaipunt; II *ww* draaien (*upon* om), voorzien van (bevestigen met) een spil; '**pivotal** [-l] als spil dienend; centraal, onmisbaar, hoofd…, waar alles om draait
pixy, **pixie** ['piksi] fee; (*ongev*) kabouter; ~ *hat* puntmuts
placard ['plækɑ:d] plakkaat, aanplakbiljet
placate [plə-, plei'keit] bevredigen, tevredenstellen, verzoenen, gunstig stemmen
place [pleis] I *zn* plaats (*ook:* passage in boek); (*na eigennaam*) klein plein, hofje; woning; gelegenheid (café enz.); buitenplaats; plek; ruimte (*there is no ~ for doubt*); betrekking, positie; ~ *in the sun* zonnig plekje; gunstige positie; *another* ~, (*Parl*) het andere Huis (*Lords;* soms: *Commons*); *it is not your ~ to say so* ligt niet op uw weg; *find* ~ een plaats vinden (innemen); *get a* ~ = *be ~d* (*zie ww*); *know one's* ~ weten, waar men staan moet, zijn plaats weten; *set another* ~ nog voor iem dekken; *take* ~ plaatshebben; *take a p.'s* ~ iems plaats innemen; *take ~s* p…en nemen; ***at*** *our* ~ bij ons thuis; ***in*** ~, (*van opmerking, enz.*) op zijn plaats; *put a p. in his* ~ op zijn plaats zetten; *put yourself in my* ~ stel (denk) je in mijn plaats; *in the first* ~ om te beginnen, meteen, dadelijk in het begin; *in ~s* hier en daar; *in* (*the*) ~ *of* in plaats van; *fall* ***into*** ~ op z'n plaats komen; ***out of*** ~ niet op zijn plaats; misplaatst; *all* ***over*** *the ~: a*) overal; alle kanten uit; *b*) verward; II *ww* plaatsen, zetten, stellen; aanstellen, een plaats bezorgen; 'thuisbrengen' (*I can't ~ him*); (*bij wedren, enz.*) plaatsen; '**place-mat** id., (*ongev*) dekservet; **placement** ['pleismənt] plaatsing
placid ['plæsid] rustig, vreedzaam, kalm
plagiarism ['pleidʒərizəm] plagiaat; **plagiarize** ['pleidʒəraiz] plagiëren
plague [pleig] I *zn* pest; plaag; II *ww* bezoeken (met plaag of ramp); (*fam*) kwellen, pesten, het leven zuur maken
plaice [pleis] schol
plaid [plæd, *Sc:* pleid] id.: (stof voor) Schotse omslagdoek; (geruite) (reis)deken
plain [plein] I *bn* vlak, effen, glad (*ring*); duidelijk; eenvoudig (*man*); onversierd, ongekleurd (*picture postcards*), ongebloemd; ongelijnd, onbewerkt (*paper*); puur (*chocolate*); open(hartig); gewoon (~ *or coloured*), alledaags; niet mooi, onaantrekkelijk, lelijk (*girl, face*); (*van sigaret*) zonder mondstuk; ~ *clothes* bur-

pla

gerkleren; ~ *needlework* nuttige handwerken; *it is all ~ sailing* gaat van een leien dakje, (als) vanzelf; *in ~ terms* ronduit; *the ~ truth* de zuivere ...; II *zn* vlakte; (*dichterlijk*) slagveld; '**plainclothes**: ~ *constable* ... in burger; ~ *man* rechercheur; '**plain-'dealing** I *zn* oprecht-, rondheid; II *bn* ['pleindi:liŋ] oprecht, rond, eerlijk; '**plainly** duidelijk, ronduit, klaarblijkelijk; '**plain-spoken** openhartig, rond

plaintiff ['pleintif] (aan)klager, eiser; **plaintive** ['pleintiv] klagend, klaaglijk

plait [plæt] plooi(en), vlecht(en)

plan [plæn] I *zn* id., ontwerp, plattegrond, schets; voornemen; stelsel (*the Dalton ~*); *~ of action* (*of campaign*) plan de campagne; II *ww* in kaart brengen, schetsen, ontwerpen (= ~ *out*); beramen, een plan (plannen) maken (smeden) voor, plannen; *~ for* rekenen op

plane [plein] I *zn* 1 plataan; 2 schaaf; 3 (plat) vlak; vliegtuig; (*fig*) peil, niveau, plan (*lift life to a higher ~*); II *bn* vlak, effen; III ww 1 schaven; ~ *away* (*down*), afschaven; 2 glijden, planeren (*van vliegtuig*); '**planer** schaafmachine

planet ['plænit] planeet

planetarium [plæni'tɛəriəm] id.; **planetary** ['plænitəri] planeet..., planetarisch; aards, dwalend

plane tree ['pleintri:] plataan

plank [plæŋk] id.; beleid, politiek

planning ['plæniŋ] id., ordening (ook: *economic ~*); ruimtelijke ordening, planologie; ~ *permission* bouwvergunning

plant [plɑ:nt] I *zn* id., gewas; installatie, outillage, materieel, fabriek; (*sl*) complot, doorgestoken kaart, zwendel, verlakkerij; ondergeschoven bewijsstuk; II *ww* planten, poten (*ook van vis, enz.*); beplanten (*with* met); (met kracht) neerzetten, steken (*a dagger*); plaatsen, posteren (*a spy*); onderschuiven (*evidence*); ~ *the murder on him* hem in de schoenen schuiven; ~ *o.s. on* zich opdringen aan; **plantation** [plæn'teiʃən, plɑ:n-] (be)planting, aanplant(ing); plantage; ~ *rubber* ondernemingsrubber; **planter** ['plɑ:ntə] planter; stichter; plantmachine; '**planting-ground** *ook:* kunstmatige oesterbank

plaque [plɑ:k, plæk] id.: (gedenk)plaat (van metaal, enz.), bord (aan wand); (tand)plak; **plaquette** [plæ'ket] id.

plash [plæʃ] (*lit*) I *ww* plassen, plonzen, (doen) spatten, klateren; II *zn* geklater, geplons

plasma ['plæzmə] id.

plaster ['plɑ:stə] I *zn* pleister; pleisterkalk; gips (ook ~ *of Paris*); II *bn* gipsen (*bust*); ~ *cast* gipsafgietsel (*bijv. van beeld*); III *ww* (be)pleisteren; beplakken (= ~ *over*), besmeren, beladen; (aan)plakken; een pleister leggen op (*ook fig*); vleien, ophemelen; maskéren; *~ed,* (*sl*) dronken; '**plasterboard** gipsplaat; '**plasterer** [-rə] stukadoor, pleister-, gipswerker

plastic ['plæstik] I *bn* plastisch, beeldend (*art*), vormend; kneedbaar (*ook fig*); ~ *art*(*s*), *ook:* plastiek; ~ *bomb* kneedbom; II *zn* id., plastiek, kunststof

plate [pleit] I *zn* plaat(je); naambordje; bord(vol) = *~ful;* vals gebit (= *dental ~*); metalen vaatwerk, tafelzilver, pleet; (wedren, -strijd om) gouden en zilveren voorwerpen; renbeker, prijs; (collecte)schaal; opbrengst van collecte; (*Am, honkbal*) plaat; *the doctor put up his ~ at* ... vestigde zich te ...; ~ *dinner,* (*Am*) maaltijd waarbij alle gerechten op één bord worden opgediend; II *ww* vergulden, verzilveren, vertinnen; *~d ware* pleetwerk; '**plate-'glass** spiegelglas; '**plate-iron** plaatijzer; **plate-rack** ['pleitræk] afdruiprek voor borden

platform ['plætfɔ:m] verhoging, terras, perron; balkon (van tram, *Am* ook van trein); (personen op het) podium, tribune, spreekgestoelte; (partij)program

platinum ['plætinəm] platina; ~ *blonde* (vrouw met) platina blond haar

platitude ['plætitju:d] gemeenplaats

platoon [plə'tu:n] peloton

platter ['plætə] platte schotel

plausible ['plɔ:zəbl] plausibel, aannemelijk, (schijnbaar) geloofwaardig; glad (van tong)

play [plei] I *ww* spelen (op), bespelen; uitspelen (*a card*); zich vrij bewegen, speelruimte hebben of laten; hanteren; laten uitspartelen, afmatten (*a fish*); uithalen (*jokes*); spelen tegen (*Mr. X at golf*); spelen om; gespeeld worden; laten spelen; (af)draaien (*a record*); ~ ***by** a p.* tegenover ...); ~ *a p.'s game* in iems kaart spelen; ~ *a double game,* ~ *double* van twee wallen eten, met twee monden spreken; ~ (*the*) *host*(*ess*) de honneurs waarnemen; ~ *a hunch* handelen volgens een ingeving; ~ *safe* geen risico nemen; ~ *the saint* de vrome uithangen; ~ ***about*** (***around***) *with* voor de gek houden; verbeuzelen (*money*), zich afgeven met (*women*); ~ *them **against** each other* tegen ... uitspelen; ~ ***along*** *with* meedoen, meespelen met; ~ ***at*** *blind-man's buff, at Red Indians* blindemannetje (Indiaantje) spelen; ~ (*at*) *cards* (*dominoes*) kaart-, domino spelen; ~ ***away*** *one's fortune* ... verspelen; ~ ***back*** terugspelen (*van geluidsband enz.*); ~ ***down*** bagatelliseren (*news of communist aggression*); zie ook ~ *on;* ~ ***for*** *safety* de zekerste weg nemen; ~ *for time* tijd trachten te winnen; ~ *a p.* ***off*** iem ertussen nemen; ~ *off as* ... laten doorgaan voor; ~ ***on*** spelen op; laten spelen (schieten, spuiten, enz.) op (*a gun, a fire-hose,* enz.); werken op; uitbuiten; speculeren op; ~ *on words* woordspelingen maken; spelen met woorden; ~ ***out*** uitspelen; tot een einde brengen; ~ *itself out* aflopen; *~ed out* op, uitgeput, verbruikt; ~ ***up*** opspelen; beginnen (te spelen); meedoen, het zijne doen, zich kranig (eerlijk) gedragen; handelen; ophemelen; ~ ***upon*** zie ~ *on;* ~ ***with*** spelen met; voor de gek houden; II *zn* spel, wijze van spelen; speelruimte, vrijheid van beweging, speling; toneelstuk, komedie; *let him have fair* ~ geef hem een eerlijke kans; *children* ***at*** ~ spelende ...; ***in*** ~ voor de grap; *ball is in* ~ in het spel; *in full* ~ in volle werking; *bring (call)* ***into*** ~ erbij betrekken, in het spel brengen; laten gelden (*one's influence*); *come into* ~ (erbij) in het spel komen; ***out of*** ~ buiten spel; *go* ***to*** *the* ~ naar de komedie gaan; '**playable** [-əbl] (be)speelbaar; te maken (*ball*); '**play-act(ing)** komediespelen (-spel); '**play-actor** komediant (*ook fig*); '**playback** het terugspelen (*van geluidsband enz.*); '**playboy** bon-vivant, rijke zwierbol, id.; '**player** [-ə] (toneel)speler; '**playful** [-f(u)l] speels, schalks, schertsend; '**playgoer** schouwburgbezoeker; '**playground** speelplaats; '**playhouse** schouwburg; '**playing-card** speelkaart; '**playmate** speelkameraad; '**play-off** beslissingswedstrijd; '**play-pen** baby-, kinderbox; '**playsuit** [-su:t] speelpakje; '**plaything** stuk speelgoed; (*fig*) speelbal; **playtime** speelkwartier, pauze (*school*); '**playwright**, **play-writer** toneelschrijver

plea [pli:] *a*) verontschuldiging, motief, voorwendsel (*on [under] the* ~ *that* onder voorwendsel dat); *b*) dringend verzoek; *c*) verweer, pleidooi, pleit; betoog; *d*) (*hist*) proces; **plead** [pli:d] (be)pleiten, verdedigen (*a p.'s cause*); zijn zaak uiteenzetten, zich verdedigen; (als verdediging, verontschuldiging) aanvoeren; voorwenden (*a headache*); smeken (*for* om); ~ *not guilty* ontkennen schuldig te zijn; ~ *guilty* (schuld) bekennen

pleasant ['pleznt] aangenaam, prettig; gezellig (*room*); '**pleasantry** [-ri] scherts, grap, gekheid

please [pli:z] behagen, bevallen; voldoen (*be hard to* ~); believen; *as you* ~ zoals ge verkiest; (*if you*) ~ alstublieft; *if you* ~, *ook: a*) als ik zo vrij mag zijn; *b*) nota bene, waarachtig (*he has his views on politics, if you* ~*!*); ~, *Sir, may I go now?* Mijnheer, mag ik ...?; ~*!* (doe, zeg, dat) alsjeblieft niet!; ~ *yourself* doe, zoals u verkiest; ~*d, ook:* blij; ~*d as Punch* dolblij, zo trots als een pauw; verheugd (*at* over); *I shall be* ~*d to hear* ... het zal mij aangenaam zijn te vernemen ...; *he was* ~*d not to believe me* verkoos me niet te ...; *be* ~*d to pay at once* wees zo goed, gelieve ...; ~*d with* ingenomen met; tevreden over; **pleasing** ['pli:ziŋ] aangenaam (*to* voor); innemend (*ways* manieren), behaaglijk

pleasurable ['pleʒərəbl] aangenaam; **pleasure** ['pleʒə] I *zn* genoegen, plezier, vermaak, genot; verkiezing (*at my* ~ naar ...); believen, welbehagen (= *good* ~); *at* ~ naar believen; *we have* ~ *in sending you* ... we hebben het g...; *the* ~ *is ours* het genoegen is aan ons; II *ww: a*) een genoegen doen; voldoen aan; *b*) behagen scheppen (*in* in); '**pleasure ground** park, lusthof

pleat [pli:t] I *zn* plooi; II *ww* plooien, plisseren

pledge [pledʒ] I *zn* (onder)pand (*ook:* liefdepand); borgtocht; (plechtige) belofte (*under* ~ *of secrecy*), gelofte; toost; *put in* ~ verpanden; *take out of* ~ inlossen; II *ww* verpanden (*ook: one's word,* enz.), in pand geven, belenen; (ver)binden; plechtig beloven; drinken op de gezondheid van (*in a glass of wine* met); ~ *o.s., ook:* zich borg stellen

plenary ['pli:nəri, 'plenəri] volkomen, geheel; ~ *meeting* plenaire vergadering; ~ *power(s)* volmacht

plenitude ['plenitju:d] overvloed

plentiful ['plentif(u)l] overvloedig; **plenty** ['plenti] I *zn* overvloed; *I am in* ~ *of time* heb overvloed van tijd; *thank you, I have* ~ ruimschoots voldoende; II *bw* (*fam*) ruimschoots

pleurisy ['pluərisi] pleuritis, borstvliesontsteking

pliable ['plaiəbl] buigzaam, plooibaar; **pliant** ['plaiənt] buigzaam, smijdig, gedwee; **pliers** ['plaiəz] buigtang

plight [plait] toestand, conditie, positie

plimsoll ['plimsəl] gymschoen, gympie

plinth [plinθ] plint (onderste deel van voetstuk van zuil; stenen rand onder langs muur)

plod [plɔd] zwoegen, ploeteren, blokken; ~ *at one's books* vossen; ~ *along,* ~ *on,* ~ *one's way* zich voortslepen, voortsukkelen; ~*ding, ook:* moeizaam, onverdroten (*efforts*); '**plodder** [-ə] zwoeger, ploeteraar

plonk [plɔŋk] I *zn* plof, holle klank; (*sl*) goedkope wijn; drank; II *ww* met een plof neergooien (neervallen); hol (weer)galmen; ~ *away* bonken (op piano)

plop [plɔp] I *zn & bw* plons, plof (*fall* ~ *into the water*), floep; II *ww* plonzen, ploffen

plot [plɔt] I *zn: a*) stuk(je) grond; *b*) intrige (*ook van toneelstuk*), komplot, samenzwering; II *ww: a*) in kaart brengen, intekenen; (*grafiek*) uitzetten; ontwerpen, traceren, afbakenen, aanleggen (ook: ~ *out*); ~ (*out*), *ook:* indelen (*one's time*); *b*) samenzweren, intrigeren, plannen smeden (voor: ~ *a p.'s destruction*), beramen; '**plotter** [-ə] samenzweerder, intrigant

plough [plau] I *zn* ploeg; ploegschaaf; ploegmes; *the P*~ de Grote Beer; *put one's hand to the* ~ de hand aan de ploeg slaan; II *ww* ploegen, ompoegen; '**ploughshare** ploegschaar

plover ['plʌvə] pluvier

ploy [plɔi] manoeuvre, zet; karwei

pluck [plʌk] I *ww* plukken, rukken, trekken (aan), tokkelen; (*sl*) laten zakken (*bij examen*); ~ *up* (*one's*) *courage* (*heart, spirits*) moed vatten; II *zn: a*) ruk, trek; *b*) moed, durf; '**plucky** [-i] dapper, kranig

plug [plʌg] I *zn* id., prop, pin, stop; brandkraan; stuk pruimtabak; pruim(tabak); (*med*) tampon; (*elektr*) stek(k)er, contactstop; (*van auto*) bougie; (*fam*) (oneerlijke) reclame (*radio: door bepaalde plaat veel te* *draaien, bijv. als 'troetelschijf' o.i.d.*); II *ww* dicht-, verstoppen, vullen, plomberen (ook: ~ *up*); (*med*) tamponneren; reclame maken voor (*an article*); blijven hameren op (*an idea*); ~ *a song* (*a tune*), (*fam*) door telkens zingen of spelen populair maken; ~ *away* (door)ploeteren (aan); ~ *in* (in)schakelen, instoppen; '**plughole** afvoer-, gootsteengat

plum [plʌm] *a*) pruim; *b*) vet baantje (= ~ *job*), neusje van de zalm, mooie passage

plumage ['plu:midʒ] gevederte, (veder)dos

plumb [plʌm] I *zn* schiet-, dieplood; *out of* ~ uit het lood; II *bn* loodrecht; volmaakt; volslagen, klinkklaar (*nonsense*); III *bw* loodrecht; precies (*in the middle*), vlak, recht (*down*); volslagen (*crazy*); IV *ww* peilen (*ook fig*), loden; loodrecht maken (plaatsen); loodgieterswerk doen; '**plumber** [-ə] loodgieter; '**plumbing** [-iŋ] loodgieterswerk, sanitaire inrichting(en); '**plumbless** peilloos; **plumbline** schietlood

'**plum-cake** rozijnen-, krententaart

plume [plu:m] I *zn* veder(bos), (veren-, rook-, enz.) pluim; II *ww* van veren (pluimen) voorzien of ermee versieren; gladstrijken (*feathers*)

plummet ['plʌmit] I *zn* (loodje van) schietlood, dieplood; gewichtje aan dobber; II *ww* (ook ~ *down*) als een schietlood neervallen; omlaag schieten

plummy ['plʌmi] (*fam*) voortreffelijk, begeerlijk; (*fam*) warm en vibrerend (*voice*)

1 plump [plʌmp] *bn* mollig, gevuld, rond

2 plump [plʌmp] I *ww:* ~ *down* (neer)ploffen, plompen, kwakken; ~ *for* als één man stemmen op, zich openlijk verklaren voor, het houden op; II *zn* plof; III *bw* met een plof; pardoes; IV *bn* bot (*a* ~ *refusal*), vierkant (*a* ~ *lie*)

plumy ['plu:mi] gevederd

plunder ['plʌndə] I *ww* plunderen, (be)roven; II *zn* plundering; buit; '**plunderer** [-rə] plunderaar

plunge [plʌn(d)ʒ] I *ww* (in-, onder)dompelen, plonzen, duiken, (zich) storten; stampen (*van schip*); kelderen (*van prijzen*); *-ing neckline* diep uitgesneden hals; II *zn* (onder)dompeling, het ...; duik, val; ruk; benedenwaartse slag; ook = *~-bath; take* (*make*) *the* ~ de sprong wagen, de beslissende stap doen

pluperfect [plu:'pə:fikt] (*gram*) voltooid verleden tijd

plural ['pluərəl] meervoud(ig); **plurality** [pluə'ræliti] meervoudigheid; menigte; meerderheid

plus [plʌs] I *vz* plus; *12* ~ (even) boven de 12; *11* ~, zie *eleven*; II *bn: a*) positief; *b*) extra; III *zn* plus(teken)

plush [plʌʃ] I *zn* pluche; II *bn* luxe, chique

pluvial ['plu:viəl] regenachtig, regen...

1 ply [plai] *a*) vouw, plooi, laag; *b*) streng: afzonderlijke draad van garen, touw, enz.

2 ply [plai] gebruiken; be-, uitoefenen (*a trade, one's art*); bezig zijn met; laveren; geregeld varen (rijden) (*a boat, an omnibus, plies between ...; ~ to the Baltic*); bevaren; (*van huurkoetsier, kruier, enz.*) klanten trachten te krijgen, 'snorren'; *~ing taxi* snorder; ~ *the bottle* de fles geducht aanspreken; ~ *with* overladen (overstelpen, bestoken) met (*food, favours, questions*)

plywood ['plaiwud] uit drie of meer lagen bestaand hout: triplex, multiplex

p.m. ['pi:'em] *post meridiem;* 's namiddags, c.q. 's avonds

pneumatic [nju(:)'mætik] pneumatisch, lucht(druk)...; ~ *brake* luchtdrukrem

pneumonia [nju'məunjə] longontsteking

poach [pəutʃ] 1 pocheren: koken (*eggs*) door ze zonder schaal in kokend water te laten vallen; 2 stropen; afstropen (*land*); ~ *on a p.'s preserves*, (*fig*) onder iems duiven schieten; '**poacher** [-ə] stroper

P.O. Box *Post-Office box* postbus

pock [pɔk] pok

pocket ['pɔkit] I *zn* zak; (ook van biljart); tasje (van portefeuille, enz.); map (voor kaarten, enz.); insluiting: met erts enz. gevulde (rots)holte; ~ *of resistance* weerstandsnest; *attr soms:* miniatuur, in zakformaat; *line one's ~s* z'n beurs (op een oneerlijke manier) spekken; *put one's hand in one's* ~, (*fig*) in de zak tasten; *put one's hands in one's ~s*, (*fig*) geen hand uitsteken; II *ww* in de zak steken; op-, insluiten; inpalmen, gappen; '**pocketbook** zakportefeuille; boek van klein formaat; (*Am ook*) handtasje; '**pocket-expenses** kleine persoonlijke uitgaven; '**pocketful** [-ful] zakvol; '**pocket-'handkerchief** (*vero*) zakdoek; '**pocketknife** zakmes; '**pocket-money** zakgeld; '**pocket-size** zakformaat

'**pockmark** pokput, -daal; '**pockmarked** [-mɑ:kt] pokdalig

pod [pɔd] I *zn: a*) dop, schil, peul; *b*) vleugeltank (aan vliegtuig); *c*) afwerpbaar onderdeel van ruimtevaartuig; II *ww* doppen

podgy ['pɔdʒi] kort en dik, rond, pafferig

podium ['pəudiəm] id.

poem ['pəuim] gedicht; **poet** ['pəuit] dichter; **poetess** ['pəuitis] dichteres; **poetic** [pəu'etik], **poetical** [-l] dichterlijk, dicht...; *poetic licence* dichterlijke vrijheid; **poetry** ['pəuitri] dichtkunst, poëzie

poignancy ['pɔin(j)ənsi] aangrijpendheid, schrijnendheid; diep verdriet; **poignant** ['pɔin(j)ənt] scherp, stekelig, pijnlijk, aangrijpend, schrijnend; pikant

point [pɔint] I *zn* punt (in effectennotering = percent); stip, decimaalteken, 'komma' (*four* ~ *five*, 4,5; ~ *five*, 0,5); leesteken; (kompas)streek: landpunt; stift, (ets)naald; (doel)punt; (*elektr*) stopcontact (= *power* ~); (*Am*) station, plaats; pointe; het fijne, essentiële, pikante van grap, enz., geestigheid; kern (*of an argument*); zaak (*the* ~ *is* ...); waar het op aankomt (*that is just the ~; miss the ~* niet zien waar ...); wenk, aanwijzing; *~s: a*) (spoorweg)wissel; *b*) raskenmerken, goede eigenschappen (van paard, enz.); *c*) extremiteiten (*a bay horse with black ~s*); *~ of view* oog-, gezichtspunt; *you have a ~ there* daar heb je gelijk aan, daar is iets voor te zeggen; *I take your ~* begrijp je (wat je bedoelt); *there was no ~ in a long engagement* een ... had geen zin; *my ~ is that* ... wat ik beweer ...; *that's the main ~* de hoofdzaak; *carry* (*gain*) *one's ~* zijn doel bereiken, zijn zin krijgen; *make a* (*one's*) *~* zijn zaak (bewering) bewijzen (= *prove one's ~*); de spijker op de kop slaan; zijn slag slaan; *make a ~ of* staan (zeer gesteld zijn) op; nadruk leggen op; *make a ~ of ...ing* het zich ten doel stellen, het erop aanleggen, het erop gezet hebben ..., nooit verzuimen te ..., er altijd voor zorgen dat ...; *press* (*urge*) *the ~* (op iets) aandringen; *~ taken,* (*fam*) die slag is jou; ***at*** *the ~ of death* op sterven; ***from*** *a literary ~ of view* uit ... oogpunt; ***in*** *~* van toepassing, toepasselijk (*a case in ~*); ***off*** *the ~* niet ter zake (dienende); *get off the ~* afdwalen; *a policeman* ***on*** *~,* zie *~-duty; get to the ~!* ter zake!; *~ of view* opinie, oordeel, mening; *truthful* ***up to*** *a ~* tot op zekere hoogte; *it would be* ***without*** *~* zou geen zin hebben; II *ww* (aan)punten, scherpen; de nadruk leggen op, doen uitkomen, verscherpen; wijzen (met); aanleggen, richten (*a gun*); *the story ~s a moral* bevat een zedeles; *~* ***at*** wijzen op, aanleggen (richten) op; *~* ***out*** aanwijzen, wijzen (op), aanduiden, -tonen; *with his toes ~ed out* naar buiten gericht; *~* ***to*** wijzen op (naar); (*van barometer, enz.*) staan op; **'point-'blank** à bout portant (*at ~ range*); zonder omwegen, op de man af, botweg (*I told him so ~*); *~ refusal* botte ...; **'point-duty**: *policeman on ~* politiepost: op zeker punt gestationeerde agent, verkeersagent; **'pointed** puntig; scherp, nadrukkelijk, op de man af; ad rem; **'pointer** *a*) wijzer; *b*) aanwijsstok; *c*) staande hond; *d*) graveerstift, etsnaald; *e*) wenk, aanwijzing; **'pointless** stomp, zonder punt(en); niet ad rem, ongemotiveerd, zinloos, doelloos; onbeduidend, flauw (*joke*); **'pointsman** [-smən] wisselwachter

poise [pɔiz] I *ww* balanceren; in evenwicht brengen (houden, zijn); (doen) rusten (hangen, zweven); *~d* in evenwicht; *be ~d for* klaar staan voor; II *zn* evenwicht(igheid); kalmte, zelfbeheersing; vastheid; houding (*of the head*); zwevende toestand; (korte) stilstand; onzekerheid; *at ~: a*) in evenwicht; *b*) in onzekerheid

poison ['pɔizn] I *zn* vergif(t), gif(t); *what's* (of: *name*) *your ~,* (*fam*) wat wil je drinken?; *I hate it like ~* als de pest; II *ww* vergiftigen; verbitteren, vergallen, bederven; *~ed cup* giftbeker; **'poisoner** [-ə] giftmeng(st)er; **'poison-'gas** gifgas, strijdgas; **'poisonous** [-əs] vergiftig; **'poison-sting** giftangel

poke [pəuk] I *zn* 1 *buy a pig in a ~* een kat in de zaak kopen; 2 stoot, duw, por; *have a ~ round* rondsnuffelen; II *ww* duwen, stoten (*at* naar), steken; tasten; scharrelen; (op)poken; *~ about, ~ and pry* rondsnuffelen

poker ['pəukə] 1 pook; 2 poker (*kaartsp*); **'poker face(d)** (met) effen (onbewogen) gezicht

pok(e)y ['pəuki] hokkerig, peuterig, armzalig; slonzig

Poland ['pəulənd] Polen

polar ['pəulə] pool..., polair; *~ bear* ijsbeer; *~ circle* poolcirkel; *~ lights* poollicht; **'polarize** [-raiz] polariseren; (*fig*) *a*) een afwijkende betekenis geven aan (*a word*); *b*) in dezelfde richting leiden (*efforts,* enz.)

pole [pəul] I *zn* 1 *P~* Pool; 2 pool; *~s apart* (*asunder*) hemelsbreed verschillend; 3 paal, stang, staak, stok, pols, mast; dissel; *drive a p. up the ~* iem stapelgek maken; II *ww* (voort)bomen

polemic [pɔ'lemik] I *bn* polemisch; twist...; II *zn: a*) pennestrijd, polemiek; *b*) polemicus, polemist

Pole Star ['pəulstɑ:] poolster

pole-vaulting ['pəulvɔ:ltiŋ] polsstok(hoog)springen

police [pə'li:s] I *zn* politie; *400 ~* ...man politie; *anti-riot ~ unit* ME (mobiele eenheid); II *ww: a*) toezicht houden op, bewaken (*a country, the seas*); onder politietoezicht stellen; *b*) van politie voorzien; **police constable** [-kʌnstəbl] politieagent; **police-court** politierechtbank; **police force** politie(macht); **police-magistrate** politierechter; **policeman** [-mən], **police officer** politieagent; **police-raid** politieinval; **police sergeant** [-sɑ:dʒənt] brigadier van politie; **police station** politiebureau; **policewoman** politieagente

policlinic [pɔli'klinik] polikliniek

policy ['pɔlisi] 1 politiek, gedragslijn; (staats)beleid, overleg, omzichtigheid; *long-term ~* lange-termijnpolitiek; 2 polis; *insurance ~* assurantiepolis

polio ['pəuliəu] (*fam*) id.; **poliomyelitis** ['pəuliəumaiə'laitis] kinderverlamming

Polish ['pəuliʃ] Pools

polish ['pɔliʃ] I *ww* (zich laten) polijsten, poetsen, boenen; slijpen (*glass*); afvegen; gaan glimmen; beschaven, vijlen (aan) (*fig*); *~ed* gepolijst; beschaafd; II *zn* politoer; glans, beschaving, welgemanierdheid; *give it a ~* poets (knap) het wat op

polite [pə'lait] beleefd; beschaafd; *~ noises* beleefde frasen; *~ society* beschaafde kringen; **politeness** [-nis] beleefdheid, beschaafdheid

politic ['pɔlitik] I *bn* politiek, handig, slim; II *zn: ~s* politiek, staatkunde; **political** [pə'litikl] politiek, staatkundig, staats...; **politician** [pɔli'tiʃən] politicus; **politicize** [pə'litisaiz] politiseren; **polity** ['pɔliti] regeringsvorm, (staats)inrichting, staatsbestel; staat

polka dots ['pɔlkə-] grote stippen (op stof, kleding)
poll [pəul] I *zn* (ook ~*s*) (hoofdelijke) stemming, stembus, -bureau; stemmenaantal; *public opinion* ~ opinieonderzoek, enquête; II *ww* laten stemmen (*the people*); stemmen (*for* op); verkrijgen (*7000 votes*); uitbrengen (*a vote*)
pollen ['pɔlin] stuifmeel; **pollinate** ['pɔlineit] bestuiven; **pollination** [pɔli'neiʃən] bestuiving
polling ['pəuliŋ] stemming; '**polling booth** [-bu:ð] stemhokje; '**polling station** stembureau
pollster ['pəulstə] enquêteur, leider van *public opinion poll* (zie *poll*)
poll-tax ['pəultæks] hoofdelijke omslag, hoofdelijke belasting
pollutant [pə'l(j)u:tənt] verontreiniger; **pollute** [pə'l(j)u:t] bezoedelen, besmetten, be-, vervuilen, verontreinigen; ontheiligen; **pollution** [pə'l(j)u:ʃən] vervuiling; milieuverontreiniging
polo ['pəuləu] id.; '**poloist** polospeler; '**polo-neck** *a*) col; *b*) coltrui (= ~ *sweater*)
polyclinic [pɔli'klinik] polikliniek
polyp ['pɔlip] poliep
polystyrene ['pɔli'stairi:n] polystyreen; **polysyllabic** ['pɔlisi'læbik] veellettergrepig; **polytechnic** [pɔli'teknik] (poly)technisch; ~ (*school*) (poly)technische school (*ongev* H.T.S.); **polytheism** ['pɔliθi(:)izm] veelgodendom; **polythene** ['pɔliθi:n] polytheen; **polyunsaturate(d)** meervoudig onverzadigd
pommel ['pʌml] degen-, zadelknop
pomp [pɔmp] pracht, praal(vertoning); ~ *and circumstance* pracht en praal
pompon ['pɔmpɔn] id.; kwastje, strikje
pomposity [pɔm'pɔsiti] praalzucht, vertoon, hoogdravendheid, gewichtigheid, dikdoenerij; **pompous** ['pɔmpəs] deftig, statig, gewichtig (doend), weids, hoogdravend, gezwollen (*style*)
ponce [pɔns] I *zn* souteneur; II *ww:* ~ *about* pooi(er)en; rondklooien
pond [pɔnd] vijver, plas (*ook scherts:* zee)
ponder ['pɔndə] overwegen, overpeinzen, bepeinzen; peinzen (*on, over* over); **ponderable** [-rəbl] weegbaar; **ponderous** [-rəs] zwaar, log; zwaarwichtig, zwaar op de hand
pontifical [pɔn'tifikl] I *bn* pontificaal, opperpriesterlijk, pauselijk; plechtig; II *zn* bisschoppelijk ceremonieboek; **pontificate** [pɔn'tifikit] pontificaat: opperpriesterschap, pauselijke waardigheid (regering)
pontoon [pɔn'tu:n] ponton
pony ['pəuni] *a*) hit; *b*) pony (= *Shetland* ~); (*sl*) £25; '**pony-tail** paardestaart (*haardracht*); '**pony-trekking** trektocht per pony
poodle ['pu:dl] poedel
poof [pu(:)f] (*sl*) nicht, homo, mietje; **poofter** [pu(:)ftə] (*sl*) nicht, homo, mietje

pooh [pu:] ba(h), onzin; '**pooh-'pooh** [-pu:] de schouders ophalen over (*an idea*)
pool [pu:l] I *zn* 1 poel, plas; (zwem)bassin; diep deel van rivier; 2 pot (*bij spel*); poule; gezamenlijke inzet; bijeenlegging van gelden, enz.; toto; trust, syndicaat, kongsi; reservoir; depot van auto's; soort biljart; II *ww* (gelden, enz.) bij elkaar leggen (doen), botje bij botje leggen; bijeenvoegen (en samen verdelen); verenigen; '**pool-room** biljartlokaal
poop [pu:p] (*scheepv*) achterdek, kampanje; '**poop-deck** *poop*
poor [puə, pɔə, pɔ:] arm (*in* aan), behoeftig, armoedig; schraal (*soil, crop, consolation*); vermagerd, uitgeteerd (*horse*); slecht (*appetite; in* ~ *health*); armzalig (*excuse*), onbeduidend, pover, slecht (*lions are* ~ *swimmers*), min, treurig, stumperig, gebrekkig; '**poor-house** (*hist*) armhuis; '**poor-law** (*hist*) armenwet; '**poorly** I *bw* arm(oedig), enz. (zie *poor*); II *bn* min(netjes); '**poor-'spirited** lafhartig
pop 1 *bn* populair, alledaags, id. (*music*); 2 *zn* Pa; 3 I *ww* (laten) p(l)offen (paffen, knallen, barsten); schieten; steken, duwen, gooien, klappen, smakken; plotseling voor de dag komen, uitpuilen, enz. (*his eyes* ~*ped from their sockets*); wippen, glippen; ~ ***across*** (*the road*) overwippen; ~ ***at*** schieten op; ~ ***in*** binnenwippen (*on* bij), komen aanwaaien; ~ ***into*** *bed* ... springen; ~ ***off*** (*fam*) wegwippen, enz.; af-, neerschieten; gappen; opvliegen, iets eruitflappen; ~ ***on*** haastig opzetten, enz.; aanschieten (*one's trousers*); ~ ***out*** opeens voor de dag komen; opeens uitdoen (*a light*); ~ *one's head* ***out of*** *the window* uit ... steken; ~ ***up*** plotseling omhoog gaan, opduiken, weer boven water komen; II *zn* plof, floep, klap, knal; schot; plek, stip; (*sl*) gemberbier, mineraalwater, limonade (*raspberry* ~); III *bw* & *tw* floep, pof, paf; '**pop art** id., kunst, gebaseerd op het uitbeelden van alledaagse voorwerpen; '**popcorn** (*Am*) *a*) gepofte maïs; *b*) maïs geschikt om te poffen
Pope [pəup] paus
popish ['pəupiʃ] paaps
poplar ['pɔplə]: ~ (*tree*) populier
poplin ['pɔplin] popeline (*stof*)
popper ['pɔpə] drukknoop, druksluiting
'**poppy** papaver, klaproos
poppycock ['pɔpikɔk] (*vero sl*) onzin, klets
populace ['pɔpjuləs, -lis] *a*) gepeupel, grauw; *b*) het gewone volk, bevolking
popular ['pɔpjulə] populair, volks..., algemeen, gewoon, veel verbreid (*fallacy*); **popularity** [pɔpju'læriti] populariteit, volksgunst; **popularization** [,pɔpjulərai'zeiʃən] popularisering; '**popularize** [-raiz] populariseren; '**popularly** [-li] zie *popular;* ~ *known as* in de wandeling bekend als; ~ *elected* ... door het volk; '**popular-priced** [-praist] laag (van prijs)
populate ['pɔpjuleit] bevolken, bewonen; **population** [pɔpju'leiʃən] bevolking; populatie; **populous** ['pɔpjuləs] dichtbevolkt, volkrijk

porcelain ['pɔ:slin] porselein(en)
porch [pɔ:tʃ] portiek, portaal; (*Am*) veranda
porcupine ['pɔ:kjupain] stekelvarken
pore [pɔ:] I *ww:* ~ *over* (*on, upon*) vlijtig bestuderen, blokken (zich verdiepen) in (*a book*); peinzen (broeden) over; II *zn* porie
pork [pɔ:k] varkensvlees; '**porker** [-ə] gemest (jong) varken; '**pork** '**pie** varkenspastei; '**porky** [-i] varkens(vlees)achtig, vet
porn [pɔ:n] (*fam*) porno(grafie, -fisch); **pornography** [pɔ:'nɔgrəfi] pornografie
porous ['pɔ:rəs] poreus
porpoise ['pɔ:pəs] bruinvis
porridge ['pɔridʒ] (havermeel)pap; *do* ~, (*sl*) in de bak (nor) zitten
port [pɔ:t] 1 haven(plaats); ~ *of call* aanloophaven; *it was a case of any* ~ *in a storm* men moest ieder redmiddel aangrijpen; 2 poort, ingang; ook = ~-*hole*; 3 bakboord; 4 port(wijn)
portable ['pɔ:təbl] I *bn* id., draag-, verplaatsbaar; roerend (*goods*); ~ *gramophone* koffergrammofoon; ~ *kitchen* veldkeuken; ~ *typewriter* kofferschrijfmachine; II *zn* id., draagbaar apparaat
portal ['pɔ:tl] (*lit*) ingang, deur, poort
portcullis [pɔ:t'kʌlis] valhek, hamei
portend [pɔ:'tend] (voor)beduiden, -spellen
portent ['pɔ:tent] (slecht) voorteken; veelbetekenend iets, wonder; **portentous** [pɔ:'tentəs] onheilspellend; gewichtig, plechtig; veelbetekenend; monsterachtig, ontzaglijk
porter ['pɔ:tə] 1 portier (= *hall* ~); (gemeente)bode; 2 besteller, drager, kruier (= *luggage* ~); '**porterage** het werk van *porter* 2; draag-, bestel-, kruiersloon; '**porter-house** (= ~ *steak*) biefstuk van de haas
portfolio [pɔ:t'fəuljəu] (teken-, enz.) portefeuille
porthole ['pɔ:thəul] patrijs-, geschutpoort
portico ['pɔ:tikəu] portiek, zuilengang
portion ['pɔ:ʃən] I *zn* portie, (aan)deel, erfdeel; bruidsschat; *a* ~ *of, ook:* enig(e); II *ww:* ~ *out* ver-, uitdelen; toewijzen
portly ['pɔ:tli] gezet, welgedaan
portrait ['pɔ:tr(e)it] portret, beeld, schildering; **portray** [pɔ:'trei] portretteren, schilderen
Portugal ['pɔ:tjugəl] id.; **Portuguese** [(')pɔ:tju'gi:z] *bn* & *zn* Portugees, -gezen
pose [pəuz] I *ww* stellen (*a problem*); voorstellen; een houding (allures) aannemen, poseren, zich aanstellen; plaatsen, opstellen, laten poseren; II *zn* pose, houding, aanstellerij, vertoon
posh [pɔʃ] (*sl*) chic; deftig; netjes aangekleed; prima
position [pə'ziʃən] I *zn* houding; positie; toestand; stelling(name); standpunt; bewering (*make good a* ~ ... staven); plaats(ing), stand (ook fig: *of the negotiations,* enz.), ligging; rang; betrekking, post; het stellen (van vraag, enz.); bevestiging; II *ww: a*) plaatsen; *b*) de plaats bepalen van
positive ['pɔzitiv] I *bn* positief, stellig, bepaald, beslist; volstrekt; absoluut zeker; dogmatisch, op zijn stuk staand; (*fam*) volslagen, echt (*nuisance*); *I am quite* ~ weet het zeker; II *zn* positief getal; iets werkelijks; positief, afdruk (*fot*); **positivity** [pɔzi'tiviti] stelligheid
posse ['pɔsi] (politie)macht; menigte, troep; ~ (*comitatus*) mannen boven 15 jaar, die een sheriff bij onlusten enz. kan oproepen
possess [pə'zes] bezitten; beheersen (*a language, o.s.*); ~ *o.s. of* zich in het bezit stellen van; **possession** [pə'zeʃən] bezit, bezitting; *put a p. in* ~ *of* iem in het bezit stellen van; *take* ~ *of* in bezit nemen, betrekken (*a house*); (*with*) *immediate* ~ dadelijk (leeg) te aanvaarden; **possessive** [pə'zesiv] bezittelijk, bezitaanduidend, bezit... (*rights*); heerszuchtig; **possessor** [pə'zesə] bezitter
possibility [pɔsə'biliti, pɔsi-] mogelijkheid; *at the first* ~ zodra mogelijk; *by no* ~, *not by any* ~ met geen mogelijkheid; **possible** ['pɔsəbl, -sibl] I *bn* mogelijk; *if* ~ zo mogelijk; *it is quite* ~ *for him to be the man* dat hij ... is; *there is only one* ~ *man among them* waar wat mee te beginnen is, die te gebruiken zou zijn, enz.; II *zn* het mogelijke; mogelijkheid; hoogst mogelijke aantal punten; mogelijke kandidaat; **possibly** ['pɔsəbli, -sibli] mogelijk(erwijs); misschien; *I cannot* ~ *do it* ik kan het onmogelijk doen
possum ['pɔsəm] (*fam*) opossum; buidelrat; *play* ~ zich dood of ziek houden; zich maar zo houden
1 post [pəust] I *zn* 1 paal, stijl, post; (*sp*) = *starting-post* & *winning-post*; 2 post; postkantoor; brievenbus; (*hist*) pleisterplaats voor postpaarden; afstand tussen twee pleisterplaatsen; *by* ~ per post; *lost in the* ~ bij de post verloren gegaan; 3 post, (stand)plaats; factorij; post, betrekking; *last* ~ trompetsignaal, geblazen over het graf van een militair; II *ww* 1 (aan)plakken (gew. ~ *up*), beplakken, bekend maken, aan de kaak stellen; 2 (*hist*) met postpaarden reizen; snellen (~ *off* heen...); posten, op de post doen; boeken; 3 posteren, uitzetten, plaatsen; aanstellen tot (*be* ~*ed captain*); ~*ed to a battery* ingedeeld bij; stationeren; plaatsen, overplaatsen (*to* naar; te)
2 post [pəust] *in sam dikwijls:* na, achter; ~ *meridiem* [mə'ridiəm] (gewoonlijk *p.m.*), 's namiddags, 's avonds (*5 p.m.*)
postage ['pəustidʒ] port; ~ *meter* frankeermachine; ~ *paid* franco; ~ *stamp* postzegel; **postal** ['pəustəl] post...; ~ *order* postwissel; ~ *rates* posttarief, -ieven; ~ *van* postrijtuig; **postbag** ['pəustbæg] postzak; **postbox** brievenbus; '**postcard** briefkaart; '**postcode** id.
poster ['pəustə] *a*) aanplakker; *b*) id., aanplakbiljet, reclameplaat, affiche
posterior [pɔs'tiəriə] I *bn* volgend (*to* op), later; achter...; II *zn:* ~(*s*) zitvlak
posterity [pɔs'teriti] nageslacht

postern ['pəustən]: ~ (*door, gate*) (*lit*) achterdeur(tje), zijdeur, poortje
post-free ['pəust'fri:] franco
postgraduate [pəust'grædjuit] na het behalen van een academische graad
posthumous ['pɔstjuməs] na 's vaders dood geboren; postuum, nagelaten (*writing*); na de dood; ~ *award* postuum verleende orde
posting ['pəustiŋ] stationering, (over)plaatsing; standplaats; '**posting-box** brievenbus (*van postkantoor enz.*)
postman ['pəus(t)mən] brievenbesteller, postbode; **postmark** ['pəus(t)mɑ:k] I *zn* postmerk, poststempel; II *ww* (af)stempelen; **postmaster** ['pəus(t)mɑ:stə] postmeester, postdirecteur; '**postmistress** directrice van postkantoor
post-mortem ['pəus(t)'mɔ:tem, -əm] (van) na de dood; lijkschouwing (= ~ *examination*); '**post-'natal** [-neitl] (van) na de geboorte
'**post office** postkantoor; *the P~ O~* de post(erijen), (de) P.T.T.; '**post-office-box (order, savings-bank)** postbus (-bewijs, -spaarbank); **post-paid** ['pəust'peid] franco, gefrankeerd
postpone [pəus(t)'pəun] uitstellen, opschorten; achterstellen (*to* bij); **postponement** uitstel
postscript ['pəus(t)skript] postscriptum
postulate I *zn* ['pɔstjulit] postulaat, stelling waarvan wordt uitgegaan; II *ww* [-eit] eisen, verlangen; postuleren; poneren, (zonder bewijs) aannemen, ver-, vooronderstellen
posture ['pɔstʃə] I *zn* houding, stand, toestand; ~ *of affairs* staat van zaken; II *ww: a*) een zekere houding geven, plaatsen; *b*) een zekere (een gemaakte) houding aannemen, poseren
post-war ['pəust'wɔ:] naoorlogs
posy ['pəuzi] bloemtuil(tje), ruiker
pot [pɔt] I *zn* pot, kan, kroes, beker; fuik; prijs-(beker); (*fam*) 'bom' duiten (= *a* ~ of: *~s of money*); (*sl*) id., cannabis, marihuana; II *ww* (op)potten (*plants*), inmaken (in potten); op de pot zetten (*the baby*); stoppen (*biljart*); (*fam*) van nabij neerschieten; schieten (*at* op); bemachtigen, op de kop tikken
potable ['pəutəbl] I *bn* drinkbaar; II *zn: ~s* drinkwaren
potato [p(ə)'teitəu] aardappel; *hot* ~, (*sl*) riskante zaak; *small ~es* onbeduidend; '**potato-masher** aardappelstamper; '**potato-peel** aardappelschil; '**potato-peeler** aardappelmesje; '**potato-skin** aardappelschil
pot-bellied ['pɔtbelid] dikbuikig; '**pot-belly** dikke buik, hangbuik
potency ['pəutənsi] macht, invloed, kracht, sterkte, potentie; **potent** ['pəutənt] machtig, invloedrijk, sterk, krachtig; **potentate** ['pəutənteit] potentaat
potential [pə'tenʃəl] I *bn* potentieel, mogelijk, eventueel (*buyers*), latent; zie *zn*; II *zn: a*) potentiaal; potentieel; *b*) mogelijkheid, -heden;
potentiality [pəˌtenʃi'æliti] potentialiteit; mogelijkheid
pother ['pɔðə] (*sl*) rumoer, lawaai, drukte, herrie **pot-herb** ['pɔthə:b] groente (als toekruid); '**pot-holder** pannelap; '**pot-hole** gat in rots, weg, enz.; aardhol; '**pot-holer** onderzoeker van aardholen, speleoloog; '**pot-hunter** broodjager; (*fig*) wie meedingt alleen ter wille van de prijs
potion ['pəuʃən] drankje
pot-'luck: *take* ~ eten wat de pot schaft; het nemen zoals het valt
potsherd ['pɔtʃə:d] (*archeol*) potscherf; '**pot-shot** schot van nabij (uit een hinderlaag, enz.); schot (*fig:* poging) op goed geluk af
potted ['pɔtid] ingemaakt; pot... (*plant*)
1 potter ['pɔtə] pottenbakker
2 potter ['pɔtə] beuzelen, knutselen, liefhebberen (*in botany* in ...); strompelen; boemelen (in trein: ~ *along*); ~ *about* omscharrelen
pottery ['pɔtəri] *a*) aardewerk, potten en pannen; *b*) pottenbakkerij
'**potting shed** kweekkasje
potty ['pɔti] I *bn* (*sl*) *a*) klein, nietig; *b*) niet goed snik, gek; ~ *on* verkikkerd op; II *zn* potje (*voor kind*); ~ *trained* zindelijk (*baby*)
pouch [pautʃ] (tabaks)zak, (patroon)tas; krop; wangzak (*van aap*); buidel (*van buideldier*); wal (*onder de ogen*); (*plantk*) zaaddoos;
pouchy ['pautʃi] met zakken; zie *pouch*
poulterer ['pəultərə] poelier
poultice ['pəultis] pap (*op wond*)
poultry ['pəultri] pluimvee; '**poultry-farm, poultry-house, poultry-rearing** [-riəriŋ], **poultry-yard** hoenderpark, -hok, -teelt, -hof
pounce [pauns] I *zn* neerschietende beweging, aanval als van een roofvogel; *make a* ~ neerschieten (*at, on* op); *at a* ~ met één greep (slag); *on the* ~ gereed om aan te vallen; II *ww:* ~ (*up*)*on* neerschieten (toespringen, zich werpen) op
pound [paund] I *zn* pond (= *16 ounces avoirdupois* 453,6 gram; *12 ounces troy* 373 gram); pond sterling; ~ *note* bankbiljet van £1; *the bankrupt paid 25p in the* ~ keerde 25% uit; II *ww* (fijn) stampen, verpletteren; stompen, bonzen (van hart), dreunen (van dieselmotor); (be)schieten; ploeteren, zwoegen, sjouwen; '**poundage** [-idʒ] *a*) belasting (bedrag, provisie, tantième) per post; *b*) postwisselrecht; '**pounder 1** stamper; vijzel; **2** ...ponder
pour [pɔ:] gieten, schenken, storten (*the river ~s itself into the sea*), (doen) stromen; ~ (*with rain*) stortregenen, gieten; ~ *in* binnenstromen; ~ *out a cup of tea* inschenken; ~ *cold water on an idea* een idee afkraken; ~ *oil on troubled waters* olie op de golven gieten
pout [paut] I *ww* pruilen; vooruitsteken (*the lips, etc.*); II *zn: a*) pruilend mondje; *b*) gepruil
poverty ['pɔvəti] armoede (*in* aan), behoefte, gebrek (*of* aan); mager-, schraalheid, gebrek aan kwaliteit; '**poverty-line**: *live below the* ~

aan het allernodigste gebrek hebben; **'poverty-stricken** [-strikn] (dood)arm

powder ['paudə] I *zn* poeder, poeier; buskruit; (*fig*) kracht; *take a ~*, (*Am sl*) met de noorderzon vertrekken; II *ww* bepoederen, (zich) poeieren (= *~ up*), (be)strooien, besprenkelen, bezaaien; fijn maken, tot poeder maken (worden); *~ed, ook:* in poedervorm; *~ed milk* melkpoeder; *~ed sugar* poedersuiker; **'powder-box** *a*) poederdoos; *b*) kruitkist; **powder puff** poederdons; **'powder-room** [-ru(:)m] *a*) kruitkamer; *b*) dames-toilet; **'powdery** [-ri] poederachtig, fijn gepoederd

power ['pauə] I *zn* macht, (drijf)kracht, energie, vermogen, invloed, gezag; elektr stroom; sterkte (*van lens*); bewind; volmacht; bevoegdheid; mogendheid; (*fam*) macht, *~s, ook:* (geestes)gaven; *attr dikwijls:* machinaal gedreven (*press*); *~ tool* elektrisch gereedschap, inz. elektrische boormachine (= *~ drill*); *~ of attorney* volmacht; *~ take-over* machtsovername; *come* ***(in)to*** (*return to*) *~* (weer) aan het bewind komen; *that is* ***out of*** *your ~* buiten je macht; ***under*** *her own ~*, (*van boot, enz.*) op eigen kracht; II *ww* van drijfkracht voorzien (*oil ~s the thresher*); **'power brakes** bekrachtigde remmen; **'power-cut** (gedeeltelijke) beperking van elektrische stroom; **powered** [-d]: *small* (*highly*) *~* van gering (groot) vermogen; **'powerful** [-f(u)l] machtig, krachtig, vermogend, sterk, indrukwekkend; **'power house** *a*) elektrische centrale; *b*) machinekamer; **'powerless** machteloos; **'power plant** elektrische centrale; **'power point** (*elektr*) contactdoos, stopcontact; **'power-station** (elektriciteits)centrale; **'power-steering** stuurbekrachtiging; **'power supply** *a*) energievoorziening; *b*) voedingsgedeelte (*van een radiotoestel*)

pow-wow ['pauwau] *zn* vergadering van Indianen; (*fig*) langdurige vergadering

pox [pɔks] (*volkstaal*) syfilis

practicability [ˌpræktikə'biliti] uitvoerbaarheid, bruikbaarheid; **practicable** ['præktikəbl] uitvoerbaar, doenlijk, begaanbaar, doorwaadbaar, enz.; bruikbaar

practical ['præktikl] I *bn* praktisch, werkelijk, feitelijk; *~ joke* poets, in een handeling (niet in woorden) bestaande grap; *~ man, ook:* man van de praktijk; II *zn* practicum; **practicality** [prækti'kæliti] het praktische, praktische zin; **practically** ['præktikəli] zie *practical; ook:* [-kli] feitelijk, zo goed als (*~ the same*); **practice** ['præktis] praktijk; praktijk (*evil ~s*); (be-, uit)oefening, toepassing, aanwending; gewoonte (*make a ~ of it*), gebruik; *lose the ~ of* verleren; *put in*(*to*) *~* in praktijk brengen; **practise** ['præktis] uitoefenen (*a profession*), (be)oefenen, (in)studeren (*music*), studeren op (*the piano*), zich oefenen (in, op); in praktijk (toepassing) brengen; betrachten (*tolerance*); praktizeren, de praktijk uitoefenen; zijn godsdienstplichten waarnemen (= *~ religion*), praktizeren, 'er aan doen'; *~* (*up*)*on* zich oefenen op; beetnemen; *~d teacher* ervaren; **practitioner** [præk'tiʃ(ə)nə] *a*) praktizerend geneesheer of advocaat; zie *general*; *b*) man van de praktijk; *c*) beoefenaar

pragmatic [præg'mætik] pragmatisch, pragmatiek (*sanction*), zakelijk; **pragmatism** ['prægmətizm] zakelijkheid, praktische zin; (*fil*) pragmatisme

prairie ['prɛəri] id.; **'prairie-dog** prairiehond

praise [preiz] I *zn* lof(spraak); *beyond all ~* boven alle lof; *be it said in his ~* het zij te zijner eer gezegd; *sing* (*be loud in*) *a p.'s ~s* iems lof verkondigen; II *ww* prijzen, loven; **'praiseworthy** [-wə:ði] loffelijk, lofwaardig

pram [præm] kinderwagen

prance [prɑ:ns] I *ww* (laten) steigeren; trots rijden (stappen); de neus in de wind steken; II *zn* steigering; trotse gang

prank [præŋk] grap, poets, pots, (dolle) streek; *play ~s* streken uithalen; **prankster** grapjanus

prate [preit] wauwelen, bazelen, babbelen

prattle ['prætl] I *ww* snappen, babbelen, kakelen; murmelen, klateren; II *zn* gebabbel, gekakel

prawn [prɔ:n] steurgarnaal

pray [prei] bidden (*for* om), smeken (om), verzoeken; *~ to God* bidden tot God

prayer *a*) ['preiə] wie bidt; *b*) ['prɛə] gebed, (smeek)bede, verzoek; godsdienstoefening (ook: *~s*); **'prayer-book** gebedenboek; **'prayer-mat** bidmat(je); **'prayer-meeting** godsdienstige bijeenkomst

pre- *gew.:* vóór; vooraf; vroeger

preach [pri:tʃ] preken (*to* voor, tot), prediken; een zedepreek houden; **'preacher** [-ə] prediker, predikant

preamble [pri:'æmbl, 'pri:æmbl] inleiding, aanloop; (*van wet*) preambule

pre-arrange ['pri:ə'rein(d)ʒ] vooraf regelen

precarious [pri'kɛəriəs] precair, onzeker, onbestendig, wisselvallig, hachelijk

precaution [pri'kɔ:ʃən] voorzorg(smaatregel); **precautionary** [-əri] uit voorzorg gedaan; voorzorgs... (*measures*)

precede [pri'si:d] (laten) voorafgaan; **precedence** ['presidəns] het voorgaan, prioriteit, voorrang; *have/take precedence of* (*over*) de voorrang hebben (prevaleren) boven, komen vóór; **precedent** I *bn* [pri'si:dənt] voorafgaand; II *zn* ['presidənt] id.; **precedented** ['presidentid] een precedent hebbend

precept ['pri:sept] voorschrift, lering, bevel, grondregel, mandaat

precinct ['pri:siŋkt] ingesloten ruimte om kathedraal, enz.; *~s of a fortress* voorterrein; grens (*within the ~s of*); *shopping ~* (verkeersvrij) winkelcentrum; (*Am*) soort deelgemeente

precious ['preʃəs] I *bn* kostbaar, dierbaar; edel (*stones, metals*); gekunsteld, precieus (*van*

stijl); (*fam*) geducht, geweldig; (*iron*) kostelijk (*a ~ couple*); *my ~!* (mijn) schat!; II *bw* (*fam*) verduiveld (~*few*)
precipice ['presipis] steile rotswand; (*fig*) afgrond; **pre'cipitate** [-it] I *bn* steil neerstortend; overijld (*action*); onbezonnen; II *zn* (*chem*) precipitaat, neerslag; III *ww* [-eit] (neer)storten, (neer)werpen; verhaasten, versnellen; zich overhaasten; precipiteren, (doen) neerslaan, bezinken; de directe aanleiding zijn tot (*the disaster*), acuut maken (*the problem*); **pre'cipitately** *bw* ook: hals over kop; **precipitous** [pri'sipitəs] (zeer) steil; haastig, overhaast
précis ['preisi:] korte inhoud, excerpt
precise(ly) [pri'sais(li)] juist, nauwkeurig, (over)precies; **precision** [pri'sɪʒən] nauwkeurig-, juistheid; ~ *tools* precisie-instrumenten
preclude [pri'klu:d] uit-, afsluiten, voorkómen (*ambiguity*), beletten
precocious [pri'kəuʃəs] vroeg(rijp), te vroeg, voorlijk; **precocity** [pri'kɔsiti] vroegrijpheid, voorlijkheid
preconceive ['pri:kən'si:v]: ~*d opinion* vooropgezette mening; **preconception** ['pri:kən'sepʃən] vooropgezette mening, voorbarig oordeel
precursor [pri'kə:sə] voorloper, voorbode
predator ['predətə] roofdier, -vogel; **predatory** [-ri] plunderend, rovend, roofzuchtig; roof…
predecease ['pri:di'si:s] eerder sterven dan
predecessor ['pri:disesə] voorloper
predestination [pri(:)ˌdesti'neiʃən] voorbeschikking, predestinatie; **predestine** [pri(:)'destin] voorbeschikken, -bestemmen
predetermined ['pri:di'tə:mind] vooraf bepaald
predicable ['predikəbl] toe te kennen
predicament [pri'dikəmənt] (hachelijke) positie, (kritiek) geval, toestand
predicate I *zn* ['predikət] *a*) eigenschap; *b*) (*gramm*) gezegde; II *ww* [-eit] baseren (*upon* op)
predict [pri'dikt] voorzéggen, voorspellen; **predictable** [-əbl] voorspelbaar; **prediction** [pri'dikʃən] voorspelling, profetie
predilection [pri:di'lekʃən] voorkeur
predispose ['pri:dis'pəuz] *a*) geneigd (vatbaar) maken (*to* voor), predisponeren; *b*) vooraf weggeven, vermaken
predominant [pri'dɔminənt] overheersend; **predominate** [-eit] overheersen, overwegen, de overhand hebben (*over* op)
pre-eminence [pri'eminəns] voorrang, meerderheid, superioriteit; **pre-eminent** [pri'eminənt] uitblinkend, uitmuntend; bijzonder; ~*ly* bij uitstek
pre-empt [pri:'em(p)t] door voorkoop verkrijgen; (*fig*) zich toeëigenen, (voor zich) reserveren; **pre-emption** [pri:'em(p)ʃən] (recht van) voorkoop
preen [pri:n] (*van vogel*) gladstrijken (*feathers;* ook: ~ *itself*); (*van pers*) ~ *o.s.* zich optooien
pre-establish ['pri:is'tæbliʃ] vooraf vaststellen
prefabricate ['pri:'fæbrikeit] pre-fabriceren; ~*d house* (ook: *prefab*) montagewoning; **prefabrication** montagebouw
preface ['prefis] I *zn* voorrede, voorbericht, inleiding; (*r-k*) prefatie; II *ww* van een voorrede voorzien; inleiden (*with* met); voorafgaan aan
prefect ['pri:fekt] *a*) id.; *b*) monitor (oudere leerling in kostschool met zeggenschap over jongere leerlingen)
prefer [pri'fə:] verkiezen (*to* boven); de voorkeur geven (aan); ~ *to die rather than give in* liever willen … dan …; **preferable** ['prefərəbl] verkieslijk, te verkiezen (*to* boven); **preferably** ['prefərəbli] bij voorkeur; ~ *to* liever dan; **preference** ['prefərəns] voorkeur, verkiezing; preferentie; *for* (*by, in*) ~ bij voorkeur; **preferential** [prefə'renʃəl] de voorkeur gevend (hebbend)
prefix ['pri:fiks] voorvoegsel; kengetal
pregnancy ['pregnənsi] zwangerschap; …heid; ~ *leave* zwangerschapsverlof; '**pregnant** [-ənt] zwanger (*with* van), drachtig; vruchtbaar; id., betekenisvol
preheat [pri:'hi:t] voorverhitten (*oven*)
prehensile [pri:'hensail] geschikt om mee te grijpen (~ *tail*)
prehistoric(al) ['pri:his'tɔrik(l)] vóórhistorisch; **prehistory** ['pri:'histəri] prehistorie
prejudice ['predʒudis] I *zn: a*) vooroordeel; vooringenomenheid (= ~ *in favour of* …); *b*) nadeel, schade; II *ww: a*) vóórinnemen (= ~ *in favour of* …); innemen (*against* tegen); *b*) schaden, afbreuk (kwaad) doen; **prejudiced** [-t] *ook:* bevooroordeeld; **prejudicial** [predʒu'diʃəl] nadelig, schadelijk
prelate ['prelit] prelaat, hoog geestelijke
prelim [pri'lim] (*fam*) *preliminary examination*; **preliminary** [pri'lim(i)nəri] I *bn* inleidend, voorafgaand, voorlopig, voor…; ~ *examination* tentamen; II *zn* voorbereiding, inleiding
prelude ['prelju:d] voorspel, inleiding
pre-marital [pri(:)'mæritəl] voorechtelijk
premature ['premətjuə] te vroeg, voorbarig
premeditate [pri(:)'mediteit] vooraf beramen (overleggen); ~*d murder* moord met voorbedachten rade; **premeditation** [pri(:)ˌmedi'teiʃən] beraming, opzet; *with* ~ met voorbedachten rade
premier ['premjə] I *bn* eerste, voornaamste; II *zn* id., eerste minister
premises ['premisiz] huis (en erf); *he lives on the* ~ in het gebouw (de zaak, enz.) zelf
premium ['pri:mjəm] premie; prijs, beloning; *at a ~: a*) boven pari; *b*) in trek, duur; ~ *bond* (*ong*) staatslot
premonition [pri:mə'niʃən] (onplezierig) voorgevoel, waarschuwing, aankondiging; **premonitory** [pri'mɔnitəri] waarschuwend

prenatal ['pri:'neitl] (van) vóór de geboorte
preoccupation [ˌpri:ɔkju'peiʃən] vooringenomenheid, vooroordeel; hoofdbezigheid; het in-gedachten-zijn, verstrooidheid; **preoccupied** [pri'ɔkjupaid] in gedachten verzonken, verstrooid; **preoccupy** [pri'ɔkjupai] (de gedachten) geheel in beslag nemen
preordain ['pri:ɔ:'dein] vooraf bepalen
prep (*fam*) *preparation* & *preparatory* (*school*); *the boys were at* ~ bezig hun lessen te bestuderen; ~ *school* particuliere basisschool
prepacked ['pri:'pækt] klaar, (voor)verpakt
prepaid ['pri:'peid; *attr:* 'pri:peid] franco; *telegram with reply* ~ met betaald antwoord
preparation [prepə'reiʃən] (voor-, toe)bereiding; bestudering, instudering, huiswerk; preparaat; **preparatory** [pri'pærətəri] voorbereidend; inleidend, voorafgaand; **prepare** [pri'pɛə] (zich) voorbereiden (*for* voor, op); (toe)bereiden, (zich) klaarmaken, prepareren; be-, instuderen; **prepared** [-d] voorbereid; bereid; *I am not* ~ *to say* ik durf niet zeggen; **preparedness** [-ridnis] het voorbereid zijn, gereedheid, bereidheid
prepay ['pri:'pei] vooruitbetalen; frankeren
preponderance [pri'pɔndərəns] groter gewicht; (*fig*) overwicht; **preponderate** [-eit] zwaarder wegen, het overwicht hebben
preposition [prepə'ziʃən] voorzetsel
prepossess [pri:pə'zes] innemen (*in one's favour* voor zich; gunstig stemmen; **prepossessing** innemend; **prepossession** [pri:pə'zeʃən] vooraf gevormde mening, vooroordeel
preposterous [pri'pɔstərəs] belachelijk
pre-publication ['pri:pʌbli'keiʃən]: ~ *price* intekenprijs vóór verschijnen
prerequisite [pri:'rekwizit] I *bn* in de eerste plaats vereist; waaraan van tevoren voldaan moet worden/zijn; II *zn* eerste vereiste
prerogative [pri'rɔgətiv] prerogatief
presage I *zn* ['presidʒ] *a*) voorteken; *b*) voorgevoel; II *ww* [pri'seidʒ, 'presidʒ] voorspellen
Presbyterian [prezbi'tiəriən] presbyteriaan(s); **'presbytery** [-ri] *a*) (*presbyteriaanse kerk*) raad van ouderlingen; *b*) presbyterie, priesterkoor: plaats van het hoogaltaar
prescient ['presiənt] vooruitziend, profetisch
prescribe [pris'kraib] voorschrijven; **prescription** [pris'kripʃən] voorschrift, recept
presence ['prezns] tegenwoordigheid, aanwezigheid; verschijning, (indrukwekkende, verheven) persoonlijkheid; geest; ~ *of mind* tegenwoordigheid van geest; **present** ['preznt] I *bn* tegenwoordig, aanwezig, present; *all* ~ alle aanwezigen; *the* ~ *writer* schrijver dezes; II *zn* 1 het tegenwoordige, tegenwoordige tijd; *at* (*for the*) ~ op (voor) het ogenblik; *up to the* ~ tot nu toe; 2 geschenk, cadeau; *make a* ~ *of* ten geschenke geven, cadeau doen; III *ww* [pri'zent] voorstellen; aan het hof voorstellen; presenteren; weergeven; aanbieden (*a cheque*); uitreiken, uitdelen (*prizes*); bieden, vertonen, opleveren (*difficulties*); indienen (*a complaint*); voorleggen; opvoeren (*a new play*); ~ *o.s.* zich presenteren (aanbieden, voor-, opdoen), verschijnen, opdagen; ~ *arms!* (*mil*) presenteer het geweer!; ~ *a p. with s.t.* iem iets ten geschenke aanbieden; **presentable** [pri'zentəbl] presentabel; geschikt als cadeau, enz. (zie het *ww*); **presentation** [prezən'teiʃən] presentatie; voorstelling; aanbieding; schenking; verto(o)n(ing); aankleding (*of a report*); (*attr*) geschenk... (*wrapping*); *make a* ~ *of* aanbieden, vereren;
presentation-copy present-exemplaar
present-day [ˌpresənt 'dei] huidig, modern
presenter [pri'zentə] presentator (*van radio- of TV-programma*
presentiment [pri'zentimənt] voorgevoel
presently ['prezntli] dadelijk, aanstonds, zo meteen; weldra, dadelijk daarop; (*inz. Am* & *Sc*) op dit ogenblik
preservation [prezə'veiʃən] bescherming, instandhouding; behoud; inmaak, onderhoud; toestand; *in good* ~ in goede staat; **preservative** [pri'zə:vətiv] I *bn* bewarend, voorbehoedend, conserverend (middel); II *zn* voorbehoedmiddel; conserveermiddel; (*Belg*) bewaarmiddel; **preserve** [pri'zə:v] I *ww* bewaren, beschermen, behoeden (*from* voor), redden; in stand houden, goed houden, sparen, behouden; inmaken, conserveren; houden (*game* wild); II *zn* domein; (beschermd) natuurgebied, reservaat; **preserves** ingemaakte vruchten, enz., confituren, jam
pre-set [pri:'set] programmeren (*video-recorder*)
preside [pri'zaid] voorzitten, presideren, de leiding hebben; de baas spelen; ~ *over* (*at*) *a meeting* een ... presideren
presidency ['prezidənsi] presidentschap; **president** ['prezidənt] id., voorzitter; **presidential** [prezi'denʃəl] presidents..., voorzitters...; **'presidentship** presidentschap; **presidium** [pri'sidiəm] id.
press [pres] I *zn* (druk-, linnen)pers; (ge)drang, menigte; het jachten; druk(te), haast; ~ *photo* persfoto; ~ *of work* opeenhoping ...; ***at*** ~, ***in*** *the* ~ ter perse; ***off*** *the* ~ van de pers, gedrukt; *I'm* ***on*** *the P*~ aan de pers; *see a book* ***through*** *the* ~ voor de druk bezorgen; II *ww* (zich) drukken, (samen-, op-, uit)persen, (uit)knijpen; (aan)drijven, in het nauw drijven, aandringen (op); pressen; indienen (~ *charges* een aanklacht indienen); zich verdringen; *time* ~*es* de tijd dringt; ~ *a p.* ***hard*** iem het vuur na aan de schenen leggen; *be hard* ~*ed* fel bestookt worden; erg in het nauw (in geldverlegenheid) zitten; ~ ***ahead*** doordrukken, doorzetten; ~ ***down*** (neer)drukken; ~ ***for*** *an answer* aandringen op; ~ ***forward***, ~ ***on*** voortdringen, -drijven; vooruitrukken, zich voortspoeden; voortmaken; doorzetten (*with s.t.* iets); ~ *on*

doorzetten; *it ~es (up)on my mind* het drukt me; ~ ***up*** opdringen; opvoeren (*speed to the highest point*); ~ ***into*** *service,* (*fig*) in dienst stellen, zich bedienen van; **'press-cutting** kranteuitknipsel; **'presser** [-ə] perser, drukker; pers; **'press-gallery** perstribune; **'pressing** (aan)dringend; *time is ~* de tijd dringt; **press officer** voorlichter, voorlichtingsambtenaar; **'press-reader** corrector; **press-release** perscommuniqué; **'press-up** opdrukoefening, ligsteun

pressure ['preʃə] I *zn* druk(king), spanning; moeilijkheid, nood; drang, dwang, pressie; *put ~ upon, bring ~ to bear upon* pressie uitoefenen op; *live at high ~* onder hoge druk; *work at full ~* met volle kracht; *act under ~* door dwang, omdat men moet; *~ group* pressiegroep, belangengroep; *area of low ~* lagedrukgebied; II *ww* (*fig*) onder druk zetten; **pressurize** ['preʃəraiz] van samengeperste lucht voorzien; (*ook fig*) onder druk zetten; *~d cabin* drukcabine

prestige [pres'ti:ʒ] id.: invloed, gewicht, gezag; **prestigious** [pres'tidʒəs, (*Am*) -ti:ʒəs] prestige bezittend, prestigieus

prestressed [pri:strest] *~ concrete* voorgespannen beton

presumable [pri'zju:məbl] vermoedelijk; **presumably** [-bli] vermoedelijk, naar men mag aannemen; **presume** [pri'zju:m] *a*) vermoeden, veronderstellen, aannemen; *b*) de brutaliteit hebben (om *to*), durven; zich vrijheden veroorloven; *I have no wish to ~* wil niet onbescheiden zijn; *~ (up)on: a*) misbruik maken (te veel vergen) van (*a p.'s patience*), te veel verwachten van (*a p.'s friendship*); **presuming** [pri'zju:miŋ] verwaand, aanmatigend; **presumption** [pri'zʌm(p)ʃən] *a*) vermoeden; *the ~ is ...* de voor de hand liggende veronderstelling is ...; *b*) verwaandheid, aanmatiging, arrogantie

presuppose [ˌpri:sə'pəuz] vooronderstellen; **presupposition** [ˌpri:sʌpə'ziʃən] vooronderstelling

pretence [pri'tens] voorwendsel, schijn, uiterlijk vertoon, pretentie; aanspraak (*to* op); **pretend** [pri'tend] doen alsof, voorwenden (*illness*); huichelen, komedie spelen (*ook als zn* en attr); (valselijk) beweren; zich aanmatigen, aanspraak maken (*to* op); **pretended** [-id] voorgewend, zogenaamd, schijn...; **pretender** [-ə] *a*) pretendent; *b*) huichelaar, komediant (*fig*); *~s to inside information* zij die ... beweren te hebben; **pretending** ook: *a*) aanmatigend, pretentieus; *b*) zogenaamd; **pretension** [pri'tenʃən] aanspraak (*to* op); pretentie, aanmatiging, voorwendsel; **pretentious** [pri'tenʃəs] pretentieus, aanmatigend, 'would-be' deftig

pretext ['pri:tekst] voorwendsel; *on* (*under*) *a* (*the*) *~ of* onder voorwendsel (de schijn) van

prettily ['pritili] mooi, enz., zie *pretty*; **prettiness** ['pritinis] aardigheid, mooiheid, schoonheid, liefheid (zie *pretty*); **pretty** ['priti] I *bn* lief, aardig, mooi; *you're a ~ fellow* een mooie vent; *in a ~ mess,* (*fig*) in de puree; *a ~ penny* een flinke som geld; II *zn* snoes, lieve (*my ~!*); III *bw* tamelijk, vrij; *~ much as tall as you* vrijwel ...; *~ quick, ook:* wàt gauw; *~ well* vrijwel; *park ~* in de vakken parkeren; *sit ~* er warmpjes bij zitten

prevail [pri'veil] de overhand hebben (*over, against* op), prevaleren, zegevieren (*his sense of duty ~ed*); heersen, overheersend zijn; **prevalence** ['prevələns] het heersen (algemeen voorkomen); overwicht; invloed, kracht; **prevalent** ['prevələnt] heersend

prevaricate [pri'værikeit] uitvluchten zoeken, liegen, eromheen draaien; **prevarication** [priˌværi'keiʃən] draaierij, dubbelzinnigheid

prevent [pri'vent] voorkómen, (ver)hinderen, beletten; *~ him* (*from*) *going* belet hem te gaan; **prevention** [pri'venʃən] preventie, verhindering, voorkóming; **preventive** [-iv] preventief

preview ['pri:vju:] bezichtiging vooraf (*van tentoonstelling, film, boek*); vooruitblik

previous ['pri:vjəs] voorafgaand, vorig; **'previously** [-li] vroeger, te voren

pre-war ['pri:'wɔ:] vooroorlogs

prey [prei] I *zn* prooi, buit, aas; *beast of ~* roofdier; *fall a ~ to despair* ten prooi vallen aan; II *ww: ~ (up)on* plunderen, azen op, jagen (*roofdieren*), uitzuigen, knagen aan (*it ~ed on his rest*), kwellen (*it ~ed on his mind*)

price [prais] I *zn* prijs; koers (*van effecten*); *set a ~ upon* een prijs stellen voor; *every man has his ~* is omkoopbaar; ***above*** (***beyond, without***) *~* onschatbaar; ***at*** *a low ~* tegen ...; *at any ~* tot elke prijs; II *ww* prijzen (*articles*); de prijs vaststellen (noemen, vragen) van; schatten; **'price-control** prijsbeheersing; **'price-cutting** prijsverlaging, vooral om concurrenten eruit te werken, prijsbederving; **'price-index** prijsindexcijfer; **'priceless** onschatbaar; *a ~ sample of ...* een kostelijk staaltje van; **'pricelist** prijslijst; **'price tag** [-tæg] prijskaartje, prijsje; *put a ~ on* de prijs noemen van; **pricey** ['praisi] prijzig

prick [prik] I *zn* prik, punt, stip; stekel; (*plat*) lul (*ook persoon*), pik; *~s of conscience* gewetenswroeging; II *ww* (door)prikken, steken; (doen) prikkelen, knagen (*van geweten*)

prickle ['prikl] I *zn* stekel, dorentje; II *ww* prikk(el)en; **prickly** ['prikli] stekelig, netelig; kriebelig; *~ heat* uitslag (door de hitte)

pride [praid] I *zn* trots, hoogmoed, fierheid; luister; prima conditie, hoogtepunt; II *ww: ~ o.s. (up)on* zich beroemen op, prat gaan op

priest [pri:st] priester, pastoor; **'priestess** [-is] priesteres; **'priesthood** [-hud] priesterschap; **'priestly** priesterlijk

prig zelfgenoegzaam, conventioneel mens; schoolfrik (*fig*); **'priggish** eigenwijs, bekrompen

pre

prim vormelijk, preuts, gemaakt
primacy ['praiməsi] voorrang, eerste plaats
primarily ['praimərili] in de eerste plaats, hoofdzakelijk; **primary** ['praiməri] eerst, oorspronkelijk, primair (*battery, colours*), elementair, grond..., voornaamste; ~ *education* basisonderwijs; ~ *school* basisschool
primate ['praimit] primaat, aartsbisschop
prime [praim] I *bn* eerste (*minister*), voornaamste, hoofd... (*suspect*); prima (*quality*), puik; oorspronkelijk, grond... (*form*); ~ *number* priemgetal; ~ *time* = *peak viewing time* tijd met de grootste kijk/luisterdichtheid (*radio/TV*); II *zn* (levens)bloei, bloeitijd, hoogste volmaaktheid; eerste, beste, puikje; III *ww: a*) klaarmaken om in actie te komen, op gang brengen (*motor*), van het nodige voorzien, instrueren, inlichten, prepareren, voorbereiden; *b*) grond(er)en, grondverven
1 primer ['praimə] grondverf, slaghoedje
2 primer ['prai-, 'primə] abc-boek, boek voor beginners, inleiding
primeval [prai'mi:vəl] oorspronkelijk, oer...
primitive ['primitiv] I *bn* primitief, oorspronkelijk, primair (*colour, rock*); oer..., natuur..., grond...; II *zn* oorspr bewoner, enz.; stamwoord; één der primitieven: schilder(stuk) (beeldhouwer, -werk) van vóór de renaissance
primordial [praim'ɔ:diəl] oer..., oorspronkelijk
primrose ['primrəuz] sleutelbloem
prince [prins] prins, vorst (van kleine staat); *P~ Consort* prins-gemaal; *P~ of Wales* Eng kroonprins; ~ *royal* kroonprins; '**princedom** *a*) prinsdom, vorstendom; *b*) prinselijke waardigheid; '**princely** prinselijk, vorstelijk; **princess** [prin'ses, *attr:* 'prinses] prinses; vorstin (vgl *prince*); ~ *royal: a*) kroonprinses; *b*) titel van de oudste dochter van de Eng koning
principal ['prinsəp(ə)l, -sip-] I *bn* voornaamste, hoofd...; II *zn* hoofd(persoon), directeur, -trice (= *lady* ~), rector, -trix, patroon, chef; lastgever; persoon voor wie een ander borg is; hoofdschuldige, aanlegger; hoofdsom, kapitaal (~ *and interest*); **principality** [prinsi'pæliti] *a*) prinselijke (vorstelijke) waardigheid; *b*) prins-, vorstendom; *the P~* Wales; '**principally** voornamelijk, hoofdzakelijk
principle ['prinsəpl] (grond)beginsel, stelregel, principe; *first* ~*s* grondbeginselen; '**principled** [-d]: *high*(-)~ met edele beginselen
print I *zn* indruk, teken, merk, (vinger, voet-) afdruk; stempel, vorm; druk(letters), krant, blad; gedrukt exemplaar, druk, uitgave; plaat, prent; afdruk, vergroting (*van foto*); bedrukt katoen; *a* ~ *dress* een 'katoentje'; ***in*** ~ in druk (*appear in* ~); (*ook* =) te verkrijgen, nog niet uitverkocht; ***out of*** ~ niet meer in druk, uitverkocht; II *ww* (in-, af-, be)drukken; stempelen; laten drukken; met drukletters schrijven; *please* ~, *ongev* blokletters s.v.p.; ~*ed circuit,* (*elektr*) gedrukte bedrading; ~*ed matter* drukwerk; '**printable** geschikt om te drukken; '**printer** (boek)drukker; druktoestel; ~*'s error* drukfout; ~*'s proof* drukproef; id.; **printing** het ... (zie *print*); (boek)drukkunst; oplaag; '**printing-house** drukkerij; '**printing-office** drukkerij; '**printing-press** drukpers; '**print-out** I *zn* uitdraai (*van computer*); II *ww* uitprinten; '**print-room** prentenkabinet
prior ['praiə] I *bn* & *bw* vroeger, voorafgaand (*to* aan); eerste, oudere, oudste (*claim*); ~ *to, ook:* vóór; II *zn* id.; **prioress** [-ris] priores; **priority** [prai'ɔriti] voorrang, prioriteit; *we must get our* ~*ities right* we moeten de orde van belangrijkheid vaststellen; **priory** [-ri] priorij
prise [praiz] openbreken, aflichten (~ *open,* ~ *up*)
prism ['prizm] prisma
prison ['prizn] gevangenis; **prisoner** ['priz(ə)nə] *a*) gevangene; *b*) = ~ *at the bar* verdachte; ~ *of war* krijgsgevangene; *make* (*take*) ~ gevangen nemen; '**prison-officer** [-'ɔfisə] gevangenbewaarder
pristine ['pristi:n, -tain] eerst, oorspronkelijk, vroeger, voormalig, oer...
privacy ['prai-, 'privəsi] afzondering, eenzaamheid; beslotenheid, stilte, geheimhouding;
private ['praivit] I *bn* particulier (*bank, house, school, secretary*), persoonlijk; niet-officieel; onderhands (*sale; tender* inschrijving); geheim (*keep it* ~); heimelijk; vertrouwelijk (*information*); onder vier ogen; (*op bus*) geen dienst; apart (*entrance*); bijzonder; afgezonderd, afgelegen; ~, (*keep out*)! verboden toegang, particulier (eigen) terrein; ~ *eye* particulier detective; ~ *parts* geslachtsdelen, genitaliën; ~ *person* particulier; ~ *soldier* gewoon ...; ~ *view: a*) persoonlijke mening; *b*) bezichtiging voor genodigden; *a* ~ *wedding* in besloten kring; II *zn* gewoon soldaat; *P~ Smith, ongev* dienstplichtig soldaat S.; *in* ~: *a*) onder vier ogen, in het geheim; *b*) in afzondering, alleen
privateer [praivə'tiə] kaper(schip), kaperkapitein
privately ['praivitli] zie *private; the wedding will take place* ~ in alle stilte; '**privately-owned** particulier (*car*)
privation [prai'veiʃən] ontbering, gebrek
privatize ['praivətaiz] privatiseren
privet ['privit]: ~ *hedge* ligusterhaag
privilege ['privilidʒ] id., (voor)recht; immuniteit, onschendbaarheid (*parliamentary* ~)
privileged ['privilidʒd] bevoorrecht
prize [praiz] I *zn* 1 prijs, beloning; voordeel(tje), buitenkansje; *attr ook:* bekroond (*ox*), prima, eerste-klas; 2 prijs, buit; *make* (*a*) ~ *of* prijs maken; II *ww* 1 op prijs stellen, waarderen; 2 prijs maken; opbrengen (*a ship*); 3 (*door hefboomwerking*) openbreken (= ~ *open,* ~ *up*); ~ *the lid off* het deksel er met een hefboom afhalen, aflichten

pro [prəu] 1 (*fam*) *professional* prof, beroeps; 2 pro, vóór; ~ *and con* vóór en tegen
probability [prɔbə'biliti] waarschijnlijkheid (*in all* ~ naar ...), kans; *the -ies are that* ... het meest waarschijnlijke is dat ...
probable ['prɔbəbl] waarschijnlijk, vermoedelijk; aannemelijk
probate I *zn* ['prəubit, -beit] verificatie of geverifieerd afschrift van een testament; II *ww* ['prəubeit] (*inz. Am*) *admit to* ~ verifiëren, officieel erkennen (*a will*)
probation [prə'beiʃən] proef, onderzoek; proeftijd, voorwaardelijke veroordeling (~ *of offenders act* wet op de ...); *place a p. on* ~ voorwaardelijk veroordelen; *be on* ~ in een proeftijd (ve voorwaardelijke veroordeling) lopen; ~ *officer* reclasseringsambtenaar; ambtenaar voor de kinderwetten; **probationary** [-əri] op proef, proef...; ~ *period* proeftijd; **probationer** [-ə] *a*) op proef aangestelde, proefleerling; novice; leerling-verpleegster (= ~ *nurse*); *b*) voorwaardelijk veroordeelde
probe [prəub] I *zn: a*) sonde, peilstift; *b*) (diepgaand) onderzoek; por; II *ww* peilen; onderzoeken, doordringen in (ook: ~ *into*); *he ~d for the cause* stelde een onderzoek in naar
problem ['prɔbləm] vraagstuk, raadsel, lastig geval, probleem; ~ *child* (abnormaal) moeilijk kind; ~ *novel* (*play*) waarin een (sociaal) probleem behandeld wordt; **problematic(al)** [prɔbli'mætik(l)] problematisch, twijfelachtig, onzeker
procedure [prə'si:dʒə] id., werkwijze
proceed [prə'si:d] voortgaan, (verder) gaan, vorderen, aan de gang zijn, te werk gaan (*upon a principle* volgens ...); vervolgen; voortkomen, -spruiten (*from* uit); ontstaan; ~ *against* in rechten vervolgen; ~ *to business* met de werkzaamheden beginnen; ~ *with* voortzetten, verder gaan met (*a lesson*); **proceeding** voortgang, handeling; gedragslijn, handelwijze; maatregel, stap (*my next* ~); *~s, ook:* wat plaats heeft, gebeurtenissen; werkzaamheden (*of a meeting*); verslagen
proceeds ['prəusi:dz] opbrengst
process ['prəuses] I *zn* (voort)gang, (ver)loop; handeling, verrichting, proces, werkwijze, procédé; *in* ~ aan de gang; *in* ~ *of construction* in aanbouw; *in the* ~ hierbij, daarbij, onderwijl; II *ww* 1 een bewerking doen ondergaan, bewerken (*data, raw materials*), verwerken; afwerken (*films*); conserveren; reproduceren (volgens zeker procédé); 2 [prə'ses] een processie houden, in optocht gaan
procession [prə'seʃən] processie, optocht, defilé (*past the bier*), stoet
processor ['prəu-, 'prɔsesə] verwerkingseenheid (*van computer*); procesindustrie
proclaim [prə'kleim] af-, verkondigen, bekendmaken; proclameren, uitroepen tot (~ *a p. king*), verklaren tot (~ *a p. a traitor*); aanduiden (*his manners ~ed the schoolmaster*); verklaren (*war*); **procla'mation** [prɔ-] afkondiging, proclamatie
procurable [prə'kjuərəbl] verkrijgbaar; **procure** [prə'kjuə] (zich) ver-, aanschaffen, bezorgen; krijgen; koppelen; tot ontucht overhalen; (*vero*) teweegbrengen
prod [prɔd] I *ww* prikken, stoten (*at* naar); (aan)porren; II *zn* por, prik(kel), (vlees)pen
prodigal ['prɔdigəl] I *bn* verkwistend; kwistig (*of* met); *the* ~ *son* de verloren zoon; II *zn* doorbrenger, verkwister; ook = ~ *son*; **prodigality** [prɔdi'gæliti] kwistigheid; verkwisting
prodigious [prə'didʒəs] wonderbaar(lijk), kolossaal, geweldig, verbazend; **prodigy** ['prɔdidʒi] wonder; (*infant*) ~ wonderkind
produce I *ww* [prə'dju:s] voort-, op-, bij-, teweegbrengen, opleveren, produceren; voor de dag (te voorschijn) brengen (halen), overleggen (*papers*); aanvoeren (*reasons*); voor het voetlicht brengen (*a play, an actor*), opvoeren, vertonen; II *zn* ['prɔdju:s] opbrengst; voortbrengsel(en), produkt(en), vruchten; groente en fruit; resultaat; **producer** [prə'dju:sə] producent; (*theat*) algeheel leider (*speciaal financieel*) (*film*) produktieleider; **product** ['prɔdəkt, -dʌkt] produkt, voortbrengsel; **production** [prə'dʌkʃən] produktie; voortbrengsel, produkt; ~ *line* produktielijn; **productive** [prə'dʌktiv] voortbrengend, produktief; *be* ~ *of* voortbrengen, opleveren; **productivity** [prɔdʌk'tiviti] produktiviteit, produktievermogen
profane [prə'fein] I *bn* profaan, goddeloos; II *ww* ontheiligen, ontwijden
profess [prə'fes] betuigen (*regret, friendship*), voorwenden, verklaren, beweren; belijden (*a religion*); be-, uitoefenen (*medicine*); **professed** [-t] verklaard, openlijk (*woman-hater*); voorgewend (*friendship*), ogenschijnlijk, zogenaamd; van beroep; **profession** [prə'feʃən] verklaring, betuiging; beroep (*by* ~ van ...); stand; **professional** [prə'feʃənəl] I *bn* beroeps... (*cricketer*), ambts... (*secret*), vak..., tot het vak behorend, van beroep; professioneel; tot de gestudeerde stand behorend (~ *man:* dokter, advocaat, enz.); ~ *man: a*) man van het vak; *b*) *zie boven;* ~ *training* vakopleiding; II *zn* vakman; beroepsspeler, prof(essional); (*fam*) beroeps; **professionalism** [-izm] *a*) beroepsmatigheid, professionaliteit; *b*) professionalisme
professor [prə'fesə] professor (*of Greek* in het ...)
proficiency [prə'fiʃənsi] vaardig-, bekwaamheid; **proficient** [prə'fiʃənt] bedreven (*at* in), vaardig
profile ['prəufail] I *zn* profiel, *ook:* (verticale) doorsnede; ~ *metal* profielijzer; *keep a low* ~ zich gedekt houden; II *ww* in profiel tekenen; profileren; een beschrijving geven van een persoon

profit ['prɔfit] I *zn* voordeel, nut; winst (= *~s*); *sell at a ~* met winst; II *ww* van nut zijn, helpen, baten; profiteren; *~ by* zijn voordeel doen met, profiteren van; *~ from* profijt trekken uit (*the business*); '**profitable** [-əbl] voordelig, winstgevend, nuttig, heilzaam; '**profitably** ook: met voordeel (winst); **profiteer** [prɔfi'tiə] woekerwinstmaker, profiteur; '**profitless** [-lis] zonder nut, onvoordelig; **(non)'profit-making** zonder, *c.q.* met winstoogmerk
profligacy ['prɔfligəsi] losbandigheid; **profligate** ['prɔfligit] losbandig(e), losbol
profound [prə'faund] diep(zinnig), diepgaand, -gevoeld, grondig; *~ ignorance* grove onwetendheid; *~ly interesting* hoogst ...; **profundity** [prə'fʌnditi] diepzinnigheid, diepte
profuse [prə'fju:s] kwistig (*in, of* met), verkwistend; rijk, overvloedig; *apologize ~ly* zich uitputten in verontschuldigingen; **profusion** [prə'fju:ʒən] rijkheid, overvloedigheid; overvloed; verkwisting
pro'genitor [prəu'dʒenitə] stam-, voorvader; **progeny** ['prɔdʒini] (na)kroost, nageslacht
prognosis [prɔg'nəusis] prognose; **prognostic** [prɔg'nɔstik] I *zn* voorteken, voorspelling; II *bn* voorspellend; *~ of* aanduidend, wijzend op; **prognosticate** [-eit] voorspellen, wijzen op
program(me) ['prəugræm] I *zn* programma; II *ww* een programma opstellen van; programmeren (*a computer, robot*); *~med instruction* geprogrammeerde ...; **programmer** programmeur
progress I *zn* ['prəugres] voortgang, (vooruit)gang; toeneming; loop (*of time*); vordering(en); *be in ~* aan de gang zijn, geregeld voortgaan; *make good ~* goed vooruitgaan; *work in ~,* (*als waarschuwing voor het verkeer*) werk in uitvoering; II *ww* [prə'gres] vooruitgaan, -komen, -brengen; vorderingen maken, vorderen, opschieten, aan de gang zijn; **progression** [prə'greʃən] voort-, vooruitgang, vordering, opklimming, progressie (*ook in muz*); (*inz. wisk*) reeks; **progressive** [prə'gresiv] I *bn* progressief; voort-, vooruitgaand, opklimmend, toenemend; vooruitstrevend; II *zn* vooruitstrevend persoon; **progressively** geleidelijk, langzamerhand; successievelijk
prohibit [prə'hibit] verbieden; **prohibition** [prəu(h)i'biʃən] (drank-, tap)verbod; **prohibitive** [prə'hibitiv] verbiedend, belemmerend; veel te hoog (*price*)
project I *zn* ['prɔ-, 'prəudʒekt] id., ontwerp, plan; II *ww* [prə'dʒekt] ontwerpen, beramen; (vooruit)werpen, slingeren; projecteren; vooruitsteken, uitspringen; *~ o.s. into* zich inleven in (*a situation*); **projectile** [prə'dʒektail, *ook:* 'prɔdʒiktail] projectiel; **projection** [prə'dʒekʃən] het ...; ontwerp; projectie; vooruitspringend deel, uitstek, uitsteeksel; **projector** [prə'dʒektə] ontwerper; plannenmaker; id., projectietoestel
proletarian [prəuli'tɛəriən] proletarisch, -riër
proliferate [prə'lifəreit] zich (door knoppen) vermenigvuldigen; vormen (*cells*); **proliferation** [prəˌlifə'reiʃən] vermenigvuldiging, sterke toename; verspreiding (*of atomic weapons*)
prolific [prə'lifik] vruchtbaar; overvloedig
prologue ['prəulɔg] inleiding, proloog
prolong [prə'lɔŋ] verlengen; prolongeren
promenade ['prɔminɑ:d, prɔmi'nɑ:d] I *zn* id.: wandelplaats; *~ ['prɔminɑ:d] concert* concert waarbij (een deel van) het publiek staat; II *ww* (rond)wandelen; een ritje maken
prominence ['prɔminəns] het uitsteken; uitsteeksel, verhevenheid; onderscheiding; **prominent** ['prɔminənt] (voor)uitstekend, in het oog vallend; vooraanstaand, toonaangevend (*critic*); uitstékend, voornaam; uitpuilend
promiscuity [prɔmis'kju(:)iti] gemengdheid, vermenging, verwarring; vrij geslachtelijk verkeer, promiscuïteit; **promiscuous** [-kjuəs] gemengd, zonder onderscheid, door elkaar; niet gebonden aan één seksuele partner
promise ['prɔmis] I *zn* belofte, toezegging; II *ww* beloven, toezeggen; *you won't get it, I ~ you* dat beloof ik je; '**promising** veelbelovend
promontory ['prɔmənt(ə)ri] kaap
promote [prə'məut] bevorderen (tot: *be ~d major*), aankweken; begunstigen; verwekken; oprichten (*a company*); **promoter** [-ə] bevorderaar, begunstiger, promotor; **promotion** [prə'məuʃən] bevordering, promotie; *he is on (his) ~* verwacht (staat op) bevordering; (*sales*) *~* verkoopactie, verkoopbevordering; **promotional** [-l] (verkoop)bevorderend, bijstand verlenend
prompt [prɔm(p)t] I *bn* dadelijk, vaardig, vlug, vlot, prompt, stipt; *~ at an answer* gauw klaar met; II *bw* precies (*eleven thirty ~*); III *zn* het souffleren; het gesouffleerde; IV *ww* aanzetten, aansporen, aanmoedigen; souffleren, vóórzeggen; inblazen, ingeven; '**prompter** [-ə] souffleur; '**prompter's-box** souffleurshokje; **promptly** dadelijk, prompt; stipt, punctueel
promulgate ['prɔməlgeit] openbaar maken, ver-, afkondigen, uitvaardigen; verbreiden
prone [prəun] naar voren of beneden gebogen, voorover(liggend), plat, hellend; steil; geneigd (*~ to mischief*), vatbaar, gevoelig (*to* voor)
prong [prɔŋ] I *zn* (hooi-, mest-, enz.) vork, gaffel; tand (*van vork*); II *ww* (door)steken (delven) met een *prong*
pronounce [prə'nauns] uitspreken; uiten; verklaren (*a patient out of danger*); uitspraak doen, zich uitspreken (verklaren) (*on, upon* over; *for, in favour of* voor; *against* tegen); **pronounced** [-t] sterk sprekend (*features*), geprononceerd, beslist; *he has a pronounced limp* is gedecideerd kreupel; **pronouncement**

stellige verklaring; *make a ~ on* een verklaring afleggen omtrent; **pronunciation** [prə'nʌnsieiʃən] uitspraak

proof [pru:f] I *zn* bewijs, blijk, proef (*ook van alcohol:* normaal gehalte: 49,28 gewichts % (57,1 vol. % alc.); toets; drukproef; reageerbuisje; *bring* (*put*) *to* (*the*) ~ op de proef stellen; II *bn* beproefd; bestand (*against temptation* tegen ...); III *ww* ondoordringbaar (waterdicht, ongevoelig voor iets, waardevast, enz.) maken

prop [prɔp] I *zn* stut, steun(pilaar), pen, stift; zie ook *props*; II *ww* stutten, steunen, schragen, plaatsen

propaganda [prɔpə'gændə] propaganda

propagate ['prɔpəgeit] (zich) voortplanten, verspreiden, verbreiden, propageren; **propagation** ['prɔpə'geiʃən] verspreiding, voortplanting

propel [prə'pel] (voort)drijven, -stuwen; **propellant** drijfkracht; voortstuwingsmiddel; drijfgas; **propeller** propeller; schroef; ~ *shaft* schroefas; (*van auto*) cardanas

propensity [prə'pensiti] (natuurlijke) geneigdheid, neiging

proper ['prɔpə] eigenlijk (*fraction* breuk; *sense of a word*); geschikt, passend, gepast, rechtmatig (*pride*); behoorlijk, betamelijk, juist, goed (*in their ~ order*), fatsoenlijk, net(jes), vormelijk; ~ *name* eigennaam; *it is not ~ for you to do so* past u niet; **properly** eigenlijk, behoorlijk, goed, enz. (zie *proper*); terecht; netjes (*behave ~*); *~ speaking* eigenlijk gezegd

property ['prɔpəti] bezitting(en), bezit, eigendom(srecht), onroerend goed; (land)goed; rekwisiet: (toneel)benodigdheid (*gew mv*); eigenschap

prophecy ['prɔfisi] voorspelling, profetie; **prophesy** ['prɔfisai] voorzèggen, voorspellen; **prophet** ['prɔfit] profeet; (*fig ook*) voorvechter; *a ~ has no honour in his own country* een profeet is niet geëerd in zijn eigen land; '**prophetess** [-is] profetes; **prophetic(al)** [prə'fetik(l)] profetisch; *be profetic of* voorspellen

propitiate [prə'piʃieit] gunstig stemmen, bevredigen, verzoenen; **propitious** [prə'piʃəs] gunstig, genadig

proponent [prə'pəunənt] voorstellend; voorstander

proportion [prə'pɔ:ʃən] I *zn* verhouding; evenredigheid; deel, percentage; *~s,* ook: afmetingen; *in ~ as* naarmate; *in ~ to* in verhouding tot; *out of* (*all*) ~ buiten (alle) verhouding; II *ww* evenredig maken; afwegen; afmeten (*to* naar); *well ~ed* goed geproportioneerd; **proportional** [-l] evenredig (*to* aan); ~ *representation* evenredige vertegenwoordiging; **proportionally** [-əli] naar evenredigheid; **proportionate** I *ww* [-eit] *proportion*; II *bn* [-it] evenredig (*to* aan)

proposal [prə'pəuzl] voorstel, aanbod; huwelijksaanzoek (= ~ *of marriage*); **propose** [prə'pəuz] voorstellen, voorleggen; opgeven (*a riddle*); instellen (*a toast*); aanbieden; zich voornemen, van plan zijn; ~ *to a girl* om haar hand vragen; **proposition** [prɔpə'ziʃən] I *zn* stelling (*wisk, logica, theol*); voorstel; bewering; probleem; (*sl*) zaak(je), ding, onderneming, karwei, 'iets'; II *ww* oneerbare voorstellen doen aan

propound [prə'paund] voorstellen, opperen

proprietary [prə'praiətəri] eigendoms...; gepatenteerd, patent... (*medicines*), merk...; particulier; ~ *rights* eigendomsrechten; **proprietor** [prə'praiətə] eigenaar; **proprietress** [prə'praiətris] eigenares; **propriety** [prə'praiəti] juist-, gepastheid, fatsoen

props [prɔps] (*theat*), (*sl*) *properties*

propulsion [prə'pʌlʃən] voortstuwing

pro rata [prəu'rɑ:tə] naar rato, pro rato

prosaic [prəu'zeiik] prozaïsch; **prose** [prəuz] proza

prosecute ['prɔsikju:t] vervolgen; *trespassers will be ~d* verboden toegang; be-, uitoefenen (*a trade*); volgen (*a policy*), uitvoeren; **prose'cution** vervolging; uitoefening; het ...; '**prosecutor** [-ə] (*jur*) aanklager, eiser; zie *public*

prospect I *zn* ['prɔspekt] *a*) verschiet; (voor)uitzicht (*of* op), verwachting; *b*) vermoedelijke vindplaats van erts (olie, enz.); *c*) gegadigde, kandidaat; II *ww* [prəs'pekt, 'prɔspekt] prospecteren: (grond) onderzoeken naar goud, enz.; zoeken (*for gold* naar); (*fig*) zoeken, snuffelen (*for* naar); in ogenschouw nemen; **prospective** [prəs'pektiv] *a*) vooruitziend; *b*) toekomstig, aanstaand, vermoedelijk, in spe (*father-in-law*); **prospector** [prəs'pektə] id.: mijnonderzoeker

prosper ['prɔspə] *a*) voorspoed hebben, gedijen; bloeien; *b*) begunstigen; **prosperity** [prɔs'periti] voorspoed, welvaart, bloei; **prosperous** ['prɔspərəs] voorspoedig, welvarend

prostitute ['prɔstitju:t] I *zn* prostituée; II *ww* prostitueren; voor geld verkopen; in dienst stellen (*to* van); onteren, te grabbel gooien (*one's honour*); **prostitution** [prɔsti'tju:ʃən] het ...; prostitutie

prostrate I *bn* ['prɔstreit] voorover(liggend, gebogen), uitgestrekt, ter aarde geworpen; verslagen, gebroken (*with grief*); ootmoedig; machteloos, uitgeput; II *ww* [prɔs'treit] ter aarde werpen; vernietigen, verslaan; uitputten; ~ *o.s.* zich in het stof buigen (*before* voor); **pros'tration** [prɔs-] liggende houding; voetval; uitputting

protect [prə'tekt] beschermen (*from, against* voor), beschutten, beveiligen; **pro'tection** bescherming; gunst; protectie; vrijgeleide; (*fam*) afpersing onder bedreiging; **protectio'nism** [-izm] -isme; **protectio'nist** -ist(isch); **pro'tective** beschermend (middel); **protector** [prə'tektə] beschermer; **protectorate** [-rit] protectoraat, beschermheerschap

protest I *zn* ['prəutest] id.; betuiging; II *ww* [prə'test] (plechtig) verklaren, betuigen (*one's innocence*); protesteren (tegen)
Protestant ['prɔtistənt] protestant(s)
protestation [prəu-, prɔtes'teiʃən] (plechtige) verklaring, betuiging; protest
protocol ['prəutəkɔl] protocol
prototype ['prəutətaip] id., oertype, model
protract [prə'trækt] rekken, verlengen
protrude [prə'tru:d] (voor)uitsteken; uitpuilen; (*fig*) opdringen; **protrusion** [prə'tru:ʒən] het ...; uitsteeksel
protuberance [prə'tju:bərəns] uitwas, knobbel, gezwel; uitpuiling, opzwelling; **protuberant** [prə'tju:bərənt] (voor)uitstekend, uitpuilend
proud [praud] trots (*of* op), hovaardig, fier; indrukwekkend, prachtig (*a ~ sight*)
prove [pru:v] bewijzen; verifiëren (*a will*); blijken (te zijn: *~ false, true*); op de proef stellen; ondervinden, ondergaan; *the plan ~d (to be) a success* bleek succes te hebben
provenance ['prɔvinəns] herkomst
proverb ['prɔvə(:)b] spreekwoord; **proverbial** [prə'və:biəl] spreekwoordelijk
provide [prə'vaid] voorzien (*with* van); verschaffen; zorgen, maatregelen nemen (*for, against* voor, tegen); bepalen (*the law ~s that* ...); *~ for o.s.* (*one's family*) zorgen voor; *you must ~ your own supper* zorgen voor; *~d* (*that*) mits, onder voorwaarde dat
providence ['prɔvidəns] vooruitziendheid; voorzorg; zuinigheid; voorzienigheid; **provident** ['prɔvidənt] vooruitziend, zorgend
provider [prə'vaidə] verschaffer; leverancier
providing [prə'vaidiŋ] mits (ook *~ that*)
province ['prɔvins] provincie (*ook kerkelijke*), (win)gewest; gebied, departement, sfeer; **provincial** [prə'vinʃəl] I *bn* provinciaal, gewestelijk, kleinsteeds; II *zn* provinciaal, plattelander
provision [prə'viʒən] I *zn* voorziening; aanschaffing; voorzorg(smaatregel); (wets)bepaling; (mond)voorraad, levensmiddelen, proviand (*gew mv*); *make ~ for* zorgen, voorzien in; *make ~ for s.o.* iem in z'n testament bedenken; II *ww* van levensmiddelen voorzien, bevoorraden, provianderen; **provisional** [-l] voorlopig, provisioneel; *P~*, (*Ir*) (lid van) terroristische vleugel van IRA en Sinn Fein; *~ title* werktitel
Provo ['prəuvəu] (*NIr*) *Provisional*
provocation [prɔvə'keiʃən] terging, tarting, provocatie; prikkel; aanleiding (*I never gave her the slightest ~*); *he did it under severe ~* doordat hij buitengewoon geprikkeld werd; **provocative** [prə'vɔkətiv] stimulerend; tergend, prikkelend, uitdagend, provocerend; *be ~ of reflection* prikkelen tot; **provoke** [prə'vəuk] (op)wekken (*a p.'s anger*), stemmen tot, uitlokken, veroorzaken; uitdagen, verlokken; prikkelen, tergen, tarten, provoceren
prow [prau] boeg
prowess ['prauis] moed, dapperheid; bekwaamheid
prowl [praul] I *ww* rondsluipen, -zwerven (om buit); doorzwerven, -sluipen; II *zn* het ...; '**prowl car** (*Am*) surveillancewagen; '**prowler** [-ə] rondsluiper; (*Am*) hoteldief
proximity [prɔk'simiti] nabijheid
proxy ['prɔksi] volmacht; gevolmachtigde
prude [pru:d] preuts persoon
prudence ['pru:dəns] voor-, omzichtigheid, beleid; **prudent** ['pru:dənt] voor-, omzichtig; beleidvol, oordeelkundig, verstandig; **prudential** [pru(:)'denʃəl] verstandig, voorzichtig, voorzichtigheids...
prudery ['pru:dəri] preutsheid; **prudish** ['pru:diʃ] preuts
1 prune [pru:n] pruimedant
2 prune [pru:n] (be)snoeien (= *~ down*)
prurience ['pruəriəns(i)] wulpsheid, wellust; **prurient** ['pruəriənt] wulps, wellustig
pry [prai] gluren, loeren; *~ about* rondsnuffelen; *~ into*, (*fig*) zijn neus steken in
psalm [sɑ:m] id.; '**psalmist** [-ist] psalmdichter
pseudo ['sju:dəu] id.: vals, onecht; **pseudonym** ['sju:dənim] pseudoniem
psyche ['saiki] id.: ziel; **psychedelic** [-delik] psychedelisch; **psychiatric(al)** [saiki'ætrik(l)] psychiatrisch; **psychiatrist** [sai'kaiətrist] psychiater; **psychiatry** [s(a)i'kaiətri] psychiatrie; **psychic** ['saikik] I *bn* ook: *~al* [-l] psychisch, van de ziel; spiritistisch, paranormaal begaafd; II *zn* medium; *~s* (para)psychologie
psycho ['saikəu] (*fam*) psychopaat; **psycho-** ['saikəu] id.; '**psycho-a'nalysis** [-ə'næləsis] psychoanalyse; **psycho'logic(al)** [-'lɔdʒik(l)] psychologisch; **psychologist** [sai'kɔlədʒist] psycholoog; **psychology** [sai'kɔlədʒi] psychologie; **psychosis** [sai'kəusis] *mv psychoses* [-si:z] psychose; **psychotherapy** [saikəu-'θerəpi] psychotherapie; **psychotic** [sai'kɔtik] psychotisch
pub [pʌb] (*fam*) kroeg (= *public house*); '**pub crawl(er)** kroegentocht (-loper)
puberty ['pju:bəti] puberteit
pubescence [pju(:)'besns] *a*) geslachtsrijpheid; *b*) zacht dons
pubic ['pju:bik] schaam... (*~ hair* schaamhaar)
public ['pʌblik] I *bn* openbaar, algemeen, publiek; staats..., volks..., gemeenschaps... (*enemy*); (*soms, tegenover* 'college') universiteits... (*lecture, examination*); *~ address system* omroepinstallatie; *~ affairs* staatszaken; openbare aangelegenheden; *~ appeal* beroep op instellingen en particulieren; *~ convenience* openbaar toilet; *~ health* volksgezondheid; *~ house* herberg, kroeg; *~ place* openbaar gebouw; *~ prosecutor* officier van justitie; *~ school: a*) grote kostschool opleidend voor de universiteit, enz. (*Eton College*, enz.); *b*) (*Am, Schotland, Koloniën*) openbare school; *~ servant* rijksambtenaar; *~ utility* (*service, concern*) openbaar nutsbedrijf: gasbedrijf, enz.;

II *zn* publiek; *in* ~ in het openbaar; '**publican** [-ən] herbergier, kroeghouder; **publication** [pʌbli'keiʃən] bekend-, openbaarmaking, afkondiging, publikatie; uitgave, blad; **publicity** [pʌb'lisiti] openbaarheid, bekendheid, publiciteit; reclame; **publicize** ['pʌblisaiz] reclame maken voor; bekendheid geven aan, adverteren; '**publicly** zie *public;* ook: *a*) in het openbaar; *b*) van rijkswege; '**public-'spirited** met een hart voor het algemeen welzijn

publish ['pʌbliʃ] bekend (openbaar) maken; af-, verkondigen; publiceren, uitgeven; '**publishable** [-əbl] geschikt voor publikatie; '**publisher** [-ə] uitgever(ij); (*Am*) eigenaar van een krant; '**publishing house** uitgeverszaak; uitgeverij

puck [pʌk] **1** kabouter, kwelduivel; snaak, rakker; **2** id.: rubberschijf bij ijshockey gebruikt

pucker ['pʌkə] I *ww* (zich) rimpelen, plooien, samentrekken (ook: ~ *up: one's mouth*); II *zn* rimpel, plooi, kreuk; (*fam*) opwinding, zenuwachtigheid; '**puckery** [-ri] kreukelig, rimpelig; samentrekkend

pudding ['pudiŋ] id. (*dikwijls van andere samenstelling*); soort worst, balkenbrij; '**pudding-face(d)** [-feis(t)] (met) pafferig, rond gezicht zonder uitdrukking; '**pudding-head** domkop

puddle ['pʌdl] (modder)poel of plas; **puddly** ['pʌdli] modderig, vuil

pudgy ['pʌdʒi] kort en dik, rond, pafferig

puerile ['pjuərail] kinderachtig

puff [pʌf] I *zn* wind-, ademstoot, puf(je), trekje; (rook)wolkje; pof (*van kleren*); poeierkwast; luchtig gebak; soes; (*sl*) homo; ~*s, ook:* geblaas, gepuf; II *ww* puffen, blazen; poeieren; opblazen, bol laten staan (= ~ *out, up: one's cheeks*); ~ *up,* ook: *a*) bol gaan staan, opzwellen; *b*) opgeblazen (verwaand) maken; ~*ed, ook:* buiten adem

puffin ['pʌfin] papegaaiduiker

puffy ['pʌfi] vlaagsgewijze; kortademig; bol(-staand), pafferig; gezet

pugilist ['pju:dʒilist] bokser, id.

pugnacious [pʌg'neiʃəs] twistziek, strijdlustig; **pugnacity** [pʌg'næsiti] vechtlust

pug-nose(d) ['pʌgnəuz(d)] (met) mopneus

puke [pju:k] (*sl*) I *ww: a*) kotsen; *b*) uitbraken; II *zn* kots, braaksel

pull [pul] I *ww* trekken (aan), rukken, scheuren; verrekken (*a muscle*); plukken; afdrukken, 'trekken' (*a proof, a copy*); trekken (*a face*); uithalen (*a hoax*); proberen, wijsmaken (*don't* ~ *that stuff* ***on*** [***with***] *me*); ~ *a fast one* (*on someone*) (iem) te grazen nemen; ~ *strings* invloed uitoefenen achter de schermen; ~ ***about*** iets/iem ruw behandelen; ~ ***ahead*** (*of*) inhalen; ~ ***at*** trekken enz. aan; een flinke teug nemen uit (van); ~ ***away*** zich losrukken; optrekken (*auto e.d.*); ~ *away at the bell* er op los bellen; ~ ***back*** (zich) terugtrekken, bezuinigen; ~ ***down*** neerhalen, -leggen; afbreken (*a house*); omlaag brengen (*prices*); achteruitzetten, klein krijgen, drukken (*fig*); omverwerpen (*a government*); afzetten; (*van ziekte*) aanpakken; ~ ***in*** intrekken; binnen komen (*van trein*); naar de kant van de weg sturen; ~ ***off*** aftrekken, optrekken; uittrekken; gaan strijken met (*a prize*); (*sl*) klaarspelen (~ *it off*), tot stand (voor elkaar) brengen (*a deal*), slaan (*a coup* slag); ~ ***on*** aantrekken (*zie ook boven*); ~ ***out*** uittrekken; aan-, bijtrekken (*a chair*); weghalen, terugtrekken (*10,000 soldiers*); vertrekken (*van trein*); van rijbaan veranderen; inhalen; ~ *round* bijkomen; ~ ***through*** erbovenop (erdoorheen) helpen (komen), het halen; ~ ***together*** één lijn trekken, samenwerken; ~ *o.s. together* zich vermannen; ~ ***up*** optrekken, uittrekken, uit de grond trekken, uitroeien (*weeds*); bijschuiven (*a chair*); openbreken (*a road*); inhouden (*a horse*), staande houden, tot staan (nadenken, bezinning) brengen (komen), stilhouden, stoppen (*at* bij); een standje maken, onder handen nemen (*a p.*); ~ *up!* halt!; II *zn* het ...; trek, ruk, teug; trekkracht; aantrekkingskracht; eerste proef; roeitocht(je); voordeel; invloed (*with* bij), macht; protectie, 'kruiwagen'; kruk, handvat; *it is a hard* (*stiff*) ~ een hele karwei

pulley ['puli] katrol(blok); riemschijf

pull-in ['pulin] (= *pull-up*) snack-bar langs de weg, pleisterplaats; '**pull-out** terugtrekking (*of troops*); ~ *table* uittrektafel

pulp [pʌlp] I *zn* vruchtvlees; brijachtige massa; merg; (hout)pap, moes, pulp; II *ww* tot *pulp* maken

pulpit ['pulpit] kansel, preekstoel, katheder

pulsate [pʌl'seit] kloppen, trillen, pulseren; **pulse** [pʌls] I *zn* pols(slag), klopping, slag, trilling; (*natuurk*) stroomstoot, puls; *feel the* ~ *of,* (*fig*) polsen; II *ww* kloppen, slaan, stampen, tikken; '**pulseless** [-lis] (*fig*) leven-, gevoelloos

pulverize ['pʌlvəraiz] fijnwrijven, -stampen, doen verstuiven; vermorzelen; tot poeder (stof) maken of worden; ~ *a p.'s arguments* er geen stukje van heel laten; ~*d coal* poederkool; '**pulverizer** [-raizə] pulverisator, poedermolen, verstuivingsapparaat, vergruizer; '**pulverous** [-rəs] poederachtig

pumice ['pʌmis] puimsteen

pummel ['pʌməl] stompen, (bont en blauw) slaan

pump [pʌmp] I *zn* **1** pomp; pompslag; gebons; (*fam*) het uithoren; **2** bal-, lakschoen, id.; ook: gymschoen; II *ww* (leeg-, op)pompen; bonzen (*van het hart*); (*fam*) uithoren (~ *a p. dry* geheel ...); ~ *a secret out of a p.* ontlokken

pumpkin ['pʌm(p)kin] pompoen

pun [pʌn] I *zn* woordspeling; II *ww* woordspelingen maken

punch [pʌn(t)ʃ] I *zn* pons, doorslag, drevel, priem; (munt)stempel; conducteurstang, ponstang; slag, stoot, por; (*sl*) fut, pit, krachtig optreden; rake zet; *P~ and Judy show* poppenkast; II *ww* stoten, stompen, slaan; (aan)porren (*cattle*); ponsen, doorslaan, knippen (*tickets*), uitslaan (*leather*); van controlemerk in oor voorzien (*cow*); *~ a p.'s head* iem op zijn kop geven; *~ in* (*out*) met een pons in-, uitdrijven (*a nail*); **punchbag** (*boksen*) stootzak; '**punch-card** *punched card* ponskaart; '**punch-up** knokpartij

punctual ['pʌŋktjuəl] stipt, punctueel, precies op tijd (= *~ to the minute*); **punctuality** [pʌŋktju'æliti], stiptheid, punctualiteit

punctuate ['pʌŋktjueit] (lees)tekens plaatsen in; **punctu'ation** interpunctie; **punctu'ation mark** leesteken

puncture ['pʌŋktʃə] I *zn* prik, gaatje, punctuur, lek (*in band*); II *ww: a*) (door)prikken; *b*) een lek krijgen

'**pungent** scherp, prikkelend, bijtend, pikant

punish ['pʌniʃ] (af)straffen, kastijden; (*fam*) toetakelen (*a boxer*), ervan langs geven; '**punishable** [-əbl] strafbaar; '**punishing** I *bn* zwaar, uitputtend (*race, climb*); hard aankomend (*blow*); II *zn* afstraffing, enz. (*vgl het ww*); '**punishment** afstraffing; straf; *take heavy ~* er zwaar van langs krijgen, heel wat te verduren hebben

punk [pʌŋk] I *zn* 1 verrot hout; zwam; tondel; (*fam*) onzin, klets, snert, prul(len); 2 (*fam*) schooier, stuk schorem (tuig), bandiet; 3 id. (= *~ rock*); II *bn* (*sl*) beroerd, ellendig (*feel ~*), waardeloos (*these ~ princes*)

punt [pʌnt] I *zn* platboomde smalle rivierboot met een boom voortbewogen, vlet; II *ww* (voort)bomen; in een ~ varen; **punter** ['pʌntə] (*sl*) gokker; '**punting-pole** vaarboom

puny ['pju:ni] klein, nietig, zwak, miezerig

pup [pʌp] I *zn* jonge hond; (*fig*) snotneus; II *ww* (jongen) werpen, jongen

pupil ['pju:pil] *a*) leerling; student onder toezicht van *tutor*; *b*) id., oogappel

puppet ['pʌpit] marionet; (*fig*) speelpop; *~ government* marionettenregering; *~ state* vazalstaat; **puppeteer** [pʌpi'tiə] marionettenspeler; '**puppet-play** marionettenspel; '**puppetry** [-ri] poppenkasterij, schijnvertoning; '**puppet-show** [-ʃəu] poppenkast

puppy ['pʌpi] jonge hond; *~ love* kalverliefde

purchasable ['pə:tʃəsəbl] te koop; **purchase** ['pə:tʃəs] I *zn: a*) (aan-, in)koop; verwerving; *b*) houvast, vat (*ook fig*), 'macht', steun(tje); *by ~* door aan-, inkoop; *make ~s* inkopen doen; II *ww* (aan)kopen; '**purchaser** [-ə] koper, afnemer; '**purchase tax** omzetbelasting; **purchasing** *power* koopkracht

pure [pjuə] zuiver, rein, kuis; louter, puur, onvermengd

puree ['pjuərei] id.

purgation [pə:'geiʃən] zuivering, purgatie; **purgative** ['pə:gətiv] I *bn* purgerend; zuiverend; II *zn* purgeermiddel; **purgatory** ['pə:gətəri] vagevuur, purgatorium; (*fam*) beproeving; **purge** [pə:dʒ] I *ww* zuiveren (ook *pol*), uitzuiveren, reinigen; purgeren, een purgatie toedienen; uitwissen, verwijderen, teniet doen (= *~ out, away*); II *zn* zuivering; purgeermiddel; (*Belg*) epuratie

purification [,pjuərifi'keiʃən] zuivering (zie *purify*); **purify** ['pjuərifai] zuiveren, reinigen, louteren; klaren

purity ['pjuəriti] zuiverheid, reinheid

purl [pə:l] I *zn* averechtse steek; II *ww* averechts breien

purloin [pə:'lɔin, 'pə:lɔin] stelen, kapen, gappen

purple ['pə:pl] I *zn* violet; purperen mantel; II *bn* violet, paars (*with cold* van ...); (hart)vormig) amfetaminetablet; III *ww* purperen, purper(kleurig) maken (verven, worden); **purplish, purply** ['pə:pliʃ, -pli] purperachtig

purport I *zn* ['pə:pət, -pɔ:t] inhoud, betekenis; strekking, bedoeling; II *ww* [pə'pɔ:t] beweren, voorgeven; *the cheque ~ed to be signed by ...* heette te zijn getekend door ...; **purportedly** [pə:'pɔ:tidli] naar zijn (enz.) zeggen, ogenschijnlijk

purpose ['pə:pəs] I *zn* doel, bedoeling; vastberadenheid; strekking; ***for*** *that ~* met dat doel, te dien einde; *he was for all practical ~s under arrest* feitelijk; ***of*** (*set, deliberate*) *~* opzettelijk; ***on*** *~* met opzet; *on ~ to* teneinde; *on ~ that* opdat; *that is* ***outside*** *my ~* ligt niet in mijn bedoeling; ***to*** *the ~* toepasselijk, ter zake dienende; II *ww* zich voornemen, voornemens (van plan) zijn; '**purpose-built** voor dat doel gebouwd; '**purposeful** [-f(u)l] een bepaald doel hebbend; betekenisvol; opzettelijk; doelbewust; '**purposeless** doelloos; '**purposely** [-li] opzettelijk, expres

purr [pə:] I *ww* snorren, spinnen (*van kat*); (*fig*) gonzen, murmelen, poeslief spreken; II *zn* gegons, gesnor, gespin

purse [pə:s] I *zn* beurs, portemonnaie; buidel, zak(je); (*Am*) damestasje; prijs in geld (bij wedstrijd); II *ww* (zich) samentrekken (*one's lips*, enz.; ook: *~ up*); rimpelen; '**purse-strings** koorden van de beurs; *hold the ~* de ... in handen hebben

pursuance [pə'sju:əns] uitvoering, voortzetting; het zoeken, streven (*of* naar), najagen; *in ~ of your orders* ingevolge, overeenkomstig; **pursuant** [pə'sju:ənt] achtervolgend; *~ to* overeenkomstig, ingevolge; **pursue** [pə's(j)u:] achtervolgen; najagen (*pleasure*); volgen (*a certain course*); voortzetten (*one's course*), doorgaan op (*a subject*); **pursuit** [pə's(j)u:t] ver-, achtervolging; het streven (*of knowledge* naar ...), jacht (*of* op); beoefening; bezigheid (*gew mv*); *~ of money* geldbejag

purulent ['pjuərulənt] etterend, etterig

purvey [pə:'vei] leveren (*provisions*), verschaffen; **purveyor** [-ə] leverancier, verschaffer; verzorger (*to* van); *~ to the King* (*Queen*) hofleverancier

pus [pʌs] id., etter
push [puʃ] I *ww* duwen, stoten, schuiven, steken, dringen, (aan-, terug-, voort)drijven, aanzetten (*a horse to a gallop*); zich inspannen; kracht bijzetten aan (*a claim*); uitbreiden (*trade*), voorthelpen, pousseren, aanprijzen, aan de man (trachten te) brengen, venten, verkopen (*drugs*); ~ *about, around* iem commanderen, ringeloren; ~ *a p.* ***for*** *payment* manen om; ~ ***forward*** vooruitschuiven; vooruitrukken; haast maken (met), doorzetten; aandrijven, pousseren; ~ *o.s. forward* naar voren dringen; ~ ***off*** afstoten; (*fam*) wegsturen; van wal steken (*ook fig*); (*fam*) opstappen, heengaan; ~ ***out*** (voor)uitsteken, uitschuiven; zee kiezen; ~ ***over*** om(ver)stoten; ~ ***through*** doorzetten (*a measure*), ten einde brengen; zich een weg banen; (*van planten*) te voorschijn komen; ~ *matters* ***to*** *extremes* de dingen tot het uiterste drijven; ~ *s.t.* ***upon*** *a p.* iem iets opdringen; II *zn* duw, stoot; zet(je: *give a p. a* ~); protectie; opmars, aanval; druk; drang, nood, crisis; energie, fut (*he has no ~ in him; full of ~ and go*); drukker, drukknop; *make a ~ for* aanrukken op; ***at*** *a* ~ ineens, met één zet; '**push-bell** drukbel; '**push bike** fiets (*tegenst* bromfiets); '**push-button** drukknop(je), drukker; '**pushcart** handkar; '**pushchair** wandelwagentje; **pushed** zie *push*; '**pusher** [-ə] drukker; energieke vent; 'streber'; (*sl*) handelaar in verdovende middelen; '**pushing** energiek, ondernemend; eerzuchtig; ~ *fellow, ook:* 'streber'; '**pushover** (*fam*) eenvoudig karweitje, koud kunstje, 'makkie', makke tegenstander, enz.
pusillanimous [pju:zi'læniməs] laſhartig
puss [pus] poes(je); (*sl*) gezicht; **pussy** ['pusi] *a*) = *puss*; *b*) (*sl*) vagina, enz.; '**pussy-cat** poesje; '**pussy-footed** met zachte pootjes (*ook fig*)
put *ww; ook ovt & v dw* zetten, leggen, plaatsen, stellen (*a case, a question;* ook: *put the case that* ... stel eens dat ...); steken, bergen, brengen; doen; uitdrukken, zeggen (*I don't know how to ~ it*); in stemming brengen (*a motion*); *be hard ~ to it* een hele dobber hebben (*to do s.t.* om ...); ~ *across* overbrengen; ~ ***aside*** opzij zetten (leggen); ~ *the price* ***at*** ... stellen op; ~ ***away*** wegleggen, -bergen, enz., opzij leggen (*money*); stallen; opbergen (in de gevangenis); van kant maken; ~ ***back*** achteruitzetten (*a patient, the clock*); later stellen (*a dinner*); ~ ***by*** opzij leggen, over-, wegleggen (*money*); ~ ***down*** neerzetten, enz.; afzetten (uit rijtuig); onderwerpen, onderdrukken, dempen (*a rebellion*); afmaken (*an animal*); een eind maken aan (*abuses*); vernederen, in een hoek drukken, op zijn plaats (nummer) zetten; op-, inschrijven; ~ ***forth*** verkondigen (*a theory*); aanwenden (*all one's eloquence*); uitlopen (*van planten*); ~ ***forward*** vooruitzetten (*the clock*); vervroegen (*dinner*); naar voren brengen; aanvoeren (*s.t. as an excuse*), opperen, ten beste geven (*an opinion*), verkondigen (*a new theory*); ~ ***in*** (*bw*) inzetten, insteken, enz.; posten (*a letter*); poten; installeren; indienen (*a claim* vordering); inzenden (*one's papers*); inbrengen, ertussen voegen; in het midden brengen; erbij doen; binnenlopen (*van schip*); binnengaan; ~ *in a word* een woordje meespreken; ~ ***in*** (*vz*) zetten, enz. in; steken (beleggen) in; ~ ***into*** *circulation* in omloop brengen; ~ *into effect* van kracht doen worden; ~ *into English* vertalen in; ~ *into a harbour* binnenlopen; ~ *into words* onder woorden brengen; ~ ***off*** uittrekken (*clothes*); afzetten; afleggen (*a habit*); uitstellen; afzeggen; afschepen; afkerig maken van, tegenmaken (*don't ~ him off his books*); (*fam*) misselijk maken, doen walgen; afschrikken (*his style ~s off many people*); van wal steken, zee kiezen (= ~ *off to sea*); van zijn stuk brengen; *don't be ~ off by that* laat je daardoor niet weerhouden; ~ *a p. off* (*from*) *a plan* afbrengen van; *she was not to be ~ off* liet zich niet afschepen; ~ ***on*** (*bw*) opzetten, aantrekken; aanzetten, aanhangen; op de planken brengen, opvoeren (*a play*); opleggen (*a fine*); aankomen (in gewicht = ~ *on weight:* aannemen (*an air*); voorwenden; vooruitzetten (*the clock*); aanwenden, bijzetten (*force*); inleggen (*a train*); ~ ***on*** (*vz*) zie ~ *upon;* ~ ***out*** (er)uitzetten, -leggen, enz.; uitsteken (*one's hand, a p.'s eyes*); uitzenden (*the time signal*); ontwrichten (*one's shoulder*); bewusteloos slaan; afzetten; blussen, uitdoven, uitdoen (*a lamp*); in de war (van zijn stuk, uit zijn humeur) brengen; storen; uitgeven, uitvaardigen; in zee steken (= ~ *out to sea*); vertrekken, uitzetten (*money at interest* op ...); (bladeren, enz.) krijgen; (*to* om te); zich boos maken; *be ~ out* in de war (van zijn stuk) raken (zijn); boos (ontstemd) zijn; ~ ***out of*** *action, commission,* enz., zie de *zn;* ~ ***over*** overzetten, -brengen, -steken; uitstellen; *I wouldn't ~ it* ***past*** *him* acht hem er niet te goed voor (er wel toe in staat); ~ ***through*** uitvoeren (*a programme*), ten einde brengen; ~ *through to number* ... (*telefoon*) verbinden met; ~ *the case to him* leg ... voor; *I ~ it to you whether* ... ik vraag u (leg u de vraag voor), of ...; *I ~ it to you that you were not there* (vooral van advocaat bij kruisverhoor), ik geloof, dat ..., is dat niet zo?; ~ ***together*** samenstellen, in elkaar zetten, bijeensteken (*heads*); samennemen; ~ ***up*** opsteken (*an umbrella, one's hair, the sword*); ervoor doen (*shutters*); opstellen, -slaan, -hangen, -schuiven, enz.; aanplakken (*a notice*); op de planken brengen (*a play*); verhogen (*the price*); aanbieden (*a petition*); uitloven (*a prize*); wegleggen; logies verlenen, huisvesten; stallen (*a horse*); zijn intrek nemen (*at an inn*); bouwen, samenstellen; (vooraf) stellen; (vooraf) beramen; zie *put-up;* ~ *up the defence*

that ... ter verdediging aanvoeren, dat ...; ~ *up a (good) fight* zich (kranig) verweren; ~ *up to* mededelen, op de hoogte brengen van; aanzetten tot (~ *up to mischief*); ~ *up with* dulden, zich laten welgevallen, zich behelpen met; *he ~ it **upon** me* schoof het op mij; ~ *an insult upon a p.* aandoen; ~ *an interpretation upon (a p.'s words)* opvatten; ~ *a trick upon a p.* iem een poets spelen
put-off ['putɔ(:)f] uitvlucht; uitstel; afzegging; '**put-on** verlakkerij, komedie
putrefy ['pju:trifai] verrotten, bederven; **putrid** ['pju:trid] (ver)rot, verpest(end)
putt [pʌt] I *ww* zachtjes met een golfstok slaan; II *zn* zulk een slag
putting-off ['putiŋ'ɔ(:)f] afschepend, op een afstand houdend (*manner*)
putty ['pʌti] stopverf
'**put-up**: ~ *job zn* doorgestoken kaart
puzzle ['pʌzl] I *zn* verlegenheid; moeilijkheid, lastige vraag, raadsel; legkaart, enz., puzzel; *be in a ~* er niets van begrijpen, ermee verlegen zitten; II *ww: a)* in verlegenheid (in de war) brengen, verbijsteren; *b)* piekeren; *puzzling, ook:* onbegrijpelijk, raadselachtig; ~ (*o.s., one's brains*), ~ *one's head off* zich het hoofd breken (***about, over*** over); *it ~s me* ik begrijp er niets van; daar sta ik voor; ~ *it **out*** uitpuzzelen, uitknobbelen; '**puzzled** verlegen, in de war; niet-begrijpend (*look ~*); *I am ~ at it* ik weet niet hoe ik het heb, wat ervan te denken (*a ~ smile* die dit uitdrukt)
pygmy ['pigmi] pygmee, dwerg
pyjamas [pə-, pi'dʒɑ:məz] pyjama
pylon ['pailən] (*elektr*) hoogspanningsmast
pyramid ['pirəmid] piramide
pyre [paiə] brandstapel
pyromania [,paiərəu'meiniə] pyromanie, manie tot brandstichting; **pyro'maniac** [-'meiniæk] pyromaan
pyrotechnics [paiərəu'tekniks] vuurwerk
python ['paiθən] id.

Qq*q*

Q.C. *Queen's Counsel; Queen's College*
quack [kwæk] I *zn* 1 gekwaak; 2 ~ *doctor* kwakzalver; II *ww* 1 kwaken (van eenden), schetteren; 2 kwakzalveren
quad [kwɔd] 1 één van een vierling; 2 *quadrangle*
quadrangle ['kwɔdræŋgl] *a)* vierhoek (*gew:* rechthoek); *b)* (vierkant) binnenplein; **quadrangular** [kwɔ'dræŋgjulə] vierhoekig
quadruped ['kwɔdruped] viervoeter
quadruple ['kwɔdrupl] I *bn* viervoudig; II *zn* viervoud; III *ww* (zich) verviervoudigen; **quadruplet** [-it] één van een vierling
quagmire ['kwæg-, 'kwɔgmaiə] moeras, poel
quail [kweil] 1 *zn* kwartel; 2 *ww* ineenkrimpen (voor)
quaint [kweint] eigenaardig, vreemd
quake [kweik] I *ww* schudden, beven (*for, with* van), trillen; II *zn* (aard)beving
Quaker ['kweikə] kwaker: lid van de *Society of Friends*
quaky ['kweiki] bevend, beverig
qualification [,kwɔlifi'keiʃən] restrictie, voorbehoud, wijziging, verzachting, matiging; (bewijs van) geschiktheid (bevoegdheid); voorwaarde, vereiste, eigenschap; kwalificatie; **qualified** ['kwɔlifaid] bevoegd, gerechtigd, bekwaam; gekwalificeerd (*staff*); gediplomeerd (*nurse*); met voorbehoud (*answer*); beperkt (*freedom*); niet onvoorwaardelijk (*praise*); getemperd (*optimism*); **qualifier** ['kwɔlifaiə] een geplaatste (zie *qualify* (*sp*)); beperking, verzachting; bepalend woord; **qualify** ['kwɔlifai] kwalificeren, kenschetsen, aanduiden; bepalen; (zich) bekwamen, (zich) geschikt (bevoegd) maken; de bevoegdheid verwerven, slagen; (*sp*) een plaats krijgen, zich plaatsen, geplaatst worden; beperken, nader omschrijven; verzachten (*an opinion*), temperen; wijzigen; ~ *as a pilot* een brevet verwerven als; zie *qualified*
qualitative ['kwɔlitətiv] kwalitatief; **quality** ['kwɔliti] kwaliteit, eigenschap, hoedanigheid; goede eigenschap, deugd; bekwaamheid; ~ *paper* kwaliteitskrant
qualm [kwɑ:m, kwɔ:m] (plotselinge) misselijkheid; bang vermoeden; scrupule, gewetensbezwaar (= ~ *of conscience*), wroeging
quandary ['kwɔndəri] verlegenheid, dilemma; *he was in a (nice) ~* zat in een lastig parket
quantify ['kwɔntifai] bepalen, meten, kwantificeren
quantitative ['kwɔntitətiv] kwantitatief; **quan-**

tity ['kwɔntiti] hoeveelheid, uitgestrektheid, omvang, aantal, kwantiteit; *in -ties* in grote hoeveelheden, in menigte; ~ *disount* quantumkorting
quantum ['kwɔntəm] quantum, hoeveelheid
quarantine ['kwɔrənti:n] quarantaine
quarrel ['kwɔrəl] I *zn* twist, ruzie; reden tot twist (onenigheid); *pick a ~ with* (*s.o.*) ruzie zoeken (met iem); II *ww* twisten, krakelen, ruzie hebben of maken (*about, for* over); aanmerkingen maken (*with* op); *no one can ~ with that* daar kan niem iets tegen hebben, op aanmerken; '**quarrelsome** [-səm] twistziek, ruzieachtig
quarry ['kwɔri] I *zn* 1 (nagejaagde) prooi, wild; slachtoffer; 2 steengroeve; II *ww* (uit)graven, delven (*slate*)
quart [kwɔ:t] *1/4 gallon* = 1,136 l (*U.S.* 0,946 l); kan (kroes, fles) van die inhoud; **quarter** ['kwɔ:tə] I *zn* vierde(deel), vierendeel, kwart; kwartier (*ook van maan en wapenschild*); *1/4 cwt:* 28 Eng pond (12,7 kg), (*U.S.*) 25 Eng pond (11,3 kg); 1/4 Eng pond; 1/4 dollar; kwartaal; windstreek, 'hoek' (van de wind); (stads)wijk; ~*s* kwartier(en), kamer(s), huisvesting; (*van paard*) achterdeel = *hind*~(*s*); *it is one ~ as long as* een vierde van de lengte van; *for a ~ (of) the price, for ~ (of) the price* voor een vierde van ...; ~ *of an hour* kwartier; *the clock struck the ~ hour* het kwartier; *take up one's ~s* zijn kwartier ('tenten') opslaan; *the wind blows **from** another ~* uit een andere hoek; *from all ~s* van ... kanten; II *ww* in vieren verdelen; vierendelen (ook van wapenschild); het wapen van een ander aan het zijne toevoegen; inkwartieren (*upon* bij); '**quarterdeck** (*scheepv*) achterdek; **quarter-'final** kwartfinale; '**quarterly** I *bn & bw* driemaandelijks; II *zn:* ~ (*magazine*) driemaandelijks tijdschrift, kwartaalblad; **quartermaster** kwartiermeester
quartet [kwɔ:'tet] kwartet
quartz [kwɔ:ts] kwarts
quasi ['kwɑ:zi(:), 'kweisai] id.: zogenaamd
quatrain ['kwɔtrein] vierregelig vers of couplet
quaver ['kweivə] 1 *zn: a*) trilling; *b*) triller; *c*) 1/8 noot; 2 *ww* trillen, beven
quay [ki:] kaai, kade; '**quay-side** *quay*
queasy ['kwi:zi] walglijk; zwak (*van maag*); kieskeurig, teergevoelig; misselijk
queen [kwi:n] I *zn* koningin; (*kaartsp*) vrouw; (*Am sl & schaaksp*) dame; (*sl*) = *queenie; Q~ Anne is dead* oud nieuws; ~ *of hearts* hartenvrouw; II *ww* tot koningin maken; ~ (*a pawn*), (*schaaksp*) een koningin halen, naar dame gaan; ~ *it* de koningin spelen; als koningin heersen; '**queen 'bee** bijenkoningin; '**queenie** (*sl*) homo, nicht
queer [kwiə] I *bn* vreemd, zonderling, gek, raar; verdacht; onlekker (*feel*~); II *zn* (*sl*) homoseksueel, mietje, flikker; III *ww* (*sl*) bederven (*the whole business*), in de war sturen
quell [kwel] onderdrukken, bedwingen, dempen, neerslaan (*a revolt*), een eind maken aan
quench [kwen(t)ʃ] blussen, uitdoven; dempen; lessen; '**quenchless** [-lis] onlesbaar
querulous ['kwer(j)ələs] klagerig, knorrig
query ['kwiəri] I *zn* vraag; vraagteken; II *ww* vragen; een vraag doen; betwijfelen (*I ~ that dictum*)
quest [kwest] I *zn* queeste, zoektocht, het zoeken, najagen (*of, for* van); het gezochte; (voorwerp van) onderzoek; *in ~ of* zoekende (op zoek) naar; II *ww* zoeken (naar), speuren; ~ *out* opsporen
question ['kwestʃən] I *zn* vraag; interpellatie; vraagstuk; (examen)opgaaf; kwestie (*it is a ~ of time*), sprake; twijfel; ~ *of fact* zakelijke kwestie; ~*s will be invited* er zal gelegenheid worden gegeven om vragen te stellen; *put the ~* tot stemming overgaan; *that is **beside** the ~* heeft met de zaak niets te maken; ***beyond*** (*all*) ~ buiten (alle) twijfel, buiten kijf; *call **for** the ~* stemming vragen; *the point **in** ~* het punt in kwestie; *when territory is in ~* als het om ... gaat; *that is **out of** the ~* (daar kan) geen sprake van (zijn); dat is uitgesloten; ***past*** (***without***) ~ ongetwijfeld, buiten kijf; II *ww* (onder-, uit)vragen (*person*); onderzoeken (*facts*); in twijfel trekken, betwijfelen (*a p.'s honesty*), betwisten; *it cannot be ~ed but that* (*but, that*) er is geen twijfel aan, of ...; '**questionable** [-əbl] twijfelachtig, verdacht; '**questioner** vrager, interpellant; '**questionless** ongetwijfeld; '**question mark** vraagteken; **questionnaire** [k(w)estiə'nɛə, k(w)estʃə-] vragenlijst
queue [kju:] I *zn: a*) (hangende) vlecht, 'staart'; *b*) id., rij; II *ww* in een vlecht dragen; ~ (*up*) queue maken, in de rij staan; '**queuer** [-ə] man (vrouw) in queue of rij
quibble ['kwibl] I *zn: a*) woordspeling; *b*) onbeduidende aanmerking, vitterij; *c*) onbeduidende kleinigheid; *d*) spitsvondigheid; chicane, uitvlucht; II *ww* uitvluchten zoeken; spitsvondig redeneren, haarkloven, vitten, chicaneren
quick [kwik] I *bn* vlug (*ook:* gevat), snel, haastig; vluchtig; levendig, opgewekt; scherp (*ear, eye*), fijn, gevoelig; (*vero*) levend; *be ~!* haast je!; ~ *temper* opvliegende aard; ~ ***at** figures* vlug in het rekenen; ~ ***of** foot* vlug ter been; ~ *of hearing* scherp van gehoor; ~ ***to** answer* vlug klaar met een antwoord; II *bw* vlug, gauw; III *zn* levend vlees; '**quicken** levend maken (worden); bezielen, verlevendigen, aanvuren; sneller worden; '**quick-'eyed** scherp van gezicht; '**quicklime** ongebluste kalk; '**quickness** vlugheid; ~ *of temper* opvliegendheid; '**quicksand(s)** drijfzand; '**quick-service** *buffet* snelbuffet; '**quicksilver** kwikzilver; '**quickstep** snelle foxtrot; '**quick-'tempered** opvliegend; '**quick-'witted** vlug van begrip, gevat
quid [kwid] I *zn* 1 (*sl*) pond (sterling); ook mv: *five*~; 2 tabakspruim; II *ww* pruimen

quid pro quo ['kwidprəu'kwəu] vergoeding, tegenprestatie, equivalent; leer om leer; van het zelfde laken een pak
quiescence [kwai'esns] rust, berusting; **quiescent** [kwai'esnt] rustig, stil, vredig; berustend
quiet ['kwaiət] I *bn* rustig, bedaard, stil, vredig; niet opzichtig, stemmig (*dress*); geheim, heimelijk; zonder omslag, familiaar (*dinner*); *~!* (*tegen hond*) koest!; *quite ~* heel rustig; *let me be ~* laat me met rust; II *zn* rust, kalmte, vrede; III *ww* (*Am*) *a*) kalmeren, tot bedaren brengen; *b*) bedaren, rustig worden (= *~ down*); '**quietude** [-ju:d] rust, vrede
quiff [kwif] spuuglok (op voorhoofd)
quill [kwil] schacht, slagpen; ganzepen; dobber; stekel (*van stekelvarken*); spoel; fluit
quilt [kwilt] I *zn* gewatteerde deken; dekbed; II *ww: ~ed* doorgestikt
quinine [kwi'ni:n, kwi'nain] kinine
quintessence [kwin'tesns] kwintessens, kern, het beste (fijnste)
quintet ['kwintet] kwintet
quintuple ['kwintjupl] I *bn* vijfvoudig; II *zn* vijfvoud; III *ww* vervijfvoudigen; **quintuplet** ['kwintjuplet, kwin'tju:plət] één van vijfling
quip [kwip] I *zn* geestigheid; spitsvondigheid; II *ww* een geestigheid debiteren
quirk [kwə:k] speling (*of fate*), grap; eigenaardigheid (*character*); **quirky** [-i] eigenaardig, vreemd
quit [kwit] I *bn* vrij, ontslagen (*of* van); *go ~* vrij uitgaan; *we are well ~ of them* goed, dat we van hen af zijn; *be ~ of the town* goed en wel buiten de stad zijn; II *ww; soms ook ovt & v dw* verlaten; opgeven, laten varen; loslaten; overlaten (*to* aan); (*van huurder*) het huis ontruimen; heengaan, ervandoor gaan, opstappen; ophouden (met); het opgeven; *~ business* uit de zaken gaan; *~ off*, (*Am*) ophouden
quite [kwait] geheel, helemaal, heel, zeer, recht; wel (*~ fifty*); best (*~ possible*); bepaald (*I ~ dread it*); nogal (*I ~ like her*); *~ another* een heel andere; *~ a few* heel wat; *~ a lady* een hele ...; *~ a young girl: a*) een heel ...; *b*) net een ...; *~ so*, (soms: *~*), juist; *not ~* (*proper*) niet helemaal zoals het hoort, je dàt; *he isn't '~'* (*'~ ~'*) (*fam*) niet helemaal dàt
quiver ['kwivə] I *zn* 1 pijlkoker; 2 trilling; II *ww* (doen) trillen, beven, sidderen
quiz [kwiz] I *zn* id., kwis, ondervraging, spelprogramma (*radio/TV*), 'hersengymnastiek'; II *ww* ondervragen; '**quiz-master** (*Am*) repetitor; leider van spelprogramma (*radio/TV*); '**quizzical** [-ikl] snaaks, vragend-spottend
quorum ['kwɔ:rəm] id.
quota ['kwəutə] id.
quotable ['kwəutəbl] geschikt om aan te halen; genoteerd kunnende worden; **quotation** [kwəu'teiʃən] *a*) aanhaling, citaat; *b*) (beurs-, koers-, prijs)notering; '**quotation marks** aanhalingstekens; **quote** [kwəut] I *ww: a*) aanhalen, citeren; *b*) noteren (*prices, articles*); *~ ... un~* aanhalingstekens openen ... aanhalingstekens sluiten; II *zn* (*fam*) aanhaling
quotient ['kwəuʃənt] quotiënt
q.v. ['kju:'vi:] *quod vide* zie aldaar

qv

Rrr

rabbi ['ræbai] id., rabbijn
rabbit ['ræbit] I *zn* konijn; (*Am*) haas; (*sl*) stumperd; bangerd; II *ww* op konijnen jagen; ~ *on* klagen, zeuren (*he keeps ~ting on about his health*); '**rabbit-warren** [-wɔrin] konijnenberg, -park
rabble ['ræbl] gepeupel, gespuis; ~ *rouser* demagoog, ophitser
rabid ['ræbid] dol, woest, razend, krankzinnig
rabies ['reibi:z] hondsdolheid
R.A.C. *Royal Automobile Club*
race [reis] I *zn* **1** wedloop, -ren; *play the ~s,* (*Am*) op paarden wedden; sterke stro(o)m-(ing); stroombed; **2** ras, volk, stam, geslacht, afkomst, afstamming; II *ww* wedlopen, wedrennen; (laten) rennen, snellen, 'racen'; jagen (*van polsslag*); *the bill was ~d through* (*the House*) het wetsontwerp werd erdoor gejaagd; '**race-course** [-kɔ:s] renbaan; **racer** ['reisə] renner; renpaard; renwagen; hardloper, -zeiler; racefiets, wedstrijdjacht, enz.; **racetrack** ['reistræk] renbaan
racial ['reiʃl] ras..., rasse(n)...
'**racing-stable** renstal
racism ['reisizm] racisme, rassewaan, -haat; **racist** ['reisist] I *zn* id., rassenhater; II *bn* racistisch
rack [ræk] I *zn* **1** *a*) (*lit*) voortgejaagde wolken, zwerk; *b*) ondergang; *go to ~ and ruin* geheel te gronde gaan; **2** rek; ruif; (bagage)net; rooster; (tand)heugel; **3** pijnbank; folterende pijn; beproeving; *on the ~* op de pijnbank; in uiterste spanning; II *ww* folteren, pijnigen, kwellen; (in)spannen, verrekken; afpersen, uitmergelen (*land, tenants*); ~ *one's brains about* zich het hoofd breken over; '**rack-and-'pinion** [-ən'pinjən] heugel en rondsel
racket ['rækit] **1** id. (*tennis e.d.*); **2** leven, drukte, herrie, spektakel, ruzie; opwinding, gedoe, rage; uitspatting; (vuur)proef, beproeving; (*sl*) plan(netje), foefje, winstgevende truc; georganiseerde afpersing of zwendel; *kick up a ~* herrie schoppen; *stand the ~: a*) de vuurproef doorstaan; *b*) ervoor opdraaien, het kind van de rekening worden; *c*) de rekening gepresenteerd krijgen, de onkosten betalen; **racketeer** [ræki'tiə] deelnemer aan *racket,* geld afpersende bandiet; profiteur; **racke'teering** georganiseerde afpersing
'**rack-railway** tandradbaan; '**rack-rent** buitensporig hoge huur; '**rack-wheel** tandrad
racy ['reisi] pittig, energiek, pikant, gekruid
radar ['reida:] id.
radial ['reidiəl] radiaal, straal..., stralen...; gestraald, stervormig; radiaalband
radiance ['reidiəns] straling, schittering, glans; **radiant** ['reidiənt] *a*) stralend (*with happiness* van ...), schitterend; *b*) stervormig; ~ *heat* stralingswarmte
radiate ['reidieit] (uit)stralen; draadloos uitzenden; straalsgewijs uitlopen; om zich verspreiden; **radi'ation** straling; (*med*) bestraling; ~ *sickness* stralingsziekte; '**radiator** [-ə] id.; warmtestraler; (*van auto enz.*) radiateur; koeler
radical ['rædikl] I *bn* radicaal; drastisch (*measures*); grond..., ingeworteld, inwendig, grondig, essentieel, wezenlijk; II *zn* wortel(teken), stam(woord, -letter); radicaal (*ook chem*); **radicalism** ['rædikəlizm] radicalisme
radio ['reidiəu] I *zn* id.; radiotelegrafie; II *ww* draadloos telegraferen (fotograferen, uitzenden); ~ *operator* marconist; ~ *telescope* radiotelescoop; ~ *transmitter* radiozender; ~ *van* geluidswagen; '**radio'active** radioactief; '**radio-beacon** radiobaken; '**radiogram** (*vero*) radiogrammofoon; '**radiograph** [-gra:f] I *zn* radiogram (*fot*) röntgenfoto; II *ww* doorlichten; **radiography** [reidi'ɔgrəfi] radiografie; doorlichting; '**radio-'isotope** radioisotoop; **radiologist, radiology** [reidi'ɔlədʒist, -lədʒi] radioloog, -logie; '**radiotelephone** draadloze telefoon, autotelefoon; '**radio'therapy** radiotherapie
radish ['rædiʃ] radijs
radium ['reidiəm] id.
radius ['reidiəs] id.: straal (*van cirkel*); spaak; spaakbeen
R.A.F. ['a:rei'ef, (*fam*) ræf] *Royal Air Force*
raffish ['ræfiʃ] (*lit*) liederlijk, losbandig
raffle ['ræfl] I *zn* loterij, verloting; II *ww* (ver)-loten; ~ *for* loten om, verloten
raft [ra:ft] I *zn* vlot; drijfhout; II *ww* vlotten, op een vlot vervoeren of oversteken
rafter ['ra:ftə] dakspar
rag [ræg] I *zn* **1** lomp, vod, lap(je), doek; (*fam*) vlag, zeil, zakdoek, krant, blaadje (*the local ~* het sufferdje), enz.; prul; uitsteeksel; *in ~s* in lompen, aan flarden; *his nerves were in ~s* op, kapot; *~s of cloud* uit elkaar gejaagde wolken; *like a red ~ to a bull* als een rooie lap op een stier; **2** (*sl*) herrie, 'keet', (studenten)jool; mop; II *ww* pesten, plagen, te grazen nemen, donderen, ontgroenen; keet maken (bij: ~ *a master*); gekheid maken
ragamuffin ['rægəmʌfin] (*vero*) schooier(ig)
rag-and-bone-man voddenman; **ragbag** ['rægbæg] allegaartje; '**rag-book** linnen prentenboek; '**rag-'doll** [-dɔl] lappenpop
rage [reidʒ] I *zn* woede, razernij; manie, 'rage'; vuur, geestdrift; *be in* (*fly into*) *a ~* woedend zijn (worden); *it's all the ~ now* een rage; II *ww* woeden, tieren, razen (*at, against* tegen); ~ *itself out,* (*van storm*) uitwoeden

'**ragged** [-id] haveloos, gescheurd, in lompen; ruig, ruw, gerafeld; getand; knoestig, ongelijk; kapot (*nerves*); rauw; (*voice*); slordig; slecht verzorgd (*beard*)
'**rag-tag and bobtail** janhagel, gepeupel
'**rag-time** (muziek in) gesyncopeerde maat
rag trade (*sl*) kledinghandel, -industrie
raid [reid] I *zn* (vijandelijke) inval (*into, on, upon* in), stroop-, rooftocht, razzia, politieoverval; II *ww* een inval enz. doen (in); *~ed cattle* geroofd vee; '**raider** [-ə] iem, die een inval doet; vliegtuig dat de lucht boven vijandelijk gebied binnenvliegt; stroper; kaper(schip)
rail [reil] I *zn* dwarshout, -balk (*van deur bijv.*), staaf, plank, lat, stang, spaak; slagboom; leuning, omheining, hek(werk); rail, spoorstaaf; ***by*** ~ per spoor; *go* (*get, run*) ***off*** *the ~s* ontsporen; (*fig*) een misstap begaan; van streek raken; II *ww* 1 van leuning, rails enz. voorzien; omheinen (= ~ *in*), afrasteren (~ *off*); 2 schimpen, schelden (*at, against*), uitvaren; **railing** ['reiliŋ] 1 traliewerk; leuning, reling, hek (= *~s*); 2 geschimp, hoon (= *~s*)
raillery ['reiləri] boert, scherts, grap(pen)
railroad ['reilrəud] (*inz. Am*) *railway*; **railway** ['reilwei] I *zn* spoorweg, -baan; II *ww* sporen; '**railway-carriage** spoorwegrijtuig; '**railway-embankment** spoordijk; '**railway-employee** spoorwegbeambte; (*mv ook*) spoorwegpersoneel; '**railway-sleeper** dwarsligger; '**railway-trucks** goederenwagen; '**railway-yard** spoorwegemplacement
rain [rein] I *zn* regen; *~s, ook:* regentijd; (*in*) *~ or shine* weer of geen weer, onder alle omstandigheden; II *ww* (laten) regenen, doen neerdalen (*blows upon a p.*); ~ *in* inregenen; *it never ~s but it pours* een ongeluk (enz.) komt nooit alleen; '**rainbow** [-bəu] regenboog; ~ *chaser* fantast, plannenmaker; '**raincoat** regenjas; '**rainfall** regenval; '**rainforest** regenwoud; '**raingauge** [-geidʒ] regenmeter; '**rainless** regenloos; '**rainproof** waterdicht, tegen regen bestand; '**rainshower** [-ʃauə] regenbui; '**rainstorm** van regen vergezelde storm, regenbui; '**rainwear** regenkleding; '**rainy** regenachtig, regen...; *provide* (*save*) *against* (*for*) *a ~ day* een appeltje voor de dorst bewaren
raise [reiz] I *ww* overeind zetten, oprichten; te berge doen rijzen (*a p.'s hair*); doen opstaan, wakker maken; opheffen, optillen; opnemen (*the carpets*); verheffen (*one's voice*); boven (aan de oppervlakte) brengen (*coal*); te voorschijn brengen (*tears*); opslaan (*one's eyes*); oproepen (*a ghost*); bevorderen (*to a higher rank*), verhogen; doen rijzen (*bread*); op de been brengen (*an army*); bijeenbrengen (*funds*); heffen (*taxes*); opzetten (*against, upon* tegen), opruien; aanvuren (*a p.'s courage*); bouwen, optrekken (*a building*); fokken (*cattle*), (aan)kweken, grootbrengen (*family*); verbouwen; verwekken (*a laugh, a storm of indignation*); opwekken (*expectations*); wekken (*to life*); aanheffen (*a song*), geven (*a cry*); opwerpen (*a question*); opperen (*doubt*); aankaarten, ter sprake brengen (*a matter*); opbreken (*the siege*); opheffen (*the blockade*); ~ *hell* geducht tekeergaan; ~ *one's glass to* drinken op; ~ *one's hat* afnemen (*to* voor); ~ *money* opnemen, komen aan; ~ *objections* bezwaren maken (*to* tegen); *~d letters* in reliëf; II *zn* (*Am*) verhoging, opslag
raisin ['reizn] rozijn
rake [reik] I *zn* 1 hark; krabber; 2 (*vero*) losbol, lichtmis; 3 helling; II *ww* 1 harken, krabben, schrapen, poken; bijeenhalen (= ~ *up*, ~ *together*); aanharken (= ~ *up, over*); doorsnuffelen, -zoeken (= ~ *over: history*, enz.); bestrijken; overzien, opnemen; bestoken; ~ *in* (Am: ~ *down*) *money* opstrijken; ~ *up* oprakelen (*old differences*); 2 overhangen; (doen) hellen, oplopen; **rakish** ['reikiʃ] losbandig, liederlijk; zwierig, chic (*hat*); (*van schip*) slank gebouwd
rally ['ræli] I *ww* (zich) weer verzamelen; (zich) her-, verenigen; verzamelen (*one's strength*); zich herstellen (*ook van prijzen, enz.*), weer (doen) opleven; II *zn* (massa)bijeenkomst; reünie; sterrit (*Monte Carlo ~*); herstel (ook van prijzen), opflikkering; (*tennis, enz.; boksen*) slagwisseling
ram [ræm] I *zn* ram; rammei; ram-, heiblok; ramschip; II *ww* (aan-, vast)stampen; rammeien, heien; instampen (*ook fig:* ~ *s.t. into a p.'s head*); stoten, drijven, (vol)proppen; rammen (*a ship*)
ramble ['ræmbl] I *ww* (rond)dolen, (om)zwerven, dwalen; bazelen, ijlen; II *zn* zwerftocht(je), uitstapje; wandeltocht; '**rambler** [-ə] wandelaar, zwerver; **rambling** I *bn* wijdlopig; onsamenhangend, verward; verspreid (*remarks*), stelselloos, onregelmatig (gebouwd); II *zn* het ...; *~s* zwerftochten
ramification [ˌræmifi'keiʃən] vertakking; **ramify** ['ræmifai] (zich) vertakken; takken krijgen
ramp [ræmp] 1 glooiing, helling, talud; hellende oprit (afrit) (*in garage*), verkeersdrempel; 2 (*sl*) afzetterij; truc (*it is a mere ~*); zwendel (*the whole thing is a ~*)
rampage [ræm'peidʒ] I *ww* woeden, tieren, als dol rondspringen; II *zn* dolheid, dolzinnig optreden; *be on the ~* zich als dol gedragen
rampant ['ræmpənt] op de achterpoten staand; uitgelaten, buitensporig, wild, woest, aarts...; algemeen heersend
rampart ['ræmpɑ:t, -ət] wal (*van vesting*), bolwerk (*ook fig*)
ramrod ['ræmrɔd] laadstok; *stiff as a ~: a*) kaarsrecht; *b*) ongenadig streng
ramshackle ['ræmʃækl] bouwvallig, vervallen, wrak, gammel (*mill, bicycle, taxi*)
ranch [rɑ:n(t)ʃ] (*Am*) veefokkerij, boerderij; '**rancher** [-ə] 'ranch'houder, veefokker(sknecht)
rancid ['rænsid] ranzig; sterk (*butter*)

rancorous ['ræŋkərəs] haatdragend, rancuneus; **rancour** ['ræŋkə] ingewortelde haat, wrok, rancune; *bear* ~ wrok koesteren

random ['rændəm] I *zn: at* ~ op goed geluk af, in het wilde (*fire at* ~), op ongeregelde tijden, in het honderd; er maar op los (*talk at* ~); II *bn* op goed geluk af gedaan; in het wilde (afgevuurd, enz.: ~ *shot*); toevallig; willekeurig (gekozen) (*sample*); ~ *access,* (*van computer*) willekeurige toegankelijkheid; ~ *check* steekproef

randy ['rændi] heet, geil

range [rein(d)ʒ] I *ww* rangschikken, (op)stellen, ordenen, scharen, rangeren, plaatsen; zich uitstrekken (*the hills* ~ *north and south* van het N naar het Z); zwerven, (rond)kruisen, zich bewegen; reiken (*as far as the eye can* ~); aflopen; overzien (*my eyes* ~*d the field*); bestrijken; zeilen (gaan) langs (*the coast,* enz.); ~ ***for*** *prey* zoeken naar; *the temperature* ~*s* ***between*** *50 and 60°* (***from*** *50 to 60°*) beweegt zich (varieert) tussen; ~ ***under*** *four heads* onder 4 rubrieken brengen; ~ ***with*** op één lijn staan met; II *zn* reeks, rij, keten (*of mountains*); richting, ligging (*van aardlagen*); (verspreidings)gebied, terrein; omvang (*van stem, enz.*); ruimte, bereik; dracht, draagwijdte (*van kanon, enz.*); vliegbereik (*van vliegtuig*); schietbaan, schietterrein; (keuken)fornuis; (*econ*) bandbreedte; *a wide* ~ *of customers* (*opinions*) ruime kring (grote verscheidenheid, scala); kring; ~ *of vision* gezichtsveld; *fire* ***at*** *short* (*close*) ~ op (zeer) korte afstand; *come* (*move*) ***into*** ~ binnen schootsafstand komen; ***out of*** ~: *a*) buiten schot; *b*) niet te bereiken; ***within*** ~: *a*) binnen (onder) schot; *b*) te bereiken; '**range-finder** afstandsmeter; **ranger** ['rein(d)ʒə] zwerver, enz.; speurhond; (koninklijk) parkopzichter

1 rank [ræŋk] I *zn* rij, gelid; standplaats (*van taxi's, enz.*); graad, rang, stand (*persons of* ~); *the* ~*s* = *the* ~ *and file* de manschappen: korporaal en gewone soldaten; (*fig*) de gewone man; (*van politeke partij, enz.*) de achterban; *rise from the* ~*s,* (*van officier*) uit de troep voortkomen; (*fig*) zich opwerken; *stand in the first* ~, (*fig*) vooraan staan; II *ww* (in het gelid) plaatsen, (op)stellen, scharen, ordenen; een plaats toekennen (innemen)

2 rank [ræŋk] (te) weelderig, (te) welig, grof; te vet (*van bodem*); sterk (riekend), ranzig; klinkklaar (*nonsense*), verregaand (*impertinence*); ~ *injustice* schreeuwende ...

ranking ['ræŋkiŋ] (*Am*) hoog (in rang); vooraanstaand

rankle ['ræŋkl] (*fig*) knagen; *it* ~*d in his mind* het zat hem dwars, stak hem, liet hem niet los

ransack ['ræn(')sæk] doorzoeken, -woelen, -snuffelen; plunderen, beroven (*of* van)

ransom ['rænsəm] I *zn* (vrijlating tegen) losgeld, -prijs; geldafpersing; II *ww* vrijkopen; verlossen; vrijlaten tegen losgeld

rant [rænt] bombast uitslaan; oreren; schetteren, uitvaren; *zn* bombast

rap [ræp] I *zn* **1** tik (*over, on, the knuckles* op de vingers; (*ook fig*); slag, geklop; (*sl*) beschuldiging (van misdrijf); *beat the* ~ (*Am sl*) de straf ontlopen; *take the* ~, (*Am*) ervoor opdraaien; (*Am sl*) vonnis; **2** duit; zier; *I don't care a* ~ geef er geen lor om; *there is not a* ~ *to choose between them* het is lood om oud ijzer; II *ww* tikken, kloppen (op), slaan; (*fam*) kritiseren; (*Am*) vrijuit praten; kletsen

rapacious [rə'peiʃəs] roof-, hebzuchtig; **rapacity** [rə'pæsiti] roof-, hebzucht

rape [reip] I *ww* verkrachten, onteren; II *zn* verkrachting; (*dichterlijk*) roof

rapid ['ræpid] I *bn: a*) snel, vlug; *b*) steil; II *zn* (*meestal mv*) stroomversnelling; **rapidity** [rə'piditi] snelheid

rapist ['reipist] verkrachter

rapport [ræ'pɔ: *of Franse uitspr:* rɑ'pɔr] verband, overeenkomst, verstandhouding

rapt [ræpt] in vervoering, bezield, verrukt, opgetogen; **rapture** ['ræptʃə] (geest)vervoering, verrukking; *be in* (*go into*) ~*s* in extase zijn (geraken); **rapturous** ['ræptʃərəs] verrukt, hartstochtelijk, meeslepend

rare [rɛə] **1** dun, ijl (*air*); zeldzaam (*ook:* zeldzaam mooi, enz.), bijzonder, on-, buitengewoon; **2** niet gaar, even aangebakken (*steak*); **rarefy** ['rɛərifai] (zich) verdunnen, verfijnen, zuiveren; *rarefied air* ijle lucht; **rarely** ['rɛəli] *a*) zelden; *b*) zeldzaam goed (mooi, enz.), bijzonder; **rarity** ['rɛəriti] zeldzaamheid, ongewoonheid; ijlheid

rascal ['rɑ:skəl] schelm; '**rascally** [-i] schelm-, schurkachtig, gemeen

1 rash [ræʃ] (huid)uitslag

2 rash [ræʃ] overijld, overhaast; voorbarig, onbezonnen; doldriest, vermetel

rasher ['ræʃə] snee(tje) spek of ham

rasp [rɑ:sp] I *zn* rasp; gerasp; raspend geluid; II *ww* raspen, krassen, (af)schrap(p)en, schuren, schrapen (*one's throat*)

raspberry ['rɑ:zb(ə)ri] framboos, frambozestruik

rat [ræt] I *zn: a*) rat; *smell a* ~, (*fig*) nattigheid voelen; *b*) overloper, onderkruiper; II *ww: a*) ratten vangen; *b*) overlopen (= ~ *over*); onderkruipen, zijn partij enz. in de steek laten

ratch(et) ['rætʃ(it)] pal; palrad; '**ratch(et)-brace (-drill)** ratelboor

rate [reit] I *zn* verhouding, standaard, maatstaf, snelheid, vaart, tempo; tarief; prijs, koers; verhoudingsgetal; 'cijfer' (~ *of mortality* sterftecijfer); mate (~ *of change, of increase*); rang, graad; (*inz. mv*) plaatselijke belasting, gemeentebelasting (op de onroerende eigendom), (*ongev*) onroerend-goedbelasting; ~ *of exchange* wisselkoers, (*Belg*) biedkoers; ~ *of interest* rentevoet; ***at*** *any* ~ in ieder geval, ten minste; *at an easy* ~ gemakkelijk; goedkoop; *at a cheap* (*high*) ~ goedkoop (duur); *at*

cut ~s tegen verlaagd tarief; *at a great* (*furious*) ~ met grote (woeste) vaart; duchtig; *turn out cars at the ~ of 400 a month* ten getale van; *at this ~* op deze manier; II *ww* schatten, waarderen, bepalen; aanslaan (*at* op; ook *fig*); rekenen (*among* onder); gelden, gerekend worden (*as a howler*)
rather ['rɑ:ðə] *a*) eer(der), liever; meer; *b*) vrij-(wel), wel, nogal, vrij wat, tamelijk, enigszins, iets, een beetje; *do you like it? ~!* en of!; *I ~ think I know him* geloof wel ...; *the ~ that* (of: *because*) ... te meer, daar ...; *~ more so* nog een graadje meer (erger); *I had ~ go* zou liever ...
ratify ['rætifai] bekrachtigen, goedkeuren, ratificeren
rating ['reitiŋ] zie *rate;* aanslag (in gemeentebelasting); waardering(scijfer); (*radio, TV*) luister-, kijkdichtheidscijfer; classificatie, kwalificatie; (*scheepv, enz.*) graad, klasse; *credit ~* kredietwaardigheid; *two ~s* twee matrozen
ratio ['reiʃiəu] verhouding, reden; verdeelsleutel (= *~ of distribution*)
ration ['ræʃən] I *zn* rantsoen, portie; *~s, ook:* proviand; II *ww* rantsoeneren, op rantsoen stellen; ~ (*out*) uitdelen
rational ['ræʃ(ə)nl] redelijk, rationeel; verstandig; verstandelijk, op de rede gegrond, rationalistisch; (*wisk*) rationaal, ten volle uitrekenbaar; **rationale** [ˌræʃiə'nɑ:l(i)] beredeneerde uiteenzetting; basis, grond; **rationalism** ['ræʃnn̩əlizm] rationalisme; '**rationalist** I *zn* id.; II *bn* rationalistisch; **rationalistic** [ræʃnn̩ə'listik] rationalistisch; **rationalization** [ˌræʃnn̩əlai'zeiʃən] rationalisatie, -sering; **rationalize** ['ræʃnəlaiz] *a*) rationaliseren (*industry*); *b*) verstandelijk verklaren; *c*) rationalistisch redeneren
ration-book bonboekje
rationing ['ræʃəniŋ] rantsoenering, distributie
'**ratrace** genadeloze concurrentiestrijd
rat(t)an [rə-, ræ'tæn] *a*) rot(t)an; *b*) rotting
rattle ['rætl] I *ww* (doen) ratelen, rammelen (met), kletteren, rinkelen; reutelen, rochelen; bang (zenuwachtig, van streek) maken, jachten; *~ off* (*out*) *a lesson* aframmelen; *~ off, ook:* uit de mouw schudden; *~ up* komen aanratelen; II *zn* ratel, rammelaar; kletser, rammelkous; '**rattle-brained** onbezonnen, leeghoofdig; **rattled** [-d] (*fam*) zenuwachtig, bang, van streek; '**rattlesnake** ratelslang; '**rattletrap** rammelkast, gammele auto
ratty ['ræti] vol ratten, ratten...; (*sl*) geraakt, nijdig; snibbig
raucous ['rɔ:kəs] schor, rauw
raunchy ['rɔ:ntʃi] 'sexy', geil, heet
ravage ['rævidʒ] I *ww* verwoesten, teisteren; II *zn: ~s of time* tand des tijds
rave [reiv] I *zn* wild enthousiasme (*over kunstwerk*); *~ review* wild enthousiaste kritiek of recensie; *~ up,* (*sl*) woest feest; II *ww* ijlen, raaskallen; razen, tieren; *~ about* (*of, over*) dwepen met, in extase zijn over
raven ['reivn] I *zn* raaf; II *bn* ravenzwart (*locks*); **ravenous** ['rævənəs] vraat-, roofzuchtig; uitgehongerd; hunkerend (*for* naar)
ravine [rə'vi:n] ravijn
raving ['reiviŋ] I *bn* ijlend, razend, enz. (zie *rave*); (*Am*) buitengewoon; II *zn: ~s* het raaskallen; III *bw: ~ mad* stapelgek
ravish ['ræviʃ] (ont)roven, wegvoeren; (*vero*) verkrachten; verrukken, in vervoering brengen; *~ed with joy* verrukt; '**ravishing** verrukkelijk
raw [rɔ:] I *bn* rauw; ruw (*cotton*); ongekookt (*egg, meat, milk*); guur; onvermengd, puur (*spirit*); grof, 'niet af'; onervaren (*at, in* in), groen; bitter, gekrenkt (*feel ~*), teergevoelig (*on a subject* wat betreft ...); *~ deal* onbillijke (gemene) (be)handeling; *~ material* grondstof; II *zn:: a*) rauwe plek; *b*) 'groen' persoon, onervarene; *the ~, ook:* het ruwe artikel; guurheid, enz.; *in the ~: a*) rauw, onbeschaafd; *b*) naakt, ongekleed; '**raw-boned** broodmager
rawhide ['rɔ:haid] (*Am*) 1 ongelooid leer; 2 zweep van leer
ray [rei] 1 straal; *~ treatment,* (*med*) bestraling; 2 rog (*vis*)
raze [reiz] uitkrabben, doorhalen (= *~ out*); uitwissen; slechten; *~ to the ground* met de grond gelijkmaken
razor ['reizə] scheermes; *on the* (*a*) *~('s) edge* in kritieke toestand; '**razor blade** (veiligheids)-scheermes(je); '**razor-'edged**, '**razor-'sharp** vlijmscherp
razzle (-dazzle) ['ræzl(dæzl)] (*sl*) herrie, braspartij, lol; *be on the ~* aan de rol zijn
R.C. *Red Cross; Roman Catholic*
Rd *road*
re [ri:]: (*in*) ~ inzake
re- weer, her-, terug, opnieuw
reach [ri:tʃ] I *ww* bereiken; (zich) uitstrekken; uit-, toesteken; (aan-, over)reiken; een hand uitsteken; nemen (*a book*); *~ **after*** (*at*) grijpen (streven) naar; *~ **forward*** voorover leunen; *~ **out*** (de hand) uitsteken; *~ out for* trachten te bereiken (te verkrijgen); *~ **to*** bereiken; *my income will not ~ to it* is ontoereikend daarvoor; *~ **up*** aangeven; II *zn* bereik, omvang, uitgestrektheid; greep; begrip; (*van rivier*) traject, rak (*upper ~es* bovenloop); *make a ~ for* grijpen naar; *within* (*out of*) ~ (on)bereikbaar; *within easy ~ of the station* gemakkelijk van het station te bereiken
react [ri(:)'ækt] reageren (*upon, to* op), terugwerken, teruggaan; *~ against* ingaan tegen; **reaction** [ri(:)'ækʃən] terugwerking, reactie (*ook handel*); terugstoot; weerwerk; **reactionary** [-əri] terug-, tegenwerkend, reactionair (*bn & zn*); **reactivate** [ri'æktiveit] reactiveren; **reactor** [ri'æktə] (*natuurk*) id.
read [ri:d, *als ovt & v dw:* red] I *ww* lezen; afle-

rea

zen (*a thermometer*), opnemen (*the gasmeter*), zien op (*the clock*); zich laten lezen (*it ~s well*); uitleggen, begrijpen, opvatten, interpreteren (*a part,* rol; *music*); oplossen (*a riddle*); doorzien (*a p.*['*s character*]); studeren (*for an examination*); luiden (*a telegram ~ing:* ...); klinken (*it ~s like a threat*); aanwijzen (*the thermometer ~s 40° F.*); ~ *law* (of: *for the bar*) in de rechten studeren; ~ *a paper on* een lezing houden over; ~ ***in*** inlezen (*data*); ~ *s.t.* ***into*** *a p.'s words* er iets in leggen dat er niet in zit; ~ ***on*** door-, verder lezen; ~ ***out:*** *a*) hardop lezen; voorlezen; *b*) ten einde lezen; *c*) uitlezen (*data*); ~ ***over*** over-, doorlezen; ~ *it over to him* lees ... voor; ~ ***through*** door-, uitlezen; ~ ***to*** *a p.* iem voorlezen; ~ ***up*** op-, voorlezen; *well* ~ [red] goed belezen; **II** *zn* lectuur; *I had a quiet* ~ zat rustig te lezen; **readability** [ri:də'biliti] leesbaarheid, lezenswaardheid; '**readable** [-əbl] leesbaar; lezenswaard; **reader** ['ri:də] *a*) (voor)lezer(es); *b*) corrector (= *printer's* ~); *c*) adviseur (van uitgever); *d*) lector; *e*) leesboek; *f*) opnemer (van gasmeter, enz.); '**readership** *a*) betrekking van *reader;* lectoraat; *b*) gezamenlijke lezers (*van blad*)

readily ['redili] grif; gaarne; vlug, vlot, gemakkelijk; ~ *available* direct (volop) beschikbaar

readiness ['redinis] gereedheid; bereidheid (zie *ready*); *hold in* ~ gereed houden; ~ *of wit* gevatheid

reading ['ri:diŋ] **I** *bn* lezend, van lezen (studeren) houdend; ~ *man* harde werker (inz. hard werkende student); **II** *zn* het ... (zie *read*); studie; belezenheid; (voor)lezing; lectuur; leesstof; stand van thermometer, enz. (*the ~ was 50° F*); aflezing (*van instrumenten*); opvatting, interpretatie (*van rol, van muziekstuk*); 'lezing': behandeling (*van wetsontwerp*); *do a lot of hard* ~ hard studeren; '**reading-desk** lezenaar; '**reading-matter** leesstof, lectuur; '**reading-room** [-ru(:)m] leeszaal, studiezaal; '**readout** uitlezing, uitdraai (*van computer*)

ready ['redi] **I** *bn* gereed, klaar, bereid(willig); snel, vlug, vlot, gemakkelijk; bij de hand, vaardig (*pen*); glad (*tongue*); gevat; contant; ~ *at excuses* gauw klaar met; ~ *to faint* op het punt om ...; ~ *money,* ~ *cash* contant geld; contante betaling; *make* ~ (zich) gereed maken; **II** *ww:* ~ (*up*) (zich) klaar maken; '**ready-'made** klaar (voor het gebruik), confectie... (*clothing*); '**ready-to-'wear** gemaakt, confectie...

real ['riəl] **I** *bn* werkelijk, wezenlijk, waar, echt, onvervalst, reëel; *for* ~ echt (gemeend); *in* ~ *life* in de werkelijkheid, ~ *money* klinkende munt; ~ *property* (of: *estate*) onroerend goed, vastgoed, (*Belg*) immobiliën; *the* ~ *thing* het echte artikel; (*sl*) je ware (= *Am sl*); **II** *bw* (*fam: Sc & Am*) werkelijk, erg, echt (*a ~ fine bird*); **III** *zn* (*Am*) *for* ~ echt, menens; *be for* ~ echt gemeend zijn; '**realism** [-izm] realisme; '**realist** realist(isch); **realistic** [riə'listik] realistisch; **reality** [ri(:)'æliti] werkelijk-, wezenlijkheid, wezen, realiteit; feit; *sense of* ~ realiteitszin; **realization** [ˌriəlai'zeiʃən] verwezenlijking; opbrengst (zie *realize*); besef; realisatie; '**realize** [-aiz] verwezenlijken, tot werkelijkheid maken; beseffen, zich realiseren, zich voorstellen; behalen (*a profit*); opbrengen (*a price*); ~ *on one's capital* winst maken met

re-allocation ['ri:ælə'keiʃən] ruilverkaveling

re-allotment ['ri:ə'lɔtmənt] ruilverkaveling

really ['riəli] werkelijk, in werkelijkheid; inderdaad, waarachtig (= ~ *and truly*); ~? o ja?; ~, *mum!* maar moeder (dan) toch!; *not* ~! och kom!, toch niet!

realm [relm] koninkrijk, rijk (*ook fig*)

reanimate ['ri:'ænimeit] opnieuw bezielen, (doen) herleven, reanimeren; **reanimation** ['ri:æni'meiʃən] (*med*) reanimatie

reap [ri:p] maaien, (in)oogsten; de oogst binnenhalen

rear [riə] **1** oprichten; op-, verheffen; bouwen; fokken, grootbrengen, kweken; steigeren (ook: ~ *itself*); **2 I** *zn* achterhoede; achterste gedeelte, achterkant, -grond; *bring up the* ~ de achterhoede vormen; *at the* ~ aan de achterkant (= *Am in the* ~); *in the* ~ (*Br & Am*) achteraan, aan het eind van; **II** *bn* achterste, achter...; '**rear-'admiral** schout-bij-nacht; **rear-end** *collision* kop-staartbotsing; '**rearguard** achterhoede; '**rear-'lamp**, '**rear-'light** achterlicht

rearm [ri:'ɑ:m] (zich) herbewapenen; **rearmament** [ri:'ɑ:məmənt] herbewapening

rear-view mirror achteruitkijkspiegel

reason ['ri:zn] **I** *zn* reden, oorzaak; rede, verstand (*lose one's* ~); recht, billijkheid; *hear* (*listen to*) ~ naar rede luisteren; *talk* ~ verstandig praten; *make a p. see* ~ iem tot rede brengen; *I have ~ to suppose* ... ik vermoed op goede grond ...; ***by*** ~ *of* uit kracht van, wegens; ***for*** *~s of state* om staatsredenen; *for that very* ~ juist om die reden; ***in*** ~ redelijk(erwijs); met mate; *I'll pay you any sum in* (***within***) ~ ... ieder redelijk bedrag; *bring* ***to*** ~ tot rede brengen; *it stands to* ~ spreekt vanzelf; ***with*** (*good*) ~ terecht; **II** *ww* redeneren (*about, of, on* over), bespreken, beredeneren; '**reasonable** [-əbl] redelijk, voor redenering vatbaar; billijk (*price*); matig, behoorlijk; '**reasonably** [-əbli] *ook:* redelijkerwijs; '**reasoned** beredeneerd, logisch; gemotiveerd (*conclusion*); '**reasoning** (be)redenering

reassure [ri:ə'ʃuə] *a*) opnieuw verzekeren; *b*) geruststellen

rebate ['ri:beit, ri:'beit] rabat, korting, aftrek

rebel ['rebl] **I** *zn* oproerling, opstandeling, rebel; **II** *bn* oproerig, opstandig; **III** *ww* [ri'bel] in opstand komen, muiten; **rebellion** [ri'beljən] opstand, oproer, rebelli; **rebellious** [ri'beljəs] oproerig, opstandig

rebirth ['ri:bə:θ] wedergeboorte, herleving

rea

rebound [ri'baund] I *ww* terugspringen, -stuiten; (*fig*) terugwerken, neerkomen (*upon* op); II *zn* (*ook* ['ri:baund]) terugstoot, -sprong, -stuit; echo; *on the ~, ook:* van de weeromstuit
rebuff [ri'bʌf] I *zn* onheuse bejegening, weigering, afwijzing; tegenslag; *meet with a ~* het hoofd stoten; II *ww* (bars) afwijzen, afstoten, voor het hoofd stoten
rebuild ['ri:'bild] weer (op)bouwen; verbouwen; reviseren
rebuke [ri'bju:k] I *ww* berispen; II *zn* berisping; standje
rebut [ri'bʌt] weerleggen, van repliek dienen
re'calcitrant [ri'kælsitrənt] I *bn* id.: weerspannig, tegenstrevend, -stribbelend; II *zn* weerspannige
recall [ri'kɔ:l] I *ww* terugroepen; (zich) weer voor de geest roepen (= *~ to mind*); herinneren aan; herroepen, intrekken, opzeggen; II *zn* her(terug)roeping; rappel; (*theat*) bis; *beyond* (*past*) ~ onherroepelijk; *total ~* absoluut geheugen
recant [ri'kænt] herroepen, terugnemen, zijn dwaling openlijk erkennen
recapitulate [ri:kə'pitjuleit] in het kort herhalen, kort samenvatten, resumeren, recapituleren
recede [ri'si:d] achteruit-, teruggaan; af-, teruglopen (*ook van prijzen*); zich terugtrekken, (terug)wijken (*ook van kin of voorhoofd*)
receipt [ri'si:t] I *zn* ontvangst; kwitantie, reçu; recept, voorschrift; recette; (*Belg*) kwijtschrift; *on ~ of* na (bij) ontvangst van; II *ww* voor 'betaald' (voldaan) aftekenen, kwiteren (*a bill*); **receive** [ri'si:v] ontvangen; bezoek ontvangen; opvangen; helen; krijgen; in zich opnemen (*new ideas*); opnemen (*into a family, among one's friends*); *be ~d into the Church* als lidmaat worden aangenomen; *the ~d opinion* (*belief*) algemeen aangenomen; *~d,* (*onder rekening*) voldaan; *R~d Pronunciation* beschaafde (Zuidengelse) uitspraak; **receiver** [ri'si:və] ontvanger; curator, bewindvoerder (bij faillissement = *official ~*); heler; ontvangtoestel; hoorn (*van telef*); *~ rest* haak (*van telef*)
recent ['ri:snt] id., kort geleden (gebeurd), van de laatste tijd, jong (*formation*); nieuw, fris; *of ~ years* in de laatste jaren; '**recently** *a*) kortgeleden, onlangs, recentelijk; *b*) in de laatste tijd
receptacle [ri'septəkl] vergaarbak, -plaats
reception [ri'sepʃən] ontvangst, receptie; opneming; aanvaarding; **reception centre** opvangcentrum; **reception office** bureau (*in hotel*); **reception room** ontvangkamer, woonkamer (*in woningadvertenties*); **receptive** [ri'septiv] receptief; ontvankelijk, vatbaar (*of, to* voor)
recess [ri'ses] I *zn* opschorting; reces (*in ~* op ...); vakantie; terugwijking, -trekking; (verborgen) hoek(je); inham, uitsparing (*in a wall*), nis; II *ww: a*) achteruit (in een nis) plaatsen; *b*) verdiepen; **recession** recessie, economische teruggang, malaise
recharge [ˌri:'tʃa:dʒ] opladen; **rechargeable** [-əbl] oplaadbaar
recipe ['resipi] recept (*kookboek*), middel
recipient [ri'sipiənt] ontvanger, -ster
reciprocal [ri'siprəkl] wederzijds, wederkerig; wissel... (*action* werking); omgekeerd; **reciprocate** [riˌsiprəkeit] *a*) (*techn*) heen en weer (doen) gaan; *b*) wederkerig geven (aandoen), (uit)wisselen (*kindnesses*); teruggeven; een wederdienst bewijzen (*I shall always be glad to ~*); **reciprocity** [resi'prɔsiti] wederkerigheid; gelijke behandeling van weerszijden; wisselwerking
recital [ri'saitl] verhaal; opsomming; voordracht; concert door (of van de werken van) één persoon, id.; **recite** [ri'sait] voordragen, reciteren, opzeggen; opsommen
reckless ['reklis] zorgeloos, roekeloos (*betting*), vermetel, woest (*motorist*), niets ontziend
reckon ['rekn] (be-, uit)rekenen; tellen; beschouwen (als), houden voor, achten; denken, geloven, veronderstellen; *not ~ing ..., ...* niet meegerekend; *you could not do that, I ~,* (*fam*) geloof ik; *~* ***among*** rekenen tot (onder); *~* ***by*** *pounds,* enz., rekenen met; *~ing* ***from*** *today* te rekenen van; *~ing from what you say* te rekenen (oordelen) naar; *~* ***up*** (*vero*) optellen, uitrekenen; schatten; *~* ***(up)on*** rekenen (vertrouwen) op; *~* ***with****: a*) rekenen onder; *b*) afrekenen met; *c*) rekening houden met; **reckoning** ['rek(ə)niŋ] (be-, af)rekening; schatting
reclaim [ri'kleim] I *ww* ontginnen, in cultuur brengen; droogleggen, inpolderen; opeisen, terugvorderen; terugwinnen; II *zn: past* (*beyond*) ~ onverbeterlijk; **reclamation** [reklə'meiʃən] ontginning; terugwinning; polder, landaanwinning; protest
recline [ri'klain] (doen) leunen; achterover leunen, liggen; neerleggen; (doen) rusten; **reclining** [ri'klainiŋ]: *~ seat* stoel met verstelbare rugleuning, vliegtuigstoel, slaapstoel
recluse [ri'klu:s] kluizenaar
recognition [rekəg'niʃən] erkenning, waardering; herkenning; *beyond* (= *out of all*) ~ onherkenbaar; erkentenis; **recognizable** ['rekəgnaizəbl] (her)kenbaar; **recognize** ['rekəgnaiz] herkennen (*as, for* als); erkennen (*as, for* als); huldigen (*a principle*)
recoil I *ww* [ri'kɔil] terugdeinzen (*from* voor); terugspringen; (*van geweer, enz.*) terugstoten; (*van kanon*) teruglopen; II *zn* ['ri:kɔil] het ...; terugstoot, -slag; terugloop (*van kanon*)
recollect 1 ['ri:kə'lekt] opnieuw verzamelen; [rekə'lekt]: *~ o.s.* zich herstellen, zich vermannen; 2 [rekə'lekt] zich herinneren; **recollection** [rekə'lekʃən] herinnering; *it is beyond* (*past*) *my ~* ik kan het mij niet herinneren; *to the best of my ~* voor zover ik mij kan herinneren, naar mijn beste weten

recommend [rekə'mend] aanbevelen, aanprijzen, aanraden, adviseren; **recommendation** [ˌrekəmen'deiʃən] aanbeveling; advies
recompense ['rekəmpens] belonen, vergelden, schadeloosstellen, vergoeden
reconcile ['rekən(')sail] verzoenen (*a p. to,* of: *with another* met; *ook absoluut:* zich verzoenen); overeenbrengen, rijmen (*with, to* met); bijleggen (*a quarrel*); **reconciliation** [ˌrekənsili'eiʃən] verzoening; het ... (zie *reconcile*)
recondite [ri'kɔndait, 'rekəndait] diepzinnig, duister, verborgen
recondition ['ri:kən'diʃən] weer in goede conditie brengen, opnieuw uitrusten, nazien, reviseren, restaureren (*old buildings*)
reconnaissance [ri'kɔnisəns] verkenning; **reconnoitre** [rekə'nɔitə] verkennen
reconsider ['ri:kən'sidə] weder overwegen (in overweging nemen), zich herbezinnen; ~ *a decision, ook:* terugkomen op (van) een beslissing
reconstruct ['ri:kəns'trʌkt] opnieuw samenstellen; weer (op)bouwen; reconstrueren (*a crime,* enz.); **reconstruction** ['ri:kəns'trʌkʃən] reconstructie; wederopbouw
record I *ww* [ri'kɔ:d] aan-, optekenen, registreren; vermelden, verhalen, te boek (op schrift) stellen, vastleggen; opnemen (op grammofoon enz.); uitbrengen (*one's vote, a verdict*); II *zn* ['rekɔ:d] aantekening, optekening; registratie; verhaal; oorkonde, document, officieel afschrift, gedenkschrift; getuigenis; herinnering; prestatie(s) (*his literary* ~); record; staat van dienst, reputatie, strafregister (*fig*); grammofoonplaat; *personnel ~s* personeelsgegevens, -dossier; (*public*) *~s, ook:* archief, -ieven, (*Am*) notulen; (*drivers'*) ~ *book,* (*ongev*) rijtijdenboekje; ~ *token* platebon; *beat* (*break, cut*) *the* ~ het record slaan (= verbeteren); *keep* (*make*) *a* ~ *of* aantekening houden van; *set* (*put*) *the* ~ *straight* de zaken (enz.) recht zetten; ***for** the ~: a*) om precies (volledig) te zijn; *b*) officieel; ***off** the* ~ onofficieel, niet voor publikatie bestemd; *leave* (*place, put*) *on* ~ te boek stellen; verklaren, constateren; *he had 30 offences to his* ~ 30 vergrijpen op zijn strafregister; III *bn* ['rekɔ:d] ongeëvenaard (*crop*); **recorder** [ri'kɔ:də] *a*) schrijver, griffier; *b*) archivaris; *c*) rapporteur; *d*) id., registreertoestel; *e*) blokfluit; **recording** ...opname; **record-office** ['rekɔ:d'ɔfis] archief; '**record-player** platenspeler; '**record-sleeve** plaathoes
recount I *ww* **1** [ri'kaunt] (uitvoerig) verhalen; opsommen; **2** ['ri:'kaunt] opnieuw tellen; II *zn* ['ri:kaunt] nieuwe telling
recoup [ri'ku:p] vergoeden (*a loss*); schadeloosstellen (voor); goedmaken (*one's losses*)
recourse [ri'kɔ:s] toevlucht
recover [ri'kʌvə] I *ww* terug-, herkrijgen, herwinnen, heroveren (*from* op); terugvinden (*the track*); bergen (*shipwrecked goods*); bevrijden; (ver)krijgen; schadevergoeding krijgen (= ~ *damages*); (doen) herstellen, er bovenop komen (brengen), genezen; weer bijkomen (= ~ *consciousness*); bijbrengen; (zich) herstellen van; te boven komen (*a blow, loss*); goedmaken; inhalen (*lost time*); *be ~ed* hersteld zijn; ~ *one's breath* weer op adem komen; ~ *the loss from* de schade verhalen op; ~ *one's senses* weer tot bezinning komen; II *zn* terugkeer tot vroegere positie; **recoverable** [-rəbl] herkrijgbaar, herinbaar, terug te vinden of te krijgen; ~ (*at law*) (in rechten) verhaalbaar; **recovery** [-ri] het ... (zie *recover*), herstel; verhaal; *past* (*beyond*) ~ onherstelbaar (verloren), ongeneeslijk, hopeloos
re-create ['ri:kri'eit] herscheppen
recreation [rekri'eiʃən] uit-, ontspanning, vermaak; vrij kwartier, pauze; ~ *ground* speelterrein
recrimination [riˌkrimi'neiʃən] tegenbeschuldiging; verwijt
recruit [ri'kru:t] I *zn* rekruut; nieuweling; II *ww* (aan)werven, rekruteren; versterken, aanvullen, nieuwe kracht geven; **recruiting-office** (*mil*) wervingsbureau; **recruitment** [ri'kru:tmənt] rekrutering, werving
rectangle ['rektæŋgl] rechthoek; **rectangular** [rek'tæŋgjulə] rechthoekig
rectification [ˌrektifi'keiʃən] rectificatie, enz. (zie *rectify*); **rectify** ['rektifai] rectificeren, herstellen, verbeteren; (*elektr*) gelijkrichten
rectitude ['rektitju:d] oprechtheid, rechtschapenheid
rector ['rektə] *a*) predikant, direct betaald door de leden van zijn parochie; dominee; *b*) rector (vooral in buitenland, Schotland); '**rectory** [-ri] *a*) predikantsplaats; *b*) pastorie
rectum ['rektəm] endeldarm
re'cumbent [ri'kʌmbənt] liggend, (achterover)leunend; rustend
recuperate [ri'kju:pəreit] herstellen, opknappen; er weer bovenop komen (brengen)
recur [ri'kə:] terugkeren, -komen (*to* op), zich herhalen; zijn toevlucht nemen (*to* tot); (*wisk*) repeteren; **recurrence** [ri'kʌrəns] terugkeer; herhaling, herhaald gebruik (van woord, enz.); toevlucht (*to* tot); **recurrent** [ri'kʌrənt] (periodiek) terugkerend, wederkerend
recycle [ri:'saikl] voor hergebruik bewerken, regenereren; *~d paper* kringlooppapier
red I *bn* rood (ook in politiek; ook = Russisch; *op de kaart* = Brits); bloedig; *see* ~ moordlust voelen opkomen; ~ *deer* edelhert; ~ *ensign* ['ensn] Britse koopvaardijvlag; ~ *herring,* (*fig*) dwaalspoor, afleider, afleidingsmanoeuvre; II *zn* rood; rode tint; rode bal; rode wijn; 'rooie' (*in pol*); *~s, ook:* roodhuiden; communisten; *be in the* ~ in het krijt staan; met verlies werken; '**redbreast** [-brest] roodborstje; '**redbrick** (*universities*) provinciale universiteiten (buiten Oxford en Cambridge);

'**redcurrant** aalbes, rode bes; **redden** ['redn] rood maken (worden); (doen) blozen (*with shame* van schaamte); **reddish** ['rediʃ] roodachtig

re'**decorate** opknappen, opnieuw behangen, schilderen, enz. (*a room*)

redeem [ri'di:m] terug-, af-, vrijkopen; in-, aflossen (*a mortgage*, enz.); terugwinnen (*one's reputation*); vervullen (*a promise*); redden, verlossen (*Jesus has ~ed mankind*); goedmaken (*an error*); **redeemer** verlosser; **redemption** [ri'dem(p)ʃən] loskoping; af-, inlossing; verlossing; zie *redeem; beyond* (*past, without*) ~ onherstelbaar, reddeloos (verloren)

redevelop ['ri:di'veləp] saneren (en moderniseren) (*district*); **redevelopment** ['ri:di'veləpmənt] sanering, rehabilitatie; reorganisatie

'**red-'handed** op heterdaad betrappen; '**redhead** iem met rood haar, roodharige; '**red-'hot** [*attr:* 'redhɔt] (rood)gloeiend; (*fig*) *a*) heftig, vurig, verwoed; *b*) kersvers; ~ *favourite*, (*bij wedren*) verreweg de favoriet

rediffusion ['ri:di'fju:ʒən] (radio)distributie; kabeltelevisie

redo ['ri:'du:] *a*) opnieuw doen; *b*) = *redecorate*

redolent ['redələnt] welriekend; *be ~ of* rieken naar; sterk doen denken (herinneren) aan

redoubt [ri'daut] (*fort*) redoute; (*fig*) vesting, vluchthaven

redress [ri'dres] herstellen (*the balance* het evenwicht); weer in orde brengen; goedmaken, vergoeden; schadeloos stellen

'**redskin** roodhuid; '**red** '**tape** bureaucratie; (*attr*) bureaucratisch

reduce [ri'dju:s] (terug)brengen (*to* tot), herleiden, reduceren; brengen (*to obedience*); smelten (*metals*); verzwakken; vertragen (*the tempo*); verminderen (*swelling*), verlagen (*prices*); afprijzen (*shop-soiled articles*); verkleinen (*a ~d copy*); samentrekken; terugstellen, degraderen, in rang verlagen; *in ~d circumstances* in verarmde ...; **reduction** [ri'dʌkʃən] het ..., vermindering (zie ook *reduce*); reductie, korting; (*mil*) degradatie, terugstelling (in rang); ~ *in wages* loonsvermindering; ~ *in working hours* arbeidsduurverkorting, ADV

redundancy [ri'dʌndənsi] overtolligheid; overdaad, overvloed; het overtollige; afvloeiing; ~ *pay*, (*ongev*) afvloeiingsregeling; **redundant** [ri'dʌndənt] overtollig; overvloedig, weelderig

reed [ri:d] *a*) riet; tong(etje) van orgelpijp, enz.; *b*) = ~ *instrument* (hobo, enz.); *c*) weverskam

reef [ri:f] **1** rif; **2 I** *zn* (*scheepv*) reef; *take in a ~* reven: zeil verkleinen; **II** *ww* reven; '**reefer** [-ə] jekker; (*sl vero*) marihuanasigaret; '**reefing-jacket** jekker; '**reefy** [-i] vol riffen

reek [ri:k] **I** *zn* (*lit, Sc*) rook, damp; stank; **II** *ww* roken; dampen; ruiken, rieken (*of* naar; *ook fig*), stinken; ~ *with*, (*fig*) doortrokken zijn van

reel [ri:l] **I** *zn* **1** haspel, klos(je), spoel; **2** waggelende gang; **3** levendige Schotse dans; **II** *ww* **1** haspelen, opwinden; ~ *off* afhaspelen; laten aflopen; afdraaien (*a story*); uitkramen; ~ *in* (*up*) in-, ophalen, -winden; **2** (doen) wankelen, waggelen; (d)warrelen, draaien; *his head ~s* het duizelt hem

re-elect ['ri:i'lekt] herkiezen; **re-election** ['ri:i'lekʃən] her(ver)kiezing

re-enter herintreden; **re-'entry** terugkeer (inz. in de atmosfeer)

reeve [ri:v] baljuw

refectory [ri'fektəri, 'refəktəri] refter, eetzaal (in kloosters, enz.)

refer [ri'fə:] verwijzen (*to* naar); afwijzen (*an examination candidate*); onderwerpen (*to* aan), in handen stellen (*to* van); terugvoeren (*to* tot); toeschrijven (*to* aan); ~ *to*, *ook:* betrekking hebben op; zinspelen (het oog hebben) op, melding maken van; zich wenden tot; zich beroepen op; raadplegen, naslaan (*a dictionary*); ~ *back to*, *ook:* ruggespraak houden met

referee [refə'ri:] **I** *zn* id., arbiter, scheidsrechter; referentie (*persoon*); **II** *ww* als ~ optreden

reference ['ref(ə)rəns] verwijzing; opdracht; betrekking (*to* op); zin-, toespeling; raadpleging, naslaan (*to a book* van); verwijzingsteken; bewijsplaats; referentie; getuigschrift; *point of ~* ijkpunt; *with broad* (*wide*) *terms of ~* met uitgebreide opdracht; *have* (*bear*) ~ *to* slaan (betrekking hebben) op; *make no ~ to* geen melding maken van, niet zinspelen op; ***in*** (***with***) ~ *to* met betrekking tot; ***without*** ~ *to*, *ook:* zonder te letten op; '**reference-book** naslagboek, -werk; '**reference-copy** bewijsnummer

referendum [refə'rendəm] volksraadpleging

refill [(')ri:'fil] **I** *ww* opnieuw (aan)vullen; **II** *zn* ['ri:(')fil] nieuwe (aan)vulling, navulling; navulpak

refine [ri'fain] zuiveren, louteren, raffineren, verbeteren, beschaven, verfijnen; zuiver(der), beschaafder, enz. worden; *~d manners* beschaafde ...; **refinement** verfijning, verbetering; verfijndheid; (over)beschaafdheid; geraffineerdheid; gezochtheid; finesse; kunstgreep; **refinery** [-əri] raffinaderij

refit ['ri:'fit] herstellen; opnieuw uitrusten

reflation [ri'fleiʃən] inflatie na deflatie

reflect [ri'flekt] terugkaatsen, -werpen; weerkaatsen, weer-, afspiegelen, weergeven (*the views of* ...); na-, bedenken; ~ (*up*)*on: a*) nadenken over, overdenken; *b*) zich ongunstig uitlaten over, hatelijke opmerkingen maken over, een blaam (een ongunstig licht) werpen op (~ [back] on the memory of ...); **reflection** [ri'flekʃən] terug-, weerkaatsing; weerschijn; (spiegel)beeld; blaam, afkeuring, aanmerking; hatelijke toespeling; nadenken, over-

denking, overweging, gedachte, bespiegeling; (*up*)*on* ~ bij nader inzien; **reflective** [-iv] reflecterend; nadenkend, bespiegelend; **reflector** [-ə] id.; terugkaatsend voorwerp of vlak
reflex ['ri:fleks] I *zn* reflex(beweging); II *bn* reagerend; reflex...; ~ *action* reflexbeweging
refloat ['ri:'fləut] weer vlot krijgen of worden
reform [ri'fɔ:m] I *ww* verbeteren; bekeren (*a ~ed drunkard*); hervormen; zich (ver)beteren; afschaffen, uit de weg ruimen (*abuses*); II *zn* hervorming, bekering, verbetering; **reformation** [refə'meiʃən] hervorming, verbetering, reformatie; **reformative** [-ətiv], **reformatory** [-ətəri] hervormend, verbeterings...; **reformer** [-ə] hervormer
refract [ri'frækt] breken (*light*); **refraction** [ri'frækʃən] straalbreking; **refractory** [-əri] weerspannig, weerbarstig, hardnekkig; ~ *to,* (*med*): *a*) ongevoelig voor, niet reagerende op (*a remedy, enz.*); *b*) immuun tegen (*cholera*)
refrain [ri'frein] I *zn* refrein; II *ww* zich inhouden; zich ont-, weerhouden (*from* van), nalaten
refresh [ri'freʃ] (zich) verfrissen, verversen; opfrissen (*the memory*); **refresher** [-ə] opfrissing; ~ *course* herhalingscursus, bijscholingscursus; **refreshing** verfrissend, opwekkend; **re'freshment(s)** verfrissing, opfrissing; (zie *refresh*); **re'freshment(s)-bar** 'bar', buffet; **re'freshment(s)-room** [-ru(:)m] restauratie(zaal), koffiekamer
refrigerate [ri'fridʒəreit] (af)koelen, koel maken; *~d vessel* koelschip; **refrigeration** [ri,fridʒə'reiʃən] afkoeling; **refrigerator** [ri'fridʒəreitə] koelapparaat, -kan, -kamer, -wagen (van een trein); koelkast
refuel [(')ri:'fjuəl] (brandstof) bijtanken, weer brandstof innemen
refuge ['refju:dʒ] toevlucht(soord), wijk-, schuilplaats, schuilkelder; asiel; vluchtheuvel; blijf-van-mijn-lijf huis; hulp-, redmiddel; uitvlucht; *take ~ behind,* (*fig*) zich verschuilen achter; *take ~ with* zijn toevlucht zoeken bij; **refugee** [refju(:)'dʒi:] vluchteling, uitgewekene, refugié
refund I *ww* [ri:-, 'ri:'fʌnd] terugbetalen, teruggeven; schadeloosstellen; II *zn* ['ri:fʌnd] terugbetaling
refurbish [ri:'fə:biʃ] opkalefateren, renoveren, opknappen, oplappen
refusal [ri'fju:zəl] *a*) weigering; *b*) voorkeur, optie; ~ *to obey orders* dienstweigering; *meet with a ~* een weigering krijgen; afgeslagen worden; *have the* (*first*) *~ of a house* een optie hebben op; **refuse** I *ww* [ri'fju:z] weigeren, afwijzen, afslaan; weigering op te geven (*one's name*), op te volgen (*orders*); II *bn* ['refju:s] waardeloos, afgedankt; III *zn* ['refju:s] afval, uitschot; vuil(nis); **'refuse-dump** [-dʌmp] vuilnisbelt; **'refuse-tip** vuilnisbelt
refutable ['refjutəbl] weerlegbaar; **refutation** [refju'teiʃən] weerlegging; **refute** [ri'fju:t] weerleggen

ref

regain [ri'gein] herwinnen, herkrijgen, weer bereiken; ~ *consciousness* weer bijkomen
regal ['ri:gəl] koninklijk, konings..., vorstelijk
regale [ri'geil] onthalen, trakteren, vergasten (*with* op); strelen (*the ear,* enz.)
regalia [ri'geiliə] id.: attributen van de kroon, kroonjuwelen; onderscheidingstekenen (*van orde, enz.*)
regard [ri'gɑ:d] I *ww* aanzien, kijken naar, bekijken; zich bekommeren om, in acht nemen; beschouwen; (hoog)achten; betreffen, aangaan, regarderen; II *zn* blik; opzicht (*in this ~*); aandacht, zorg (*to, for* voor); achting, eerbied, consideratie, egard(s); *~s* groeten; *have* (*pay*) *no ~ to* zich niet bekommeren om; ***in ~ to, with ~ to*** met betrekking tot; *leave **out of** ~* buiten beschouwing laten; ***without** ~ to* (*for*) zonder te letten op; **regarding** betreffende, met betrekking tot; **regardless** *a*) onachtzaam, achteloos; *b*) zich niet bekommerend om de kosten (= *~ of expense*), om de gevolgen, enz.; domweg
regatta [ri'gætə] roei-, zeilwedstrijd
regency ['ri:dʒənsi] regentschap
regenerate [ri'dʒenəreit] (doen) herleven, herscheppen; herboren worden; (zich) vernieuwen; weer (doen) aangroeien; regenereren; **regeneration** [ri,dʒenə'reiʃən] regeneratie; wedergeboorte
regent ['ri:dʒənt] regent(es)
regicide ['redʒisaid] koningsmoord(enaar)
regime [rei'ʒi:m] id., leefregel; leiding, werkwijze; bestuur; **regimen** ['redʒimen] leefregel, dieet
regiment I *zn* ['redʒ(i)mənt] id.; II *ww* ['redʒiment] ordenen, disciplineren, reglementeren; **regimental** [redʒi'mentl] regiments...
region ['ri:dʒən] streek, gewest, regio, gebied, sfeer; ~ *of the stomach* maagstreek; *the lower ~s* de onderwereld; *in the ~ of 35* in de buurt van ...; **'regional** [-l] van een bepaalde streek, regionaal, gewestelijk
register ['redʒistə] I *zn* id., lijst; kiezerslijst; inschrijving (in een register); kasregister; II *ww tr* registreren, (laten) inschrijven; noteren; nota nemen van; in zich opnemen; (laten) aantekenen (*a letter*); aanwijzen (*70°*); door gelaatsuitdrukking te kennen geven (*surprise*); *intr* indruk maken, inslaan; ~ *a protest* protest aantekenen; *~ed nurse* gediplomeerd verpleegster; *~ed offices* (*of a company*) zetel; *~ed trademark* gedeponeerd handelsmerk; **registrar** [redʒis'trɑ:, 'redʒistrɑ:] *a*) registrator; *b*) griffier; *c*) bewaarder der registers; *d*) ambtenaar van de burgerlijke stand; *e*) (*univ*) administrateur; *f*) (in ziekenhuis) ervaren specialist; *~'s returns* bevolkingsstatistieken; **registration** [redʒis'treiʃən] registratie, inschrijving, aangifte, aantekening, enz. (zie *register ww*); **registration document** kentekenbewijs; **registration number** kenteken
registry ['redʒistri] register; **'registry-office** (*ongev*) bureau vd burgerlijke stand

regress I *ww* [ri'gres] terug-, achteruitgaan; II *zn* ['ri:gres] teruggang, -keer; achteruitgang; **regression** [ri'greʃən] achterwaartse beweging; teruggang, -keer; achteruitgang malaise
regret [ri'gret] I *ww* betreuren, spijt hebben van; II *zn* (ook: *~s*), spijt, leed(wezen), berouw; smart; betuiging van spijt, verontschuldiging; **regretful** [-f(u)l] vol spijt; smartelijk; **regretfully** *ook* met leedwezen; **regrettable** [-əbl] betreurenswaardig
regular ['regjulə] I *bn* regelmatig, wetmatig, geregeld, trouw, vast (*customer*); normaal, gewoon, officieel (*the ~ university exams*); regulier; ordelijk, oppassend; correct, in orde, behoorlijk; behoorlijk opgeleid, gediplomeerd (*he is not a ~ doctor*), beroeps... (*army*); (*fam*) echt (*he is a ~ fool*); *keep ~ hours* een geregelde dagverdeling hebben; II *bw* (*volkstaal*) geducht (*angry*); compleet (*mad*); III *zn* vast(e) klant (werkman, enz.); *~s* geregelde troepen; **regularity** [regju'læriti] regelmatigheid; regelmaat; '**regularize** [-raiz] regels maken, regulariseren
regulate ['regjuleit] regelen, reguleren, ordenen, schikken; reglementeren; *well ~d, ook:* ordelijk; **regula'tion** [regju'leiʃən] regeling, regulering; voorschrift; reglement (ook: *~s*); *attr:* voorgeschreven (*size, speed*); gewoon
rehabilitate [ri:(h)ə'biliteit] herstellen (in rechten of positie), rehabiliteren; revalideren; **rehabilitation** ['ri:(h)əˌbili'teiʃən] (eer)herstel, rehabilitatie (*ook* = vernieuwbouw); revalidatie (*ook med*); reclassering
rehash I *ww* ['ri:'hæʃ] weer opwarmen (*fig*), ophalen (*old stories*); II *zn* ['ri:hæʃ] opgewarmde kost, oude koek
rehearsal [ri'hə:s(ə)l] herhaling; (toneel)repetitie; *dress ~* generale repetitie; **rehearse** [ri'hə:s] herhalen, opzeggen; verhalen, opsommen; instuderen, repeteren (*a play*)
rehouse [ˌri:'hauz] herhuisvesten
reign [rein] I *zn* regering; bewind; *in* (*under*) *the ~ of* onder de regering van; II *ww* regeren, heersen
reimburse ['ri:im'bə:s] terugbetalen, vergoeden, dekken, schadeloosstellen
rein [rein] I *zn* teugel; *draw ~* stilhouden; (*fig*) zich intomen; *give the horse ~* (*the ~s*) de vrije teugel laten; *let the ~s loose* de teugels laten glippen; II *ww* inhouden, beteugelen, besturen
reincarnate ['ri:in'ka:neit] reïncarneren; **reincarnation** ['ri:inka:'neiʃən] reïncarnatie
reindeer ['reindiə] rendier(en)
reinforce [ri:in'fɔ:s] versterken; *~d concrete* gewapend beton
reinstate ['ri:in'steit] herstellen (in ambt, enz.)
reiterate [ri:'itəreit] herhalen; **reiteration** [ri:ˌitə'reiʃən] herhaling
reject I *ww* [ri'dʒekt] verwerpen, afkeuren, afwijzen, van de hand wijzen; uitwerpen; uitbraken, uitspuwen; II *zn* ['ri:dʒekt] afgekeurde; afgekeurd voorwerp; tweede keus, voorwerp met fabrieksfout; afdankertje; **rejection** [ri'dʒekʃən] afwijzing, verwerping; uitwerping, afstoting
rejoice [ri'dʒɔis] (zich) verheugen, verblijden; *~ at* (*in*) zich verheugen over; **rejoicing** vreugde; *~s* vreugde(betoon), feestelijkheden
rejoin [ri'dʒɔin] antwoorden; [ri-, ri:'dʒɔin] zich weer voegen bij; (zich) weer verenigen; **rejoinder** [ri'dʒɔində] antwoord
rejuvenate [ri'dʒu:vineit] (zich) verjongen
relapse [ri'læps] I *ww* terugvallen, weer vervallen (*into sin* tot ...); weer instorten (*van zieke*); II *zn* instorting (*van zieke*); terugval (*tot kwaad, enz.*)
relate [ri'leit] *a*) verhalen; *b*) in verband brengen (*to, with* met), relateren (*to, with* aan); in verband staan (*to* met), betrekking hebben (*to* op); zich aanpassen; *relating to* met betrekking tot; **related** verwant, in betrekking (verhouding) staande (*to* met); **relation** [ri'leiʃən] *a*) betrekking, relatie, verhouding, (bloed)verwantschap; *b*) bloedverwant, familie(lid: *poor ~s*); *c*) verhaal; *is he any ~ to you?* is hij (ook) familie van u?; *have ~ to* betrekking hebben op; *strained ~s* gespannen verhouding; *in ~ to* in verhouding tot; *out of all ~ to* buiten alle verhouding tot; *love-hate ~* haat-liefdeverhouding; **relationship** verwantschap; verhouding (*to, with*); **relative** ['relətiv] I *bn* betrekkelijk, relatief, respectief (*sounds and their ~ signs*), onderling (*distances*), betrekkings...; *~ to: a*) betrekking hebbend op; *b*) evenredig aan; *c*) met betrekking tot; II *zn: a*) (bloed)verwant; *b*) *betr vnw*; *c*) relatief begrip
relax [ri'læks] (doen) verslappen, (zich) ontspannen, verzachten; zich verpozen; (zich) matigen; 'ontdooien'; (doen) afnemen; **relaxation** [ri:læk'seiʃən] verzachting, verslapping; ontspanning, verpozing, uitspanning; gedeeltelijke kwijtschelding (*van straf, enz.*)
relay I *zn* [ri'lei, 'ri:lei] (aflossings)ploeg (manschappen, enz.); pleisterplaats; [ri:'lei] (*elektr*) relais; (*telec*) relais, heruitzending; (*sp*) = *~-race*; II *ww* [ri'lei] *a*) verse paarden, enz. nemen; *b*) aflossen; [ri:'lei] (*telec*) relayeren; **relay-party** ['ri:lei-] (aflossings)ploeg; **relay-race** ['ri:lei-] estafette(wedstrijd); **relay-station** ['ri:lei-] (*telec*) relaisstation, steunzender
release [ri'li:s] I *ww* bevrijden, vrij-, loslaten, losmaken; vrijgeven (*goods*); aan de markt brengen (*an article*); voor publikatie vrijgeven, publiceren (*a report*); verkrijgbaar stellen (*new stamps*); uitbrengen, voor het eerst vertonen (*a film*); ontslaan, ontheffen (*from* van); II *zn* het ..., (pers)communiqué, (artikel voor) publikatie; nieuw uitgebrachte film, enz.; afstand, overdracht
relegate ['religeit] overplaatsen (naar minder belangrijke post, enz.); degraderen, terugzetten; verwijzen (*to* naar), verschuiven

relent [ri'lent] minder streng worden, zich laten vermurwen, medelijden krijgen, toegeven; **relentless** [-lis] meedogenloos, onverbiddelijk
relevance ['relivəns] betrekking, toepasselijkheid; **relevant** ['relivənt] toepasselijk, van toepassing (*to* op); id., ter zake dienende; desbetreffend (*the ~ passage*); geëvenredigd (*to* aan)
reliability [ri͵laiə'biliti] betrouwbaarheid; **reliable** [ri'laiəbl] be-, vertrouwbaar; vertrouwd; *it is reported on ~ authority* uit gezaghebbende bron
reliance [ri'laiəns] ver-, betrouwen
relic ['relik] relikwie
relief [ri'li:f] verlichting, verademing, opluchting, verzachting; ondersteuning, steun; bijstand, financiële steun (= *poor ~*); aftrek(post); hulp; versterking, ontzet (*van belegerde stad*); aflossing; (aflossings)ploeg, aflosser; ontzettingsleger; afwisseling, onderbreking; bodemverheffing, hoog en laag (= *surface ~*); reliëf, verheven beeldwerk; het naar voren brengen; tegenstelling; *attr dikwijls* hulp..., tijdelijk; *comic ~*, (*ook*) komische (vrolijke) noot; *the tower stood out in strong ~ against the sky* tekende zich scherp af tegen; **relief-fund** ondersteuningsfonds, hulpsteunfonds; **relief-map** reliëfkaart; **relief-train** voor- of volgtrein; **relieve** [ri'li:v] verlichten, verzachten, lenigen, opbeuren; lucht geven aan (*one's feelings*); te hulp komen, ontzetten (*a town*); ondersteunen (*the poor*); aflossen (*guard* de wacht), vervangen, waarnemen (voor iem); bevrijden, ontheffen (*a p. of his functions*); ontslaan (*a p. from a promise*); afwisseling (reliëf) geven aan, doen uitkomen; *~ o.s.* zijn behoefte doen
religion [ri'lidʒən] religie, godsdienst; vroomheid; *be in ~* in een klooster zijn; *make a ~ of doing s.t.* het als een heilige plicht beschouwen iets te doen; **religious** [ri'lidʒəs] religieus, godsdienstig, godvruchtig; godsdienst...; klooster...; kerkelijk (*marriage*); nauwgezet (*with ~ care*); *~ house* klooster
relinquish [ri'liŋkwiʃ] laten varen (*a plan*), opgeven (*an idea*); afstand doen van (*a claim*)
relish ['reliʃ] I *zn* smaak, (pikante) bijsmaak; bekoring; zweem, proefje; genot; kruiderij, saus (*Yorkshire ~*); *that gave a ~ to my desires* prikkelde; II *ww* kruiden; genieten van; smaak vinden in, houden van; *I did not ~ the coffee* de koffie smaakte me niet
relocate [ri:ləu'keit] (o)verplaatsen, verhuizen
reluctance [ri'lʌktəns] weerzin, tegenzin; **reluctant** [-ənt] onwillig, afkerig; schoorvoetend gegeven (*answer, consent*); **reluctantly** [-əntli] schoorvoetend, node, met tegenzin
rely [ri'lai]: *~ (up)on* vertrouwen, zich verlaten op, steunen op (*for* ... wat betreft ...), aankunnen op
remain [ri'mein] I *ww* (over)blijven, overschieten; verblijven; *it ~ed at that* daar bleef het bij; *~ on: a*) nog wat blijven; *b*) (aan)blijven; *this ~ed over from yesterday's dinner* is een restantje van; *~ to diner* blijven eten; *that ~s to be seen* dat staat te bezien; II *zn* (*gew: ~s*) overblijfsel(en), ruïne(s); *~s ook:* (stoffelijk) overschot; nagelaten werken; **remainder** [ri'meində] 1 *zn* rest, overblijfsel, restant; 2 *ww* in de ramsj doen (van boeken)
remand [ri'mɑ:nd] I *ww* terugzenden in preventieve hechtenis (= *~ in custody*); *~ on bail* onder borgstelling voorlopig vrijlaten; II *zn* (verlengd) voorarrest; in voorarrest teruggezondene; '**remandcentre** soort strafinrichting voor minderjarigen, observatiehuis
re'mark [ri-] I *ww* bemerken, opmerken; *~ on* op- of aanmerkingen maken over; II *zn* opmerking; **re'markable** [-əbl] merkwaardig, opmerkelijk
remediable [ri'mi:diəbl] herstelbaar, te verhelpen; **remedial** [ri'mi:diəl] helend, genezend; verbeterend; *~ teacher* id., taakonderwijzer; *~ work* herstellingswerk; **remedy** ['remidi] I *zn* (genees)middel, remedie (*ook van munten*); hulpmiddel; verhaal (*have a ~ against* ... op); *beyond* (*past*) *~* ongeneeslijk, niet te verhelpen; II *ww* verhelpen; voorzien in; genezen
remember [ri'membə] zich herinneren, niet vergeten, onthouden; gedenken (ook in gebeden); bedenken (met fooi, enz.); *~ me to him* doe hem mijn groeten; **remembrance** [ri'membrəns] herinnering (*of* aan); geheugen, heugenis, aandenken
remind [ri'maind] herinneren, doen denken (*of* aan); *that ~s me* daar schiet me iets te binnen, goed dat ik eraan denk, dat is waar ook; *~ me* help (het) me onthouden; **reminder** [-ə] herinnering; waarschuwing; **remindful** *of: a*) herinnerend aan; *b*) gedachtig aan
reminisce [remi'nis] (*fam*) *a*) zich herinneren; *b*) zich in zijn herinneringen verdiepen; herinneringen ophalen; **reminiscence** [-ns] herinnering (*of* aan); *~s, ook:* memoires; **reminiscent** [-nt] zich herinnerend, (gaarne) aan het verleden terugdenkend (*~ old age*); herinnerend (*of* aan); *be ~ of* herinneren (doen denken) aan
remiss [ri'mis] onachtzaam, nalatig, lui; slap, zwak; *be ~ in one's duty* te kort schieten in; **remission** [ri'miʃən] vergeving, vergiffenis; kwijtschelding; verzwakking, verslapping, afneming (*of a fever*); strafvermindering
remit [ri'mit] vergeven (*sins*); kwijtschelden; ontheffen van (*taxes*); (doen) afnemen, verminderen; verzachten; verwijzen (*a case to a lower court* naar een lagere rechtbank); (terug)zenden; opschorten, uitstellen; overmaken (*money*); **remittance** [-əns] overmaking, (geld)zending, remise
remnant ['remnənt] rest(ant); overblijfsel; coupon (*van stof*)
remonstrate ['remənstreit, ri'mɔnstreit] *a*)

rel

protesteren, tegenwerpingen maken; *b*) tegenwerpen, aanvoeren
remorse [ri'mɔ:s] wroeging; *without* ~ meedogenloos; '**remorseful** [-f(u)l] berouwvol; **remorseless** [-lis] meedogenloos, onbarmhartig
remote [ri'məut] afgelegen, (ver) verwijderd, ver; van elkaar verwijderd; afgezonderd (*live* ~); afstandelijk, gereserveerd; dromerig (*look, eyes*); gering, flauw (*resemblance*); minimaal (*chance*); ~ *antiquity* de grijze oudheid; ~ *control* afstandsbediening; *I have not the* ~*st idea* ik heb er geen flauw idee van
removal [ri'mu:vəl] verwijdering, verplaatsing; afzetting; verhuizing, enz.; ~ *van* verhuiswagen; zie *remove*; **remove** [ri'mu:v] verwijderen, weg-, af-, uitnemen, afzetten, uittrekken; opheffen (*doubt*); verplaatsen; wegzenden; afvoeren (*from the list*); verzetten; overplaatsen; uit de weg ruimen; ontslaan, afzetten (*an official*); verhuizen; zich verwijderen; ~ *the cloth* de tafel afnemen; *first cousin once* (*twice*) ~*d* achter(achter-achter)neef; **remover** middel om iets te verwijderen (bijv. nagellak); (*of furniture*) verhuizer
remunerate [ri'mju:nəreit] (be)lonen, vergoeden; **remuneration** [ri,mju:nə'reiʃən] beloning, vergoeding; **remunerative** [ri'mju:nərətiv] (be)lonend, winstgevend
renaissance [rə'neisəns] id., wedergeboorte, opleving
rend (vaneen)scheuren, verscheuren
render ['rendə] (terug)geven; betuigen (*thanks*); bewijzen (*a service*); verschaffen (*help*); verlenen (*first aid*); weergeven, overzetten, vertalen, vertolken; maken (~ *a p. unfit for work*); stukadoren, bepleisteren; indienen (rekening)
renegade ['renigeid] afvallige, overloper, renegaat
renew [ri'nju:] ver-, hernieuwen, verversen; vervangen, hervatten; doen herleven, verjongen; prolongeren (*a bill*); verlengen (*a passport*); **renewal** [-əl] her-, vernieuwing, verversing, vervanging, hervatting, verlenging, prolongatie
renounce [ri'nauns] afstand doen van, laten varen, afzien van; verwerpen, verloochenen, niet meer erkennen
renovate ['renəveit] vernieuwen, herstellen; **reno'vation** renovatie; vernieuwbouw
renown [ri'naun] vermaardheid, roem; **renowned** [-d] vermaard, beroemd
1 rent (grote) scheur, kloof; scheuring
2 rent I *zn* huur, pacht; II *ww* huren, pachten, in huur hebben; verhuren (= ~ *out*); verhuurd worden (*at* tegen); huur (pacht) laten betalen; '**rental** [-l] huur(-) of pacht(som, -opbrengst); verhuur (*car, radio* ~); verhuurd goed
renunciation [ri,nʌnsi'eiʃən] (akte van) afstand; (zelf)verloochening; verzaking; verwerping, verstoting
repair [ri'pɛə] I *ww* 1 (*vero*) zich begeven (*to* naar); 2 herstellen, repareren; vergoeden, weer goedmaken (*a loss*); II *zn* herstel(ling), reparatie; onderhoud; *beyond* ~ niet meer te herstellen; *in good* ~ goed onderhouden; *keep in* ~ onderhouden; **repairable** [-rəbl] herstelbaar, te onderhouden; **repairer** hersteller, reparateur; **reparable** ['rep(ə)rəbl] herstelbaar, goed te maken; **reparation** [repə'reiʃən] herstel(ling); reparatie; genoegdoening; schadeloosstelling; ~*s* herstelbetalingen
repartee [repɑ:'ti:] gevat antwoord; gevatheid
repast [ri'pɑ:st] (*lit*) maaltijd
repatriate [ri:'pætrieit] weer naar zijn land zenden of gaan, repatriëren; **repatriation** ['ri:pætri'eiʃən] repatriëring
repay [ri:'pei] terugbetalen, aflossen; betaald zetten; vergoeden, vergelden, (be)lonen; **repayment** [-mənt] terugbetaling, aflossing
repeal [ri'pi:l] I *ww* intrekken, herroepen; afschaffen; II *zn* intrekking, afschaffing, herroeping
repeat [ri'pi:t] I *ww* herhalen; over-, nazeggen, -vertellen; opzeggen (*a poem*); repeteren (*ook van breuk*); ~ *o.s.* zich herhalen, in herhaling vervallen; II *zn* herhaling; bis; ~ *order* nabestelling; ~ *performance* reprise; ~ *transmitter* relaiszender; **repeatable** [-əbl] te herhalen, herhaalbaar; **repeatedly** [-idli] herhaaldelijk
repel [ri'pel] terugdrijven, -slaan, -werpen; afslaan, -weren, -stoten; **repellent** [-ənt] I *bn* weerzinwekkend; II *zn: insect* ~ middel dat insekten op een afstand houdt
repent [ri'pent] *a*) berouw hebben; *b*) = ~ *of* berouw hebben over (van); **repentance** [-əns] berouw; **repentant** [-ənt] berouwvol
repercussion [,ri:pə(:)'kʌʃən] terugkaatsing; terugslag; reactie, repercussie
repertoire ['repətwɑ:] id.; **repertory** ['repət(ə)ri] repertoire; ~ *theatre* waar een repertoire wordt afgewerkt, in plaats van één stuk lang achter elkaar te geven
repetition [repi'tiʃən] herhaling, repetitie; **repetitive** [ri'petitiv] (zich) herhalend, herhalings...
repine [ri'pain] morren, klagen
replace [ri'pleis] terugplaatsen, weer op z'n plaats leggen (*the receiver*); vervangen (*by, with* door); de plaats innemen van; **replaceable** [-əbl] te vervangen; **replacement** vervanging; (ook ~*s*) aanvulling, nieuwe aanvoer (van troepen, vliegtuigen, enz.); plaatsvervanger, opvolger; (*radio, enz.*) inruil (van toestellen)
replenish [ri'pleniʃ] aan-, bijvullen
replete [ri'pli:t] vol, verzadigd (*with* van)
replica ['replikə] kopie van kunstwerk (inz. door de maker zelf); facsimile, kopie, evenbeeld
reply [ri'plai] I *ww* antwoorden, repliceren, hernemen; ~ *to* antwoorden op, beantwoor-

den; II *zn* antwoord; *in* ~ als antwoord; *in* ~ *to* in antwoord op; **reply-envelope** antwoordomslag

repoint ['ri:pɔint] (opnieuw) voegen (van metselwerk)

report [ri'pɔ:t] I *ww* verslag doen (van), rapport maken (van: ~ *a p. to his master* bij ...), rapporteren, rapport uitbrengen (*upon* over); berichten, melden, vertellen, opgeven, overbrengen; verslaggever zijn (~ *for the Times*); ~ (*o.s.*) zich melden (vervoegen) (*to* bij); *it is* ~*ed that* ... naar verluidt ...; *he was* ~*ed killed* werd opgegeven als ...; ~ *against* ongunstig rapporteren over; II *zn* rapport, verslag, bericht (*newspaper* ~); gerucht (*the* ~ *goes* ...); reputatie, faam; knal, schot; ***from*** ~ bij geruchte; *of good* ~ te goeder naam en faam bekend staand; **reportedly** [-idli] bij geruchte; **reporter** [-ə] id., verslaggever, rapporteur, (Kamer)stenograaf

repose [ri'pəuz] I *ww* 1 (laten) rusten; (laten) uitrusten; berusten (*on* op); ~ *o.s.* (uit)rusten; 2 ~ *confidence* (*trust*) *in* vertrouwen stellen op; II *zn* rust, kalmte

repository [ri'pɔzitəri] bewaarplaats, opslagen verkoopplaats; magazijn; schatkamer (*fig*); vertrouweling

reprehensible [repri'hensəbl] berispelijk, laakbaar

represent [repri'zent] voorstellen, afbeelden; wijzen op; beweren; vertegenwoordigen; ~ *o.s. as* zich uitgeven voor; **representation** [ˌreprizen'teiʃən] afbeelding, voorstelling; vertegenwoordiging; bedenking, protest; **repre'sentative** [-ətiv] I *bn* voorstellend; representatief, vertegenwoordigend; typisch, typerend; *be* ~ *of* voorstellen, vertegenwoordigen; II *zn* (volks)vertegenwoordiger, afgevaardigde; plaatsvervanger

repress [ri'pres] onderdrukken, bedwingen, beteugelen, intomen; (*psych*) verdringen; **repression** [ri'preʃən] onderdrukking, repressie; bedwang; (*psych*) verdringing

reprieve [ri'pri:v] I *ww* uitstel (opschorting van doodstraf, gratie) verlenen; II *zn* uitstel, opschorting; kwijtschelding, gratie

reprint [(')ri:'print] I *ww* herdrukken; II *zn* ['ri:(')print] (onveranderde) herdruk

reprisal [ri'praizl] represaille, vergelding; *make* ~(*s*) represaillemaatregelen nemen (*on* tegen)

reproach [ri'prəutʃ] I *ww* verwijten, berispen; II *zn* verwijt; schande; blaam; *above* (*beyond*) ~ onberispelijk; **reproachful** [-f(u)l] verwijtend

reprobate ['reprəu-, 'reprəbeit] I *bn* verdoemd; goddeloos; gewetenloos; II *zn* onverlaat

reprocess [ri:'prəuses] opwerken (*nuclear fuel*)

reproduce [ri:prə'dju:s] opnieuw voortbrengen; (zich) voortplanten; reproduceren, weergeven; **reproduction** [ri:prə'dʌkʃən] voortplanting; weergave, reproduktie; **reproductive** [ri:prə'dʌktiv] reproducerend; voortplantings...; produktief (*undertaking*)

reproof [ri'pru:f] berisping, verwijt; **reprove** [ri'pru:v] berispen, een standje maken

reptile ['reptail] kruipend dier, reptiel

republic [ri'pʌblik] republiek; **republican** [-ən] republikein(s)

repudiate [ri'pju:dieit] verwerpen, verstoten (*one's wife*); loochenen; afwijzen (*responsibility*); **repudiation** [riˌpju:di'eiʃən] verwerping, verstoting; afwijzing, loochening

repugnance [ri'pʌgnəns] afkeer (*to, against* van), weerzin; **repugnant** [ri'pʌgnənt] weerzinwekkend

repulse [ri'pʌls] terugdrijven, -slaan; afslaan, afwijzen; **repulsion** [ri'pʌlʃən] het ...; afstoting; tegenzin, afkeer; **repulsive** [ri'pʌlsiv] afstotend; weerzinwekkend, walglijk, afstotelijk

reputable ['repjutəbl] goed bekend staand, eervol, fatsoenlijk; **reputation** [repju'teiʃən] reputatie, (goede) naam; **repute** [ri'pju:t] I *zn* reputatie, (goede) naam, vermaardheid (*a singer of international* ~); ***by*** ~ bij geruchte; *he is held* (*is, stands*) ***in*** *high* ~ staat hoog aangeschreven; II *ww: be* ~*d* (*to be*) *rich* voor rijk doorgaan; *be* ~*d to* bekend staan als

request [ri'kwest] I *zn* verzoek; (aan)vraag; het gevraagde; *at your* ~ op uw verzoek; *by* ~ op verzoek; *in great* ~ veel gevraagd; *make a* ~ een verzoek doen; ~ *stop* halte op verzoek; (*listeners'*) ~*s*, (*radio*) verzoekprogramma; II *ww* verzoeken, vragen (om)

require [ri'kwaiə] (ver)eisen, vorderen, verlangen; nodig hebben; ~*d* verplicht (*reading*); **requirement** eis, vereiste, behoefte, benodigdheid; *meet* ~*s* aan de normen voldoen

requisite ['rekwizit] I *bn* vereist, nodig; II *zn* vereiste; ~*s, ook:* benodigdheden; **requisition** [rekwi'ziʃən] I *zn* eis, verlangen; oproeping; (op)vordering, rekwisitie; ~ *paper* aanvraagformulier; *be in* ~ nodig zijn, gevraagd worden; II *ww* rekwireren, (op)vorderen; (*fig*) in dienst stellen

requite [ri'kwait] vergelden, belonen; beantwoorden (~*d love*)

reredos ['riədɔs] altaarscherm

rescind [ri'sind] herroepen (*a decision*); afschaffen (*a law*), vernietigen (*a sentence*)

rescue ['reskju:] I *ww* verlossen, bevrijden, ontzetten, redden; II *zn* redding; hulp; *come to the* ~ te hulp komen; **'rescue-party**, **'rescue-sheet** reddingsbrigade, -zeil; **rescuer** ['reskjuə] redder

research [ri'sə:tʃ] I *zn* (wetenschappelijk) onderzoek, id.; (diepgaand) onderzoeking(swerk), speurwerk; II *ww* onderzoekingen doen; onderzoeken; **researcher** [-ə] onderzoeker

resemblance [ri'zembləns] gelijkenis, overeenkomst (*to* met); **resemble** [ri'zembl] lijken op

resent [ri'zent] kwalijk nemen; gebelgd (ontstemd) zijn over, zich beledigd voelen door, aanstoot nemen aan; **resentful** [-f(u)l] geraakt, gebelgd (*of* over); haatdragend, wrokkend; **resentment** wrok, verbolgenheid, wrevel, haat

reservation [rezə'veiʃən] 1 het (zich) reserveren (van een recht); reserve, voorbehoud; 2 (*Am*) reservaat (inz. als woonplaats voor Indianen); 3 reservering: *a*) plaatsbespreking; *b*) gereserveerde plaats; **reserve** [ri'zə:v] I *zn* id.; reservist; reservespeler, invaller; gereserveerdheid, terughoudendheid; voorbehoud; reservaat; *natural* (of: *nature*) ~ natuurmonument; *keep* ***in*** ~ in reserve houden; *state s.t.* ***without*** ~ zonder voorbehoud; II *ww* reserveren, achter-, inhouden, in reserve houden, bewaren; (zich) voorbehouden; bespreken (*seats*); ~ *for* (*to*) *o.s. the right to* ... zich voorbehouden; **reserved** [-d] gereserveerd, terughoudend, gesloten, koel, op een afstand; **reservedly** [-idli] op terughoudende manier, enz.

reservoir ['rezəvwa:] reservoir, bassin, spaar-, verzamelbekken; (reserve)voorraad

reset ['ri:'set] opnieuw (aan)zetten, enz.; bijzetten (*one's watch*), op 'nul' zetten (*calculator, computer*)

reside [ri'zaid] wonen, zetelen; berusten (*in* bij); **residence** ['rezidəns] verblijf(plaats), woonplaats; (voorname) woning, villa; (*fig*) zetel; *have one's* ~ *at* verblijf houden te; *take up one's* ~ zich vestigen; **resident** ['rezidənt] I *bn* woonachtig, inwonend, intern (*pupil*); vast (*the* ~ *population*); ~ *bird* standvogel; II *zn: a*) bewoner, inwoner; *b*) standvogel; **residential** [rezi'denʃəl] woon..., inwonend; (*private*) ~ *hotel* familiehotel; ~ *district* (*quarter*) betere woonwijk

residue ['rezidju:] overschot, rest; residu

resign [ri'zain] afstaan, afstand doen van, opgeven (*hope, a right*); neerleggen (*an office*); aftreden, zijn ontslag nemen; bedanken (voor betrekking); ~ *o.s. to* zich overgeven aan (*another's will*), berusten in, zich onderwerpen aan (*one's fate*); **resignation** [rezig'neiʃən] afstand; aftreding, ontslag; berusting, gelatenheid; *hand in* (*give in, tender*) *one's* ~ zijn ontslag indienen; **resigned** [ri'zaind] *bw* gelaten; **resignedly** [ri'zainidli] gelaten

resilience [ri'ziliəns] veerkracht; **resilient** [ri'ziliənt] veerkrachtig (*ook fig*), elastisch

resin ['rezin] (kunst)hars; **resinous** ['rezinəs] harsachtig

resist [ri'zist] weerstaan, weerstand bieden (aan); zich verzetten (tegen); **resistance** [-əns] weerstand(svermogen), tegenstand, verzet; **resistant** [-ənt] weerstandbiedend(e); *crease* ~ kreukwerend; *heat* ~ hittebestendig; **resistor** (*elektr*) weerstand

resolute ['rezəl(j)u:t] vastbesloten, vastberaden, resoluut, beslist; **resolution** [rezə'l(j)u:ʃən] oplossing, ontbinding, omzetting; (*fot*) scheidend vermogen; besluit, resolutie, voorstel, motie; voornemen (*good* ~*s*); vastberadenheid, beslistheid

resolve [ri'zɔlv] I *ww: a*) (zich) oplossen, ontbinden, herleiden; wegnemen (*doubt*); *b*) (doen) besluiten; *it was* ~*d to* ... er werd besloten te ...; ~ (***up***)***on*** (doen) besluiten tot; II *zn* besluit; vastberadenheid, moed; **resolved** [-d] vastbesloten, vastberaden

resonant ['rez(ə)nənt] resonerend, weerklinkend (*with* van)

resort [ri'zɔ:t] I *ww:* ~ *to* zijn toevlucht nemen tot; zich begeven naar; (geregeld) bezoeken; II *zn* toevlucht; hulp-, redmiddel; toevloed, druk of geregeld bezoek; druk bezocht(e) plaats (oord) (*holiday* ~); *have* ~ *to* zijn toevlucht nemen tot; *in the last* ~ in laatste instantie; als laatste toevlucht

resound [ri'zaund] (doen) weerklinken, weergalmen (*with* van); weerkaatsen

resource [ri'sɔ:s, -'zɔ:s] hulpbron, (hulp)middel, redmiddel, uitweg, toevlucht; (middel tot) ontspanning (*reading is my favourite* ~); vindingrijkheid; ~*s* (geld)middelen; bronnen van bestaan; verdedigingsmiddelen; *natural* ~*s* natuurlijke rijkdommen; *a man* (*full*) *of* ~ die zich uitstekend weet te redden; **resourceful** [-f(u)l] vindingrijk

respect [ris'pekt] I *zn:* betrekking, eerbied, achting; ~*s* (beleefde) groeten (*give my* ~*s to* ... doe ...); *pay one's* ~*s to a p.* iem zijn opwachting maken, begroeten; *send one's* ~*s* iem laten groeten; ***in*** ~ *of* met betrekking tot, ten aanzien van, vanwege; *in every* ~ in alle opzichten; *in some* ~*s* in sommige opzichten; ***with*** ~ *to* met betrekking tot, wat betreft; ***without*** ~ *to* zonder te letten op; II *ww* respecteren, eerbiedigen, ontzien; **respectability** [ris,pektə'biliti] fatsoen(lijkheid), achtenswaardigheid; (*mv ook*) fatsoen; **respectable** [-əbl] fatsoenlijk; achtenswaard(ig); respectabel, tamelijk groot (goed, enz.); **respectful** [-f(u)l] eerbiedig; **respecting** betreffende, ten aanzien van; **respective** respectief; *we went our* ~ *ways* ieder zijn eigen weg; **respectively** respectievelijk

respiration [respi'reiʃən] ademhaling; **respiratory** [,respi'reitəri] ademhalings...

respite ['resp(a)it] schorsing, uitstel, respijt

resplendent [ris'plendənt] schitterend (*with* van), glansrijk, luisterrijk

respond [ris'pɔnd] antwoorden; gehoor geven (*to* aan); reageren (*to* op); **respondent** [-ənt] I *bn* antwoordend, reagerend (*to* op); II *zn* gedaagde (*inz. in echtscheidingsproces*); ondervraagde (*bij enquête*); **response** [ris'pɔns] antwoord; (*fig*) weerklank; *show no* ~ *to treatment*, (*med*) niet reageren op

responsibility [ris,pɔnsə'biliti] verantwoordelijkheid, aansprakelijkheid; **responsible** [ris'pɔnsəbl] verantwoordelijk, aansprakelijk; verantwoord (*use*); *be* ~ *for, ook:* de schuld dragen van (*bad results*); *make* ~ *for* de schuld geven van, verantwoordelijk stellen voor

responsive [ris'pɔnsiv] een antwoord behelzend; gul, deelnemend (*in vreugd of smart*); ~ *to* gehoor gevend aan, reagerend op

rest I *ww* 1 (uit)rusten; laten (uit)rusten; steunen, leunen; berusten ([*up*]*on* op), zich verlaten ([*up*]*on* op), vertrouwen stellen (*in* in); plaatsen, neerzetten; gronden, baseren ([*up*]*on* op); ~ *o.s.* (uit)rusten; rust nemen; *there the matter ~ed* daar bleef het bij; *the decision ~s with you* is (staat) aan u; 2 blijven; ~ *assured that* ... wees verzekerd, dat ...; II *zn* 1 rust, pauze, (*muz*) rust(teken); rustplaats, (tijdelijk) tehuis; steun(sel), statief; ~ *room* (*Am*) toilet; *give it a* ~ schei er een poosje mee uit; *take a* ~ (wat) rust nemen, wat uitrusten; ***at*** ~ ter ruste, in rust, rustig; *set at* ~ tot rust brengen; geruststellen; afdoen, bijleggen; uit de weg ruimen (*fears*), opheffen (*doubt*); *come to* ~ tot rust (stilstand) komen; *lay to* ~ ter ruste leggen; sussen, opheffen (*suspicion*); 2 rest, overschot, (het) overige, (de) overigen; ***among*** *the* ~ onder anderen; ***(as) for*** *the* ~ overigens

restaurant ['restərɔnt, -roŋ] id.

'**restful** [-f(u)l] *a*) rustig, kalm; *b*) rustig stemmend, kalmerend; '**rest-home** rusthuis; **resting-place** ['restiŋpleis] rustplaats

restitution [resti'tju:ʃən] restitutie, teruggave, schadeloosstelling

restive ['restiv] koppig, weerspannig, onhandelbaar, onwillig; kriebelig, prikkelbaar

restless ['restlis] ongedurig, onrustig

restoration [restə'reiʃən] restauratie, herstel(ling); teruggave; *the R~* de Restauratie: het herstel van het koningschap in 1660; **restore** [ris'tɔ:] teruggeven, -bezorgen, -brengen, -plaatsen; restaureren, herstellen, (*ook in waardigheid, enz.*), vernieuwen; genezen (= ~ *to health*)

restrain [ris'trein] bedwingen, in bedwang houden, beteugelen, inhouden, weerhouden (*from going* te gaan); beperken; **restraint** [ris'treint] (be)dwang, beteugeling; zelfbeheersing; (vrijheids)beperking; macht, controle; terughoudendheid; *under* ~ in hechtenis; opgesloten; *without* ~ vrijelijk

restrict [ris'trikt] beperken, bepalen, begrenzen; *~ed*, (*van officiële stukken*) vertrouwelijk; *~ed area* waar een maximumsnelheid geldt; **restriction** [ris'trikʃən] beperking; restrictie, voorbehoud; **restrictive** [-iv] beperkend

result [ri'zʌlt] I *ww* voortkomen, volgen (*from* uit); uitlopen (*in loss*, enz. op ...), uitmonden (*in new procedures*); aflopen (~ *badly*); II *zn* resultaat, gevolg, uitslag, uitwerking; uitkomst; **resultant** [-ənt] voortvloeiend (*from* uit)

resume [ri'zju:m] hervatten, -nemen, -krijgen, weer innemen, beginnen, opzetten, enz.); **resumption** [ri'zʌm(p)ʃən] hervatting

resurgence [ri'sə:dʒəns] (weder)opleving; **resurgent** [-ənt] weder opstaand (opkomend), herrijzend (*Europe*)

resurrect [rezə'rekt] (*fam*) *a*) weer levend maken (opwekken, voor de dag halen, opknappen); *b*) weder opstaan (levend worden); **resurrection** [rezə'rekʃən] opstanding, verrijzenis; herleving

resuscitate [ri'sʌsiteit] weer opwekken, reanimeren; vernieuwen; (doen) herleven; weer bijbrengen of bijkomen

retail I *zn* ['ri:teil] klein-, detailhandel (= ~ *trade*); ~ *price* kleinhandels-, winkelprijs; *recommended ~ price* adviesprijs; II *ww* ['ri:teil] in het klein (en detail) verkopen (verkocht worden: ~ *for $4.50*); in bijzonderheden vertellen; rond-, oververtellen; **retailer** ['ri:teilə] detaillist, kleinhandelaar

retain [ri'tein] vast-, tegen-, be-, binnen-, in-, onthouden, in bezit houden; in dienst nemen, aannemen, bespreken, opdracht geven aan (*we have been ~ed by ICI to invite applications for* ... in opdracht van ...); **retainer** voorschot, borgsom; (*hist*) bediende, volgeling, vazal

retaliate [ri'tælieit] vergelden, betaald zetten, wraak (revanche) nemen, iets terugdoen; **re,tali'ation** vergelding; wraak

retard [ri'tɑ:d] vertragen, op-, tegenhouden, uitstellen; **retardation** [ri:tɑ:'deiʃən] vertraging; uitstel; **retarded** [-id] achtergebleven, achterlijk, zwakbegaafd (*child*)

retch [ri:tʃ] kokhalzen

retention [ri'tenʃən] behoud; geheugen

reticence ['retis(ə)ns] terughoudend-, zwijgzaam-, gesloten-, gereserveerdheid; **reticent** ['retis(ə)nt] terughoudend, enz.

retinue ['retinju:] gevolg, stoet

retire [ri'taiə] zich terugtrekken, zich verwijderen, heengaan, uittreden, terugwijken, verdwijnen, naar bed gaan (= ~ ***to*** *bed, to rest*, ***for*** *the night*); zijn ontslag nemen; met pensioen gaan; uit de zaken gaan (= ~ ***from*** *business*); terug-, intrekken, terugnemen; ontslaan; ~ ***into*** *o.s.*: *a*) tot zichzelf inkeren; *b*) eenzelvig zijn; **retired** [-d] teruggetrokken; afgezonderd, afgelegen; gepensioneerd; rentenierend (*baker*); (*Belg*) oprustgesteld; *early ~ person* vutter; **retirement** [-mənt] het ...; aftocht; ontslag(neming); pensionering; rust; (plaats van) afzondering; *go into* ~ zich (uit het openbare leven) terugtrekken; **retiring** [ri'taiəriŋ] teruggetrokken, ingetogen, bescheiden

retort [ri'tɔ:t] I *zn* vinnig antwoord; tegenzet, tegenbeschuldiging; II *ww* vinnig antwoorden; betaald zetten; terugwerpen

retouch ['ri:'tʌtʃ] (*fot*) retoucheren

retrace [ri(:)'treis] (weer) naspeuren, (opnieuw) nagaan; ~ *one's steps* (*way*) (op zijn schreden) terugkeren (*ook fig*)

retract [ri'trækt] (zich) terugtrekken; (een belediging, enz.) intrekken, herroepen; ingetrokken kunnen worden (*a cat's claws* ~); **retractable** intrekbaar; **retraction** [ri'trækʃən] intrekking

retreat [ri'tri:t] I *ww* (zich) terugtrekken; terug-

wijken; (*schaaksp*) terugzetten (*a piece*); **II** *zn* terugtocht, (sein tot de) aftocht; (plaats van) afzondering; retraite; wijkplaats, schuilplaats, asiel, tehuis; *holiday* ~ vakantieverblijf; *weekend* ~ tweede huisje; *sound the* ~, (*ook fig*) de aftocht blazen
retribution [retri'bju:ʃən] vergelding, vergoeding
retrieval [ri'tri:v(ə)l] het ... (zie *retrieve*); herstel; *information* ~ informatieontsluiting; ~ *system* geautomatiseerd gegevensbestand; **retrieve** [ri'tri:v] terugvinden, -krijgen, -winnen, herkrijgen; ontsluiten (*information*); redden (*the situation*); herstellen (*errors*), apporteren
retrospect ['re-, 'ri:trəuspekt] terugblik; (*viewed*) *in* ~ achteraf gezien; **retrospective** [re-, ri:trəu'spektiv] terugziend; terugwerkend (*van wet*); ~ *view* terugblik; ~*ly* achteraf
return [ri'tə:n] **I** *ww* terugkeren, -komen, -gaan, -geven, -zenden, -betalen, -plaatsen, -brengen, -slaan (*a ball*), enz.; (weer) inleveren; antwoorden; beantwoorden (*a greeting, a visit*); vergelden; opbrengen, opleveren (*a profit*); opgeven, rapporteren; verkiezen, afvaardigen (naar het Parlement, enz.); ~ *an answer* antwoord geven; ~ *a blow* terugslaan; ~ *thanks*: *a*) dank brengen; *b*) danken (na de maaltijd); ~ *a verdict*, (*van jury*) uitspraak doen; *a great liberal majority was* ~*ed* gekozen; **II** *zn* terugkomst, -keer, -reis, -gave, -zending, -betaling, -plaatsing, -slag, enz.; retour(biljet) (~ (*to*) *London* retour L.); antwoord; tegenprestatie; winst; verslag, staat (*bank* ~); aangifte (*income tax* ~) afvaardiging, verkiezing (voor Parl, enz.); ~(*s*): *a*) opbrengst, omzet; *b*) statistiek; *many happy* ~*s* (*of the day*)! nog vele jaren!; *this is the point of no* ~ hierna is er geen weg terug; ***by*** ~ (*of post*) per omgaande, per kerende post; ***in*** ~ in ruil, als tegenprestatie (*for* voor); *attr* terug...; retour..., contra...; **re'turn 'match** revanchepartij, retourwedstrijd, terugwedstrijd; **re'turn 'slip** retourstrook; **re'turn 'ticket** retourbiljet
reunion [ri:'ju:njən] hereniging; reünie; **reunite** ['ri:ju:'nait] (zich) herenigen
reusable [ri'ju:zəbl] opnieuw te gebruiken
rev *zn* & *ww revolution* & *revolve*; ~ *up the engine* de motor sneller laten lopen, het toerental opvoeren
revaluation ['ri:ˌvælju'eiʃən] herschatting; revaluatie, opwaardering (*of the yen*)
Rev. *Reverend*
revamp [ri:væmp] vernieuwen, een nieuw aanzien geven, herzien
reveal [ri'vi:l] openbaren, bekendmaken, vertonen, verraden, onthullen, blootleggen
revel ['revl] pret maken; zwelgen, brassen; ~ *in* zich verlustigen (verkneukelen) in
revelation [revi'leiʃən] openbaring, onthulling
reveller ['revlə] zwierbol, zwelger, pretmaker; **revelry** ['revlri] pretmakerij
revenge [ri'ven(d)ʒ] **I** *ww* wreken; ~ *o.s.* (*be* ~*d*) *on* (*of*) ... *for* zich wreken op ... wegens; **II** *zn* wraak(zucht, -neming), het wreken (*of a crime*), revanche; *have* (*take*) *one's* ~ wraak nemen; **revengeful** [-f(u)l] wraakgierig; **revenger** [-ə] wreker
revenue ['revinju:] inkomsten (ook: ~*s*); rijksinkomsten, -middelen (= *public* ~); *the* ~, *ook*: de fiscus; *inland* ~ de Rijksbelastingen
reverberate [ri'və:bəreit] weer-, terugkaatsen; weergalmen; af-, terugstuiten; ~ *upon*, (*fig*) terugwerken op; **reˌverbe'ration** weerkaatsing; nawerking; reverberatie; (*telec*) nagalm
revere [ri'viə] eerbiedigen, vereren; **reverence** ['revərəns] eerbied, (diepe) verering; **reverend** ['revərənd] **I** *bn* eerwaard(ig); *the* ~ *J*(*ohn*) (of: *Mr.*) *Smith* de Weleerwaarde Heer S., Ds. S.; *the* ~ *Father* ... de Weleerwaarde Pater ...; **II** *zn* (*fam*) dominee, geestelijke
reversal [ri'və:s(ə)l] omkering, ommekeer; **reverse** [ri'və:s] **I** *bn* omgekeerd, tegengesteld; spiegelbeeldig; ~ *side* keerzijde; **II** *zn* omgekeerde, tegendeel, tegengestelde; keerzijde, achterkant; tegenslag, nederlaag; ***in*** ~ (in) omgekeerd(e orde); in spiegelbeeld; *go* ***into*** ~ omkeren, achteruitschakelen (-rijden, enz.); **III** *ww* omkeren, omschakelen, omleggen, omzetten (*an engine*); achteruitrijden; herroepen, intrekken (*a decision*), vernietigen (*a sentence*); ~ *the charges* de kosten (van een telefoongesprek) aan de opgeroepene in rekening brengen; ~ *gear* (*auto*) achteruit (versnelling); ~, *-ing light* (*lamp*) achteruitrijlamp; **re'versible** [-əbl] omkeerbaar; **reversion** [ri'və:ʃən] terugkeer (*to* tot); **revert** [ri'və:t] terugkeren, -komen (*to a subject* op ...), vervallen (*to* aan); verwilderen; tot het oorspr type terugkeren (= ~ *to type*)
review [ri'vju:] **I** *zn* parade, wapenschouw, revue, inspectie; terugblik (*of* op), overzicht; boekbeoordeling, recensie; tijdschrift; *the year under* ~ het verslagjaar; **II** *ww* opnieuw in ogenschouw nemen; overzien, terugzien op; een overzicht geven van; inspecteren; recenseren, bespreken (*a book*); herzien; **review-copy** recensie-exemplaar; **reviewer** [-ə] recensent
revile [ri'vail] tekeergaan tegen, (be)schimpen
revise [ri'vaiz] nazien, repeteren (*a lesson*), verbeteren, herzien; **revision** [ri'viʒən] herziening, revisie; herziene uitgave; herhaling
revitalize ['ri:'vaitəlaiz] nieuw leven geven aan
revival [ri'vaiv(ə)l] herleving, wederopleving, het weer in gebruik komen, enz.; (*theat*) reprise; herstel; reveil, godsdienstige opleving; **revive** [ri'vaiv] (doen) herleven, nieuw leven krijgen (geven); weer bijkomen, -brengen; vernieuwen, opknappen; weer in- of opvoeren; **revivify** [ri:'vivifai] doen herleven, revitaliseren
revoke [ri'vəuk] herroepen, intrekken
revolt [ri'vəult] **I** *ww* opstaan, in opstand ko-

men (*at, against, from* tegen); (doen) walgen, in opstand brengen (*fig*); **II** *zn: a*) opstand, oproer; *b*) walging; **revolting** *a*) oproerig; *b*) stuitend, weerzinwekkend, walglijk

revolution [revəˈl(j)u:ʃən] omwenteling, toer (*van motor*), revolutie; omloop; *~s, ook:* toerental; **revolutionary** [-əri] revolutionair

revolve [riˈvɔlv] (om)draaien, omwentelen; overdenken

revolver [riˈvɔlvə] id.

revolving [riˈvɔlviŋ]: *~ bookstand* boekenmolen; *~ door* draaideur

revue [riˈvju:] id.

revulsion [riˈvʌlʃən] (plotselinge) afkeer, walging

reward [riˈwɔ:d] **I** *zn* beloning, vergelding, loon; *as a ~ for, in ~ of* ter beloning van; **II** *ww* belonen, vergelden; **rewarding** [-iŋ] lonend, de moeite waard, dankbaar (*task*)

rewind [ˈri:ˈwaind] terugspoelen (*a film, tape*)

rhapsody [ˈræpsədi] rapsodie

rhetoric [ˈretərik] retorica, (leer der) welsprekendheid, stijlleer; retoriek

rheumatic [ru(:)ˈmætik] **I** *bn* reumatisch; **II** *zn* lijder aan reuma(tiek); *~s*, (*fam*) reuma(tiek); **ˈrheumatism** [-ətizm] reuma(tiek); **ˈrheumatoid** [-ətɔid] reumatisch

Rhine [rain] Rijn

rhino(ceros) [raiˈnɔsərəs] id., neushoorn

rhubarb [ˈru:bɑ:b] rabarber

rhyme [raim] **I** *zn* rijm; rijmpje, rijmend gedicht, verzen; **II** *ww* (laten) rijmen (*to, with* op); **rhymed** berijmd; **ˈrhymeless** [-lis] rijmloos

rhythm [riðm, riθm] ritme, maat; **ˈrhythmic(al)** [-ik(l)] ritmisch

rib rib(stuk); nerf; richel; ribbel; gewelfrib; ribstuk (= *~ of beef*, enz.); balein (van paraplu); patentsteek

ribald [ˈribəld] vuil, schunnig, liederlijk

ribbed [ribd] geribd; geribbeld; gegolfd

ribbon [ˈribən] lint, band, strook; *tear to ~s* aan flarden scheuren, geen stukje heel laten van

rice [rais] rijst

rich [ritʃ] rijk (*in silver* aan ...); kostelijk (ook fig: *joke*); vruchtbaar, overvloedig; krachtig, machtig (*food*); klankrijk, vol (*voice*); warm (*colours*); *~ brown* diepbruin; *the ~* de rijken; **riches** [ˈritʃiz] rijkdom(men); **richly** [ˈritʃli] rijk(elijk); ruimschoots, dubbel en dwars (*he ~ deserves it*); **richness** [ˈritʃnis] rijkheid, enz., zie *rich*

rick [rik] *zn* hoop, mijt; hooiberg; *ww* (tot een *~*) ophopen; verrekken (*~ one's neck*)

rickets [ˈrikits] Engelse ziekte, rachitis

rickety [ˈrikiti] (*fig*) wankel, waggelend; gammel, wrak

ricochet [ˈrikɔʃei, rikəʃet] terugspringen, ricocheren

rid *ww; ovt ridded, rid; v dw rid, zelden ridded* bevrijden, ontdoen, afhelpen (*of* van); *be* (*get*) *~ of* af zijn (komen) van, kwijt zijn (raken)

riddance [ˈrid(ə)ns] *'They've gone at last' 'Good ~!'* Goddank, die zijn weg (we kwijt)!

riddle [ˈridl] **I** *zn* **1** raadsel; **2** grove zeef; **II** *ww* (uit)ziften; doorzéven (*with bullets*)

ride [raid] **I** *ww* rijden (te paard, op fiets, in trein of ander openbaar vervoermiddel); drijven, varen, zeilen, zich bewegen; berijden; laten rijden (*a child on one's back*); ook = *~ out;* (*fam*) pesten; *let it ~*, (*sl*) het op zijn beloop laten; *ridden* ***by*** *fear* bevangen (beheerst) door; *~* ***down*** afjakkeren; inhalen (te paard); omverrijden; uit de weg ruimen (*objections, doubts*); *~* ***out*** *the storm* de storm doorstaan; *~* ***up*** opkruipen (van kleren, enz.); **II** *zn* rit(je); (*Am*) (boot)tochtje; *give a ~* laten rijden; *go for a ~* een ritje gaan doen; *take a p. for a ~*, (*sl*) *a*) iem voor de gek houden; *b*) iem ontvoeren en afmaken; **rider** [ˈraidə] (be)rijder, ruiter; toegevoegde clausule (aan wetsontwerp, enz.)

ridge [ridʒ] **I** *zn* (berg-, aard)rug, kam, ribbel, nok, vorst, richel, stootrand; **II** *ww* (doen) rimpelen; kammen vormen; **ridged** [-d] *ridgy*; **ˈridge-roof** zadeldak; **ˈridge-tree** nokbalk; **ridgy** [ˈridʒi] rug-, kamvormig, scherp; rimpelig, ribbelig; zich in ruggen verheffend

ridicule [ˈridikju:l] **I** *zn* spot, belachelijkmaking; *hold up to ~* belachelijk maken; **II** *ww* belachelijk maken, bespotten; **ridiculous** [riˈdikjuləs] belachelijk, bespottelijk

riding boot [ˈraidiŋbu:t] rijlaars; **ˈriding breeches** [-britʃiz] rijbroek; **ˈriding-hood** [-hud] rijkap, -mantel; *Little Red R~* roodkapje; **ˈriding school**, **ˈriding stables** rijschool, manege

rife [raif] algemeen (heersend), wijd verbreid

riffle [ˈrifl]: *~ through* doorbladeren, snel omslaan (*the leaves of a book*), snel doorlopen (*letters*)

riff-raff [ˈrifræf] (*vero*) canaille, uitschot

rifle [ˈraifl] **I** *zn* geweer; **II** *ww* (be)roven, (doorsnuffelen en) (leeg)plunderen; **ˈrifle-practice** schijfschieten; **ˈrifle-range** [-rein(d)ʒ] *a*) schietbaan; *b*) geweerschotsafstand; **ˈrifle-shot** *a*) geweerschot; *b*) schutter (*a good ~*)

rift **I** *zn* kloof, spleet, scheur, trog, slenk; **II** *ww* scheuren, splijten, kloven

rig **I** *zn: a*) tuigage, takelage; *oil ~* boorplatform, -eiland; *b*) kostuum, plunje, kledij, uitrusting; (*Am*) rijtuig, 'spul', span; **II** *ww* **1** optuigen (*ook fig*), uitrusten, kleden (= *~ out, ~ up*); *~* (*up*), *ook:* in elkaar zetten, aanbrengen; **2** (heimelijk) bewerken, manipuleren, knoeien met (*elections*); **rigging** [ˈrigiŋ] tuig(age), want; uitrusting

right [rait] **I** *bn* recht, billijk, rechtvaardig; juist, goed, in orde; rechtmatig; echt, waar; rechter, rechts(af); *~ angle* rechte hoek; *that is ~: a*) dat is goed; *b*) (*fam*) dat is zo, ja; wel ja (*..., blame it on the woman*); *all ~!* (*fam, ~ o(h)!*) goed (zo)! in orde!; *you are ~* je hebt gelijk; *are you ~ now?* voel je je nu goed? zit je

rev

nu goed? enz.; ~ *you are!* (*fam*): *a*) volkomen waar!; *b*) = all ~; it is not ~ for you to say so het past je niet ...; *and quite ~ too!* en maar goed ook!; *as ~ as rain* volmaakt in orde; *come* (*all*) ~ terechtkomen; *get ~* in orde brengen (komen); *let us get this ~, ook:* laten we dit goed begrijpen; *put* (*set*) ~ in orde brengen, herstellen; verbeteren, recht zetten; II *ww* recht(op)-, overeind zetten; (zich) weer oprichten (*van boot*); verbeteren, herstellen (*a wrong*), weer in orde brengen; recht verschaffen; ~ *o.s.* zijn evenwicht herkrijgen; zich herstellen; III *zn* recht (*to* op); rechterzijde (*ook in de politiek*); rechterschoen; ~ *of entry* recht van toegang; ~ *of way* recht van weg (van doorgang), overpad; voorrangsrecht (*van verkeer*); ***by*** ~(*s*) eigenlijk; *by ~ of* krachtens; *be **in** the ~: a*) in zijn recht zijn; *b*) gelijk hebben; *it belongs to him **of** ~* rechtens; ***on** your ~* aan je rechterhand; *keep **to** the ~* rechts houden; *set* (*put*) *to ~*(*s*) in orde brengen; terechtwijzen; IV *bw* recht; goed (*if I remember ~*); zoals het hoort, juist (*guess ~*); vlak (*~ behind me*), precies, helemaal (*at the end*); dadelijk (*I'll be ~ back*); ~ *and left* (*~, left and centre*), *ook:* naar (aan) alle kanten; *nothing will go ~ with me* niets wil me lukken; ~ *across* dwars over; ~ *ahead* recht vooruit; ~ *along* (maar) al door; ~ *away* dadelijk; ~ *away from the start* van het eerste begin af aan; *let me say ~ here* ... dadelijk hier al; ~ *in the middle* precies ...; (*Am*) direct; *he began ~ off* direct; ~ *through* in één stuk door; ~ *to the point* recht op het doel af; **'right-angled** [-æŋgld] rechthoekig; **righteous** ['raitʃəs] rechtvaardig, rechtschapen; gerechtvaardigd (*anger*); **'rightful** [-f(u)l] rechtvaardig; rechtmatig; **'right-hand** rechterhand; **'right-handed** rechts; **'rightist** rechtse; politiek rechts georiënteerde; **'rightly** rechtvaardig; juist, goed; terecht; **righto**! ['rai'təu] goed (zo)! in orde

rigid ['ridʒid] stijf, strak, star; onbuigzaam, (ge)streng; **rigidity** [ri'dʒiditi] stijfheid, starheid; onbuigzaamheid

rigmarole ['rigmərəul] onzin, gewauwel, geklets; gedoe; als droog zand aan elkaar hangend verhaal

rigorous ['rigərəs] (ge)streng; onbuigzaam, hard; **rigour** ['rigə] (ge)strengheid; onbuigzaamheid, hardheid

rile [rail] nijdig maken; ~*d* (*up*) nijdig (*with* op)

rim I *zn* rand, montuur (*van bril bijv.*), velg; II *ww* van ~ voorzien; omranden

rind [raind] schors, schil; (kaas)korst; zwoerd

ring [riŋ] I *zn* **1** ring, kring(etje); 'piste', circus; renbaan, arena, (boks)ring (= *the squared ~*); kookplaat; combinatie, syndicaat, (politieke) kliek; (*Am*) complot (*spy ~* spionage...); **2** klank; gelui, gerinkel, enz.; klokkenspel; *there's a ~* er wordt gebeld; *give me a ~*, (*telefoon*) bel me op; *the phrase has a familiar ~* klinkt bekend; II *ww* **1** omringen (= *~ round, about, in*); insluiten; een ring aandoen, ringen (*pigs, birds*); ringen (*trees*); **2** (laten) klinken, luiden, bellen, weergalmen; (over)gaan (*van bel of telefoon*); *it ~s a bell* daar staat me iets van bij, dat komt me bekend voor; dat brengt me op een idee; (*telef*) opbellen; *~ing tone*, (*telef*) oproeptoon; ~ *the bell* bellen; ~ *false/hollow* (*true*) vals (echt) klinken; (*van woorden, enz.*) onoprecht (oprecht) klinken; *~ **for** a p.* (om) iem bellen; ~ ***in*** inluiden (*the new year*); het sein geven om te verschijnen; ~ ***off*** afbellen, ophangen; (*Am*) uitscheiden; ~ ***out*** luid (doen) klinken; uitluiden (*the old year*); *the hall rang **to** his steps* weerklonk van; ~ ***up*** opbellen; aanslaan (*£40 on the cash register*); registreren (*another win*); ~ ***with*** weerklinken van; *my ears still ~ with it* het klinkt me nog in de oren; **ring binder** ringband; **'ringleader** belhamel (*fig*); **'ringlet** krul(letje); **'ringmaster** stalmeester (*van circus*); **'ring road** rondweg

rink [riŋk] *a*) ijsbaan; *b*) rolschaatsenbaan

rinse [rins] I *ww* (om)spoelen; II *zn* (kleur-, mond)spoeling

riot ['raiət] I *zn* dolle pret, buitensporigheid; tumult, relletje, oproer; (*sl*) wat 'inslaat', succes(nummer); *~s, ook:* ongeregeldheden; ~ *police* oproerpolitie; ~ *of colour* bonte kleurenpracht, orgie van kleuren; *run ~* uit de band springen; alle perken te buiten gaan; II *ww* zich verlustigen, zwelgen (*in, upon* in); herrie (relletjes, oproer) maken, muiten; **'rioter** [-ə] oproer-, relletjesmaker; **'riotous** [-əs] losbandig, verkwistend; buitensporig; rumoerig, woest; oproerig

rip I *zn* scheur, torn; II *ww* rijten, openrijten (= *~ up*), (los)scheuren, (los)tornen, splijten; met vliegende vaart gaan, 'vliegen'; (*sl*) zich laten gaan; er op los leven; *let ~* zich laten gaan; (*van auto*) op z'n staart trappen; ~ *off*, (*sl*) uitkleden, beroven, uitbuiten

ripe [raip] I *bn* rijp; belegen (*cheese, wine*); grof, vulgair (*language*); II *ww* (doen) rijpen; **'ripen** rijp worden (maken), (doen) rijpen

'rip-off (*sl*) diefstal, uitbuiting; gestolen goed; miskoop; afzetterij, zwendel

ripple ['ripl] I *zn* rimpeling (*van watervlak*), golfje(s), lichte golfslag, golving; gekabbel, geruis; ribbel; zacht, op en neer gaand geluid (*a ~ of laughter, of talk*); II *ww* kabbelen, ruisen

'rip-roaring prima, 'reusachtig', onstuimig

rise [raiz] I *ww* opstaan, (op-, ver)rijzen, (op)stijgen; oplopen, boven komen; bijten (*van vis*); (*fig*) toebijten; opvliegen, opgaan, opkomen (*van zon, wind, enz.*); zich verheffen, opklimmen; in opstand komen (*against, on, upon* tegen); aangroeien; (*van Parl, enz.*) uiteengaan, op reces gaan; het kamp (beleg) opbreken; ontspringen, ontstaan; *her colour rose* het bloed steeg haar naar de wangen; ~ ***above*** zich verheffen boven; zich verheven gevoelen boven (*petty jealousies*); te boven komen; ~ ***from*** *table* opstaan van; ~ *from the dead* uit de dood opstaan; ~ ***in*** *rebellion* opstaan; ~ ***on*** zie ~ *upon; he rose* ***to*** *his feet* hij stond op; ~ *to the bait* (*the fly*), (*van vis*) bijten; (*fig*) toebijten, toehappen; ~ *to the occasion* tegen de zaak/situatie opgewassen zijn; ~ ***up*** opstaan, verrijzen; II *zn* stijging, rijzing, was, verheffing; opkomst; opgang (*van zon*); oplopende weg (helling); hoogte; toeneming; verhoging, opslag (*van loon*); oorsprong; *give ~ to* aanleiding geven tot; *take its ~ in* (*from*) zijn oorsprong vinden in; **riser** ['raizə]: *early ~* matineus persoon; **rising** ['raiziŋ] I *zn* (op)stijging, opgang, het ... (zie *rise ww*); opstand; opzwelling; hoogte; II *bn* rijzend, stijgend, enz. (zie *rise*); opkomend (*generation*); *he is ~ sixty* loopt naar de 60

risk I *zn* gevaar, risico; *at the ~ of his life* met levensgevaar; *put* (*be*) *at ~* in gevaar brengen (zijn); II *ww* wagen, riskeren, op het spel zetten; '**risky** [-i] gevaarlijk, gewaagd, riskant, gedurfd (*dress*)

rite [rait] (godsdienstige) plechtigheid, rite, ritus

ritual ['ritjuəl] I *bn* ritueel; *~ly prepared meat* koosjer; II *zn: a*) ritueel; *b*) rituaal: (boek met) voorschriften voor de kerkdienst

rival ['raiv(ə)l] I *zn* mededinger, -minnaar; II *bn* mededingend, concurrerend; III *ww* wedijveren met, naar de kroon steken; '**rivalry** [-ri] wedijver, concurrentie

river ['rivə] rivier, stroom; *sell a p. down the ~*, (*sl*) iem verraden en verkopen waar hij bij staat; '**river-bank** rivieroever; '**river-basin** [-beisn] stroomgebied; '**river-bed** rivierbedding; '**river-craft** [-krɑ:ft] riviervaartuig(en); '**river-front** waterkant, rivieroever; '**riverhead** bron

rivet ['rivit] I *zn* klinknagel; II *ww* vastklinken, -nagelen; boeien (*the attention*); vastleggen; ~ *one's eyes on* onafgewend vestigen op

rivulet ['rivjulit] beekje, riviertje

road [rəud] weg, straat; (*Am*) = *railroad; ~*(*s*) rede (*in the ~*[*s*] op ...); *by ~* per as (*auto of bus*); *on the ~* op weg, onderweg; reizend (*ook van handelsreiziger*), op tournee, (*van toneelgezelschap*); *one for the ~, ongev* een afzakkertje; *on the ~ to recovery* op weg om beter te worden; *rule*(*s*) *of the ~* verkeersregel(s); '**road-accident** verkeersongeluk; '**roadblock** wegversperring; '**roadbridge** verkeersbrug; '**roadhog** wegpiraat, snelheidsmaniak; '**roadhouse** wegrestaurant; '**road-map** wegenkaart; '**road-pricing** rekeningrijden; '**road-safety** verkeersveiligheid; '**road sense** zin voor het juiste weggebruik, 'wegbesef'; '**roadside** kant van de weg; '**roadsign** verkeersbord; '**road-system** wegennet; '**road tax** motorrijtuigenbelasting; '**roadway** rijweg; rijvloer (van brug), brugdek; '**roadworks**: *~ ahead* werk in uitvoering; '**roadworthy** [-wə:ði] *a*) (*van auto enz.*) bruikbaar, bedrijfszeker; *b*) in staat om te reizen

roam [rəum] I *ww* ronddolen, (af-, door)zwerven; II *zn* omzwerving; '**roamer** [-ə] zwerver, doler

roar [rɔ:] I *ww* brullen, bulderen, loeien, huilen, schreeuwen, razen; ronken (*van motor*); rollen (*van de donder*); schateren (*with laughter* van ...); weergalmen (= ~ *again*); ~ *down* overschreeuwen; II *zn* gebrul, gebulder enz.; *the ~ of our busy streets* geraas, gedender; '**roaring** bulderend, denderend, razend; luidruchtig; ~ *drunk* stomdronken; *a ~ success* een daverend succes

roast [rəust] I *ww* braden, roosteren, branden (*coffee*); (*fam*) afkraken; *give s.o. a good ~ing* iem een stevige uitbrander geven; II *bn* gebraden (*~ beef*); III *zn* het ...; gebraad, gebraden (rund)vlees; '**roaster** [-ə] braadoven; koffietrommel (voor het branden); brandend hete dag (= *roasting hot day*); **roasting** [-iŋ] uitbrander

rob [rɔb] beroven, bestelen, plunderen; (*sp*) de bal afnemen; '**robber** [-ə] rover, dief; '**robbery** [-əri] beroving, plundering, roof, diefstal

robe [rəub] I *zn* toga, tabberd, (staatsie)mantel; robe (*van dames*); bad-, kamerjas; opperkleed, gewaad; ambtsgewaad (= *~s of office*); II *ww* kleden; (zich) in zijn ~ kleden (hullen)

robin ['rɔbin] roodborstje

robot ['rəubɔt] id.; **robotic** [rəu'bɔtik] robotachtig; *~s* robotica

robust [rəu'bʌst] robuust, krachtig, sterk, fors

rock [rɔk] I *zn* rots, klip, gesteente; rotsblok, grote kei; harde kandijsuiker; pepermuntstok (= *peppermint ~*), zuurstok (*Brighton ~*); = *rock een roll* id.: *on the ~s* op ijs(blokjes) *be on the ~s: a*) gestrand, kapot zijn; *b*) op zwart zaad zitten; II *ww* schommelen, wieg(el)en, wiebelen; schokken, (doen) schudden, wankelen; (*sl*) doen opschrikken; ~ *the boat*, (*fam*) het evenwicht verstoren, moeilijkheden maken; ~ *to sleep* in slaap wiegen (*ook fig*); '**rock-bed** rotsbodem; '**rock-'bottom** vast gesteente; ~ *prices* allerlaagste prijzen; **rocker** ['rɔkə] schommelstoel; *off one's ~*, (*sl*) (stapel)gek; **rockery** [-ri] rotstuin(tje)

rocket ['rɔkit] I *zn* vuurpijl, raket; *~ range* proefterrein voor raketten; II *ww: a*) met r...en beschieten; *b*) omhoog- (vooruit-, *soms:* omlaag)schieten (*ook van prijzen*); (*van vogel*) recht omhoog (*of:* hoog en snel) vliegen; '**rocket launcher** rakettenwerper

'**rock-face** rotswand; '**rock-garden** rotstuin

'**rocking-chair** schommelstoel; '**rocking-horse** hobbelpaard

'**rocky** rotsachtig, rots...; hard als een rots

rod [rɔd] roede, stok, staf, stang, rotting, hengelroede

rodent ['rəudənt] knaagdier

rodeo [rəu'deiəu, 'rəudiəu] (*Am*) (plaats voor) het bijeendrijven van vee (*op ranch*); voorstelling van het dresseren van (half)wilde paarden, enz.

roe [rəu] **1** kuit (= *hard* ~); *soft* ~ hom; **2** ree; '**roebuck** reebok; '**roedeer** ree

rogue [rəug] schelm; snaak, schalk; *~'s gallery* politieprentenboek; '**roguery** [-əri] schelmenstreken, -streek; schalksheid; **roguish** ['rəugiʃ] *a*) schelmachtig; *b*) schalks, snaaks

role, **rôle** [rəul] rol (*theat & fig*)

roll [rəul] **I** *zn* rol; wals; windas; broodje; (perkament)rol, lijst, register, monsterrol, naam-, presentielijst; het rollen; rollende beweging, deining; slingering (*van schip*); schommelende gang; roffel; *a great ~ of applause* daverend applaus; *~ of honour* lijst der gesneuvelden; *put on the ~(s)* inschrijven; **II** *ww* (doen) rollen, winden, (zich) wentelen; op-, voortrollen; rijden; slingeren (*van schip*); schommelen, waggelen; (rond)zwerven; woelen (*in bed*); trillen, laten trillen (*one's r's*); walsen (*~ed steel*), pletten (*~ed gold*); roffelen; *he is ~ing*, (*fam*) = *~ing in money* (zie beneden); *the ship ~ed and pitched* slingerde en stampte; ~ ***along*** voortrollen, -waggelen; ~ ***in*** *wealth* (*in money, in it*) bulken van het geld; ~ ***on*** voortrollen; voortstromen (*river*); spoedig komen; ~ ***out*** uitrollen; zich ontrollen; pletten; ~ ***up*** oprollen (*ook mil*); opdagen, verschijnen, komen aanzetten; '**roll-call** appèl; ook = ~ *vote* hoofdelijke stemming; **roller** ['rəulə] rol(letje), wals, cilinder; rolstok; roller: zware golf; slingerend schip; '**roller-blind** rolgordijn; '**roller-coaster** roetsjbaan, 'achtbaan'; '**roller-shutter** rolluik; '**roller-skate (-skating)** rolschaats(en); '**roller-towel** [-tauəl] rolhanddoek

rollicking ['rɔlikiŋ] dartel, uitgelaten, lustig

rolling ['rəuliŋ] **I** *bn* rollend, enz.; golvend (*landscape*); **II** *zn* het rollen, enz.; '**rolling-pin** deegrol; '**rolling-stock** rollend materieel

'**roll-neck** *sweater* coltrui; '**roll-on** (*ongev*) step-in; '**roll-'on** *roll-'off* rij-op-rij-af (*ferry*); '**roll-top** (*desk*) cilinderbureau

Roman ['rəumən] **I** *zn: a*) Romein; *b*) rooms-katholiek; **II** *bn: a*) Romeins; *b*) rooms; *c*) romaans (*bouwkunst*); *~ Catholic* rooms-katholiek; *~ numerals* Romeinse cijfers

romance [rə'mæns] **I** *zn* romance; romantisch verhaal; liefdesgeschiedenis; het romantische, romantiek; verdichting; verdichtsel; *hero of r~* romanheld; **II** *bn: R~* Romaans; **III** *ww: r~* romantische verhalen opdissen; fantaseren; **romantic** [rə'mæntik] **I** *bn* romantisch; **II** *zn* romanticus; **romanticism** [rə'mæntisizm] romantiek; **romanticist** [rə'mæntisist] romanticus

romp [rɔmp] **I** *ww* stoeien, dartelen, dollen; ~ *home*, (*sl*) op zijn gemak winnen; **II** *zn* stoeipartij

'**rompers** speelpak, kruippak (*van kind*)

rood-screen ['ru:dskri:n] koorhek met kruisbeeld

roof [ru:f] **I** *zn* dak; gewelf; plafond (*ook van vliegtuig en fig*); verhemelte (= ~ *of the mouth*); *~ organization* overkoepelende organisatie; *raise the ~*, (*fam*) ontploffen, uit zijn vel springen; **II** *ww* (als) met een dak bedekken; onder dak brengen (= ~ *in, over*); overdekken, beschutten; '**roof-beam** dakbalk; '**roof-boarding** dakbeschot; '**roof-garden** daktuin; '**roofing** dakbedekking; '**roofing-tile** dakpan; '**roofless** dakloos; '**roof-rack** imperiaal (*van auto*); **rooftop** dak

rook [ruk] **I** *zn* roek; toren (*schaaksp*); **II** *ww* bedriegen, afzetten

room [ru(:)m] **I** *zn: a*) ruimte, plaats; *b*) kamer, zaal, vertrek; (school)lokaal; *c*) aanleiding, reden, gelegenheid; *give ~ to: a*) plaats maken voor; *b*) aanleiding geven tot; *make ~ for* ruimte (plaats) maken voor; *there is ~ for improvement* er kan nog wel het een en ander verbeterd worden; *no ~ for hope* geen hoop (meer); **II** *ww* (*Am*) een kamer of kamers bewonen; *~ with* op één kamer wonen met; '**roominess** ruimte, grootte; '**room-mate** kamergenoot; '**room service** bediening op de (hotel)kamer; '**roomy** [-i] ruim, wijd, breed (*forehead*)

roost [ru:st] **I** *zn* roest (stok & nachthok voor kippen); slaapplaats, 'kooi'; verblijf; troep vogels; *at ~* op stok (*ook fig*); *his curses came home to ~* wreekten zich op hemzelf; **II** *ww* op stok gaan (zijn); slapen; huizen; van een slaapplaats voorzien; '**rooster** (*Am*) haan

root [ru:t] **I** *zn* wortel; wortelgewas; (*fig ook*) basis, grondvest; kern; grondtoon; *get at* (*go to*) *the ~ of the matter* tot de grond (de kern) der zaak doordringen, iets uitvorsen; *lie* (*be*) *at the ~ of* ten grondslag liggen aan; *pull up by the ~s* met wortel en tak uitroeien; *take* (*strike*) ~ wortel schieten; ~ *cause* grondoorzaak; **II** *ww* **1** (doen) wortelen, inwortelen, wortel (doen) schieten; *be ~ed in* wortelen in; ~ *out* (*up*) ontwortelen, uitroeien; **2** (om)wroeten, -woelen; (*fig*) snuffelen; ~ *about* (*around*) *in a cupboard* (rond)snuffelen in; ~ *for a person* iemand ondersteunen, iemand aanmoedigen; ~ *up* omwroeten; opschommelen; '**rooted** ingeworteld (*hatred*); '**rootless-(ness)** (*fig*) ontworteld (-ing)

rope [rəup] **I** *zn* touw, koord, draad; strop; snoer (*of pearls*); *give a p. ~* iem vrijheid van beweging laten, vooral om zijn eigen ongeluk te bewerken (= *give a p. ~ enough to hang himself*); *know the ~s* ingewijd zijn in (op de hoogte zijn van) iets, het klappen van de zweep kennen; **II** *ww* (vast)binden (overhalen, enz.) met of aan een touw; in-, afsluiten (= ~ ***in, off, out, round***); ~ ***in*** *ook:* erbij halen, binnenhalen, opstrijken (*money*); ~ ***into*** *ook:* verleiden tot; ~ ***up*** vastbinden; '**rope-dancer**, '**rope-walker** koorddanser(es); '**rope-ladder** touwladder

ropey ['rəupi] (*fam*) belabberd, gammel

rosary ['rəuzəri] rozenkrans

rose [rəuz] I *zn* roos (*ook:* huidziekte), rozet; rozekleur, roze; sproeier, spruit (*van gieter, enz.*); rozetsteen; rozetvenster; *it is not all ~s* niet alles rozegeur en maneschijn; *under the ~* onder de roos, in het geheim; *he's in a bed of ~s* hij zit op rozen; II *bn* rooskleurig, roze; '**rosebud** rozeknop; (*fig*) jong meisje; '**rosebush** rozestruik; '**rosegrower** rozenkweker; '**rose-hip** rozebottel

rosemary ['rəuzm(ə)ri] (*plant*) rozemarijn

rosette [rəu'zet] rozet

'**rose-window** roos-, rozet-, radvenster

'**rosewood** [-wud] palissander(hout)

roster ['rəustə, 'rɔstə] rooster, (naam)lijst

rostrum ['rɔstrəm] spreekgestoelte, podium, tribune, dirigentenlessenaar

rosy ['rəuzi] rooskleurig, (*fig*); blozend; rozen...

rot [rɔt] I *zn* verrotting, rot(heid); bederf; leverziekte (*van schapen*); (*sl*) klets, onzin (*what ~!*); *talk ~* uit zijn nek kletsen; *then the ~ set in* toen zakte de zaak in elkaar, dat was het begin van het eind; *stop the ~* de zaak (enz.) redden; II *ww* (doen) rotten, verrotten, vergaan; roten (*flax*)

rota ['rəutə] rooster, lijst

rotary ['rəutəri] I *bn* draaiend, rondgaand, wentelend, wervelend, draai..., rotatie..., roterend (*engine* motor); volgens rooster aftredend, enz.; II *zn* (*Am*) rotonde, verkeersplein; **rotate** [rəu'teit] (doen) draaien, omwentelen; (laten) afwisselen, rouleren; **rotation** [rəu'teiʃən] draaiing, omwenteling; rotatie; *in* (*by*) *~* bij toerbeurt; **rotatory** ['rəutə-, rəu'teitəri] draaiend, afwisselend

rote [rəut]: *by ~* machinaal, van buiten (*learn by ~*); *say by ~* afratelen

rotten ['rɔtn] (ver)rot, bedorven, vergaan; (*sl*) rot, beroerd, gemeen, treurig, ... van niks (*a ~ disciplinarian*); **rotter** ['rɔtə] (*sl*) kwal, snertvent, man (vrouw) van niks

rotund [rəu'tʌnd] rond; gezwollen, hoogdravend; vol (*van stem*); kort en dik, mollig; **rotunda** [-ə] rond gebouw of ronde zaal, rotonde

rouge [ru:ʒ] rouge (van het gelaat)

rough [rʌf] I *bn* ruw, ruig, grof; oneffen, hobbelig (*road*); nors, streng; wild, woest (*sea*); guur; moeilijk, hard (*time*); *it is ~ on her,* (*fam*) hard voor haar; *don't be ~ on her* pak haar niet te hard aan; *sleep ~* op straat, een bank, enz. sl; *~ copy* klad; *~ draft* (*draught*) ruwe schets, klad, (eerste) ontwerp; *~ and ready* zonder enig comfort; *~ luck* wanbof, pech; *if he starts any ~ stuff* begint op te spelen; II *zn* oneffen terrein; moeilijkheden, ontberingen; ruwe klant, woesteling; ruwe (onbewerkte) toestand (*van stoffen*); ***in** the ~: a*) in ruwe staat, in het ruwe, onbe-, onafgewerkt; *b*) overhoop, rommelig; op zijn alledaags; *c*) in het algemeen genomen (*true in the ~*); *take the ~ with the **smooth*** het nemen zoals het valt; III *ww* ruw maken; *~ it* zich ongemakken (ontberingen) getroosten; zich erdoorheen slaan; het hard te verantwoorden hebben; *~ **out*** ruw bewerken, schetsen, ontwerpen; *~ **up*** ruw maken; overeind zetten (gaan staan) (*van veren, enz.*); (*sl*) afranselen; vernielen; IV *bw: live ~,* zie *~ it*; '**rough-and-'tumble** I *bn* verward, druk, ongeregeld, regelloos, woest, door elkaar gegooid; II *zn* gebakkelei, verward gevecht of spel, woest toneel; '**roughcast** I *bn* ruw gepleisterd, onafgewerkt, grof; II *zn* ruwe pleisterkalk; ruwe schets; III *ww* berapen (*a wall*); ruw schetsen, ontwerpen; '**roughen** [-n] ruw maken of worden; '**rough-hewn** (*fig*) ruw, grof, ongepolijst; '**rough-house** [-haus] handgemeen, vechtpartij; herrie maken; ruw aanpakken; '**roughly** *ook = ~ speaking* globaal genomen, ten naaste bij, pak weg (*8 million*); ruwweg; '**roughneck** (*Am*) ruwe vent, woesteling; '**roughness** ruwheid, grofheid, guurheid, moeilijkheid enz. (zie *rough* I); '**roughshod** op scherp gezet; *ride ~ over* onder de voet rijden; vertrappen; zich niet storen aan; '**rough-spoken** ruw in de mond

round [raund] I *bn* rond; op de man af, openhartig (*assertion, question, tale*); *be ~ with a p.* iem ronduit de waarheid zeggen; *~ flight: a*) rondvlucht; *b*) heen- en terugvlucht; *~ number* (afge)rond getal; *~ sum* aanzienlijk bedrag; *~ trip* rondreis; heen- en terugreis; (*Am ook*) retour; II *bw* (*Am* meestal *around*) rond; om (*a long way ~*); rondom; in het rond, in de omtrek; *all the year ~* het hele jaar door; *all ~* in het rond, overal; in alle opzichten (*an honest man all ~*); voor iedereen (*make things pleasant all ~*); *~ about* (rond)om, in het rond; langs een omweg; *~ about 25p.* om en bij; *I'll ask him ~* bij me (hier) te komen; *come ~ and see me* kom me eens opzoeken; *order the car ~* laten vóórkomen; III *vz* (*Am* meestal *around*) (rond)om, om ... heen; (*Am*) (*= ~ about*) omstreeks (*~ tea-time*); *argue ~* (*and ~*) *a subject* om een zaak heen praten; *work ~ the clock* werken zonder onderbreking; IV *zn* bol; kring; ring, cirkel, bocht; sport (*van ladder*); *theatre in the ~* théatre en ronde; omtrek; omwenteling, om-, kringloop, ommegang, rondreis, -wandeling; wijk (*paper, milk ~*); routine (*the daily ~*); toer (*bij het breien*); ronde, rondje; rondedans, -lied, canon; portie, rantsoen; patroon; salvo (*= ~ of fire*); *30 ~s of ammunition* patronen; *~ of golf* spelletje golf; *go* (*make*) *one's ~s* de ronde doen; V *ww* (zich) ronden, rond maken of worden; afronden; omringen; omgaan, -slaan; omzeilen (*a cape*); zich omdraaien; *~ **off*** afronden (*upwards, downwards* naar boven, naar beneden; ook: *~ up, down*), afwerken, voltooien; *~ on* (*a person*) iem aanvallen; *~ **out*** aanvullen; voller worden (*van wangen, enz.*); (*Am*) *= ~ off; ~ **to***

(*scheepv*) bijdraaien; ~ ***up*** bijeendrijven (*cattle*), oppakken (*criminals, stray dogs*), gevangen nemen, 'opruiming' houden onder; verzamelen; **'roundabout** I *bn* wijdlopig; eromheen draaiend; rond; gezet; ~ *journey* reis met veel bezwaren of moeilijkheden; ~ *way* omweg; II *zn* omweg; omhaal; draaimolen; rondreis; rotonde, verkeersplein; **'rounded** [-id] (af-)gerond; **'roundish** tamelijk rond; **'roundly** rond(uit), vierkant, geducht (*he was ~ abused*); krachtig, flink; ~ *three per cent.* afgerond; **'roundness** rondheid; **'roundsman** [-zmən] bezorger (*van brood, enz.*); **'round-the-'clock** dag en nacht; **round 'trip** I *bn* retour (*ticket*); II *zn* retour(reis); **'round-up** het bijeendrijven, 'klopjacht', razzia (*vgl het ww*)

rouse [rauz] (op)wekken, wakker maken (schudden); aan-, opporren (= ~ *up*); prikkelen, boos maken (= ~ *to anger*); opjagen (*game*), doen opschrikken; **rousing** opwekkend, prikkelend; bezielend; geestdriftig, enthousiast (*welcome, cheers*)

rout [raut] I *zn* verwarde vlucht; verpletterende nederlaag; II *ww* op de vlucht drijven, totaal verslaan (ook *put to* (*the*) ~)

route [ru:t, (*mil & Am ook*) raut] I *zn* weg, route; *en* ~ onderweg; II *ww* verzenden (*goods*); leiden (langs een route)

routine [ru:'ti:n] id., gewone gang van zaken; regel; sleur

rove [rəuv] (om)zwerven, door-, afzwerven; dwalen (*van ogen*); *roving commission* (commissie met) uitgebreide opdracht; *have a roving eye* op eigen belang uit zijn; een rokkenjager zijn; *roving shot* schot in het wilde; **'rover** [-ə] zwerver; zeerover, -schuimer (= ~ *of the seas*)

1 row [rəu] *zn* rij (*in a* ~ op ...), reeks; huizenrij; straat; *five nights in a* ~ achtereen

2 row [rəu] I *ww* roeien; roeien tegen (*bij wedstrijd*); II *zn* roeitochtje

3 row [rau] (*fam*) I *zn* herrie, ruzie, standje, scène, rotzooi; *what's the ~?* wat is er aan het handje?; *get into a* ~ herrie krijgen; II *ww* herrie (ruzie) maken, opspelen

rowdy ['raudi] I *zn* ruwe kerel, herriemaker, woesteling; II *bn* ruw, woest, lawaaierig

rower ['rəuə] roeier; **rowing** ['rəuiŋ] het roeien; **'rowing-boat**, **'rowing-match** roeiboot, -wedstrijd; **rowlock** dol, roeipen

royal ['rɔiəl] I *bn* koninklijk, vorstelijk, konings...; prima, eerste klas; ~ *commission* staatscommissie; ~ *warrant* koninklijk besluit; II *zn* lid der koninklijke familie; koninklijk personage; **'royalism** [-izm] koningsgezindheid; **'royalist** koningsgezind(e); **'royalty** [-ti] koningschap; koninklijk gezag; koninklijkheid; vorstelijke personen (*entertain* ~); recht (bezitting) der Kroon; door de Kroon verleend recht; (auteurs- enz.) honorarium (per verkocht exemplaar, uitvoering enz.)

rpm *revolutions per minute*

rub [rʌb] I *ww: a*) (af)wrijven, schuren (langs), poetsen, boenen; *b*) zich laten wrijven (*it will easily ~ to pieces*); ~ *one's eyes* zich de ogen uitwrijven (*at* over); ~ *shoulders with* in aanraking komen met; (familiaar) omgaan met; ~ (***up***) *the wrong way* tegen de vleug (het haar) in strijken; prikkelen; ~ ***along*** *together* samen tamelijk goed opschieten; ~ ***down*** afwrijven, -schuren; roskammen; ~ *o.s. down* zich oppoetsen; ~ ***in*** inwrijven; ~ *it in* (***into*** *a p.*) erop blijven hameren, het iem onder de neus wrijven; ~ ***off*** (zich laten) afwrijven, afschuren; er (door wrijven) afgaan, verdwijnen; afgeven (*it does not ~ off*); zich overdragen, afgeven (*on to* op); ~ ***out*** uitwrijven, uitvegen, ~ ***up*** opwrijven; ophalen (*old stories*), opfrissen (*a p.'s memory, one's French*); fijnwrijven; II *zn* het ...; wrijving; hindernis, botsing; moeilijkheid, onaangenaamheid; schimp, hatelijkheid, steek; *there's the* ~ daar zit 'm de knoop; **rubber** ['rʌbə] 1 wrijver, zie *rub;* wrijfkussen (*elektr*), -lap, -borstel, enz.; rubber, gummi, vlakgom; (*sl*) condoom; ~*s*, (*Am*) overschoenen; 2 robber (*bij kaartsp*); **'rubberneck(er)** (*sl*) I *zn* nieuwsgierige, kijklustige; II *ww* nieuwsgierig rondkijken (*Am*); **'rubber-'stamp** I *zn* rubberstempel; sleurbureaucraat; II *ww* afstempelen; verstandeloos goedkeuren; **'rubbery** rubberachtig; **rubbing** ['rʌbiŋ] vgl *rub;* afwrijfsel (van grafsteen, enz.), wrijfprent (= *brass* ~)

rubbish ['rʌbiʃ] I *zn* puin; uitschot, afval; prullaria, bocht; rommel; nonsens, klets; ~ *shot here* hier mag puin gestort worden; II *ww* (*sl*) afkraken; **'rubbish-dump** [-dʌmp] vuilnisbelt, -stortplaats

rubble ['rʌbl] puin (van afbraak)

rubicund ['ru:bikənd] (*vero*) (hoog)rood, blozend

rubric ['ru:brik] rubriek (titel, afdeling, examenregels, liturgisch voorschrift)

ruby ['ru:bi] I *zn* robijn; robijnkleur; rode wijn; II *bn* robijnen; robijnrood

ruck [rʌk] I *zn* menigte, troep; *the* ~ de (grote) hoop; II *ww* rimpelen, opkruipen (van kleding) (= ~ *up*)

rucksack ['rʌk-, 'ruksæk] rugzak

rudder ['rʌdə] roer(blad); (*luchtv*) richtingsroer

ruddy ['rʌdi] blozend, met frisse kleur, rood, ros(sig); (*fig*) krachtig, gezond

rude [ru:d] ruw; primitief; grof; onopgevoed, onbeschaafd, lomp, onbeleefd; hard, streng; woest (*landscape*); robuust, krachtig

rudiment ['ru:dimənt] id.: onvolkomen ontwikkeld orgaan; ~*s* eerste beginselen; **rudimentary** [ru:di'mentəri] aanvangs...; elementair; rudimentair

rue [ru:] (*vero, lit*) berouw hebben over, betreuren

ruff [rʌf] plooikraag; kraag van veren of haar

ruffian ['rʌfjən] bandiet, woesteling, schurk

ruffle ['rʌfl] I *ww: a*) (zich) rimpelen, kreukelen, frommelen; *b*) in de war brengen; overeind zetten (= ~ *up* van veren); *c*) verstoren, uit zijn humeur brengen of geraken; ~ (*up*) *a p.'s feathers* iem boos maken; II *zn* rimpeling, fronsing; geplooide kraag (rand, strook), jabot; kraag van veren, enz.; '**ruffled** [-d] *ook:* met *ruffle*(*s*)
rug [rʌg] (reis)deken; (vloer-, haard)kleedje
rugged ['rʌgid] ruw, ruig; onregelmatig en scherp (*features*); zwaar (*task*); streng, nors; stoer; (*Am*) krachtig, robuust
rugger ['rʌgə] (*fam vero*) rugby (voetbal)
ruin ['ru(:)in] I *zn* ondergang, vernietiging, verderf; ruïne, puin(hoop), bouwval (= ~*s*); wrak (*fig*); *lie in* ~(*s*) in puin liggen; *bring to* ~ te gronde richten; *he has been the* ~ *of me* is mijn ondergang geweest; II *ww* vernielen, verwoesten; ruïneren, te gronde richten; totaal bederven (*one's eyes*); **ruination** [ru(:)i'neiʃən] (*fam*) vernieling; ondergang, verderf; '**ruined** [-d] bouwvallig, in puin liggend; **ruinous** [-əs] kostbaar, veel te duur; verderfelijk, ruïneus
rule [ru:l] I *zn* regel, levensregel; rechterlijke beslissing; heerschappij, bestuur, bewind, regering; duimstok (= *carpenter's* ~), liniaal; streep(je); ~*s, ook:* reglement(en); ~ *of action* gedragsregel, -lijn; ~ *of the house* (*club, firm, etc*) huisregel; ~ *of the road* verkeersregel(s), uitwijkbepalingen (ook op zee); ***as a*** ~ in de regel; ***by*** ~ volgens een vaste regel; machinaal; *work* ***to*** ~ precies doen (niets meer of minder doen dan) wat voorgeschreven is, een stiptheidsactie voeren; II *ww* beheersen, regeren, bedwingen; heersen (*over* over); de baas zijn; beslissen (van rechter, enz.); liniëren (*paper*); trekken (= ~ ***off****: lines*); ~ ***out*** uitsluiten, uitschakelen; '**rule-of-'thumb** [-əv'θʌm] I *bn* praktisch, maar onwetenschappelijk; II *zn* vuistregel; **ruler** ['ru:lə] *a*) regeerder, bestuurder, heerser; *b*) liniaal; **ruling** ['ru:liŋ] I *bn* (over)heersend; ~ *idea* leidende gedachte; II *zn: a*) liniëring; *b*) (rechterlijke) beslissing
rum [rʌm] rum; (*Am*) sterke drank
rumble ['rʌmbl] I *ww* rommelen, dreunen, rollen; (*van maag*) knorren; II *zn* gerommel, gedreun
ruminant ['ru:minənt] herkauwer; **ruminate** ['ru:mineit] herkauwen; (*fig*) (be)peinzen, overdenken (= ~ *over, about*)
rummage ['rʌmidʒ] I *ww* doorzoeken, doorsnuffelen, snuffelen in, overhoop halen (= ~ *about*); snuffelen (*among* in); ~ *out* (*up*) opsnorren; II *zn* gesnuffel, doorzoeking; rommel
rumour ['ru:mə] gerucht, praatje(s); ~ *has it that* ... het gerucht loopt, dat ...; '**rumoured**: *it is* ~ *that* ... het gerucht loopt, dat ...; '**rumour-monger** [-mʌŋgə] verspreider van praatjes
rump [rʌmp] stuit(been); achterste, staartstuk; overschot, restant
rumple ['rʌmpl] kreukelen, vouwen, verfrommelen (= ~ *up*), in de war maken (*one's hair*)
rumpsteak ['rʌmp,steik] rosbief
rumpus ['rʌmpəs] (*fam*) kabaal, trammelant
run [rʌn] *ran, run;* I *ww* (hard) lopen, snellen, hollen, rennen, gaan; klimmen, kruipen (*van plant*); ver-, aflopen; geldig (van kracht) zijn, in omloop zijn; weglopen; varen, zeilen, stomen; aflopen (*van kaars*); smelten; stromen (van: ~ *blood*); (uit)vloeien, dóórlopen (*van kleuren*); schiften (*van melk*); lekken; tranen, overlopen (*her eyes were* ~*ning*); luiden (*the letter* ~*s as follows*); meedoen, meedingen, (*inz. Am*) kandidaat zijn; vervolgen (*one's course*); afleggen (*a mile*); smokkelen (*guns*); verbreken (*a blockade*); laten lopen (*a train; a ship on the rocks*); laten (vol)lopen (*a bath*); laten meedoen, stellen (*a candidate*); brengen (*a newspaper story*); uitvoeren (*tests*); laten dwalen (*one's eyes round the room*); laten oplopen (*bills*); besturen, drijven (*a business*), exploiteren; *seven ran,* (*wedren*) er waren 7 deelnemers; ~ *dry: a*) opdrogen; *b*) op-, uitgeput raken; ~ *foul of* stoten op (*a rock*); ~ *hard* op de hielen zitten (*ook fig*); ~ *high* hoog zijn (*van prijzen*); hoog gestemd zijn (*expectations ran high*); hoog stijgen; *feeling ran high* de gemoederen werden verhit; *my nose* ~*s* ik heb een druipneus; *the train is* ~*ning* (*an hour*) *late* de trein is (een uur) over tijd; ~ *low* opraken; *the play is* ~*ning at* ... gaat in ...; ~ *a race a*) een wedren houden; *b*) deelnemen aan ...; ~ *short: a*) opraken; *b*) gebrek krijgen (*of* aan); ~ *the show* de zaak drijven, alles regelen; de lakens uitdelen, baas spelen; ~ *smooth* zacht lopen (*van fiets, enz.*); *his life* ~*s smoothly* verloopt kalm; ~ ***about*** rondlopen; ~ ***across*** tegen het lijf lopen, toevallig ontmoeten; ~ ***after*** nalopen, weglopen met (*fig*); *much* ~ *after* zeer gezocht (gewild); ~ ***against****: a*) tegen ... aan lopen, tegen het lijf lopen; *b*) gericht zijn tegen, ongunstig zijn; *c*) (*Am*) tegenkandidaat zijn van; *I ran my head against the door* liep met; ~ ***aground*** aan de grond (op het strand) lopen of zetten; ~ ***ahead*** *of things* op de zaken vooruitlopen; ~ ***at*** aanlopen, -vliegen op; ~ ***away*** weglopen, op de loop (ervandoor) gaan, op hol slaan; ~ *away from* uit de weg gaan (*one's responsibilities*); *don't let your feelings* ~ *away with you* laat je niet meeslepen door ...; ~ ***down*** aflopen (*van uurwerk*); opraken, uitgeput raken; afnemen, in verval geraken; doorlopen; opsporen; omverlopen, -varen, overrijden; ~ *down to Brighton* even overwippen naar; *feel* ~ *down* zich 'op' voelen; ~ ***for*** *it,* (*fam*) het op een lopen zetten; ~ *for Parliament* kandidaat zijn voor; ~ ***in*** binnenlopen (*van trein*); inlopen (*a motor*), inrijden (*a new car*); (*fam*) inrekenen (*a thief*); *it* ~*s in the blood* (*the family*) zit in het bloed (de familie); *the phrase* ~*s in my head* speelt me door het hoofd; ~ ***into*** binnenlopen; overgaan in; aanlopen, -rijden, oplopen (tegen); aanvaren; ~ *into debt* schulden

maken; ~ *into large sums* belopen; ~ ***off*** ervandoor gaan; (laten) afvloeien; plotseling afdwalen; (*typ*) afdraaien, afdrukken (*1000 copies*); ~ ***on*** (*bw*) voortlopen, -gaan; doorgaan; voorbijgaan (*van tijd*); ~ ***on*** (*vz*) = ~ *upon*; ~ ***out*** aflopen (*van termijn, contract*); eruit lopen, lekken; opraken (*van voorraad*); uitsteken; uitlopen (*van plant*); *we are ~ning* ***out of*** *ammunition* onze ... raakt op; *we're ~ out of milk* zitten zonder; ~ *out on* in de steek laten (*a p.*); ~ ***over*** overlopen, doorlopen, nagaan (*an account*); fouilleren; opnemen (met de ogen); overrijden; laten gaan over (*one's eye over the paper*); ~ ***through*** lopen door; doorlopen, -gaan; doormaken (*experiences*), beleven (*many editions*); doornemen, vlug doorzien (*a text*); halen (~ *a comb through one's hair*); *the tune ran through my head* speelde me door ...; ~ ***to*** oplopen tot, bedragen; *the supplement will ~ to eight numbers* zal bestaan uit, omvatten; *the paper ran to only 15 issues* beleefde, haalde; ~ *to earth*, (*fig*) te pakken krijgen (*a criminal*), opsnorren; ~ ***up*** (laten) oplopen (*to* tot); opschieten; krimpen; (*sp*) als tweede eindigen; opdrijven (*prices*); hijsen (*a flag*); optrekken (*a wall*); ~ *up debts* (*a bill*) ... maken; ~ *up against* aanlopen, -rijden tegen; tegen het lijf lopen; in botsing komen met (*the law*); ~ *up to London* even naar Londen gaan; ~ (***up***)***on*** (*van gesprek*) lopen over; ~ *upon a p.* tegen het lijf lopen; **II** *zn* loop; aanloop; toeloop (*of customers*); verloop; vaart, tocht(je), rit(je), reis, uitstapje; wedloop, -ren; (*cricket, honkbal*) run; beek(je); richting (*of the hills*); inrichting (*know the ~ of the house*); gang; (*muz*) loopje; stuk (*of a pipe*), lengte; periode (*of cold weather*); oplage (*a ~ of 20,000 copies*); slag, soort; troep, partij; baan; (kippen)ren, loop(ruimte); vrije toegang, vrij gebruik; *have the ~ of the house* overal in huis mogen komen, veel (*bij iem*) over de vloer komen; *I'd give it a ~* ik zou het eens proberen; *the Liberals had a long ~ of power* waren lang aan het roer; *make a ~ of it* ervandoor gaan; ***at*** *a ~* op een draf(je); ***in*** *the long ~* op den duur; ***on*** *the ~: a*) op de loop, voortvluchtig; *b*) in de weer; **runabout** ['rʌnəbaut] (*sl*) autootje, wagentje, karretje; **runaround** ['rʌnəraund]: *be given the ~*, (*Am*) met een kluitje in het riet gestuurd worden; *give/get the ~* bedriegen/bedrogen worden (*husband, wife*); **runaway** ['rʌnəwei] **I** *zn: a*) vluchteling; deserteur; *b*) op hol geslagen paard; *c*) vlucht, schaking; **II** *bn* weggelopen; op hol geslagen (*horse*); niet in te tomen (*crisis*); niet naar het stuur (de remmen) luisterend (*motor-car*); **run-down** ['rʌn'daun] **I** *bn* afgelopen (*van uurwerk*); scheef (*heels*); ontladen; vervallen; verlopen; uitgeput, 'op'; **II** *zn* vermindering (van aantal troepen, enz.); (puntsgewijze) samenvatting, overzicht

rung [rʌŋ] spijl; spaak, sport (*van ladder*)

run-in ['rʌnin] aanloop, aanvlucht; (*sl*) ruzie

runner ['rʌnə] loper; hardloper; *front ~* voorloper; renpaard; deelnemer aan ren; loopvogel; bode; bankloper; ordonnans; krantenbezorger; blokkadebreker; smokkelaar; schuifring; roller(tje); schaats; gleuf; **'runner 'bean** klim-, stokboon; **'runner-'up** in de laatste ronde verslagen mededinger; no. 2; **running** ['rʌniŋ] **I** *bn* (door)lopend; op-, achtereenvolgend (*days*); onafgebroken (*fire*); vluchtig; loop..., schuif...; *five times ~* ... achtereen; ~ *commentary* doorlopende commentaar, ooggetuigeverslag; ~ *cost(s)* bedrijfskosten; ~ *start* aanloop; vliegende start; **II** *zn* het lopen; loop; (wed)ren; bestuur, beheer; *be in* (*out of*) *the ~* kans (geen kans) hebben; *put a p. in the ~* op de hoogte brengen; **'running mate** (*Am, ongev*) tweede man (*inz. kandidaat voor vicepresidentschap*)

run-of-the-mill [ˌrʌnə(v)ðə'mil] gewoon, doorsnee

'run-'through (*theat*) het doornemen (*van tekst*), eerste repetitie; **'run-'up** aanloop; **'runway** (*luchtv*) startbaan

rupture ['rʌptʃə] **I** *zn* breuk; scheuring; verbreking; **II** *ww* (ver)breken, (doen) springen, (door)breken; een breuk krijgen

rural ['ruərəl] landelijk; plattelands...; ~ *policeman* veldwachter; ~ *district council* streekraad

ruse [ru:z] (krijgs)list, kunstgreep

rush [rʌʃ] **I** *zn* **1** bies, rus; **2** stormloop (*ook fig*), aanloop, (ge)ren, onstuimig opdringen, vaart; haast; gedrang, aandrang (*of blood to the head*); vlaag; plotselinge drukte, grote toeloop; plotselinge trek (*to the goldfields*); levendige vraag (*for, on* naar); geraas, geruis; ~ *of tears* plotselinge tranenvloed; **II** *ww* (zich) storten, drijven, stormen (*into, out of, the room*), (doen) rennen (vliegen, snellen, enz.), stromen; snel vervoeren (*to hospital*); 'jagen', jachten; bestormen (*the boats*), overrompelen, stormenderhand nemen (*a fort*); overijld te werk gaan (met); afroffelen; ruisen; ~ *an election* overhaast houden; *I am not going to be ~ed* zal me niet laten jachten; ~ ***after*** nasnellen; ~ ***at*** losstormen enz. op; ~ ***in*** *upon a p.* iem ineens op het lijf vallen; ~ ***into*** *extremes* tot uitersten vervallen; ~ *a p. into* ... door overijling brengen tot; ~ *a p.* ***off*** *his feet* iem overrompelen; ~ ***on****: a*) voortsnellen; *b*) met veel haast doorzetten; ~ ***past*** voorbijsnellen; ~ *a bill* ***through*** een wetsontwerp erdoor jagen; **'rush-hour** spitsuur; **rush-job** karwei (werk) waar haast bij is

russet ['rʌsit] roodbruin

Russia ['rʌʃə] Rusland; **'Russian** [-n] Rus(sisch)

rust [rʌst] **I** *zn* roest (*ook bij planten*); **II** *ww* (doen) roesten, verroesten; roestkleurig worden of maken; (doen) afstompen

rustic ['rʌstik] **I** *bn* boers, landelijk; rustiek

(*bridge,* enz.); II *zn* plattelander; (boeren)kinkel; '**rusticate** [-eit] sjezen, tijdelijk wegzenden (van hogeschool)
rustle ['rʌsl] I *ww: a*) (doen) ritselen, ruisen; *b*) bemachtigen, stelen; ~ *up* bemachtigen, opscharrelen; opbrengen (*a little gratitude*); II *zn* geritsel, geruis; '**rustler** [-ə] veedief
'**rust-proof** roestvrij; '**rusty** [-i] roestig; ouderwets; rood (ontkleurd); knorrig, ruw; stram; krassend (*voice*); *my French is* ~ mijn Fr moet worden opgehaald/opgefrist
rut [rʌt] I *zn* 1 wagenspoor; groef, voor; sleur, routine; 2 bronst(tijd); II *ww* 1 met sporen doorsnijden; 2 bronstig zijn
ruthless ['ru:θlis] meedogenloos
rutting ['rʌtiŋ] I *bn* bronstig; II *zn* bronst; '**rutting-season** [-si:zn] bronsttijd
rye [rai] rogge; (*Am*) uit rogge gestookte whisky

Sss

-s achtervoegsel voor het mv: *cats, dogs, etc.;* achtervoegsel voor de 3e pers ev: *he works*
's *is, has, us* (*let's go = us*); soms: *does* (*what's he look like?*); achtervoegsel om bezit aan te geven (*the boy's father*)
sabbath ['sæbəθ] sabbat, rustdag; **sabbatic(al)** [sə'bætik(l)] sabbats...; rust...
sable ['seibl] I *zn* zwart; II *bn* (*herald*) sabel
sabotage ['sæbətɑ:ʒ] I *zn* id.; II *ww* saboteren
sabre ['seibə] (cavalerie-, scherm)sabel
sachet ['sæʃei] id., reukkussentje, -zakje
sack [sæk] I *zn* 1 (jute) zak; *get* (*give*) *the* ~, (*fam*) de bons krijgen (geven); 2 plundering; *put to* ~ plunderen; 3 Spaanse wijn; II *ww* 1 (*fam*) de bons geven, aan de dijk zetten; verslaan; 2 plunderen; **sackcloth** ['sækklɔ(:)θ] zaklinnen, zakkengoed
sacral ['seikrəl] sacraal, heilig, gewijd
sacrament ['sækrəmənt] *a*) id.; *b*) Avondmaal; **sacramental** [sækrə'mentl] *a*) sacramenteel, gewijd; *b*) Avondmaals...
sacred ['seikrid] heilig, geheiligd, gewijd (*history, music*); kerk...; onschendbaar; ~ *from* gevrijwaard voor (~ *from attack*), veilig voor
sacrifice ['sækrifais] I *zn* offer(ande), opoffering; *attr* ook = *sacrificial; at the* ~ *of* met opoffering van; II *ww* (op)offeren
sacrilege ['sækrilidʒ] heiligschennis; **sacrilegious** [sækri'lidʒəs] heiligschennend
sacristan ['sækristən] koster
sacristy ['sækristi] sacristie
sacrosanct ['sækrəusæŋkt] heilig, onschendbaar
sad [sæd] droevig, bedroefd, treurig (*ook fig: a* ~ *coward*); jammerlijk; somber; donker (*colours*); *a* ~ *state of affairs* een droevige toestand; ~ *to say* ... jammer genoeg ...; '**sadden** [-n] bedroeven, bedroefd (droevig, somber) maken of worden
saddle ['sædl] I *zn* zadel; rug-, lendestuk (*of mutton*); *be in the* ~, (*fig*) aan het roer zitten; II *ww* zadelen; ~ *up* opzadelen; ~ *a p. with s.t.,* ~ *s.t.* (*up*)*on a p.* iem iets opleggen, opschepen met iets; iets op iem afschuiven (~ *a p. with the responsibility*); '**saddlebag** zadelzak, zadeltas; '**saddler** [-ə] zadelmaker; '**saddle-roof** zadeldak
sadism, **sadist** ['seidizm, -ist] sadisme, -ist; **sadistic** [sæ'distik, sə-] sadistisch
sadly ['sædli] zie *sad; ook:* erg, akelig; **sadness** ['sædnis] droefheid, treurigheid enz. (zie *sad*)
safe [seif] I *bn* veilig, zeker, behouden; gerust;

vertrouwd, solied; *is he ~ for £1000?* goed voor; *it is on the ~ side not to go out* het veiligste; *be on the ~ side, ook:* het zekere voor het onzekere nemen; *it is ~ to say ...* men kan veilig zeggen ...; *you are perfectly ~ in drinking it* kunt het gerust drinken; *he is a ~ first* wordt stellig no. l; *arrive ~ and sound* gezond en wel; *play ~* voorzichtig handelen, het zekere voor het onzekere nemen; *~ from attack* beveiligd tegen; *~ conduct, ~ convoy* vrijgeleide; *~ custody* veilige (verzekerde) bewaring; II *zn: a*) brandkast, kluis, safeloket; *b*) provisie-, vliegenkast; **'safe-'conduct** vrijgeleide; **'safe-deposit** [-diˌpɔzit] (brand)kluis; *~ box* safeloket; *~ vault* (brand)kluis; **'safeguard** [-ga:d] I *zn* vrijbrief; vrijgeleide; bescherming, waarborg, voorzorg(smaatregel); II *ww* beveiligen, beschermen, waarborgen; **'safekeeping** bewaring, hoede, veiligheid; **'safely** [-li] zie *safe; ook:* gerust; **safety** ['seifti] veiligheid, enz. (zie *safe*); veiligheidsinrichting; *~ first* (*bn*) voorzichtig; **'safety-belt** redding(s)gordel; autogordel, veiligheidsriem; **'safety-catch** veiligheidspal; **'safety-first** geen risico nemen; **'safety-pin** veiligheidsspeld; **'safety-razor** veiligheidsscheermes; **'safety-valve** veiligheidsklep (*ook fig*)

saffron ['sæfrən] saffraan

sag [sæg] I *ww* (doen) door- of verzakken, zakken, hangen, doorbuigen; afnemen, (in prijs) dalen (= *~ down, away, off*); II *zn* verzakking, doorbuiging

saga ['sa:gə] (Noorse of IJslandse) id.; familiekroniek

sagacious [sə'geiʃəs] scherpzinnig, schrander; **sagacity** [sə'gæsiti] scherpzinnigheid, schranderheid

sage [seidʒ] **1** salie; **2** (*dikw iron*) wijze, wijsgeer

said [sed] (boven)genoemd, gemeld, voormeld

sail [seil] I *zn: a*) zeil, zeilen (ook = schepen; *a fleet of 50 ~*); schip; *b*) (molen)wiek; *c*) zeiltocht(je); *under ~* onder zeil; *make* (*set*) *~ for* onder zeil gaan naar; II *ww* (uit)zeilen, (uit-, af)varen, stevenen, glijden; bevaren (*the sea*); (be)sturen (*a yacht*); laten zeilen (*paper boats*); **'sailer** zeiler, zeilschip; **sailing** ['seiliŋ] het zeilen & zeilend (zie *sail*); afvaart; **'sailing-boat** zeilboot; **'sailing-match** zeilwedstrijd; **'sailing ship** zeilschip

sailor ['seilə] matroos, zeeman; *I am a good* (*bad, poor*) *~* heb niet veel (heb veel) last van zeeziekte; **'sailor-like**, **'sailorly** [-li] als (van) een matroos

saint [seint; *onbetoond:* s(ə)nt] I *bn* sint, heilig; II *zn* heilige; **'sainted** [-id] heilig (verklaard); zalig, vroom; **'sainthood** [-hud] heiligheid; **'saintly** [-li] als (van) een heilige; vroom

sake [seik]: *for the ~ of, for ...'s ~* ter wille van; *for God's* (*heaven's, mercy's, goodness'*) *~* om godswil, in 's hemels (gods)naam; *for old time's ~* uit oude vriendschap

salable ['seiləbl] verkoopbaar; gewild; *salable value* verkoopwaarde

salacious [sə'leiʃəs] wellustig, wulps, geil

salad ['sæləd] salade, sla; *~ bar* saladbar; **'salad bowl** [-bəul] slabak; **'salad cream** [-kri:m] slasaus; **'salad days** (*lit*) 'groene' (onervaren) jeugd; **'salad dressing** slasaus; **'salad oil** slaolie

salamander ['sæləmændə] salamander

salaried ['sælərid] gesalarieerd, bezoldigd; **salary** ['sæləri] salaris, bezoldiging; (*Belg*) jaarwedde

sale [seil] verko(o)p(ing); verkoopcijfers (= *~s*); veiling; uitverkoop (= *~s*); *~ of tickets* kaartverkoop; *~ of work* liefdadigheidsbazaar; *the ~s are on* het is uitverkoop; *for* (*on*) *~* te koop; *put on ~* in de verkoop brengen; **'sale-price** (uit)verkoopprijs; **'sale-room** verkooplokaal, veilinglokaal; **sales** [seilz] zie *sale; ~ department* verkoopafdeling; *~ promotion* verkoopbevordering; **'salesgirl** winkelmeisje, verkoopster; **'salesman** [-mən] *a*) verkoper, winkelbediende; *b*) vertegenwoordiger; *c*) handelsreiziger; colporteur; **'salesmanship** verkoopkunde; **salesperson** verkoper, verkoopster; **'sales slip** kassabon; **'sales talk** verkooppraatje(s); **'saleswoman** verkoopster

salient ['seiliənt] uitspringend (*van hoek*), uitstekend; opvallend, treffend, saillant

saline ['seilain, sə'lain] *bn* zout(houdend), zoutachtig, zout...

saliva [sə'laivə] speeksel; **salivate** ['sæliveit] (doen) kwijlen

sallow ['sæləu] I *bn* ziekelijk geel (bleek), vaalbleek, vuilgeel; II *zn* (grauwe) wilg, waterwilg

sally ['sæli] I *zn* uitval; uitbarsting (*fig*); sprong (*fig*); inval, geestige zet of opmerking (= *~ of wit*); II *ww: ~ forth, ~ out* een uitval doen (*ook fig*), er op uit trekken

salmon ['sæmən] zalm; zalmkleur(ig)

salon ['sælɔn] id.

saloon [sə'lu:n] salon (*van kapper, enz*); grote kajuit; (*Am*) tapperij, bar; **'saloon(-bar)** duurste gelagkamer in *public-house*; **'saloon car** sedan

salt [sɔ(:)lt] I *zn: a*) zout; *b*) geestigheid, vernuft; *c*) zoutvaatje, -vat; *d*) (*fam*) zeerob (= *old ~*); *he is worth his ~* is de kost (*ook:* zijn gezelschap) waard; *take it with a grain* (*a pinch*) *of ~* het met een korreltje zout nemen; II *bn* zout, zilt; gezouten, (*fig*) pittig, sterk gekruid, gepeperd, duur; III *ww* (in)zouten (= *~ down*), pekelen; zout laten likken (*cattle*); met zout bestrooien (behandelen); (*fig*) kruiden; vervalsen (*the books*); peperen (*an account*); **'salt-cellar** zoutvaatje; **'salted** [-id] (*fig*) gekruid; zie ook *salt ww*; **'saltish** zoutachtig, brak, zilt; **'saltless** [-lis] zouteloos; **'saltness** zoutheid; **'salty** [-i] zout(achtig); pikant

salubrious [sə'lu:briəs] gezond, heilzaam

salutary ['sæljutəri] heilzaam; gezond

salutation [sælju'teiʃən] groet, begroeting; (*in brief*) aanspreking; **salute** [sə'l(j)u:t] I *ww*

sal

(be)groeten, salueren; saluutschoten lossen (voor); II *zn* groet, begroeting; saluut(schot, -schoten)
salvage ['sælvidʒ] I *zn* berging; redding; bergloon; het geborgene; II *ww* bergen (*a cargo, etc.*), redden, in veiligheid brengen
salvation [sæl'veiʃən] verlossing, zaligheid, redding; *S~ Army* Leger des Heils; **salvationist** I *zn* heilsoldaat; II *bn* van het heilsleger
salve [sælv, sɑ:v] *zn* zalf, balsem, zalfje (*ook fig:* 'pleister') *ww* sussen (*one's conscience*), verbloemen
salver ['sælvə] presenteerblad
salvo ['sælvəu] salvo
same [seim] zelfde; bovengenoemd; gelijk, eentonig; (*the*) *~, all the ~, just the ~: a*) precies hetzelfde (eender); *b*) niettegenstaande dat, met dat al, toch; *at the ~ time: a*) tezelfder tijd; *b*) toch, niettemin; *~ to you!* hetzelfde! insgelijks!; '**sameness** [-nis] gelijkheid; eentonigheid
sample ['sɑ:mpl] I *zn* monster, staal; (*fig*) (voor)proefje, staaltje; *attr* proef... (*copy* nummer); *~ of no* (*~ without*) *value* monster zonder waarde; II *ww* monsters trekken uit; keuren, proeven; proberen; ondervinding opdoen van; staaltjes geven van; tot voorbeeld dienen van; '**sample-order** proeforder; **sampler** stop-, borduurlap
sanatorium [ˌsænə'tɔ:riəm] sanatorium
sanctify ['sæŋ(k)tifai] heiligen, wijden, heilig maken; **sancti'monious** schijnheilig
sanction ['sæŋ(k)ʃən] I *zn* sanctie (*ook:* straf, dwangmaatregel), beloning (= *remuneratory ~*); bekrachtiging, wettiging; II *ww* bekrachtigen, wettigen, sanctioneren; '**sanctity** [-ti] heiligheid; onschendbaarheid
sanctuary ['sæŋ(k)tjuəri] *a*) heiligdom; Allerheiligste, plaats van het hoogaltaar; *b*) vrij-, wijkplaats, toevluchtsoord, (recht van) asiel; *c*) reservaat (*bird ~*); *d*) gesloten jacht- of vistijd
sand [sænd] I *zn* zand; zandkorrel; *~s, ook: a*) strand; *b*) zand(woestijn); II *ww* met zand bestrooien (bedekken) (= *~ up, over*); met zand schuren
sandal ['sændl] sandaal
sandalwood ['sændlwud] sandelhout
'**sandbag** zandzak; '**sandbank** zandbank; '**sandbar** drempel; zandbank voor haven of riviermond; '**sandblast** (*techn*) zandstraal, -stralen; '**sand-dune**, **sand-hill** zandheuvel, duin; '**sand-glass** zandloper; '**sandpaper** I *zn* schuurpapier; II *ww* daarmee schuren; '**sandpit** *a*) zandgroeve, zanderij; *b*) zandkuil, zandbak (*voor kinderen*); '**sandstone** zandsteen; '**sandstorm** zandstorm
sandwich ['sænwidʒ, -witʃ] I *zn* id.: twee sneetjes brood met iets ertussen; (*ongev*) broodje half-om; II *ww: ~* (*in*) inschuiven, plaatsen (*between* tussen); (*sp*) mangelen; '**sandwich-course** (*univ*) studieprogramma afgewisseld met praktisch werk; '**sandwich-man** [-mæn] id.: man met reclamebord voor en achter
sandy ['sændi] *a*) zandig, mul, zand...; *b*) los
sane [sein] gezond (van geest); bij zijn (volle) verstand; verstandig, zinnig
sanguinary ['sæŋgwinəri] *a*) bloedig; *b*) bloeddorstig; **sanguine** ['sæŋgwin] opgewekt, vol vertrouwen (*of success* op ...), hoopvol, optimistisch; bloedrood
sanitary ['sænitəri] gezondheids... (*board* commissie), sanitair, hygiënisch (*conditions*); *~ towel* (*inz. Am: napkin*) maandverband; **sanitation** [sæni'teiʃən] hygiënische verzorging
sanity ['sæniti] gezondheid (van geest); gezond verstand
Santa Claus ['sæntə'klɔ:z] (*Am*) in Eng = *Father Christmas* kerstmannetje
sap [sæp] I *zn* (plante)sap, levenssap, kracht; vocht; II *ww* het sap onttrekken aan; (*fig*) ondergraven, ondermijnen, uitputten (*~ a person's vitality*)
sapling ['sæpliŋ] jonge boom
sapphire ['sæfaiə] I *zn* saffier; II *bn* saffierblauw
sarcasm ['sɑ:kæzm] sarcasme, bijtende spot; **sarcastic** [sɑ:'kæstik] sarcastisch
sarcophagus [sɑ:'kɔfəgəs] sarcofaag
sardine [(')sɑ:'di:n] id., sardientje
sardonic [sɑ:'dɔnik] sardonisch, smalend, bitter, cynisch; *~ laugh* grijnslach
sash [sæʃ] 1 sjerp; ceintuur; 2 (schuif)raam; '**sash window** schuifraam
satanic [sə'tænik] satanisch, duivels
satchel ['sætʃəl] (school)tas; tasje
satellite ['sætəlait] satelliet, kunstmaan; *~ town* randgemeente, satellietstad
satiate ['seiʃieit] verzadigen; **satiety** [sə'taiəti] zatheid, (over)verzadigdheid
satin ['sætin] I *zn* satijn; II *bn* satijnen; '**satiny** [-i] satijnachtig
satire ['sætaiə] id., hekeldicht, schotschrift; **satiric(al)** [sə'tirik(l)] satirisch, hekelend; **satirist** ['sætirist] satiricus, hekeldichter; **satirize** ['sætiraiz] hekelen
satisfaction [sætis'fækʃən] voldoening (*at, with* over), genoegdoening; genoegen, tevredenheid; *to my ~* tot mijn tevredenheid; **satis'factory** [-əri] bevredigend, naar genoegen (*settled -ily* ... geregeld); **satisfy** ['sætisfai] voldoen (aan), voldoening (bevrediging) geven, stillen (*one's hunger*), bevredigen (*a p.'s curiosity*); geruststellen; overtuigen (*a p. of* iem van); *satisfied with* tevreden over; *be satisfied that* overtuigd zijn dat; *~ o.s.* zich overtuigen (zekerheid verschaffen)
saturate ['sætʃəreit, 'sætjureit] verzadigen; doortrekken; *bn* = *~d;* (*van kleur*) diep; **saturation** [sætʃə'reiʃən, sætju'reiʃn] verzadiging
Saturday ['sætəd(e)i] zaterdag
satyr ['sætə] id., sater (*ook fig* = wellusteling)
sauce [sɔ:s] I *zn* saus; compote, moes; (*fig*) iets pikants; (*fam*) brutaliteit; II *ww* kruiden;

(*fam*) brutaal zijn; '**sauce-boat** sauskom; '**saucepan** [-pən] steelpan
saucer ['sɔ:sə] schoteltje; bordje; *flying* ~ vliegende schotel
saucy ['sɔ:si] brutaal, vrijpostig
sauerkraut ['sauəkraut] zuurkool
saunter ['sɔ:ntə] I *ww* drentelen, slenteren; II *zn* gedrentel; kuier, wandeling(etje)
sausage ['sɔsidʒ] worst, saucijs; '**sausage 'roll** saucijzebroodje, saucijs
savage ['sævidʒ] I *bn* wild, woest, wreed, barbaars; vals (*dog*); (*fam*) woest, woedend; fel, heftig; II *zn* wilde, barbaar; '**savagery** [-əri] woestheid, wreedheid, barbaarsheid
savannah [sə'vænə] savanne
save [seiv] I *ww* redden, verlossen, zalig maken; behouden, bewaren, behoeden (*from* voor); vrijhouden (*a chair for a p.*); (be-, uit)sparen; voorkómen, vermijden (*delay, a scandal*); voorkómen (*a goal*); *you may ~ your pains* (*trouble*) je kunt je de moeite wel besparen; ~ *as you earn* soort automatisch spaarplan (via inhouding op het loon); ~ ***up*** (be-, op)sparen; ~ *us!* lieve hemel!; *well ~d! neatly ~d!* mooi gedaan! netjes gelapt!; II *zn* besparing; (*sp*) redding; III *vz* uitgezonderd (= ~ *and except*), behalve; *all ~ three* alle op drie na; **saving** ['seiviŋ] I *bn* reddend, (be)sparend (zie *save*); spaarzaam, zuinig; II *zn: a*) redding; *b*) besparing; *c*) voorbehoud, uitzondering; ~ *is having* wie spaart, heeft wat; ~ *of time* tijdbesparing; *~s* spaargeld; '**savings** *accountbook* spaarbankboekje; '**savings-bank** spaarbank; '**savings-certificate** spaarbrief; (*Belg*) groeibon
saviour ['seivjə] redder; *S~* Heiland
savour ['seivə] I *zn* smaak, smakelijkheid; geur(igheid); het aantrekkelijke (pikante); tintje; II *ww* rieken (*of* naar) (*fig*), genieten; '**savoury** [-ri] I *bn* smakelijk, geurig; aangenaam; pikant, hartig; II *zn* pikant schoteltje, voor- of nagerecht, hartig hapje
saw [sɔ:] I *zn* zaag; II *ww* (door)zagen; (*van hout*) zich laten zagen; '**sawbones** (*sl*) chirurg; '**sawdust** zaagsel, zaagmeel; '**saw-edged** [-edʒd] met gezaagde rand; '**sawmill** zaagmolen, houtzagerij; **sawn** v. dw. van *saw*
Saxon ['sæksn] *zn & bn* (Angel)sakser; (Angel)saksisch
say [sei] I *ww* zeggen; opzeggen (*one's lessons, prayers*); luiden (*the telegram said: ...*); aanwijzen (*what time does your watch say?*); vermelden (*it says on the bottle to take a spoonful every two hours*); *I ~* (*Am ~*), *what are you laughing at?* zeg eens; *I ~, what a beauty!* nee maar, ...; (*well*) *I ~!* wel, wel, nu nog mooier; *I'll say!* (*Am*) en of!; *£ 50, ~ fifty pounds* zegge; *for a couple of hours, ~ from four to six* laten we zeggen; ~ *he would go, what then?* aangenomen dat ...; *it ~s in the Bible* in ... staat; *you don't ~ so!* wat je zegt! dat kun je niet menen!; *you may well ~ so!* zeg dat wel!; (*when*) *all* (*is*) *said and done* per slot van rekening; *he is said to be ill* men zegt dat hij ziek is; *I have nothing to ~* ***against*** *him* niets te zeggen (aan te merken) op; *it ~s much* ***for*** *the excellent relations between them* getuigt van, pleit voor; *what have you to ~ for yourself?* tot je verontschuldiging aan te voeren?; *to ~ nothing* ***of*** ... om nog niet eens te spreken van; *I will have nothing to ~* ***to*** *him* niets met hem te maken hebben; *he had nothing to ~ to this* kon er niets op zeggen; *it goes without saying* het spreekt vanzelf; II *zn* zeggenschap; *have a* (*no*) *~ in the matter* iets (niets) te zeggen hebben in; *have the ~* (*of it*), (*Am*) het te zeggen hebben; *let him have his ~* uitspreken; zeggen, wat hij te zeggen heeft; '**saying** gezegde (*proverbial ~s*), spreuk, spreekwoord; *there's no ~ what may happen* het is niet te zeggen wat ...
scab [skæb] *zn* roof(je); schurft; werkwillige, onderkruiper
scabbard ['skæbəd] schede (*van zwaard e.d.*)
scabby ['skæbi] schurftig; (*volkstaal*) gemeen
scabies ['skeibii:z] schurft
scabrous ['skeibrəs] *a*) ruw, oneffen; *b*) netelig, moeilijk (te behandelen), teer; *c*) op het kantje af, schunnig, schuin
scaffold ['skæfə(u)ld] I *zn* schavot; steiger, stellage; II *ww* van een steiger voorzien, schragen, schoren; '**scaffolding** steiger, stellage
scald [skɔ:ld] I *ww: a*) met een hete vloeistof of stoom branden of uitwassen (= ~ *out*); verbranden aan hete vloeistof; schroeien; *b*) bijna tot het kookpunt verhitten (*milk*); *~ing hot* kokend heet; II *zn* brandwond
scale [skeil] I *zn* 1 *a*) schub, schilfer, dop; *b*) ketelsteen; tandsteen; *the ~s fell from his eyes* de schellen ...; 2 (weeg)schaal; (*pair of*) *~s* weegschaal; *turn* (*tip*) *the ~* de balans doen doorslaan; de doorslag geven; *hang in the ~* (nog) onzeker zijn; 3 schaal; toonschaal, -ladder; graadverdeling; maatstaf; ladder (*fig: the social ~*); ~ *model* schaalmodel; II *ww* 1 schubben, schrappen (*fish*), (af)schilferen (= ~ *off*); naar verhouding verlagen (~ *down*); pellen, doppen; (af)bikken; 2 (be)klimmen, (op)klauteren; op schaal bewerken (tekenen, enz.); meten, schatten; **scaled** geschubd
scallop ['skɔləp, 'skæləp] eetbare schelp (voor pasteitjes, enz.)
scalp [skælp] I *zn* id.: schedelhuid; II *ww* scalperen; (*fig*) 'afmaken'; **scalpel** id.; ontleedmes
scamper ['skæmpə] hollen (*ook fig: through a book*), rennen, galopperen
scan [skæn] *a*) (zich laten) scanderen; *b*) aandachtig opnemen; nauwkeurig onderzoeken; afspeuren; (*radar*) aftasten
scandal ['skændl] *a*) schandaal, schande; *b*) aanstoot, ergernis; *c*) laster(praat), opspraak; *talk ~* roddelen; **scandalize** ['skændəlaiz] *a*) ergernis (aanstoot) geven; *b*) belasteren; '**scandalmonger(ing, -y)** [-mʌŋgə(riŋ, -ri)]

kwaadspreker(ij); '**scandalous** [-ələs] *a)* schandelijk; *b)* lasterlijk; *c)* kwaadsprekend
scanner ['skænə] id.; aftaster; radarzoeker
scant [skænt] karig, schraal, gering; **scanty** ['skænti] schaars, schraal, karig, bekrompen, krap, gering, onvoldoende
scapegoat ['skeipgəut] zondebok
scar [skɑ:] I *zn* litteken; schram; (*fig ook*) smet; II *ww* met littekens tekenen (bedekken), schrammen; een litteken vormen
scarab ['skærəb] *a)* kever, tor; *b)* scarabee: heilige kever der Egyptenaren
scarce [skεəs] schaars, zeldzaam; *make o.s. ~*, (*fam*) *a)* zich uit de voeten maken, 'm smeren; *b)* zich niet vertonen, zich drukken; '**scarcely** [-li] nauwelijks; bijna niet; *~ ... when* (*before, than*) nauwelijks ... of; *~ anybody* bijna niemand; *~ penetrable* bijna ondoordringbaar; **scarcity** ['skεəsiti] schaarste; gebrek (*of* aan)
scare [skεə] I *ww: a)* doen schrikken, bang maken; wegjagen (= *~ away*); *b)* (*inz. Am*) bang worden; *be ~d* bang zijn (*of* voor); *~d stiff* doodsbang; II *zn: a)* (ongemotiveerde) schrik (vrees), paniek; *b)* iets (bericht, enz.) dat een paniek verwekt; bangmakerij (*it's only a ~*); '**scarecrow** [-krəu] vogelverschrikker; boeman; '**scaremongering** [-mʌŋgəriŋ] verspreiding van alarmerende berichten, enz.
scarf [skɑ:f] sjaal, sjerp, das; hoofddoek
scarlatina [skɑ:lə'ti:nə] roodvonk
scarlet ['skɑ:lit] *zn* & *bn* scharlaken(s); *she turned ~* ze kreeg een hoofd als vuur; *~ fever* roodvonk
scary ['skεəri] *a)* schrikaanjagend; *b)* bang
scathe [skeið] schaden, letsel toebrengen; (*fig*) vernietigen (*scathing sarcasm*)
scatter ['skætə] I *ww* (zich) verstrooien (verspreiden), (uit-, be)strooien; uiteendrijven, verdrijven, de bodem inslaan (*hopes*, enz.); *~ed houses* verspreid staande ...; II *zn*, ook *~ing* (ver)spreiding; kleine verspreide hoeveelheid; '**scatter-brain(ed)** warhoofd(ig)
scavenge ['skævin(d)ʒ] nog bruikbare zaken uit huisvuil zoeken; aas vreten; **scavenger** aaseter
scenario [si'nɑ:riəu] id., draaiboek: schets (opzet) van een toneelstuk (film, enz.)
scene [si:n] toneel, tafereel; decor(s), coulisse(n), scherm (*behind the ~s*); scène (*make a ~*); landschap; '**scenery** [-əri] toneeldecoraties, decors; toneel (*fig*); natuur(tafereel), landschap, natuurschoon; **scenic** ['si:-, 'senik] *a)* toneel..., dramatisch (*art*); *b)* landschap(s)..., landschappelijk (*beauty*); *c)* schilderachtig (*route*)
scent [sent] I *ww* ruiken, snuffelen; de lucht krijgen van (= *~ out*); met geur of stank vervullen, parfumeren; *~ of* rieken naar, doen denken aan; II *zn* reuk(zin); geur, lucht, spoor (*on the right ~*); odeur, parfum, 'fijne neus' (*have a wonderful ~ for ...*); *get ~ of* de lucht krijgen van; '**scentless** reukloos

sceptic ['skeptik] I *bn: ~al*; II *zn* scepticus, twijfelaar; '**sceptical** [-l] sceptisch, twijfelzuchtig; **scepticism** ['skeptisizm] twijfelzucht
sceptre ['septə] scepter, staf
schedule ['ʃedju:l, *inz. Am:* 'skedju:l] I *zn* tabel, inventaris; bijlage; formulier; schema; lijst, rooster, dienstregeling; *ahead of ~* eerder dan was vastgesteld, vóór op het tijdschema; *behind ~* te laat, over tijd; *on ~* precies op tijd; II *ww* in een ~ opnemen; een lijst maken van; vaststellen (*for Monday*); *be ~d to leave at ...* moeten vertrekken om ...; *~d train* (*flight*) trein (vlucht) volgens dienstregeling
scheme [ski:m] I *zn* schema, stelsel; ontwerp, programma; plan; oogmerk; gemeen spelletje; II *ww: a)* beramen; *b)* plannen maken (beramen), intrigeren; '**schemer** [-ə] plannenmaker (*in ong zin*); intrigant
schism [sizm] schisma, (kerkelijke) scheuring
scholar ['skɔlə] *a)* leerling (*an apt ~*); *b)* geleerde (geesteswetenschappen); ontwikkeld man; *c)* student met studiebeurs; *a Shakespeare ~* een Shakespearekenner; '**scholarly** [-li] (als) van een geleerde, geleerd, wetenschappelijk; '**scholarship** *a)* geleerdheid; wetenschap(pelijkheid); *b)* studiebeurs
scholastic [skə'læstik] scholastisch; schools, schoolmeesterachtig, school... (*year*)
school [sku:l] I *zn* **1** school (*ook = leerschool, kunstrichting, enz*); schooltijd; faculteit, afdeling; college-; *~ age* leerplichtige leeftijd; *~ attendance officer* ambtenaar leerplicht; *~ hall* aula; *~ of thought* richting, denkwijze; *upper* (*lower*) *~* hogere (lagere) klassen van een school; *~ patrol*, (*ongev*) klaar-over (*in Eng volwassene*); *~ playground* schoolplein; ***after*** *~* na schooltijd; ***at*** *~* op school; ***out of*** *~* buiten schooltijd; *go* ***to*** *~ to*, (*fig*) schoolgaan bij; **2** school (*vissen*); II *ww* scholen, onderrichten, oefenen, trainen (*in, to* in); *~ed* geschoold; '**school-fee(s)** schoolgeld; '**schooling** (school-) onderwijs, opleiding; scholing; '**schoolleaver** schoolverlater; '**school-leaving**: *~ age* leeftijd waarop de leerplicht eindigt; '**schoolmaster** schoolmeester, onderwijzer; leraar; '**schoolmistress** [-mistris] (hoofd)onderwijzeres, lerares; '**schoolroom** [-ru(:)m] schoollokaal; '**schoolteacher** onderwijzer(es), leraar, lerares
schooner ['sku:nə] schoener
sciatica [sai'ætikə] ischias, heupjicht
science ['saiəns] *a)* wetenschap, kennis, kunde; *b)* natuurwetenschap(pen) (= *natural ~*), natuurwetenschappelijk onderzoek, wis- en natuurkunde; *~ fiction* id., (natuurwetenschappelijke) toekomstroman; '**science-master** natuur-, scheikundeleraar; **scientific** [saiən'tifik] wetenschappelijk; (*fig*) volgens de regelen der kunst; **scientist** ['saiəntist] wetenschapper; natuur- of scheikundige
scintillate ['sintileit] sprankelen, fonkelen
scion ['saiən] spruit, telg

scissor ['sizə]: (*pair of*) *~s* schaar
scoff [skɔf] I *zn* (voorwerp van) spot, bespotting, spotternij; (*sl*) eten; II *ww* spotten (*at* met), schimpen (*at* op)
scold [skəuld] kijven (*at* op); een standje maken, een uitbrander geven; '**scolding** standje, uitbrander
scone [skɔn, skəun] rond broodachtig koekje
scoop [sku:p] I *zn* schep, schop; spatel; (kaas-, appel)boor; schoep (van waterrad), emmer (van baggermachine); hoosvat; holte; scheppende beweging; (*van krant*) primeur; (*sl*) zoet winstje, buitenkansje, fortuintje; *at one* (*with a*) ~ met één beweging; II *ww* (op-, uit)scheppen, uithozen, uithollen (= ~ *out*); (*sl*) binnenhalen, opstrijken (*money*) (= ~ *in, up*); '**scoop-net** *a*) sleepnet; *b*) schepnet
scoot [sku:t] (*fam*) rennen, 'm smeren; '**scooter** [-ə] autoped; *motor* ~ 'scooter'
scope [skəup] strekking (*van voorstel, enz*); gezichtskring, omvang, gebied, terrein; draagwijdte; (speel)ruimte, armslag, vrijheid van beweging; *give full* (*free*) ~ vrij spel laten
scorch [skɔ:tʃ] I *ww* (ver)zengen, (ver)schroeien; *~ed earth* verschroeide aarde; (*fig*) bijten (*van spot, enz.*); (*fam*) woest rijden (*van fietser, enz.*); II *zn: a*) verschroeide plek; *b*) woeste rit, snelle vaart; '**scorcher** [-ə] (*fam*) snikhete dag; woest fietser, enz.; (*sl*) venijnige aanval (kritiek, enz.); geweldig iets, prachtstuk, wat opzien verwekt
score [skɔ:] I *zn* kerf, insnijding, keep, schram, kras; lijn, streep; id., stand (van het spel, ook *~s*), behaald aantal punten; twintig(tal); (*muz*) partituur; (*fam*) overwinning, succes (*his first and only* ~); *~s of times* talloze malen; *what is the ~?* hoe staat het spel?; hoe is de stand?; *a ~less draw* 0-0 uitslag (bijv. bij voetbalwedstrijd); *keep the* ~ de stand bijhouden, aantekening houden (*bij spel*); *pay off old ~s* een oude rekening vereffenen; ***by*** (***in***) *~s* bij twintigtallen; (*fig*) bij hopen; (***up***)***on*** *the ~ of* wegens, vanwege; op grond van; op het stuk van; II *ww* (in)kerven, (in)kepen; strepen, schrammen, krassen, afschaven (*one's skin*); onderstrepen (*~d in blue pencil*); doorhalen; op muziek zetten; orkestreren; aantekenen, opschrijven; (*sp*) (punten) maken, 'scoren'; (succes) behalen, het winnen, boffen; ~ *a goal* een doelpunt maken; ~ *a hit* doel treffen; ~ *a point,* (*fig*) een rake opmerking maken, een succes boeken; *I'll ~ it* (***up***) *against* (*to*) *you,* (*fig*) dat zal ik je later betaald zetten; ~ ***out*** (***through***) doorhalen; ~ ***over*** *a p.* het van iem winnen; ~ ***under*** onderstrepen; ~ ***up*** aantekenen, opschrijven, aankalken; '**scoreboard** scorebord
scorn [skɔ:n] I *zn* hoon, (voorwerp van) verachting, versmading, (mikpunt van) spot; II *ww* verachten, versmaden, beneden zich achten; '**scornful** [-f(u)l] minachtend; *be ~ of* versmaden, verachten
scorpion ['skɔ:pjən] schorpioen
Scot [skɔt] Schot; **Scotch** [skɔtʃ] I *bn:* ~ *broth* Schotse boerensoep; ~ *tape* (merk) cellofaanplakband; II *zn* Schotse whisky (*a ~ and soda*)
scotch [skɔtʃ] kerf, snede
scot-free ['skɔt'fri:] vrij van belasting; (*fig*) ongedeerd; *go* (*get off*) ~ vrij uitgaan, er zonder kleerscheuren afkomen
Scotland ['skɔtlənd] Schotland; ~ *Yard* hoofdbureau van politie (Londen); **Scots** [skɔts] Schots; **Scottish** ['skɔtiʃ] Schots
scoundrel ['skaundrəl] schurk, onverlaat
scour [skauə] 1 schuren, wrijven, dweilen; schoonmaken, reinigen; wassen; (door-, uit)spoelen; schoonvegen (*the seas*); 2 rondtrekken, -zwerven (= ~ *about*); snellen, vliegen; doorkruisen (*the woods, seas*); af-, doorzoeken, aflopen; *the dog ~ed off* ging ervandoor; '**scourer** [-rə] pannesponsje
scourge [skə:dʒ] I *zn* gesel, roede, zweep; plaag; II *ww* geselen, kastijden; teisteren
scout [skaut] I *zn: a*) verkenner; *b*) padvinder (= *boy-~*); *c*) verkenningsvaartuig, -vliegtuig; *d*) verkenning (*on the* ~ op verkenning); *talent* ~ talentenjager; II *ww* (het) terrein verkennen; spieden; op verkenning uit zijn (= *be out ~ing*)
scowl [skaul] I *ww* het voorhoofd fronsen; boos (kwaad, somber, dreigend) kijken (*at, on* naar); II *zn* fronsende (dreigende) blik
scrabble ['skræbl] krabb(el)en; schuifelen; scharrelen; grabbelen (*for* om)
scraggy ['skrægi] mager, spichtig, dun
scram [skræm] (*sl*) maken dat men weg komt
scramble ['skræmbl] I *ww* klauteren, zich reppen; zich verdringen, vechten (*for seats* om plaatsen); door elkaar gooien, vervormen; te grabbel gooien (*money*); tot roereieren (*~d eggs*) maken; (*mil luchtv*) haastig laten opstijgen (*jets*); ~ *into one's clothes* zijn kleren aanschieten; II *zn* motorcross; gedrang
scrap [skræp] I *zn* stukje, beetje, zweem (*not a ~ of evidence*), zier (*I don't care a ~*); (uit)knipsel, plaatje; *attr ook:* afval...; *~s* kliekjes; ~(*s*) afval; *go to* ~ afgedankt worden (*van schip*); ~ *of paper* stukje (vodje) papier; II *ww* 1 slopen (*ships*); afdanken, aan de dijk zetten; aan kant zetten (*old ideas*); 2 (*fam*) ruzie hebben, vechten, bakkeleien; '**scrapbook** plakboek (voor kranteknipsels, enz)
scrape [skreip] I *ww* (af-, uit)schrap(p)en, krabben, schuren (langs), krassen; zagen (op viool); schuifelen (met: ~ *one's feet*); ~ *a living* met moeite rondkomen; ~ *down* afschrappen; ~ *through* er zich doorslaan; net met de hakken over de sloot zijn; ~ *together,* ~ *up* bijeenschrapen; II *zn* kras; *be in* (*get into*) *a* ~ in de knel zitten (raken); '**scraper** [-ə] schraapijzer, -mes, -staal, schraper; krasser
'**scrap-heap** schroothoop (*ook fig*); '**scrap metal** oud ijzer, oudroest, schroot
scrappy ['skræpi] fragmentarisch, onsamenhangend

scratch [skrætʃ] I *ww* (zich) krabben, (be)krassen, (be)krabbelen, schrammen, doorhalen, schrappen (*a name from a list, a horse*); krassen krijgen (*it soon ~es*); (zich) terugtrekken; (*van scheermes*) trekken; ~ *one's head,* (*fig*) zich achter de oren krabben (in verlegenheid); ~ ***along*** (***on***) voortscharrelen, het hoofd met moeite boven water houden; ~ ***out*** uitkrassen, doorhalen; ~ ***through***: *a*) doorhalen; *b*) er net doorkomen; ~ ***together***, ~ ***up*** bijeenschrapen, -scharrelen; II *zn*: *a*) krab, schram, (ge)kras, krabbel(tje); (inentings)schrapje; *b*) krassend geluid (*of a match*); *c*) het krabben; *start from* ~ geen voorgift geven of krijgen; (*fig*) met niets beginnen; III *bn* samengeraapt, bijeengescharreld, ongelijk, geïmproviseerd; '**scratcher** krabber; '**scratch-pad** kladblok; '**scratchy** [-i] bekrast, krabbelig

scrawl [skrɔ:l] I *ww*: *a*) krabbelen, slordig schrijven; *b*) bekrabbelen (= ~ *over*); II *zn* gekrabbel; krabbel(s); kattebelletje; 'poot(je)'

scrawny ['skrɔ:ni] mager, spichtig, dun

scream [skri:m] I *ww* gillen, gieren (*with laughter* van ...), krijsen; (het) uitgillen, -schreeuwen (= ~ *out*); II *zn* gegil, gegier, (ge)krijs; gil; *it* (*he*) *is a* (*perfect*) ~, (*sl*) een giller; '**screaming**: ~ *colours* schreeuwende ...; ~ *headlines* vetgedrukte krantekoppen

scree [skri:] (berghelling met) losse stenen

screech [skri:tʃ] I *ww* gillen, gieren, krijsen; knarsen; II *zn* (ge)gil, (ge)krijs

screen [skri:n] I *zn* scherm; koorhek; (doek van) bioscoop, film; beeldscherm; *the* ~ het filmwezen; voorruit (*van auto*); beschutting, maskering; rooster, traliewerk; (*techn*) raster; (*Am*) hor; II *ww*: *a*) beschutten, beschermen (*from* voor); verbergen; maskeren, camoufleren; (*mil*) dekken; de hand boven het hoofd houden; afscheiden, afschermen (~ *off*); *b*) aan een streng vergelijkend onderzoek (*~ing test*) onderwerpen; onderzoeken op politieke betrouwbaarheid; censureren; *c*) verfilmen, vertonen (in bioscoop, enz), op het scherm brengen (*t.v.*); '**screening** streng onderzoek; vertoning van een film; '**screenplay** scenario; '**screen-washer** ruitesproeier

screw [skru:] I *zn* schroef (*fig ook:* pressie); kurketrekker; draai van schroef; (*sl*) cipier (= *~s*); (*sl*) loon, salaris; *~s* duimschroeven; *there is a ~ loose* er is iets niet in de haak, niet pluis; *he has a ~ loose* is niet goed snik; *put the ~ on,* (*fig*) de duimschroeven aanzetten; II *ww* (vast-, aan)schroeven; (op-, aan)draaien; omdraaien (*a p.'s neck*); (af)persen; uitzuigen, afzetten; (ver)wringen, vertrekken (*one's face*); (ver)frommelen; naaien (geslachtelijke omgang hebben); *have one's head ~ed* ***on*** *the right way* in geen zeven sloten tegelijk lopen; ~ *s.t.* ***out*** *of a p.* iem iets afpersen; ~ ***up*** (*sl*) verprutsen, verpesten; '**screwdriver** schroevedraaier; '**screwtop** schroefdop, schroefsluiting; **screwy** (*sl*) vreemd, excentriek

scribble ['skribl] I *ww* krabbelen, slordig schrijven; bekrabbelen (= ~ *over*); II *zn* gekrabbel; kattebelletje; '**scribbler** [-ə] *a*) krabbelaar; *b*) prulschrijver; '**scribbling-book** aantekenboekje

scribe [skraib] schriftgeleerde; (*hist*) secretaris

scrimmage ['skrimidʒ] vechtpartij, schermutseling; (*sp*) id., worsteling om de bal

script [skript] (ge)schrift; geschreven drukletters; (*film*) draaiboek; (*radio*) tekst

Scripture ['skriptʃə] de Heilige Schrift (= *Holy ~, the ~s*)

'**scriptwriter** scenarioschrijver, tekstschrijver

scroll [skrəul] (perkament)rol; krul(versiering); '**scroll-work** krul-, lof-, figuurwerk

scrounge [skraun(d)ʒ] (*sl*) gappen, 'organiseren'; bietsen

scrub [skrʌb] I *zn* struikgewas; II *ww*: *a*) (af-) schrobben, boenen, dweilen, schuren (langs); *b*) schrappen, afschrijven; '**scrubby** [-i] *a*) klein, miezerig, sjofel; *b*) borstelig; *c*) met struikgewas bedekt

scruff [skrʌf] nek; (*sl*) tuig; *take by the ~ of the neck* bij het nekvel pakken

scruffy ['skrʌfi] sjofel, smerig

scrunch [skrʌn(t)ʃ] (doen) knarsen, knerpen; verfrommelen ~ *up*)

scruple ['skru:pl] I *zn* (gemoeds-, gewetens)-bezwaar, scrupule; angstvalligheid; *have ~s about* ... zich bezwaard voelen over ...; II *ww* (gewetens)bezwaren hebben, aarzelen, ertegen opzien te ...; **scrupulous** ['skru:pjuləs] nauwgezet, angstvallig; *~ly clean* kraakzindelijk

scrutinize ['skru:tinaiz] nauwkeurig onderzoeken, navorsen; **scrutiny** ['skru:tini] kritisch onderzoek

scuba ['skju:bə] *self-controlled underwater breathing apparatus;* ~ *diving* onderwatersport m. bijv perslucht

scud [skʌd] I *ww* hard lopen, ijlen, snellen, voortjagen (over, langs); II *zn* snelle loop, vlucht; wolkenjacht; voortgedreven schuim, enz; bui van jachtsneeuw, enz; windvlaag

scuff [skʌf] I *zn* slijtplek; II *ww* schuren, krassen; **scuffed** [-t] sleets, met slijtplekken, kaal

scuffle ['skʌfl] I *ww* bakkeleien; II *zn* vechtpartij, handgemeen

scull [skʌl] I *zn*: *a*) wrikriem; *b*) korte riem; II *ww* wrikken; roeien

scullery ['skʌləri] bijkeuken

sculpt ['skʌlpt] beeldhouwen, boetseren; **sculptor**, **sculptress** ['skʌlptə, -tris] beeldhouwer, -ster; **sculptural** ['skʌlptʃərəl] beeldhouw(ers)...; (als) gebeeldhouwd; **sculpture** ['skʌlptʃə] I *zn* beeldhouwkunst, -werk; houtsnijkunst; II *ww* beeldhouwen; (uit)snijden

scum [skʌm] (metaal)schuim; (*fig*) schuim, uitvaagsel; (*soms*) gemeen sujet

scurf [skə:f] roos (op hoofd), roofje, schilfers, korst; '**scurfy** [-i] ...achtig; bedekt met ~

scurrility [skʌ'riliti] grofheid, schunnigheid,

gemeenheid; **scurrilous** ['skʌriləs] gemeen, schunnig, vuil, grof
scurry ['skʌri] I *ww* (doen) snellen, (weg)ijlen, rennen, fladderen, jachten; II *zn* geren, gejacht; draf, korte ren
scurvy ['skə:vi] I *bn* gemeen, min; II *zn* scheurbuik
scuttle ['skʌtl] I *zn* **1** *a*) kolenbak (*gew: coal*-~); *b*) mand; 2 luik(gat); ventilatieopening; (ge)loop, ren; overhaaste vlucht; II *ww* hard lopen, (weg)ijlen, ervandoor gaan
scythe [saið] I *zn* zeis; II *ww* maaien
sea [si:] zee; zeewater; *the ~ was in* het was hoog water; *be* ***at*** *~* op zee zijn; (*fig*) *a*) de kluts kwijt zijn (*be all at ~*); *b*) het mis hebben; ***by*** *~: a*) over zee; *b*) op zee; *by land and ~* ter zee en te land; *by the ~* aan zee; (***up***)***on*** *the ~: a*) op zee; *b*) aan zee; *put* (*out*) ***to*** *~, take the ~* in zee steken; '**seabed** zeebodem, -bedding; '**seaboard** (zee)kust; '**seaborne** over zee vervoerd of aangevoerd, overzees; '**sea-captain** zeekapitein, gezagvoerder; '**sea-chest** zeemanskist; '**seafaring** [-fɛəriŋ] *bn* zeevarend; '**seafood** eetbare zeevis of schaaldieren; '**seafront** zeekant (*bij stad*), strandboulevard; '**seagull** zeemeeuw; **seahorse** zeepaard
seal [si:l] I *zn* **1** rob, zeehond; robbevel; *baby ~* zeehondebaby; 2 zegel, stempel, lak (*op brief*); bezegeling; afdichting; *leaden ~* loodje; (*set*) *the ~ upon* bezegelen; *place* (*put*) ***under*** *~* verzegelen; II *ww* (ver-, be)zegelen; stempelen, lakken, sluiten (*a letter*), dichten (*a breach*); afdichten; luchtdicht (enz.) afsluiten; *~* ***down*** verzegelen, sluiten; *~* ***up****: a*) verzegelen; *b*) dichtplakken (*windows*)
sea level ['si:levl] zeespiegel
sealing ['si:liŋ] robbevangst
sealing-wax ['si:liŋwæks] (zegel)lak
seam [si:m] naad; dunne (steenkool)laag
seaman ['si:mən] zeeman, matroos; '**seamanship** zeemanschap; zeevaartkunde
'**sea-mile** Eng zeemijl: 1854 m
seamstress ['semstris, *Am* 'si:mstris] naaister
seamy ['si:mi] (*fig*) ongunstige (minder mooie) kant (*of things*), 'zelfkant' (*of life*)
'**seaplane** watervliegtuig; '**seaport** zeehaven
sear [siə] (doen) verdorren; (ver)schroeien, verzengen, uitbranden, dichtschroeien
search [sə:tʃ] I *ww* doorzoeken, visiteren, fouilleren; onderzoeken, nasporen; peilen (*a p.'s thoughts*); onderzoekend aankijken; doordringen in; zoeken (*for* naar); *~* ***after*** zoeken naar (*knowledge*); *~ me!* (*sl*) dat mag Joost weten; II *zn* het ...; onderzoek; huiszoeking, visitatie; *make* (*a*) *~ for* zoeken naar; '**searching** I *bn* onderzoekend, vorsend (*look*); II *zn* onderzoek, enz; '**searchlight** zoeklicht; '**search-party** reddings-, opsporingsploeg; '**search-warrant** [-wɔrənt] bevelschrift tot huiszoeking
'**sea-scouts** zeeverkenners (*padvinders*); '**sea'shore** zeekust; '**seasick(ness)** zeeziek(te); '**sea'side** zeekant; *go to the ~* naar een (zee)badplaats gaan
season ['si:zn] I *zn* seizoen, jaargetijde; (geschikte) tijd; tijdperk; *the dead* (*dull, silly*) *~* de slappe tijd, komkommertijd; ***in*** *~* te rechter tijd, van pas (= *in good ~*); *oranges are in* (***out of***) *~* het is nu (niet) de tijd voor ...; II *ww* kruiden, smakelijk (aangenaam) maken; toebereiden, geschikt (rijp) maken of worden; drogen (*wood*); harden, acclimatiseren, gewennen, uitwerken; *~ed, ook:* gehard (*soldiers*), verstokt (*gambler*), geroutineerd (*traveller*); '**seasonable** [-əbl] geschikt, gepast, gelegen; *~ weather* net weer voor de tijd van het jaar; **seasonal** ['si:zənl] van een (bepaald) seizoen (*winds*, enz), seizoen...; *~ labour*(*er*) seizoenarbeid(er); '**seasoning** *a*) toebereiding, enz; *b*) kruiderij; '**season 'ticket** seizoenkaart
seat [si:t] I *zn* zetel, bank, stoel, (zit)plaats; zitting, bril (*van WC*); zitvlak; kruis (*van broek*); haard (*van brand*); buiten (= *country-~*); ligging; *keep one's ~: a*) blijven zitten; *b*) in het zadel blijven; *c*) zijn zetel behouden; *take a ~* plaats nemen; *take one's ~* zijn plaats (zetel) innemen; II *ww* zetten, plaatsen, doen zitten; van zitplaatsen voorzien; (zit)plaats bieden aan (*the car will ~ four persons*); *~ o.s.* gaan zitten; *be ~ed: a*) zitten; *b*) zetelen; *be deeply ~ed*, (*van ziekte, enz*) diep ingeworteld zijn; '**seat-belt** veiligheidsgordel, -riem, autogordel; '**seating** het ... (zie *seat*); *~* (*accommodation*) zitplaatsen, plaatsruimte, zitgelegenheid
seaward(s) ['si:wəd(z)] zeewaarts; '**seaway** *a*) zeeweg; *b*) vaarroute naar zee (*the St. Lawrence S~*); '**seaweed** zeegras, zeewier; '**seaworthy** zeewaardig
secateur(s) ['sekətə:(z)] snoeischaar
secede [si'si:d] zich afscheiden; **secession** [si'seʃən] afscheiding
seclude [si'klu:d] uit-, buitensluiten, afzonderen; *~d* afgezonderd; **seclusion** [si'klu:ʒən] afzondering, uitsluiting; eenzame plaats
second ['sekənd] I *bn & bw* tweede; ander; (van de) 2de kwaliteit (*butter*); in de 2de plaats, ten tweede; *be ~ to none* voor niemand onderdoen; *come off ~*(-)*best: a*) op de winnaar volgen; *b*) aan het kortste eind trekken; *~ biggest* op één na de grootste; *every ~ day* om de andere dag; *on ~ thoughts* bij nader inzien; II *zn* tweede, no. 2; secondant, getuige; seconde, ogenblikje; (*muz*) *a*) seconde (*interval*); *b*) 2de stem; *half a ~!* een ogenblik!; *~ in command* onderbevelhebber; *be a close* (*good, poor*) *~* no. 1 vlak op de hielen zitten (een goede [slechte] tweede zijn); III *ww* steunen, helpen, bijstaan; (onder)steunen (*a motion, speaker*);
secondary ['sekəndəri] I *bn* secundair (*colours*, enz.); ondergeschikt, bijkomend, bij ... (*circumstances, rainbow, planet*); *~ education* middelbaar onderwijs; *~ modern school* ongev mavo; II *zn* afgevaardigde, gedelegeerde;

sec

'**second-'best** tweede-rangs; '**second-class** tweedeklas; *mail,* (*Br*) (langzamer) postverzending tegen verlaagd tarief; '**second-'hand** uit de 2de hand, tweedehands, oud; **second hand** ['sekəndhænd] secondewijzer; '**secondly** ten tweede; '**second-mark** secondeteken ("); '**second-'rate** tweederangs, inferieur; '**second 'sight** helderziendheid

secrecy ['si:krəsi] geheimhouding, stilzwijgendheid; geheim, verborgenheid; **secret** ['si:krit] I *bn* geheim, heimelijk; geheimhoudend, gesloten; vertrouwelijk; verborgen; ~ *parts* geslachtsdelen; ~ *service* geheime (inlichtingen)dienst; II *zn* geheim; *in* ~ in het geheim

secretarial [sekrə'tɛəriəl] van een secretaris, secretariaats...; '**secretariat** secretariaat; **secretary** ['sekrət(ə)ri] *a*) secretaris, secretaresse; *b*) minister (*for War,* enz.); *S~ of State* minister; Minister van Buitenlandse Zaken; *Permanent S~* Secretaris-Generaal

secrete [si'kri:t] afscheiden (uit het bloed, enz.); verbergen (*from* voor); **secretion** [si'kri:ʃən] afscheiding; **secretive** ['si:krətiv, si'kri:tiv] gesloten; terughoudend, onmededeelzaam

sect [sekt] sekte, gezindte; **sectarian** [sek'tɛəriən] I *bn* sekte..., sektarisch, dweepziek; II *zn* (dweepziek) lid van een sekte; **sectarianism** [-izm] sektegeest

section ['sekʃən] snijding, (door)snede, sectie; troep; onderdeel, afdeling, paragraaf; (wets-) artikel; gedeelte, traject, baanvak; (*inz. Am*) district, streek, wijk; '**sectional** [-l] sectie... (*meeting*); uit secties (afzonderlijke delen) bestaand;

sector ['sektə] *a*) id.; *b*) hoekmeter

secular ['sekjulə] wereldlijk, ongewijd, nietkerkelijk (*music*), leken...; (*van geestelijke*) seculier, wereldlijk; '**secularize** [-raiz] seculariseren: verwereldlijken

secure [si'kjuə] I *bn* veilig (*against, from* voor); zeker (*of* van); verzekerd, vast, stevig (*fix ~ly*); II *ww* beveiligen, beschutten (*against, from* voor); versterken, verzekeren, vastmaken, -leggen; waarborgen; in veiligheid brengen; zich verzekeren van, (ver)krijgen; bespreken (*seats*); **security** [si'kjuəriti] veilig-, verzekerdheid, zorgeloosheid; beschutting; (waar)borg, (onder)pand; (*gew mv*) effecten, fondsen; *social* ~ sociale zekerheid; *S~ Council* Veiligheidsraad; ~ *forces* politie- en/of legertroepen; *go ~ for* zich borg stellen voor

sedate [si'deit] I *bn* kalm, rustig, bezadigd; II *ww* een kalmerend middel toedienen; **sedation** [si'deiʃən] kalmering; **sedative** ['sedətiv] I *zn* kalmerend middel; II *bn* kalmerend

sedentary ['sednt(ə)ri] zittend; aan één plaats gebonden

sedge [sedʒ] (*plant*) zegge

sediment ['sedimənt] id., bezinksel, droesem, neerslag, afzetting; **sedimentary** [sedi'mentəri] sedimentair; ~ *rock* afzettingsgesteente, sediment; **sedimentation** [sedimen'teiʃən] afzetting, neerslag, sedimentatie; (bloed)bezinking

sedition [si'diʃən] opruiend gepraat (geschrijf) enz.

seduce [si'dju:s] verleiden, verlokken; **seducer** [-ə] verleider; **seduction** [si'dʌkʃən] verleiding; **se'ductive** [-iv] verleidend; verleidelijk

1 **see** [si:] (aarts)bisdom

2 **see** [si:] zien; inzien, begrijpen, snappen (*a joke*); beleven; zich voorstellen (*I cannot ~ myself doing it* dat ik het zou doen); ontvangen (*how kind of you to ~ me*); spreken, bezoeken (*patients*), opzoeken (*come and ~ us*); geleiden, brengen (*~ a p. home, downstairs*); toezien, zorgen (*~ that everything is in order*); *that's the truth, ~?* snap je?; *I* ~ ik begrijp (snap) het; (o) juist, (o) zo; ~ *here!* hoor eens!; *let me* ~ laat ik eens kijken (wacht eens even); *well, we shall ~* (*what we shall ~*) we zullen het wel eens zien (de tijd zal het leren); *well, we'll* ~ ik zal wel eens zien (ik voel er weinig voor); *~ fit* (*good, right*) *to* ... goedvinden (het raadzaam achten) te ...; ~ (*a p.*) *right* zorgen dat het (met iem) goed komt (dat iem aan zijn trekken komt); *she had ~n her day, her best day*(*s*) had haar beste tijd gehad; *I'll ~ him hanged* (*blowed, damned*) *first* vóór ik dat doe, mag hij naar de duivel lopen; *I'll ~ it done* zorgen, dat het gedaan wordt; ~ *things* hallucinaties hebben; *~*(*ing*) *you!,* (*I'll*) *be ~ing you!* tot ziens!, tot kijk!; ~ *you later!* tot straks!; ~ ***about*** zorgen voor; ~ ***after*** zorgen voor; toezien op; ~ *a p.* ***in*** binnenlaten; ~ *in,* (TV) kijken; ~ ***into*** doordringen in, onderzoeken (*I'll ~ into your plans*); ~ *a p.* ***off*** wegbrengen; ~ *a p.* ***out*** uitlaten; ~ *the old year out* uitzitten, 'uitluiden'; ~ *it through* doorzetten, volhouden, het tot een goed einde brengen; ~ *a p. through* iem erdoor helpen; ~ *a p.* ***to*** *bed* naar bed brengen; ~ *to it that* ... zorg ervoor, dat ...

seed [si:d] I *zn* zaad; (*van vijg, rozijn, druif, enz.*) pit(je); (*fig*) zaad, kiem; *go* (*run*) *to* ~ in het zaad schieten; (*fig*) verlopen, in verval geraken; II *ww: a*) in het zaad schieten; *b*) (be)zaaien; *c*) van de zaden ontdoen (*raisins*); *d*) van de grond helpen (*new centres for battered wives*); '**seeded** [-id] *a*) zaaddragend; *b*) bezaaid; **seedbed** zaaibed, (*fig*) kweekplaats; '**seedless** zonder pitjes (*raspberry jam*); '**seedling** zaai-, kiemplant; '**seedy** [-i] vol zaad; (*fam*) verlopen, sjofel

seeing ['si:iŋ]: ~ (*that*) aangezien

seek [si:k] zoeken, door-, afzoeken; trachten; ~ *a p.'s life* iem naar het leven staan; *much* (*greatly*) *sought after* zeer gezocht, in trek; ~ ***for*** zoeken (naar); ~ ***out*** (uit-, op)zoeken, opsporen; *the reason is not far* ***to*** ~ niet ver te zoeken

seem [si:m] (toe)schijnen, lijken; *I ~ to know*

the name de naam komt me bekend voor; *you are not very pleased, it would* ~ naar het schijnt; '**seeming** schijnbaar, ogenschijnlijk; '**seemingly** *ook:* naar het schijnt
seemliness ['si:mlinəs] betamelijkheid, gepastheid; **seemly** [-li] betamelijk, gepast
seep [si:p] sijpelen, dóórdringen
see()saw ['si:sɔ:] I *zn* wip(plank); op- en neergaande beweging; *play* (*at*) ~ wippen; II *bn* op- en neergaand (*prices*), schommelend; III *ww* wippen; (*fig*) schommelen
seethe [si:ð] zieden, koken, gisten
segment ['segmənt] I *zn* id., deel; ring, lid (*van insekt*); partje (*van sinaasappel*); II *ww* verdelen; zich splijten (*van cel, enz.*)
segregate ['segrigeit] (zich) afzonderen, afscheiden; **segre'gation** afscheiding; rassenscheiding
seismic ['saizmik] seismisch: van aardbeving(en), aardbevings...; **seismograph** ['saizməgrɑ:f, -græf] seismograaf; **seismology** [saiz'mɔlədʒi] seismologie: leer der aardbevingen
seize [si:z] (aan)grijpen, vatten, pakken; nemen (*a town*); bevangen, aantasten; beslag leggen op, in beslag nemen: opbrengen (*a ship*); begrijpen, snappen (*a distinction*); ~ (*on, upon*) aangrijpen (*a pretext*); zich meester maken van; ~ *up* weigeren, stoppen (wegens oververhitting of te veel inspanning); **seizure** ['si:ʒə] het ... (zie *seize*); bezitneming; beslagneming; arrestatie; plotselinge aanval (*van ziekte*), attaque; vlaag; overrompeling
seldom ['seldəm] zelden
select [si'lekt] I *bn* uitgekozen, uitgelezen; chic; kieskeurig; ~ *committee* speciale parlementaire commissie; II *ww* (uit)kiezen, selecteren; **selection** [si'lekʃən] keuze, keus, keurselectie; teeltkeus; *natural* ~ natuurlijke teeltkeus; **selective** [-iv] selectief; ~ *strike* (*action*) prikactie; **selectivity** [silek'tiviti] selectiviteit
self (mv *selves*) persoon; de persoon zelf, de innerlijke persoon, het 'ik' (*the study of the* ~); zelfzucht; *love of* ~ eigenliefde; *my other* (*second*) ~ tweede ik, alter ego; '**self-ab'sorption** het opgaan in zichzelf; '**self-addressed** *envelope* (= *SAE*) geadresseerde antwoordenveloppe; **self-assured** ['selfə'ʃuəd] zelfbewust; **self-'centred** in zichzelf opgaand, egocentrisch; **self-collected** ['selfkə'lektid] zichzelf meester, bedaard; **self-command** ['selfkə'mɑ:nd] zelfbeheersing; '**self-com'placent** zelfvoldaan; '**self-con'ceited** verwaand; '**self-con'fessed** volgens eigen bekentenis (*a* ~ *Nazi*); '**self-'confidence** zelfvertrouwen; **self-'conscious** (met zijn figuur) verlegen, bedeesd, te veel denkend aan wat anderen van ons denken (*we are too* ~ *to let ourselves go*); '**self-con'tained** eenzelvig, gesloten; op zichzelf staand, onafhankelijk; zichzelf meester; (*van bovenhuis*) vrij, met aparte opgang; '**self-con'trol** zelfbeheersing; '**self-de'fence** zelfverdediging; (*jur*) noodweer; *art of* ~ boksen; '**self-de'nial** zelfverloochening, -onthouding; '**self-de,termi'nation** zelfbeschikking; '**self-drive** *car* auto zonder chauffeur; '**self-'educated** (*man,* enz.), autodidact; '**self-em'ployed** zelfstandig (ondernemer); kleine zelfstandige; '**self-es'teem** gevoel van eigenwaarde; '**self-'evident** vanzelfsprekend; '**self-government** zelfbestuur; '**self-'help** het zichzelf helpen; '**self-im'portance** eigendunk; '**self-im'posed** zichzelf opgelegd (*task*); '**self-in'dulgence** genotzucht; '**self-'interest** eigenbelang; '**selfish** zelfzuchtig, egoïstisch; '*~ness* zelfzucht; '**self-'made** [*attr* 'selfmeid] eigengemaakt; ~ *man* die zich opgewerkt heeft tot wat hij is; '**self-o'pinion** koppigheid; '**self-'pity** zelfbeklag; **self-possession** ['selfpə'zeʃən] zelfbeheersing; '**self-preser'vation** zelfbehoud; **self-'raising** zelfrijzend (*flour*); '**self-re'liance** zelfvertrouwen; '**self-re'proach** zelfverwijt; '**self-re'spect** zelfrespect; '**self rule** zelfbestuur; '**self-'same** exact de(het)zelfde; '**self-'satisfied** zelfvoldaan; '**self-'seeking** zelfzucht(ig); '**self-'service** zelfbediening(s...); **self-sufficient** ['selfsə'fiʃənt] onafhankelijk, in eigen behoeften voorziend; **self-supporting** ['selfsə'pɔ:tiŋ] in eigen behoeften voorziend; '**self-'willed** eigenzinnig, koppig
sell [sel] I *ww* verkopen; verraden; verkocht worden, van de hand gaan (~ *well,* enz.); ~ ***off*** (uit)verkopen; ~ ***out*** *a*) (uit)verkopen; *b*) uitverkocht raken; ~ ***up***: *a*) uitverkopen, van de hand doen; *b*) wegens schulden laten verkopen; II *zn* (*sl*) afzetterij, verlakkerij, 'koopje', lelijke tegenvaller; '**seller** [-ə] verkoper; *best* ~ (schrijver van) succesroman(stuk); '**sell-out** uitverkoop (*ook fig*); *it is a* ~ ze gaan van de hand als warme broodjes
semblance ['sembləns] schijn, voorkomen, gelijkenis
semen ['si:men] (dierlijk) zaad, sperma
semester [si'mestə] id.: half jaar
semi ['semi] half-; '**semibreve** [-bri:v] hele noot; '**semicircle** halve cirkel; **semi'colon** [-kəulən] puntkomma; **semiconductor** halfgeleider; '**semi-de'tached** (*house*) half-vrijstaand huis, helft van dubbel woonhuis, halve villa; '**semi'final** [-fainl] demi-finale, halve eindstrijd
seminar ['seminɑ:] studiegroep onder leiding van academisch docent, werkcollege
seminary ['seminəri] seminarie, kweekschool
semi-official ['semiə'fiʃəl] officieus
senate ['senit] senaat, raad; *soms:* parlement
senator ['senətə] *a*) senator, raadsheer; *b*) volksvertegenwoordiger
send (ver-, af)zenden, sturen; drijven, jagen, gooien, enz.; ~ *to ask* (*to invite*) laten vragen (uitnodigen); *the war sent the shares sky-rocketing* deed ... in de hoogte vliegen; ~ *a p. crazy* (*mad*) gek maken; ~ *home, ook:* thuis bezor-

gen; ~ *a p.* ***about*** *his business* de laan uitsturen, zijn congé geven; ~ ***after*** nazenden, -jagen, enz. (~ *a bullet after a p.*); ~ ***along*** doorzenden; verder zenden; ~ ***away*** wegzenden, verzenden, versturen; ~ ***down*** naar beneden zenden; (*univ*) wegzenden (voor goed of tijdelijk); doen dalen (*the temperature, prices*); ~ ***for*** zenden om, ontbieden, laten halen; ~ ***forth*** uitzenden; opleveren, voortbrengen; bekend maken; ~ ***in*** inzenden; inzetten (*troops*); afgeven (*one's card*); thuisbezorgen (*meals*); ~ ***off*** af-, weg-, verzenden; uitgeleide doen; ~ ***on*** vooruitzenden, verder zenden; doorzenden (*letters*); ~ ***out*** uitzenden, verspreiden, enz.; ~ ***round*** rondzenden; laten rondgaan (*the bottle*); (iem of iets) sturen naar iems huis; ~ ***up*** naar boven sturen; opschuiven, opjagen, opdrijven (*prices*), opvoeren (*production*), doen stijgen (*the temperature*); (*fam*) de gek steken met, parodiëren, belachelijk maken

senile ['si:nail] kinds; seniel, van de oude dag; **senility** [si'niliti] seniliteit, kindsheid

senior ['si:njə] I *bn* ouder, oudste, eerste, senior, eerstaanwezend; ~ *citizen* 65-plusser; ~ *master* onderdirecteur van school; II *zn* id.; oudere, oudste; *he is my ~ by four years* (*four years my* ~) 4 jaar ouder dan ik; *he is my ~ in office* heeft meer dienstjaren dan ik; **seniority** [si:ni'ɔriti] *a*) hogere leeftijd; *b*) voorrang, anciënniteit

sensation [sen'seiʃən] *a*) gewaarwording, gevoel, aandoening; *b*) beroering, opzien, sensatie; *cause a* ~ opschudding teweegbrengen, opzien baren; **sensational** [sen'seiʃənəl] *a*) gewaarwordings..., zinnelijk; *b*) opzienbarend, sensationeel, sensatie... (*journalism*); **sensationalism** [-izm] effectbejag

sense [sens] I *zn* gevoel (*of pain*); verstand (ook: *~s: lose one's ~s*); begrip, besef, onderscheidingsvermogen; gevoelen; zin, betekenis (*use the word in that* ~); *sixth* ~ zesde zintuig; ~ *of community* saamhorigheidsgevoel; ~ *of duty* plichtsbesef; ~ *of humour* gevoel (zin) voor humor; ~ *of smell* reukzin (~ *of touch* tastzin); *what* (*where*) *is the ~ of doing it?* wat voor zin heeft het om ...?; *he has too much ~ to* ... is te verstandig om ...; *now you are talking* ~ nu spreek je verstandige taal; *it doesn't make* (*makes no*) ~ heeft geen betekenis (zin), raakt kant noch wal; *he could not make ~ of it* kon er niet wijs uit worden, kon er niet bij; ***in*** *a* (*some*) ~ in zekere zin; *in every* (*in no*) ~ in ieder (geen enkel) opzicht; *he spoke in the same* ~ in dezelfde geest; *a man **of*** ~ een verstandig man; *are you **out of** your ~s?* ben je niet wijs?; *frighten a p. out of his ~s* iem een doodschrik op het lijf jagen; *bring* (*come*) ***to*** *one's ~s* tot bezinning brengen (komen); II *ww* (vaag) voelen, gewaar worden, zich bewust worden van; begrijpen; voelen, dat er wat in de lucht zit; '**senseless** [-lis] *a*) bewusteloos; gevoelloos; *b*) dwaas, redeloos, onzinnig; '**sense-organ** [-ɔ:gən] zintuig

sensibility [sensi'biliti] gevoel(igheid) (*to* voor); kunstgevoel, smaak; ontvankelijkheid (*ook mv*); bewustzijn (*of one's weakness*); **sensible** ['sensəbl] *a*) verstandig, praktisch; *b*) waarneembaar (*to sight* voor ...), merkbaar; *c*) zich bewust (*of* van); *d*) bij zijn verstand, bij kennis; *e*) gevoelig (*of your kindness* voor ...)

sensitive ['sensitiv] *a*) gevoelig (*to an affront* voor ...); teer-, fijn-, overgevoelig; *b*) gevoels...; **sensitivity** [sensi'tiviti] (over)gevoeligheid

sensor ['sensɔ] id., voeler; **sensory** [-ri] zintuiglijk

sensual ['sensjuəl, -ʃuəl] zinnelijk; wellustig; '**sensualism** [-izm] zinnelijkheid; **sensuality** [sensju-, senʃu'æliti] zinnelijkheid

sensuous ['sensjuəs, -ʃuəs] zinnelijk (zonder ongunstige bijbetekenis); tot de zinnen sprekend, de zinnen strelend

sentence ['sentəns] I *zn: a*) vonnis, oordeel, uitspraak; *b*) zin; II *ww* vonnissen, veroordelen

sententious [sen'tenʃəs] (gemaakt) diepzinnig; gewichtig doend

sentiment ['sentimənt] *a*) gevoel; *b*) sentimentaliteit; *c*) gevoelen, idee, gedachte; **sentimental** [senti'mentl] (overdreven) gevoelig, sentimenteel; gevoels...; **sentimentalism** [senti'mentəlizm] sentimentaliteit; **sentimentality** [ˌsentimen'tæliti] sentimentaliteit

sentry ['sentri] schildwacht; *stand ~, keep ~* op schildwacht staan, de wacht houden; '**sentry box** schildwachthuisje

separable ['sepərəbl] scheidbaar; **separate** I *bn* ['sep(ə)rit] afgescheiden, afzonderlijk; ~ *copy* overdruk(je) (*van artikel*); II *ww* ['sepəreit] scheiden, verdelen, ontbinden (*a thing into its elements*); afzonderen, (zich) afscheiden, heengaan, uiteen-, vaneengaan; ~ *out* (zich) afscheiden; **separation** [sepə'reiʃən] afscheiding, afzondering, het ... (zie *separate*); *judicial ~, legal ~* scheiding van tafel en bed; **separatism** ['sep(ə)rətizm] separatisme; **separatist** ['sep(ə)rətist] id.: *a*) afgescheidene; *b*) separatist, voorstander van afscheiding

September [sep-, səp'tembə] september

septic ['septik] septisch: *a*) bederf veroorzakend; *b*) door rotting veroorzaakt; zwerend

sepulchral [si'pʌlkrəl] van het graf, graf... (*voice*); begrafenis..., somber; **sepulchre** ['sepəlkə] graf

sequel ['si:kwəl] vervolg (*to* op); wat volgt; gevolg, resultaat; afloop

sequence ['si:kwəns] op(een)volging, volgorde, (volg)reeks; (logisch) verband; scène, opname (*in film*)

sequestrate [si'kwestreit] (*jur*) verbeurd verklaren, beslag leggen op

serenade [seri'neid] serenade

serene [si'ri:n] helder, klaar; kalm, rustig, bedaard; sereen; doorluchtig; **serenity** [si'reniti] sereniteit; kalmte
serf [sə:f] lijfeigene, horige; (*fig*) slaaf; **'serfdom** [-dəm] lijfeigenschap; (*fig*) slavernij
sergeant ['sɑ:dʒənt] *a*) id.; wachtmeester; *b*) brigadier (van politie)
serial ['siəriəl] I *bn* van een reeks; opeenvolgend, volg..., serie...; bij gedeelten verschijnend; ~ *letter* serieletter (*van bankbiljet*); II *zn: a*) feuilleton (= ~ *story*); *b*) regelmatig weerkerende publikatie: tijdschrift, serie-uitgave; **'serialize** [-aiz] *a*) als feuilleton uitgeven (*a novel*); *b*) rangschikken
series ['siəri:z, 'siəriz] (*ook mv*) serie, reeks, opeenvolging; ~ *connexion* serieschakeling
serious ['siəriəs] ernstig, serieus, menens; stemmig; plechtig; belangrijk, aanzienlijk; *I am* ~ ik meen het in ernst; *you're not* ~*!* dat meen je niet!; **'seriously** *ook:* in ernst; *take things* ~ ernstig opnemen
sermon ['sə:mən] preek, leerrede, vermaning; *S~ on the Mount* Bergrede; **'sermonize** [-aiz] preken, een preek (predikatie) houden (tegen)
serpent ['sə:pənt] slang (*ook fig*); **'serpentine** [-ain] slangachtig, -vormig, slangen..., kronkelend
serrated [se'reitid] zaagvormig; (*plantk*) gezaagd; ~ *knife* kartelmes
serum ['siərəm] serum
servant ['sə:vənt] bediende, dienstbode; dienaar, dienares; (*inz. fig*) dienstknecht; *public* ~ rijksambtenaar; *civil* ~ burger-ambtenaar; **'servant-girl** dienstmeisje
serve [sə:v] dienen, van dienst zijn, helpen, baten (*that excuse will not* ~ *you*); voorzien in (*a need*); voldoen aan (*a p.'s desires*); beantwoorden aan; voldoende zijn; dienst doen (*as, for* als); 'zitten' (*in gevangenis*); bedienen (= ~ *at table*); opdienen, serveren; dekken (*van dieren*); (*tennis, enz*) serveren; *this money has to* ~ met ... moet je het stellen; *if my memory* ~*s me* (*right*) me niet bedriegt; *when occasion* ~*s* als de ... zich voordoet; *nothing would* ~ *him but* ... hij was niet tevreden, voordat ...; ~ (*it* ~*s*) *him right!* net goed! lekker! verdiende loon!; *he had* ~*d his day* zijn tijd gehad; ~ *a useful function* vervullen; ~ *mass* de mis dienen; ~ *a purpose* aan een doel beantwoorden; *it would* ~ *no useful purpose* geen nut hebben; ~ *the purpose of* dienst doen als; ~ *a* (*one's*) *sentence,* ~ *time* 'zitten' (*in gevangenis*); ~ *one's time: a*) zijn tijd uitdienen; *b*) zijn straf uitzitten; *it has* ~*d its turn* zijn dienst gedaan; ~ ***on*** *a jury* (*a committee*) lid zijn van, zitting hebben in; ~ ***out*** uit-, ronddelen; ronddienen; uitgeven (*ammunition,* enz.); ~ *out one's time: a*) uitdienen; *b*) uitzitten; ~ ***round*** ronddienen, rond-, uitdelen, -geven; **service** ['sə:vis] I *zn* dienst; tak van dienst, dienstvak; nut; dienstbaarheid, bediening; id.: (geregelde) vakkundige verzorging (*van auto, radio, enz.*); dekking (*van dieren*); kerkdienst; servies; (*tennis*) service; *the* (*fighting*) ~*s* leger, vloot en luchtstrijdkrachten; ~ *charge* bediening(sgeld); ~ *door* deur voor het personeel; ~ *dress* diensttenue; *the* ~ *industries* de dienstensector; ~ *road* ventweg; ***at*** *your* ~ tot uw dienst; *go* ***into*** (***out to***) ~ gaan dienen; *take a ship* ***off*** (***out*** *of*) *the* ~ uit de vaart nemen; ***on*** *Her Majesty's* ~, (*op briefomslagen*) Dienst; II *ww* in orde brengen (*a motor-car*); *-ing* revisie; **'serviceable** [-əbl] van dienst (nut), dienstig, bruikbaar, nuttig; **'serviceman** soldaat, militair; **'service-pipe** gas- of wateraanvoerbuis (tussen hoofdleiding en huis); **'service-stairs** diensttrap; **'service station** (benzine)laadstation; werkplaats, reparatie-inrichting
serviette [sə:vi'et] servet
servile ['sə:vail] slaafs, kruipend, onderworpen
servitude ['sə:vitju:d] slavernij
sesame ['sesəmi] sesamkruid, -zaad
session ['seʃən] zitting(stijd); bijeenkomst; schooljaar; *Parliament is in* ~ is bijeen
set I *ww* zetten; stellen, plaatsen, leggen; situeren (*the play is* ~ *in the 18th century*); afzetten (*van lijnen, enz*); vatten, zetten (*a stone*); bijzetten (*sail*); opprikken (*a butterfly*); aanzetten (*a knife*); uitzetten (*a watch, net*); gelijkzetten (*a clock*); instellen (*a mechanism*); dekken (*a table*), klaarzetten (*a meal*); watergolven (*hair*); klaarmaken; vaststellen (*a limit*); richten, schikken; brengen (*in order*); aanzetten; aangeven (*the pace*); opgeven (*a task, examination*); bezetten (*with diamonds*); inleggen; vast (stevig, stijf) worden of doen worden, (doen) stollen; (*van vrucht, bloesem*) zich zetten; (*van boom*) vruchten vormen; (*van karakter*) zich vormen; (*van gezicht, enz*) een harde (vastberaden) uitdrukking aannemen; (*van meningen, enz*) zich vastzetten; (*van zon, enz*) ondergaan; *get* ~*!* (*sp*) klaar!; ~ *o.s. to* ... zich ertoe zetten (op toeleggen, zijn best doen) om te ...; ~ ***about*** (*vz*) beginnen, aanpakken (*fam*) aanvallen; ~ ***against*** stellen tegenover; opzetten tegen; ~ ***apart*** terzijde zetten (leggen), afzonderen, bestemmen (*for* voor); ~ ***aside*** terzijde leggen (stellen), van zich afzetten; buiten werking stellen (*a law*), afschaffen, nietig verklaren, vernietigen (*a decree*); ~*ting aside the question of* ... ... daargelaten, afgezien van ...; ~ *aside for* reserveren voor; ~ ***back*** terug-, achteruitzetten; kenteren (*ook fig*); *how much does it* ~ *you back?* (*fam*) wat kost het je?; ~ *much* (*little*) *by* veel (weinig) geven om; ~ ***by*** (*bw*) terzijde leggen, reserveren; ~ ***down*** neerzetten; op papier brengen, opschrijven, -tekenen; ~ ***forth*** op reis (weg) gaan; uiteenzetten; ~ ***forward*** vooruitzetten (*a clock*); vooruithelpen, bevorderen; verkondigen (*a theory*); ~ ***free*** vrijlaten; ~ ***in*** invallen (*van dooi, enz*) intreden; opkomen (*van vloed*); ~ ***off*** doen ontbranden, tot ont-

ploffing brengen; aan de gang maken, aan het praten (lachen, enz.) brengen; afzetten, afpassen; afscheiden; onderscheiden (*separate groups*); doen uitkomen (bij wijze van contrast: *she ~ off her friend's beauty*); verhogen (*her dress ~ off her charms*); (aan)prijzen; goedmaken, (doen) opwegen (*against* tegen); vertrekken (*for* naar); ~ ***on*** (*bw*) opzetten, aanzetten, aansporen, aanhitsen; aan de gang brengen; aan het werk zetten; vooruitrukken; ~ ***on*** (*vz*) aan-, overvallen; *be ~ on* zeer gesteld (verzot) op, vastbesloten tot; ~ ***out*** klaarleggen, -zetten (*the tea things*), tentoonstellen, etaleren; tooien (*with* met); op weg gaan; ~ *a p.* ***over*** *others* (aan)stellen over; ~ ***to*** (*vz*) beginnen; ~ *one's mind to* zich toeleggen op; ~ *to work* (zich) aan het werk zetten; ~ ***to*** (*bw*) aanpakken, -vallen (*ook aan tafel*); ~ ***up*** opzetten, overeind zetten, plaatsen, opstellen; oprichten, stichten, (zich) vestigen, beginnen (*a shop*); aan-, instellen (*a committee*); uitrusten, prepareren, klaarmaken; ~ *up with* uitrusten met, voorzien van; voor de dag komen met (*a theory, claims*), aanvoeren (*a plea*); vaststellen (*a standard*); *be ~ up for, well ~ up with* goed voorzien zijn van; ~ *up in business: a*) in een zaak zetten; *b*) een zaak beginnen; **II** *bn* gezet, vast (*time, rules*), vastgesteld, stereotiep (*phrase*); voorgeschreven (*book*); officieel, formeel (*party*); strak, onbeweeglijk (*face*); op elkaar geklemd (*lips*); stevig (gebouwd); stijf (*pudding*); ~ *speech* vooraf geprepareerde rede; *the egg was ~* bebroed; *the sun is ~* onder; ~ *with diamonds* bezet met; *are you all ~?* ben je helemaal klaar (om te beginnen)?; **III** *zn* stel, span, servies, garnituur, installatie, toestel (*a wireless ~*); reeks van vertrekken, suite; (*wisk*) verzameling (~ *theory* verzamelingenleer); (*tennis enz*) id.; partij (*finish the ~*); spel (*a ping-pong ~*); serie; kring (*girls in her ~*); groep, troep, bende, kliek, ploeg; stek, loot, jonge plant; houding (*of the head*); instelling, gesteldheid (*of a p.'s mind*); ligging (*of the hills*); snit, het zitten (*van kledingstuk*); het zetten (vast worden, enz.); verzakking; het staan (*van hond*); bouw; (*theat*) toneelopbouw; (*film*) id., decor, plaats van opname; '**setback** tegenslag, kink in de kabel; inzinking; '**set square** tekendriehoek(je)

settee [se'ti:] canapé, sofa

setting ['setiŋ] *a*) het ...; zie *set*; *b*) opzet (*van werk*); *c*) omlijsting, omgeving, kader; achtergrond; *d*) montering (*van toneelstuk*); *e*) couvert (= *table ~*)

settle ['setl] zich) vestigen, stichten (*a colony*); zich vestigen in, koloniseren (*a country*); vastzetten (*money on ...*); zich zetten, gaan zitten (liggen); neerstrijken (*on* op), neerdalen; tot rust (bedaren) komen of brengen; in-, verzakken; (doen) bezinken, neerslaan; een vaste vorm aannemen of geven; klaren (*van vloeistof*); vast worden (*van weer*); schikken, regelen (*one's affairs*), afdoen; beslissen, vaststellen; besluiten; vereffenen (*accounts*), betalen, afrekenen; bijleggen (*a dispute*); ~ *o.s.* zich vestigen; op zijn gemak gaan zitten (liggen); *that ~d the matter* gaf de doorslag; ~ ***down*** zich (op zijn gemak) neerzetten; neerdalen; zich (voor goed) vestigen; tot rust (bedaren) komen; acclimatiseren, wennen; langzaam zinken; vast worden (*van weer*); ~ *down to work* zich ernstig aan het werk zetten; ~ ***for*** genoegen nemen met; ~ ***in*** zich (voorgoed) vestigen, zich inrichten (in nieuw huis); ~ ***on*** *a plan* besluiten tot; ~ ***to*** *one's task* zich zetten aan; ~ ***up*** *with* afrekenen met, een akkoord aangaan met (*one's creditors*); **settlement** ['setlmənt] vaste (woon)plaats (positie); kolonisatie; volksplanting, nederzetting, (*Am & kol*) ook: gehucht; gebouw voor maatschappelijk werk in armenwijk; schikking, afdoening, vereffening; schenking, lijfrente; *place of ~* domicilie; *make a ~ on* iets vastzetten op; **settler** ['setlə] kolonist

set-to ['set'tu:] vechtpartij; dispuut, ruzie

set-up ['setʌp] instelling; situatie; structuur, organisatie; (*techn*) opstelling

seven ['sevn] zeven; *the ~ seas* de wereldzeeën; '**sevenfold** [-fəuld] zevenvoudig; **seventeen** ['sevn'ti:n; *attr:* 'sevnti:n] zeventien; *in the ~-eighties* tussen 1780 en 1790; **seventeenth** [-θ] 17de; **seventh** ['sevnθ] zevende; (*muz*) septime; **seventieth** ['sevntiiθ] 70ste; **seventy** ['sevnti] zeventig

sever ['sevə] (af)scheiden, (ver-, af)breken, afhouwen, -snijden, -scheuren; verdelen; van of uit elkaar gaan

several ['sev(ə)rəl] verscheiden; onderscheiden; afzonderlijk (*each ~ part*); respectief (*their ~ names*); '**severally** [-i] elk voor zich, afzonderlijk

severance ['sevərəns] (af)scheiding; het uit elkaar gaan (zie *sever*)

severe [si'viə] streng (*upon, with* jegens), gestreng, sober (*style*), eenvoudig; hard, zwaar (*loss*); hevig (*pain*); scherp (*competition* concurrentie); **severity** [si'veriti] (ge)strengheid; hevigheid, scherpte

sew [səu] (aan-, in)naaien

sewage ['s(j)u(:)idʒ] rioolslijk, -water; **sewer** ['sjuə] riool; '**sewerage** [-ridʒ] riolering, rioolstelsel

sewing ['səuiŋ] het naaien; naaiwerk; '**sewing-machine** [-məʃi:n] naaimachine

sex [seks] geslacht, sekse, kunne; erotiek; id., seks, geslachtelijk verkeer; **sex-appeal** ['seksə'pi:l] seksuele aantrekkingskracht; '**sexism** achterstelling op grond van het geslacht, vrouwenonderdrukking; '**sexless** geslachtloos; **sexologist** [sek'sɔlədʒist] seksuoloog

sextant ['sekstənt] sextant

sexton ['sekstən] koster, doodgraver

sexual ['seksjuəl] geslachts..., seksueel; **sexuality** [seksju'æliti] seksualiteit

sexy ['seksi] id., erotisch
S.F. *science fiction* (natuurwetenschappelijke) toekomstroman
shabby ['ʃæbi] haveloos, kaal, versleten, armoedig, sjofel; gemeen, min, krenterig
shack [ʃæk] hut, keet, (primitief) houten huis
shackle ['ʃækl] kram, beugel, koppeling, sluitring, -schalm, (anker)sluiting; (*gew mv*) boei(en), kluister(s); (*fig ook*) belemmering
shade [ʃeid] I *zn* schaduw; lommer; schim; tint, schakering, nuance (*ook fig: ~s of meaning*); zweem, schijntje, tikje (*a ~ stronger*); (lampe)-kap; (oog)scherm; II *ww: a*) (be-, over)schaduwen; *b*) arceren; *c*) verduisteren; *d*) beschermen, beschutten (*a light*), temperen; *~ one's eyes* (*with one's hand*) zijn hand boven de ogen houden
shadow ['ʃædəu] I *zn* schaduw(beeld), (weerkaatst) beeld; schijn; afschaduwing, evenbeeld; schim, geest; zweem (*without a ~ of doubt*); (politie)spion; voor iems bescherming aangewezen politieagent (hersen)schim); II *ww: a*) be-, overschaduwen; *b*) volgen als een schaduw; (*sp, politie*) schaduwen; '**shadowboxing** schaduwboksen (boksen met denkbeeldige tegenpartij); '**shadow-cabinet** schaduwkabinet; '**shadow-play**, **shadow-show** schimmenspel; '**shadowy** [-i] *a*) schaduwrijk, in schaduw gehuld; *b*) schimachtig; *c*) hersenschimmig, vaag
shady ['ʃeidi] schaduwrijk, lommerrijk, beschaduwd; (*fig*) onbetrouwbaar, verdacht, van twijfelachtig gehalte (*a ~ business*), louche; *on the ~ side of seventy* boven de 70
shaft [ʃɑ:ft] schacht, pijl, werpspies; (licht-, bliksem)straal; steel; (vlagge)stok; (drijf)as; mijnschacht; (lift)koker; *~ of light* lichtbundel; *~s* disselraam
shag [ʃæg] id., sigarettentabak; '**shaggy** [-i] ruig(harig, -begroeid); *~ dog story* lang uitgesponnen mop met ongerijmd slot
shake [ʃeik] I *ww* (doen) schudden (wankelen, dreunen, beven, trillen); vibreren; uitschudden; schokken (*a p.'s trust in ...*); kwijtraken (*a p.*); *~ hands* elkaar de hand geven; *~ hands with* de hand geven; *~ one's fist at a p.* zijn vuist schudden tegen iem; *~* ***down*** *into one's place* zich thuis gaan gevoelen; *~ o.s. free* ***from*** van zich afschudden, zich losmaken van; *~* ***in*** *one's shoes* op zijn benen staan te trillen; *~* ***off*** afschudden, zich ontdoen van, afraken van (*a p., a cold*); *~* ***out*** uitschudden, leegschudden; uitslaan; *~* ***up*** door elkaar schudden, (op)schudden, wakker schudden, aanporren; II *zn* ...ing; schok, ruk; handdruk (= *~ of the hand*); *~s* rillingen; delirium; *no great ~* niet erg goed, bekwaam, enz.; *in* (*half*) *a ~, in two ~s,* (*fam*) in een wip; *I shan't be a ~* ben zo terug; '**shake-down** 1 kermisbed; 2 laatste proefvaart (-vlucht); '**shake-up** personeelswisseling, reorganisatie; **shaky** ['ʃeiki] onvast, wankel, beverig; onbetrouwbaar, onzeker; zwak (*his French is ~*); slap(jes: *feel ~*)
shale [ʃeil] leisteen
shall [ʃæl, ʃəl, ʃl] zal, zullen; zie *shan't*
shallot [ʃə'lɔt] sjalot
shallow ['ʃæləu] I *bn* ondiep; laag (*collar, steps*); oppervlakkig; lichtvaardig; II *zn* (mv *shallows*) ondiepte, zandbank
sham [ʃæm] I *ww* voorwenden, veinzen, simuleren; II *zn* iets dat slechts schijn of namaak is, een imitatie; III *bn* voorgewend; vals (*cheque*); nagemaakt; blind (*door*); schijn...
shamble ['ʃæmbl] schuifelen(d lopen), sloffen
shambles ['ʃæmblz] (*fig*) bloedbad, slachting; (*fam*) rotzooi, janboel
shame [ʃeim] I *zn: a*) schaamte; *b*) schande, schandaal; *cry ~* (*up*)*on* schande roepen over; *it's a ~* het is schande (gemeen); *what a ~!* (*fam*) wat jammer (zonde, vervelend)!; *cries of '~! ~!'* foei!; *put to ~* beschamen, beschaamd doen staan; ***for*** *~! ~ on you!* schaam je!; ***to*** *her ~* tot haar schande; II *ww: a*) beschamen, beschaamd maken; *b*) te schande maken, schande aandoen; '**shamefaced** [-feist] *bn* bedeesd, bedremmeld, beschaamd; '**shamefacedly** [-feistli, -feisidli] *bw* bedeesd, bedremmeld, beschaamd; '**shameful** [-f(u)l] schandelijk; '**shameless** schaamteloos
shampoo [ʃæm'pu:] I *zn* shampoo; *tinting ~* kleurshampoo; II *ww* shamponeren, wassen (met shampoo)
shamrock ['ʃæmrɔk] wit(te) klaver(blad)
shandy ['ʃændi] mengsel van bier en gemberbier of limonade
shank [ʃæŋk] scheenbeen; schacht (*van zuil, anker, sleutel*), pijp (*van sleutel*); metalen oog van knoop
shan't [ʃɑ:nt] *shall not*
shanty ['ʃænti] 1 hut, loods; 2 matrozenliedje; '**shanty town** krottenstad, -wijk
shape [ʃeip] I *ww* vormen (***into*** tot), maken, scheppen; modelleren, fatsoeneren; aanpassen (***to*** aan); inrichten, regelen (*one's life to one's duties* naar ...); zich vormen, erin groeien, zich ontwikkelen (*the new recruits are shaping well*); *~* (*one's course*) ***for*** koers zetten naar; *~d* ***for*** *a teacher* in de wieg gelegd voor; *~* ***well*** (*finely,* enz.) goed opschieten, er mooi voor staan, veel beloven; II *zn* vorm, gedaante, gestalte; model; (*sp, enz*) conditie, vorm (*be in great ~* in uitstekende ...); *in any* (*no*) *~* (*or form*) in enige (geen enkele) vorm, op enige (geen) manier; *take* (*put into*) *~* een vaste vorm aannemen (geven); *that's the ~ of it* zo is het ermee gesteld; '**shapeless** [-lis] vorm(e)loos, lomp; '**shapely** [-li] goed gevormd, welgemaakt, knap
shard [ʃɑ:d] (pot)scherf
share [ʃɛə] I *zn* aandeel; deel; *~ and ~ alike* op gelijke voet, als gelijkgerechtigden; *go ~s* samen delen (doen, bijdragen); II *ww* delen (in), deelnemen; verdelen; *~ out* uitdelen, ver-

delen; ~ (*and* ~) *alike: a*) gelijk op delen; *b*) elk zijn deel betalen; ~ *rooms* samen wonen; '**share-capital** aandelenkapitaal; '**sharehold-er** aandeelhouder; '**share-out** uitkering; verdeling

shark [ʃɑ:k] haai; (*fig*) afzetter, zwendelaar

sharp [ʃɑ:p] *bn* & *bw* scherp, spits, puntig; gewiekst (*trick*), bijdehand (*lad*), glad, slim; inhalig, gewetenloos, oneerlijk (*practices*); hevig, vinnig (*fight*); (*sl*) *a*) elegant, chic; *b*) opzichtig; krachtig, vlug (*at a ~ pace*); sterk (*rise, fall*); streng (*frost, punishment*); schel, snijdend; steil; (*muz*) vals: te hoog (*sing ~*); kruis; een halve toon verhoogd (*C ~* cis); (*van interval*) groot; *~'s the word* het moet vlug gebeuren; *at eight ~* klokslag 8 uur; *turn round ~(ly)* zich ineens omkeren; *look ~* let op, wees voorzichtig; '**sharp-'edged** [-edʒd] met scherpe rand, scherp; '**sharpen** [-n] scherp(er) maken of worden, (aan)scherpen, aanpunten, (zich) verscherpen; (*muz*) verhogen; '**sharper** [-ə] bedrieger, afzetter, valse speler; '**sharp-eyed** scherp van gezicht; '**sharp-'shod** op scherp (*van paard*); '**sharpshooter** scherpschutter

shatter ['ʃætə] verbrijzelen, verpletteren, vernietigen; in de war brengen; schokken (*a p.'s nerves*), ondermijnen (*a p.'s constitution*), ontredderen; in stukken vallen, uiteenvallen of -spatten (= ~ *up*); *~ing blow* verpletterende slag; '**shatterproof** splintervrij (*glass*)

shave [ʃeiv] I *ww* (zich) scheren; afscheren (= ~ *off*); schaven; afsnijden; strijken (rakelings gaan) langs; II *zn: have a ~* zich (laten) scheren; *it was a close* (*near*) ~ het scheelde een haar; '**shaver** scheerapparaat (*electric ~*); **shaving** ['ʃeiviŋ] het ... (zie *shave*); snipper, spaander (*gew mv:* krullen); *in sam:* scheer...; '**shaving-soap** scheerzeep

shawl [ʃɔ:l] hals-, schouder-, omslagdoek

she [ʃi(:)] I *vnw* zij; het (*van schip, enz*); II *zn* vrouw, meisje; liefje; wijfje; *attr:* wijfjes...

sheaf [ʃi:f] schoof; bundel (*of papers, arrows*)

shear [ʃiə] (af)scheren (*gew van schapen*); knippen (*metals*); **shears** (grote) schaar, heggeschaar

sheath [ʃi:θ, *mv:* ʃi:ðz] *a*) schede (*ook van blad, enz.*); *b*) vleugelschild; *c*) condoom; **sheathe** [ʃi:ð] in de schede steken, opsteken; hullen; (*van schip*) bekleden

1 shed [ʃed] *zn* loods, keet, schuurtje; afdak

2 shed [ʃed] *ww ook ovt & v dw* storten (*tears*); vergieten (*blood*); werpen (*light upon* ...); afwerpen (*horns, the skin*); laten vallen (*leaves*); (*elektr*) verlagen (*the load* spanning); af-, uitvallen; (*fam*) zich ontdoen van, weggeven

sheen [ʃi:n] glans, schittering, pracht

sheep [ʃi:p] *a*) schaap, schapen; *b*) schaapsleer; *make ~'s eyes at* verliefde blikken werpen naar, toelonken; *a black ~* een zwart schaap (*fig*); '**sheepcot** [-kɔt], '**sheepcote** [-kəut] schaapskooi; '**sheepdog** herdershond; '**sheep-farm** schapenfokkerij; '**sheepfold** [-fəuld] omheining voor schapen; '**sheepish** schaapachtig, sullig, bedeesd; '**sheepskin** schaapsvacht, -vel, -leer; perkament

1 sheer [ʃiə] I *bn: a*) zuiver, rein, louter, puur, absoluut, niet anders dan; onverdund (*wine*); klinkklaar (*nonsense*); *b*) steil, loodrecht; *c*) dun, doorschijnend (*van stoffen*); II *bw: a*) totaal, regelrecht, plompverloren, pardoes (*I pitched him ~ into the water*); *b*) steil, loodrecht

2 sheer [ʃiə] zijwaarts gaan, van koers veranderen

sheet [ʃi:t] (bedde)laken; vel (papier), blad; gordijn (*van mist, enz*); (water-, ijs)vlak; plaat (*of glass, metal*); (*scheepv*) schoot; ***in*** *~s* in losse vellen; *the rain came down in ~s* in stromen; '**sheet anchor** plechtanker (*ook fig*); **sheet ice** ijzel; '**sheeting** *a*) stof voor lakens; *b*) bekleding; '**sheet iron** plaatijzer; '**sheet lightning** weerlicht; '**sheet metal** plaatijzer; '**sheet music** muziekblad(en), losse muziek

shelf [ʃelf] (boeken)plank, vak; vooruitstekende rand; zandbank, klip, (rots)laag; *continental ~* continentaal plat; *lay* (*put*) *on the ~* aan de dijk zetten; *remain* (*be left*) *on the ~* onverkocht blijven; (*van meisjes*) blijven zitten

shell [ʃel] I *zn* schelp, schaal, schil, dop, peul, bolster; omhulsel; (vleugel)schild; aardkorst; granaat, granaten; huls; geraamte (*van gebouw, schip*); *come out of one's ~* ontdooien, loskomen; II *ww* schillen, doppen; pellen; beschieten; **shell-crater** ['ʃelkreitə] granaattrechter; '**shellfish** schelp-, schaaldier(en); '**shell-hole** granaattrechter; '**shell-proof** bomvrij; '**shellshock** id.: zenuwstoring door granaatvuur

shelter ['ʃeltə] I *zn* beschutting (*from* tegen), bescherming, schuilplaats; (tram)huisje, bushokje; onderdak; doorgangshuis; lighal; II *ww* beschutten, beschermen, in bescherming nemen (*from* tegen), een schuilplaats verlenen; schuilen (*from* voor); '**sheltered** *bn* beschermd, beschut; ~ *trades* (*workshop*) beschutte werkplaats

shelve [ʃelv] 1 van planken voorzien; op een plank of planken plaatsen; behandeling uitstellen van, op de lange baan schuiven (*a question*); 2 zacht hellen, glooien (*shelving beach*); **shelves** [ʃelvz] meervoud van *shelf*; **shelving** ['ʃelviŋ] planken, stellingen

shenanigan(s) [ʃə'nænigən(z)] (*fam*) bedrog; onzin

shepherd ['ʃepəd] I *zn* (schaap)herder; II *ww* hoeden, (ge)leiden; (*fam*) in het oog houden; '**shepherdess** [-is] herderin

sheriff ['ʃerif] *a*) (*hist*) *ongev* drost; *b*) (*Am*) hoofd van politie

shield [ʃi:ld] I *zn* schild; wapenschild; (*Am*) politiepenning; II *ww* beschermen (*from* tegen); de hand boven het hoofd houden

shift [ʃift] I *ww* veranderen, (zich) verplaatsen,

overplaatsen, verleggen (*the scene*), (ver)schuiven; verhalen (*a vessel*); verwijderen (*a stain*); losraken, werken (*van lading*); van richting veranderen, omlopen (*van de wind*); draaien (*fig*); zich erdoor slaan; zich behelpen; ~ ***about*** zitten te schuiven (draaien; *in one's chair*); omlopen (*van de wind*); ~ ***for*** *o.s.* zichzelf redden, voor zichzelf zorgen; II *zn* ploeg (werklieden); werktijd; dienstregeling; hulp-, redmiddel; list, truc, uitvlucht; ~ *gear* overschakelen (*auto*); *make ~ with* (*without*) het stellen met (zonder); **shiftless** lusteloos, indolent, lui; **'shift-work** ploegendienst; **'shifty** [-i] sluw, onbetrouwbaar

shilling ['ʃiliŋ] id., £0,05; (*hist*) 12 pence; ~ *story* driestuiverroman

shilly-shally ['ʃiliʃæli] weifelen, geen besluit (durven) nemen

shimmer ['ʃimə] I *ww* glinsteren, glimm(er)en, flikkeren, schemeren; II *zn* glinstering, flikkering

shin [ʃin] scheen; ~ *pad* scheenbeschermer; **'shin-bone** scheenbeen

shine [ʃain] I *ww* (laten) schijnen; schitteren, glimmen, glinsteren (*with* van); uitblinken; glimmend maken, poetsen (= ~ *up;* in deze bet. o.v.t. & v. dw. *~d*); II *zn* zonneschijn; glans; schijnsel

shingle ['ʃiŋgl] I *zn* 1 dakspaan, plank; 2 grind, kiezelste(e)n(en); II *ww* met dakspanen dekken; **shingles** [-z] gordelroos

shining ['ʃainiŋ] schijnend, schitterend; **shiny** ['ʃaini] blinkend, glimmend (*nose*)

ship [ʃip] I *zn* (groot zee)schip; vliegtuig; (*sp*) boot; ~ *of the line* linieschip; *take* ~ scheepgaan, zich inschepen (*for* naar); *~'s company* scheepsbemanning; II *ww* (zich) inschepen; aanmonsteren; (zich laten) verschepen, verzenden; innemen; binnen-, overkrijgen (*a sea*); ~ (*off*): *a*) af-, verschepen; *b*) zijn congé geven, wegsturen; **'shipboard** (aan) boord; **'shipbuilding** scheepsbouw; **'ship-chandler** [-tʃɑ:ndlə] scheepsleverancier; **'shipload** scheepslading; **shipment** *a*) verscheping, (ver)zending; *b*) lading; **'shipowner** [-ounə] reder; **'shipper** [-ə] verscheper, aflader; exporteur; **shipping** ['ʃipiŋ] *a*) ver-, inscheping; *b*) (gezamenlijke) schepen; *c*) scheepvaart; **'shipping-company** scheepvaartmij.

shipshape ['ʃipʃeip] behoorlijk in orde, netjes, keurig

shipwreck ['ʃiprek] I *zn* schipbreuk; II *ww* doen schipbreuk lijden (*ook fig*); *be ~ed* schipbreuk lijden; *~ed, ook:* verongelukt; **shipwright** ['ʃiprait] scheepsbouwmeester, scheepstimmerman; **shipyard** ['ʃipjɑ:d] scheeps(timmer)werf

shire ['ʃaiə] graafschap (*Eng provincie*); in samenstellingen (*Yorkshire*); **'shire horse** zwaar boerenpaard

shirk [ʃə:k] ontwijken, ontduiken, zich onttrekken aan (*one's duty*), zich afmaken van (*a difficulty*); lijntrekken, zich drukken; spijbelen

shirt [ʃə:t] (over)hemd, kiel; ~ *of mail* maliënkolder; *bet one's* ~, (*sl*) er alles onder verwedden; *keep your ~ on,* (*sl*) kalmte kan je redden; **'shirt-cuff** [-kʌf] vaste manchet (aan de mouw); **'shirt-sleeve** hemdsmouw

shit [ʃit] (*plat*) I *ww* schijten; II *zn* schijt; gelul (= *bullshit*)

shiver ['ʃivə] I *ww* (t)rillen, sidderen, huiveren; II *zn* (t)rilling, huivering; *~s* (koorts)rillingen; bibberatie; *give the ~s* doen rillen; **'shivery** [-ri] (t)rillend; huiverig, bibberig; griezelig

shoal [ʃoul] 1 ondiepte, zandbank; *~s,* (*fig*) klippen; 2 school (*of herrings,* enz.), troep, menigte; *in ~s* bij hopen

shock [ʃɔk] I *zn* schok, botsing; aanval; schrik, onaangename (*soms:* aangename) verrassing; teleurstelling, ontzetting; aanstoot; plotselinge zenuwaandoening, 'shock'; II *ww* aanstoot geven, ergeren, ontzetten; een schok geven, schokken (*the nervous system*); **'shock absorber** schokbreker; **'shocking** aanstotelijk, stuitend; gruwelijk; afschuwelijk (als *bw* fam: ~ bad); **'shock wave** schokgolf

shoddy ['ʃɔdi] nagemaakt; mooi uitziend, maar prullig, ondeugdelijk, ordinair

shoe [ʃu:] I *zn* (lage, *Am ook:* hoge) schoen (ook van schede, paal, enz.); hoefijzer; remschoen; beslag; *I should not like to be* ***in*** *your ~s* zou niet graag in uw schoenen staan; *step* ***into*** *a p.'s ~s* iem opvolgen; II *ww: a*) schoeien; *b*) beslaan; **'shoelace** schoenveter; **'shoemaker** schoenmaker; **'shoe-polish** schoensmeer; **'shoeshine** (*Am*) schoensmeer; **'shoestring** kleinigheid; *start on a* ~ met heel weinig geld beginnen

shoo [ʃu:] I *tw* (k)sh!; II *ww* 'sh' roepen (*at* tegen), wegjagen (= ~ *away*)

shoot [ʃu:t] I *ww* (doen) schieten, aan-, af-, uit-, neer-, doodschieten, fusilleren; verschieten; jagen; foto's maken; opnemen (*film*); doorschieten onder (*a bridge*), heenschieten over (*a rapid, the water*), gooien; werpen, schuiven; *I'll be shot if* ... ik laat me hangen, als ...; *be out ~ing* op de jacht zijn; ~ ***ahead*** vooruitschieten; ~ *ahead of* voorbijschieten; ~ ***at*** schieten op; toewerpen (*a glance*); ~ ***down*** afschieten, neerschieten; ~ ***off*** afschieten; afwerpen (*water*); ~ ***on*** vooruitschieten, -snellen; ~ ***out*** schieten (*branches*); (er)uitschieten; eruit flappen (*a remark*); afvuren (*a question*); ~ ***up*** omhoog (de hoogte in) schieten; zich verheffen; door kogels verwonden; beroven onder bedreiging met moord; (*sl*) (heroïne in)spuiten; II *zn* schietwedstrijd; loot, scheut, uitloper; **shooting** I *bn* schietend (zie *shoot*); ~ *pains* scheuten van pijn; ~ *star* vallende ster; II *zn: a*) het ... (zie *shoot*); *b*) jacht; **'shooting gallery** schiettent; **'shooting licence** [-lais(ə)ns] jachtakte; **'shooting lodge** jachthut; **'shooting range** [-rein(d)ʒ] schietterrein, -baan; **'shooting war** oorlog waarin echt geschoten wordt; (*vgl* koude oorlog)

shop [ʃɔp] I *zn* winkel, werkplaats; (*sl*) kantoor, zaak; *~!* volk!; *set up ~* een zaak beginnen; *shut up ~: a*) de winkel sluiten; *b*) zich uit de zaken terugtrekken; uitscheiden; *talk ~* het (samen) over het vak hebben; II *ww: a*) winkelen; *b*) (*sl*) verklikken; *~ (a)round* rondkijken (in winkel, naar werk, enz.); prijsbewust winkelen; '**shop assistant** winkelbediende; '**shop floor** werkvloer; '**shopgirl** winkelmeisje, winkeljuffrouw; '**shopkeeper** winkelier; '**shoplifter (lifting)** winkeldief(stal); '**shopper** [-ə] winkelbezoeker; '**shopping** het winkelen; boodschappen; *go ~* gaan winkelen; '**shopping centre (quarter)** winkelcentrum (-wijk); '**shop-soiled** [-sɔild] smoezelig of gekreukt door te lang in de winkel of etalage liggen; '**shop steward** [-stjuəd] bedrijfscontactman, (vak)bondsvoorman; '**shopwindow** winkelraam; '**shopworn** (*van ideeën bijv*) ouderwets, achterhaald

shore [ʃɔ:] 1 kust, oever; *on ~* aan wal; 2 schoor, schraag, stut

short [ʃɔ:t] I *bn en bw* kort; te kort, te gering; niet ver genoeg (*throw ~*); karig, krap (*rations*); klein (*van gestalte*); klein (*a ~ three miles*); met korte golfslag (*sea*); kortaf, bits; *a ~ drink, a ~ one, something ~,* (*sl*) een borrel (vgl *long*); *~ cut* kortere weg; (*fig*) korte weg naar het doel (*believe in ~ cuts*); *~ list* voordracht (van gegadigden voor een betrekking e.d.); *~ sighted: a*) bijziend; *b*) kortzichtig; *in ~ supply* beperkt leverbaar, schaars; *~ temper* drift(igheid); *put on ~ time* werktijdverkorting invoeren; *be two pounds ~* te kort komen; *~ **by** a foot* een voet te kort; *be ~ **of*** gebrek hebben aan; *~ of breath* kortademig; *three months ~ of seventy* op 3 mnd. na 70; *the translation is ~ of the original* blijft beneden; *little ~ of miraculous* bijna wonderbaarlijk; *be ~ **on**,* (*fam*) tekortschieten in (wat betreft); *be ~ **with** a p.* kort(af) tegen; *let it be ~* maak het kort; *pull up ~* plotseling (doen) stilhouden (ophouden); II *zn* kortsluiting; onverdunde sterke drank; *~s* id.: korte, niet tot de knieën reikende broek (*in ~s*); *called Bob for ~* kortheidshalve; *in ~* in het kort, om kort te gaan; '**shortage** [-idʒ] tekort, gebrek (*of* aan); '**short'bread** (Schots) zandgebak; '**short-'change** te weinig geld teruggeven (*be ~d* ... terugkrijgen); te kort doen; afzetten; '**short-'circuit** [-sə:kit] I *zn* kortsluiting; II *ww* kortsluiting veroorzaken in, kortsluiten; kortsluiting krijgen; uitschakelen; verkorten; **shortcoming** [ʃɔ:t'k-] tekortkoming; **short-cut** bezuiniging; een kortere weg (ook *ww*); '**shorten** [-n] (ver-, be)korten; korter maken of worden, verminderen; bros maken of worden; '**shorthand** stenografie; *~ typist* stenotypiste; '**short-'handed** met te weinig personeel (werkvolk); '**shortish** vrij *~*; **short-list** op de voordracht plaatsen; '**short-'lived** [-livd; *attr:* 'ʃɔ:tlivd] *a*) kortlevend; *b*) kortstondig; '**shortly** *a*) in het kort; *b*) binnenkort; *c*) kort daarna, weldra (= *~ afterwards*); *d*) kortaf; '**short-range** over een korte afstand of tijd; '**short-'set** gedrongen (*van gestalte*); '**short-'sighted** *a*) bijziend; *b*) kortzichtig; '**short-'spoken** kort(af); '**short-'tempered** [-tempəd] kort aangebonden; '**short-term** *credit* (*loan*) krediet (lening) op korte termijn; '**short-time** *working* werktijdverkorting; '**short-'wave** (*radio*) kortegolf... (*transmitter*); '**short'winded** [-windid] kortademig

1 shot [ʃɔt] *ww; ovt & v dw van shoot; als bn* weerschijnend, steeds van kleur wisselend; *~ with gold* met een nuance van goud

2 shot [ʃɔt] schot (*ook sp*); bereik; kiek(je) (= *snapshot*), opname (*ook film, TV*); gissing; poging; stoot, worp; slag (*tennis*); schroot, kogels, hagel (= *small ~*); kanonskogel; schutter (*a good, bad ~*); (*fam*) gelag, rekening; injectie; borrel; *give a ~ in the arm* stimuleren, nieuwe krachten geven; *have a ~ at* schieten op; kieken; een gooi doen naar; een slag slaan (naar); *pay one's ~: a*) afrekenen; *b*) zijn (deel van het) gelag betalen; *a long ~* een schot op lange afstand; (*fig*) nogal een gok; *not **by** a long ~* op geen stukken na; ***out of** (**within**) ~* buiten (binnen) schot (het bereik)

'**shotgun** jachtgeweer; '**shotproof** kogelvrij; '**shot-put(ting)** (*sp*) kogelstoten

should [ʃud, ʃ(ə)d] o.v.t. van *shall* zou; behoort, behoorde, moest (eigenlijk) (*he ~ be more careful*); mocht (*~ he be late, if he ~ be late*)

shoulder ['ʃəuldə] I *zn* schouder; schoft; schouderstuk; (weg)berm; *hard ~* verharde berm, vluchtstrook; berghelling bij de top; verwijding (van fles); *talk straight from the ~* geen blad voor de mond nemen; II *ww* (als) met de schouder duwen, (ver)dringen; op de schouder nemen (*a rifle*); op zich nemen (*responsibility*); *~ arms* het geweer schouderen; *~ (one's way) **through*** zich een weg banen (door); '**shoulder-bag** schoudertas; '**shoulder-blade** schouderblad; **shoulder-strap** schouderband, draagband

shout [ʃaut] I *ww* schreeuwen (*ook van kleuren, enz*), (uit)roepen, juichen; *within ~ing distance* dichtbij genoeg om te kunnen horen; *~ **at*** schreeuwen tegen; uitjouwen; (*van reclame, enz*) zich opdringen aan; *~ **down*** overschreeuwen (en beletten te spreken); *~ **for** joy* schreeuwen van pret; II *zn* schreeuw, kreet; *my ~!* (*sl*) ik trakteer!

shove [ʃʌv] I *ww* schuiven, (voort)duwen, stoten; (*fam*) steken, stoppen (*~ it in your pocket*); II *zn* duw, stoot, zet(je)

shovel ['ʃʌvl] I *zn* schop; II *ww* scheppen; *~ up money* geld verdienen als water

show [ʃəu] I *ww* (ver)tonen, laten zien (*one's teeth*); blijk geven van (*good taste*); betonen, bewijzen (*a favour*); aantonen; exposeren, tentoonstellen; een beeld geven van; aanwij-

sho

zen (*van thermometer, enz*); wijzen (*the door*); leiden, brengen, laten (~ *him upstairs*); er uitzien (~ *white*); zich (be)tonen (~ *willing*); zich (ver)tonen, voor de dag komen, te zien zijn (*the stain will* ~); uitkomen; *blood will* ~ verloochent zich niet; *time will* ~ de tijd zal het leren; *now* ~*ing*, (*film*) nu in dit theater; ~ *one's cards* (*one's hand*) zich in de kaart laten kijken, zijn kaarten op tafel leggen; ~ *a leg!*: *a*) uit je bed!; *b*) stap wat aan!; *c*) schiet wat op!; ~ *me!* (*Am*) bewijs het; ~ *the way* de weg wijzen; iets voordoen; (*sp*) de leiding hebben; ~ ***against*** uitkomen tegen; ~ (***a***)***round*** rondleiden; ~ ***in***(*to the room*) binnenlaten; ~ ***off*** te koop lopen met (*one's learning*), pronken (met); doen uitkomen; ~ ***out*** uitlaten; zichtbaar worden; zijn ware aard tonen; ~ *a p.* ***over*** (***round, through***) *the house* het huis laten zien; ~ ***through*** dóórschijnen; ~ ***to*** *advantage* op zijn voordeligst (doen) uitkomen; ~ ***up*** aan de kaak stellen, ontmaskeren; goed (doen) uitkomen; zich vertonen (*he didn't* ~ *up till the next day*); II *zn* verto(o)n(ing), schouwspel; tentoonstelling; voorstelling, 'show'; schijn, zweem (*he was treated with some* ~ *of respect*); *good* ~*!* goed werk! goed gedaan!; *bad* ~*!* geen stijl!; *a poor* ~, (*fam*) niet veel bijzonders; *attr dikwijls:* parade..., schijn...; *make a poor* ~ een pover figuur slaan; *make a* ~ *of* aan de kaak stellen; te koop lopen met (*one's learning*); voorwenden (*gratitude*); *the man* ***behind*** *the* ~ achter de schermen; *only* ***for*** ~ voor het oog, voor de schijn; ***in*** ~ in schijn, uiterlijk; ***on*** ~ te zien, uitgestald; '**show-bill** aanplakbiljet; '**showbiz** (*sl*) amusementsbedrijf; **show-business** amusementsbedrijf; '**showboat** drijvend theater; '**show-case** [-keis] uitstalkast, vitrine; '**showdown** het de kaarten op tafel leggen; (*ook fig:*) blootlegging van plannen, enz., openhartige bespreking, krachtmeting

shower ['ʃauə] I *zn* bui; douche; (*fig*) regen (*of bullets*), vloed; groot aantal; II *ww* beregenen, begieten; (doen) neerdalen, -komen; (zich) uitstorten; '**showery** [-ri] buiig, regenachtig

showgirl ['ʃəugə:l] zangeres of danseres in musical of show; '**showing** het ... (zie *show*); vertoning, figuur (*make a good* ~); voorstelling; opgave (*van stand van zaken*); uitkomst, resultaat; voorkomen; ~ *the flag* vlagvertoon; '**show-jumping** *contest* springconcours; '**showman** [-mən] producent van shows of musicals; '**show-off** *a*) verto(o)n(ing), opschepperij; *b*) opschepper; '**showpiece** *a*) kijkstuk; *b*) 'paradepaard'; '**showplace** bezienswaardige (veel bezochte) plaats; '**showroom** [-ru(:)m] toon-, monster-, modelkamer; '**showwindow** uitstalvenster; '**showy** [-i] opzichtig, opvallend, schitterend

shrapnel ['ʃræpn(ə)l] granaatscherf (-ven)

shred [ʃred] I *zn* reepje, stukje, snipper, flard; (*fig*) zweem, schijn(tje) (*not a* ~ *of proof*); II *ww* in repen (stukken) snijden (knippen); **shredder** [-ə] papiervernietiger

shrew [ʃru:] helleveeg, feeks

shrewd [ʃru:d] scherp(zinnig), schrander; scherp; nauwkeurig (*idea*)

shriek [ʃri:k] I *ww* gillen, gieren (*with laughter* van ...); II *zn* gil; alarmkreet

shrift [ʃrift]: *give short* ~ *to* korte metten maken

shrill [ʃril] schel; (*fig*) scherp, snerpend

shrimp [ʃrimp] garnaal; (*fig*) klein iemand

shrine [ʃrain] relikwieënkastje; heiligdom

shrink [ʃriŋk] I *ww* (doen) krimpen, in(een)krimpen, verschrompelen, (zich) samen-, terugtrekken; afnemen, verminderen; slinken; ~ *at* (*from*) huiveren (terugdeinzen) voor, opzien tegen; ~ *back* terugdeinzen; II *zn* (*sl*) psychiater, psychoanalyticus; '**shrinkage** [-idʒ] het ... (zie *shrink*); bekrimping, bezuiniging

shrivel ['ʃrivl] (doen) rimpelen, (doen) verschrompelen (*with* van)

shroud [ʃraud] I *zn* doodskleed, lijkwade; (*fig*) kleed, sluier; II *ww* in een doodskleed wikkelen; (*fig*) (om)hullen, verbergen (*from* voor)

shrub [ʃrʌb] heester

shrug [ʃrʌg] I *ww* ophalen (*one's shoulders*); de schouders ophalen; II *zn* schouderophalen; *give a* ~ = ~ *ww*

shrunken ['ʃrʌŋkn] v. dw. van *shrink* (inz. *bn*); gekrompen, verschrompeld, ingevallen (*face*)

shudder ['ʃʌdə] huiveren (*at* voor; *at the idea* bij ...; *with fear* van ...), rillen

shuffle ['ʃʌfl] I *ww* schuifelen (met: ~ *one's feet*), (heen en weer) schuiven, sloffen; (dooreen)schudden (*cards, dominoes*); ~ *the cards*, (*fig*) de rollen (posten, enz.) anders verdelen; ~ ***off*** van zich afschuiven, ontwijken; ~ ***out*** terugkrabbelen, zich eruit draaien; II *zn* geschuifel, het schuifelen; schuifelgang, -pas; verwisseling

shun [ʃʌn] schuwen, mijden, (ont)vlieden

shunt [ʃʌnt] op een zijspoor brengen, rangeren; (*elektr*) aftakken, shunten

shut [ʃʌt] I *ww* (ook ovt & v dw) (zich) sluiten, af-, op-, insluiten; dichtdoen, -gaan; ~ *the door against* de deur sluiten voor; ~ *one's eyes to* (*against, on*) ... sluiten voor; ~ *one's mouth* (*sl: head, face, trap*) zijn mond (kop) houden; ~ *a p's mouth* iem ... snoeren; ~ ***down*** neerlaten (*a window*); sluiten (*ook intr*), stopzetten (*a factory*); ~ ***in*** in-, op-, omsluiten; *she is terribly* ~ *in* gesloten; ~ ***off*** afsluiten (*the gas*); afzetten (*the engine* motor); afsnijden; afscheiden; ~ ***out*** buitensluiten; aan het gezicht onttrekken; ~ ***to*** dichtdoen, -gaan; ~ ***up*** (op-, in-, wegsluiten); dichtgaan; (*fam*) de mond snoeren; tot zwijgen brengen (*guns*); (*fam*) zijn mond houden (~ *up!*); *be* ~ *up in o.s.* in zichzelf gekeerd; II *bn* dicht; *slam* (*kick*, enz.) *the door* ~ dichtgooien (-trappen, enz.); '**shut-**

'**down** sluiting (*van fabriek, enz*), stopzetting; '**shut-eye** (*fam*) dutje; '**shut-'off** afsluiting; ~ *valve* afsluitklep; '**shutter** [-ə] *a*) sluiter, sluiting; *b*) luik, blind; *c*) (*fot*) sluiter; *iron* ~, *ook:* rolluik

shuttle ['ʃʌtl] schietspoel (*weverij*); schuitje (*in naaimachine*); *space* ~ ruimtevaartuig voor verkeer met satellieten, ruimteveer; '**shuttlecock** I *zn* shuttle, pluimbal; II *ww* heen en weer slaan (werpen, zenden, gaan); '**shuttle service** pendeldienst

1 shy [ʃai] I *bn* verlegen, bedeesd, schuw, eenkennig, schichtig; wantrouwend; *be* ~ *of* vermijden, zich niet inlaten met; *be* (*look*) ~ *on* (*at*) wantrouwen; *be* ~ *of* (*at, about*) *doing s.t.* bang zijn te, opzien tegen, terugschrikken voor; II *ww: a*) schichtig worden (*at* voor), schrikken, opzij springen; *b*) terugschrikken (*at, from* voor); *c*) ontwijken, vermijden

2 shy [ʃai] (*fam*) gooien, keilen, slingeren (*at* naar)

shyster ['ʃaistə] advocaat van kwade zaken

sick [sik] ziek; misselijk (= ~ *at the stomach*); zeeziek; moe(de), beu (*of* van; ~ *of waiting*); angstig; bleek; (*fam*) wee; ~ *joke* wrange grap; *a* ~ *man* een zieke; *it makes me* ~, (*sl*) ik word er misselijk van; *turn* ~ misselijk worden of maken; *go* ~ ziek worden; (*mil*) zich ziek melden; *be* ~ misselijk zijn (worden), overgeven, spugen; *be* ~ *and tired of s.t.* iets (meer dan) beu zijn; '**sick bay** ziekenboeg; **sicken** ['sikn] ziek (misselijk, beu) worden (maken); (beginnen te) kwijnen; (doen) walgen; smachten (*for* naar); verbleken; ~ *of* beu maken (worden) van; '**sickener** [-ə] wat misselijk (beu) maakt; '**sickening** *ook:* walglijk, 'misselijk'

sickle ['sikl] sikkel

sick leave ['sikli:v] ziekteverlof; '**sick-list** ziekenlijst; '**sickly** ziekelijk, ongezond; bleek (*moonlight*); '**sickness** ziekte; misselijkheid; ~ *benefit* ziekengeld; '**sick-pay** loon tijdens ziekte, ziekengeld; '**sickroom** ziekenkamer

side [said] I *zn* zij(de), kant; partij; (*sp*) ploeg, elftal; *this* ~ *up* deze kant boven; *wrong* ~ *out* binnenste buiten; *change* ~*s* naar de andere partij overgaan; *take* ~*s* (*a* ~) partij kiezen; *take a p's* ~, *take* ~*s with a p.* partij kiezen voor; ***at*** *my* ~ aan mijn zij, naast mij; ~ ***by*** ~ zij aan zij; *by the* ~ *of* naast; ***on*** *both* ~*s* aan (van) weerskanten; (*on*) *this* ~ (*of*) *the sea* aan deze kant van; (*on*) *this* ~ (*of*) *Christmas* vóór; *on the mother's* ~ van moederskant; *on the right* (*sunny, better*) ~ *of forty* nog geen veertig; *on his* ~ *he was sorry* van zijn kant, zijnerzijds; *I am on your* ~ op uw hand; *earn a little money on the* ~ erbij; II *ww* partij kiezen (*against* tegen; *with* voor); '**sideboard** buffet; '**sideboards** bakkebaarden, 'tochtlatjes'; **sidecar** zijspan; '**side-effect** bijwerking (*of a drug*), neveneffect; '**side issue** bijzaak, randverschijnsel; '**sidelight** zijlicht, zijraam; (*Belg*) standlicht; '**sideline** zijlijn; (*fig*) bijbaantje, bijkomstig werk (artikel), nevenbranche; '**sidelong** zijdelings; '**side-saddle** dameszadel; *ride* ~ in de amazonezit; '**sideshow** bijkomstige vertoning, ondergeschikte attractie, extra; *only a* ~ maar bijzaak; '**sideslip** I *zn* zijwaartse slip (*van auto, enz*); II *ww* slippen; '**side-splitting** om je ziek te lachen; '**sidestep** I *zn* stap opzij; II *ww* opzij gaan (voor), ontwijken; '**sidestreet** zijstraat; '**sidestroke** zijslag, -stoot; '**sideswipe** van terzijde raken (*a parked car*); '**sidetrack** I *zn* zijspoor; II *ww* op een zijspoor brengen (lopen); (*fig*) *a*) opzij zetten (schuiven), op de lange baan schuiven; *b*) van zijn onderwerp afdwalen of afbrengen; '**side-view** zijaanzicht, -gezicht; '**sidewalk** (*inz. Am*) trottoir; '**sideward(s)** [-wəd(z)] zijwaarts; '**sideway(s)** zijwaarts, zijdelings, van terzijde

siding ['saidiŋ] zij-, wissel-, rangeerspoor

sidle ['saidl] (zich) zijdelings bewegen, schuchter lopen (*up to* naar); ~ *off, ook:* afdwalen

siege [si:dʒ] beleg(ering); kaping (*train* ~)

sieve [siv] zeef

sift zeven, (uit)ziften, nauwkeurig onderzoeken, uit-, navorsen (soms: ~ *into*); ~ *out* uitziften, uitvorsen

sigh [sai] I *ww* zuchten, smachten (*for* naar); II *zn* zucht

sight [sait] I *zn* gezicht; aanblik, schouwspel; merkwaardig-, bezienswaardigheid (*the* ~*s of a town*); prachtig (lelijk, afzichtelijk) iets, 'verschijning'; waarneming (met instrument); (*van geweer*) korrel, vizier; kijkspleet; *he is a* ~ *too clever for me* veel te ...; *catch* ~ *of* in het oog krijgen; *I hate the* ~ *of him* kan hem niet uitstaan; *what a* ~ *you look!* wat zie je eruit!; *take* ~*s* waarnemingen doen; ***at*** (*first*) ~ op het eerste gezicht; *payable at* ~ op zicht; *at ten days'* ~ 10 dagen na zicht; *play at* ~ van het blad; *at* (*the*) ~ *of* bij het zien van; *I know him* ***by*** ~ van aanzien; ***in*** ~ in zicht, in het gezicht; ***out of*** ~, *out of mind* uit het oog, uit het hart; *out of my* ~*!* ga uit mijn ogen!; ***within*** ~ in het gezicht; II *ww* in het gezicht krijgen; waarnemen (met instrument); mikken; accepteren (*a bill*); '**sighting** waarneming; '**sightseeing** het bezoeken van bezienswaardigheden of toeristische attracties; '**sightseer** [-siə] toerist

sign [sain] I *zn: a*) teken, wenk, gebaar; spoor; voor-, kenteken; *b*) uithangbord, (gevel)plaat; bordje; reclame (*electric* ~ lichtreclame); *make a* ~ een teken geven; II *ww: a*) (onder)tekenen; *b*) door een teken te kennen geven (*assent*); *c*) een teken geven; ~ *one's name to* ondertekenen; ~ ***away*** *one's property* (*rights,* enz.) schriftelijk afstand doen van; ~ ***in*** tekenen bij aankomst; ~ ***on*** contracteren (*a professional soccer-player*); tekenen (als lid, enz.); ~ ***up*** een contract aangaan, zich laten inschrijven bij

signal ['signəl] I *zn* signaal, sein, teken; ~ *of*

shu

distress noodsein; *corps of ~s* verbindingsdienst; II *bn* schitterend, glansrijk, uitstekend; opmerkelijk, buitengewoon; III *ww* seinen, een teken geven; te kennen geven; aankondigen; '**signal-box** seinhuisje; '**signalize** [-aiz] onderscheiden (~ *o.s. by* ...), kenmerken; doen kennen, te kennen geven; signaleren; een teken geven; seinen; '**signalman** [-mən] seiner; seinwachter

signatory ['signətəri] ondertekenaar (*to a treaty* van ...); **signature** ['signətʃə] onder-, handtekening; (*typ*) signatuur; ~ *tune* herkenningsmelodie

signboard ['sainbɔ:d] uithangbord

signet ['signit] zegel; '**signet ring** zegelring

significance [sig'nifikəns] betekenis, gewicht, nadruk; **sig'nificant** *a*) veelbetekenend, betekenisvol, gewichtig; *b*) (een) betekenis hebbend; **signify** ['signifai] *a*) betekenen, beduiden; aanduiden, aankondigen; te kennen geven (*one's wishes*); *b*) van betekenis zijn

signpost ['sainpəust] I *zn* richtingbord; II *ww* richtingborden plaatsen; markeren; op duidelijke wijze aangeven

silence ['sailəns] I *zn* stilte, stilzwijgen; geheimhouding; stilzwijgendheid; *keep* ~ het stilzwijgen bewaren; *pass over in* ~ stilzwijgend voorbijgaan; II *ww* tot zwijgen brengen; **silencer** [-ə] geluid-, knaldemper, knalpot; **silent** ['sailənt] (stil)zwijgend, stil; stom (*letter*); *be ~ about* (*as to, upon*) zwijgen (niet gewagen) van; *he fell* ~ zweeg, werd stil; *keep* ~ zwijgen; ~ *action* stil spel; ~ *film* stomme film; ~ *partner,* (*Am*) stille vennoot; ~ *reading* stil lezen

silhouette [silu'et] silhouet, schaduw(beeld)

silicate ['silikit] silicaat

silicon ['silikən] silicoon

silk I *zn* zijde; *artificial* ~ kunstzijde; zijden japon, enz.; *~s* zijden stoffen (kleren, kousen); II *bn* zijden; '**silken** [-n] zijden (*inz. fig*), zijdeachtig, zacht als zij; zoetvleiend; '**silk-screen** *printing* zeefdruk; '**silkworm** [-wə:m] zijdeworm; '**silky** [-i] *silken*

sill [sil] *a*) vensterbank; *b*) drempel

silly ['sili] I *bn* onnozel, sullig, dwaas, flauw; II *zn* onnozele hals

silo ['sailəu] id.: *a*) graanpakhuis; *b*) bewaarkuil voor groenvoer

silt I *zn* slik, slib, (fijn) zand; II *ww:* ~ (*up*) (doen) dichtslibben, verzanden

silver ['silvə] I *zn* zilver(geld, -werk); II *ww* verzilveren; een zilverglans geven (aannemen); III *bn* zilveren, zilverachtig; ~ *plate* zilveren vaatwerk; '**silver-plated** verzilverd; '**silversmith** zilversmid; '**silverware** zilverwerk, tafelzilver; '**silvery** zilver-achtig, zilveren, zilverhoudend

similar ['similə] (der)gelijk, soortgelijk; gelijkvormig (*to* aan); *and* ~, (*fam*) en dergelijke; ~ *to, ook:* gelijkend op; **similarity** [simi'læriti] gelijk(vormig)heid; overeenkomst; '**similarly** [-li] gelijk(elijk), insgelijks, eveneens, -zo; **simile** ['simili] vergelijking, gelijkenis; **similitude** [si'militju:d] gelijkenis, overeenkomst

simmer ['simə] I *ww* (laten) sudderen, zachtjes (laten) koken (pruttelen); (*fig*) inwendig koken (van woede); ~ *down* bedaren; II *zn* het ..., gesudder, gepruttel; *on the* ~ zachtjes aan de kook, pruttelend

simper ['simpə] I *ww* meesmuilen, gemaakt (onnozel) lachen; II *zn* onnozel lachje

simple ['simpl] eenvoudig; gemakkelijk; onnozel; simpel, gewoon; enkelvoudig, enkel; eerlijk, oprecht (*a child's trust*); '**simple-'hearted** eenvoudig, oprecht; '**simple-'minded** [-maindid] *a*) eenvoudig; *b*) zwakzinnig; '**simpleton** [-tən] (*vero*) sul, onnozele bloed; **simplicity** [sim'plisiti] eenvoudigheid, gemakkelijkheid (zie *simple*); eenvoud; **simplification** [ˌsimplifi'keiʃən] vereenvoudiging; **simplify** ['simplifai] vereenvoudigen; **simplistic** [sim'plistik] simplistisch; **simply** ['simpli] eenvoudig, gewoonweg

simulant ['simjulənt] I *bn* nabootsend; ~ *of* gelijkende op; II *zn* id.; **simulate** I *ww* ['simjuleit] veinzen, voorwenden, fingeren, nabootsen, simuleren; II *bn* [-it] nagebootst; **simu'lation** geveins, nabootsing; namaak, simulatie; **simulator** ['simjuleitə] id., simulant; (= *flight* ~) vluchtnabootser

simultaneity [ˌsiməltə'ni:əti] gelijktijdigheid; **simultaneous** [siməl'teinjəs] gelijktijdig

sin I *zn* zonde; *original* ~ erfzonde; II *ww* zondigen

since [sins] I *bw: a*) sedert, sinds(dien); *b*) geleden (*a little while* ~); *long* ~: *a*) lang geleden; *b*) al lang (*long* ~ *dead*); II *vz* sedert, sinds; III *vw: a*) sedert, sinds; *b*) aangezien

sincere [sin'siə] oprecht; zuiver, echt, onvervalst; **sincerely** [-li] *yours* ~ hoogachtend; met vriendelijke groeten; **sincerity** [sin'seriti] oprechtheid; zuiverheid

sinew ['sinju:] pees, zeen, spier(kracht); '**sinewed** [-d], **sinewy** ['sinju(:)i] *a*) pezig, zenig; *b*) gespierd, krachtig

sinful ['sinf(u)l] zondig; (*fam*) schandelijk

sing [siŋ] I *ww: a*) zingen; *b*) kraaien, sjilpen, krijsen, sissen, enz.; (*van wind of radio*) fluiten; (*van oren*) suizen; *c*) bezingen; *d*) zich laten bezingen; ~ ***out*** luid zingen; (uit)roepen, schreeuwen; ~ ***to*** *the piano* zingen bij ...; ~ *to sleep* in slaap zingen; II *zn* het zingen

singe [sin(d)ʒ] I *ww* (ver)zengen, (ver-, af-) schroeien; branden; II *zn: a*) het ...; *b*) verschroeide plek, brandplek

single ['siŋgl] I *bn* enkel; afzonderlijk; enig, alleen; éénpersoons (*bed*); ongetrouwd; eenvoudig, eerlijk, oprecht; ~ *combat* (*fight*) tweegevecht; ~ *life* vrijgezellenleven; ~ *cream* vetarme room; II *zn* enkele bloem (draad, reis); (*sp*) *a*) enkelspel; *b*) één punt, (*cricket*) één run; III *ww* (*gew:* ~ *out*) uitkiezen, uitpikken, bestemmen; '**single-breasted** met één rij

knopen; 'single-entry (*book-keeping*) enkel boekhouden; 'single-'handed alleen, zonder hulp; solo; 'single-'minded doelbewust; 'singleness ...heid; *with great ~ of mind* (*of purpose*) met één doel voor ogen
singlet ['siŋglit] id., nethemd
single-track enkelspoor, -sporig, eensporig
singly ['siŋgli] afzonderlijk; op zichzelf; alleen
singsong ['siŋsɔŋ] *a*) deun, dreun; eentonig zangerig geluid; *b*) zangavondje
singular ['siŋgjulə] I *bn: a*) enkelvoudig; *b*) bijzonder, opmerkelijk; *the ~ number* het enkelvoud; II *zn* enkelvoud; **singularity** [siŋgju'læriti] enkelvoudigheid; bijzonderheid, opmerkelijkheid; **'singularly** [-li] *bw* bijzonder (*ugly*), eigenaardig, vreemd
sinister ['sinistə] onheilspellend; sinister
sink [siŋk] I *ww* zinken, dalen, (ver)zakken, afnemen, achteruit-, ondergaan; ineenzinken, bezwijken; door-, indringen; verzinken (*be sunk in sleep*); doen (ver)zinken (dalen, enz.), in de grond boren (*a ship*); neerlaten; laten hangen (*one's head*); neerslaan (*one's eyes*); graven (*a mine*), boren (*a well*); vernietigen, te gronde richten; verlagen; naar binnen slaan (*half a bottle of whisky*); *it's ~ or swim* erop of eronder; *the patient is ~ing fast* gaat hard achteruit; *her heart* (*spirits*) *sank* (*within her*) de moed begaf haar; ~ ***in*** in-, bezinken; intrekken; *the warning sank in* (*sank* ***home***) sloeg in; *let one's words ~ in* laten bezinken; II *zn: a*) gootsteen; *b*) afwasbakje; **'sinkable** [-əbl] tot zinken te brengen
sinless ['sinlis] zondeloos, zonder zonde; **sinner** ['sinə] zondaar
sinuous ['sinjuəs] krom, bochtig, kronkelend
sip I *ww* met kleine teugjes drinken, nippen; II *zn* teugje
sir [sə:] mijnheer; *S~* Sir: titel vóór doopnaam van *baronet* (erfelijk) of *knight* (niet erfelijk); (*Dear*) *S~*, (*in brief*) Geachte Heer; (*Dear*) *S~s*, (*in brief*) Mijne Heren
sire ['saiə] I *zn* vader van dier; (dek)hengst; II *ww* (*vero*) verwekken
siren ['saiərən] sirene
sirloin ['sə:lɔin] lendestuk van rund
sissy ['sisi] fatje, moederskindje
sister ['sistə] *a*) zuster; *b*) hoofdverpleegster; *the Dolly ~s* de gezusters D.; *the* (*fatal, three*) *~s* de schikgodinnen; **sisterhood** [-hud] zusterschap (*ook van geestelijke zusters*), zusters (*fig*); **sister-in-law** ['sistərinlɔ:] schoonzuster; **'sisterly** [-li] zusterlijk, zuster...
sit (gaan, blijven) zitten; zich bevinden, staan, liggen (*the village ~s among vineyards*); (zitten te) broeden (op: *eggs*); poseren (***for*** *one's portrait,* ***to*** *a painter* voor ...); zitting houden (hebben); ~ *pretty,* (*fam*) gebeiteld zitten; ~ ***back*** op z'n gemak gaan zitten; (*fig*) op de achtergrond treden of blijven; ~ ***down*** gaan zitten; aanzitten; ~ *down to table* (*to dinner*) aan tafel gaan; *don't ~ down under it* ga niet bij de pakken neerzitten; *won't you ~ down?* gaat u zitten; ~ ***for*** *an examination* examen doen; ~ ***in*** mede zitting nemen, meedoen; ~ *in on* bijwonen (*a meeting*); ~ ***on*** (*vz*) beraadslagen over (*a question*); zitting hebben in (*a committee*); de kop indrukken, onderdrukken (*a feeling*); *this heroism does not ~ well on you* gaat je niet goed af; *it ~s heavy on my stomach* ligt me zwaar op de maag; *his years ~ lightly on him* hij is nog jong voor zijn leeftijd; ~ ***out*** blijven zitten (onder dans, enz.; ook: ~ *out a dance, a game*); blijven tot het eind van, uitzitten (*a concert*); langer blijven dan (*other visitors*); ~ ***through*** tot het einde toe bijwonen (*a meeting*); ~ ***up*** rechtop (gaan) zitten; opzitten; opblijven (*for a p.*); waken (*with a patient* bij); *his productions made his friends ~ up* deden verbaasd staan; **sit-down** ['sitdaun] ~ *strike* 'sit-down' staking; bedrijfsbezetting
site [sait] *a*) (bouw)terrein, grond; *b*) plaats waar iets gebeurd is of gestaan heeft (*the ~ of the battle of Waterloo*); *~d, ook:* gelegen
'sit-in bezetting
sitter ['sitə] *a*) zitter; *b*) wie poseert, model; *c*) = *babysitter*; **sitting** I *bn* zittend (zie *sit*); ~ *duck* niet te missen kans; ~ *target* stilstaand (*fig ook* gemakkelijk) doel; II *zn* het ... (zie *sit*); zitting; seance; *give a painter a ~* poseren voor; *read a book at a* (*one*) ~ achter elkaar, in één ruk; **'sitting-room** *a*) huis-, zitkamer; *b*) ruimte om te zitten, zitplaats(en)
situated ['sitjueitid] gelegen, geplaatst; *be ~ on a river* liggen aan; *awkwardly ~* in een lastig parket; **situ'ation** *a*) ligging; stand; plaats; *b*) betrekking; *c*) toestand, situatie; *house in a pleasing ~* aangenaam gelegen; *out of ~* buiten betrekking
'sit-upon zitvlak, achterste
six [siks] zes; *things are at ~es and sevens* zijn in het honderd gelopen; *be at ~es and sevens on a subject* het geheel oneens zijn over; **'sixfold** zesvoudig; **'six-foot** van 6 voet(en), zesvoets; zesvoetig; **'six-pack** pak(je) van zes (*inz. blikken bier*); **'sixpence** [-pəns] (*vero*) zesstuiver(stuk); **sixpenny** ['sikspəni] zesstuivers...; **six-shooter** ['siksʃu:tə] revolver met zes kamers; **sixteen** ['siks'ti:n, *attr:* 'siksti:n] zestien; **sixteenth** [-θ; vgl *sixteen*] 16de; **sixth** [siks(t)θ] zesde (deel, klas); (*muz*) sext; ~ *form* zesde (hoogste) klas; **'sixthly** [-li] ten zesde; **sixtieth** ['sikstiiθ] 60ste; **sixty** ['siksti] zestig; *the sixty-four-thousand-dollar-question,* (*Am*) vraag waar geen antwoord op is te geven, de grote vraag
sizable ['saizəbl] vrij groot, flink; **size** [saiz] I *zn* grootte, omvang; maat, nummer (*van schoenen, enz*); formaat; *of a* (*one*) ~ van dezelfde grootte; *they are about a ~* ongeveer even groot; *that's about the ~ of it,* (*fam*) daar komt het vrijwel op neer; *cut down to ~* tot z'n ware proporties terugbrengen; II *ww:* ~ ***down*** afdalend rangschikken naar de grootte; ~ ***up***,

(*fam*) taxeren (*a p.*), doorzien; poolshoogte nemen van (*the situation*); **sized** [-d]: *a moderate-~ house* van matige grootte; ~ *alike* van dezelfde grootte

sizz(le) ['siz(l)] (laten) sissen, knetteren, sputteren; schroeien

skate [skeit] I *zn* schaats; II *ww* schaatsenrijden; '**skater** [-ə] schaatser; '**skating-rink** *a*) rolschaatsenbaan; *b*) ijsbaan

skein [skein] streng (wol, zijde)

skeleton ['skelitn] geraamte, skelet; (*attr ook*) schematisch; *the ~ in the cupboard, the family ~* onaangenaam (familie)geheim, (geheim) familieschandaal; '**skeleton key** [-ki:] loper; '**skeleton(-railway)-service** zeer beperkte dienst

skelter ['skeltə] ijlen, rennen

sketch [sketʃ] I *zn* schets; II *ww* schetsen (= ~ *out*); *~-pad, ~-book* schetsboek; '**sketchy** [-i] onafgewerkt, schetsmatig, oppervlakkig

skew [skju:] schuin, scheef; '**skewbald** [-bɔ:ld] (paard, enz.) met witte en bruine vlekken

skewer ['skjuə] I *zn* vleespen; II *ww* vast-, doorsteken (als) met een vleespen

skid I *zn: a*) remschoen; rem (*ook fig*); steunbalk, -plank; glijplank; glijbaan; *b*) het slippen, 'schuiver' (*van auto, enz.*); II *ww* (laten) glijden; (doen) slippen; **skiddy** ['skidi] glibberig (*road*); '**skid-pan** (*ongev*) slipschool; '**skid-re'sistant** slipvrij

skiff [skif] id.; lichte roei- of zeilboot

skilful ['skilf(u)l] bekwaam, bedreven; **skill** [skil] bekwaamheid, bedrevenheid; vak, kundigheid; **skilled** [skild] *skilful; ook:* deskundig, vakkundig; gekwalificeerd (*trades*); ~ *labour* geschoolde arbeid(ers)

skim afschuimen, afromen (= ~ *the cream off* ook fig), afscheppen (= ~ *off, away*); scheren (over: ~ (*over*) *the water*); (heen)glijden (over), even inkijken, vluchtig doorlopen (= ~ *over*); slingeren, keilen (*he ~med my hat out of the window*)

skimp beknibbelen, schraal bedelen; kort houden (*van voedsel, enz*); zich bekrimpen (= ~ *and screw*), bezuinigen; erg zuinig zijn (met); '**skimpy** karig, krap; benepen; krenterig

skin I *zn* huid (*ook van schip*), vel, pels; schil, schaal: vlies(je) (*on the boiled milk*); ~ *and bone(s)* vel over been; *save one's ~* het leven bergen; *escape* (*get off*) ***by*** (***with***) *the ~ of one's teeth* ternauwernood (op het kantje af) ontsnappen; *I would not be in his ~* zou niet graag in zijn plaats zijn; *wear* ***next*** (*to*) *the ~* op het blote lijf; *it got* ***under*** *my ~* maakte mij kregel; II *ww* stropen; ontvellen (*one's heels*); vervellen; pellen; ~ ***off*** afstropen (ook van kousen, enz.), uittrekken; '**skin-'deep** oppervlakkig; '**skin-dive** duiken, onder water zwemmen, zonder duikerpak; '**skin-flick** seksfilm; '**skinflint** vrek; '**skin-game** spel waarbij men niet kan winnen; zwendel, afzetterij; '**skin-graft** huidtransplantatie; '**skinhead** iem met gemillimeterd haar; lid van aldus gekenmerkte jeugdbende; '**skinny** [-i] broodmager, vel over been

skint (*sl*) blut

'**skin-tight** gespannen, nauwsluitend

skip I *ww* huppelen; (touwtje) springen; overslaan, -springen; laten springen; keilen (*pebbles*); (*fam*) ervandoor gaan (= ~ *it*); ~ *over: a*) overslaan; *b*) heenglijden over (*a difficulty*); ~ *the rails* uit de rails lopen; ~ *school* spijbelen; II *zn* **1** het ...; sprong(etje); touwtjespringen; **2** (*techn*) container, bak

skipper ['skipə] schipper, kapitein (inz. van klein schip); (*sp*) aanvoerder

skipping-rope ['skipiŋrəup] springtouw

skirmish ['skə:miʃ] schermutseling

skirt [skə:t] I *zn* (vrouwen)rok; pand, slip; rand, zoom; uiteinde; (*techn*) mantel; *~s* zoom (*of a wood*); buitenwijken (ook *out~*) (*of a town*); (*bit of*) ~, (*sl*) vrouw, meisje, 'griet'; II *ww* omzomen, begrenzen; ~ (*round*) *a difficulty* omzeilen; '**skirting(-board)** plint

skitter ['skitə] rennen, snellen

skittle ['skitl] I *zn* kegel; *~s* kegelspel; *~s!* (*fam*) malligheid!; II *play at ~s = ww* kegelen; '**skittle-ball** kegelbal; '**skittle-pin** kegel

skive [skaiv] (*sl*) zich onttrekken aan, spijbelen

skulk [skʌlk] *a*) sluipen, loeren; *b*) zich verschuilen

skull [skʌl] schedel; doodskop; '**skullcap** kalotje

skunk [skʌŋk] id.: stinkdier

sky [skai] I *zn* hemel, uitspansel, lucht; *the ~ is the limit* onbeperkt; ***in*** *the ~* aan de hemel; *praise* ***to*** *the skies* zeer hoog prijzen; ***under*** *the open ~* onder de blote hemel; II *ww* (om)hoog slaan (*a cricketball*); '**sky-'high** hemelhoog; *that doctrine has been blown ~* heeft voorgoed de nekslag gekregen; '**skyjack** kapen (*van vliegtuig*); '**skylark** I *zn* veldleeuwerik; II *ww* stoeien, grappen uithalen, keet schoppen (= ~ *it*); '**skylight** bovenlicht, dakraam; '**skyline** silhouet (tegen de lucht); '**sky-rocket** *ww* de pan uit rijzen, de hoogte invliegen; '**skyscraper** [-skreipə] wolkenkrabber; '**skyward(s)** [-wəd(z)] hemelwaarts; '**skyway** luchtroute

slab [slæb] (marmeren, enz.) plaat; platte steen, plak (*of bread*); *high-rise ~* torengebouw

slack [slæk] I *bn* slap, los; traag, laks; ~ *season,* ~ *time* komkommertijd; ~ *water* doodtij; *~s* lange broek, sportpantalon; II *ww* verslappen (in), (doen) afnemen (*in kracht, snelheid, enz*); lijntrekken; ~ *off* verslappen; ~ *up* de vaart verminderen; '**slacken** [-n] slap worden, (laten) verslappen; (doen) afnemen (*in kracht, enz*); vertragen, (ver)minderen (*speed, one's pace* vaart); vieren (*the reins*); losdraaien (*a screw*)

slag [slæg] (metaal)slak; sintels

slake [sleik] lessen, blussen (*lime* kalk); bevredigen (*one's curiosity*); verkwikken

slam [slæm] I *ww* (met een smak) dichtslaan (*tr & intr* = ~ *to*); smijten, kwakken; (*kaartsp*) slem maken; (*sl*) scherp bekritiseren; II *zn* bons, harde slag; (*kaartsp*) slem; (*fam*) scherpe kritiek; **slammer** [-ə] (*sl*) nor, petoet

slander ['slɑ:ndə] I *zn* laster(ing), lasterpraatje; II *ww* (be)lasteren; '**slanderer** [-rə] lasteraar; '**slanderous** [-rəs] lasterlijk

slang [slæŋ] *a*) zeer gemeenzame taal; *b*) spraakgebruik van een bepaalde groep

slant [slɑ:nt] I *ww* (doen) hellen; schuin vallen (gaan, lopen, houden, werpen), op tendentieuze wijze weergeven of verslaan (*krant*); II *zn* helling; schuine beweging (richting); schuine lijn (streep; = ~ *line*); tendentieuze weergave; *on the* (*a*) ~ schuin; '**slanteye** (*Am*) oosterling, spleetoog

slap [slæp] I *ww* slaan, een klap geven, dichtslaan (= ~ *to*); kwakken (~ *down;* ~ *on paint*), (met kracht) zetten; ~ *at* slaan naar; II *zn* klap, slag; ~ *in the face* klap in het gezicht (*ook fig*); III *bw* pats, pardoes, regelrecht; *pay* ~ *down* direct betalen

'**slap-'bang** zo maar ineens, pardoes, pats, plof

'**slapdash** nonchalant, met de Franse slag

'**slaphappy** brooddronken

'**slapstick** grove humor

slash [slæʃ] I *ww* hakken, houwen (*at* naar); snijden, een jaap geven; splitten; om zich heen slaan (= ~ *out*); slaan, striemen, ranselen; drastisch verlagen (*prices, taxes*); (*fig*) onbarmhartig kritiseren, afmaken, afkraken; II *zn* houw, slag, veeg, jaap, snee; split in kledingstuk (om onderliggende stof te tonen); id., schuin streepje (/)

slat [slæt] lat (*van jaloezie, bijv.*); *rope* ~ singel (van stoel, enz.)

1 slate [sleit] *ww* hekelen; scherp kritiseren

2 slate [sleit] I *zn* lei(steen, -kleur); *start with a clean* ~ met een schone lei beginnen; II *bn* leien; leikleurig; III *ww* met lei dekken

slattern ['slætə(:)n] (*vero*) slons; '**slatternly** slonzig

slaty ['sleiti] leiachtig

slaughter ['slɔ:tə] I *zn* het slachten, slachting (*make a* ~ *of* een … aanrichten onder), bloedbad; *cattle for* ~ slachtvee; II *ww* slachten, afmaken, vermoorden, een slachting aanrichten onder; '**slaughterer** [-rə] slachter; '**slaughterhouse** slachthuis, abattoir

slave [sleiv] I *zn* slaaf, slavin; *a* ~ *to* verslaafd aan (*drink*), de slaaf van (*one's passions*); II *ww* slaven, zwoegen, zich afbeulen; ~ *at books* ploeteren in; '**slave-driver** slavendrijver (ook *fig*)

slaver ['slævə] (be)kwijlen

slavery ['sleivəri] slavernij, gezwoeg; **slave trade** ['sleivtreid] slavenhandel; **slavish** ['sleiviʃ] slaafs

slay [slei] doden, (ver)moorden, doodslaan

sleazy ['sli:zi] (*fam*) slonzig, smerig

sled [sled] (*Am*) slede

sledge [sledʒ] slede; '**sledge-hammer** voorhamer

sleek [sli:k] I *bn* zacht en glanzig, glad; welgedaan; te modieus, fattig; II *ww* glad maken (strijken); '**sleek-haired** [-hɛəd] gladharig

sleep [sli:p] I *zn* slaap; *try to get a* ~ proberen wat te slapen; *go to* ~ in slaap vallen; *put to* ~: *a*) in slaap (naar bed) brengen; *b*) (*fig*) in slaap sussen; *c*) weg-, afmaken, vergassen (*the cat has been put to* ~); II *ww* slapen, sluimeren, rusten; slaapgelegenheid hebben (verschaffen) voor (*the house* ~*s 200 men*); in slaap brengen; ~ ***around*** met deze en gene naar bed gaan; ~ ***away*** verslapen (*one's time*); ~ ***in*** uitslapen; in huis slapen (*van dienstbode, enz*); *the bed had not been slept in* was niet beslapen; *to* ~ *it* ***off*** zijn roes uitslapen; ~ ***on*** (*bw*) doorslapen; ~ ***out***: *a*) buitenshuis slapen; *b*) in de open lucht slapen; ~ (*it*) *out* uitslapen; ~ *well!* welterusten!; ~ *with* naar bed gaan met; '**sleeper** *a*) slaper, slaapkop; *b*) slaapwagen; *c*) (dwars)balk; dwarsligger (*op spoorbaan*); **sleeping** *partner* stille vennoot; ~ *policeman* automatische verkeersregelaar; '**sleeping-accommodation** slaapgelegenheid; '**sleeping-bag** slaapzak; '**sleeping-car(riage)** slaaprijtuig, -wagen; '**sleeping-compartment** slaapcoupé; '**sleepless** [-lis] slapeloos; '**sleepwalker** slaapwandelaar; '**sleepy** slaperig; doods (*a* ~ *little town*); slaapwekkend; beurs (*pears*); '**sleepyhead** slaapkop

sleet [sli:t] I *zn* natte sneeuw- of hagel(bui); II *ww* sneeuwen (hagelen) en regenen tegelijk

sleeve [sli:v] mouw; (*techn*) huls, mof, bus; (platen)hoes; (*have a plan,* enz.) *up one's* ~ achter de hand; *laugh* (*smile*) *in* (*up*) *one's* ~ in zijn vuistje …; *turn* (*roll*) *up one's* ~*s*, (*fig*) de handen uit de mouwen steken; '**sleeveless** mouwloos

sleigh [slei] (arre)slede

sleight [slait]: ~ *of hand* goochelarij, goocheltoer, list, handig bedrog

slender ['slendə] slank, tenger; gering, zwak, schraal, karig (*income*), onbeduidend

slice [slais] I *zn*: *a*) snee(tje), schijf(je); stuk, deel; *b*) vislepel; schep, spatel; *c*) effectvolle bal (*vgl het ww*); ~ *of bread and butter* boterham; ~ *of good luck* buitenkansje, bof; II *ww* in sneetjes, reepjes, plakjes, enz. snijden (= ~ *up*); (door)snijden; (*sp*) effect naar rechts (*linkshandige:* links) geven; '**slicer** [-ə] schaaf (*voor groenten, enz*)

slick [slik] (*fam*) I *bn* glad, glanzig; zich mooi voordoend; handig; *a* ~ *customer* een gladjanus; II *zn* olievlek op water; tijdschrift op glanzend papier; band zonder profiel (*autorace*); III *ww:* ~ *down* glad kammen (*one's hair*); '**slicker** [-ə] gehaaide kerel; '**slickness** handigheid **slide** [slaid] I *ww* (laten) glijden (glippen, sluipen); zakken; (ver)schuiven; uitglijden; afdwalen; een misstap begaan; *let* *things* ~ de boel laten waaien; ~ *by* (*past*) (ongemerkt) voorbijgaan; ~ *over a subject* losjes over ... heenglijden; II *zn* glijbaan, -koker, -plank; schuifring; dia; objectglaasje (*van microscoop*); (stoom)schuif; *land ~, snow ~* aardverschuiving; lawine; '**slide-rule** rekenliniaal; **sliding** (*voetbal, enz*) id.; ~ *door* schuifdeur; ~ *scale* glijdende (variabele) schaal

slight [slait] I *bn* tenger (*figure*); licht (*cold*); gering; oppervlakkig, vluchtig; *not in the ~est* in het minst niet; II *ww* met geringschatting behandelen, geringschatten, veronachtzamen; versmaden, ter zijde leggen (*advice; = ~ over*); III *zn* (blijk van) geringschatting; kleinering

slightly ['slaitli] tamelijk, nogal, enigszins

slim I *bn* slank; gering (*change*); II *ww* afslanken, aan de slanke lijn doen

slime [slaim] *a*) slijk, slik; *b*) slijm; **slimy** ['slaimi] slijmachtig, slijmerig; kleverig, glibberig; vuil

sling [sliŋ] I *ww* slingeren; gooien (met), smijten; ophangen; II *zn* slinger (om te werpen); (*soms*) katapult; (*scheepv*) strop; (geweer)riem; draagband, slingerverband, lus; slingering; zwaai; slag; '**slingback** met open hiel (*shoes*)

slink (weg)sluipen; ~ *off*, ~ *away* wegsluipen; **slinky** nauwsluitend (*clothes*)

slip I *ww* (uit)glijden (*on, upon* over), slippen, afglijden, glippen, (weg)sluipen, zich laten glijden (*into a chair*); struikelen (*fig*), een misstap doen; ontvallen, ontglippen; laten glijden, laten slippen (*a cable*); schuiven, steken (*s.t. into one's pocket*); onopvallend geven (~ *the porter a shilling*); laten voorbijgaan (*an opportunity*); stilzwijgend voorbijgaan; verzuimen (*a lesson*); afschuiven (*the dog ~ped its collar*); zich losmaken (ontdoen) van; onder het rijden afhaken (*a railway-carriage*); *let s.t.* ~ zich iets laten ontvallen; *~ped disc* hernia; ~ *one's foot* uitglijden; ~ *the leash*, (*fig*) uit de band springen; *it has ~ped my memory* (*my mind*) is me ontschoten; ~ ***along***, (*fam*) voortsnellen, -rennen; ~ ***away*** wegsluipen, uitknijpen; (*van tijd*) (ongemerkt) voorbijgaan (= ~ ***by***); ~ ***down*** afglijden, afzakken (*van kousen, enz*); ~ ***from*** ontglippen (aan); ~ ***off*** wegsluipen, uitknijpen; afschuiven; uitgooien (*one's coat*); ~ ***out*** stilletjes de deur uitgaan; zich eruit draaien; ~ ***over*** stilzwijgend voorbijgaan; ~ *over to* ... overwippen naar; II *zn* **1** stek; strook(je) (*of paper*); reep(je); fiche; **2** uitglijding, ontglipping; misstap, ongelukje; vergissing, abuis; (scheeps)helling; onderrok, -jurk; gymnastiekbroek; *~s*, zwembroek (ook: *pair of ~s*); ~ *of the pen* verschrijving; ~ *of the tongue* verspreking; *give a p. the* ~ iem ontglippen; '**slipcover** hoes, stofkleed; '**slipknot** schuifknoop; slipsteek; '**slip-'on** (*coat*) overjas, werkjas; '**slipover** id.

slipper pantoffel, slof

slippery ['slipəri] glibberig, glad, onbetrouwbaar

'**slip road** op-, afrit van autoweg; **slipshod** ['slipʃɔd] met afgetrapte hakken; flodderig, slordig (*English*); '**slipstream** (*luchtv*) schroefwind, slipstroom; **slip-up** kleine vergissing; **slipway** ['slipwei] (scheeps)helling

slit I *ww* (in repen) snijden of scheuren, splijten, kloven; II *zn* lange snede, split, spleet, gleuf

slither ['sliðə] (*fam*) (doen) glibberen, glijden, schuifelen; '**slithery** [-ri] glibberig

sliver ['slivə, 'slaivə] splinter, reep, strook, (afgesneden, afgescheurd) stuk

slobber ['slɔbə] (be)kwijlen, bevuilen; kwijlend uitbrengen

slog [slɔg] zwoegen, pootaan spelen (= ~ *away*)

slogan ['sləugən] leus, kreet, 'slagzin'

sloop [slu:p] sloep

slop [slɔp] I *zn: ~s* was-, spoelwater; (half-) vloeibare kost; slap goedje (soep, thee, enz); spoeling (voor varkens); II *ww* morsen (*water, tea*, enz.), spoelen, plassen (*through the mud*)

slope [sləup] I *zn* helling, glooiing, schuinte, talud; II *ww* glooien, (af)hellen, schuin (af)lopen (vallen, enz.); afschuinen; schuin houden (maken, enz.), doen hellen; ~ *up* (*down*) op-, aflopen; **sloping** hellend, glooiend; schuin, scheef

sloppy ['slɔppi] nat, drassig, slikkig; vuil; slordig (gemaakt); (*van kleren*) flodderig; (*fig*) sentimenteel, zoetelijk, slap, 'klef'

slosh [slɔʃ] plassen, waden, (doen) klotsen (zie *slush*); **sloshed** (*sl*) zat, lazarus

slot [slɔt] gleuf, sleuf, groef; open plaats, gat; (eigen) plaats; (vaste) uitzendtijd, vast programma(nummer); (*fig*) hokje, vakje

sloth [sləuθ] *a*) traagheid, luiheid; *b*) luiaard, ai

slot machine ['slɔtməʃi:n] (munt)automaat

slouch [slautʃ] I *ww* slungelen, slungelig lopen of zitten; slap neerhangen; laten hangen; neerdrukken, -trekken (*one's hat*); II *zn* slungelige gang (houding); het neerhangen

1 slough [slau] (*vero*) poel, moeras

2 slough [slʌf] I *zn: a*) afgeworpen (slange)vel, huid; *b*) korst, roof (*van wond*); II *ww* afvallen (= ~ *away, off*), vervellen; met een roof bedekt worden; afwerpen (*ook fig*)

sloven ['slʌvn] slons, sloddervos; **slovenly** ['slʌvnli] slonzig, slordig

slow [sləu] I *bn & bw* langzaam, langzaam verlopend (werkend: *poison*, enz.); traag, flauw, slap (*van zaken*); sloom; saai, vervelend (*play*); ~ *and* (*but*) *sure* langzaam maar zeker; *the clock is* (*five minutes*) ~ (5 min) achter; *go* ~ langzaam te werk gaan (zie *go-slow*); *go* ~ *with ammunition* zuinig zijn met; ~ *train* boemeltrein; ~ *of speech* langzaam sprekend; ~ *of understanding*, ~ *on the uptake*, ~ *off the mark*

traag van begrip; *be ~ to take offence* zich niet gauw beledigd gevoelen; II *ww (gew: ~ down, up, off)* vertragen, langzamer laten werken (*an engine*) of lopen (*a train*); zijn vaart (gang) verminderen; **'slowcoach** treuzelaar, saaie vent; **'slow-'motion** *film* vertraagde film; **'slow-'witted** traag van begrip
sludge [slʌdʒ] slik, modder, sneeuw-, ijspap; bezinksel; afgewerkte olie
slug [slʌg] I *zn* 1 (naakte) slak; 2 (ruw gevormde) kogel; klomp ruw metaal; 3 (*Am*) opstopper, pak ransel; 4 teug; II *ww: ~ it out* het uitvechten; **'sluggish** [-iʃ] lui, traag
sluice [slu:s] I *zn* sluis; sluispoortje; overlaat; II *ww* (laten) uitstromen (= *~ out*), afvoeren (als) door een sluis
slum [slʌm] I *zn* slop, gribus, achterbuurt; II *ww* de *~s* bezoeken (voor liefdadig doel of uit nieuwsgierigheid, = *go ~ming*)
slumber ['slʌmbə] I *ww* (*dichterlijk*) slapen, sluimeren; II *zn* (ook *~s*) (*dichterlijk*) slaap, sluimering
slump [slʌmp] I *zn* plotselinge sterke daling (*van prijs, afzet, enz*); achteruitgang; instorting; II *ww: a*) plotseling dalen (zakken), 'kelderen' (*the ~ing of the franc*), ineenstorten; *b*) hangen (*in one's chair*); *~ into a chair* zich laten vallen in
slur [slə:] I *ww* onduidelijk uitspreken of schrijven; onduidelijk maken (worden), doen vervagen, verdoezelen; (*muz*) slepen; II *zn: a*) het ineen laten lopen van klanken (letters); *b*) (*muz*) verbindingsteken
slurp [slə:p] (*fam*) slurpen
slurry ['slʌri] brijige substantie, dikke modder
slush [slʌʃ] half gesmolten sneeuw, bagger, slik; *~ money* smeergeld
slut [slʌt] slons, slet; **'sluttish** [-iʃ] slonzig, vuil
sly [slai] sluw, geslepen; schalks; heimelijk; *~ dog* leperd; *on the ~* in het geniep, heimelijk
smack [smæk] I *zn* 1 smaak(je), geur(tje); zweem; 2 smak, mep, klap; klapzoen; 3 (*sl*) heroïne; II *ww* 1 smaken (*of the cork* naar ...), rieken (*of* naar), doen denken (*of* aan); 2 smakken (met: *one's lips*), klappen (met); een klap geven
small [smɔ:l] I *bn* klein, gering, zwak, fijn; weinig; kleingeestig, -zielig, min; *feel ~* zich klein voelen, zich over zichzelf schamen; *~ beer*, (*fig*) van weinig betekenis; *~ farmer* keuterboer; *he has ~ Latin* kent maar weinig Latijn; II *zn: ~ of the back* lendestreek; **'small arms** handvuurwapenen; **'small change** wissel-, (klein)geld; **'smallholding** boerderijtje; **'smallish** vrij klein, peuterig; **'small-'minded** kleinzielig; **'smallpox** pokken; **'small talk** gepraat over koetjes en kalfjes; **small-time** onbelangrijk, op kleine schaal
smart [smɑ:t] I *bn* krachtig, 'gevoelig' (*blow*); flink; vlug, levendig, bijdehand; gewiekst, 'glad', knap, gevat, (gewild) geestig; net, elegant, chic; *~ people, the ~ set* de chic; II *zn* (vinnige, schrijnende) pijn; III *ww* pijn doen (*the wound ~s*); lijden; boeten (*you shall ~ for this*); **'smarten** (*up*) opknappen, optooien, mooi maken
smash [smæʃ] I *ww* (*dikwijls: ~ up*) verbrijzelen, verpletteren, kapot gooien (slaan, enz.) ingooien (*windows*); totaal vernielen, vernietigen, ruïneren; in puin rijden (*a car,* = *~ up*); breken; kapot gaan (vallen, enz.); *~-and-grab job* snelkraak; II *zn* (verpletterende) slag; vernieling; botsing; verpletterende nederlaag; catastrofe, bankroet, 'krach'; *go (to) ~* kapot (op de fles) gaan; totaal mislukken; III *bw* pardoes (*the car ran ~ into a train*), pats; **'smash-and-'grab**: *~ raid* etalagediefstal; **smashed** [-t] (*sl*) zat, dronken; **'smasher** [-ə] (*sl*) kanjer, prachtstuk; **'smash-hit** (*fam*) reuzesucces(stuk); **'smashing** (*fam*) mieters; **'smash-up** ondergang; botsing
smattering ['smætəriŋ] *bn & zn* oppervlakkig(e kennis), 'schijntje'
smear [smiə] I *ww* (be-, in)smeren, bevuilen; (uit)vegen, (uit)strijken; besmeuren; II *zn: a*) vlek, smet, veeg; *b*) laster; *c*) (*med*) uitstrijkpreparaat, uitstrijkje; **smear campaign** lastercampagne; **'smear test** uitstrijkje
smell [smel] I *zn* reuk, geur, lucht(je), stank; II *ww* (be)ruiken; ruiken naar (*gew: ~ of*); rieken (*of* naar), stinken; snuffelen; *~ about* rondsnuffelen; *~ at* (Am: *of*) ruiken aan; *~ out* opsporen, uitvorsen; *~ out the land* het terrein verkennen; **'smelly** [-i] viesruikend
smelt I *zn* spiering; II *ww* (erts, metaal) smelten
smile [smail] I *ww* (glim)lachen (*at, [up]on, to* tegen); door een glimlach uitdrukken (*one's thanks*); *~ at, ook:* (glim)lachen om (over); *fate ~d (up)on us* lachte ons toe (tegen); *keep smiling* de moed erin houden; II *zn* glimlach, lachje
smirch [smə:tʃ] I *ww* bekladden, bevuilen, bezoedelen; II *zn* vlek, klad, smet
smirk [smə:k] I *ww* gemaakt (glim)lachen, meesmuilen; II *zn* gemaakte (zelfvoldane) glimlach, grijns
smith [smiθ] smid
smithereens [smiðə'ri:nz]: *knock (smash) to (into) ~* tot gruzelementen slaan
smithy ['smiði, 'smiθi] smederij, smidse
smitten ['smitn]: *~ with* getroffen door (*paralysis,* enz.; ook: *~ by*); zeer ingenomen met; dol verliefd op (ook: *~ by*)
smock [smɔk] (boeren)kiel; jak; positiejurk
smog [smɔg] met roet bezwangerde mist (*smoke & fog*)
smoke [sməuk] I *zn* rook; rookkolom, -wolk; (*sl*) sigaar, sigaret, rokertje; *have a ~* steek eens op; II *ww* roken; dampen, walmen; rokerig maken, be-, uitroken; rook aanblazen; **'smoker** [-ə] *a*) roker; *b*) rookcoupé, -wagen; **'smokescreen** rookscherm, rookgordijn (*ook fig*); smoesje; **'smokestack** schoorsteen (*van*

boot, enz); **smoking** ['sməukiŋ]: *no* ~ (*allowed*) verboden te roken; '**smoking-carriage** rookwagon; '**smoking (jacket)** 'smoking', avondkostuum; **smoky** ['sməuki] rokerig, walmend; berookt
smooch [smu:tʃ] (*sl*) vrijen, zoenen
smooth [smu:ð] I *bn en bw* glad, vlak, gelijk(matig), effen; zacht; vloeiend, vlot (*van stijl, enz*); vriendelijk, vleiend (*tongue*); kalm (*passage* overtocht); uitgestreken (*face*); *go off* ~*ly* glad van stapel lopen; II *ww*: ~ maken of worden, gladstrijken (*feathers*); polijsten, effenen (*the way for a p.*); verzachten; bedaren; ~ ***away*** weg-, gladstrijken; vereffenen (*differences*); ~ ***down*** gladstrijken; verzachten; kalmeren, bedaren; ~ ***out*** gladstrijken, gladmaken; vereffenen (*differences*); ~ ***over*** gladstrijken, uit de weg ruimen (*difficulties*); '**smooth-spoken** met fluwelen tong; vleierig, schijnheilig
smother ['smʌðə] smoren, verstikken, doen stikken; onderdrukken (*a yawn* geeuw); overladen (*with presents, kisses*)
smoulder ['sməuldə] smeulen (*ook fig*)
smudge [smʌdʒ] I *ww* bevlekken, bevuilen, bezoedelen; II *zn* (vuile) vlek, klad, smet; **smudgy** ['smʌdʒi] vuil, smerig, kladderig
smug [smʌg] zelfvoldaan, bekrompen fatsoenlijk, 'braaf'; uitgestreken (*face*)
smuggle ['smʌgl] smokkelen; '**smuggler** [-ə] smokkelaar
smut [smʌt] *a)* zwarte vlek, roet(vlok, -deeltje, -vlek); *b)* vuiligheid, vuile taal (grappen)
snack [snæk] lichte (haastige) maaltijd, hapje; '**snack-bar, snack-counter** snelbuffet
snag [snæg] I *zn* (gevaarlijk, scherp) uitsteeksel; (*fig*) belemmering, moeilijkheid; *that's the* ~ daar zit 'm de kneep; II *ww* aan iets scherps openhalen
snail [sneil] huisjesslak
snake [sneik] I *zn* slang; II *ww* kruipen, enz. als een slang, slangachtig bewegen, kronkelen (= ~ *one's way*); '**snake-bite** slangebeet; '**snake-charmer** slangenbezweerder
snap [snæp] I *ww* happen, bijten; snauwen; kieken; (dicht)klappen, knippen (*ook van de ogen*), knippen met (*one's fingers*); afdrukken (*a pistol*); klappen met (*a whip*); (af)knappen, breken; ~ ***at*** happen (bijten, grijpen, slaan) naar; afsnauwen; toebijten (*I won't tell, she* ~*ped at him*); gretig aannemen (*a proposal*); (af)schieten op; ~ ***off***: ~ *a p.'s head* (of: *nose*) *off* iem afsnauwen; ~ ***out***: ~ *out of* zich losmaken van (*a habit*), ophouden met; ~ ***up*** wegpakken, -pikken; inpikken; op de kop tikken (*an old edition*); II *zn* het ..., hap, beet, snauw, klap, krak, knak, knal, knip (*met de vingers*); kiekje; knip (*van armband, enz*); breuk; kracht, fut, pit (*he has got no* ~ *in him*); III *attr* plotseling (opkomend), onmiddellijk, voor de vuist weg; overijld; IV *bw*: ~ *goes the branch* krak (knak) zegt ...; '**snap-fastener** [-fa:snə] drukknoopje; '**snappish** [-iʃ] bits, vinnig; '**snappy** [-i] pittig (*title*); elegant; *make it* ~! (*fam*) vlug wat!, schiet op!; '**snapshot** momentopname, kiekje
snare [snɛə] (val)strik; (*van trommel*) snaar
snarl [sna:l] I *ww* **1** grommen, grauwen (*at* tegen), brommen, snauwen; **2** verwarren, in de war (knoop) brengen (raken) (*fog* ~*s traffic*); verstrikken; II *zn* **1** grauw, snauw; **2** verwarde massa; verwikkeling, warboel; knoest; '**snarl-up** (verkeers-, enz.) knoop
snatch [snætʃ] I *ww* (aan)grijpen, pakken, gappen, rukken; (*krachtsp*) trekken; ***at*** grijpen naar; aangrijpen (*an offer*); ~ ***away*** wegrukken; ~ ***from*** ontrukken (aan); ~ ***off*** afrukken, uitgooien (*one's coat*); ~ ***up*** grijpen, bemachtigen; II *zn* greep, ruk; tijdje, ogenblikje; vlaag (~*es of energy*); vluchtige maaltijd; (brok)stuk (~*es of songs*); *by* (*in*) ~*es* bij vlagen; met tussenpozen
sneak [sni:k] I *ww* sluipen, gluipen; smokkelen (*opium*); (*sl*) gappen, snoepen; (*sl*) klikken; ~ *on a p.* iem verklappen; II *zn* gluiperd; 'insluipdief', gauwdief; (*sl*) klikspaan; '**sneaker** [-ə] gymschoen, sportschoen; '**sneaking** gluiperig; heimelijk (*have a* ~ *idea that* ...); '**sneaky** [-i] gluiperig, heimelijk
sneer [sniə] I *ww* spottend lachen, grijnzen, spotten; ~ *at* spotten met, honen; de neus ophalen voor; II *zn* spotlach, grijns, (bedekte) hatelijkheid
sneeze [sni:z] niezen; ... *is not to be* ~*d at,* (*fam*) niet te versmaden, geen kattepis
snick [snik] I *ww* knippen, snijden, kepen; flink raken; II *zn* keep, knip
snicker ['snikə] grinniken, giechelen
sniff [snif] I *ww* (op)snuiven, snuffelen; ruiken (aan), de lucht krijgen van; de neus ophalen (voor); ~ ***at***: *a)* ruiken aan, besnuffelen; *b)* de neus optrekken voor; ~ ***out*** opsporen, uitvissen; II *zn*: *a)* gesnuif; *b)* luchtje; **sniffer dog** speurhond; '**sniffle** [-l] I *ww* snuiven, grienen, snotteren; II *zn*: ~*s* verstopte neus
snigger ['snigə] I *ww* giechelen, grinniken; II *zn* gegiechel, gegrinnik
snip I *ww* (af-, door)knippen, (af)snijden; II *zn* snipper, stukje; knip(je); hap; ~*s* metaalschaar; koopje
snipe [snaip]: (*mil*) uit hinderlaag schieten; ~ *at* voortdurend bekritiseren (aanvallen) (*a p.*); '**sniper** [-ə] sluipschutter
snippet ['snipit] brok(je), fragment, stuk(je)
snitch [snitʃ] iem verraden, iem aanbrengen, klikken
snivel ['snivl] I *ww* snotteren; grienen; II *zn*: ~(*s*) neusverkoudheid
snob [snɔb] id.; '**snobbish** [-iʃ] snobistisch
snog [snɔg] (*sl*) vrijen
snoop [snu:p] *a)* snuffelen, loeren, sluipen; *b)* zijn neus in andermans zaken steken; '**snoop(er)** bemoeial; stiekeme speurder
snooty ['snu:ti] (*sl*) verwaand, ingebeeld

snooze [snu:z] (*fam*) dutten, maffen
snore [snɔ:] snorken, snurken
snort [snɔ:t] snuiven, blazen; ronken
snot [snɔt] (*volkstaal*) *a*) snot; *b*) snotneus; '**snotty** [-i] snotterig; (*sl*) verwaand, opschepperig
snout [snaut] *a*) snuit, snoet; *b*) tuit, bek, punt
snow [snəu] I *zn: a*) sneeuw (*ook op TV*); *b*) (*sl*) cocaïne; *~s* sneeuw; sneeuwmassa's, sneeuwvelden; II *ww* (be)sneeuwen; (be)strooien; sneeuwwit maken (*the hair*); (*Am sl*) inpakken, overdonderen; *be ~ed* ***up*** (***in***) insneeuwen, ingesneeuwd zijn; ~ ***under*** (*fig*) overstelpen; met verpletterende meerderheid verslaan; '**snowball** I *zn* sneeuwbal; II *ww* (met) sneeuwballen gooien; in steeds sneller tempo (doen) toenemen, een sneeuwbaleffect hebben; '**snow-blind** sneeuwblind; '**snowbound** ingesneeuwd; besneeuwd; '**snow-capped** met sneeuw bedekt; '**snowdrift** *a*) sneeuwbank; *b*) sneeuwjacht; '**snowflake** [-fleik] sneeuwvlok; '**snowman** [-mæn] sneeuwpop, sneeuwman; '**snowstorm** sneeuwstorm; '**snow-white** sneeuwwit; *S~* Sneeuwwitje; '**snowy** [-i] sneeuwachtig; sneeuw...; besneeuwd; sneeuwwit
snub [snʌb] I *ww* op z'n nummer zetten, bits afwijzen, onheus bejegenen, afkatten; II *bn* stomp (*van neus*); stompneuzig
snuff [snʌf] I *ww* 1 snuiten (*a candle*); ~ ***out*** uitsnuiten (*a candle*); (*fig*) verduisteren, een eind maken aan (*a p.'s hopes*), de nekslag geven; (*sl*) 'koud maken'; (*sl*) het hoekje omgaan (= *~ it*); 2 (snuif, cocaïne, enz.) snuiven; II *zn: a*) snuif(je); *b*) klein beetje; '**snuffle** [-l] (op)snuiven, snuffelen, door de neus spreken
snug [snʌg] knus, gezellig, behaaglijk, lekker (warm); er warm in zittend; netjes, knap; nauwsluitend; '**snuggle** [-l] lekker (gaan) liggen (*to, up to* tegen); knuffelen; (zich) vlijen; *~ down* (*up*) zich neervlijen
so [səu] *a*) zo, aldus, zodanig, zozeer; *b*) het, dat (*he said ~*), zulks; *c*) dus, derhalve; *d*) zodat, opdat (*come in, ~ I can close the door*); *or ~* of daaromtrent; *a score or ~* zo'n twintigtal; *it is just as important, or perhaps more ~* of misschien nog belangrijker; *~ I do* dat doe ik (ook); *~ do I* ik ook; *'You're mad!' - 'So I'm mad, ...'* (goed,) dan ben ik maar gek; *and ~ on* enzovoorts; *~ then* zo dan; *~ to say* (*speak*) zo te zeggen, als men het zo zeggen mag; *~ now! ~ there!* nu weet je het; *be ~ kind as to ...* wees zo vriendelijk te ...; *do it ~ as not to offend him: a*) zodat je hem niet ...; *b*) opdat ...; om hem niet te ...; *~ ... that* zo(zeer) ... dat; *~ that: a*) zodat; *b*) opdat; *c*) mits
soak [səuk] I *ww* in de week zetten (staan), (door)weken, soppen (*bread in milk*); (laten) trekken; drenken; inzuigen, opslorpen (= *~ in, ~ up*); sijpelen; in-, doordringen; (*fam*) *a*) zuipen; *b*) dronken voeren; *c*) (*sl*) afzetten (*he ~ed me a dollar for it; ~ed* (***through***) doornat; *~ed* ***with*** *the rain* doornat van; *~ed,* (*sl*) dronken; II *zn* het ...; begieting; doordringende regen; zuiper; zuippartij; '**soaking** [-iŋ] doordringend (*rain*); doornat (= *~ wet*)
so()and()so ['səuənsəu] zo en zo, die en die; *Mr. ~* meneer dinges
soap [səup] I *zn* zeep; (*sl*) mooipraterij; *~ opera* (sentimenteel) dagelijks vervolghoor- of televisiespel; II *ww* (in)zepen (= *~ up*); afzepen; '**soapbox** zeepkist(je), zeepdoos; zeepkist(wagentje); *~ orator* straatredenaar; '**soap-suds** [-sʌdz] zeepsop; '**soapy** [-i] zeepachtig, zeep...; (*sl*) mooipratend, zalvend
soar [sɔ:] (om)hoog vliegen; zich (hoog) verheffen; zweven (op grote hoogte); (*luchtv*) zeilen
sob [sɔb] I *ww* snikken; II *zn* snik; *~ story* zielig verhaal
sober ['səubə] I *zn* id., matig; nuchter; verstandig, ernstig, bezadigd; bescheiden; stemmig (*dress*); II *ww* (ook: *~* ***down***, *~* ***up***) nuchter enz. maken of worden; ernstig stemmen; ontnuchteren; **sobriety** [sə'braiəti] bezadigdheid, matigheid (zie *sober*)
so-called ['səu'kɔ:ld] zogenaamd, zogeheten
soccer ['sɔkə] (*fam*) *Association Football* voetbal(spel)
sociability [səuʃə'biliti] gezelligheid; **sociable** ['səuʃəbl] gezellig, aangenaam in de omgang, vlot
social ['səuʃəl] I *bn* maatschappelijk, sociaal; gezellig; (*van dieren*) gezellig levend; (*van planten*) bijeen groeiend; *~ intercourse* gezellige omgang; *~ number* sofi-nummer; *~ science* sociologie, maatschappijleer; *~ security* sociale zekerheid (*Minister for ...* van sociale zaken); *~ services* ongev sociale dienst; *~ work* maatschappelijk werk; II *zn* gezellig avondje; '**socialism** [-izm] socialisme; '**socialist** socialist(isch); **socialistic** [səuʃə'listik] socialistisch; '**socialize** [-aiz] *a*) socialiseren; *b*) geschikt maken voor de maatschappij; *c*) gezellig (met elkaar) omgaan
society [sə'saiəti] *a*) (de) maatschappij, de samenleving; *b*) genootschap, vereniging; *c*) *dikwijls: S~* de grote wereld (*a ~ lady, hostess,* enz.); *d*) omgang, conversatie, gezelschap
sociologic(al) [ˌsəusiə'lɔdʒik(l)] sociologisch; **sociologist** [səusi'ɔlədʒist] socioloog; **sociology** [səusi'ɔlədʒi] sociologie
sock [sɔk] I *zn* 1 sok; *pull up one's ~s* zich schrap zetten; 2 (*sl*) mep, pak ransel; uitbrander; II *ww* (*sl*) ranselen, raken
socket ['sɔkit] *a*) pijp (*van kandelaar*), gat, houder; *b*) (*techn*) sok; *c*) (*elektr*) contactdoos (= *~ plug*); *d*) (oog-, tand)kas; *e*) (gewrichts)holte; *~ spanner* (*wrench*) dopsleutel; '**socket-joint** kogelgewricht
1 sod [sɔd] I *zn* zode(n), grasveld; II *ww* met zoden bedekken
2 sod [sɔd] 1 dom en vervelend persoon; 2 moeilijk en vervelend karwei
soda ['səudə] *a*) soda; *b*) = *~-water* spuit-

water; *c*) (*Am* = *ice-cream* ~) roomijs met spuitwater
sodden ['sɔdn] doorweekt, doornat, doortrokken; (*van persoon*) 'verzopen'; zat (*with drink*); waterig (*vegetables*); klef (*bread*)
sofa ['səufə] sofa, canapé
soft [sɔ(:)ft] I *bn* zacht, week; slap (*collar*); gemakkelijk (*time, life, job*), met gemakkelijke voorwaarden (*loan*); sentimenteel, zoetsappig; verliefd; week, slap (*character, muscles*); (*fam*) onnozel, niet goed snik; niet-alcoholisch; niet verslavend (*drugs*); vrij onschuldig (*porn*); niet gepantserd (*target*); onscherp (*focus*); ~ *drink* frisdrank, sapje; ~ *soap* groene zeep; (*fam*) vleierij, mooie praatjes; *let's have no more ~ talk* mooie praatjes; II *bw* zacht(jes); **soften** ['sɔ(:)fn] verzachten, vertederen, vermurwen (= ~ *down*); ontharden (*water*); verwekelijken; verzacht (vertederd, enz.) worden (= ~ *down*); **'soft-'hearted** week-, teerhartig; **'softish** vrij zacht, enz.; **'software** (*van computer*) id., programmatuur; **'softwood** naaldhout; **'softy** [-i] (*fam*) huilebalk, sul
soggy ['sɔgi] doorweekt, drassig, nat; klef
soil [sɔil] I *zn* 1 grond, bodem, land; teelaarde; geboortegrond (= *native* ~); 2 smet, vlek, vuiligheid; vuil, drek; II *ww*: *a*) bevuilen, besmetten, bezoedelen; *b*) smetten, vuil worden
sojourn ['sɔ-, 'sʌdʒə:n, -dʒən] I *zn* tijdelijk(e) verblijf(plaats), oponthoud; II *ww* vertoeven
solace ['sɔləs, -is] I *zn* troost, soelaas; II *ww* (ver)troosten, opvrolijken, verlichten
solar ['səulə] zonne..., zons..., van de zon
solder ['sɔldə, 'səuldə] I *zn* soldeer(sel); (*fig*) cement, band; *soft* ~ tin-, loodsoldeer; II *ww* solderen; (*fig*) verbinden; herstellen (= ~ *up*); **'soldering iron** soldeerbout
soldier ['səuldʒə] I *zn* soldaat, militair; strijder; ~ *of fortune* (militair) avonturier, huurling; II *ww* (als soldaat) dienen (= ~ *it*); ~ *on* (moedig) doorgaan, volhouden; **soldierly** [-li] als een soldaat, krijgshaftig
1 sole [səul] I *zn* zool; ondervlak, bodem; II *ww* zolen
2 sole [səul] tong (*vis*)
3 sole [səul] enig, enkel; uitsluitend (*possession*); (*jur*) ongehuwd
solemn ['sɔləm] plechtig, deftig, statig, ernstig; **solemnity** [sə'lemniti] plechtigheid, ernst (zie *solemn*)
solicit [sə'lisit] (dringend) vragen; verzoeken om (*orders, enz*); dingen naar; aansporen; lastig vallen (*a girl*); tippelen (van prostituée), (ver)lokken
solicitor [sə'lisitə] procureur (tevens pleiter in enkele lagere rechtbanken), rechtskundig adviseur, *ongev:* advocaat; (*soms ongev:*) notaris
solicitous [sə'lisitəs] bezorgd, bekommerd (*about, concerning, for, of* over); verlangend, begerig (*of* naar; *to* te); nauwgezet; **solicitude** [sə'lisitju:d] bezorgdheid, zorg, kommer, angst; nauwgezetheid
solid ['sɔlid] I *bn* vast (*bodies, food*), stevig, compact, duurzaam; massief (*oak* eiken); aaneen(gesloten), als één geheel, aan elkaar; solidair; degelijk (*arguments*), grondig, echt; concreet, tastbaar (*evidence*); solide; (*van muur*) blind; (*van kleur*) uniform; lichaams..., kubiek (*content* inhoud); welgesteld; ~ *angle* lichaamshoek; ~ *figures* harde cijfers; ~ *geometry* stereometrie; *a ~ hour* vol; ~ *man: a*) degelijk, solide; *b*) welgesteld; ~ *state* vaste stof; (*elektr*) getransistoriseerd; ~ *vote* eenstemmigheid; *go ~, ook:* zich solidair verklaren; *the nation is ~ly behind him* als één man; *the room is packed ~* propvol; II *zn* (vast) lichaam; massief blok (*metselwerk, enz*); *~s, ook:* vaste kost
solidarity [sɔli'dæriti] solidariteit
soliloquy [sə'liləkwi] alleenspraak
solitary ['sɔlitəri] I *bn* eenzaam, afgelegen, verlaten; op zichzelf staand, enkel (*one ~ exception*); alleen levend; eenzelvig; ~ *confinement* cellulaire gevangenschap; II *zn* kluizenaar
solitude ['sɔlitju:d] eenzaamheid, eenzame plek
soluble ['sɔljubl] oplosbaar
solution [sə'l(j)u:ʃən] oplossing, ontbinding; solutie
solve [sɔlv] oplossen
solvency ['sɔlvənsi] solvabiliteit, solventie, soliditeit; **solvent** ['sɔlvənt] id., solvabel
sombre ['sɔmbə] somber, donker
some [sʌm, səm, sm] I *vnw* iets, wat; sommige(n), enige(n); ~ *of these days* een dezer dagen; II *bn: a*) de een of ander, (een) zeker(e), sommige, enig(e), wat; *b*) ongeveer, om en bij, (zo)'n (~ *fifty fathoms*); ~ *book or other* het een of ander ...; ~ *day* te eniger tijd, eens; ~ *few* enkele(n); ~ *such excursion* een dergelijk, zo'n; ~ *place*, (*Am*) ergens (heen); ~ *time: a*) enige tijd; *b*) te eniger tijd; *she is ~* (met klem) *girl*, (*sl & Am*) nog eens een ..., een pracht...; III *bw* (*sl & Am*) *a*) enigszins, nogal; *b*) verbazend (veel); **'somebody** [-bədi, -bɔdi] iemand; een zeker iem; **'someday** te eniger tijd; **'somehow** [-hau] op de een of andere wijze; ~ (*or other*) hoe dan ook; **'someone**, **'some one** [-wʌn] *somebody*
somersault ['sʌməsɔ:lt] salto mortale, duikeling; *do* (*turn*) *~s* kopje duikelen
something ['sʌmθiŋ] *vnw & zn* iets, het een of ander; ~ *or other* het een of ander; *he had a fit or ~* of zo iets; ~ *of*... zo iets als, min of meer; *he is ~ of a poet* hij dicht heel verdienstelijk; *the five ~ train* van vijf uur zoveel; *sixty ~* een dikke 60; *Mr. S~* meneer dinges; *we hope to see ~ of them* ze nu en dan te ontmoeten; *you may have ~ there* daar kon je wel eens gelijk aan hebben; *it is quite* (*really*) ~ niet mis, stelt heel wat voor; ~ *new* iets nieuws; **'sometime** I *bw* te eniger tijd; II *bn* vroeger, voormalig; **'sometimes** soms; **'someway(s)** op de een of andere manier; **'somewhat** enigszins, iets;

'somewhere ergens; *he is ~ about sixty* om en bij de 60; **'somewhile** I *bw: a*) soms; *b*) een poosje; II *bn* voormalig
'somnolent *a*) slaperig, slaapdronken; *b*) slaap(ver)wekkend
son [sʌn] zoon; (*als aanspreekvorm:*) (*fam*) (mijn) zoon, jonge man; *my ~,* (*aanspreekvorm*) mijn zoon
song [sɔŋ] lied, (ge)zang; poëzie, chanson, *the birds are in ~* aan het zingen; *S~ of Solomon, S~ of S~s* Hooglied; *give us a ~* zing eens wat; *I bought it for a* (*mere*) *~* voor een appel en een ei; *a mere ~* een kleinigheid; **'songbird** zangvogel
sonic ['sɔnik] sonisch, van geluidsgolven; *~ bang, boom* knal bij het doorbreken der geluidsbarrière
son-in-law ['sʌninlɔ:] schoonzoon
sonnet ['sɔnit] sonnet
sonny ['sʌni] jochie, baasje
sonorous [sə'nɔ:rəs, 'sɔnərəs] geluidgevend (*bodies*); (hel-, diep)klinkend, klankvol
soon [su:n] spoedig, gauw, weldra, vlug, vroeg; *as* (*so*) *~ as* zodra; *as ~ as, ook:* even goed als; *as ~ as ever you come here* zodra je maar ...; *I would just as ~ be hanged* even lief; *~er or later* vroeg of laat; *I would ~er ...* wou liever; *no ~er ... than* nauwelijks ... of; *at* (*the*) *~est* op zijn vroegst
soot [sut] I *zn* roet, roetvlok(je); II *ww* met roet bedekken
soothe [su:ð] sussen, verzachten, kalmeren
soothsayer ['su:θseiə] waarzegger
sooty ['suti] roet(acht)ig; zwart, somber
sop [sɔp] (in)dopen, soppen, doorweken
sophisticated [sə'fistikeitid] wereldwijs, niet naïef; mondain (*seaside resort*); (*soms*) gedistingeerd; intellectualistisch; verfijnd; niet primitief; uitgekiend, geperfectioneerd, geavanceerd; geraffineerd; gecompliceerd, ingewikkeld; **sophistication** [səˌfisti'keiʃən] verfijning, mondainheid; geavanceerdheid, perfectie; gecompliceerdheid; wereldwijsheid
soppy ['sɔpi] (*fam*) sentimenteel (verliefd), 'klef', week
soprano [sə'pra:nəu] sopraan
sorcerer ['sɔ:sərə] tovenaar; **sorceress** ['sɔ:səris] tove(na)res, heks; **sorcery** ['sɔ:səri] tove(na)rij, hekserij
sordid ['sɔ:did] vuil, vies; laag, gemeen, armoedig, onsmakelijk (*fig*), onverkwikkelijk
sore [sɔ:] I *bn* pijnlijk, rauw (*van lichaamsdeel*), zeer; bedroefd, bekommerd, gepikeerd, gekrenkt; boos, nijdig (*with, at,* Am: *on* op); gevoelig, prikkelbaar, teer (*point*); bitter (*task*); hevig, moeilijk, erg (*in ~ want of money*); *have a ~ throat* keelpijn hebben; *he is* (*feels*) *very ~ about it* het steekt hem erg; II *zn* pijnlijke (wonde) plek, open zweer; **'sore-head** (*Am*) mopperaar, ontevredene
sorrow ['sɔrəu] smart, droefheid, leed(wezen); **'sorrowful** [-f(u)l] droevig, treurig
sorry ['sɔri] bedroefd, droevig (*day*), min, armzalig (*excuse*), treurig (*a ~ sight*), ellendig; *I am ~* het spijt me; *feel ~ about* (*for*) betreuren; *a ~ fellow* een stumper; *I am* (*feel*) *~ for you* 'k heb met je te doen; het spijt me voor je; (*so*) *~!* neem me niet kwalijk
sort [sɔ:t] I *zn* soort, slag; *all ~s of things* allerlei ...; *these ~ of people* dit soort ...; *the common ~* het gewone slag van mensen; *all ~s and conditions of men* mensen van allerlei slag; *a good* (*decent*) *~,* (*fam*) een geschikt type; *he's a bad ~* deugt niet; *he's the right ~* een geschikte vent; *~ of* (*o'*), (*fam*) als het ware, enigszins, hoe dan ook; *I ~ of expected it* ik verwachtte het wel enigszins; ***of** a ~ =* (*fam*) *of ~s* zo'n soort van, niet veel bijzonders als ...; *nothing of the ~* niets van dien aard; niets daarvan!; *be **out of** ~s: a*) zich niet lekker voelen; *b*) verdrietig, uit zijn humeur zijn; II *ww* sorteren, rangschikken, indelen (*with* bij); *~ out* uitzoeken, sorteren, ordenen; *it will ~ itself out* redt zich wel, komt wel terecht; *leave it to ~ itself out* laat het maar betijen; *you two are well ~ed* past (passen) goed bij elkaar
so()so ['səusəu] (maar) zo zo; tamelijk
sot [sɔt] zuiplap
sough [sʌf, sau] (*lit*) I *zn* gesuis (als) van de wind, zucht; gerucht; II *ww* zuchten, suizen
soul [səul] ziel; geest (*the greatest ~s of antiquity*); *not* (*never*) *a ~* geen levende ziel, geen sterveling; ***in** my ~ of ~s* in het diepst van mijn ziel; (***up**)**on*** (*'pon* soms: ***by***) *my ~!* waarachtig!; **soulless** ['səullis] zielloos
sound [saund] I *zn* **1** zeeëngte; *the S~* de Sont; **2** geluid, klank, toon; geschal; **3** *a*) sonde; *b*) peiling; II *bn* gezond, krachtig, gaaf, flink; degelijk, solide, solvent; oprecht, te vertrouwen; vast (*sleep*); *of ~ mind* bij zijn volle verstand; III *bw* vast (*asleep*); IV *ww* **1** (doen) klinken, luiden, (doen) weerklinken (*to, with* van), (doen) schallen, uitbazuinen; doen horen (*a warning*); blazen (op) (*a horn*); *that ~s all right* klinkt goed, laat zich wel horen; **2** peilen, loden; **3** (= *~ **out***) sonderen; onderzoeken, uithoren, polsen (*on* over); (*inz. van walvis*) onderduiken; **sounding** ['saundiŋ] I *bn* klinkend, hoogdravend; II *zn* het ... (zie *sound*); peiling, loding; *~s* aangelode (plaatsen), diepte(n); *make ~s = take ~s; strike ~s* grond aanloden; *take ~s* loden; (*fig*) poolshoogte nemen; **'sounding board** *a*) klankbodem; *b*) klankbord; (*fig*) spreekbuis; **'soundless** [-lis] **1** geluidloos; **2** onpeilbaar; **'soundly** zie *sound bn*; **'sound-proof** geluidvrij, -dicht; *ww: ~* maken; **'sound screen** geluidsscherm; **'soundtrack** geluidsspoor (op film)
soup [su:p] I *zn* soep; II *ww: ~* (*up*) opvoeren (van motor); groter, beter, mooier maken
sour ['sauə] I *bn* zuur, wrang (*apples*); nors, knorrig; guur; (*van grond*) zuur; *go* (*turn*) *~: a*) verzuren (*van voeding*); *b*) (*fig*) bitter worden (gaan smaken), mislopen; II *ww* zuur maken of worden, verzuren, verbitteren

source [sɔ:s] bron (*ook fig*), oorsprong
souse [saus] pekelen, marineren; onderdompelen, doornat maken; *~d, ook:* dronken
south [sauθ] I *zn* zuiden(wind); *to the ~ of* ten zuiden van; II *bn en bw* zuidelijk, zuidwaarts, zuid(en)..., zuider...; *~ of* ten zuiden van; **south-east** ['sauθ'i:st, *scheepv* 'sau'i:st] I *zn* zuidoosten; II *bn en bw* zuidoostelijk; **southerly** ['sʌðəli] zuidelijk; **southern** ['sʌðən] zuidelijk; **southerner** zuiderling, bewoner van het zuiden van een land, van Europa, enz.; '**southernmost** [-məust] zuidelijkst, meest zuidelijk; **southward(ly)** ['sauθwəd(li)] zuidwaarts, zuidelijk; **southwards** ['sauθwədz] zuidwaarts; **south-west** ['sauθ'west, *scheepv* sau'west] I *zn* zuidwesten; II *bn en bw* zuidwestelijk
souvenir ['su:vəniə] id., aandenken
sou'wester ['sau'westə] zuidwester
sovereign ['sɔvrin] I *bn* soeverein, oppermachtig, opperst, hoogst; II *zn* opperheer, heerser, soeverein; '**sovereignty** [-ti] *a*) soevereiniteit, oppermacht, oppergezag; *b*) onafhankelijke staat
1 sow [sau] zeug
2 sow [səu] (be)zaaien, strooien; verspreiden
sower ['səuə] *a*) zaaier; *b*) zaaimachine
soy(a) [sɔi(ə)] soja
sozzled ['sɔzld] (*sl*) dronken
spa [spa:] *a*) minerale bron; *b*) badplaats
space [speis] I *zn* ruimte, wijdte, afstand (*from ~ to ~*); spatie; tijdruimte (= *~ of time*); (*for*) *a ~* een tijdje; II *ww* (in ruimten) verdelen; *~ (out)* met tussenruimten plaatsen, spatiëren; *~ out, ook:* over meer ruimte of tijd verdelen; '**spacecraft** ruimtevaartuig; '**spaceman** ruimtevaarder; '**space-probe** ruimtesonde; '**spaceship** '*space-craft*; '**space** '**shuttle** [-ʃʌtl] ruimteveer; **spacious** ['speiʃəs] ruim, groot, uitgestrekt
spade [speid] I *zn* spade, schop; steek (*two ~s deep*); (*kaartsp*) schoppen (*gew ~s*); *ten of ~s* schoppentien; II *ww* (om)spitten; '**spadework** (*fig*) moeilijk voorbereidend werk, pionierswerk
Spain [spein] Spanje
span [spæn] I *zn* spanne tijds, bestek; (over)spanning, spanwijdte (*van brug, enz*); vleugelbreedte (*van vliegtuig*); II *ww* (over)spannen, af-, omspannen; zich uitstrekken over, overbruggen
spangle ['spæŋgl] I *zn* lovertje; glinsterend deeltje; II *ww* met lovertjes versieren
Spaniard ['spænjəd] Spanjaard, Spaanse; **Spanish** ['spæniʃ] Spaans
spank [spæŋk] klappen (met de vlakke hand), voor zijn achterwerk geven, afstraffen; '**spanking** pak voor de broek
'**spanner** moersleutel; *adjustable ~* Engelse sleutel
1 spar [spɑ:] (dak)spar, paal
2 spar [spɑ:] bokspartij, vuistgevecht
spare [spɛə] I *bn: a*) schraal, mager; dun; karig, zuinig; *b*) overtollig, reserve...; *go ~,* (*sl*) de pest in krijgen, opvliegen; *~ (bed)room* logeerkamer; *~ cash (money)* geld over; *~ hours, ~ time* vrije uren (tijd), snipperuren; *~ part* reservedeel; II *zn* reservedeel; *it is a ~* we hebben er een over (kunnen er een missen); III *ww* sparen, ontzien (*~ no expense, not ~ o.s.;* zuinig zijn (met), bezuinigen; besparen (*I will ~ you the trouble*); het (kunnen) stellen zonder, missen (*I cannot ~ the money*); geven, afstaan (*can you ~ me that book for an hour?*); *I had an hour to ~* een uur over; *enough and to ~* meer dan genoeg, volop; **spare rib** ['spɛərib, 'spærib] 'krabbetje'; **sparing** ['spɛəriŋ] spaarzaam, zuinig (*of* met); karig (*of words* met), matig, schraal
spark [spɑ:k] I *zn* vonk, vonkje, sprankje; greintje; *s~s,* (*fam*) marconist; II *ww* vonken spatten, vonken (*ook elektr*); aanleiding geven tot (*~ off a quarrel*); '**spark(ing)-plug** (ontstekings)bougie; '**sparkle** [-l] I *ww* vonken schieten, (doen) fonkelen, schitteren, sprankelen, glinsteren; parelen, mousseren (*van drank*); tintelen (*van geest*); II *zn* gefonkel, glinstering; vonk(je), sprank(je); glans; geest(igheid)
sparring partner trainingsmaat van bokser
sparrow ['spærəu] mus
sparse [spɑ:s] dun (gezaaid, bevolkt), verspreid; schaars; mager
spasm [spæzm] kramp, krampachtige beweging; (*fig*) vlaag, opwelling; beroering; **spasmodic** [spæz'mɔdik] krampachtig, bij vlagen
spastic ['spæstik] (*med*) spastisch
spate [speit] (*fig*) stroom, toevloed, vloed; *the river is in ~* sterk gezwollen
spatial ['speiʃəl] ruimtelijk, ruimte...
spatter ['spætə] (doen) spatten, bespatten, bekladden
spatula ['spætjələ] spatel
spawn [spɔ:n] I *zn* kuit; produkt (*the latest ~ of the press*); II *ww* kuit schieten; uitbroeden, voortbrengen; wemelen (*with* van)
speak [spi:k] spreken; tegen elkaar spreken (*they don't ~ now*); uitspreken, uitdrukken (*his face ~s hope*), spreken van; zeggen (*one's opinion*); *generally ~ing* in het algemeen gesproken; *S. ~ing,* (*telefoon*) hier S., u spreekt met S.; *'Is that Mr. S.?' '~ing',* (*telefoon*) 'spreekt u mee'; *so to ~* om zo te zeggen; *the portrait ~s* het is een sprekend portret; *~* ***for*** spreken voor, namens; getuigen van (*this fact ~s for his honesty*); *it does not ~ well for our system* pleit niet voor; *~ well* ***of*** *a p.* gunstig spreken over; *no difference to ~ of* geen noemenswaardig verschil; *~* ***on*** *a subject* spreken over; *~ on,* (*bw*) verder spreken, vervolgen; *~* ***out****: a*) hardop spreken (= *~ out loud*); *b*) = *~ (out) one's mind* vrijuit spreken; *~* ***to*** spreken tot (tegen); spreken over, behandelen, bespreken (*a subject*); getuigenis afleggen van (*a*

spe

p.'s character); een standje maken, onder handen nemen; aanspreken; *I can ~ to the truth of it* sta in voor ...; ~ ***up*** hard(er) spreken; vrijuit spreken; ~ *up for a p.* het opnemen voor; **speaker** ['spi:kə] spreker; *ook:* luidspreker; *S~* voorzitter van het Lagerhuis; '**speaking** I *bn: ~ likeness* sprekend portret; ~ *clock,* (*telefoon*) tijdmelding(sklok); II *zn* het ... (zie *speak*); ~ *acquaintance: a*) iem, die men goed genoeg kent om aan te spreken; *b*) oppervlakkige bekendheid; *be on ~ terms with a p.* iem goed genoeg kennen om hem aan te spreken; *we are no longer on ~ terms* wij spreken niet meer tegen elkaar; '**speaking-tube** [-tju:b] spreekbuis

spear [spiə] I *zn* 1 speer, lans; 2 (gras)spriet; II *ww* (met een speer) doorsteken, spietsen, hoog opschieten (= ~ *up*); '**spearhead** I *zn* speerpunt; (*fig*) (iem aan de) spits, leider (*of the movement*); II *ww* (*mil*) de spits vormen

special ['speʃəl] I *bn* bijzonder, speciaal; extra (*train*); ~ *branch* veiligheidspolitie; ~ *constable* burgerpolitieman, politievrijwilliger; ~ *delivery* expresse bestelling; II *zn* extratrein, -blad, -editie, -tijding, -uitzending (*telec*), -prijs, enz.; '**specialism** [-izm] specialisering, speciale studie, specialisme; **specialist** [-ist] specialist; **speciality** [speʃi'æliti] bijzonderheid, bijzondere eigenschap; bijzonder geval; specialiteit, speciaal artikel, vak, onderwerp, enz.; **specialization** [ˌspeʃəlai'zeiʃən] specialisatie; '**specialize** ['speʃəlaiz] in het bijzonder noemen; in bijzonderheden gaan; voor een bepaalde functie bestemmen; specialiseren; *~d,* (*ook*) specialistisch; **specialty** (*Am*) *speciality*

species ['spi:ʃi:z, -ʃiz] soort(en), geslacht(en)

specific [spi'sifik] I *bn* specifiek, soortelijk, soort ...; eigenaardig, eigen (*to, of* aan); duidelijk, bepaald, bijzonder; ~ *gravity* soortelijk gewicht; II *zn* specifiek (genees)middel; *~s* bijzonderheden; **specifically** [-əli] zie *specific; ook:* in soort (aard); op speciale wijze; **specification** [ˌspesifi'keiʃən] specificatie; ~(*s*) bestek; **specify** ['spesifai] specificeren, (in bijzonderheden) vermelden, precies opgeven

specimen ['spesimin, -mən] id., voorbeeld, proef, staaltje, exemplaar; (*fam*) (vreemdsoortig) exemplaar, rare snuiter; ~ *copy* presentexemplaar

speck [spek] I *zn* vlek, smet, stip, spikkel(tje), nietigheid; ~ *of dust* stofje; II *ww* (be)spikkelen, vlekken; '**speckle** I *zn* spikkel(ing); II *ww* (be)spikkelen; '**speckless** vlekkeloos

specs [speks] (*fam*) *spectacles* bril

spectacle ['spektəkl] schouwspel, verto(o)n(ing); aanblik; (*pair of*) *~s* bril; '**spectacle-case** bril-etui; '**spectacled** [-d] met een bril; '**spectacle-frame** montuur (*van bril*)

spectacular [spek'tækjulə] I *bn* opvallend, opzienbarend; spectaculair, groots; II *zn* groot opgezette uitvoering, grootse prestatie

spectator [spek'teitə] toeschouwer

spectral ['spektrəl] *a*) spookachtig, spook...; *b*) spectraal (*analysis* analyse); **spectre** ['spektə] spook, geestverschijning, visioen

speculate ['spekjuleit] *a*) bespiegelingen houden (*about, on* over); mijmeren; *b*) speculeren (*on, in* in); **specu'lation** *a*) bespiegeling, overpeinzing; *b*) speculatie; **speculative** [-ətiv] bespiegelend, theoretisch; speculatief; ~ *builder* bouwspeculant; ~ *market* termijnmarkt

speech [spi:tʃ] spraak, taal; gesprek; toespraak, rede(voering), voordracht (*op school*); (*in*)*direct* ~ (in)directe rede; ~ *from the throne, King's* (*Queen's*) ~ troonrede; '**speechless** sprakeloos, stom (*with horror* van ...); '**speech reading** liplezen; '**speech therapy** logopedie

speed [spi:d] I *zn* spoed, snelheid, vaart, haast; versnelling; (*sl*) amfetamine; *at* ~ haastig, snel; II *ww* zich spoeden, haast maken, snellen, (te) hard rijden; bevorderen, bespoedigen; aanzetten (*a horse*); een bepaalde snelheid geven aan; ~ ***up****: a*) haast maken; *b*) bespoedigen, verhaasten, sneller doen gaan; ~ *up!* harder!; ~ *up production* de produktie opvoeren; '**speedboat** id., raceboot; '**speed limit** maximumsnelheid; **speedometer** [spi:'dɔmitə] snelheidsmeter; '**speed-skating** hardrijden (op de schaats); '**speed trap** politiecontrole op maximumsnelheid; '**speedway** renbaan voor motoren; '**speedy** [-i] spoedig, snel vlug

spell [spel] I *zn* 1 toverformule, -middel; betovering; bekoring; *cast* (*lay, put*) *a ~ on, lay* ***under*** *a* ~ betoveren, biologeren; 2 (werk)beurt; tijd(je), periode (*of rainy weather; a cold ~*); vlaag, aanval (*van ziekte, slecht humeur*); ***at*** *a* ~ achtereen; ***by*** *~s* bij tussenpozen; om beurten; ***for*** *a* ~ een tijdje; II *ww* spellen; uitvorsen, ontcijferen; betekenen; ~ ***out*** (***over***) (met moeite) spellen; ontcijferen; uitvorsen; ~ *out, ook:* uitwerken, in letters schrijven (*figures*); nauwkeurig omschrijven; '**spell-bind** [-baind] biologeren, betoveren, (als) verlammen; '**spell-bound** v. dw. van *spell-bind*; '**spelling** spelling

spend uitgeven, verteren, besteden (*on, in* aan); doorbrengen; verbruiken, verkwisten, verspillen; verliezen (*a mast*); ~ *o.s.* zich uitputten (opofferen, uitsloven) (*in a cause* voor een zaak); uitwoeden, tot bedaren komen; *the storm soon spent itself* was uitgewoed; '**spender** iemand of iets dat uitgeeft of besteedt; '**spending money** te verteren geld; zakgeld; '**spending power** koopkracht; '**spendthrift** [-θrift] I *zn* verkwister; II *bn* verkwistend

sperm [spə:m] sperma: dierlijk zaad; ~ *whale* potvis

spew [spju:] (uit)braken, (uit)spuwen

sphere [sfiə] bol, hemellichaam; hemelgewelf, globe; sfeer, omvang, (werk)kring, gebied;

that's out of my ~ ligt buiten mijn gebied of (werk)kring; ~ *of influence* invloedssfeer; ~ *of interest* belangensfeer; **spherical** ['sferikl] sferisch, bolvormig, bolrond, bol...
spice [spais] specerij(en); geur; jeu, aantrekkelijkheid, levendigheid
spick()and()span ['spikən'spæn] keurig, netjes, in de puntjes (= *in ~ order*)
spicy ['spaisi] kruidig, gekruid; geurig; pikant; rijk aan specerijen; (*sl*) pittig; (*sl*) piekfijn
spider ['spaidə] spin; '**spider-web** spinneweb; '**spidery** [-ri] *a*) spinachtig; *b*) spichtig
spike [spaik] (ijzeren) punt, lange spijker; nagel; stekel
spill [spil] I *zn* val, tuimeling; het (ver)gieten; plasregen; *have a* ~ van het paard, enz. vallen; II *ww* storten, morsen (*milk, salt*), vergieten (*blood*); verstrooien; afwerpen (*van paard*); (om)gooien; gemorst worden, over de rand stromen (rollen, enz.), overlopen, uitstromen; (af)vallen (*from* uit, van); verraden, verklappen; ~ *the beans* 'doorslaan', uit de school klappen; *you've spilt the milk* alles bedorven; **spillage** ['spilidʒ] olielozing (door schip op zee); '**spill-way** overlaat
spin I *ww* spinnen (*into* tot), uitspinnen, rekken; snel (laten) draaien (*a coin, a top*); (*luchtv*) in vrille (doen) gaan; snel lopen (rijden, enz.); *it made my head* ~ deed me duizelen; ~ *a yarn*, (*fam*) een (soms overdreven) verhaal ophangen; ~ ***along*** (*van auto*) (hard) rijden; ~ ***off*** *novels* de ene roman na de andere fabriceren, uit zijn mouw schudden; ~ ***out*** (fijn) uitspinnen; rekken (*negotiations*); ~ ***round*** (zich) omdraaien; II *zn* het ...; spinsel; draaiende beweging; (*luchtv*) vrille, wervelval; ritje; (*fam*) opwinding, verwarring
spinach ['spinidʒ] spinazie
spinal ['spainl] ruggegraats...; ~ *cord* ruggemerg
spindle ['spindl] spoel, klos; spil, as; stang
spindly ['spindli] spichtig
'**spin-'dry** droogcentrifugeren; **spin-'dryer** [-draiə] wascentrifuge
spine [spain] ruggegraat; doorn; stekel (*van egel, enz*); (berg-, heuvel)rug; rug (*van boek*); '**spineless** zonder ruggegraat; (*fig ook*) slap
spinner ['spinə] *a*) id.; *b*) spinorgaan; *c*) spinmachine; *d*) tol(letje)
spinney ['spini] bosje, struikgewas
spinning-jenny ['spiniŋdʒeni] spinmachine; '**spinning-wheel** spinnewiel
spin-off ['spinɔf] winstgevend bijprodukt, nuttig nevenresultaat
spinster ['spinstə] ongetrouwde vrouw, oude vrijster
spiral ['spaiərəl] I *bn* spiraal-, schroefvormig, kronkelend; ~ *staircase* wenteltrap; II *zn* spiraal
spire ['spaiə] (toren)spits
'**spirit** I *zn* geest; (levens)kracht, levenslust; energie, moed, vuur, durf, fut, 'spirit'; aard, temperament; spiritus, sterke drank; ~*s* levensgeesten; geest-, gemoedsgesteldheid, stemming; levenslust, opgewektheid; sterke drank, spiritualiën; ***in*** (*the*) ~ in de geest; in gedachten; *take s.t. in a wrong* ~ iets verkeerd opnemen; *be in high* ~*s* uitbundig zijn; *in poor* (*low*) ~*s* neerslachtig; ***out of*** ~*s* neerslachtig, gedrukt; II *ww* bezielen, aanmoedigen, opmonteren, aanvuren (gew.: ~ *up*, soms: ~ *on*); ~ *away* (*off*) weggoochelen, ontfutselen; (heimelijk) ontvoeren, (stilletjes) doen verdwijnen; '**spirited** [-id] vol geest, bezield, levendig, energiek; vurig; pittig; geanimeerd; '**spiritless** [-lis] geesteloos, levenloos, lusteloos, moedeloos, futloos; '**spirit-level** [-levl] luchtbelwaterpas; **spiritual** ['spiritjuəl] I *bn* geestelijk, onstoffelijk; intellectueel; (*soms*) geestig; II *zn* godsdienstig lied (*negro* ~*s*); '**spiritualism** [-izm] spiritisme
spit I *zn* 1 (braad)spit; 2 spuug, speeksel; het ... (zie ~ *ww* 2); 3 spit: spadesteek, -vol; 4 landtong; II *ww* 1 aan het spit steken; doorsteken, spietsen; 2 spuwen, sputteren; spatten; blazen (*van kat*); ~ ***forth*** (***out, up***) uitspuwen; ~ *it out!* (*sl*) spreek op! voor de dag ermee!; ~ ***at*** (***upon***) spuwen op (*ook fig*)
spite [spait] I *zn* kwaadaardigheid; wrok, wrevel; *bear a p. a* ~, *have a* ~ *against* (*at, to*) *a p.* wrok koesteren tegen, iets hebben tegen; (*in*) ~ *of warnings* trots, ondanks; II *ww* uit wrok dwarsbomen, ergeren, 'pesten'; '**spiteful** [-f(u)l] hatelijk, kwaadaardig
spitting: ~ *image* evenbeeld
spittle ['spitl] speeksel
splash [splæʃ] I *ww* bespatten, bemodderen; doen spatten; spikkelen, plassen, ploeteren (*in water*); klateren; (uit elkaar) spatten; opzien baren; *the colours were* ~*ed on* erop gegooid; ~ *out*, (*fam*) met handen vol uitgeven (*money*); II *zn* geplas, enz.; spat; vlek, (kleur-, licht)plek; klad (*verf, enz*); plas; (*sl*) scheutje; (*fam*) verto(o)n(ing), opzien, drukte; *make a* ~, (*fam*) opzien baren; '**splashdown** landing (van ruimtevaartuig op zee)
splatter ['splætə] I *ww* plassen, klateren; (doen) spatten, bespatten; sputteren; II *zn* geklater, gespat
splay [splei] (zich) uitspreiden; afschuinen (*a doorway*, enz.)
spleen [spli:n] milt; zwaarmoedigheid; woede
splendid ['splendid] prachtig, luisterrijk, schitterend, weelderig, groots
splendour ['splendə] pracht, praal, glans
splice [splais] splitsen: ineendraaien (*pieces of rope*, enz.); lassen (*a film, recording tape*); verbinden; (*sl*) trouwen; **splicer** ['splaiser] plakpers (*film, geluidsband*)
splint spalk
splinter ['splintə] I *zn* id., spaan(der), scherf (*van granaat, glas, enz*); rotspunt; II *ww* (ver)splinteren (= ~ *up*)
split I *ww ook ovt & v dw* splijten, (zich) split-

sen, kloven, scheuren, barsten, (door)klieven; samen delen; scheiden, (zich) verdelen, uiteenvallen (= ~ ***up***); (*sl*) (ver)klikken; (*sl*) uitknijpen, 'm smeren; ~ *a bottle* (*a taxi*) samen nemen; ~ *the difference* het verschil delen; ~ *hairs* haarkloven; ~ (*one's sides*) *with laughter* barsten van het lachen; ~ *one's vote* op kandidaten van verschillende partijen stemmen; ~ *decision* niet-unaniem besluit; ~ *on* (*sl*) verklikken; ~ ***up***, (*sl*) (met ruzie) uit elkaar gaan; ~ ***with*** *a p.*, (*sl*) met iem breken; (*in*) *a* ~ *second* (in) een onderdeel (fractie) van; II *zn: a*) spleet, kloof; *b*) splitsing, scheur(ing), breuk; *c*) afgescheiden partij; *d*) (*sl*) (stille) verklikker; '**split-level** *house* met verdiepingen op verspringend niveau; '**splitting** barstend (*headache*)

splodge [splɔdʒ] vlek, smet, klad

splotch [splɔtʃ] vlek, smet, klad

splutter ['splʌtə] I *ww* (b)rabbelen; stotteren van kwaadheid; sputteren, spatten (*van pen*); doen spatten, bespatten; II *zn* gestotter, gesputter, gespat

spoil [spɔil] I *zn* buit (= ~*s*); II *ww* bederven, schaden; verwennen (*child*); verrotten; *he was ~ing* ***for*** *a fight* de handen jeukten hem om te vechten

spoke [spəuk] spaak, sport

spokesman, **spokeswoman** ['spəuksmən, -wumən] woordvoerder, -voerster

sponge [spʌn(d)ʒ] I *zn* spons; sponsdiertje; klaploper; II *ww* (af)sponsen (= ~ *down, over, up*); uitwissen; klaplopen (*on, upon* bij); ~ *up, ook:* opnemen (met spons), inzuigen; '**sponge-bag** toilettas; '**sponge-cake** moskovisch gebak

sponger ['spʌndʒə] klaploper

spongy ['spʌn(d)ʒi] sponsachtig

sponsor ['spɔnsə] I *zn* (*radio, TV, sport, enz*) id., geldgever (in ruil voor reclame); *stand* ~ borg zijn; *stand* ~ *for, ook:* verantwoordelijk zijn voor; II *ww* borg staan voor; krachtig voorstaan (steunen); organiseren; (*radio, TV, sport, enz*) 'sponsoren', geldelijk steunen (voor reclame); ~*ed radio* commerciële radio; ~*ed by, ook:* uitgaande van, onder de auspiciën van, ingediend door

spontaneity [spɔntə'ni:iti] spontaneïteit; **spontaneous** [spɔn'teinjəs] spontaan, vrijwillig, uit eigen aandrang opkomend; in het wild groeiend; natuurlijk; zelf...

spoof [spu:f] beetnemen, verlakken, parodiëren

spook [spu:k] spook, geest; '**spooky** [-i] spookachtig, spook...

spool [spu:l] I *zn* spoel, klos; II *ww* spoelen: om een ~ winden

spoon [spu:n] I *zn* lepel; II *ww: a*) lepelen, scheppen; *b*) (*fam vero*) vrijen (*on, with* met); '**spoon-feed** met de lepel voeren; *they are spoon-fed with it,* (*fig*) het wordt hun voorgekauwd; *spoon-fed industries* kunstmatig beschermde bedrijven; '**spoonful** [-f(u)l] lepelvol, lepel(tje)

spoor [spuə, spɔ:] spoor

sporadic [spə'rædik] sporadisch, verspreid

spore [spɔ:] (*plantk*) spoor; (*fig*) kiem

sporran ['spɔrən] tas gedragen over 'kilt' door Schotse Hooglanders

sport [spɔ:t] I *zn* vermaak, pret, spel, tijdverdrijf; grap(pen); sport (vooral *field-sport:* jagen, vissen, rennen, enz.); speelbal (*of the waves*); (voorwerp van) spot; (*biol, enz.*) speling der natuur (= ~ *of nature*), monstruositeit; (*fam*) flinke (aardige) vent (= *good* ~); ***in*** (***for***) ~ voor (uit) de grap; *what* ~*!* wat leuk!; *make* ~ *of* zich vrolijk maken over, voor de gek houden; II *ww* zich vermaken, spelen, dartelen; (*fam*) geuren (pronken) met (~ *a gold watch-chain*); '**sporting** I *bn* aan (ren-, jacht)sport doend, jacht..., jagers...; flink, royaal (*a* ~ *offer*), fideel; aardig; *he never had a* ~ *chance* een eerlijke kans; II *zn* het ...; jacht; '**sporting-gun** jachtgeweer; '**sportive** [-iv] vrolijk, speels, voor de grap (*combat*); sportief, sport...; **sports** [spɔ:ts] sport (*inz. atletiek*); sportwedstrijden; '**sports car** sportwagen (*auto*); '**sports field**, **sports ground** sportterrein; **sportsman** ['spɔ:tsmən] *a*) sportbeoefenaar, sportliefhebber, vooral jager (op klein wild); *b*) flinke eerlijke ronde kerel; '**sportsmanlike** gelijk een *sportsman* (past), sportief; eerlijk, recht door zee; '**sportsmanship** sportiviteit; **sports page** [spɔ:tspeidʒ] sportpagina; '**sportswear** [-wɛə] sportkleding; '**sportswoman** [-wumən] vrouwelijke sportbeoefenaar, sportvrouw, sportliefhebster; **sporty** ['spɔ:ti] (*fam*) vlot; opvallend, opzichtig

spot [spɔt] I *zn* vlek, smet, stip, spat, spikkel; klein stukje, beetje, wat (*a* ~ *of dinner, money, bother*), drupje (*of whisky*), 'tikje' (*a* ~ *of melodrama*); (*telec*) id., reclamespotje; plaats, plek(je), lapje (grond); ***in*** *a* ~ in moeilijkheden; ***on*** (*the*) ~ op staande voet; op de plaats zelf; ter plaatse (*we have an agent on the* ~); contant (*pay on the* ~); onmiddellijk (*he was ordered to leave on the* ~); *be on the* ~, *ook: a*) 'bij' zijn, zijn zaakjes kennen; *b*) zijn zoals het hoort; precies, accuraat; *c*) (*sl*) in gevaar zijn; *put a p. on the* ~ in het nauw drijven, voor het blok zetten; II *ww* bevlekken, besmetten; (be)spikkelen; vlekken, smetten (*van stoffen*); (*fam*) in de gaten krijgen, snappen; (*fam*) herkennen; (*mil*) wachtposten uitzetten, verkennen; '**spot-check** steekproef; '**spotless** vlekkeloos, kraakhelder; '**spotlight** (*theat*) I *zn* zoeklicht (op danseres, enz.); bermlamp; 'spotje'; *in the* ~, (*fig*) in het middelpunt van de belangstelling staan; II *ww* het ~ laten vallen op; '**spot-on** precies, raak (vgl *on the spot*); '**spotted** [-id] gevlekt, bont; (*fig*) bezoedeld, niet zuiver; (*sl*) verdacht, door de politie in het oog gehouden; '**spotter** verkennings-

vliegtuig; (*sp, film*) talentenjager; '**spotty** gevlekt, vlekkig; gespikkeld; pukkelig
spout [spaut] I *zn* tuit, spuit; goot, waterpijp; (water)straal; wel; *up the ~*, (*fig*) in de knoei; op de fles; II *ww* spuiten, spatten; bespuiten; (*fam*) declameren, oreren; uitbazuinen
sprain [sprein] I *ww* verrekken, verstuiken; II *zn* verstuiking
sprawl [sprɔ:l] I *ww* nonchalant liggen, armen en benen uitsteken; (zich) in alle richtingen verspreiden (uitstrekken); (*mil*) (uit)zwermen; (*van schrift*) wijd uiteenlopen; II *zn* ongeordende (stads)uitbreiding
spray [sprei] I *zn* **1** takje; bloeiend takje, boeketje (*in knoopsgat, enz*), corsage (*op japon*); 2 fijne waterdeeltjes, fijn verstoven vloeistof, nevel; sproeier, spuitbus (*paint ~*); II *ww* (be)sproeien, (be)sprenkelen, (be)spuiten, verstuiven; '**sprayer** [-ə] spuiter, verstuiver; '**spray-gun** (verf-, enz.) spuit, vernevelspuit
spread [spred] I *ww ook ovt & v dw* spreiden, (zich) uit-, verspreiden (verbreiden, uitstrekken), uitslaan (*one's wings*), uitéén (gaan) staan; pletten (*metals*); (be)smeren (*bread*); klaarzetten (*a meal*); dekken (*the table*); bedekken; *~ o.s.* zich uitstrekken (verspreiden); zich breed maken; zeer gastvrij zijn, 'uithalen'; *~* ***about*** (***abroad***) (zich) verbreiden (verspreiden); II *zn* (*mil*) spreiding; uitgestrektheid, omvang, wijdte; *sandwich ~* boterhamsmeersel; (*sl*) fuif, onthaal, (feest)maal; '**spread-'eagle**: *lie ~d* met uitgestrekte ledematen op de grond liggen
spree [spri:] pret(je), lol, fuif; boemelarij, braspartij; *on the ~* aan de boemel
sprig takje, twijgje, rijsje
sprightly ['spraitli] levendig, vrolijk, dartel
spring [spriŋ] I *ww* springen; barsten; kromtrekken (*van hout*); op-, ontspringen; opkomen (*van plant*); opschieten, voortkomen, ontstaan (***from, out of*** uit); afstammen (***from, of, out of*** van); laten springen (*a mine, a horse*), doen barsten; plotseling laten toespringen (*a trap* val); plotseling voor de dag komen met (*a new theory, surprises*); springen over; van veren voorzien (*well-sprung seats*); (*sl*) (uit gevangenschap) ontslaan of (helpen) ontsnappen; *~ a leak* een lek krijgen; *~* ***at*** toespringen op; *~* (***in***)***to*** *fame* plotseling beroemd worden; *~ a question* ***on*** *a p.* iem overvallen met; *the door sprang* ***to*** sprong (sloeg) dicht; *~ to a p.'s aid* iem te hulp snellen; *~ to one's feet* opspringen; *~ to the mind* dadelijk bij iem opkomen; *~* ***up*** opspringen, -komen, -steken (*van de wind*), ontstaan; II *zn* sprong; voorjaar, lente; bron, oorsprong; (metalen) veer; *take its ~ from, have its ~ in* zijn oorsprong hebben in; '**springboard** springplank; '**spring-'cleaning** voorjaarsschoonmaak; '**spring-'mattress** spring(veren)matras; **spring roll** loempia; '**spring-tide** springtij; '**springtime** lente(tijd); **springy** ['spriŋi] elastisch, veerkrachtig
sprinkle ['spriŋkl] I *ww* (be)sprenkelen; II *zn* buitje (*of rain, of snow*); klein aantal, kleine hoeveelheid; *a ~ of, ook:* enkele; '**sprinkler** [-ə] sproeier; (suiker-, zout)strooier; sproeiwagen; blusapparaat; **sprinkling** ['spriŋkliŋ] *sprinkle, zn*
sprint I *zn* id.: (wed)loop (roeiwedstrijd, enz.) op korte afstand; *final ~* eindsprint; II *ww* sprinten; '**sprinter** [-ə] id.: hardloper op korte afstand
sprite [sprait] geest; fee, kabouter
sprocket ['sprɔkit] kettingrad; ook *~ wheel*
sprout [spraut] I *ww* (doen) spruiten (uitspruiten, uitlopen, opschieten); II *zn* spruit(je), scheut; (*Brussels*) *~s* spruitjes
1 spruce [spru:s] net, keurig, opgedirkt
2 spruce [spru:s] spar(rehout)
spruce-fir ['spru:sfə:] spar
spry [sprai] kwiek, fief, monter
spud [spʌd] (*sl*) pieper (*aardappel*)
spunk [spʌŋk] fut, pit, durf; '**spunky** [-i] (*fam*) pittig
spur [spə:] I *zn* spoor; prikkel, spoorslag, aansporing; uitsteeksel, spoor: uitloper (*van gebergte, enz*), tak, zij(spoor)lijn; *~ road* aftakking, afslag; *on the ~ of the moment* zo op het eerste ogenblik; in de eerste opwelling; voor de vuist; *put* (*set*) *~s to* de sporen geven, aansporen; II *ww* de sporen geven, aansporen (= *~ on, up*); van sporen voorzien
spurious ['spjuəriəs] onecht, vals, nagemaakt
spurn [spə:n] met verachting afwijzen, beneden zich achten
spurt [spə:t] I *zn: a*) krachtige straal; *b*) plotselinge korte inspanning (opwelling, enz.); (*sp*) id.; *by ~s* bij vlagen; II *ww: a*) zich (korte tijd) tot het uiterste inspannen; (*sp*) spurten; *b*) spatten (*van pen, enz*); *c*) spuiten
sputter ['spʌtə] I *ww* sputteren (*at* tegen); spatten, knetteren; II *zn* gesputter, gespat
spy [spai] I *zn* spion; *be a ~ on* bespieden; II *ww* in het oog krijgen, bespeuren, kijken (door kijker); (be)spioneren, (be)loeren, (be)spieden; *~* ***at*** bespioneren, loeren naar; *~* ***into*** trachten uit te vorsen
squabble ['skwɔbl] I *ww* krakelen, kibbelen; II *zn* gekibbel; ruzie
squad [skwɔd] troep, ploeg; (*sp*) spelersgroep; *~ car* politieauto, patrouilleauto
squadron ['skwɔdrən] *a*) eskadron; *b*) (*luchtv*) eskader; *c*) groep, troep
squalid ['skwɔlid] vuil, smerig, vies; laag, gemeen; *a ~ existence* een doodarm bestaan
squall [skwɔ:l] I *zn* **1** (ge)schreeuw; herrie; 2 wind-, regen-, sneeuwvlaag; II *ww* schreeuwen, gillen
squalor ['skwɔlə] vuil (*zn*), vuilheid
squander ['skwɔndə] verspillen, verkwisten, opsouperen, weggooien (*on* aan)
square [skwεə] I *zn* vierkant, kwadraat (*the ~ of four is sixteen, ook:* vier in het kwadraat ...); vierkant stuk; hokje, veld (*op speelbord*);

plein; blok huizen; winkel-, tekenhaak; (*sl*) conventioneel, ouderwets persoon; *go back to ~ one* opnieuw (van voren af aan) beginnen; (***up***)***on*** *the ~* eerlijk, open; II *bn* vierkant; rechthoekig (*to* op); effen, op gelijke hoogte (*with* met); quitte, vereffend; (*golfsp*) gelijk; in orde, op streek; eerlijk, open(hartig: *have a ~ talk with a p.*); flink, stevig (*meal*); (*sl*) conventioneel, ouderwets; *call it ~* zeggen, dat men quitte is; *come* (*get*) *~ with* afrekenen met (*ook fig*); *~ bracket* v e haak, teksthaak; *~ deal* eerlijke transactie; royale handelwijze; *~ drink* stevige borrel; *two ~ feet* 2 vierkante voet; *two feet ~* 2 voet in het vierkant; *~ measure* vlaktemaat; *~ play* eerlijk spel; *~ root* vierkantswortel; III *bw* vierkant; rechthoekig; (*fam*) eerlijk, ronduit; zoals het hoort, in de vorm; IV *ww* vierkant maken of worden, vierkant bewerken; in het kwadraat brengen; (*fam*) regelen, schikken, vereffenen, in orde brengen, bedisselen; overeenstemmen, kloppen (*with* met); *~ accounts* afrekenen (*ook fig*); *~* ***up*** in orde brengen; afbetalen (*a debt*), aanzuiveren; afrekenen; *~ up to things* de dingen onder ogen zien; **square-'built**, **square-'set** vierkant (gebouwd), breed(geschouderd); **'squarely** eerlijk, ronduit, vierkant, ferm; recht (*hit ~ in the stomach*)

squash [skwɔʃ] I *ww* kneuzen, verpletteren, tot pulp maken (slaan); vernietigen; de kop indrukken; platgedrukt worden; II *zn* verbrijzeling; plof; gedrang, menigte; pulp, zachte massa; (citroen)kwast; (*sp*) id.; **'squashy** [-i] pulpachtig, zacht, drassig

squat [skwɔt] I *ww* (neer)hurken (= *~ o.s.*); (*fam*) gaan zitten (= *~ down*), zitten; zich neerzetten (op land); *~ in an empty house* een leegstaand huis kraken; II *bn: a*) gehurkt; *b*) kort en dik, gedrongen, plomp; III *zn* het ...; hurkende houding; kraakpand; **squatter** ['skwɔtə] nederzetter op onontgonnen land, kolonist; kraker (vgl het *ww*)

squawk [skwɔ:k] I *ww* krijsen (*van meeuw, enz*); knarsen; II *zn* gekrijs; geklaag

squeak [skwi:k] I *ww* piepen, krassen, kraken; (*sl*) klikken, de boel verraden; II *zn* gepiep; klein kansje; *it was a narrow ~* het scheelde maar een haar

squeal [skwi:l] I *ww* schreeuwen, gieren, een keel opzetten (*ook fig*), gillen, krijsen, piepen; knarsen, krassen; (*sl*) = *squeak* (*sl*); II *zn* geschreeuw, gekrijs; gil; **'squealer** [-ə] verklikker

squeamish ['skwi:miʃ] overdreven nauwgezet, angstvallig, preuts, overgevoelig

squeeze [skwi:z] I *ww* (samen)drukken, (uit)knijpen, (uit-, af)persen, uitzuigen, uitbuiten; dringen, duwen; tegen zich aan drukken, omarmen; druk uitoefenen op; zich laten drukken (persen); II *zn* druk(king); pressie; gedrang; (*fam*) grote (volle) partij; stevige omhelzing; af-, uitpersing; afgeperst geld; *a tight ~* een erg gedrang; *it was rather a ~* we zaten nogal op elkaar; *credit ~* kredietbeperking

squelch [skwel(t)ʃ] *a*) een zuigend geluid geven (als schoenen op natte grond), plassen, ploeteren (door drassig terrein, enz.); *b*) verpletteren, de kop indrukken, de mond snoeren

squib [skwib] voetzoeker

squid [skwid] inktvis

squidgy ['skwidʒi] pafferig, week

squiffy ['skwifi] (*vero sl*) aangeschoten, dronken

squiggle ['skwigl] krul(letje); slange(lijn)tje

squint [skwint] I *ww* scheel zien; (*fam*) gluren, kijken (*at* naar); *~ one's eyes* scheel zien; II *zn* het scheelzien, loense (zijdelingse, steelse) blik

squire ['skwaiə] landjonker, grondbezitter

squirm [skwə:m] wriggelen, kronkelen, krieuwelen, zich in allerlei bochten wringen; kruipen; zich niet op zijn gemak voelen

squirrel ['skwirəl] eekhoorn(vacht)

squirt [skwə:t] I *ww* (uit)spuiten; spuwen (*tobacco-juice*); II *zn: a*) spuit(je); *b*) straal

stab [stæb] I *ww* doorsteken, -boren; doodsteken; steken (*at* naar); prikken; II *zn* steek, stoot, doodsteek; steekwond; (*fam*) poging; *~ in the back* dolkstoot in de rug

stability [stə'biliti] stabiliteit, soliditeit

stabilize ['stei-, 'stæbilaiz] stabiliseren

1 stable ['steibl] stabiel, vast, duurzaam, standvastig

2 stable ['steibl] I *zn* stal (*ook fig*); II *ww: a*) stallen; *b*) op stal staan

'stable-boy staljongen; **'stable-hand**, **'stable-lad**, **'stable-man** [-mən] stalknecht

stab wound ['stæbwu:nd] steekwond

stack [stæk] I *zn* stapel, hoop (graan in schoven); (hooi-, hout)mijt, hooiberg; groep schoorstenen; schoorsteen(pijp); *a ~ (of money)*, (*sl*) een hoop geld; II *ww: ~* (*up*) opstapelen, tassen (*wood*); (hooi, enz.) aan mijten zetten; op verschillende hoogten boven vliegveld laten rondvliegen (*aircraft*)

stadium ['steidiəm] stadion

staff [stɑ:f] I *zn* staf (*ook mil*); stok, schacht; notenbalk; personeel; II *ww* van staf of personeel voorzien, bemensen; **'staffroom** leraars-, docentenkamer

stag [stæg] I *zn* (mannetjes)hert; II *ww* (*sl*) speculeren; *~ it*, (*Am*) de vrouw(en) thuis laten

stage [steidʒ] I *zn: a*) (*van raket*) trap; (*van toren*) geleding; *b*) toneel; *c*) pleister-, stopplaats, etappe, traject, zone; *d*) fase, stadium, trap, graad; ***at*** *this ~* in dit stadium, op dit ogenblik; *travel* ***by*** (***in***) *easy* (*short*) *~s* met korte dagreizen; *learn by easy ~s* stap voor stap; *be* (*go*) ***on*** *the ~* bij het toneel zijn (gaan); *get up for the ~* voor het toneel bewerken; *set the ~* voorbereiden, mogelijk maken; II *ww* ten tonele voeren, opvoeren; tentoonstellen; (*fig*) op touw zetten, organiseren (*an exhibition*), ensceneren (*a robbery*)

squ

stage- toneel-; '**stagecoach** diligence; '**stagecraft** [-kra:ft] toneelkunst; '**stage-direction** toneelaanwijzing; '**stage** '**door** artiestenuitgang; '**stage-fright** plankenvrees, -koorts; **stage**-'**manager** regisseur; '**stage-properties** toneelbenodigdheden, toneelrekwisieten

stagger ['stægə] I *ww* (doen) wankelen (waggelen, suizebollen); versteld (stomverbaasd) doen staan; zigzags- of trapsgewijze plaatsen; *it ~s belief* is totaal ongelooflijk; *~ holidays* (*office-hours*, enz.) spreiden; II *zn* wankeling; '**staggering**: *~ blow* slag, die doet duizelen; *~ price* schrikbarende ...

staging ['steidʒiŋ] *a*) tribune, stellage; *b*) mise en scène; *c*) (*mil*) concentratiegebied; *~ post* vaste halte (stopplaats)

stagnant ['stægnənt] stilstaand, stil; **stagnate** [stæg'neit, 'stægneit] (doen) stilstaan, stremmen

'**stagparty** (*Am*) herenfuif

stagy ['steidʒi] theatraal

staid [steid] bezadigd, ernstig, stemmig

stain [stein] I *ww: a*) (be)vlekken, bezoedelen; vlekken geven; (*van stof*) afgeven; smetten; *b*) verven, kleuren; beitsen (*wood*); *~ed glass* gebrandschilderd glas; *~ed paper* (bont)-gekleurd; II *zn: a*) vlek, smet, schande, smaad; *b*) kleur-, verfstof, beits; '**stainless** smetteloos, onbesmet; vlek-, roestvrij; *~ steel* roestvrij staal

stair [stɛə] *a*) trede; *b*) trap (gew. *~s*); *~s, ook:* aanlegsteiger; '**stair-carpet** traploper; '**staircase**, '**stairway** trap; '**stairwell** trappehuis

stake [steik] I *zn* 1 staak, paal; martelaarspaal, brandstapel (*die at the ~* op ...); 2 inzet (*ook fig*); aandeel; *~s: a*) gezamenlijke inzet, pot, prijs; *b*) wedren enz. om geld; *your life is at ~* staat op het spel; II *ww* 1 afpalen, -bakenen (= *~ off, out*); stutten; aan een paal (staak) binden (= *~ out*); spietsen (= *~ up*); 2 inzetten, wedden, verwedden (*on* onder), zetten (*on* op), wagen, op het spel zetten, verpanden

stale [steil] verschaald, muf, vunzig, oud(bakken), niet fris meer, afgezaagd; saai, duf

stalemate ['steilmeit] pat (*schaaksp*); (*fig*) impasse, patstelling

stalk [stɔ:k] I *zn* stengel, steel; schacht; II *ww: a*) sluipen (*achter wild*); besluipen (*a deer, the enemy*); rondwaren; *b*) trots stappen, schrijden

stall [stɔ:l] I *zn* stal; afdeling (in stal, enz.), box; koorstoel; zetel; plaats in stalles (*theat*); stalletje, kraam; II *ww* stallen, op stal zetten (= *~ up*); (in sneeuw, enz.) vastrijden of blijven steken; (*van machine*) (doen) afslaan (*ook fig*), (doen) stoppen, stop-, stilzetten; (*luchtv*) (doen) afglijden: vliegsnelheid (doen) verliezen; (*fig*) eromheen draaien; ophouden (*a p.*); uitstellen; '**stallholder** houd(st)er van stalletje; '**stalling-speed** (*luchtv*) kritische snelheid, d.i. laagst mogelijke vliegsnelheid

stallion ['stæljən] (dek)hengst

stalwart ['stɔ:lwət] I *bn* stoer, krachtig; vastberaden; dapper, geducht; II *zn* trouw aanhanger (partijganger), getrouwe

stamen ['steimen, -mən] meeldraad

stamina ['stæminə] weerstands-, uithoudingsvermogen

stammer ['stæmə] I *ww* stamelen, stotteren; II *zn* gestamel, gestotter; '**stammerer** [-rə] stamelaar, stotteraar

stamp [stæmp] I *ww: a*) stampen (met, op); *b*) stempelen, persen, zegelen, een postzegel plakken op, frankeren; (*fig ook*) brandmerken; *this ~s him* (*as*) *a traitor* stempelt hem tot ...; *~* (*up*)*on the mind* (*the memory*) inprenten (in ... griffen); *~* (*down*) ***on*** vertrappen; onderdrukken; *~* ***out*** uittrappen (*a fire*); vernietigen, uitroeien (*abuses*); (machinaal) persen; II *zn: a*) stamp; *b*) stempel, (post)zegel, merk; *c*) soort, slag (*of the right ~*); *set one's ~ upon* zijn stempel drukken op; '**stamp-collector** postzegelverzamelaar, filatelist

stampede [stæm'pi:d] I *zn* plotselinge schrik en vlucht (*onder paarden, enz*); (*fig*) *a*) wilde vlucht, paniek; *b*) enorme toeloop, 'stormloop'; II *ww: a*) een paniek (en vlucht) veroorzaken onder, opjagen; overrompelen; *b*) plotseling op de vlucht slaan

'**stamping-ground** (gewone of geliefde) verblijfplaats (*van dieren; fig van pers*)

stance [stæns, sta:ns] houding (*inz. bij golf, enz*); (*fig*) houding in geestelijk opzicht

stanchion ['sta:nʃən] stut, stang, paal

stand [stænd] I *ww* (gaan, blijven) staan; liggen (*van stad, enz*); stand houden; optreden als; (*sp*) als scheidsrechter optreden (= *~ umpire*); kandidaat zijn (= *~ candidate*); er voor staan (*how do you ~ financially?*); van kracht zijn (blijven), gelden (*the offer ~s*); plaatsen, zetten (*~ the flower-pot in the window*); doorstaan (*an attack, the test* de proef); verdragen, uitstaan (*I cannot ~ him*); weerstaan (*the tooth of ages* de tand des tijds); trakteren (*I'll ~ you both*); (*van hond*) blijven staan voor (*game*); *~!* halt!; *~ and deliver!* je geld of je leven!; *I take the thing as it ~s* zoals het is; *know how matters ~* hoe het met de zaak staat; *the sentence cannot ~* het vonnis kan niet gehandhaafd worden; *so Tuesday ~s?* dus we houden het op dinsdag?; *it ~s agreed* is afgesproken; *~ clear* uit de weg gaan; *~ good* van kracht zijn (blijven); *~ true to* trouw blijven aan; *he ~s fair for* (of: *to get*) *it* heeft een mooie kans ...; *~ fast* (*firm*) vast (pal) staan, standhouden; *~ five feet* (*high*) 5 voet lang zijn; *~ first* eerst komen, bovenaan staan; *~* (*one's*) *trial* terechtstaan; *he ~s to win* (*to lose*) *a lot by it* heeft alle kans te ...; *~* ***about*** (*bw*) in het rond (eromheen, hier en daar) staan; *~* ***against*** staan tegen(over); weerstaan; in de weg staan *~* ***aloof*** zich op een afstand (afzijdig) houden; *~* ***aside*** opzij staan (gaan), wijken; zich afzijdig houden; ~ ***at*** staan op (*van thermometer*); bedragen (*his debts ~ at* ...); staan (terugdeinzen) voor (~ *at nothing*); ~ ***away*** opzij (achteruit)gaan; ~ ***back*** achteruitgaan; ~ ***by*** (*vz*) (gaan) staan bij; bijstaan; trouw blijven aan (*one's principles, party*); zich houden aan; ~ *by the consequences* de gevolgen aanvaarden; ~ ***by*** (*bw*) erbij staan; lijdelijk toezien, het aanzien; opzij (gaan) staan, (af)wachten; zich gereedhouden, -maken (om te helpen, enz.); ~ ***down*** naar zijn plaats gaan, gaan zitten (*van getuige, enz*); (zich) terugtrekken (uit wedstrijd, bij verkiezing, enz.); ~ ***for*** staan voor, betekenen; steunen, voorstaan (*free trade*); doorgaan (dienst doen) voor; vertegenwoordigen, symboliseren; kandidaat zijn voor (~ *for Parliament*); dingen naar (*a post*); *I won't ~ for it*, (*fam*) ik duld (neem) het niet; ~ ***in*** iem vervangen (= ~ *in for a p.*); ~ ***off*** achteruit (opzij) gaan; zich op een afstand houden; tijdelijk ontslaan, schorsen; ~ ***on*** (*vz*) staan op (*one's rights*); ~ *on end* op z'n kop zetten, omverwerpen (*fig*); ~ ***out*** naar voren treden; zich verzetten (*no good ~ing out against custom*); blijven weigeren; volhouden (= ~ *it out*); zich aftekenen (*against the sky*); in het oog vallen; zich onderscheiden; weerstaan, verduren (*rain and wind*); ~ ***over*** (tot later) blijven liggen of staan (*van schulden enz*); ~ ***to*** steunen, trouw blijven (~ *to a friend*); zich houden aan, blijven bij (*he stood to his denial*); ~ ***up*** overeind (gaan) staan, opstaan, zich verheffen; zich (weten te) handhaven; in goede conditie blijven; overtuigen(d zijn); overeind zetten; teleurstellen, in de steek laten; ~ *a boy up in the corner* ... zetten; ~ *up in court* de rechtbank overtuigen; ~ *up pluckily* zich kranig weren; ~ *up against* zich verzetten (standhouden) tegen, het hoofd bieden; ~ *up for* opkomen voor (*one's rights*); ~ *up for o.s.* van zich af weten te bijten; ~ *up to* het hoofd bieden (aan), het opnemen tegen; *stand a p. up* een afspraak met iem niet nakomen; ~ *well* (*high*) *with a p.* goed (hoog) aangeschreven staan bij; ~ *well with, ook:* op goede voet staan met; II *zn* stand, het staan, stilstand, oponthoud, halt; positie; standplaats, -punt; stalletje, kraampje, kiosk; (*op tentoonstelling*) *ook:* id.; standplaats voor taxi's; tribune, podium; (*Am*) getuigenbank; statief, stellage, onderstel; stel; *make a* (*one's*) *~: a*) halt houden; *b*) standhouden; *I must make a ~ somewhere, ook:* de grens ergens trekken; *take the ~ that* ... zich op het standpunt plaatsen dat ...; *take the ~*, (*Am*) zie *witness-box*

standard ['stændəd] I *zn* standaard, vlag; maatstaf, richtsnoer, norm, eenheid; muntvoet; gehalte, peil; stander, post, stijl, paal, mast; ~ *of living* (*life*) levensstandaard; *be up to ~* aan de norm voldoen; *keep up to ~* op peil houden; II *bn* standaard..., normaal, eenheids... (*cigar, sausage*); vast (*joke*); **standardization** [ˌstændədai'zeiʃən] standaardisering, standaardisatie; '**standardize** [-aiz] standaardiseren, normaliseren, gelijkschakelen; '**standard lamp** staande lamp

standby ['stændbai] steun, persoon of ding waarop men kan rekenen; houvast; reserve, vervanger; *on ~* paraat, gereed voor actie;

stand-in ['stændin] vervanging; (plaats)vervanger, invaller

standing ['stændiŋ] I *bn* (stil)staand; te veld staand (*corn*); vast (*colours, dish, joke*), stereotiep; constant, voortdurend (*menace*), permanent (*committee*); blijvend (*offer*); ~ *charge* vastrecht; ~ *jump* ... zonder aanloop; ~ *order* opdracht (machtiging) tot periodieke betaling (overschrijving); ~ *orders* reglement van orde; II *zn* dienst(tijd); duur, lidmaatschap; positie, rang, 'standing', aanzien, reputatie; (*Am*) rangnummer in klas; *in good ~* aan al zijn verplichtingen voldaan hebbend; *men of high ~* personen van aanzien; *debt of several years' ~* die al verscheiden jaren oud is; *business of old ~* van ouds gevestigde zaak; '**standing room** staanplaats(en)

stand-offish ['stænd'ɔfiʃ] terughoudend, gereserveerd, (koel) formeel

'**standpoint** standpunt

'**standstill** stilstand; *be at a ~* stilstaan

'**stand-up** staand (*collar, reception*); ~ *supper* wandelend souper

stanza ['stænzə] id.: couplet, strofe

staple ['steipl] I *zn* **1** kram (*voor grendel, enz*); niet(je); **2** *a*) stapelplaats, markt, (handels)middelpunt; *b*) hoofdprodukt, hoofdbestanddeel; (*fig*) hoofdschotel; *c*) vezel (draad) van wol, katoen, enz.; II *ww* met kram(men) vastmaken; nieten; '**stapler** [-ə] nietmachine, niettang

star [stɑ:] I *zn* ster (*ook fig*), gesternte; sterretje (*); *attr ook:* prima, eerste, eersteklas; II *ww* met een sterretje aanduiden; als 'ster' optreden of laten optreden

starboard ['stɑ:bəd, -bɔ:d] stuurboord

starch [stɑ:tʃ] I *zn: a*) zetmeel; *b*) stijfsel; II *ww* stijven (*linen*); **starchy** ['sta:tʃi] stijfachtig; gesteven; (*fig*) stijf, vormelijk

'**star-crossed** door het lot tegengewerkt (*lovers*)

'**stardom** een ster zijn (*film, theat*)

stare [stɛə] I *ww* met grote ogen kijken; staren, gapen; in het oog springen; ~ *at* aanstaren; ~ *down* door een blik de ogen doen neerslaan; *it ~s you in the face, ook: a*) het ligt voor je neus; *b*) het ligt voor de hand, het is zo klaar als een klontje; II *zn* starende blik

'**starfish** zeester

staring ['stɛəriŋ] (*fig*) opzichtig (*wall-paper*), schril, hel (*colours*); *stark ~ mad* stapelgek

stark [stɑ:k] I *bn: a*) stijf, strak; onbuigzaam; star; grimmig, bar(s), naakt (*the ~ reality*); *b*) (van landschap) naakt, kaal; *c*) louter, volmaakt, volslagen, klinkklaar (*nonsense*); *d*) spiernaakt; II *bw* geheel (en al); ~ *blind* stekeblind; ~ (*staring*) *mad* stapelgek; ~ *naked* spiernaakt; '**starkers** (*fam*) spiernaakt

starlet ['stɑ:lit] kleine ster, (*ook film*) sterretje; '**starlight** sterrenlicht

starling ['stɑ:liŋ] spreeuw

starlit ['stɑ:lit] door de sterren verlicht; **starred** [stɑ:d] gesternd; met een ster(retje); stervormig; **starry** ['stɑ:ri] met sterren bezaaid; sterren... (*sky*); als een ster; stervormig; '**starry-eyed** zonder werkelijkheidszin, onpraktisch, te optimistisch; '**star-shaped** [-ʃeipt] stervormig

start [stɑ:t] I *ww* (op)springen, (op)schrikken, ontstellen; vertrekken, afrijden, afvaren; het sein tot vertrek geven; beginnen, ontstaan; uitlopen (*van plant*); aanheffen (*a song*); opjagen (*game* wild); aan de gang maken, aanzetten (*a motor*), aanslaan (*van motor*); aan de praat krijgen (*on a subject* over ...); oprichten (*a company, a newspaper*), op touw zetten (*a scheme*); openen (*a bank account*); ~ *the ball* ... aan het rollen brengen; ~ *to work* (~ *working*) beginnen te werken; ~ *work on* beginnen aan; ~ ***by** asking* beginnen met te vragen; ~ ***for** Paris* vertrekken naar; ~ ***from*** (*fig*) voortkomen uit; uitgaan van (*a principle*); terugdeinzen voor; ~ ***over*** opnieuw beginnen; ~ ***to** one's feet* opspringen; *he was ugly, to* ~ ***with*** om te beginnen: hij was lelijk; II *zn* plotselinge beweging van schrik, verbazing, enz.; het opspringen, sprong, ruk, schok; (plaats van, sein tot) vertrek, afvaart, 'start', begin (*false* ~ verkeerd begin; (*sp*) valse start); voorsprong; *get the* ~ *of a p.* iem vóór zijn; *give a* ~ (doen) schrikken; *from* ~ *to finish* van het begin tot het einde; *wake up* ***with*** *a* ~ wakker schrikken; '**starter** deelnemer aan wedstrijd, mededinger; id. (*van motor, enz*); ~*s* (*mv*) hors-d'oeuvre, voorafje; **starting-block** ['stɑ:tiŋ-] startblok; '**starting-motor** startmotor; '**starting-point** uitgangspunt, vertrekpunt

startle ['stɑ:tl] doen schrikken (ontstellen), (onaangenaam) verrassen, verbazen; '**startling** opzienbarend, schrikaanjagend, ontstellend

starvation [stɑ:'veiʃən] uit-, verhongering; hongerlijden, -dood; gebrek (aan voeding); **starve** [stɑ:v] (laten) verhongeren, van honger (gebrek) omkomen, of doen omkomen; het nodige onthouden; (doen) kwijnen; uithongeren (= ~ *down, out*); ~ *for* hunkeren naar, dringend behoefte hebben aan; ~ *to death* veror uithongeren; '**starveling** (*lit*) hongerlijder; uitgehongerd dier; kwijnende plant

stash [stæʃ] (heimelijk) opbergen, verbergen

state [steit] I *zn* staat, toestand, stemming; rang, stand; staatsie, praal, luister; staat, rijk; ~*s* staten; *S~s General* Staten-Generaal; ~ *of things* stand van zaken; ~ *of mind* geestes-, gemoedstoestand; *get* ***in(to)*** *a* ~ zich opwinden, zich overstuur maken; *what a* ~ *you are* ***in***!: *a*) wat zie je eruit; *b*) wat ben je opgewonden (zenuwachtig); *in quite a* ~, *in a* ~, (*fam*) overstuur; *in* (*full*) ~ in staatsie, in alle luister, in vol ornaat, officieel; *lie in* ~ op een praalbed liggen; *affairs* ***of*** ~ staatszaken; *S~ Department,* (*Am*) Departement van Buitenlandse Zaken; II *bn* staats..., staatsie..., gala..., plechtig; officieel; *on* ~ *occasions* bij plechtige gelegenheden; III *ww* aan-, opgeven (*one's age*); constateren; mededelen, uiteenzetten (~ *your case*), vermelden; stellen; *at* ~*d intervals* met vaste tussenpozen, op gezette tijden; '**state-affairs** staatszaken; '**statecraft** staatskunde, regeerkunst; '**stateless** statenloos; '**stately** deftig, groots; '**statement** vermelding, verklaring, bewering, uiteenzetting; opgaaf, lijst, staat; dagafschrift; '**state-'owned** staatseigendom; ~ *enterprises* staatsondernemingen; '**stateroom** [-ru(:)m] (*op boot*) luxe hut; (*Am*) hut

statesman ['steitsmən] staatsman; (*Am*) politicus; '**statesmanship** staatsmansbeleid, -wijsheid

static ['stætik] I *bn* statisch, evenwichts..., in rust, stabiel; II *zn statics*; **statics** *a*) statica, evenwichtsleer; *b*) (*telec*) (lucht)storing(en)

station ['steiʃən] I *zn* (stand)plaats, post; positie, rang, stand (= ~ *in life*); station; observatiepost (bij opmetingen); centrum; politiebureau; *take* (*up*) *one's* ~ post vatten; zijn plaats innemen; ***on*** ~ op (z'n) post; *preselected* ~ voorkeurzender; II *ww* plaatsen, stationeren; '**stationary** [-əri] stationair, stilstaand, vast, niet verplaatsbaar

stationer ['steiʃ(ə)nə] handelaar in kantoor- en schrijfbehoeften; '**stationery** [-ri] kantoor- en schrijfbehoeften, (post)papier

'**station-master** stationschef

'**station-wag(g)on** (*Am*) 'station-car': grote auto voor passagiers en/of vracht

statistical [stə'tistikl] statistisch; **statistician** [stætis'tiʃən] statisticus; **sta'tistics** [-s] statistiek(en)

statue ['stætju:] standbeeld; **statuesque** [stætju'esk] als een standbeeld; plastisch; statig; **statuette** [stætju'et] beeldje

stature ['stætʃə] gestalte, lengte; (*fig*) formaat, kaliber

status ['steitəs] id., toestand, staat, stand, rang, (rechts)positie, maatschappelijke positie

statute ['stætju:t] wet, verordening, statuut; '**statute book** gezamenlijke landswetten; '**statute law** geschreven wet (recht); **statutory** ['stætjutəri] statutair, wettelijk (voorgeschreven), verplicht, volgens de wet

staunch [stɔ:n(t)ʃ] ferm; betrouwbaar, trouw, onwrikbaar

stave [steiv] I *zn*: *a*) duig; staaf; *b*) couplet, vers; *c*) notenbalk; II *ww*: *a*) (gew. ~ *in*) in duigen slaan; een gat maken in (*a cask, a boat*), inslaan, indrukken; *b*) een lek krijgen; ~ ***off***

(tijdelijk) afwenden (*ruin, bankruptcy*), voorkómen, van zich afzetten, verschuiven (tot later)

stay [stei] I *ww* blijven, toeven, talmen, wachten; logeren; (*sp*) het uithouden; tegen-, terughouden (*one's hand*, enz.); tot staan brengen (*a disease*); uitstellen, opschorten; *come to* ~ zich een blijvende plaats verwerven (*television has come to* ~); ~ *the course* (*the pace*) het uit-, volhouden; ~ *the night* 's nachts blijven; ~ ***on*** aanblijven (*in ambt, enz.*); ~ ***out*** uitblijven; ook = *outstay;* ~ *out the concert* het hele ... door blijven; ~ ***put***, (*fam*) op zijn plaats (thuis, voorgoed) blijven; ~ ***with*** blijven bij; logeren bij; II *zn* 1 verblijf, oponthoud; schorsing, uitstel (*of execution*); tegenhouding, belemmering, 'rem', stilstand; 2 stut, steun; (*scheepv*) stag; (*pair of*) ~*s* korset, keurslijf; '**stay-at-home** I *zn* huismus, thuiszittende; II *bn* honkvast; '**stayer** [-ə] volhouder, doorzetter; persoon of dier met veel uithoudingsvermogen; (*sp*) id.; '**staying-permit** verblijfsvergunning; '**staying-power** uithoudingsvermogen

stead [sted] plaats (*in my* ~); *stand in good* ~ te stade komen; '**steadfast** [-fəst, -fɑ:st] vast, standvastig, vastberaden, onwrikbaar

steady ['stedi] I *bn* vast(staand); kalm, bezadigd, evenwichtig, gelijkmatig; geregeld, bestendig, gestadig; standvastig, trouw (*to a cause* aan een zaak); oppassend, solide; ~ (*on*)*!* voorzichtig! kalmpjes aan! (*scheepv*) recht zo die gaat!; *go* ~ vaste verkering hebben; II *ww* vastheid geven, steunen; dezelfde koers (doen) houden; vast (bestendig, oppassend) maken of worden, kalmeren; stabiliseren, in evenwicht brengen; '**steady-going** kalm, bedaard, oppassend, solide

steak [steik] (runder)lapje; (vis)moot

steal [sti:l] *a*) stelen; op slinkse wijze verkrijgen; *b*) sluipen; glijden; ~ *a ride* stilletjes meerijden; ~ *the show* alle aandacht trekken; ~ *away* (of: *on*) (*van tijd*) (ongemerkt) voorbijgaan; *she stole her hand into his* stak ongemerkt ...

stealth [stelθ] heimelijkheid; *by* ~ tersluiks, steelswijze, stilletjes; '**stealthily** [-ili] *by stealth*; '**stealthy** [-i] sluipend, heimelijk, stiekem

steam [sti:m] I *zn* stoom, damp, uitwaseming; (*fig*) *ook:* werkkracht, fut; drijfkracht; *get up* ~ stoom maken; er vaart achter zetten; *let off* (*work off*) ~, (*fig*) stoom afblazen; *on its own* ~ op eigen kracht; II *ww* stomen, dampen; (doen) beslaan (*van venster, enz*); stoom maken (= ~ *up*); uitwasemen; (door stoom) losweken (= ~ *open: a letter*), uitstomen; ~*ed up*, (*fam*) opgewonden, verontwaardigd; '**steamboat** stoomboot; '**steamer** stoomboot; stoomkoker; stoomketel; '**steamroller** I *zn* stoomwals, wegwals; II *ww* verpletteren; '**steamy** [-i] vol stoom (damp), stoom..., damp...; beslagen (*window*)

steed [sti:d] (*dichterlijk*) (strijd)ros

steel [sti:l] I *zn* staal (*ook fig*); II *bn* stalen; staal...; staalachtig; III *ww* stalen (*ook fig:* ~*ed against adversity*), (als) tot staal maken (worden), (ver)harden; '**steel-plated** met staal beslagen (gepantserd); '**steelworks** staalfabriek(en); '**steely** [-i] stalen, staalachtig; hard (sterk) als staal; onbuigzaam

1 steep [sti:p] steil; (*fam*) buitensporig hoog (*price*), overdreven, ongelooflijk (*story*), scherp (*fall* daling); kras, sterk

2 steep [sti:p] indopen, (in)dompelen, (door)weken, in de week zetten of staan, drenken; ~*ed in alcohol* doortrokken van

steepen ['sti:pn] steil(er) worden; opdrijven (= ~ *up: prices*, enz.)

steeple ['sti:pl] *a*) (spitse) toren; *b*) torenspits; '**steeplechase** [-tʃeis] id.: hindernisren; '**steeplejack** [-dʒæk] iem, die torens enz. repareert

steer [stiə] sturen, richten; naar het roer luisteren (~ *well, ill*); zeilen, varen; (*Am*) 'loodsen', lokken; ~ *clear* (*of*) vermijden, uit de weg gaan; ~ *a middle course* de middenweg bewandelen; ~*ing committee* bestuurscommissie; stuurgroep; **steering** ['stiəriŋ] stuurinrichting, besturing; '**steering-gear** [-giə] stuurinrichting; '**steering handle** stuur; '**steering wheel** stuur(rad)

stellar ['stelə] sterren..., stervormig

stem I *zn* 1 stam, stengel, steel (*ook van pijp, enz*); stok (*van letter en muzieknoot*); (*fig*) geslacht; 2 voorsteven; *from* ~ *to stern* van vóór- tot achtersteven; II *ww* 1 het hoofd bieden aan, worstelen tegen; ~ *the tide* optornen tegen, (*fig*) weerstaan; 2 stuiten, tegenhouden; 3 ~ *from* voortkomen uit, teruggaan op, zijn oorsprong vinden in

stench [sten(t)ʃ] stank

stencil ['stensl] I *zn* id.; II *ww* stencilen

stenographer [ste'nɔgrəfə] stenograaf; **stenography** [ste'nɔgrəfi] stenografie

step I *ww* stappen, gaan, trappen; passen maken, dansen (= ~ *it*); laten stappen; afpassen, afstappen (*distances*); ~ *lively!* (*Am*) vlug wat!; ~ *this way* wilt u mij maar volgen; ~ ***aside*** opzij gaan, uitwijken; (*fig*) zich terugtrekken; ~ ***back***(***wards***) achteruit-, teruggaan (*ook fig*); ~ ***down*** aftreden, zich terugtrekken (t.bijv een ander); ~ ***forward*** naar voren treden; ~ ***in:*** *a*) binnengaan, erin stappen; *b*) (even) aanlopen; *c*) tussenbeide komen, een woordje meespreken; ~ ***on*** *the gas* (*on it*) gas geven; (*fig*) voortmaken; ~ ***out*** naar buiten gaan; uitstappen; flink aanstappen; ~ ***round*** even aanlopen; ~ ***up*** (*fig*) versnellen; II *zn* stap, pas, tred; voetstap; trap, trede, sport, stoep, drempel; ~*s* stoep; trapladder (= *pair of, set of* ~*s*); *keep* ~ in de pas blijven; *keep* ~ *with* bijhouden, gelijke tred houden met; *mind* (*watch*) *your* ~*!* pas maar op (je tellen)!; *be* ***in*** ~ in de pas lopen (*ook: fig*); *follow* (*walk*) *in a*

sta

p.'s ~s iems voetstappen drukken; *fall **into** ~* in de pas gaan lopen; (*get*) ***out of*** *~* uit de pas (raken)
'stepbrother, **'step-child**, **'step-daughter** enz., stief…
'step-ladder (losse) trap, trapladder
'stepmother stiefmoeder
'stepping-stone steen in beek enz. om op te stappen; (*fig*) middel ter bereiking van doel
'stepsister, step-son stiefzuster, -zoon
stereo id. (= *~ sound system*) stereo-installatie; **stereometry** [stiəri'ɔmitri] stereometrie; **stereophonic** [stiəriə'fɔnik] stereofonisch; **stereoscope** ['stiəriəskəup] stereoscoop; **stereotype** ['stiəriətaip] I *zn* (*fig*) stereotiepe uitdrukking, enz.; sleur; II *ww* stereotyperen; (*fig*) een vaste vorm geven; *~d*, (*fig*) stereotiep
sterile ['sterail] onvruchtbaar, nutteloos; steriel, bacteriënvrij; **sterility** [ste'riliti] onvruchtbaarheid, steriliteit; **sterilize** ['sterilaiz] onvruchtbaar maken, uitputten (*land*); steriliseren
sterling ['stə:liŋ] *a*) id.; *b*) echt, standaard… (*silver*), onvervalst, zuiver, degelijk
stern [stə:n; (*scheepv*) stɑ:n] **1** *a*) achtersteven, -schip, spiegel, hek; *b*) achterste; **2** streng, hard(vochtig), afschrikkend, onbuigzaam; ongastvrij, onherbergzaam (*landscape*)
stertorous ['stə:tərəs] snorkend
stethoscope ['steθəskəup] stethoscoop
stetson ['stetsn]: *~* (*hat*) (breedgerande) (cowboy)hoed
stevedore ['sti:vədɔ:] stuwadoor
stew [stju:] I *zn* gerecht van vlees, groenten, rijst, enz., gekookt in bouillon o.i.d.; *be in a ~*, (*fam*) in de rats (verlegenheid) zitten; II *ww* stoven, smoren
steward ['stjuəd] I *zn* id., hofmeester; kelner (*aan boord*); rentmeester, administrateur, beheerder; commissaris (van orde), (zaal)controleur; II *ww* beheren; **'stewardess** [-is] id., hofmeesteres
stick [stik] I *ww* steken, door-, dood-, uitsteken; blijven steken (hangen, zitten, enz.), stokken (*in a speech*), (blijven) vastzitten (= *~ fast*), klemmen (*the window ~s*); (*fam*) blijven (*~ where you are*); vaststeken, vastmaken, (aan)plakken, kleven; opsteken, opprikken (*insects*); zetten, plaatsen; (*fam*) uitstaan, verdragen (*I can't ~ him*); *~ no bills!* verboden aan te plakken!; *~* ***around***, (*Am*) ergens omhangen, wachten; *~* ***at*** *one's work* energiek doorgaan met; *~ at it, ook:* volhouden; *not ~ at a lie* niet opzien tegen; *~ at nothing* voor niets staan; *~* ***by*** *a p.* iem trouw blijven; *~* ***down*** vast-, dichtplakken (*a letter*); *~* ***in***: *a*) inplakken, -lassen, enz.; *b*) *~ in the mud* blijven steken in; *~* ***on*** opplakken, enz.; *~* ***out*** eruit (buiten) blijven; (voor)uitsteken; in het oog (eruit) springen; *~* (*it*) *out*, (*fam*) volhouden, het uithouden, het 'uitzingen'; *~ out for* volhouden, het niet opgeven; *~* ***to*** trouw blijven (aan); zich houden aan (bij: *one's work*); blijven op (*one's post*); op de voet volgen (*the original*); *~* ***together*** aan elkaar plakken; elkaar trouw blijven; *~* ***up*** overeindstaan, -zetten; aanplakken, enz.; (*sl*) aanhouden (*a mailcoach*), overvallen, beroven (*a bank*); *~ 'em up!* handen omhoog!; *~ up for a p.* het opnemen voor; *~* ***with*** *a p.* iem trouw blijven; II *zn* stok, stokje; wandel-, strijk-, trommel-, dirigeerstok; (*van vliegtuig*) 'knuppel'; (*fam vero*) houten klaas, saaie vent; *get the wrong end of the ~* misverstaan, niet begrijpen; **'stick-at-nothing** voor niets staand of terugschrikkend; **'sticker** steker, aanplakker, enz.; plakband, gegomd biljet, id.; (*fam*) plakker (*fig*); (*sp, enz*) volhouder, doorzetter; **'sticking-plaster** [-plɑ:stə] hechtpleister; **'stick-in-the-mud** *bn* & *zn* achterlijk, niet vooruitstrevend (persoon)
'stickleback stekelbaarsje
stickler ['stiklə] ijveraar, hardnekkig voorstander (*for* van); *~ for old-fahioned gallantry* iem, die overdreven veel hecht aan …
sticky ['stiki] kleverig, taai; saai (*a ~ evening*); weifelend; niet vlottend, stroef; (*fam*) onbuigzaam, stijf (*fig*); lastig, onhandelbaar; *things began to look ~* het begon er somber uit te zien; *he'll come to a ~ end*, (*sl*) het zal slecht met hem aflopen; *~ fingers*, 'lange' vingers; *~ wicket*, (*fig*) moeilijke situatie
stiff [stif] I *bn* stijf, stram, strak; stevig (*breeze, pace*); stroef (*the machine works ~ly; ~ verse*); zwaar, stug (*ground*); streng, moeilijk (*examination*); onbuigzaam, vastberaden (= *~ in the back*); hardnekkig (*fight*); *a ~ climb* een hele klim; *~ demands* hoge eisen; *~ glass of grog* stevige grog; *take a ~ line* streng optreden; *keep* (*carry, have*) *a ~ upper lip*: *a*) van geen buigen weten; *b*) zich flink houden; *the market is ~* vast; *~ price* flinke prijs; *that's pretty ~* nogal kras; *her parties bore me ~*, (*fam*) vervelen me gruwelijk; *scare a p. ~*, (*fam*) een doodsangst op het lijf jagen; II *zn* (*sl*) een lijk, een dode; **'stiffen** [-n] stijf maken of worden; (doen) verstijven, een vast(er)e vorm aannemen, verstevigen, verscherpen (= *~ up: the law*); aanwakkeren (*van wind*); **'stiff-necked** halsstarrig, koppig
stifle ['staifl] smoren, verstikken, (doen) stikken; onderdrukken (*a sob*); blussen
stigma ['stigmə] *a*) brandmerk, (schand)vlek, blaam; *b*) stempel (*van bloem*); **'stigmatize** [-taiz] brandmerken; stigmatiseren
1 still [stil] I *bn* stil, rustig; kalm; niet mousserend (*wine*); *~ life* (mv *lifes*) stilleven; II *zn* stilte; III *ww* stillen, (doen) bedaren, kalmeren; stilhouden; IV *bw*: *a*) nog, nog altijd; *b*) toch
2 still [stil] distilleerketel; branderij
stillbirth ['stilbə:θ] geboorte van dood kind; **'stillborn** doodgeboren
stilt stelt; **'stilted** [-id] hoogdravend

sti

stimulant ['stimjulənt] I *bn* prikkelend opwekkend; II *zn* prikkel; opwekkend middel; **stimulate** ['stimjuleit] prikkelen, aansporen, aanzetten, oppeppen; **stimu'lation** prikkeling, stimulering; prikkel
sting [stiŋ] I *ww* steken, prikk(el)en, branden (*van brandnetel bijv.*), bijten (*van scherp vocht*); knagen (*van geweten*); grieven (*~ing insult*), pijnlijk treffen, pijn doen; *that's where it ~s* dat is het pijnlijke (hatelijke) ervan; *be stung for a fiver*, (*sl*) voor £5 afgezet worden; II *zn* angel; stekel; brandhaar (*van netel*); steek; pijn (*of a blow*); wroeging, knaging (*~s of conscience*), stekeligheid, pittigheid
stingy ['stin(d)ʒi] vrekkig, schriel, gierig
stink [stiŋk] I *ww: a*) stinken (*of* naar); (*sl*) ruiken; *b*) doen stinken; *it ~s* er is een luchtje (geurtje) aan; *he ~s of money* bulkt van; II *zn* stank; (*sl*) ophef (over een lelijk zaakje), schandaal (*make, raise a ~ about s.t.*), herrie; (*sl*) mispunt
stint I *ww* beperken; (zich) bekrimpen, beknibbelen, krap houden (*of, in* in); karig (zuinig) zijn met, karig toemeten (*food,* enz.); *~ a p. for money* krap houden; II *zn: a*) beperking, het ...; *b*) portie (werk, enz.), taak
stipend ['staipend] jaarwedde, bezoldiging
stipple ['stipl] (uit-, be)stippelen
stipulate ['stipjuleit] bedingen, vaststellen, bepalen, stipuleren
stir [stə:] I *ww* (zich) bewegen, (om)roeren, (zich) verroeren, (op-, aan)porren, oppoken; opwekken (*a p.'s rage, sympathy*); aanzetten (*to rebellion*); aandoen, treffen; zich roeren, in de weer (op, bij de hand) zijn; *don't ~: a*) verroer je niet; *b*) blijf zitten, hou je gemak; *something ~red in my memory* er kwam iets in mijn herinnering op; *~* ***up*** (om-, aan)roeren; oppoken; aanzetten, aanporren, wakker schudden, opruien; (op)wekken (*love, sympathy*); *~ up mud*, (*fig*) in een zaak wroeten; *~ up strife* tweedracht stoken; II *zn* beweging; beroering, opwinding, drukte, sensatie; het roeren; por (*he gave me a ~ with his foot*); opwekking; *cause a* (*great*) *~* (*quite a ~*) (veel) opzien baren, van zich doen spreken; **stirring** ['stə:riŋ] opwekkend, animerend; roerend (*drama*); bedrijvig, actief; veelbewogen, emotievol (*times*)
stirrup ['stirəp] stijgbeugel; voetbeugel
stitch [stitʃ] I *zn* steek, (wond)hechting; steek in de zij; *I have not a dry ~ on me* geen droge draad aan mijn lijf; II *ww* stikken; (vast-, dicht-, in)naaien; bestikken, borduren
stoat [stəut] *a*) hermelijn, inz. in roodbruine zomervacht; *b*) elke wezelsoort
stock [stɔk] I *zn* stam; (wortel)stok; geslacht, familie, afkomst (*of French ~*); lade (*van geweer*); steel (*van zweep, enz*); fonds, kapitaal; effecten; vee(stapel), paarden, levende have (*= live ~*); voorraad, voorhanden goederen, inventaris; bouillon; materiaal, grondstof; *~s: a*) blok (*strafwerktuig*); *b*) stapel (*van scheepswerf*); *c*) effecten; (*Am*) aandelen; *I don't take much ~ in poetry* stel niet veel belang in ...; *take ~* de inventaris opmaken; (*fig*) de positie nagaan; *take ~ of* opnemen (*a p., the position*), in ogenschouw nemen, nagaan; ***in*** *~* in voorraad; ***out of*** *~* niet meer voorhanden; II *bn* voorhanden; vast (*remarks*), stereotiep, alledaags; III *ww* voorzien van het nodige, bevoorraden, uitrusten; inslaan (*goods*)
stockade [stɔ'keid] palissade
'**stockbreeder** veefokker; '**stockbroker** effectenmakelaar; '**stock-car** *racing* autorace met oude personenwagens; '**stock cube** bouillonblokje; '**stock exchange** effectenbeurs; '**stockholder** houder van effecten; (*Am*) aandeelhouder
stocking ['stɔkiŋ] kous; (*van paard, enz*) sok
'**stock-in-'trade** goederenvoorraad; gereedschappen; (geestelijke) uitrusting; (*fig*) steeds weerkerend thema; '**stockist** leverancier uit voorraad; '**stock market** effectenmarkt; '**stockpile** I *zn* voorraad; II *ww* voorraden opslaan; '**stock-room** magazijn; '**stock-'still** stokstil; '**stocktaking** inventarisatie
stocky ['stɔki] (kort en) dik, gedrongen; stevig; stokkig, houtig; stug
stodge [stɔdʒ] (zware, onverteerbare) kost; **stodgy** ['stɔdʒi] dik, zwaar, onverteerbaar; zwaar op de hand; volgepropt; rond
stoic ['stəuik] stoïcijn; **stoic(al)** stoïcijns
stoke [stəuk]: *~* (*up*) stoken; aanstoken
stolid ['stɔlid] onaandoenlijk, traag, stompzinnig, flegmatiek
stomach ['stʌmək] I *zn: a*) maag, buik(je); *b*) (eet)lust, neiging; *have no* (*little*) *~ for* geen (weinig) trek hebben in; *my ~ turns* (*rises*) *at it* ik word er misselijk van; *it turns my ~* het doet me walgen; II *ww* verduwen, verdragen, slikken (*insults*), 'zetten' (*I can't ~ that*); '**stomach-ache** [-eik] maag-, buikpijn
stomp [stɔmp] zwaar stappen, klossen
stone [stəun] I *zn: a*) steen, edelsteen; grafsteen; pit (*van kers, druif, enz*); nier-, galste(e)n(en); *b*) als gewicht; 14 Eng pond (6,35 kg) (*weighed 12 ~*); II *bn* stenen; *~ age* stenen tijdperk, steentijd; III *ww: a*) stenigen (*= ~ to death*), met stenen gooien; *b*) van stenen (pitten) ontdoen, ontpitten; *~d*, (*sl*) id. (high of ladderzat); '**stone-'blind** stekeblind; '**stone-'dead** morsdood; '**stone-'deaf** stokdoof; '**stone-laying** (eerste)steenlegging; '**stonemason** [-meisn] steenhouwer; '**stone-pit** steengroeve; '**stone-quarry** [-kwɔri] steengroeve; '**stone('s)-throw** steenworp; **stony** ['stəuni] steenachtig, steenhard, steen...; hardvochtig; onaandoenlijk; strak, koud (*van blik*); ijskoud (*van toon*); '**stony()'broke** (*sl*) blut, rut, op de keien; '**stony-'hearted** [-ha:tid] met een hart van steen, hardvochtig
stooge [stu:dʒ] (*theat*) mikpunt voor spot van

komiek; duvelstoejager; werktuig (*fig*), stroman; zondebok

stool [stu:l] kruk(je), taboeret, (voeten)bankje; stoelgang, ontlasting (= *~s*); schraag; **stoolpigeon** ['stu:lpidʒin] verklikker

stoop [stu:p] I *ww* (zich) bukken; vooroverlopen; overhangen; zich vernederen (verwaardigen, verlagen); buigen (*one's head*); (*van roofvogel*) stoten; II *zn* voorovergebogen houding, ronde rug; (*Am*) stoep; **stooped** [-t] gebukt, krom

stop [stɔp] I *ww* stoppen, ver-, dichtstoppen, versperren (*the way*); afsnijden (*the gas*), afsluiten; (*fot*) diafragmeren; dichtmaken, vullen, vullen (*a tooth*); stelpen (*blood, bleeding*); tegen-, aan-, ophouden, tot staan brengen; laten stilstaan (*a clock*); inhouden (*a p.'s salary, £2 from a p.'s wages*); opschorten, een eind maken aan, verhinderen; staken (*work*); blijven (stil)staan; uitscheiden (met), op-, stilhouden; blijven (*~ at home*), overblijven (*~ in Paris on the way*); logeren (*at* te; *with* bij); *~!* hou op! wacht (eens)!; *~ a gap* een gat stoppen; *~ thief!* houdt de dief!; *~* ***at*** *nothing* voor niets staan; *~* ***by*** (*Am*) even aanlopen; *~* ***dead*** plotseling blijven staan (steken); *~* ***down*** sluiten (*a cask*); (*fot*) diafragmeren; *~ a p.* (***from***) *going* beletten te; *~* ***in*** thuis, binnenblijven; *~* ***off*** (even) stilhouden (*at* bij), de reis onderbreken; *~* ***over*** de reis onderbreken, overblijven; *~* ***short*** plotseling tegenhouden (in de rede vallen; blijven staan, ophouden); te kort schieten; *~ short of* het niet laten komen tot; *~* ***to*** *dinner* blijven eten; *~* ***up*** dicht-, verstoppen; versperren; II *zn* het ..., stop, (af)sluiting; verstopping; einde, oponthoud, pauze; halte; belemmering; (*van orgel*) register; (*van blaasinstrument*) klep, gat; (*fot*) diafragma-(opening); leesteken; *full ~* punt; *be at a ~* stilstaan, -liggen; *come to a* (*full, dead*) *~* (geheel, plotseling) tot staan komen (ophouden); *make a ~* blijven staan, halt maken; *pull all the ~s out* al het mogelijke doen om ...; *put a ~ to* een eind maken aan; **'stopcock** afsluitkraan; **'stopgap** stoplap; noodhulp; (*attr*) tijdelijk, als stoplap (noodhulp, enz.) dienend; **stop-'go** (*econ*) snelle afwisseling van inflatie en deflatie; **'stoplight** (*van auto*) stoplicht; **'stop'over** onderbreking van reis; **'stoppage** [-idʒ] inhouding (*van loon, enz.*), verstopping, enz. (zie *stop ww*); obstructie; aanhouding; stilstand; oponthoud; staking (van betaling); **'stopper** [-ə] stop; dop, afsluiter; **'stop-'press** (*news*) laatste nieuws; **'stop-valve** afsluit-, stopklep

storage ['stɔ:ridʒ] *a*) opberging, opstapeling, opslag; *b*) berg-, pakhuisruimte; *c*) opslagkosten, pakhuishuur; **'storage-butter** koelhuisboter; **'storage-space** opslagruimte

store [stɔ:] I *zn: a*) voorraad, (grote) hoeveelheid; *b*) pakhuis, opslagplaats, magazijn; warenhuis (*department ~*), bazaar; (*Am*) winkel; *~s* warenhuis, magazijn, grote winkel met vele afdelingen; (scheeps-, leger)behoeften, proviand; *~ of knowledge* schat van kennis; *set great ~ by* (*on, upon*) grote waarde hechten aan, zeer op prijs stellen; ***in*** *~* in voorraad; in bewaring, opgeborgen; II *ww* (van het nodige) voorzien; uitrusten (*with* met); opslaan (*goods*); op-, verzamelen, bewaren (= *~ up*); (kunnen) bevatten, ruimte hebben voor; *~ away* op-, wegbergen; *~ one's furniture* opbergen; **'storehouse** pakhuis, voorraadschuur; (*fig*) schatkamer; **'storekeeper** magazijnmeester (*ook mil*); (*Am*) winkelier; **'storeroom** *a*) provisiekamer; *b*) bergruimte

storey ['stɔ:ri] verdieping, woonlaag; *in the first ~* gelijkvloers; *in the second ~* op de eerste verdieping; *house of one ~* geheel gelijkvloers; **storied** ['stɔ:rid] met verdiepingen (*a five-~ house*)

stork [stɔ:k] ooievaar

storm [stɔ:m] I *zn* bui (*hail~, rain~, snow~, thunder~*); storm (= *~ of wind*); (*weerk*) zeer zware storm, stormdepressie; onweer; (*fig*) storm, beroering; vlaag, aanval; (*mil*) bestorming; *~ in a tea-cup* storm in een glas water; *~ of applause* stormachtige toejuichingen; II *ww* stormen, woeden, tieren, razen (*at* tegen); (*mil*) bestormen, stormlopen (op); *it ~s*, (*Am*) het stormt (onweert, giet, sneeuwt hevig, enz.); **'storm-area** [-'ɛəriə] stormgebied; **'storm-beat(en)** door stormen geteisterd; **'stormbound** door storm opgehouden; **'storm-cloud** onweerswolk (*ook fig*); **'stormy** [-i] stormachtig, storm...

story ['stɔ:ri] *a*) verhaal (*ook:* gerucht: *the ~ goes that ...*), vertelling, geschiedenis; legende, overlevering; intrige (*film, toneel*); artikel (*in tijdschrift, enz.*); *b*) leugentje; *it's quite another ~ now* de bordjes zijn nu helemaal verhangen; nu tapt men uit een heel ander vaatje; *tell stories* jokken; **'storybook** vertelselboek; **'story line** (hoofd)intrige, gang van het verhaal; **'story-teller** verteller; (*fam*) jokker

stout [staut] I *bn* dapper, flink, stoer; vastberaden; krachtig (*resistance*), stevig, sterk (*boots*); dik, gezet, corpulent; *~ fellow* kerel van stavast; II *zn* id.: donker bier; **'stout-'hearted** (*lit*) kloekmoedig; **'stoutish** vrij *stout*

stove [stəuv] kachel, fornuis; **'stove-pipe** kachelpijp (ook: hoge hoed = *stove-pipe hat*)

stow [stəu] stuwen, stouwen (*goods*); (op)-bergen (*safely ~ed*), plaatsen, (vol)pakken; *~ away* weg-, opbergen; zich versteken (verbergen) aan boord; **'stowage** [-idʒ] *a*) stuwage; *b*) bergruimte, -plaats; **'stowaway** blinde passagier, verstekeling

straddle ['strædl] wijdbeens staan (zitten, lopen), schrijlings staan boven (zitten op); liggen aan weerszijden van (*the border*); aan weerszijden (niet in het midden) zitten, raken, enz.

str

straggle ['strægl] (af)dwalen; achterblijven (= ~ *behind*); verspreid groeien, verstrooid liggen, enz.; zich verspreiden; kronkelen; **'straggling**, **'straggly** verspreid (liggend) (*houses*); onregelmatig (*street*); (dun en) verwilderd (*beard*)

straight [streit] I *bn* recht; sluik (*hair*); recht op het doel (op de man) afgaand; eerlijk, open(hartig) (*talk*); letterlijk zo bedoeld (*tegenover ironisch*); van goed (zedelijk) gedrag; op (in) orde (*everything is ~ for the night*); (*van rekening*) vereffend; onvermengd, echt (*butter*), puur (*whisky*); *~ angle* gestrekte hoek; *with a ~ face* met een effen gezicht; *~ news* nieuws zonder commentaar; *a ~ play* gewoon toneelstuk (tegenover *musical comedy*, enz.); *do the ~ thing* eerlijk handelen; *~ thinking* logisch denken; *be ~ with a p.: a*) openhartig zijn jegens; *b*) quitte, verzoend met; *get ~: a*) op orde komen; *b*) uit de schulden raken; *we must get this ~* goed begrijpen, tot klaarheid brengen; *keep ~* op het rechte pad blijven (houden); *put* (*set*) *~* in (op) orde brengen, rechtzetten; *set a p. ~* iem op de hoogte brengen; II *zn* recht gedeelte, rak (*van rivier*); laatste vak van renbaan; *on the ~* recht; (*sl*) zich fatsoenlijk gedragend; III *bw* rechtuit, rechtstreeks, regelrecht, rechtop; eerlijk, openlijk; *~ away* (zo maar) ineens, direct, nu reeds; *go ~ on* recht toe, recht aan; *talk ~ on* aan één stuk door; *~ out* openhartig, ronduit; *act ~ by a p.* eerlijk handelen jegens; *I gave it him ~* heb het hem ronduit gezegd; **'straightaway**, **'straight off** meteen, onmiddellijk; **'straighten** [-n] recht maken (worden, zetten, trekken, enz.) strekken (*one's legs*); opredderen (*the room*), in orde brengen; *~ **out***, in orde brengen; (*fig*) rechtzetten; ontwarren (*the tangle*); **straight'forward** rechtuit; recht door zee, eerlijk, open, oprecht; ongekunsteld; **'straight-out** direct, rechtstreeks, openhartig

strain [strein] I *ww* spannen, (uit)rekken; verdraaien (*words, the law*); geweld aandoen (*one's conscience*); te buiten gaan (*one's powers*); het uiterste vergen van, uitbuiten; tot het uiterste (te zeer) inspannen (*one's eyes*), turen (*~ing eyes*); forceren (*one's voice, o.s.*); verrekken (*a muscle*); filtreren, (laten) doordringen; afgieten; zich inspannen (afsloven); rukken, (zich) drukken (tegen); zwoegen (*under a load*); *~ **after*** streven naar; jacht maken op (*effect*); II *zn* **1** spanning; inspanning; overspanning (*heart ~*); druk; verrekking, verdraaiing; het streven (*after* naar; zie *ww*); toon, stijl, trant (*written in a different ~*); 2 stam, ras; aard, karakter, slag, trek; tikje (*he has a ~ of blue blood in his veins*); melodie; **strained** zie *strain;* gedwongen (*mirth*); verdraaid, gewrongen (*interpretation* uitlegging); gespannen (*relations*); *~ look* blik van (angstige) spanning; **'strainer** [-ə] filterdoek, vergiet, zeef(je)

strait [streit]: *~ jacket, zn* dwangbuis; *ww* een dwangbuis aanleggen; (*fig*) in een keurslijf dwingen

strait(s) [streits] (zee-)engte, (zee)straat (*gew mv*) moeilijkheid, verlegenheid; *the Straits of Dover* het Nauw van Calais; *be in great straits* erg in (geld)verlegenheid zitten; **'straiten** [-n]: *in ~ed circumstances* in behoeftige (benarde) omstandigheden

strait-laced ['streitleist] (*fig*) streng; kleingeestig, preuts

strand [strænd] I *zn* streng (*van touw, enz*), draad, reep; snoer (*of pearls*); (haar)lok; vezel; (*lit*) strand; II *ww* (laten) stranden, op het strand zetten of lopen; *be ~ed,* (*fig*) aan lagerwal zijn, vastzitten, niet verder kunnen, 'panne' hebben; *be left ~ed* hulpeloos achterblijven

strange [strein(d)ʒ] vreemd, onbekend; ongewoon, zonderling, raar; *~ to say, he did not know me* vreemd genoeg ...; *I am ~ to the work* het werk is me vreemd; *feel ~: a*) zich vreemd (raar) voelen; *b*) zich niet thuis voelen; **stranger** ['strein(d)ʒə] vreemdeling, vreemde, onbekende; nieuweling, oningewijde; *I am a ~ in* (of: *to*) *London* een vreemdeling in ...

strangle ['stræŋgl] worgen; smoren, (ver)stikken; **'stranglehold** [-həuld] worggreep, worgende greep; (*fig*) absolute macht; **strangulate** ['stræŋgjuleit] knellen, dichtsnoeren; **strangu'lation** worging

strap [stræp] I *zn* riem; pak ransel daarmee; drijfriem; (ijzeren) band; (*mil*) schouderbedekking; lus (*van laars, in tram, enz.*); beugel; II *ww* (zich laten) vastmaken met een riem (= *~ up*); ranselen; opknopen (= *~ up*); een strook pleister leggen op, verbinden (= *~ up: a wound*); **'strapless** id.: zonder schouderbandjes (*bra*), schouderloos (*frock*)

strapping ['stræpiŋ] fors, flink, potig

stratagem ['strætidʒəm] (krijgs)list

strategic(al) [strə'ti:dʒik(l)] strategisch; **strategics** [strə'ti:dʒiks] *strategy*; **strategist** ['strætidʒist] strateeg: krijgskundige; **strategy** ['strætidʒi] strategie

stratification [ˌstrætifi'keiʃən] *a*) stratificatie; laagsgewijze ligging (indeling); *b*) laag

stratified [-faid] (*geol*) gelaagd; **stratify** ['strætifai] tot lagen vormen, in lagen ordenen

stratosphere ['strætəsfiə] stratosfeer

stratum ['strɑ:-, 'streitəm] laag

straw [strɔ:] I *zn* stro(halm), strootje; rietje; *it is the last ~ that breaks the camel's back* de laatste loodjes wegen het zwaarst; *it is not worth a ~* geen lor waard; *I don't care a ~* het kan mij niets schelen; *clutch at ~s* zich aan een strohalm vastklampen; *stumble at a ~* zich aan iedere kleinigheid stoten; *draw ~s* strootje trekken; *he is not here to pick ~s* zit hier niet om vliegen te vangen; II *bn* van stro; strooien, stro...

strawberry ['strɔ:b(ə)ri] aardbei

'**strawboard** strokarton; '**straw-colour(ed)** [-kʌlə(d)] strokleur(ig); '**straw poll** (= ~ *vote*) opinie- (verkiezings)onderzoek, -enquête

stray [strei] I *ww* (af)dwalen, zwerven, dolen; zich verspreiden; de slechte weg opgaan; II *zn* verdwaald (afgedwaald) dier, kind, enz.; verdoolde; III *bn* ver- of afgedwaald (*bullet*); loslopend (*dog*); onbeheerd; verspreid, sporadisch (*instances*), toevallig (*visitor*); ~ *notes* losse aantekeningen

streak [stri:k] I *zn* streep, streek; schijnsel; (*fig*) trek, tikje; ~ *of luck* buitenkansje; ~ *of lightning* bliksemstraal; II *ww: a*) strepen; *b*) strepen krijgen; *c*) snellen, ijlen, rennen, 'vliegen'; *d*) doen snellen, 'jagen'; *e*) (*fam*) streaken, naaktholIen; ~ *off* ervandoor gaan; **streaked** [-t] *ook:* doorregen (*bacon*); '**streaker** id., naaktholler; '**streaky** [-i] gestreept, geaderd, doorregen

stream [stri:m] I *zn* stroom, stroming; stroompje, riviertje; onderdeel van schoolklasse (volgens begaafdheid: *'B' Stream Fourth, 'A' Stream Fifth,* enz.); ~ *of consciousness* id., monologue intérieure; *go with the* ~ met de stroom meegaan; *on* ~ in produktie; *up* (*down*) (*the*) ~ stroomop (stroomaf); II *ww* (doen) stromen; (doen) wapperen (fladderen); stromen van (*blood*); (*leerlingen*) groeperen naar begaafdheid; '**streamer** wimpel; lang lint; serpentine (= *paper* ~); '**streamline** I *zn* stroomlijn; II *ww* een stroommodel geven, stroomlijnen

street [stri:t] straat; *in* (*Sc* & *Am: on*) *the* ~ op straat; *be on the* ~*s: a*) op straat staan; *b*) (*van vrouw*): *go on* (*take to*) *the* ~*s* de baan opgaan; *he is not in the same* ~ *as* (*with*) *you,* (*fam*) haalt niet bij u; *be* ~*s ahead* (*better*), (*fam*) mijlen voor (een stuk beter) zijn; '**streetcar** (*Am*) tram; '**street-corner** hoek van straat; '**street-lamp** straatlantaren; '**street-level** gelijkvloers; '**street-performer** straatkunstenaar; '**street-sweeper** straatveger (*ook de machine*); '**street-trader** venter; '**streetwalker** prostituée

strength [streŋθ] kracht(en), sterkte, macht; zwaarte (*van tabak*); gehalte (*of a chemical solution*); *go* (*on*) *from* ~ *to* ~ steeds meer succes hebben (beter worden); ***in*** (*great*) ~ in groten getale; *be* ***on*** *the* ~ tot de formatie (het personeel, enz.) behoren; *on the* ~ *of* krachtens, op grond van, vertrouwend op; '**strengthen** [-ən] (ver)sterken; verscherpen (*the law*); aansterken, in kracht toenemen

strenuous ['strenjuəs] ijverig, krachtig, energiek; inspannend

stress [stres] I *zn* spanning (*in moments of* ~); (aan)drang, druk; beslommering(en); kracht, gewicht; nadruk, klem(toon); (*natuurk*) druk, spanning; id.; *lay the* ~ *on* de klemtoon leggen op; *lay* ~ *on* (de) nadruk leggen op (*fig*); II *ww* de klemtoon (nadruk) leggen op; '**stress-mark** klemtoonteken

stretch [stretʃ] I *ww* (uit)strekken, (zich) (uit)rekken, (op)rekken (*gloves,* enz.); verrekken (*a muscle*); uitsmeren (*one's budget*); opensperren (*one's eyes*); uitslaan (*the wings*); uitsteken (*one's hands*); (uit)spannen (*a wire across the road*); zich uitstrekken; te buiten gaan (*one's powers*); geweld aandoen (*the truth*); (*fam*) overdrijven; ~ *one's legs* zich vertreden; *that is rather* ~*ed* nogal vergezocht; ~ ***away*** *to the North* zich uitstrekken naar; ~ ***out*** uitsteken (*one's hands*); (zich) uitstrekken; II *zn* het ...; misbruik (*of power*); uitgestrektheid (*of country*); (recht) eind (*of road*), rak (*van rivier*); duur, tijd, periode; (*sl*) gevangenisstraf; *have a* ~ zich uitrekken; ***at*** *a* (*one*) ~ achtereen, aan één stuk; **stretcher** ['stretʃə] spanraam; draagbaar, brancard; veldbed; '**stretcher-bearer** [-bɛərə] ziekendrager; **stretchy** ['stretʃi] rekbaar, elastisch

strew [stru:] (be-, uit)strooien, bezaaien; verspreid liggen op (*papers* ~*ed the table*)

stricken ['strikn] geslagen, getroffen; zwaarbeproefd; verslagen (*his* ~ *face*); bezocht (*with disease,* enz., met); ~ *in years* hoogbejaard

strict [strikt] strikt, stipt, precies, nauwgezet

stricture ['striktʃə] (kritische) aanmerking; (*med*) vernauwing

stride [straid] I *ww* schrijden, grote stappen nemen; stappen over; afpassen; II *zn* schrede (grote) stap; *at* (*in*) *a* ~ in één stap; *take s.t. in one's* ~, (*fig*) iets zo maar terloops afdoen

strident ['straidənt] *a*) krassend, snijdend, schel, door merg en been gaand (*cries*); *b*) schreeuwerig, luid aandringend (*demands*)

strife [straif] strijd, twist

strike [straik] I *ww* slaan (in, op, tegen, met); treffen, raken; aanboren (*oil, coal*); stoten, botsen (tegen); vallen (*op*); steken; toebrengen (*a blow*); aanslaan (*a string, note*); aansteken (*a match*); aan de haak slaan (*a fish*); (*van bliksem*) inslaan (in); toeslaan; wortel schieten; stekken (*plants*); lopen op (*a rock, mine*); opkomen bij, invallen (*a happy idea struck me*); treffen, (toe)lijken (*your reasoning* ~*s me as faulty*); afslaan (*to the right*); inslaan (*a path*); komen aan of op (*a river, the road*); tegenkomen (*the most unpractical man* [*the best book*] *I ever struck*); trekken (*a line, circle*); strijken (*a sail, flag*); afbreken (*a tent*); (het werk) staken; *ook:* uitscheiden met werken; *it* ~*s me that* ... het komt me voor; *how did London* (*Johnson*) ~ *you?* wat voor indruk maakte Londen op je? hoe vond je Londen? (hoe kwam J. op je over?); ~ *blind* (*deaf, dumb*) met blindheid, enz. slaan; ~ *lucky,* (*fam*) boffen, een goede greep doen; *the note struck false* klonk vals; ~ *an alliance* aangaan; ~ *a bargain* een koop sluiten; ~ *bottom* grond raken; ~ *camp* het kamp opbreken; ~ *hands* elkaar de hand erop geven; ~ *a light: a*) een lucifer aanslaan; *b*) vuur slaan; ~ *a different note* een ander geluid laten horen; ~ *oil* petroleum aanboren; (*fig*) = ~ *it rich,* (*sl*) een goudmijn ontdekken, fortuin maken; ~ ***at*** slaan naar, een slag toebrengen; aangrijpen; ~ ***for*** *higher pay* staken om ... te krijgen; ~ ***home*** raak slaan; ~ ***into*** *a road* ... inslaan; ~ *into a song* een lied aanheffen; ~ ***off*** drukken (*thousands of copies*); doorhalen, schrappen; ~ *a p. off the list* (*register, rolls*) royeren; ~ ***on*** = ~ *upon;* ~ ***out*** doorhalen (*a word*), schrappen; van zich afslaan; snel zwemmen naar (*he struck out for the ship*); ~ *out* (*a course, a line*) *for o.s.* zich een weg banen (zoeken), zijn eigen weg gaan; ~ *out at* slaan naar; ~ ***through*** doorhalen (*a word*); ~ ***up,*** (*muz*) inzetten; gaan spelen (~ *the band*); aanheffen (*a song*); aangaan, sluiten (*a treaty*); ~ *up an acquaintance with* (terloops) kennis maken met; ~ ***upon*** stoten (vallen, enz.) op, treffen (*the ear*); ~ *upon an idea* een idee krijgen; II *zn* aanval (*air* ~); vondst (*van goud, olie enz*); (werk)staking; *be on* ~ staken; **'strike-breaker** stakingsbreker; **'strike-funds** stakingsgelden; **'strike-pay** uitkering bij staking; **'strike-picket** stakingspost; **'striker** [-ə] (werk)staker; (*sp, ongev*) afmaker; **'striking** treffend; opvallend, frappant, markant

string [striŋ] I *zn* touw(tje), bindgaren, koord, band, lint, veter, riempje; vezel, draad, pees; snaar; snoer, (*of onions*), aaneenschakeling (*of lies*), rij, reeks, file (*of taxis*); categorie (*first, second* ~); ~*s* strijkinstrumenten (*quartette for* ~*s*); *no* ~*s attached* onvoorwaardelijk; *bit of* ~ touwtje; ***in*** *a* ~ op een rijtje, aan een ristje; *have* (*keep*) *a p.* ***on*** *a* ~ aan het lijntje hebben (houden); *pull the* ~*s* de touwtjes in handen hebben, achter de schermen zitten; ~ *bag* boodschappennet; ~ *orchestra,* enz., strijkorkest, enz.; II *ww* (aan elkaar) rijgen (= ~ *together,* ~ *up,* ook fig: *words,* enz.); opknopen; (af)risten; afhalen (*beans*); besnaren, bespannen (*a racket*); spannen (*a bow*); binden (omwikkelen) met bindgaren; (zich) uitstrekken; achter elkaar aan komen (= ~ ***out***); ~ ***along*** verlakken; ~ ***out*** ophangen (aan lijn, draad); ~ ***up*** spannen; (*fam*) opknopen; *finely strung* fijnbesnaard; *highly strung* = *high-strung* overgevoelig, geëxalteerd; **stringed** [-d] besnaard, snaar..., strijk... (*instrument*); **stringed instruments** (bespelers van) strijkinstrumenten (= strijkers) in een orkest

stringency ['strin(d)ʒənsi] strengheid, striktheid; krapte, schaarsheid; **stringent** ['strin(d)ʒənt] id., streng, strikt, bindend; overtuigend; (*van geldmarkt*) krap, schaars

stringy ['striŋi] vezelig, pezig, zenig, draderig

strip I *ww* (af)stropen, (af)schillen, ontschorsen, verwijderen, afhalen (*a bed*), afscheuren, -trekken, -schuiven, uittrekken (= ~ *off: one's gloves*); (zich) uitkleden (= ~ *off*); kaal vreten (*a tree*); onttakelen (*a ship*); ontmantelen; lam draaien (*van bout*); ~ (*naked*), ~ *to the skin* (zich) naakt uitkleden (*ook fig:* uitschudden); ~ *a house* leeghalen; ~ *of* ontdoen (beroven) van; ~ *up* opstropen (*one's sleeves*); II *zn* reep, strook; (*fam*) (sport)tenue; ~*s* = *comic* ~, ~ *cartoon* beeldverhaal (*in krant*)

stripe [straip] I *zn: a*) streep (*ook:* chevron); *b*) strook; baan (*van vlag*); *c*) (zweep)slag; II *ww* strepen; (*fot*) van geluidsspoor voorzien (*a film*); **striped** [-t] gestreept

'strip-iron bandijzer

'strip-lighting TL-verlichting

'stripling jonge borst, jongmaatje

'stripper persoon (machine) die ... (zie *strip*); = *strip-tease artist*

strip-tease ['stripti:z] id.: dans tijdens welke de danseres zich geleidelijk ontkleedt; ~ *artist,* ~ danseres

stripy ['straipi] met strepen, streperig

strive [straiv] streven (*after, for* naar); zich inspannen, trachten; worstelen, strijden (*for* om, voor; *against, with* tegen)

stroke [strəuk] I *zn* slag, stoot; aanval (*van ziekte*), beroerte (= ~ *of apoplexy*), verlamming (= ~ *of paralysis*); trek, streep, haal; zet (*a bold* ~); (*sp*) 'slag', slagroeier; *a* ~ *of genius* geniale zet; ~ *of lightning* het treffen (inslaan) van de bliksem; ~ *of luck* buitenkansje; *he never did a* ~ *of work* voerde nooit een slag uit; ***at*** *one* (*a*) ~ met een slag; II *ww* strelen, (glad)strijken, aaien

stroll [strəul] I *ww* slenteren, wandelen, kuieren; ~*ing actor* rondreizend toneelspeler; II *zn* wandeling, kuier; **'stroller** [-ə] wandelaar; (*Am*) wandelwagentje

strong [strɔŋ; *comp:* 'strɔŋgə, *sup:* 'strɔŋgist] sterk, krachtig, hecht; stijf (*breeze*); zwaar (*beer, cigars*); hevig (*fever*); kras (*words; that's pretty* ~); vurig (*Tory*); geprononceerd, gedecideerd (*hold* ~ *views on* ...); kwalijk riekend (*breath*); vast (*the market is very* ~); *a company 200* ~ 200 man sterk; ~ *language* krasse taal, krachttermen, 'grof geschut'; ~ *stuff* krachtige taal; *he is* (*still*) *going* ~ hij doet het nog goed, is nog in goede conditie; **'strong-arm**: ~ *methods* hardhandige methoden; **'strong-'bodied** sterk, krachtig, pittig (*wine*); **'strong-box** geldkist, brandkast, safeloket; **'stronghold** sterkte, bolwerk (*ook fig*); **'strongish** [-iʃ] vrij sterk; **'strong language** vloeken, krachttermen; **'strong-'minded** krachtig (van geest), gedecideerd, resoluut; met een geprononceerde eigen opinie; **'strong-room** [-ru(:)m] (bank)kluis; **strong-willed** koppig, eigengereid

strop [strɔp] scheerriem

stroppy ['strɔpi] (*fam*) lastig, vervelend

structural ['strʌktʃərəl] structureel, de bouw betreffend, bouw...; **structure** ['strʌktʃə] structuur, (ge)bouw, bouwsel, samenstel(ling)

struggle ['strʌgl] I *ww* worstelen, strijden,

kampen, zwoegen; (tegen)spartelen; ~ *against,* (*ook*) opboksen tegen; ~ *along* (*on*) met moeite vooruitkomen; ~ *to one's feet* met moeite op de been (overeind) komen; II *zn* worsteling, strijd; krachtsinspanning

strum [strʌm]: ~ (*on*) *the guitar* (*piano*) t(j)ingelen, trommelen op ...

strumpet ['strʌmpit] (*vero*) hoer

strut [strʌt] I *zn* 1 trotse gang; 2 stut, schoor, stijl (*van vliegtuig*); II *ww* trots stappen; heen en weer stappen op (*the stage*)

stub [stʌb] I *zn* (boom)stronk, stomp(je), peukje (sigaar); strook(je) (*van postwissel, entreebiljet*), souche (*van cheque*), reçustrook (*van bagagelabel*); II *ww* rooien (*roots,* enz.); ~ *one's toe* zijn teen stoten; ~ *out one's cigarette* uitdoven, uitdrukken

stubble ['stʌbl] stoppel(s); stoppelveld; **stubbly** ['stʌbli] stoppelig

stubborn ['stʌbən] hardnekkig, halsstarrig, weerspannig; moeilijk te bewerken

stubby ['stʌbi] kort en dik, propperig

stucco ['stʌkəu] I *zn* stuc: pleisterkalk; stukadoorswerk; ~ *walls* gestuukte wanden; II *ww* stukadoren

stuck [stʌk] ovt & v. dw. van *stick; get* ~ niet verder kunnen; *be* ~ vast (verlegen) zitten; ~ *on,* (*sl*) verkikkerd op; ~ *with* opgescheept met; **'stuck-up** (*fam*) verwaand

stud [stʌd] I *zn* 1 stoeterij; (ren)stal; 2 (sier)spijker, knop(je) (ter versiering of versterking aan deur, enz.); los overhemds-, boord-, manchet-, drukknoopje; dop (van voetbalschoen); katteoog (*voor verkeer*); verbindingsbout in schakel van ketting; II *ww* beslaan met (voorzien van) ~*s*

student ['stju:dənt] student, beoefenaar, leerling; kenner; *soms:* beursstudent; ~ *nurse* leerling-verpleegster; ~*s' union* studentencorps-(vereniging)

stud farm ['stʌdfɑ:m] stoeterij; **'stud horse** dekhengst

studied ['stʌdid] *a*) bestudeerd, weloverwogen; vormelijk, gemaakt, gekunsteld; opzettelijk (*insult*); *b*) gestudeerd, bedreven

studio ['stju:diəu] id.; (*van schilder of beeldhouwer*) atelier

studious ['stju:djəs] *a*) vlijtig, ijverig, leergierig; *b*) angstvallig, nauwgezet

study ['stʌdi] I *zn: a*) studie; *b*) studeerkamer; II *ww* (be)studeren, studeren in (*medicine*); instuderen (*a part* rol); opnemen (*a p.*)

stuff [stʌf] I *zn* materiaal, grondstof(fen); goederen, waar (*foreign* ~); (*fam*) goed(je), spul; (*fam*) rommel, bocht, onzin; ~ *and nonsense* klinkklare onzin; *poor* ~, *sorry* ~ armzalig(e) goedje (kost enz.), bocht; *know one's* ~ zijn zaakjes kennen; *that's the* ~, (*sl*) je ware; zo mag ik het horen; II *ww* (op)vullen, volproppen, -stoppen (= ~ *out, up*); opzetten (*birds*); (*fam*) schransen; naar binnen werken (= ~ *down*); ~*ed shirt,* (*sl*) pompeuze leeghoofd; *get* ~*ed!* (*sl*) vlieg op!; **'stuffing** (op)vulsel; pakking; **'stuffy** [-i] *a*) benauwd, bedompt; *b*) (*fam*) bekrompen, conventioneel

stultify ['stʌltifai] *a*) tenietdoen, krachteloos (zinloos) maken (*a law*); *b*) geestdodend zijn

stumble ['stʌmbl] I *ww* struikelen (*at, over* over); strompelen; stamelen, hakkelen (*in one's speech*); ~ *across* (*upon*) toevallig aantreffen (*a passage*) of ontdekken (*a plot*), tegen het lijf lopen; II *zn* struikeling, blunder, misstap; **'stumbling-block** struikelblok, hinderpaal

stump [stʌmp] I *zn* stomp(je), stronk; houten been; ~*s* (*scherts*) benen; II *ww: a*) stommelen, klossen, zwaar stappen; *b*) in het nauw drijven, vastzetten, versteld doen staan; *be* ~*ed,* (*sl*) rut (helemaal berooid) zijn; ~ ***up*** (*sl*) (op)-dokken; **'stumper** iets waar men voor staat: moeilijke vraag, enz.; **'stumpy** [-i] kort en dik; stomp, afgestompt

stun [stʌn] bedwelmen (door een slag), verdoven; verbazen, versteld (verbluft) doen staan; **stunner** ['stʌnə] (*sl*) iets (iem) waar men verbaasd van staat, prachtexemplaar, stuk, (*isn't she a* ~?), kanjer, kolossale leugen, enz.; **stunning** ['stʌniŋ] (*sl*) magnifiek, verbluffend (mooi, enz.)

1 stunt [stʌnt] (in de groei) belemmeren

2 stunt [stʌnt] I *zn* (*fam*) id., kunststukje, gewaagde, spectaculaire actie; II *ww: a*) (*van vliegtuig bijv.*) 'stunten'; kunstvliegen, toeren doen; *b*) stunts doen met

stunted ['stʌntid] niet tot volle ontwikkeling gekomen, onvolgroeid, dwerg...

stupefy ['stju(:)pifai] bedwelmen, verdoven; afstompen; verbluffen, verstomd doen staan

stupendous [stju(:)'pendəs] verbazingwekkend, verbazend, kolossaal

stupid ['stju(:)pid] I *bn* dom, stom, onzinnig, wezenloos, saai; II *zn* domkop; **stupidity** [stju'piditi] domheid, stomheid, onzinnigheid (zie *stupid*)

stupor ['stju:pə] verdoving, bedwelming

sturdy ['stə:di] sterk, stoer, fors, stevig

sturgeon ['stə:dʒən] steur

stutter ['stʌtə] I *ww* stotteren; ~ *out* ...nd uitbrengen; II *zn* gestotter; **stutterer** [-rə] stotteraar

1 sty [stai] varkenshok, kot (*ook fig*)

2 sty(e) [stai] strontje, zweertje (op het ooglid)

style [stail] I *zn* stijl (*van bloemstamper*); stijl, (schrijf)trant; vormgeving; manier (van leven, van optreden); voorname manieren, distinctie; soort, type, genre; *free* ~ vrije slag (*zwemmen*); ***in*** ~ in stijl; *live in* (*grand, great*) ~ op grote voet; II *ww* betitelen, noemen; vorm geven, overeenkomstig een bepaalde stijl ontwerpen; **stylish** ['stailiʃ] modieus, elegant, deftig, chic; **stylist** ['stailist] stilist; **stylistic** [stai'listik] stilistisch

stylus ['stailəs] *a*) snijbeitel; *b*) (afspeel)naald, groeftaster (*van grammofoon*)

suave [swɑ:v] vriendelijk, minzaam, beleefd; aangenaam, zacht
sub- [sʌb-] onder-, bij-
subaltern ['sʌbltən] I *bn* id., ondergeschikt; onder...; II *zn* subalterne officier (*in Eng beneden kapiteinsrang*)
subcommittee ['sʌbkə'miti] subcommissie; commissie van advies en bijstand (in de gemeenteraad)
subconscious ['sʌb'kɔnʃəs] *bn* & *zn* onderbewust(zijn)
'sub-'continent een geheel vormend deel van werelddeel (bijv. Voor-Indië)
subcon'tractor onderaannemer; toeleveringsbedrijf, leverancier
subdivide ['sʌbdi'vaid] *a*) onderverdelen; *b*) zich weer verdelen; **subdivision** ['sʌbdiviʒən] *a*) onderverdeling; *b*) onderafdeling; *c*) (*Am*) verkaveling
subdue [səb'dju:] onderwerpen, bedwingen, beteugelen (*one's passions*); verzachten, temperen (*light*); **subdued** [-d] *ook:* gedempt (*tone*); ingehouden (*humour*); ingetogen (*in a ~ mood*), berustend; stemmig (*dress*)
sub-editor ['sʌb'editə] (tweede) redacteur
sub-head(ing) ['sʌb'hed(iŋ)] 2de of ondertitel, onderkop
subhuman ['sʌb'hju:mən] minder dan menselijk
subject ['sʌbdʒikt] I *bn* = *bw* onderworpen; afhankelijk (*to* van); blootgesteld, onderhevig (*to fits* aan toevallen); vatbaar (*to* voor); *~ to his approval* behoudens ...; II *zn* onderdaan; onderwerp (*ook gramm*), thema; (leer)vak; aanleiding, reden (*of, for, complaint* tot ...); III *ww* [səb'dʒekt] onderwerpen, blootstellen (*to* aan); **subjection** [səb'dʒekʃən] onderwerping; afhankelijkheid; **subjective** [səb'dʒektiv] subjectief; **subjectivity** [sʌbdʒek'tiviti] subjectiviteit; **subject-matter** ['sʌbdʒikt-] onderwerp, stof, materie, inhoud
subjugate ['sʌbdʒugeit] onderwerpen; **subjugation** [sʌbdʒu'geiʃən] onderwerping
subjunctive [səb'dʒʌŋktiv]: ~ (*mood*) aanvoegende wijs, conjunctief
sublet ['sʌb'let] onderverhuren
sublimate ['sʌblimeit] sublimeren
sublime [sə'blaim] subliem, hoog, verheven
'sub-ma'chine gun machinepistool
submarine ['sʌbməri:n] I *bn* onderzees; II *zn* onderzeeër
submerge [səb'mə:dʒ] *a*) onderdompelen, onder water zetten, overstromen; *b*) (onder)duiken; *~d rock* blinde klip; **submersion** [səb'mə:ʃən] onderdompeling, overstroming
submission [səb'miʃən] onderworpen-, onderdanig-, nederigheid; **submissive** [səb'misiv] onderdanig, onderworpen, nederig; **submit** [səb'mit] (zich) onderwerpen; voorleggen, onderwerpen (aan iems oordeel); óverleggen; *the Governor ~ted my name for appointment* droeg mij voor ter benoeming

subordinate [sə'bɔ:dinit] I *bn* ondergeschikt; *~ clause* bijzin; II *zn* ondergeschikte; III *ww* [sə'bɔ:dineit] ondergeschikt maken (*to* aan);
subordination [sə,bɔ:di'neiʃən] *a*) onderschikking; *b*) ondergeschiktheid, subordinatie
suborn [sʌ-, sə'bɔ:n] *a*) omkopen, verleiden; *b*) door omkoping verkrijgen
subpoena [səb'pi:nə] I *zn* (*writ of*) ~ dagvaarding; II *ww* dagvaarden
subscribe [səb'skraib] *a*) (onder)tekenen; *b*) inschrijven, intekenen (*to a loan* op een lening; *for shares, a book,* enz., op aandelen, enz.); inschrijven voor (*£ 100*), bijeenbrengen; zich abonneren (*to a newspaper* op ...); *~d capital* geplaatst ...; *I cannot ~ to this view* kan deze mening niet onderschrijven; *~ one's name to* zetten onder; **subscriber** [-ə] *a*) ondertekenaar; *b*) intekenaar, abonnee; **subscription** [səb'skripʃən] *a*) onderschrift; ondertekening; *b*) intekening; inschrijving, abonnement; *c*) contributie; (*Belg*) lidgeld
subsequent ['sʌbsikwənt] (daarop) volgend, later; *~(ly) to* later dan, na; *~ly, ook:* vervolgens
subservient [səb'sə:viənt] *a*) dienstbaar, ondergeschikt; *b*) onderdanig, kruiperig
subside [səb'said] *a*) (be)zinken, (in)zakken, verzakken; *b*) bedaren, luwen, tot rust komen; **subsidence** ['sʌbsidəns, səb'saidəns] verzakking
subsidiary [səb'sidjəri] I *bn* helpend, hulp...; bijkomstig, ondergeschikt; *~ company* dochtermaatschappij; II *zn* hulp(middel); helper, assistent
subsidize ['sʌbsidaiz] subsidiëren; (*Belg*) betoelagen; **subsidy** ['sʌbsidi] subsidie, bijdrage
subsist [səb'sist] (blijven) bestaan, leven (*upon* van); van kracht blijven; **subsistence** [-əns] bestaan; onderhoud, middel(en) van bestaan
subsoil ['sʌbsɔil] ondergrond, vaste grond
substance ['sʌbstəns] *a*) stof, substantie; *b*) wezen, werkelijkheid; *c*) degelijkheid (*lett & fig*); *d*) (hoofd)inhoud, hoofdzaak; *e*) (*vero*) vermogen; *in ~: a*) in hoofdzaak; *b*) in werkelijkheid
'sub-'standard beneden de maat
substantial [səb'stænʃəl] I *bn: a*) werkelijk (bestaand), wezenlijk, stoffelijk; *b*) stevig, lijvig, degelijk, solide; *c*) vermogend, welgesteld; *d*) aanzienlijk, belangrijk, aanmerkelijk; *~ly, ook:* in wezen, in hoofdzaak; II *zn: ~s* het wezenlijke, hoofdzaken
substantiate [səb'stænʃieit] bevestigen; bewijzen (*a charge* beschuldiging)
substantive ['sʌbstəntiv, *ook* səb'stæntiv] substantieel; zelfstandig, onafhankelijk
substitute ['sʌbstitju:t] I *zn* plaatsvervanger; (*sp*) invaller, wisselspeler; surrogaat, vervangmiddel; II *ww: a*) in de plaats stellen; *b*) als plaatsvervanger optreden, vervangen (ook: *~ for*); (*sp*) invallen; **substitution** [sʌbsti'tju:ʃən] substitutie; (plaats)vervanging

sua

substructure ['sʌbstrʌktʃə] onderbouw, fundament, grondslag
subtenant ['sʌb'tenənt] onderhuurder
subterfuge ['sʌbtəfju:dʒ] uitvlucht; list, heimelijke poging
subterranean [sʌbtə'reiniən] onderaards
subtility [sʌb'tiliti] scherpzinnigheid; spitsvondigheid, subtiliteit
subtitle ['sʌbtaitl] I *zn* tweede titel, ondertitel, onderschrift; (*Belg*) voettitel; II *ww* ondertitelen
subtle ['sʌtl] fijn, teer, subtiel, bijna onmerkbaar, onnaspeurlijk; fijnbesnaard; scherp, spitsvondig, vernuftig, geraffineerd (*the ~st form of flattery*); '**subtlety** [-ti] fijnheid, teerheid; spitsvondigheid; geraffineerdheid; subtiliteit; haarkloverij
subtract [səb'trækt] aftrekken, onttrekken; **subtraction** [səb'trækʃən] af-, onttrekking, vermindering
subtropical [-l] I *bn* subtropisch; II *zn: subtropics* subtropische streken
suburb ['sʌbə:b] buitenwijk, voorstad, randgemeente; **suburban** [sə'bə:bən] van of in de voorstad of voorsteden; kleinsteeds, kleinburgerlijk, bekrompen (= *~ in outlook*); **suburbia** [sə'bə:biə] (*fam*) de voorsteden
subversion [səb'və:ʃən] omverwerping, ondermijnende activiteit(en); **subversive** [səb'və:siv] omverwerpend, revolutionair ondermijnend (*activity*); **subvert** [sʌb'və:t] omverwerpen
subway ['sʌbwei] onderaardse (door)gang, (voetgangers)tunnel; (*Am*) ondergrondse spoorweg
succeed [sək'si:d] *a*) opvolgen (ook: *~ to*); volgen op, komen na, volgen (*to* op); *b*) slagen, goed aflopen, gelukken; *~ in getting the place* erin slagen ... te krijgen; *~ to a post* opvolgen in een ambt
success [sək'ses] succes, welslagen, gunstige uitslag, goede afloop; **successful** [-f(u)l] succes hebbend, succesvol, voorspoedig, gelukkig; geslaagd
succession [sək'seʃən] *a*) (erf)opvolging, erfrecht; *b*) op(een)volging, (volg)reeks; *c*) nakomelingschap; *by ~* volgens erfrecht; *title by ~* geërfde titel; *in ~* achtereen, na elkaar; **successive** [sək'sesiv] (opeen)volgend; *on three ~ days* drie dagen achtereen; **successively** [-li] achtereenvolgens, successievelijk; **successor** [sək'sesə] opvolger
succinct [sək'siŋkt] kort, bondig, beknopt; **succinctness** beknoptheid
succour ['sʌkə] I *ww* te hulp komen, helpen, steunen, ontzetten; II *zn* hulp, bijstand, steun; helper
succulence ['sʌkjuləns] sappigheid; **succulent** ['sʌkjulənt] sappig; sappige plant
succumb [sə'kʌm] bezwijken (*to* voor)
such [sʌtʃ (*soms*) sətʃ] zulk (een), zo(een), zodanig; degenen, zij; dergelijke(n); zulks; *~ another: a*) nog zo een; *b*) (net) zo een; *~ a one* zo iemand; zo een; *on ~ (and ~) a date* op die en die datum; *no ~ thing* niets van dien aard; beslist niet; *~ is life* zo gaat het in het leven; *we had ~ fun!* verbazend veel pret; *~* ***as*** zoals (*all sorts of things, ~ as ...*); *~ commerce as there was* het beetje handel dat er was; *as ~* als zodanig; (*fam*) dus; **such-and-such** ['sʌtʃənsʌtʃ] zo-en-zo; '**suchlike** dergelijke(n)
suck [sʌk] I *ww* zuigen (aan, op), in-, op-, uitzuigen; *~ a p. dry* iem uitzuigen; *~* ***at*** zuigen aan (op); *~* ***in*** in-, opzuigen; in zich opnemen; *~* ***up*** opzuigen, opslorpen; *~ up to a p.,* (*sl*) iem flikflooien, met iem trachten aan te pappen; II *zn: a*) het ...; zuiging; *b*) slokje; '**sucker** [-ə] ...er; (*plantk*) zuiger; (*dierk*) zuigorgaan, -napje; zuigvis; (pomp)zuiger; zuigbuis; onnozele hals; '**sucking-pig** speenvarken
suckle ['sʌkl] zogen; (*fig*) grootbrengen; **suckling** ['sʌkliŋ] zuigeling; nog zuigend dier
suction ['sʌkʃən] zuiging; '**suction-pump** zuigpomp; '**suction-valve** zuigklep
sudden ['sʌdn] plotseling, onverhoeds, haastig, overijld, heetgebakerd; scherp (*van bocht, enz*); (*all*) *of a ~* plotseling; '**suddenly** [-li] plotseling, eensklaps
suds [sʌdz] zeepsop; schuim
sue [s(j)u:] in rechten vervolgen (aanspreken) (= *~ at law*); een eis instellen (*for damages* tot schadevergoeding; verzoeken, smeken (*for* om)
suet ['s(j)uit] niervet
suffer ['sʌfə] *a*) lijden; schade lijden; ondergaan (*punishment*); boeten (*for* voor); *b*) (toe)laten; (*vero*) dulden, uithouden, uitstaan, verdragen; *~ o.s. to be imposed upon* zich laten beetnemen; *~ by* schade lijden door; *~ from a disease* lijden aan; *~ from the war* lijden door (onder); **sufferance** ['sʌf(ə)rəns] (stilzwijgende) toestemming, toelating, het dulden; **sufferer** ['sʌfərə] lijder; martelaar; slachtoffer; '**suffering** zie *suffer; ~(s)* lijden
suffice [sə'fais] genoeg (voldoende) zijn (voor); **sufficiency** [sə'fiʃənsi] *a*) voldoend(e) voorraad (hoeveelheid, inkomen), genoeg om van te leven; *b*) voldoendheid; **sufficient** [sə'fiʃənt] voldoende, genoeg
suffix ['sʌfiks] achtervoegsel
suffocate ['sʌfəkeit] (doen) stikken, smoren; *suffocatingly hot* stikheet; **suffocation** [sʌfə'keiʃən] verstikking
suffrage ['sʌfridʒ] kies-, stemrecht
suffuse [sə'fju:z] overgieten, -spreiden, bedekken; **suffusion** [sə'fju:ʒən] waas; blos
sugar ['ʃugə] I *zn* suiker; (*fig*) zoete woordjes, vleierij; II *ww* (be)suikeren, suiker doen in; (*fig*) smakelijk maken, verzoeten, verbloemen (= *~ over*); '**sugar-basin** [-beisn] suikerpot; '**sugar-beet** suikerbiet; '**sugar-bowl** suikerpot; '**sugar-candy** kandijsuiker; '**sugar-cane** suikerriet; '**sugar-caster** suikerstrooier; '**sugar-plantation** suikerplantage; '**sugar-**

refiner(y) suikerraffinadeur (-naderij); **'sugar-sifter** suikerstrooier; **'sugar-tongs** [-tɔŋz] suikertangetje; **'sugary** [-ri] suikerachtig; suikerzoet (*ook fig*), suiker...
suggest [sə'dʒest] aan de hand doen, opperen, in overweging geven, voorstellen, aanraden; ingeven, suggereren; voor de geest roepen, doen denken aan, aanduiden, doen vermoeden, wijzen op; *the idea naturally ~s itself* komt als vanzelf bij iem op; *I don't ~that he is insincere* ik wil niet zeggen, dat ...; **suggestion** [sə'dʒestʃən] ingeving, aansporing; (zwakke) aanduiding; wenk; zweem; voorstel, idee; suggestie; *~(s) box* ideeënbus; **suggestive** [sə'dʒestiv] te denken gevend, tot nadenken stemmend (*speech*); veelbetekenend; suggererend, suggestief; (*van toespeling, enz*) *ook:* gewaagd, van verdacht gehalte; (*van plan, enz*) bij iem opkomend; *be ~ of* doen denken aan, wijzen op
suicidal [s(j)ui'saidl] zelfmoord(enaars)..., zelfmoordend; **suicide** ['s(j)uisaid] *a*) zelfmoord; *b*) zelfmoordenaar; *~ commando* zelfmoordcommando; *~ squad,* (*mil*) afdeling vrijwilligers voor zeer gevaarlijk werk (*ook fig*); *commit ~* zelfmoord plegen
suit [s(j)u:t] I *zn*) *a*) proces, rechtsgeding = *~ in* (*at*) *law*; *b*) pak (kleren), kostuum; *c*) kleur (in kaartsp); kaarten van één kleur; *~ of armour* wapenrusting; II *ww* aanpassen (*to* aan), geschikt maken; voorzien (*with* van); schikken, passen (voor, bij), voegen, geschikt zijn voor, gelegen komen, aanstaan; *~ed to* (*for*) *the purpose* (*to his genius*) geschikt voor; *~ o.s.* doen of kiezen wat men wil; zijn eigen gang gaan; *~ the action to the word* de daad bij het woord voegen; (*it*) *~s me* (*down to the ground* (*to a T*)) (het is) net wat ik hebben moet; *bacon does not ~ me* bekomt me niet; *that dress doesn't ~ you* staat u niet; *~ with* voorzien van; overeenkomen met; passen bij (*zie boven*); **suitability** [s(j)u:tə'biliti] gepastheid, geschiktheid; **'suitable** [-əbl] gepast, passend, voegzaam; geschikt
suitcase ['s(j)u:tkeis] platte koffer
suite [swi:t] gevolg (*van vorst, enz*); reeks van vertrekken (= *~ of rooms*); ameublement (= *~ of furniture*); (*muz*) suite
suitor ['s(j)u:tə] (*vero*) vrijer, huwelijkskandidaat
sulk [sʌlk] pruilen, mokken, een chagrijnige bui hebben; ook: *have the ~s, be in a fit of the ~s*; **sulky** ['sʌlki] I *bn* pruilerig, chagrijnig; II *zn* id.: tweewielig eenpersoonswagentje
sullen ['sʌlən] gemelijk, knorrig, nors, stuurs; koppig, weerspannig; naargeestig; akelig, somber, druilerig; traag; dof (*van geluid*)
sulphur ['sʌlfə] I *zn* zwavel; II *bn* zwavelkleurig, groengeel; **sulphurous** [sʌl'fjuəriəs] zwavel(acht)ig, -kleurig, zwavel...
sultry ['sʌltri] drukkend, zwoel; (*fig ook*) onfris, onsmakelijk; wellustig

sug

sum [sʌm] I *zn* som; totaal (= *~ total*); aantal, bedrag, hoeveelheid; *do ~s* sommen maken; *~ in addition* optelsom; *good* ***at*** *~s* goed in het rekenen; ***in*** *~: a*) in totaal; *b*) in één woord; II *ww* optellen (= *~ up*); opsommen (= *~ up*); samenvatten, resumeren, recapituleren (gew.: *~ up*); sommen maken; *these instances ~ up to several dozen* het aantal van ... beloopt ...; *~ a p. up* zich een oordeel over iem vormen, iem doorzien
summarily ['sʌmərili] summier, in het kort; *~ arrested* op staande voet gearresteerd; *deal ~ with* korte metten maken met
summarize ['sʌməraiz] resumeren, samenvatten; **summary** ['sʌməri] I *bn* beknopt, kort, summier; snel; II *zn* kort begrip, samenvatting, resumé
summer ['sʌmə] zomer; **'summer-house** tuinhuisje; **'summer-school** vakantiecursus aan universiteit; **'summer-'term** 'kwartaal' vóór de zomervakantie; **summer-time** [*het seizoen:* 'sʌmətaim; *zomertijdregeling:* 's-'t] zomertijd; **'summery** [-ri] zomers
'summing-'up samenvatting, resumé, inz. van de rechter ten behoeve van de jury; eindoordeel
summit ['sʌmit] *a*) top, kruin; toppunt; *b*) *~ meeting* topconferentie
summon ['sʌmən] (op-, bijeen)roepen, ontbieden, sommeren, dagvaarden, bekeuren; **summons** ['sʌmənz] I *zn* dagvaarding, sommatie, oproeping; II *ww* dagvaarden; bekeuren
sump [sʌmp] (zink-, mijn)put; (*van auto, enz*) ondercarter: oliereservoir; (*dialect*) moeras
sumptuous ['sʌm(p)tjuəs] kostbaar, weelderig, weids, prachtig, rijk
sun [sʌn] I *zn* zon, zonneschijn; *against* (*with*) *the ~* tegen de zon in (met de zon mee); II *ww* (zich) zonnen (koesteren); warmen (drogen, enz.) in de zon; (be)schijnen; **'sun baked** zonovergoten, door de zon gelooid; **'sunbathe** [-beið] zonnebaden (nemen); **'sunbeam** zonnestraal; **'sun-blind** zonneblind, -scherm, markies, jaloezie; **'sunburn** door de zon verbrande tint, zonnebrand; **'sunburnt** door de zon verbrand, gebruind
Sunday ['sʌnd(e)i] zondag; *~ off* vrije zondag; *~ best* zondagse kleren; **'Sunday school** zondagsschool
sunder ['sʌndə] (zich) scheiden, afscheiden, verdelen, splijten
'sundial [-daiəl] zonnewijzer; **'sundown** zonsondergang; **'sun drenched** zonovergoten; **'sun-dried** [-draid] in de zon gedroogd (*copra*)
sundries ['sʌndriz] diversen, allerlei zaken
sun-dry ['sʌndrai] in de zon drogen; **'sunflower** [-flauə] zonnebloem; **'sun-glare** [-glɛə] zonnebrand, -gloed; **'sun-glasses** zonnebril
sunken ['sʌŋk(ə)n] (in)gezonken; ingevallen (*cheeks*), diepliggend (*eyes*); (*fig*) vernederd, gebroken; *~ road* holle weg; *~ rock* blinde klip

'**sun-lamp** hoogtezon; '**sunless** zonder zon; somber; '**sunlight** zonlicht; '**sunlit** door de zon verlicht; '**sun-lounge** serre

sunny ['sʌni] zonnig, glanzend, vrolijk; ~ *side* zonnekant; (*fig*) goede (gunstige, vrolijke) kant

'**sun-proof** zonbestendig; '**sun-ray** zonnestraal; ~ *lamp* hoogtezon; '**sunrise** zonsopgang; '**sunroof** schuifdak (*van auto*); '**sunset** zonsondergang; '**sunshade** parasol, zonnescherm (ook voor venster); zonneklep; '**sunshine** zonneschijn; vrolijkheid; voorspoed; zonnetje (in huis, enz. = *little* [*ray of*] ~); '**sunspot** *a*) zonnevlek; *b*) zonnige vakantieplaats; '**sunstroke** zonnesteek; '**sun-tanned** door de zon gebruind; '**sun-trap** zonnig(e) plaats (hoekje); ~ *shelter* solarium; '**sun-visor** [-vaizə] zonneklep (*van auto*); '**sun-worship** [-'wə:ʃip] zonnedienst, zonaanbidding

sup [sʌp] I *ww* (*vero*) zijn avondmaal gebruiken; II *zn* slokje

super ['s(j)u:pə] (*benzine*) id.; (*fam*) id., fantastisch, beeldschoon

super- ['s(j)u:pə] *dikwijls:* boven, over, verder, meer dan; buitengewoon

superabundance [ˌs(j)u:pərə'bʌndəns] grote overvloed; **superabundant** [ˌs(j)u:pərə'bʌndənt] meer dan genoeg, (te) overvloedig

superannuate [s(j)u:pər'ænjueit] *a*) ontslaan (verwijderen) wegens de leeftijd, pensioneren; *b*) de dienst (wegens de leeftijd) verlaten; ~*d, ook:* afgedankt; versleten; te oud; verouderd; **superannuation** [ˌs(j)u:pəˌrænju'eiʃən] *a*) pensionering, emeritaat; (*Belg*) opruststelling; *b*) pensioen

superb [s(j)u(:)'pə:b] groots, prachtig, verheven; (*fam*) kolossaal, ongehoord (*impudence*)

'**super-charger** (*techn*) compressor, aanjager

supercilious [s(j)u:pə'siliəs] hooghartig, verwaand, uit de hoogte

superficial [s(j)u:pə'fiʃəl] oppervlakkig; ondiep; vlakte...; ~ *foot* vierkante voet; ~ *measure* vlaktemaat

superfluous [s(j)u(:)'pə:fluəs] overtollig, overbodig

superhuman [s(j)u:pə'hju:mən] bovenmenselijk

'**superim'pose** er bovenop (overheen) plaatsen; plaatsen (*on* op, boven)

superintend ['s(j)u:p(ə)rin'tend] toezichthouden (op), controleren; **superintendent** [-ənt] opzichter, inspecteur, directeur, -trice; gouverneur; ~ (*of police*), (*ongev*) hoofdinspecteur (van politie)

superior [s(j)u(:)'piəriə] I *bn* hoger, groter, beter, enz. (*to* dan); opper..., boven..., hoofd...; superieur, voortreffelijk; deftig, voornaam; arrogant (~ *airs*), hooghartig, uit de hoogte; (*plantk*) bovenstandig; ~*force* overmacht; *his* ~ *officer* de (in rang) boven hem staande officier; *Mother S*~ Eerwaarde Moeder, Moederoverste; II *zn* superieur, meerdere; **superiority** [s(j)u(:)ˌpiəri'ɔriti] superioriteit, meerderheid, meerdere bekwaamheid (voortreffelijkheid); overmacht; voorrang

superlative [s(j)u(:)'pə:lətiv] superlatief: I *bn* van de hoogste graad, ongemeen, voortreffelijk, prachtig; II ~ *degree* = *zn* overtreffende trap

superman ['s(j)u:pəmæn] supermens

'**supermarket** supermarkt, grote winkel met zelfbediening

supernatural [s(j)u:pə'nætʃərəl] bovennatuurlijk

supernormal [s(j)u:pə'nɔ:məl] meer dan normaal; **super'numerary** [-nju:mərəri] I *bn* boven het gewone aantal, over-, boventallig, extra; II *zn* overtallig persoon (ding); (*theat*) figurant

superscription [ˌs(j)u:pə'skripʃən] opschrift

supersede [s(j)u:pə'si:d] vervangen; verdringen, opzij zetten; afschaffen, te niet doen; voorbijgaan (bij promotie)

supersonic [s(j)u:pə'sɔnik] supersonisch, sneller dan het geluid (*flight, rocket, wave*)

superstition [s(j)u:pə'stiʃən] bijgeloof, bijgelovigheid; **superstitious** [s(j)u:pə'stiʃəs] bijgelovig

'**superstructure** bovenbouw

supervise ['s(j)u:pəvaiz] het toezicht hebben op, toezien (op); begeleiden (*a pupil*); surveilleren; **super'vision** [-viʒən] toezicht, begeleiding, surveillance, controle; '**supervisor** [-vaizə] opziener, inspecteur; (*univ*) studieleider

supine [s(j)u:'pain] achteroverliggend, -hellend; traag, indolent

supper ['sʌpə] avondeten, avondmaal, souper

supplant [sə'plɑ:nt] verdringen, onderkruipen

supple ['sʌpl] buigzaam, lenig, soepel, elastisch

supplement I *zn* ['sʌplimənt] id., bij-, toevoegsel, aanvulling; suppletie, bijstorting, bijbetaling; II *ww* ['sʌpliment, sʌpli'ment] aanvullen; **supplementary** [sʌpli'mentəri] aanvullend, aanvullings... (*estimates*), suppletoir, supplements...; ~ *benefit* bijstand

supplicant ['sʌplikənt] smekeling; rekwestrant; **supplicate** ['sʌplikeit] smeken (om), nederig verzoeken (*for* om)

supplier [sə'plaiə] leverancier (zie ook *supply*);

supply [sə'plai] I *ww* aanvullen (*a defiency*); invoegen; vergoeden (*a loss*); voorzien in (*a want*), voldoen aan (*the demand* aanvraag); verschaffen, aanvoeren, leveren (*goods*); voorzien (*with* van); vervullen (*a vacancy*); vervangen, (voor iem) waarnemen; II *zn* aanvulling; voorziening (*of wants* in ...); verschaffing, levering; proviandering; bevoorrading; waarneming, vervanging (*inz. van predikant*); voorraad; aan-, toevoer; aanbod (*tegenover vraag*); *mv ook:* budget van uitgaven; levensbehoeften; ~ *and demand* vraag en aanbod; **supply-line** toevoerlijn; **supply-ship** aanvoerschip

support [sə'pɔ:t] I *ww: a*) (onder)steunen, bijstaan, stutten; volhouden, staven (*a theory*); ophouden, drijvende houden; steun (kracht) geven; bijvallen, aanmoedigen; onderhouden; trouw bezoeken; *b*) (met *can/cannot*) (ver)dragen, verduren, uithouden; *I cannot ~ this heat* ik kan deze hitte niet verdragen; II *zn* steun, ondersteuning; staving; stut, steunbalk, beugel, onderstel, statief; (levens)onderhoud, middel(en) van bestaan, voedsel; vast publiek; **supportable** [-əbl] te verdragen, draaglijk, duldbaar; **supporter** [-ə] ondersteuner, steun, medestander, voorstander, verdediger; aanhanger; (*sp*) id.; donateur; begeleider; **supporting**: *~ part* (*role*) kleine rol (*in film enz*); *~ programme* voorprogramma

suppose [sə'pəuz] (ver)onderstellen, stellen, aannemen, vermoeden, menen; *let it be ~d that* ... laten we aannemen, dat ...; *I'm not ~d to know* ik word verondersteld het niet te weten; *you're not ~d to smoke here* je mag hier niet roken; **supposedly** [-idli]: *~ written by* naar men (wel) veronderstelt ..., vermoedelijk ...; *~ to help her, ook:* zogenaamd om haar te helpen; **supposition** [sʌpə'ziʃən] (ver)onderstelling, vermoeden; *on* (*in*) *the ~ that* in de veronderstelling dat ...

suppository [sə'pɔzitəri] zetpil

suppress [sə'pres] onderdrukken (*a rebellion, a sigh*), bedwingen; achterhouden; verbieden (*a book*); opheffen (*monasteries*); weglaten, verzwijgen (*details*); stelpen, stoppen; (*Am sl*) uit de weg ruimen; **suppression** [sə'preʃən] onderdrukking, bedwinging; **suppressive** [-iv] onderdrukkings...; **suppressor** [-ə] onderdrukker; ontstoringsapparaat

suppurate ['sʌpjureit] etteren, etter vormen

supra ['s(j)u:prə] boven; **'supra'national** supra-, boven-nationaal

supremacy [s(j)u(:)'preməsi] oppermacht, oppergezag, suprematie; **supreme** [s(j)u(:)'pri:m] hoogst, opperst, opper...; voortreffelijk; verheven; uiterst; soeverein, oppermachtig; *the S~ Being* de Allerhoogste, het Opperwezen; *S~ Court* Hooggerechtshof; *~ folly* toppunt van dwaasheid; *the ~ penalty* de doodstraf; *stand ~* allen (alles) overtreffen

surcharge I *zn* ['sə:tʃɑ:dʒ] opcenten, toeslag, strafport; overbelasting; surplus; overláding; overvraging; II *ww* [sə:'tʃɑ:dʒ] overvragen, extra (een toeslag) laten betalen; overláden

sure [ʃuə, ʃɔ:(ə)] I *bn: a*) zeker, verzekerd; onfeilbaar, vast; *for ~* buiten kijf, zeker; *I am ~ I don't know* ik weet het heus niet; *I'm not ~* ik weet het niet zeker; *to be ~* (wel) zeker; *b*) weliswaar; *c*) waarachtig! wel wel!; *what a surprise, to be ~!* wel, wat een ...!; *~ things* iets zekers; *~ thing!* (*Am*) (ja) zeker! wel zeker!; *make ~* (*that*) ...: *a*) zorgen (erom denken) dat ...; *b*) zich ervan vergewissen, dat ...; *make ~ of* zich verzekeren (overtuigen) van; bemachtigen; *I don't know for ~* weet het niet zeker; *he is ~ to be in time* komt zeker op tijd; *be ~ to tell* (*fam, be ~ and tell*) *him* zeg (het) hem vooral; II *bw* (voor)zeker (*inz. Iers* & *Am*); *~ enough* zo zeker als wat, waarachtig; **'sure-fire** onfeilbaar, zeker van succes; **'sure-'footed** [-futid] vast van voet, stevig op de benen; (*fig*) be-, vertrouwbaar; **'surely** [-li] zeker, voorzeker; toch; *~ something can be done?* er kan toch zeker iets gedaan worden?; **surety** ['ʃuə(ri)ti] borg; borgtocht; *stand ~ for* borg worden of zijn voor, zich garant stellen voor

surf [sə:f] I *zn* branding; II *ww* surfen, ook *~ riding* (*zie daar*)

surface ['sə:fis] I *zn* oppervlak(te), vlak, buitenkant; *on the ~: a*) aan de oppervlakte; *b*) oppervlakkig (beschouwd); *break ~,* (*van duikboot, enz*) bovenkomen; *~ to air missile* vanaf de grond gelanceerd anti-raket- of vliegtuigwapen; II *attr* oppervlakte... (tegenover onderzee...; *~ craft, ship, vessel*); over land of zee (tegenover lucht...; *~ transport; ~ mail* tegenover *airmail*); oppervlakkig (*knowledge*); uiterlijk (*politeness*); geveinsd (*merriment*); III *ww* van een oppervlak voorzien, verharden (*een wegdek*), bedekken; aan de oppervlakte brengen of komen; opduiken; **'surface-noise** gekras, oppervlakteruis (*van grammofoonplaat*)

'surfboard surfplank

surfeit ['sə:fit] I *zn* overlading (van de maag); oververzadiging; II *ww* (de maag) overladen, zich overeten

surfer ['səfə] id.; **'surf-rider** [-raidə] surfer; **'surf-riding** [-raidiŋ] het glijden (in boot of op plank) over de branding, surfen

surge [sə:dʒ] I *ww* golven, hoge baren vormen, (aan)zwellen, deinen, stromen (*~ past*), opzwellen; dringen, stuwen (*~ forward*); II *zn* stuwing, stroming; (grote) golf (golven), stortzee; opwelling

surgeon ['sə:dʒən] chirurg; officier van gezondheid; scheepsdokter; *dental ~* tandarts; **surgery** ['sə:dʒəri] *a*) heelkunde, chirurgie; medische (chirurgische) ingreep; *b*) behandel-, spreekkamer; *c*) spreekuur; **'surgery-hours** spreekuur, -uren; **surgical** ['sə:dʒikl] chirurgisch, heelkundig; *~ spirit* ontsmettingsalcohol

surly ['sə:li] nors, knorrig, korzelig, gemelijk

surmise [sə:'maiz] vermoeden, gissen

surmount [sə(:)'maunt] te boven komen, overwinnen; be-, overklimmen; springen over; staan (liggen, enz.) op; **surmountable** [-əbl] overkomelijk

surname ['sə:neim] familie-, achternaam

surpass [sə(:)'pɑ:s] overtreffen, te boven gaan

surplice ['sə:plis, -əs] koorhemd

surplus ['sə:pləs] I *zn* id., overschot, teveel; II *bn* overtollig, over...; *~ population* bevolkingsoverschot; *~ value* meerwaarde, overwaarde

surprise [sə'praiz] I *zn* verrassing, overrompeling, verbazing; surprise; ~, ~*!* wat een verrassing!; *take by* ~ bij verrassing nemen, overrompelen; II *ww* verrassen, overrompelen, overvallen, betrappen; verwonderen, verbazen; *be ~d at* zich verbazen over; **surprise-attack** overval; **surprise-packet** surprise; **surprising** verwonderlijk, verbazingwekkend
surrealism [sə'riəlizm] surrealisme; **surrealist** [sə'riəlist] surrealist(isch)
surrender [sə'rendə] I *ww* (zich) overgeven (*to* aan); uit-, inleveren; afgeven; afstaan, afstand doen van; ~ *a policy,* (*verzekering*) een polis afkopen; II *zn* het ...; overgave, uitlevering, afstand; (*verzekering*) afkoop
surreptitious [sʌrəp'tiʃəs] op slinkse wijze verkregen, clandestien, heimelijk; vervalst
surrogate ['sʌrəgit] plaatsvervanger (*inz. van bisschop*); surrogaat
surround [sə'raund] I *ww* omringen, omsingelen, insluiten; II *zn* rand (inz. tussen karpet en wand); omlijsting; **surroundings** [-iŋz] omgeving, omstreken
surtax ['sə:tæks] I *zn* extra-belasting op hoge inkomens; II *ww* extra belasten
surveillance [sə(:)'veiləns] id., observatie
survey I *ww* [sə:'vei] overzien, toezien op; opnemen, onderzoeken, inspecteren; opmeten (*land*), karteren; taxeren; II *zn* ['sə:vei] inspectie, onderzoek; enquête; rapport, expertise (*bij verzekering*); overzicht; panorama; landschap; opneming, opmeting (*van land*), kartering, opname; topografische kaart (*ordnance* ~)
surveyor [sə(:)'veiə] *a*) opziener, opzichter, inspecteur; *b*) landmeter; *c*) taxateur, expert
survival [sə(:)'vaivl] overleving; voortbestaan; overblijfsel; ~ *of the fittest,* (*biol*) het blijven voortbestaan van de best aangepaste soorten; **survive** [sə(:)'vaiv] *a*) overléven; *b*) nog leven (bestaan); blijven leven (bestaan), voortbestaan, bewaard blijven; **survivor** [sə:'vaivə] overlevende
susceptibility [səˌseptə'biliti] vatbaarheid, gevoeligheid; **susceptible** [sə'septəbl] vatbaar (*to* voor); gevoelig (*to* voor); blootgesteld (*to* aan); ontvankelijk; lichtgeraakt, licht ontvlambaar
suspect I *ww* [səs'pekt] verdenken, wantrouwen; vermoeden; achterdocht koesteren; (*fam*) veronderstellen, vermoeden (*I ~ you are right*); II *bn* & *zn* ['sʌspekt] verdacht(e)
suspend [səs'pend] ophangend (*from the ceiling* aan ...); schorsen (*a p. from duty* in zijn betrekking); (van school) wegsturen; opschorten (*one's judgment*), staken (*hostilities*); onderbreken; tijdelijk intrekken (*a motor-licence*) of buiten werking stellen (*the constitution*); *be ~ed, ook:* hangen (*from* aan); zweven; *~ed sentence* voorwaardelijke veroordeling; **suspender** [-ə] sok-, kousophouder, jarretelle; *~s* (*inz. Am, gew mv*) bretel
suspense [səs'pens] onzekerheid (*keep* [*hold*] *in* ~ in ... laten), spanning
suspension [səs'penʃən] ...ing (zie *suspend*), suspensie; hangende (zwevende) toestand; iets hangends; schokbreker (*auto, enz*); ophangpunt (= *point of* ~); staking van betaling (= ~ *of payment*), uitstel; '**suspension bridge** hang-, kettingbrug
suspicion [səs'piʃən] *a*) verdenking, achterdocht, argwaan; vermoeden; *b*) ietsje, schijntje, zweem (*a ~ of garlic in the salad*); *above* ~ boven alle verdenking verheven; *be under* ~ onder verdenking staan; **suspicious** [səs'piʃəs] *a*) achterdochtig; *b*) verdacht; *be ~ of* wantrouwen
suss [sʌs] (*fam*) ontdekken, er achter komen (ook ~ *out*)
sustain [səs'tein] (onder)steunen, (ver)dragen, schragen; kracht geven; volhouden (*this spirit is ~ed throughout the work*); ophouden, staande houden; hooghouden (*one's authority*); gaande houden (*the conversation*); onderhouden (*a correspondence*); aanhouden (*a note, sound*); doorstaan (*a siege, the comparison*); lijden (*a loss*); ~ *an injury* letsel oplopen; **sustained** [-d] volgehouden (*effort*), aanhoudend, onafgebroken, langdurig (*experience*); **sustenance** ['sʌstinəns] onderhoud, voeding, voedsel; steun
suzerain ['s(j)u:zərein] I *zn* leenheer, opperheer, suzerein; II *bn* oppermachtig, soeverein
svelte [svelt] slank en elegant
swab [swɔb] I *zn* zwabber, wisser, doek; prop (watten, enz.); *a* ~, (*med*) uitstrijkje voor microscopisch onderzoek; II *ww* zwabberen, dweilen, enz.
swaddle ['swɔdl] inbakeren, zwachtelen; **swaddling-bands**, **swaddling-clothes** ['swɔdliŋbændz, -kləuðz] (*vero*) luiers, windsels; *he is just out of swaddling-clothes* komt pas kijken
swag [swæg] (*sl*) buit
swagger ['swægə] I *ww* zich airs geven, (rond)stappen als een pauw (= ~ *about*); snoeven, opscheppen; II *zn* airs, opschepperij, zwier, zwierige gang
swain [swein] (*lit, vero*) jonge (buiten)man; (landelijk) minnaar
swallow ['swɔləu] I *ww* slikken (*ook fig: insults,* enz.); in-, doorslikken, binnenkrijgen, opslokken, verzwelgen, verslinden (= ~ *down, in, up*); terugnemen (*one's words*); opzij zetten (*one's pride*); klakkeloos aannemen (*an idea*); ~ *hard* zich vermannen; II *zn* 1 slok; *at one* ~ in één slok; 2 (boeren)zwaluw; **swallow-tail** ['swɔləuteil] zwaluwstaart; (*fam*) = ~ *coat* rok (*van rokkostuum*); '**swallow-tailed** [-d] met een zwaluwstaart; gevorkt
swamp [swɔmp] I *zn* moeras; II *ww* vol water (doen) lopen (*van boot*); onder water zetten, overstromen; overstelpen (*with words*); '**swampy** [-i] moerassig, drassig

swan [swɔn] zwaan
swank [swæŋk] (*fam*) I *ww* opsnijden, dik doen; zich aanstellen; II *zn* opsnijderij, bluf, dikdoenerij
swan-like ['swɔn-] als (van) een zwaan; '**swan-neck** zwanehals (*ook:* gebogen eind van afvoerbuis); '**swan's-down** zwanedons; '**swan-song** zwanezang
swap [swɔp] ook *swop* I *ww* (ver)ruilen, uitwisselen; ~ *horses* 'omzwaaien'; ~ *stamps* postzegels ruilen; II *zn* ruil
swarm [swɔ:m] I *zn* zwerm; II *ww* zwermen, krioelen, wemelen (*with* van)
swarthy ['swɔ:ði] donker, getaand, bruin
swashbuckler ['swɔʃbʌklə] vechtersbaas, ijzervreter; avonturier (*in film, enz*)
swat [swɔt] (dood)slaan, meppen (*vlieg, enz*)
swath [swɔ:θ *mv* swɔ:ðz] afgemaaide strook gras, hooi, enz.; (*fig*) strook, rij
swatter ['swɔtə] vliegemepper
sway [swei] I *ww* (doen) zwaaien (slingeren, schommelen, wiegelen, overhellen); II *zn* zwaai, schommeling; macht, heerschappij, invloed, overwicht
swear [swɛə] *a*) zweren; bezweren, onder ede bevestigen (verklaren); laten zweren, beëdigen (*a jury*), de eed afnemen; *b*) vloeken; ~ ***at*** vloeken op; ~ ***by*** zweren bij; ~ ***in*** beëdigen; ~ ***off*** afzweren; *I cannot* ~ ***to*** *that* kan er geen eed op doen; ~ *a p. to secrecy* iem geheimhouding laten zweren; '**swear-word** [-wɔ:d] vloek(woord)
sweat [swet] I *zn* zweet: (uit)zweting; (*fam*) hele karwei, inspanning (*it's a horrid* ~); II *ww; ook ovt & v dw* (uit)zweten; doen zweten; (laten) zwoegen; tegen een hongerloon (laten) werken, uitbuiten (*work-people*); *you shall* ~ *for it* ervoor bloeden; *~ed labour: a*) voor hongerloon verrichte arbeid; *b*) uitgebuite arbeidskrachten; '**sweatband** zweetband (in hoed, enz.); '**sweater** [-ə] id., wollen sporttrui; '**sweat-gland** zweetklier; **sweating-system** ['swetiŋ-] uitzuiging van (vooral thuiswerkende) arbeiders; **sweaty** ['sweti] zweterig, bezweet; snikheet
Swede [swi:d] Zweed; **Sweden** ['swi:dn] Zweden; **Swedish** ['swi:diʃ] Zweeds
sweep [swi:p] I *ww* vegen, wegvegen, -vagen; (zich) snel bewegen, snellen, vliegen, galopperen, schieten; zich statig bewegen; zich uitstrekken (*the plain ~s northward*); schoonvegen (*the seas*); (laten) slepen; strijken met; slepen over, strijken langs (over); afvissen (met net); doorkruisen (*a country*), afzoeken; bestrijken (*the road was swept by machine-guns*); (*van storm*) woeden (boven); (*van golven*) spoelen; teisteren (*an epidemic swept the country*); ~ *the board* (*the stakes*) de gehele inzet (alles) opstrijken, met de gehele winst gaan strijken; *the Liberals swept the country* (*the elections*) behaalden in het hele land een overweldigende meerderheid; ~ ***along****: a*) voortsnellen; *b*) meeslepen; ~ ***away*** wegvegen, -vagen, -voeren, -maaien (*fig*); ~ ***by****: a*) voorbijsnellen; *b*) statig voorbijgaan; ~ ***down*** neerschieten, aanvallen (*upon* op); ~ *s.t.* ***from*** *one's memory* uit zijn geheugen vagen; ~ ***in*** *the winnings* opstrijken; *the house was swept* ***of*** *everything* leeggehaald, leeggeplunderd; ~ ***off*** wegvoeren; *they were swept off their feet* werden meegesleept (*ook fig*); werden overrompeld; stonden geheel versteld; ~ ***on*** voortijlen; ~ ***out*** uit-, aanvegen; ~ ***round*** zich met een zwaai omkeren; zwenken; ~ ***up*** op-, aanvegen (*the hearth*); II *zn* het ...; opruiming; veeg, zwaai(ende beweging), draai (*the car took too wide a* ~); bereik, omvang, uitgestrektheid, gebied; rij (*of shops*); bocht; schoorsteen-, straatveger; veegsel; *at one* (*a*) ~ met één slag; *make a clean* ~ schoon schip maken; flink opruiming houden (*of* in, onder); '**sweeper** (straat-, schoorsteen)veger; schuier; straatveegmachine; mijnenveger; (*sp*) ausputzer, libero, vrije verdediger; '**sweeping** I *bn* veelomvattend, vèrreikend, vèrstrekkend, ingrijpend, drastisch (*changes*); doortastend (*measures*); (te) algemeen; overweldigend (*victory*); II *zn:* ~*s* veegsel; uitvaagsel; '**sweepstake(s)** [-steik(s)] id.; loterij waarbij de inzet wordt verdeeld onder de houders van de loten
sweet [swi:t] I *bn & bw* zoet, lekker, geurig, heerlijk, lief (*how* ~ *of you!*), snoezig (*a* ~ *hat*), aangenaam, bevallig; fris, vers, goed (niet bedorven: *van vlees, melk, enz*); *be* ~ (*up*)*on* verkikkerd zijn op; *keep the police* ~, (*sl*) te vriend houden; *a* ~ *nature* een beminnelijk karakter; ~ *one!* schatje!; *a* ~ *one,* (*sl*) een flinke opstopper; ~ *pickles* zoetzuur; ~ *stuff* zoetigheid, snoep; *he has a* ~ *tooth* is een zoetekauw; II *zn* zoete spijs, toetje; zoetigheid(je), bonbon, suikertje, lekkers (= ~*s*); het zoete; lieveling (*no, my* ~*!*); ~*s, ook: a*) genoegens; *b*) emolumenten; '**sweeten** [-n] zoet, enz. maken of worden, suiker doen in, zoeten, verzoeten; verversen, ventileren; verzachten, veraangenamen, verlichten; (*sl*) lekker maken, gunstig stemmen, omkopen; '**sweetener** [-nņə] wie (wat) zoet, enz. maakt; zoetmiddel, -stof; (*sl*) steekpenning; '**sweetheart** meisje, lief(je), vrijer; lieveling; '**sweetie** [-i] *sweety;* (*Am*) lieveling; liefje; '**sweetish** vrij zoet, enz.; zoetachtig; '**sweet-mouthed** [-mauðd] zoetsappig; '**sweet-'scented** [-sentid], '**sweet-'smelling** geurig; '**sweet-shop** snoepzaak; '**sweet-'tempered** zacht (van aard), lief; '**sweety** [-i] (*fam*) zoetigheidje, bonbon, koekje; (*Am*) schat(je)
swell [swel] I *ww* (doen) zwellen, (aan-, opzwellen, aangroeien, toenemen), buiken, (op)bollen, (zich) uitzetten, (zich) opblazen; ~ *out* (*up*) (doen) opzwellen, (zich) uitzetten; II *zn* het ..., zwelling; gezwollenheid; deining; buik (*fig*), hoogte, heuvel(tje); ronding; III *bn*

(*fam*) fijn, chic, prachtig, geweldig; '**swelling** zwelling; gezwel, uitwas; verhevenheid
swelter ['sweltə] smoren, (doen) stikken (van de hitte), blakeren; ~*ing* smoorheet, drukkend
swept(-back) wings (*luchtv*) pijlvormige vleugels
swerve [swə:v] I *ww* (doen) afwijken, afdwalen, opzij (doen) gaan, (plotseling) uitwijken, zwenken; zwerven; II *zn* zwenking, zijbeweging
swift *bn* & *bw* snel, vlug; '**swift-'footed** [-futid] snelvoetig, vlug ter been, rap van voet
swig (*fam*) I *ww* (leeg)zuipen; II *zn* slok
swill [swil] I *ww* (af-, uit)spoelen, stromen; gretig drinken, (op)zuipen; volop te drinken geven; ~ *out* uitspoelen; II *zn: a*) het ...; *b*) spoelwater (*ook fig*); (varkens)spoeling
swim I *ww* zwemmen; drijven; glijden, zweven; draaien, duizelen; overzwemmen (*the Channel*); laten zwemmen of drijven; om het hardst zwemmen met; ~ *with* (~ *down*) *the stream* (*the tide*), (*fig*) met de stroom meegaan; *my head* ~*s* (*round*) het draait me voor de ogen; *her eyes were* ~*ming with tears* stonden vol tranen; II *zn: a*) het ...; *b*) (*fam*) duizeligheid; *have a* ~ (gaan) zwemmen; *be* ***in*** *the* ~ (tegenst: ***out of*** *the* ~) op de hoogte zijn; meedoen (aan het maatschappelijk leven, enz.); '**swimmer** [-ə] zwemmer; zwemvogel; **swimming** het ... (zie *swim*); duizeling (= ~ *of the head or brain*); '**swimming-bath(s)** [-bɑ:θ(z)] zwembad (*meestal overdekt*); '**swimming costume** badpak; '**swimming-pool** zwembad, -bassin (*niet overdekt*); '**swimming trunks** zwembroek; **swimmy** ['swimi] draaierig, duizelig
swindle ['swindl] I *ww* oplichten; zwendelen, foezelen; II *zn* zwendel(arij), oplichterij; '**swindler** [-ə] oplichter, zwendelaar
swine [swain] varken(s), zwijn(en); '**swineherd** zwijnenhoeder
swing [swiŋ] I *ww* zwaaien, schommelen, slingeren (met); (op)hangen, (*fam*) gehangen worden (*you may* ~ *for it*); draaien; (doen) zwenken; doen keren (*a battle*); met veerkrachtige, zwaaiende gang lopen; (*muz*) swingen; (*sl*) levendig, 'bij' zijn; (*Am*) beheersen (*the market*), besturen; *the nation swung* ***behind*** *its leaders* sloot zich achter haar leiders aaneen; ~ ***into*** *line* zich bij de meerderheid aansluiten; ~ ***off*** *to the left* links afslaan; ~ ***on*** *hinges* draaien om; ~ ***round*** zich (plotseling) omdraaien, wenden, zijn draai nemen; *the door swung* ***to*** sloeg dicht; II *zn: a*) (omme-)zwaai; *b*) veerkrachtige gang, forse beweging; *c*) vuur, bezieling; swing(muziek); *d*) schommel; *give full* (of: *free*) ~ *to* de vrije teugel laten, botvieren (*one's temper*); *the work is* ***in*** *full* ~ in volle gang; *get* ***into*** *the* ~ *of one's work, get into* (*one's*) ~ vertrouwd raken met zijn werk, op dreef komen; *have a* ~ schommelen; *go with a* ~ succesvol verlopen; '**swing-'back** terugkeer (*to* tot); '**swing-boat** schommelbootje; '**swing-bridge** draaibrug; '**swing-door** klap-, tochtdeur
swingeing ['swindʒiŋ] (*fam*) kolossaal, reusachtig, geweldig
swinger ['swiŋə] (*vero*) vrolijk en actief iemand; iemand met vrije opvattingen, speciaal op seksueel gebied
swinging ['swiŋiŋ] ...nd (zie *swing*); (*fam*) bij, gedurfd; ~ *step* veerkrachtige pas
'**swing-'over** omzwaai
swinish ['swainiʃ] zwijnachtig, beestachtig
swipe [swaip] I *ww* hard slaan; (*sl*) stelen, gappen; plunderen; II *zn* harde slag
swirl [swə:l] I *ww* (doen) (d)warrelen; (om)winden, draaien, zieden, kolken; II *zn: a*) draaiing, kolking; *b*) draaikolk, maalstroom; *c*) draai, krul
swish [swiʃ] I *ww* (laten) zwiepen; slaan met (*the horse* ~*ed its tail*); fluiten (*van kogels*); ruisen, suizen; II *zn* gezwiep; III *bn* (*fam*) chic
Swiss [swis] I *bn* Zwitsers; ~ *cottage* chalet; ~ *roll* boomstam (*gebak*); II *zn* Zwitser(s)
switch [switʃ] I *zn: a*) dunne tak of twijg; *b*) wissel (*van spoorw*); *c*) stroomwisselaar, (om)schakelaar; *soms:* schakelbord; *d*) draai, verandering, omkeer; II *ww: a*) slaan (met zwiepend geluid), ranselen, zwiepen; *b*) (om)schakelen (*an electric current*); overgaan, -schakelen, -stappen (*to another brand* op ...); verwisselen (*labels*); (*sp*) wisselen; ~ *sides*, (*Am*) naar de tegenpartij overgaan, van mening veranderen; ~ ***in*** inschakelen; ~ ***off*** uitschakelen; (*sl*) ophouden, eindigen; ~ ***on*** inschakelen; aandraaien, -knippen (*the electric light*); ~*ed on*, (*fam*) bij (de tijd); ~ ***over*** overschakelen; overgaan (*to* naar); '**switchback** I *zn* roetsjbaan; zigzagspoorweg op berghelling (= ~ *railway*); II *ww* (*van weg bijv*) op en neer gaan; '**switchboard** schakelbord; '**switch-'over** overschakeling; overgang
Switzerland ['switsələnd] Zwitserland
swivel ['swivl] (laten) draaien; '**swivel-bridge** draaibrug; '**swivel-chair** draaistoel
swizzle ['swizl] (*sl*) gemengde drank (*cocktail, enz*) sterke drank; **swizzled** [-d] (*Am*) dronken; '**swizzle-stick** roerstokje
swollen ['swəulən] v. dw. van *swell;* gezwollen (*language*); opgeblazen (*with pride* van trots)
swoon [swu:n] I *ww* bezwijmen; (*fig*) kwijnen, wegsterven; II *zn* bezwijming
swoop [swu:p] I *ww* stoten (*van roofvogel*), neerschieten (= ~ *down*), neervallen, zich storten (*down on* op); neerschieten op en grijpen (= ~ *up*); ~ *up*, (*van vliegtuig*) met een forse beweging de hoogte ingaan; II *zn* het ...; in-, overval; *at a* (*one, one fell*) ~ met één slag
swop [swɔp] zie *swap*
sword [sɔ:d] zwaard, sabel, degen; *put to the* ~ over de kling jagen; '**sword-dance** zwaarddans; '**swordfish** zwaardvis; '**sword-shaped**

zwaardvormig; '**swordsman** [-zmən] schermmeester, schermer
sworn [swɔ:n] v. dw. van *swear; ~ broker* beëdigd makelaar; ~ *enemies* gezworen vijanden; ~ *statement* beëdigde verklaring
swot [swɔt] (*sl*) I *ww* blokken, vossen; ~ *up* er inpompen; II *zn: a*) geblok; *b*) blokker
sycophant ['s(a)ikəfænt] lage vleier, pluimstrijker; **sycophantic** [sikə'fæntik] pluimstrijkend, kruiperig
syllabic [si'læbik] *bn* & *zn* syllabisch, lettergreep..., een lettergreep vormend; **syllable** ['siləbl] lettergreep
syllabus ['siləbəs] id.: kort overzicht, (examen)program, leerplan
sylph [silf] sylfe, luchtgeest; slanke, bevallige jonge vrouw
sylvan ['silvən] (*lit*) bos..., bosrijk, landelijk
symbol ['simbəl] symbool, zinnebeeld, teken; **symbolic(al)** [sim'bɔlik(l)] symbolisch, zinnebeeldig; '**symbolism** [-izm] symbolisme, -liek; '**symbolist** id.; **symbolize** [-aiz] het symbool zijn van, symboliseren, zinnebeeldig voorstellen
symmetric(al) [si'metrik(l)] symmetrisch; **symmetry** ['simətri] symmetrie
sympathetic [simpə'θetik] *a*) deelneming (sympathie) tonend, medegevoelend, hartelijk, gunstig gestemd, welwillend (*audience*); *b*) sympathetisch, in verband staande met, *be ~ with* sympathiseren met; ~ *strike* solidariteitsstaking; **sympathize** ['simpəθaiz] sympathiseren; medelijden, deelneming gevoelen (*with* voor); ~ *with, ook:* condoleren; '**sympathizer** [-ə] iemand die sympathiseert met; **sympathy** ['simpəθi] medegevoel (*with*), (*for* met), sympathie, deelneming; *you have my ~*, ook = *accept my sympathies* ik condoleer je; *be in ~ with a plan* meegaan met ...; *have no ~ with* niet voelen voor (*communism*); *strike in ~ with* (ook: *come out in ~*); staken uit solidariteit jegens
symphonic [sim'fɔnik] symfonisch; **symphony** ['simfəni] symfonie
symposium [sim'pəuziəm, sim'pɔziəm] id., conferentie over wetenschappelijk of technisch onderwerp
symptom ['sim(p)təm] symptoom, (ziekte)verschijnsel, teken; **symptomatic** [sim(p)tə'mætik] symptomatisch
synagogue ['sinəgɔg] synagoge
sync(h) [siŋk] *synchronization, -ize(d)*; *be out of ~ with* niet gelijk lopen (harmoniëren) met
synchromesh ['siŋkrəu(')meʃ] id.: automatische tandwielsynchronisatie
synchronize ['siŋkrənaiz] gelijktijdig gebeuren (bestaan), (doen) samenvallen, synchroniseren; (met elkaar) gelijkzetten (*clocks*)
syncopate ['siŋkəpeit] syncoperen; **syncopation** [siŋkə'peiʃən] syncopering; (*gramm*) syncope
syndicalism ['sindikəlizm] syndicalisme: vakbeweging met de algemene staking als strijdmiddel; '**syndicalist** [-əlist] syndicalist(isch); '**syndicate** [-it] syndicaat, consortium
syndrome ['sindrəum] syndroom; ziektebeeld
synod ['sinəd, 'sinɔd] synode, kerkvergadering
synonym ['sinənim] synoniem (*zn*); **synonymous** [si'nɔniməs] synoniem (*bn*)
synopsis [si'nɔpsis] *mv synopses* [-si:z] id.: overzicht, kort begrip
syntactic(al) [sin'tæktik(l)] syntactisch; **syntax** ['sintæks] syntaxis
synthesis ['sinθisis] *mv syntheses* [-si:z] synthese, samenvoeging, -vatting; **synthesize** ['sinθisaiz] samenstellen, -vatten; synthetisch bereiden (*honey*); **synthesizer** id. (*muz*)
synthetic [sin'θetik] synthetisch; *synthetic, ook:* synthetisch = kunst... (*honey, indigo, rubber, silk*), vals (*gems*)
syphilis ['sifilis] syfilis
syringe [si'rin(d)ʒ, 'sir-] I *zn* (injectie)spuit(je); II *ww* (be-, in-, uit)spuiten
syrup ['sirəp] stroop(je), siroop; '**syrupy** [-i] stroopachtig
system ['sistim, -təm] *a*) systeem, stelsel, inrichting, samenstel; *b*) (*geol*) formatie; *c*) lichaam(sgestel); *get s.t. out of one's ~* van iets afkomen, iets kwijtraken; **systematic(al)** [sisti'mætik(l)] stelsel-, wetmatig, systematisch, methodisch; '**systematize** [-ətaiz] systematiseren
'**systems analyst** (*computer*) systeemanalist

T t *t*

tab [tæb] lus (*van jas, enz*), schoenleertje, bandje, nestel, metalen eind van veter, label, merklapje in kledingstuk; (*Am*) rekening; = *tabulator* id.; *keep (a) ~ on (of)*, (*fam*) in de gaten houden

tabby ['tæbi], **tabby cat** cyperse kat; (wijfjes)kat, poes

tabernacle ['tæbə(:)nækl] tabernakel (*ook:* tent, loofhut; koepelvormige nis)

table ['teibl] I *zn* tafel, dis; speeltafel; plateau; tabel; *~s* tafels (van vermenigvuldiging), tabellen van maten, munten en gewichten; speeltafel; *~ of contents* inhoudsopgave; *~ manners* tafelmanieren; *the ~s are turned* de bordjes zijn verhangen; *be **at** ~* aan tafel zijn; *go **to** ~* aan tafel gaan; II *ww* tabelleren, rangschikken; ter tafel brengen, voorstellen, indienen (*a motion*); (*Am*) voor kennisgeving aannemen; '**table-cloth** *a*) tafellaken; *b*) tafelkleed; '**table-companion** tafelgenoot; '**table-cover** tafelkleed; '**table-leg** tafelpoot; '**table-linen** [-linin] tafellinnen; '**table-mat** tafelmatje; '**tablespoon** opscheplepel

tablet ['tæblit] *a*) id.; *b*) (gedenk)plaat

'**table-talk** tafelgesprek(ken); '**table-tennis** tafeltennis; '**table-top** tafelblad; '**tableware** [-wɛə] tafelgerei

tabloid ['tæblɔid] (geïllustreerd, klein formaat sensatie)blad met zeer beknopt nieuws (= *~ newspaper*); *in ~ form*, (*fig*) in zeer beknopte vorm

taboo [tə'bu:] I *bn* taboe (*word*), heilig, verboden; II *zn* taboe; ban, verbod; III *put under ~* = *ww* 'taboe' verklaren, verbieden

tabular ['tæbjulə] tafel-, plaatvormig; tabellarisch, in tabelvorm

tabulate ['tæbjuleit] in een tabel opnemen; tabellarisch rangschikken, classificeren; **tabulator** [tæ'bjəleitə] id.

tacit ['tæsit] stilzwijgend; **taciturn** ['tæsitə:n] (stil)zwijgend, stil, zwijgzaam; **taciturnity** [tæsi'tə:niti] stil-, zwijgzaamheid

tack [tæk] I *zn* kopspijker; rijgsteek; (*bij het laveren*) boeg; *let us get down to brass ~s* spijkers met koppen slaan; *get on the wrong ~* op het verkeerde spoor komen; *put a p. on the right ~* op het rechte spoor brengen; II *ww* vastspijkeren (*a carpet*); rijgen, (aan)hechten, vastmaken (*to, on to* aan); wenden, overstag gaan, laveren (= *~ about*), het over een andere boeg gooien; *~ on to a p.* zich bij iem aansluiten

tackle ['tækl] I *zn* gerei; tuig; takel; (*sp*) id.; II *ww* tuigen (*a horse*), inspannen (= *~ up*); (aan)pakken (*a task*), onder handen nemen, attaqueren, aanspreken (*upon a subject* over...); aanvallen op (*one's food*); (*sp*) aanvallen, tackelen; *~ to* (krachtig) aanpakken

tacky ['tæki] kleverig, (*van verf*) niet helemaal droog, pikkerig (*the paint is still ~* pikt nog)

tact [tækt] tact; '**tactful** [-f(u)l] tactvol; **tactic** ['tæktik] tactiek; '**tactical** [-l] tactisch; **tactician** [tæk'tiʃən] tacticus; '**tactics** tactiek; **tactile** ['tæktail] voelbaar; gevoels...; *tactile sense* tastzin, gevoel

tadpole ['tædpəul] kikkervisje, 'dikkop'

tag [tæg] I *zn* 1 punt, rafel (*van lint, enz*), (uit)einde; metalen punt van veter, enz.; label, etiket, metalen plaatje, insigne; lus, bandje (*van kussensloop, enz*); (punt van) staart; aanhangsel; (afgezaagde) aanhaling, gemeenplaats, vast gezegde; 2 krijgertje (*play [at] ~*); II *ww* voorzien van ~(*s*); etiketteren, (met een ~) markeren; vasthechten, -knopen (*to, on to* aan); op de voet volgen, nalopen (= *~ on, along*); (*Am*) bestempelen (als), noemen

tail [teil] I *zn* staart (*ook:* vlecht); steel (*van hark bijv*); (*fam*) sleep (*van japon*); slip, pand (*van jas*); (uit)einde, laatste deel; keerzijde (*van munt;* gew. *~s;* zie *head*); gevolg, aanhang, (na)sleep, slier, queue; *~s: a*) jacquet; *b*) rokkostuum; *put a ~ on a p.* iem laten volgen, zijn gangen laten nagaan; *turn ~* ervandoor gaan; *get on a p.'s ~* iem (achter)volgen; *in the ~ of* in het gevolg van; II *ww* van stelen ontdoen (*fruit*); achter elkaar aan komen, achterblijven; volgen, in het oog houden; *~ **away*** wegsterven; uitlopen, overgaan (*into* in); *~ **off*** geleidelijk (laten) uitlopen; wegsterven; afnemen, eindigen; achteraan komen; overgaan (*into* in); (*fam*) ervandoor gaan; '**tailback** file, (verkeers)opstopping; '**tail-board** laadklep (*van wagen*); '**tail-'coat** *a*) jacquet; *b*) rokkostuum; **tailed** [-d] gestaart; '**tail-end** (uit)einde, 'staartje'; **tailgate** achterklep (*van stationwagen*), vijfde deur; '**tail-light** achterlicht (*van trein, enz*)

tailor ['teilə] I *zn* kleermaker; II *ww: a*) kleermaker zijn; *b*) kleren maken voor; *c*) op kleermakerswijze maken (*a garment*); (*fig*) naar maat, pasklaar maken, afstemmen op; **tailoring** [-riŋ] kleermakersbedrijf, -werk; '**tailor-made** door de kleermaker gemaakt (kostuum); *bn* (*fig*) geknipt; **tailwind** staartwind, wind-in-de-rug

taint [teint] I *zn* vlek, smet; besmetting, bederf (*moral ~*); *without the least ~ of suspicion* spoor, zweem; II *ww* bezoedelen, aansteken, besmetten, bederven (*van vlees, enz.*)

take [teik] I *ww* nemen, aan-, in-, op-, af-, meenemen; krijgen (*a disease*); incasseren (*punishment* een afstraffing); ontvangen; (be)halen (*a prize*); pakken (*ook fig:* inslaan: *the play did not ~*); (*inz. Am*) vlam vatten; raken, treffen (*the ball took him between the eyes*); vangen, betrappen (zie *act*); bedriegen; bijten (*van vis*); vatten (*a cold*); begrijpen (*I ~ your meaning*); accepteren (*I ~ your point*); snappen (*~ a joke*); wortel schieten, aanslaan; aanvaarden (*the consequences*); opvolgen (*advice*); overgaan tot (*the offensive*); waarnemen (*an opportunity*); drinken, gebruiken (*milk, sugar, medicine*); brengen, overbrengen (*a message*); beschouwen (*as* als); maken (*a drive, a walk; minutes* notulen); doen (*a leap*), maken (*a tumble*); opnemen (*one's temperature; ~ things lightly*); noteren (*a p.'s address*); opnemen: volgens dictaat opschrijven (*a letter*); opvatten (*how do you ~ this passage?*); inwinnen (*information, a p.'s opinion*); *not to be ~n* niet voor inwendig gebruik, uitwendig!; *the vaccine did not ~* de pokken kwamen niet op; *that ~s some doing* dat valt niet mee, daar komt heel wat bij kijken; *he was ~n ill* werd ziek; *he took the audience* (*with him*) sleepte ... mee; *~ an examination* examen doen; *~ lessons* les nemen; *~ an obstacle* een hindernis nemen; *he won't come, I ~ it* vermoed ik; *may I ~ it that ...?* mag ik aannemen dat ...?; *am I to ~ it that you give it up?* moet ik daaruit begrijpen, dat ...?; *he took it badly* (*hard, hardly*) trok het zich erg aan; *you may ~ it or leave it* je kunt het aannemen of niet; *this seat is ~n* bezet; *have one's photo ~n* zich laten fotograferen; *these things ~ time* nemen, vereisen; *it will ~ you all your time* het zal al je tijd in beslag nemen; je zult er de handen aan vol hebben; *~ your time* haast je niet, neem er de tijd voor; *it ~s a poet to translate Shakespeare* men moet dichter zijn om ...; ~ ***aback*** (onprettig) verrassen; ~ ***about*** rondleiden; ~ ***across*** overzetten; ~ ***after*** aarden naar (*one's father*); nazetten, nalopen; ~ ***against*** een hekel krijgen aan, een afkeer ontwikkelen tegen; ~ ***apart***: *a*) uit elkaar nemen; *b*) uitschelden; *~ a p.* ***at*** *his word* houden aan; ~ ***away*** weg-, af-, meenemen, aftrekken; de tafel afnemen; ~ (*o.s.*) *away* heengaan, zich wegpakken; *nothing can ~ away from the fact that* ... er gaat niets af van ...; ~ ***back*** terugnemen, -brengen; verplaatsen in het verleden; ~ ***down*** afnemen (*a picture*), van de plank, enz. nemen (*a book*); neerhalen, uit elkaar nemen, afbreken (*a tent*), slopen; losmaken (*one's hair*); (volgens dictaat) opschrijven, noteren; slikken; *I took you* ***for*** *your brother* hield ... voor; *~ a dog for a walk* met een hond gaan wandelen; (*you may*) *~ it* ***from*** *me that* ... je kunt gerust van mij aannemen, dat ..., geloof mij ...; *~ it from there* begin daar, ga daar verder; ~ ***in*** innemen (*water*); binnenkrijgen (*water*); beuren (*money*); binnenleiden, -brengen; opbrengen (*a ship*); naar tafel geleiden (= *~ in to dinner*); inademen; in zich opnemen, begrijpen, beseffen, doorzien (*the position*); omvatten; opnemen (*from head to foot*); in huis nemen (*lodgers*); geabonneerd zijn op (*a paper*); erbij nemen; zich toeëigenen; in aanmerking nemen; omheinen, afsluiten; innemen (*a dress, a sail*); oppakken (*a thief*); beetnemen, bedriegen; *~ in washing* (*sewing*) voor anderen bij zich aan huis wassen (naaien); ~ ***into*** (op)nemen in (zie *head*, enz.); ~ ***off*** (er)af nemen; van het repertoire (de planken) nemen (*a play*); wegnemen; uittrekken (*clothes*); verwijderen; starten (*van vliegtuig*), van start gaan (*ook fig*); *~ o.s. off* heengaan, ervandoor gaan; zich van kant maken; ~ ***on*** (*bw*) aan boord nemen; aannemen (*workmen*); op zich nemen (*a task*); overnemen (*a shop*); (*fam*) te keer gaan; (*fam*) pakken, succes hebben, opgang maken; ~ ***out*** (er)uit nemen; verwijderen (*stains*); uitspannen (*horses*); wegbrengen; eruit pikken, uit de weg ruimen, elimineren; uitgaan met (*a girl*); nemen (*a patent, a season-ticket*), aanvragen (en krijgen) (*a licence*); *~ it out in goods* zich laten betalen met goederen; *I will ~ the nonsense* ***out of*** *you* zal je die gekheid wel afleren; *she will ~ it out of* (*on*) *him, ook:* hem betaald zetten; ~ ***over*** overnemen (*a business*); de dienst (de wacht, enz.) overnemen; overbrengen, overzetten (per boot); ~ ***round*** rondleiden; ~ ***to*** zich begeven naar, vluchten naar, de wijk nemen naar (*~ to the boats; the robbers took to the hills*); *he took kindly to the work* hij mocht dat werk wel; *~ to drink*(*ing*) aan de drank raken; ~ ***up*** opnemen (ook: *money*), oppikken (*we took him up on the road*); aannemen, accepteren (*a bet, challenge, invitation*); ter hand nemen, nemen (als onderwerp van studie: *~ up Latin*); innemen (*a position, too much room*); in beslag nemen (*one's time*); *~ up the matter with the authorities* aanhangig maken bij; ~ (*it*) ***upon*** *o.s.* (*upon one*) (het) op zich nemen; zich vermeten; *be ~n* ***with*** ingenomen zijn met; II *zn* ontvangst(en), recette; vangst; (*film, enz*) opname; '**takeaway** I *bn* meeneem... (*meal*); II *zn* meeneemrestaurant, -winkel; '**take-'home**: ~ *pay* nettoloon (schoon in het handje); '**take-off** (punt van) vertrek, opstijging, start; '**takeover** machtsovername (*the Communist ~*); overname, fusie (*newspaper ~*); *~ bid* bod op aandelen; **taking** ['teikiŋ] I *bn* innemend, boeiend (*style*), pakkend (*title*), aantrekkelijk; besmettelijk; II *zn: ~s* ontvangsten, recette

talcum ['tælkəm]: *~ powder* talkpoeder

tale [teil] verhaal, vertelsel, sprookje, geschiedenis, praatje, smoesje; *if all ~s be true* als het waar is wat men zegt; *tell ~s* uit de school klappen, klikken; liegen, jokken; *this case tells its own ~* spreekt voor zichzelf; *live to tell the ~* het overleven, het kunnen navertellen

talent ['tælənt] id. (*ook:* iem van talent: *the local ~ was to sing ...*), begaafdheid, gave; '**talented** [-id] talentvol, begaafd; '**talent scout**, **talent spotter** talentenjager

'**taleteller** [-telə] klikspaan, verklikker

talisman ['tælizmən] talisman

talk [tɔ:k] I *ww* praten (over), spreken (over); *now you're ~ing!* (*sl*) nu spreek je verstandige taal! dat mag ik horen!; *~ big* (*~ tall*), (*fam*) opsnijden; *~ horses* (*politics*, enz.) het hebben over; *~ business, ook:* spijkers met koppen slaan; *~ nineteen* (*sixteen*) *to the dozen* honderd uit praten; *~ scandal* kwaadspreken; *~ shop* over het werk praten; *~* ***about*** *nothing in particular* over koetjes en kalfjes praten; *get* (*o.s.*) *~ed about* in opspraak komen; *he knows what he is ~ing about* hij kent zijn zaakjes; *~* ***at*** *a p.* opmerkingen over iem maken in zijn bijzijn, voor hem bedoeld, maar tot anderen gericht; *~* ***away****:* *a*) erop los praten; *b*) verpraten (*the time*); door praten verdrijven (*a p.'s fears*); *~* ***back*** iets (brutaals) terugzeggen; *he ~ed back at her* gaf haar een brutaal antwoord; *~ a p.* ***down*** overstemmen, tot zwijgen brengen, platpraten; *~ a p.* ***into*** *taking* ... bepraten te ...; *~ing* ***of*** *travelling* van reizen gesproken; *~ a p.'s head* ***off*** praten als Brugman, iem omverpraten; *~ the matter* ***out*** door bespreking tot klaarheid brengen; *~ a p.* ***out of*** *s.t.* iem iets uit het hoofd praten; *~ the matter* ***over****, ~ over the matter* de zaak bepraten; *~ over someone's head* te moeilijke taal gebruiken; *~ a p. over* (of: ***round***) iem bepraten; *~ round the subject* eromheen praten; *~* ***through*** *one's hat* uit de nek kletsen, praten als een kip zonder kop; *~* ***to*** *a p.*: *a*) tegen iem praten; *b*) eens ernstig praten met iem, iem onder handen nemen; *~* ***up*** luid (duidelijk) spreken; II *zn* gepraat, gesprek, conversatie, causerie, radiopraatje, bespreking, onderhoud, conferentie; praatje(s), gerucht; praats; taal; *~s* onderhandelingen, overleg; *it is the ~ of the town* iedereen praat erover; '**talkative** [-ətiv] babbelachtig, praatziek; '**talker** [-ə] (onderhoudend) prater; causeur; '**talking** *ook:* sprekend (*eyes, film*); *~ book* gesproken boek; *~ point* onderwerp voor discussie; '**talking-to** [-tu:] reprimande; '**talk show** praatprogramma (*TV*)

tall [tɔ:l] hoog, lang, groot (*van gestalte*); (*sl*) blufferig, hoogdravend; (*sl*) overdreven, kras; (*sl*) prima; *~ order* erg moeilijke opdracht; *~ story* sterk verhaal; *talk ~* opsnijden

tallboy ['tɔ:lbɔi] ladenkast

tallish ['tɔ:liʃ] nogal ... (zie *tall*)

tallow ['tæləu] kaarsvet

tally ['tæli] I *zn* kerfstok; rekening; (ge-, aan)tal; duplicaat; merk, etiket; hangetiket; *keep* (*a, the*) *~* aantekening houden; *keep ~ of* tellen; II *ww* op de kerfstok (in)kerven, aanstrepen, aantekenen (= *~ down*); controleren, nagaan; merken, etiketteren, van een etiket voorzien; (op)tellen (= *~ up*); overeenstemmen, kloppen, stroken (*your experience does not ~ with mine*)

talon ['tælən] klauw

tame [teim] I *bn* tam, getemd; mak; vervelend, saai; II *ww* (ook: *~ down*) temmen

tamp [tæmp]: *~ down* aanstampen

tamper ['tæmpə]: *~ with* zich bemoeien met, komen aan, knoeien met (*a pistol*), verknoeien, vervalsen (*a will* testament)

tampon ['tæmpɔn] tampon

tan [tæn] I *bn* geelbruin (*boots*); II *ww* looien, tanen; (*van de huid, door de zon*) bruinen

tandem ['tændəm] tandem, *in ~ with* samen met; tegelijkertijd

tang [tæŋ] (bij-, na)smaak, smaakje; scherpe lucht of geur; (*fig*) zweem, tikje

tangent ['tæn(d)ʒənt] I *bn* rakend (*to* aan); II *zn* tangens, raaklijn, aangeschreven lijn

tangerine [tæn(d)ʒə'ri:n] mandarijntje

tangible ['tæn(d)ʒəbl] voel-, tastbaar

tangle ['tæŋgl] I *ww* verwarren, in de war maken (raken, zijn), verstrikken, verwikkelen; *get ~d* in de war raken; *~d, ook:* ingewikkeld (*problem*); *~ with* zich bemoeien met, in de knoop (in conflict) raken met; II *zn* verwarring, verwikkeling, verwarde massa, knoop

tank [tæŋk] I *zn* id., waterbak, reservoir; bassin (*van ijsbeer bijv*); (*mil*) id.; II *ww: ~* (*up*) tanken, laden, innemen; (*sl*) 'hijsen': zuipen; '**tankage** [-idʒ] *a*) tanks; *b*) tankruimte; *c*) opslag in tanks; *d*) opslagkosten; **tankard** ['tæŋkəd] drinkkan, (bier)kroes; '**tanker** *a*) tankschip; *b*) tankauto

tanner ['tænə] looier; **tannery** ['tænəri] looierij

tantalize ['tæntəlaiz] tantaliseren, doen watertanden, een lust opwekken die niet bevredigd kan worden

tantamount ['tæntəmaunt] gelijkwaardig; *be ~ to* gelijkstaan met, neerkomen op

tantrum ['tæntrəm] (*fam*) slecht humeur; driftige bui; *get* (*fly, go*) *into a ~* opstuiven, nijdig worden

tap [tæp] I *zn* 1 kraan; tap, spon, bom (*van vat*); *on ~* uit het vat (*tegenover* gebotteld); (*fig*) altijd ter beschikking (*he had a number of such phrases on ~*); 2 tik(je); *there's a ~ at the door* er wordt geklopt; II *ww* 1 van een kraan voorzien; aftappen (ook: *telephones*), stroom afnemen; het water aftappen; (*fig*) uithoren (ook: *~ a p.'s brains* iem uithoren); toegankelijk maken voor de handel, enz. (*a country*); exploiteren (*a mine*); 2 zachtjes kloppen, tikken (op, met); '**tap dancing** dansen met ritmisch voetgeklepper

tape [teip] I *zn: a*) lint, band (ook = *magnetic ~*); *b*) = *~* recording; II *ww* (ver)binden met lint(en); op de band opnemen; *have* (*get*) *a p. ~d* iem doorzien; *~ off* afplakken (met plakband); '**tape-measure** [-'meʒə] meetband, centimeter

taper ['teipə] I *zn* iets dat spits toeloopt; geleidelijke afneming; II *ww* taps (spits) (doen) toelopen, punten; *~ off* (*away*), (*fig*) geleidelijk (doen) afnemen

tape-record ['teipri'kɔ:d] vastleggen op geluidsband; '**tape-recorder** bandrecorder; '**tape-recording** bandopname

tapestry ['tæpistri] tapisserie, tapijtwerk, wandtapijt
tapeworm ['teipwə:m] lintworm
taproom ['tæpru(:)m] gelagkamer
tar [tɑ:] I *zn* teer; II *ww* (be)teren; (*fig*) zwartmaken; ~ *and feather* als straf teren en daarna in veren rollen; ~*red with the same brush* met het zelfde sop overgoten
tardy ['tɑ:di] traag, langzaam; laat, achteraankomend; (*Belg*) laattijdig
tare [tɛə] tarra, gewicht van de verpakking
target ['tɑ:git] schietschijf, mikpunt; produktiecijfer waarnaar gestreefd wordt; *be off the* ~ de plank mis zijn; '**target-area** doelgebied
tariff ['tærif] tarief, toltarief
tarmac ['tɑ:mæk] *a*) soort wegverharding met teer; *b*) (*van vliegterrein*) opstelterrein, platform
tarnish ['tɑ:niʃ] I *ww* dof (mat) maken of worden, (doen) aanslaan; bezoedelen, bezwalken; (doen) tanen; II *zn* bezoedeling; dofheid; smet
tarpaulin [tɑ:'pɔ:lin] geteerd zeildoek; dekkleed (*van wagen*)
1 tarry ['tæri] dralen, talmen, toeven, wachten (*for* op)
2 tarry ['tɑ:ri] teerachtig, geteerd
1 tart [tɑ:t] wrang, zuur; bits, scherp
2 tart [tɑ:t] (vruchten)taart(je); (*sl*) slet, hoer
3 tart [tɑ:t]: ~ *up*, (*fam*) opdirken, opdoffen
tartan ['tɑ:tən] *a*) id.: Schots geruit goed; *b*) plaid daarvan; *c*) geruit patroon, Schotse ruit
tartar ['tɑ:tə] *a*) Tartaar; feeks, xantippe; *b*) tandsteen
task [tɑ:sk] I *zn* taak, karwei; *take a p. to* ~ iem onder handen nemen (*for* wegens); II *ww*: *a*) een taak opgeven (opleggen); *b*) veel vergen van; op de proef stellen (*a p.'s powers*, enz.); '**task-force** gevechtsgroep; taakgroep; '**taskmaster** *a*) opgever van een taak (van werk); opzichter; *b*) leermeester
tassel ['tæsl] kwast(je); lint (*als bladwijzer in boek*); '**tasselled** [-d] met *tassels*
tastable ['teistəbl] te proeven; **taste** [teist] I *zn* smaak(je); proefje, slokje; ietsje; *a* ~ *higher*, (*fam*) een klein beetje (een tikje) hoger; *there is no accounting for* (*disputing about*) ~*s* over de smaak valt niet te twisten; *it's* **in** *good* ~: *a*) smaakvol; *b*) kies, behoorlijk; *the remark is in bad* (*poor*) ~ getuigt van slechte smaak; *is this* **to** *your* ~? naar uw smaak (zin); *everyone to his* ~ ieder zijn smaak (zijn meug); II *ww* proeven (van); smaken (*ook fig:* ondervinden); ~ *of* smaken naar; proeven: een beetje gebruiken van; (*fig*) smaken, ondervinden (*oppression*, enz.); '**taste-bud** smaakpapil; '**tasteful** [-f(u)l] smaakvol; '**tasteless** smakeloos; **tasty** ['teisti] smakelijk, (*fig*) interessant
tatter ['tætə] vod, lap, lomp, flard; *in* ~*s* aan flarden; *his nerves had gone to* ~*s* waren kapot; ~*ed, ook:* haveloos
tattle ['tætl] I *ww* babbelen, snappen, klappen, klikken; II *zn* ge...; '**tattler** [-ə] babbelaar; klikspaan

tattoo [tə'tu:] I *zn* **1** taptoe; **2** tatoeëring; II *ww* tatoeëren
tatty ['tæti] kitscherig, goedkoop, druk, onrustig, inferieur; slonzig, sjofel, sleets
taunt [tɔ:nt] I *ww* honen, beschimpen, hekelen (*with* om); schimpen (*at* op); II *zn* schimp(scheut), hoon, smaad, hatelijkheid, spotternij
taut [tɔ:t] strak, gespannen; **tauten** ['tɔ:tən] zich spannen, strak(ker) worden
tavern ['tævən] herberg
tawdry ['tɔ:dri] smakeloos, bont, opzichtig, opgedirkt, prullig
tawny ['tɔ:ni] taankleurig, getaand, geel-bruin
tax [tæks] I *zn* (rijks)belasting; schatting; last, proef; *after* (*before*) ~ na (voor) (aftrek van) belasting, netto (bruto); ~ *allowance* belastingvrije som; *easing of* ~*es* lastenverlichting; ~ *evasion* belastingontduiking; ~ *haven* belastingparadijs; II *ww* belasten, belasting(en) opleggen; veel vergen van (*a p.'s resources*); op een zware proef stellen (*a p.'s patience*); beschuldigen (*with* van); (*Am, fam*) vragen, in rekening brengen (*at half price* voor de ...); **taxation** [tæk'seiʃən] belasting(heffing); '**tax-collector** ontvanger; '**tax-deductible** aftrekbaar voor de belasting; '**tax** '**evasion** belastingontduiking; '**tax**-'**free** vrij van belasting
taxi ['tæksi] I *zn* taxi; II *ww: a*) in een taxi rijden (vervoeren); *b*) (*van vliegtuig*) taxiën, rijden; '**taxi-cab** taxi; '**taxi-driver** taxi-chauffeur; '**taxi rank** standplaats voor taxi's
taxpayer ['tækspeiə] (rijks)belastingbetaler, belastingschuldige; **tax relief** belastingvermindering; '**tax-revenue** [-'revənju:] belastingopbrengst
T-bone ['ti:bəun] (= ~ *steak*) runderkarbonade met T-vormig been erin
tea [ti:] thee; thee(maaltijd); aftreksel (van kruiden, enz.); *at* ~ aan (bij) de thee; *have* ~ thee drinken; *make* ~ thee zetten; '**tea bag** theezakje; '**tea-break** theepauze; '**tea-caddy** [-kædi] theekistje, theebusje
teach [ti:tʃ] onderwijzen, leren, les geven; *I'll* ~ *you!* ik zal je wel leren!; ~ *a p.* (*how*) *to ride* iem leren (paard)rijden; **teacher** ['ti:tʃə] onderwijzer(es), docent, leraar; ~ *training* (*college*) lerarenopleiding
tea-chest ['ti:tʃest] theekist
teaching ['ti:tʃiŋ] I *bn* onderwijzend; ~ *hospital* academisch ziekenhuis; *do* ~ *practice* stage lopen, hospiteren; ~ *profession* onderwijzers(leraars)ambt, -stand; II *zn: a*) onderwijs; *b*) leer, leerstelling
'**tea-cloth** theedoek; '**tea-cosy** theemuts; '**teacup** theekopje; *a storm in a* ~ storm in een glas water
teak [ti:k] teak- (djati)boom of -hout
tea-kettle ['ti:ketl] theeketel
teal [ti:l] taling, wintertaling (*soort eend*)
team [ti:m] I *zn* span (*paarden, enz*); 'team',

ploeg, elftal, equipe; II *ww:* ~ (*up*) (doen) samenwerken (-spelen), (zich) verbinden; ~ (*pursuit*) *race* estafetteloop; ~ *spirit* geest van samenwerking, ploeggeest; '**teamster** [-stə] voerman; (*Am*) vrachtwagenchauffeur; '**teamwork** door span, groep of ploeg verricht werk, groepsarbeid; (*fig*) samenwerking; samenspel
'**tea-party** theevisite, -partij; '**tea-pot** theepot
1 tear [tiə] traan; *be all* (*be drowned*) *in* ~*s* in tranen baden
2 tear [tɛə] I *ww* (ver)scheuren, trekken, rukken (aan); ontrukken (*from* aan); rijten, openrijten (*one's skin*); rennen, vliegen, stormen (*into the room*); tieren, razen; ~ ***about*** woest in het rond rennen, enz.; ~ ***along****:* *a*) voortslepen; *b*) voortstuiven, -rennen; ~ ***apart****:* *a*) afbreken, neerhalen (*ook fig*); *b*) een standje, uitbrander geven; ~ ***at*** rukken aan; ~ *o.s.* ***away*** zich losrukken, zich met moeite losmaken (*from* van); *be torn between ... and ...* in tweestrijd staan tussen ... en ...; ~ ***down*** afscheuren; afbreken (*a house*); ~ *down the road* de weg afrennen; ~ ***in****,* ~ ***into*** *the room* binnenstormen; ~ *in* (*into, to*) *pieces* in stukken scheuren, ~ *into someone* (*fam*) iem kritiseren; ~ ***off*** afraffelen, iets haastig doen; ~ ***through*** *the pages ...* doorvliegen; ~ ***up*** verscheuren; II *zn* scheur
teardrop ['tiədrɔp] traan; **tearful** ['tiəf(u)l] vol tranen, schreiend; betraand; huilerig (*in* ~ *tones*)
tearing ['tɛəriŋ] trekkend, rukkend (zie *tear* 2); woest, 'razend'; *in a* ~ *hurry* in vliegende haast; *be in a* ~ *rage* razend zijn
tear-jerker ['tiədʒə:kə] (*fam*) sentimenteel boek, enz.; smartlap
tear-off ['tɛərɔ(:)f]: ~ *calendar* scheurkalender; ~ *pad* blocnote
tea-room(s) ['ti:ru(:)m(z)] lunchroom
tease [ti:z] *a*) plagen, sarren, kwellen; lastig vallen (*for* om); tantaliseren; ontlokken (*from* aan); *b*) kammen, kaarden (*wool*, enz.); **teasel** ['ti:zl] *a*) kaardebol; *b*) kaardmachine; **teaser** ['ti:zə] plager, plaaggeest
'**tea-service, tea-set** theeservies; '**tea-shop** *a*) theewinkel; *b*) lunchroom; '**teaspoon** theelepeltje; '**tea-strainer** theezeefje
teat [ti:t] tepel, speen
tea-towel theedoek, afdroogdoek; '**tea-trolley** theetafeltje op rolletjes
technical ['teknikl] I *bn:* *a*) technisch, vak...; *b*) wettelijk, volgens de letter der wet, formeel (*offence, assault*); ~ *college,* (*ongev*) H.T.S.; ~ *education* ambachts-, vakonderwijs; ~ *school* lagere technische school; II *zn:* ~*s:* *a*) vaktermen; *b*) technische bijzonderheden; **technicality** [tekni'kæliti] het technische (karakter); technische term (bijzonderheid); *a mere* ~, *ook:* een blote formaliteit; **technician** [tek'niʃən] technicus; *dental* ~ tandtechnicus; **technics** ['tekniks] techniek; **technique** [tek'ni:k] techniek; werkwijze
technological [teknə'lɔdʒikl] technologisch; ~ *unemployment* werkloosheid tengevolge van het gebruik van machines; **technologist** [tek'nɔlədʒist] technoloog; **technology** [tek'nɔlədʒi] technologie
tedious ['ti:diəs] vervelend, langdradig, saai; **tediousness** verveling, langdradig-, saaiheid
teem [ti:m] vol (zwanger) zijn, wemelen, krioelen (*with* van); '**teeming** wemelend, krioelend; vruchtbaar
teenage ['ti:neidʒ] *teens;* ~ *girl,* ~ *son* dochter, zoon tussen 12 en 20; **teenager** id., 'tiener'; **teener** ['ti:nə] (*Am*) *teenager*; **teens** [ti:nz] de jaren 13 tot (en met) 19; *in one's* ~ tussen 12 en 20 jaar
'**teeny(-weeny)** piepklein
teethe ['ti:ð] tanden krijgen; **teething** ['ti:ðiŋ] het tanden krijgen; '**teething-ring** bijtring; '**teething troubles** (*fig*) 'kinderziekten'
teetotal [ti:'təutl] geheelonthouders..., alcoholvrij (*drinks*); **teetotal(l)er** [-ə] geheelonthouder
telecast ['telika:st] I *zn* televisieuitzending; II *ww* uitzenden per televisie
telegraph ['teligra:f] I *zn:* *a*) telegraaf; *b*) seintoestel, semafoor; II *ww* telegraferen; **telegrapher** [ti-, te'legrefə] telegrafist; '**telegraph-form** telegramformulier; **telegraphic** [teli'græfik] telegrafisch, telegraaf...
telepathy [ti'lepəθi] telepathie
telephone ['telifəun] I *zn* telefoon; *be on the* ~*:* *a*) een telefoon hebben; *b*) aan de telefoon zijn; *on the* ~*, ook:* per telefoon, telefonisch; II *ww* telefoneren; ~ *answerer* (*answering machine*) telefoonbeantwoorder, antwoordapparaat; '**telephone book** telefoonboek; '**telephone-booth** [-bu:ð], **telephone-box** telefooncel; '**telephone-call** (oproeping tot een) telefoongesprek; '**telephone-directory** telefoonboek; '**telephone exchange** [-iks'tʃein(d)ʒ] telefooncentrale; '**telephone number** telefoonnummer; '**telephone-office** telefoonkantoor, telefoonstation; **telephonic** [teli'fɔnik] telefonisch
teleplay ['teliplei] toneelstuk op televisie
teleprinter ['teliprintə] telex
telescope ['teliskəup] I *zn* telescoop, verrekijker; II *ww* telescoperen, in elkaar schuiven of geschoven (kunnen) worden (*the railway carriages* [*were*] ~*d in the accident*); **telescopic** [telis'kɔpik] telescopisch; in-, uitschuifbaar
teletype(writer) ['telitaip-, teli'taip,raitə] telex
televise ['telivaiz] per televisie uitzenden; **television** ['teli,viʒən] televisie; *television set* televisie(ontvanger, -toestel)
telex ['teleks] id., telexdienst
tell [tel] vertellen, het vertellen (*you won't* ~, *will you?*), zeggen, mededelen, bevelen; (ver)klikken, uit de school klappen; onderscheiden, kennen; getuigen (*of* van); effect (uitwerking) hebben, gewicht in de schaal leggen, in-

druk maken; *you never can* ~ men kan nooit weten; *I told you so!* dat heb ik je wel gezegd!; ~ *the time* klokkijken; *ten all told* in het geheel; ~ ***against*** in het nadeel werken, nadelig zijn; *I can't* ~ *them* ***apart*** ken ze niet uit elkaar; ~ ***by*** opmaken uit, merken aan; *that* ~*s* ***for*** *something* telt mee, is lang niet mis; *I cannot* ~ *one* ***from*** *the other* (*fam: t'other from which*) kan ze niet van elkaar onderscheiden; ~ ***off*** (na)tellen; opsommen (*on one's fingers*); aanwijzen (*for a task*); uitschelden, een standje geven; ~ ***on*** *a p.* iem verklappen; *the speech told on the hearers* maakte indruk op; *his troubles have told on him* hem erg aangepakt; **'teller** [-ə] teller; kassier (*van bank*); **'telling I** *zn: beautiful beyond* (*past*) *all* ~ onbeschrijfelijk schoon; **II** *bn* indrukwekkend, pakkend (*speech*); krachtig, kernachtig (*phrase*); raak (*shot, repartee*); **telling-'off** uitbrander; **'telltale** [-teil] **I** *zn* babbelaar, verklikker (*ook het instrument*), verklikkerlicht; **II** *bn* verklikkend, verraderlijk (= verradend: *a* ~ *blush*), veelzeggend (*marks*); ~ *light* verklikkerlicht

telly ['teli] (*fam*) televisie(toestel), TV, teevee

temerity [ti'meriti] vermetelheid

temp (*fam*) tijdelijke (kracht, enz.)

temper ['tempə] **I** *ww* matigen, verzachten, temperen; doen bedaren; in toom houden; bereiden, aanmaken (*mortar*); mengen, temperen (*colours*); temperen, harden (*steel*); ~ *justice with mercy* genade voor recht laten gelden; **II** *zn* graad van hardheid (*van staal, enz*); aard, natuur, temperament; gemoedstoestand, stemming, humeur; opvliegendheid, drift(bui), boze bui; *even* ~ gelijkmatig humeur; *keep* (*recover*) *one's* ~ zijn kalmte bewaren (herkrijgen); *lose one's* ~ zijn kalmte verliezen, boos worden (*with* op); *be* (*put*) ***out of*** ~ uit zijn humeur zijn (brengen); *get out of* ~ = *lose one's* ~

temperament ['temp(ə)rəmənt] id., gestel, aard; **temperamental** [temp(ə)rə'mentl] *a*) van het temperament; aangeboren; *b*) vol temperament; onbeheerst

temperance ['temp(ə)rəns] matigheid, gematigdheid, onthouding; **temperate** ['temp(ə)rit] matig, gematigd; ~ *zone* gematigde luchtstreek

temperature ['temprətʃə] temperatuur; *have* (*run*) *a* ~ 'verhoging' hebben

tempest ['tempist] (hevige) storm (*ook fig*)

temple ['templ] **1** tempel; (grote) kerk; **2** slaap (*deel van het hoofd*)

tempo ['tempəu] id.

temporal ['temp(ə)rəl] tijdelijk; wereldlijk

temporary ['temp(ə)rəri] **I** *bn* tijdelijk, voorlopig; ~ *bridge* noodbrug; ~ *officer* reserve-officier; **II** *zn* tijdelijke beambte, tijdelijke (hulp)kracht, uitzendkracht; los werkman, noodhulp

temporize ['tempəraiz] tijd trachten te winnen; een slag om de arm houden

tempt [tem(p)t] in verzoeking brengen; verleiden, (ver)lokken; **temptation** [tem(p)'teiʃən] verleiding, verzoeking; aanvechting; *lead us not into* ~ leid ons niet in verzoeking (*r-k* bekoring); **'tempter** [-ə] verleider; **'tempting** verleidelijk, verlokkelijk; **'temptress** [-ris] verleidster

ten tien; tiental; bankbiljet van 10 pond; ~ *a penny* erg gewoon, alledaags; ~ *to one* tien tegen een

tenable ['tenəbl] houdbaar, verdedigbaar

tenacious [ti'neiʃəs] taai; kleverig; vasthoudend; sterk (*memory*); hardnekkig; **tenacity** [ti'næsiti] vasthoudendheid; sterkte (*van geheugen*)

tenancy ['tenənsi] huur, pacht; genot (van bezit); verblijf; **tenant** ['tenənt] **I** *zn* huurder, pachter; bewoner; **II** *ww* in huur (pacht) hebben; (als huurder) bewonen; innemen (*a space*); **'tenant-'farmer** huurboer, pachter

tend 1 zich uitstrekken (~ *eastward*), zich richten, gaan (in zekere richting); strekken, leiden (*to* tot); gericht zijn (*to* op); streven, bijdragen; een neiging hebben (*to* te, tot); **2** oppassen (*a patient*), zorgen voor; passen op, bedienen (*a machine*); hoeden (*a flock*); ~ *to*, (*Am, dialect*) zorgen voor (*I'll* ~ *to the rest*); ~ (*up*)*on* bedienen; **'tendency** [-ənsi] neiging; aanleg (voor ziekte); strekking, tendentie, teneur; (*Beurs*) stemming; **tendentious** [ten'denʃəs] tendentieus

1 tender ['tendə] *a*) oppasser, enz.; zie *tend* 1; *b*) id. (*van locomotief*); *c*) id.: schip om passagiers te landen, enz.

2 tender ['tendə] **I** *ww* aanbieden (*one's services, a telegram*); indienen (*one's resignation*); ~ *for* inschrijven op (*a work*); **II** *zn: a*) aanbod, offerte; *b*) inschrijving; *c*) betaalmiddel (*legal* ~ wettig ...); *by* ~ bij inschrijving; *put up for* ~ aanbesteden, inschrijvingen inwachten op

3 tender ['tendə] teder, teer, zacht, mals; gevoelig, pijnlijk; teergevoelig, liefhebbend; voorzichtig (*finger the wound* ~*ly*)

tendon ['tendən] pees

tendril ['tendril] rank (*van plant*)

tenement ['tenimənt] *a*) pachtgoed; *b*) ~*-house* (*a four-story* ~); **'tenement-house** etage-, kazernewoning, huurkazerne

tenet ['ti-, 'tenet, -nit] leerstuk, leerstelling

tenfold ['tenfəuld] tienvoudig, -dubbel

tennis ['tenis] id.; **'tennis court** [-kɔ:t] tennisbaan

tenor ['tenə] *a*) gang, loop, richting; *b*) inhoud, geest, strekking, teneur; *c*) tenor

tenpin bowling ['tenpin bəuliŋ] kegelen

1 tense [tens] (*gramm*) tijd

2 tense [tens] **I** *bn* strak, gespannen; ingespannen (*think* ~*ly*); in spanning; van spanning (*a* ~ *moment*); **II** *ww* spannen, strak maken

tensile ['tensail] rekbaar, span(nings)...

tension ['tenʃən] spanning, gespannenheid

tent tent; *pitch one's* ~*s* zijn tenten opslaan

tentacle ['tentəkl] tentakel, tastorgaan; vangarm, voelhoorn

tentative ['tentətiv] bij wijze van proef verricht, proef..., experimenteel, het terrein verkennend, voorzichtig, aarzelend; '**tentatively** [-li] *ook:* bij wijze van proefballon

tenterhook ['tentəhuk]: *be on ~s* op hete kolen zitten

tenth [tenθ] tiende (deel); tiend(e) (*belasting*)

'**tent-peg**, **tent-pin** 'haring', tentpen; **tent-pole** ['tentpəul] tentpaal

tenuous ['tenjuəs] dun, fijn, vaag, onbeduidend

tenure ['tenj(u)ə] *a*) eigendomsrecht, bezit; *b*) ambtsbekleding (= ~ *of office*); *c*) vaste aanstelling

tepid ['tepid] lauw; **tepidity** [te'piditi] lauwheid

term [tə:m] I *zn* termijn, periode; tijd tussen 2 opeenvolgende vakanties, collegetijd, schooltrimester, -kwartaal; zittingstijd (*van rechtbank*); (tijd van) bevalling (*she is near her ~*); term, uitdrukking; *~s* voorwaarden, condities; prijzen, honorarium, schoolgeld; bewoordingen (*in flattering ~s*); (*Am*) scriptie; *come to ~s* tot een vergelijk komen; het op een akkoordje gooien (*with* met); ***for*** *a ~ of years* voor een zeker aantal jaren; *think* ***in*** *~s of* overwegen; *speak in high ~s* (*in ~s of the highest praise*) *of* met grote (de hoogste) lof spreken van; *in no uncertain ~s* in niet mis te verstane bewoordingen; *~s of trade* ruilvoet; ***on*** *those ~s* op die voorwaarden; *on good ~s* op goede voet; *be on visiting ~s* bij elkaar aan huis komen; *we are no longer on speaking ~s* wij spreken niet meer tegen elkaar; *bring* ***to*** *~s* tot een schikking dwingen, onderwerpen; *come to ~s* zijn verhouding bepalen (*with* tot); leren leven (*with one's handicap*); II *ww* noemen

terminable ['tə:minəbl] begrensbaar; te beëindigen; aflopend (*annuity*); opzegbaar (*contract*); aflosbaar (*bonds*); **terminal** ['tə:minl] I *bn* grens..., eind..., slot...; periodiek (*payments*); (*med*) terminaal, aflopend (met de dood); ~ *stage* eindstadium; II *zn* einde, uiterste; eindstation; (*elektr*) (pool)klem, contactpunt; (*van computer*) id.; **terminate** ['tə:mineit] begrenzen; (be)eindigen, een eind maken aan, termineren; opzeggen (*a contract*); aflopen (van contract); ~ *in s* op s uitgaan; **termi'nation** beëindiging; grens; einde, slot, besluit; afloop; uitgang (van woord); (*med*) zwangerschapsbeëindiging (= ~ *of pregnancy*); *draw to a* ~ ten einde lopen; *put a ~ to* een eind maken aan

terminology [tə:mi'nɔlədʒi] terminologie

terminus ['tə:minəs] eind(punt); eindstation

termite ['tə:mait] termiet, witte mier

terrace ['terəs] I *zn* terras; enigszins verhoogde achteruitwijkende huizenrij; open (staan)tribune; II *ww: a*) tot terras(sen) vormen; *b*) van terras(sen) voorzien; '**terraced** [-t] terrasvormig (aangelegd) (*garden*); '**terraced house** huis in een rij, rijtjeshuis

terrain [te'rein, 'terein] terrein

terrestrial [ti'restriəl] I *bn* aards, aard...; II *zn* aardbewoner

terrible ['terəbl, -ibl] verschrikkelijk, vreselijk

terrific [tə'rifik] *bn* verschrikkelijk, geweldig, fantastisch; **terrifically** [-əli] *bw* schrikwekkend; verschrikkelijk; (*fam*) geweldig (*speed*), fantastisch (*she's terrific*); **terrify** ['terifai] schrik aanjagen, verschrikken; ~ *into* door schrikaanjaging brengen tot; ~ *a p. to death* iem een doodsschrik op het lijf jagen; *terrified at* verschrikt (ontsteld) over; *terrified of* terugdeinzend (doodsbang) voor; *~ing* angstaanjagend, -(ver)wekkend

territorial ['teri'tɔriəl] territoriaal, land..., grond...; **territory** ['terit(ə)ri] territoir, -torium; (grond)gebied, landstreek; domein; rayon (*van handelsreiziger*); (*fig*) gebied, sfeer

terror ['terə] schrik, (doods)angst, verschrikking; voorwerp van schrik, monster; (*holy*) *~*, (*sl*) vreselijk iemand, enfant terrible, klein monster (*that boy is a ~*); *he is a ~ for borrowing things* hij is een echte leentjebuur; '**terrorism** [-rizm] schrikbewind, terreur, terrorisme; '**terrorist** [-rist] I *zn* id.; II *bn* terroristisch; '**terrorize** [-raiz] (ook: ~ *over*) terroriseren, schrik aanjagen, een schrikbewind voeren over; ~ *into submission* door schrikaanjaging onderwerpen; '**terror-stricken** [-strikn], **terror-struck** met doodsangst geslagen

terry ['teri] (van) badstof

terse [tə:s] beknopt, kort (en bondig)

tesselated ['tesəleitid] ingelegd, geruit, mozaïek...

test I *zn* toets, toetssteen; criterium; proef, beproeving, toetsing, test; onderzoek; proefwerk; *put to the* ~ op de proef stellen; *stand the* ~ de proef doorstaan; II *ww* toetsen, testen, beproeven, uitproberen; *a ~ing time* een tijd van beproeving

testament ['testəmənt] id.; **testamentary** [testə'mentəri] testamentair; **testate** ['testit, -eit] een testament nalatend; **testator**, **testatrix** [tes'teitə, -triks] erfla(ats)ter

'**test ban (treaty)** verdrag tegen proefnemingen met atoombommen; '**test-bed**, **test-bench** proefbank; '**test-case** ['testkeis] proefproces; proef(geval); **test-flight** proefvlucht; **test-fly** invliegen

testicle ['testikl] teelbal, zaadbal, testikel

testify ['testifai] getuigen (van); betuigen, getuigenis afleggen van, belijden (*one's faith in* ...)

testimonial [testi'məunjəl] testimonium, getuigschrift, verklaring, attestatie; huldeblijk; **testimony** ['testiməni] getuigenis; bewijs; *bear* ~ getuige afleggen (*to* van), getuigen (*against* tegen)

'**test match** (*cricket enz*) wedstrijd tussen teams van twee of meer landen; '**test-paper** *a*) reageerpapier; *b*) proefwerk, schriftelijk tentamen; **'test-pilot** invlieger; **'test-tube** reageerbuisje; ~ *baby* door kunstmatige inseminatie verwekt kind

testy ['testi] knorrig, gemelijk, prikkelbaar

tetchy ['tetʃi] knorrig, prikkelbaar

tether ['teðə] I *zn* touw, enz. (om grazend dier aan vast te maken); *he is at the end of his* ~ kan niet verder; II *ww* (vast)binden

text [tekst] tekst; onderwerp; **'textbook** *a*) leerboek; *b*) (*attr*) volgens het boekje, model

textile ['tekstail] I *bn* textiel, weef... (*art*), geweven (*goods*); II *zn* textiel, geweven stof

textual ['tekstjuəl] tekst..., tekstueel; volgens de tekst, letterlijk

texture ['tekstʃə] weefsel, samenstel, bouw, aard

than [ðæn, ð(ə)n] dan (*na vergrotende trap; bigger* ~ groter dan)

thank [θæŋk] I *ww* (be)danken; ~ *you: a*) dank u; *b*) (*bij aanneming van aanbod en in winkel, enz bij overhandiging*) alstublieft; *no,* ~ *you,* (*bij weigering*) dank u; *ask him?* ~ *you* dank je wel; II *zn:* ~*s* dank; ~*s!* dank je!; *many* ~*s, best* ~*s,* ~*s very* (of: *ever so*) *much* dank je wel!; ~*s to your eagerness* dank zij ...; ~*s to you, ook:* door uw toedoen; *give* ~*s* danken (vooral aan tafel); **'thankful** [-f(u)l] dankbaar; **'thankless** [-lis] ondankbaar; **thanksgiving** [θæŋks'giviŋ, 'θ-g-] dankzegging; **thanksgiving-day** dankdag; *T*~, (*Am*) nationale feest- en dankdag (gew. laatste donderdag in nov.); **thankyou** ['θæŋkju] (*fam*) bedankje

that [ðæt] I *aanw vnw* die, dat; *who's* ~ *laughing?* wie lacht daar?; (*so*) ~*'s* ~*: a*) dat is klaar, zit erop, dat weten we weer; *b*) en daarmee is het uit!; ~*'s all* anders niet; er zit niets anders op; *it was necessary to act, and* ~ *promptly* en vlug ook; ~*'s a good girl* (*a dear*) je bent (dan ben je) een beste meid; ~ *is* (*to say*) dat wil zeggen; *a vast building, vast,* ~ *is, for a small town* wel te verstaan, tenminste; *with* ~ (ook: *at* ~) toen, daarna; *he kissed her and with* ~ *he left; at* ~ bovendien; *I am not so stupid as* (*all*) ~ zó dom ben ik niet; *there was* ~ *in his eyes* (*tone,* enz.) *which* ... er was iets in zijn ..., dat ...; *I don't care* ~ *about it* ik geef er niet zóveel om; II *bw* (*fam*) zó (met woord, dat hoeveelheid, afstand, maat uitdrukt: *I'll go* ~ *far*); *I am* ~ *sorry,* (*fam*) het spijt me zo; III *betr vnw* [ðət, ðæt] die, dat, welke, wat (*all* ~ *is noble*); IV *vw* [ðət, ðæt] *a*) dat; *b*) opdat; *he was the more disappointed in* ~ *he had been sure* ... doordat, omdat, in zover dat ...

thatch [θætʃ] I *zn* (dak)stro, -riet, enz.; rieten dak; met riet gedekte woning, hut; (*scherts*) hoofdhaar; II *ww* (met riet, enz.) dekken

thaw [θɔ:] I *ww* dooien, (doen) ontdooien (*ook fig*); II *zn* dooi

the 1 [*betoond:* θi:; *onbetoond:* voor klinker: ði, voor medeklinker: ðə, ð] de, het; die (*not just* ~ *one nut, the lot!*); *he is* ~ [ði:] *Curzon* de (echte, bekende) C.; *that's* ~ [ði:] *book on the subject* hèt, jè; *oh,* ~ *dullness* (*of it*)*!* o, wat saai!; ~ *ingratitude!* wat een ondankbaarheid!; 2 [ðə, ði]: ~ *more* ~ *better* hoe ... hoe; *all* ~ *worse* des te erger; *I am little* ~ *wiser* er weinig wijzer door; ~ *more so as* ... te meer daar; *the world is* ~ *poorer for his death* zijn dood is een verlies voor ...

theatre ['θiətə] schouwburg; toneel; podium, verhevenheid; gehoorzaal, aula; operatiezaal; gezamenlijke toneelwerken (*Shakespeare's* ~); *the Burma* ~ het oorlogsterrein in B.; ~ *of operations* operatieterrein; ~ *of war* oorlogstoneel; *the play is good* ~ het stuk is goed (sterk) toneel; **theatrical** [θi'ætrikl] toneel...; theatraal; ~*s* toneel(uitvoering) (*vooral door amateurs*)

theft [θeft] diefstal

their [ðɛə] hun, haar; **theirs** [ðɛəz] de (het) hunne (hare); *vgl yours*

them [ðem, ð(ə)m] hen, hun, haar; ze; zich

theme [θi:m] thema, onderwerp; opstel, scriptie, (Franse enz.) thema; **'themesong** telkens terugkerende melodie in film, enz.

themselves [ðəm'selvz] zich(zelf), zelf

then [ðen] I *bw* toen; dan, daarop; bovendien (*and* ~, *it is no concern of mine*); verder; dus (*you have seen us* ~?); ~ *and there, there and* ~ onmiddellijk, op staande voet; II *bn* toenmalig (*the* ~ *government*); *the* ~ *measures* de toen genomen maatregelen; III *zn: by* ~ tegen die tijd, dan, toen; *till* ~ tot die tijd; tot zolang; *not until* (*till*) ~ toen eerst

thence [ðens] vandaar (= *from* ~), daaruit, daardoor, dus; **'thence'forward** [-fɔ:wəd] van die tijd af

theologian [θiə'ləudʒiən] godgeleerde; **theological** [θiə'lɔdʒikl] theologisch; **theology** [θi'ɔlədʒi] theologie, godgeleerdheid

theoretic [θiə'retik]; **theoretical** [-l] theoretisch; **theory** ['θiəri] theorie

therapeutic ['θere'pju:tik] therapeutisch, geneeskundig; **therapist** ['θerəpist] therapeut, geneeskundige; **therapy** ['θerəpi] therapie, geneeswijze

there [ðɛə; *onbetoond ook* ðə; *onbetoond voor klinker* ðər, ðr] I *bw* daar, er; daarheen; ~ *and back* heen en terug; ~ *and then* onmiddellijk, op staande voet; *but* ~ maar ja; *but* ~ *it is* maar het is nu eenmaal zo; *it sounds rather odd, but* ~ *it is* maar het is toch zo; ~ *you are!* klaar is kees; alstublieft; zie je wel!; *I wish* ..., *but* ~ *you are* maar het is gebeurd, enz.; *he is all* ~, (*sl*) hij is goed bij, bij de pinken, niet van gisteren; *not all* ~, (*sl*) niet goed snik; ~*'s gratitude* dat noem ik ...; ~, ~! ~ *now!* stil maar! kom, kom!; *I agree with you* ~ dat ben ik met je eens; ~*'s where they differ from us* in dat opzicht ...; ~, *what did I tell you?* nu, wat ...?; ~*'s a good fellow* je bent (dan ben je) ...; II *zn: he left* ~ *yesterday* is ... vandaar vertrokken; *by* ~ daarlangs; *from* ~ daarvandaan; *in* ~ daarbinnen; *near* ~ daar dichtbij; **thereabout(s)** [ðɛərə'baut(s), 'ðɛərəbauts] daar in de buurt; daaromtrent (*a pound or* ~); **thereafter** [ðɛə'ra:ftə] daarna; **thereby** ['ðɛə'bai] daardoor; **therefore** ['ðɛəfɔ:] daarom; bijgevolg; **thereof** [ðɛə'rɔv] hier-, daarvan; **thereupon** ['ðɛərə'pɔn] daarop (= daarna)

thermal ['θə:məl] warmte...; heet (*springs*)

thermometer [θə'mɔmitə] thermometer; **thermos** ['θə:məs]: ~ (*bottle/flask*) thermosfles; **thermostat** ['θə:məstæt] thermostaat

these [ði:z] deze (*mv*); ~ *five years: a*) al 5 jaar; *b*) de komende 5 jaar; ~ *women!* die vrouwen toch!

thesis ['θi:sis] id., these, stelling; dissertatie

they [ðei] zij; men; ~ *say* men zegt

thick [θik] I *bn en bw* dik (*ook:* intiem); dicht (op elkaar staand, enz.); dicht bezet (begroeid: ~ *with trees*); troebel; mistig; (*fam*) dom, stomp(zinnig); ~ *of speech* zwaar van tong; *a* ~ *ear* een (door een slag) opgezwollen oor; ~ *type* vette letter; *this is a bit* ~, (*fam*) nogal kras; II *zn* het dikke of dichte gedeelte van iets; dikte; het heetst (*in the* ~ *of the fight*); **'thick()and()'thin** *supporter* die door dik en dun meegaat; **'thicken** [-ən] dik(ker) (dichter, talrijker, enz.) maken of worden, verdikken, gebonden worden; ~*ing of the arteries* slagaderverkalking; **'thicket** [-it] bosje, struikgewas; **'thickgrowing** dicht; **'thick(')headed** dom; **'thickish** ietwat *thick*; **'thickness** dikte (*take three* ~*es of felt*), laag; dichtheid; **'thick'set** dicht (beplant); dicht bijeen geplaatst; sterk gebouwd, gedrongen; **'thick'skinned** dikhuidig (*ook fig*); **'thick-'witted** bot, dom

thief [θi:f] dief; **thieve** [θi:v] stelen

thigh [θai] dij

thimble ['θimbl] vingerhoed

thin [θin] I *bn* dun(netjes), ijl; mager, schraal, zwak, slap; doorzichtig (*disguise, excuse*); flauw (*joke*); *a* ~ *house* slecht bezette zaal; *skate* (*walk, venture*) *on* ~ *ice* zich op glad ijs (op gevaarlijk terrein) wagen; II *ww* dun(ner) enz. maken of worden, (ver)dunnen, vermageren

thing [θiŋ] ding, zaak(je); schepsel(tje); iets (*sociology is a living* ~); ~*s* (de) dingen, (de) zaken (~*s had changed greatly*); kleren, goed (*take off your* ~*s*), spullen, boeltje, gerei; *how are* (*fam how's*) ~*s?* hoe staat het (met de zaken)?; *poor* ~ arm schepsel; *she is a sweet* ~ lief schepseltje; *the latest* (*last*) ~ *in hats* een hoed(je) naar de allerlaatste mode, het laatste (nieuwste) snufje op hoedengebied; *old* ~*!* ouwe (jongen)! beste meid!; *that's another* ~ iets anders; *the strangest* ~ *about it was* ... het vreemdste eraan (ervan) ...; *the first* ~ *I did* het eerste ...; *first* ~*(s) must come* (*should be put*) *first, first* ~*s first* wat het zwaarst is, moet het zwaarst wegen; *do it* (*the*) *first* ~ *in the morning* doe het 's morgens (*of:* morgenochtend) in de allereerste plaats; *it's one of those* ~*s* zo iets hèb je nu eenmaal; *that's the* (*very*) ~, *just the* ~, (*fam*) je ware, precies wat ik moet hebben; *it's not* (*quite*) *the* ~, (*fam*) *ook:* niet netjes; *the* ~ *is that* ... de zaak is ...; *'Did you find anything?' 'Not a* ~*'* totaal niets; *he doesn't mean a* ~ *to me* is me totaal onverschillig; *he hates all* ~*s German* al wat Duits is; *I like it above* (of: *of*) *all* ~*s* bovenal; *for one* ~ *I wish to observe* ... in de eerste plaats; *for one* ~, *ook:* immers; *for one* ~ ..., *for another* ... eensdeels ..., anderdeels ...; *for one* ~ *he drinks, for another* ... ten eerste ..., ten tweede ...

thingy ['θiŋi] (*fam*) dinges

think [θiŋk] I *ww* denken, nadenken, zich bedenken; bedenken, zich herinneren (*he could not* ~ *where he had seen it*); geloven, menen, van plan zijn; vinden, achten (~ *o.s. bound to* ...); zich denken, zich voorstellen, (zich) begrijpen (*I can't* ~ *where he has gone*); *I never thought to ask* ik heb er niet om gedacht om het te vragen; *somewhat puzzling, don't you* ~*?* vind je niet?; *a bit queer, I'm* ~*ing* zou ik zeggen; *I don't* ~ *so, I* ~ *not* ik geloof (denk) van niet; *he smiled to* ~ ... als hij dacht; *Mr. A. began to* ~ *whether* ..., *ook:* zich af te vragen; ~ *again* nog eens (erover) nadenken, van gedachten veranderen; ~ *no harm* geen kwaad vermoeden; ~ ***about*** denken over; ~ ***back*** *to the time when* ... terugdenken aan; *more than you* ~ ***for*** denkt, verwacht; ~ ***of*** denken van (aan, over); zich voorstellen; bedenken (*I can't* ~ *of a single excuse*); ~ ***out*** uitdenken, bedenken, ontwerpen (*a theory*); overwegen, goed denken over; ~ ***over*** *the matter*, ~ *the matter over* ... overdenken; ~ ***through*** doordenken; ~ ***to*** *o.s.* bij zichzelf denken; ~ ***up*** bedenken (*an excuse*); II *zn* (*fam*) *have a hard* ~ ernstig denken; *have a* ~ *about it* denk er eens over; *you've got another* ~ *coming*, (*fam*) ... dan heb je het lelijk mis; **'thinkable** [-əbl] denkbaar; **'thinker** [-ə] denker; **thinking** ['θiŋkiŋ] het denken, enz.; *way of* ~ denk-, zienswijze; **'think-tank** (*fam*) (groep) probleemoplosser(s), denktank

thinner ['θinə] (lak-, verf)verdunner, verdunningsmiddel; **thinnish** ['θiniʃ] vrij ... (zie *thin*); **'thin-'skinned** [-skind] dun van huid; (*fig*) overgevoelig, lichtgeraakt

third [θə:d] I *bn* derde; ~ *best* op twee na de beste; ~ *time does the trick* (*lucky, is lucky, pays for all*) alle goede dingen bestaan in drieën; II *zn* derde (deel); **'third-'class** derderangs; **'thirdly** [-li] ten derde; **'third-'party**: ~ (*liability*) *insurance* (*insure against* ~ *risks*) verzekering (zich verzekeren) tegenover derden, wettelijke aansprakelijkheidsverzekering; **'third-'rate** [-reit] derderangs

thirst [θə:st] I *zn* dorst (*of, for, after* naar); *have a* ~, (*sl*) een droge keel (d.i. zin in een borrel) hebben; II *ww* dorsten, haken (*for, after*

power naar ...); **'thirsty** [-i] dorstig; *I am* ~ heb dorst; ~ *after* (*for*) dorstend naar
thirteen [θɜ:'ti:n; *attr* 'θɜ:ti:n] dertien; **thirteenth** [-θ; vgl *thirteen*] dertiende (deel)
thirtieth ['θɜ:tiiθ] dertigste (deel); **thirty** ['θɜ:ti] dertig; *the -ies* de jaren dertig; **'thirtyish** ongeveer dertig jaar
this [ðis] deze, dit; (*fam*) die, dat, een (*he had* ~ *girl-friend once, who* ...); *speak of* ~ *and that* (~, *that and the other*) over alles en nog wat; ***at*** ~ bij het horen (zien, enz.) hiervan, hierop; ***before*** ~ al eerder, vroeger; *he'll be ready* ***by*** ~ zal nu wel (al) klaar zijn; *for all* ~ toch; ***from*** ~ *to H.* van hier naar H.; *it is* ***like*** ~ het zit zo; *get* ***out of*** ~*!* pak je weg!; ***to*** ~ *day* tot op heden
thistle ['θisl] distel
thither ['ðiðə] (*vero*) derwaarts, daarheen
thong [θɔŋ] riem
thorn [θɔ:n] *a*) doorn, stekel, prikkel; *b*) doornstruik; *it is a* ~ *in my flesh* (of: *side*) het is mij een doorn in het oog (vlees); *be* (*sit*) *on* ~*s* op hete kolen zitten; **'thorn-bush** [-buʃ] doornstruik; **'thorn-'hedge** doornhaag; **'thorny** [-i] doornachtig, stekelig, doorn...; (*fig*) kwellend; lastig, netelig
thorough ['θʌrə] volkomen, volmaakt; volledig; degelijk, grondig, flink; echt, doortrapt (*scoundrel*); **'thoroughbred I** *bn* volbloed, rasecht; zeer beschaafd, gedistingeerd; **II** *zn* volbloed paard, enz.; **'thoroughfare** [-fɛə] doorgang; (hoofd)straat, -weg; *No t*~ afgesloten rijweg; doodlopende weg; **'thoroughgoing** doortastend, radicaal, grondig (*inquiry*); **'thoroughly** [-li] door en door, grondig
those [ðəuz] die (*mv*); degenen, zij; *there are* ~ *who say* er zijn er, die ...
thou [ðau] (*dichterlijk, dialect, bijb, tot God*) *vnw* gij
though [ðəu] **I** *vw* ofschoon, hoewel; al (~ *it were true*); *terrible* ~ *it may be* hoe ... ook; *as* ~ alsof; zie *as*; **II** *bw* (*fam*) evenwel, (en) toch, maar (toch); *he is a good fellow,* ~ hij is toch een goeie kerel; *he should play more,* ~ maar hij moest meer spelen; *did she* (*is she,* enz.), ~*?* werkelijk? toch waar?
thought [θɔ:t] gedachte, overweging; idee, oordeel, inval (*a happy* ~); het denken, het denkvermogen; nadenken, gepeins; tikje (*a* ~ *taller*), schijntje; **'thoughtful** [-f(u)l] peinzend, nadenkend; bedachtzaam; attent (*very* ~ *of you*), tactvol, kies; ~ *of one's interests* bedacht op; ~ *of* (*for*) *others* attent voor; **'thoughtless** [-lis] gedachteloos, onnadenkend, zorgeloos; onattent, nonchalant; ondoordacht, lichtvaardig
thousand ['θauzənd] (*a, one*) ~ duizend; *she is one in* (*of*) *a* ~ één uit duizend; *they came in their* ~*s* bij duizenden; *it's a* ~ *to one* duizend tegen één; **'thousandfold** [-fəuld] duizendvoudig; **'thousandth** [-θ] duizendste (deel)
thrash [θræʃ] afranselen, klop geven, verslaan; slaan (*at* naar); beuken; rollen, (zich) slingeren; ~ *out a question* een kwestie grondig bespreken, van alle kanten bekijken; ~ *it out, ook:* het uitvorsen, erachter (zien te) komen; **'thrashing** afranseling, pak ransel
thread [θred] **I** *zn* draad (*ook van schroef*), ijzergaren; *lose* (*resume*) *the* ~ *of one's story* de draad van zijn verhaal kwijtraken (weer opvatten); *hang by* (*upon*) *a* ~ aan een (zijden) draad hangen; *I had not a dry* ~ *on me* geen droge draad aan mijn lijf; *worn to a* ~ tot op de draad versleten; **II** *ww* een draad steken in (*a needle*); een film invoeren in projector; doorboren, doordringen, aanrijgen (*beads* kralen); zich een weg (doorgang) banen door, heensluipen door (= ~ *one's way through* ...); van een (schroef)draad voorzien; **'threadbare** [-bɛə] kaal, versleten; (*fig*) afgezaagd
threat [θret] bedreiging; **threaten** ['θretn] (be)dreigen; dreigen met (*death*); **'threatening** dreigend
three [θri:] drie(tal); *3-D* id., driedimensionaal (effect), *the* ~ *R's* = *reading, writing, arithmetic; come* (*go*) *in* ~*s* ... bij 3 tegelijk; **'three-act** *play* stuk in 3 bedrijven; **'three-'cornered** [*attr* 'θri:kɔ:nəd] driehoekig; ~ *hat* steek; **'three-'course** *dinner* diner van drie gangen; **'three-'decker** driedekker; sandwich met drie sneden brood; roman in drie delen; **'three-'deep** drie-dik; **'three-di'mensional** drie-dimensionaal, met drie afmetingen; **'threefold** [-fəuld] drievoudig; **'three-footed** *stool* driepoot; **'three-'legged** [*attr* 'θri:legd, 'θri:'legid] driepotig; ~ *stool* driepoot; **'three-'ply** [-plai] driedraads, uit drie lagen bestaand; **'three-'quarter** driekwart; **'three-'score** zestig; **'threesome** [-səm] drietal personen, trio; **'three-speed** *gear* drieversnellingsnaaf
thresher ['θreʃə] dorser
threshold ['θreʃəuld] drempel, dorpel; (*fig*) grens(lijn); ingang; begin; ~ *fear* drievrees
thrice [θrais] (*vero*) driemaal, driewerf
thrift [θrift] zuinigheid, spaarzaamheid; **'thrifty** [θrifti] spaarzaam
thrill [θril] **I** *ww* ontroeren, aangrijpen, met geestdrift vervullen; ontroerd, aangegrepen worden; huiveren (*with horror* van ontzetting); **II** *zn* ontroering, sensatie; huivering, siddering; aangrijpende (huiveringwekkende) vertoning (*cinema* ~*s*); **'thriller** [-ə] (*fam*) sensatieroman, -film; **'thrilling** aangrijpend, sensationeel
thrive [θraiv] gedijen, tieren, vooruitkomen, bloeien, voorspoed hebben; **thriving** ['θraiviŋ] *bn* voorspoedig, bloeiend
throat [θrəut] keel, keelgat, strot; (*fig*) nauwe in- of doorgang; *they are* ***at*** *each other's* ~*s* hebben elkaar bij de keel; *something caught her* ***by*** *the* ~ het was alsof haar de keel werd dichtgeknepen; *the food* (*words*) *stuck in his* ~ bleef (bleven) hem in de keel steken; **'throaty** keel...; schor
throb [θrɔb] **I** *ww* (hevig) kloppen (*van hart,*

enz), bonzen, trillen, puffen (*van machine*); II *zn* klop(ping), geklop, gebons; *my heart gave a* ~ bonsde
throe [θrəu] (*gew mv*) (barens)wee(ën), stuiptrekking(en), hevige pijn; crisis; doodsstrijd = *death-throe*(*s*); *he was in the* ~*s of composition* bezig een letterkundig (muzikaal) produkt voort te brengen
throne [θrəun] troon
throng [θrɔŋ] I *zn* gedrang, toeloop, menigte; II *ww* (op)dringen; zich verdringen (in: ~ *the streets*); toestromen; volproppen (*with* met); III *bn* (*fam*) druk, bezig
throttle ['θrɔtl] I *zn*: *a*) keel; luchtpijp, strot; *b*) smoorklep; *open the* ~ (*of a motor*) gas geven; *at half* (*full*) ~ met half (vol) gas; II *ww* smoren (*ook met smoorklep*), doen stikken, verstikken, worgen; (*fig*) verlammen (*trade*); ~ *back*, ~ *down* (*the engine*) gas minderen (terugnemen); '**throttle-valve** [-vælv] smoorklep
through [θru:] I *vz* door; door ... heen; (*Am*) tot en met; door bemiddeling van; uit (~ *fear*); *all* ~ *the night, all the night* ~ de hele nacht door; *it is all* ~ *you* het komt allemaal door u; II *bw* (er)door; klaar; *wet* ~ doornat; *I am* ~: *a*) erdoor; *b*) klaar (*with my work* met ...); *c*) (*telefoon*) heb aansluiting; *d*) (*Am*) ik heb er genoeg van; *I am* ~ *with you*, (*Am*) jij hebt bij mij afgedaan; III *bn* doorgaand, doorlopend, door...
throughout [θru(:)'aut] I *vz* (helemaal) door; ~ *Europe* door (in, over) heel Europa, ~ *the day* de hele dag door; II *bw* over het hele land, enz., overal; geheel, helemaal, in alle opzichten; de hele tijd door; *British-made* ~ geheel Brits fabrikaat
'**through-'passenger** doorgaand reiziger; '**through-'ticket** doorgaand plaatsbiljet; '**through-'traffic** doorgaand verkeer; '**through-'train** doorgaande trein
throw [θrəu] I *ww* werpen (*at* naar), gooien (met), smijten; toe-, af-, weggooien; neerwerpen, doen vallen, verslaan; overwinnen (*one's pride*); schieten, uitwerpen (*a net*); dobbelen (*for* om); in-, uitschakelen (~ *a switch*); vormen (*pottery*); (*fam*) van zijn stuk (in de war, van de wijs) brengen; (*krachtsp*) stoten; (*fam*) vergooien, opzettelijk verliezen (*a race*); maken (*a scene* een scène), geven (*a party, a dance*); ~ ***about*** heen en weer (in het rond) gooien; zwaaien met (*one's arms*); smijten met (*money*); ~ ***aside*** opzij werpen (zetten); ~ *o.s.* ***at*** *a man, ook:* een man nalopen; ~ ***away*** weggooien; laten voorbijgaan (*a chance*); *you're* ~*n away at that theatre* veel te goed voor; *good advice is* ~*n away* (*up*)*on him* is aan hem niet besteed; ~ ***back*** achteruit-, terug-, achteroverwerpen; terugkaatsen; achteruitzetten (*it threw me back a whole week*); ~ ***by*** ter zijde werpen, weggooien; ~ ***down*** neerwerpen, omgooien, tegen de grond gooien, slopen; ~ ***in*** (er)in gooien, er (nog) bijdoen (*bij verkoping bijv*); ertussen gooien (*a remark*); ~ *into confusion* in de war gooien; ~ *into gear* inschakelen; ~ ***off*** (van zich) afwerpen; uitgooien (*one's coat*); opleveren; afgeven (*smoke, sparks*); verwerpen; kwijtraken (*a cold, a p.*); van het spoor brengen (= ~ *off the scent*); van zijn stuk brengen (*that's what threw me off*); zo maar op het papier gooien, uit de mouw schudden (*poems*); laten vallen (*van een prijs, enz*); ~ ***out*** (er)uit gooien, zetten; afgeven (*heat*), uitstralen, -zweten, enz.; verwerpen (*a bill* wetsontwerp); ~ ***over*** omvergooien; overboord gooien, de bons geven; ~ ***together*** bij elkaar gooien, haastig in elkaar zetten; bij elkaar brengen; ~ ***up*** omhoog gooien; opwerpen; (uit)braken; opgeven, eraan geven, bedanken voor (*one's job*); zich gewonnen geven; II *zn* worp, gooi; '**throw-away** I *zn* iets wat men na gebruik (lezing, enz.) weggooit; strooibiljet; II *bn* weggooi..., wegwerp... (*society*); terloops, uit de losse hand; '**throw-in** (*sp*) ingooi, inworp
thru [θru:] (*Am*) *through*
thrum [θrʌm] dreunen, gonzen; puffen (van motor); trommelen, tokkelen
thrush [θrʌʃ] (zang)lijster
thrust [θrʌst] I *ww* (*ook ovt & v dw*) duwen, stoten (*at* naar), steken, drijven, dringen; werpen (*into prison*); een uitval doen; ~ *o.s. between ... and ...* zich stellen tussen ...; ~ *o.s.* ***forward*** zich opdringen, de aandacht trekken; *he was* ~ ***from*** *his rights* gestoten (ontzet) uit; ~ *o.s.* (*one's nose*) ***in*** zijn neus in iets steken; ~ *in, ook:* inlassen (*a word*); ~ *o.s.* ***into*** *a p.'s company* zich indringen in ...; ~ ***on*** vooruitdringen; ~ *s.t.* (*o.s.*) ***upon*** *a p.* iets (zich) aan iem opdringen; II *zn* stoot, duw, steek (*ook fig*), uitval (*schermen*); opmars, aanval; drijvende kracht; tendens; (*bk*) zijwaartse druk; (*van straalmotor*) stuwdruk; '**thruster** indringer; 'streber'; stuurraket (*van ruimteschip*)
thud [θʌd] I *zn* (doffe) slag, plof (ge)bons, gestamp, gedreun; II *ww* bonzen, stampen, dreunen, ploffen
thug [θʌg] gewelddadige beroepsmisdadiger
thumb [θʌm] I *zn* duim; II *ww* met de duim voelen, induwen (~ *down the tobacco in one's pipe*), enz.; beduimelen; '**thumb-marked** beduimeld; '**thumbnail** duimnagel; ~ (*sketch*) klein tekeningetje (schetsje); '**thumbtack** (*Am*) punaise
thump [θʌmp] I *zn* stomp, bons, (zware) slag, plof, gestamp; II *ww* stompen, bonzen, beuken, bonken, stampen, hotsen; (*fam*) er van langs geven; ~ *away* er op los bonken; III *bw* pardoes, met een bons; *go* ~ bonzen; '**thumping** (*sl*) reusachtig (hoog, enz.), geweldig, kolossaal (*lie*)
thunder ['θʌndə] I *zn* donder; donderslag; het donderen (*of guns*); II *ww* donderen, bulderen, fulmineren (*against, at* tegen); '**thunder-**

bolt [-bəult] bliksemstraal; (ban)bliksem; '**thunderclap** donderslag; '**thundercloud** onweerswolk; '**thundering** donderend; (*fam*) donders, duivels, kolossaal; '**thunderstorm** onweer(sbui); '**thunderstruck** [-strʌk] (als) door de bliksem getroffen; '**thundery** [-ri] onweersachtig; (*fig*) dreigend; ~ *sky* onweerslucht

Thursday ['θə:zd(e)i] donderdag

thus [ðʌs] aldus, zo; dus; ~ *far* (tot) zover, tot hiertoe

thwack [θwæk] zie *whack*

thwart [θwɔ:t] verijdelen, doorkruisen (*a p.'s plans*), dwarsbomen, tegenwerken

thyme [taim] tijm

tick [tik] I *zn* 1 teek; (*fig*) mispunt, boef; 2 (bedde)tijk; 3 *a*) (ge)tik; *b*) tikkertje; *c*) streepje (bij het aanstrepen op lijst); *d*) (*fam*) ogenblik; 4 (*fam*) krediet, 'pof'; rekening; *give* ~ poffen: op krediet verkopen; II *ww* tikken; (*op lijst*) aankruisen, -strepen; ~ ***off*** aankruisen (op lijst, enz.); (*sl*) op de vingers tikken; ~ ***over*** stationair draaien (*van motor*); (*fig*) op een laag pitje staan

ticker ['tikə] beurstelegraaf; (*sl*) horloge, klok; (*sl*) hart; '**ticker-tape** papier van beurstelegraaf; *ook gebruikt als serpentine bij optochten in New York*

ticket ['tikit] I *zn* kaart(je), biljet, toegangs-, plaatsbewijs; (prijs)etiket; lommerd-, loterijbriefje; lot; (*sl*) bon: bekeuring; (*Am*) *a*) kandidatenlijst; *b*) stembiljet; II *ww* van etiket voorzien, etiketteren, prijzen (*goods*); (*fig*) aanduiden; '**ticket-collector** controleur, die de kaartjes inneemt; '**ticket-office** (*Am*) plaatskaartenbureau

tickle ['tikl] I *ww* kietelen, kittelen; jeuken; strelen (*a p.'s palate*); aangenaam aandoen; amuseren; ~ *to death* (~ *pink*) kostelijk amuseren; II *zn* gekietel, kieteling; kietelend gevoel; '**tickler** [-ə] wie (wat) ...; (*fam*) iets, waar men voor staat; lastige vraag, enz.; **ticklish** ['tikliʃ] *a*) kittelig; *b*) lichtgeraakt; *c*) netelig, teer, delicaat, lastig, gevaarlijk

tidal ['taidl] tot het getij behorend; getij(de)... (*harbour, river*), vloed... (*wave* golf)

tiddler ['tidlə] (*fam*) klein kind of visje (stekelbaarsje, kikkervisje, enz.), kriel; **tiddl(e)y** ['tidli] (*sl*) aangeschoten; (heel) klein; **tiddlywinks** ['tidliwiŋks] vlooienspel

tide [taid] I *zn* getij, tij; stroom; vloed; hoogtepunt; *the* ~ *is in* (*out, down*) het is hoog (laag) water; *the* ~ *turned* er trad een kentering in; II *ww:* ~ ***over*** *difficulties* over moeilijkheden heenkomen of -helpen; '**tide-mark** hoog- (*soms:* laag)waterlijn; '**tide-table** getijtafel; '**tidewater** (*Am, attr*) aan de zeekust; '**tideway** tijrivier; tijstroom

tidings ['taidiŋz] tijding(en), bericht(en)

tidy ['taidi] I *bn* net(jes), proper, zindelijk, op orde, aan kant; (*fam*) tamelijk goed (*shot*), aardig (*sum*); II *ww* opruimen, in orde brengen, aan kant maken, opknappen (= ~ *up*); ~ *away* opbergen

tie [tai] I *ww* (vast)binden, knopen, strikken, verbinden; afbinden (*an artery*); gelijk staan, spelen (*in wedstrijd*); ~ *a knot* een knoop leggen; *a* ~*d game* gelijk spel; ~ ***down*** (vast)binden, vastleggen (*a dog*); (*fig*) de handen binden; ~ ***in*** coördineren; ~ ***up*** (vast)binden, vastmaken, ver-, dichtbinden; stopzetten; vastleggen, -zetten (*money*); vastleggen, afsluiten, afronden (*an agreement*); *be* ~*d up in* (geheel) opgaan in; II *zn* band (~*s of marriage* huwelijks...), knoop; strik(je), das(je); iets waardoor men gebonden is; gelijkheid van punten- of stemmenaantal; **tie-in** ['tai'in] (nauwe) band, connectie; '**tie-on**: ~ *label* hanglabel; '**tie-pin** ['taipin] dasspeld

tier [tiə] reeks, rij, rang; laag, 'verdieping' (*three-*~ *wedding-cake*); *two-*~ *bed* twee bedden boven elkaar

tie-up ['taiʌp] *a*) staking; *b*) samenwerking, connectie, fusie; *c*) verbinding

tiff [tif] kibbelarijtje

tiger ['taigə] tijger; (*sp*) geducht tegenstander

tight [tait] I *bn en bw* dicht, waterdicht; vast, stevig, nauw(sluitend), compact; krap, schaars (*money is* ~); strak, gespannen (*perform on the* ~ *rope*); benauwd, beklemd; streng; erg zuinig, gierig; kort en bondig; (*sl*) dronken; *a* ~ *schedule* een krap schema; *hold* (*on*) ~ hou je stevig vast!; *shut the door* ~ doe ... goed dicht; II *zn:* ~*s* maillot, panty(nylons); tricot (*van acrobaat*); **tighten** ['taitn] aanhalen, (zich) spannen; aandraaien, -trekken (*a screw*); verscherpen (*prison regulations,* enz.); samenpakken, -snoeren, -trekken; strak(ker) enz. worden of maken (zie *tight*); krap worden (*van geldmarkt*); ~ *one's belt* de buikriem aanhalen, honger lijden; ~ *up the law* ... verscherpen; '**tight-fisted** schriel, vrekkig; '**tight-fitting** nauwsluitend; '**tight-lipped** met op elkaar geklemde lippen; (*fig*) gesloten, niets uitlatend; '**tightness** *ook:* beklemming, beklemd gevoel; '**tight-rope** (een voorstelling geven op het) gespannen koord

tigress ['taigris] tijgerin

tile [tail] I *zn* (dak)pan, tegel; II *ww* met pannen dekken; betegelen, plaveien

till [til] 1 geldlade (*in winkel, enz*); 2 bewerken (*the soil*); 3 *a*) tot, tot aan; *b*) tot(dat); *he did not come* ~ *five* kwam eerst om; *five* ~ *eight,* (*Am*) 5 min voor acht

tillage ['tilidʒ] (grond)bewerking

tilt I *zn: a*) overhelling, schuine stand; neiging; *b*) steekspel; ringrijden; aanval (*at* op); *have* (*run*) *a* ~ *at* te lijf gaan (*ook fig*); *full* ~ met volle vaart; II *ww* (doen) hellen; scheef (op zijn kant) staan of zetten, wippen, kippen, kantelen; kenteren; ~ ***at*** steken (stoten) naar, een aanval doen op; ~ *at windmills* vechten tegen; ~ ***over*** (doen) wippen, kantelen

timber ['timbə] I *zn* timmerhout; opgaand

thu

hout, bomen; spant (*van schip*); II *bn* houten; '**timbered** [-d] ook: *a*) houten; *b*) met opgaand hout begroeid; *well-~, ook:* goedgebouwd; '**timber-line** boomgrens

time [taim] I *zn* tijd; gelegenheid; keer, maal; (*muz*) maat; *all the ~* de hele tijd, aldoor; *a penny a ~* per keer; *now is your ~* nu is het het geschikte ogenblik voor je; *take a long ~ over s.t.* ergens lang over doen; *~ is up* de tijd is om, het is tijd!; *~!* tijd; *call ~,* 'tijd'! roepen; *her ~ was up, ook:* haar tijd van bevalling was daar; *what's the ~? what ~ is it?* hoe laat is het?; (*at*) *what ~ do you want breakfast?* hoe laat; *the ~ of* ***day*** de tijd, het uur; *ask the ~* vragen, hoe laat het is; *beat ~* de maat slaan; *give a p. the ~ of his life* iem veel doen genieten; *~ off* vrije tijd, vakantie; *can you tell the ~?* klokkijken?; *~* ***about*** om de beurt; *~* ***after*** *~* keer op keer; *go* (*run, work,* enz.) ***against*** *~* zo hard mogelijk; ***at*** *this ~ of day* thans; nu nog; *at the ~* toentertijd; *at no ~* nimmer; *at all ~s* te allen tijde; *at ~s* bij tijden, nu en dan; *at one ~ or another* te eniger tijd; *at the same ~: a*) tezelfder tijd; *b*) intussen, toch; *at the best of ~s* nu eenmaal, hoe dan ook, hoe je het ook bekijkt; *please speak one at a ~* één tegelijk; ***before*** *the ~s* (*one's ~*) zijn tijd vooruit; *before* (*one's*) *~* te vroeg; ***behind*** (*one's*) *~* te laat; *behind the ~s* (*one's ~*) bij zijn tijd ten achter; ***by*** *the ~ you get there* tegen de tijd, dat ...; ***for*** *a ~* een tijdlang; *for the ~* (*being*) voor het ogenblik, voorshands, voorlopig; ***from*** *that ~ forward* van die tijd af; *from ~ to ~* van tijd tot tijd; ***in*** *~: a*) op tijd; *b*) te eniger tijd, mettertijd; *c*) in de maat, in de pas; *in* (*less than*) *no ~* in minder dan geen tijd; *in bad ~* slecht op tijd, (te) laat; *in good ~: a*) op zijn tijd (*all in good ~*); *b*) goed op tijd; *in due* (*proper*) *~* te zijner tijd; *in ~ to* (*with*) *the music* op de maat van; ***on*** *~* stipt op tijd; ***to*** *~* precies op (de vastgestelde) tijd; II *ww* een (de rechte) tijd kiezen voor, regelen, inrichten (in verband met de tijd); de tijd bepalen (aangeven, opnemen) van; dateren; vaststellen; *~* ***to*** (zich) regelen naar, maat houden met; *~* ***with*** overeenstemmen (harmoniëren) met; '**time-bomb** tijdbom; '**time-card** rooster; '**time-clock** controleklok, prikklok; '**time-exposure** (*fot*) tijdopname; '**time-fuse** tijdbuis (*van granaat*); '**time-glass** zandloper; '**time-honoured** eerbiedwaardig, aloud, geijkt; '**time-keeper** *a*) uurwerk, chronometer, metronoom; *b*) tijdschrijver; *c*) tijdopnemer (*bij wedstrijd*); '**time-lag** tijdsverloop, vertraging; (*fig*) tijd die verloopt voordat de maatschappij (industrie, enz.) zich aan nieuwe toestanden heeft aangepast; *there was a ~ of three months between promise and performance* er verliepen ...; '**timeless** *a*) oneindig, eeuwig; *b*) aan geen tijd gebonden, tijdeloos; '**time-limit** tijdlimiet; '**timely** [-li] juist van pas (komend), gelegen; te juister tijd gemaakt (*remark*); tijdig (*help*); actueel (*of ~ importance*); '**timepiece** (*vero*) uurwerk; '**timer** [-ə] *a*) uurwerk (*good ~*); *b*) *time-keeper*; *c*) (kook)wekker (*egg ~*); '**time-saving** tijdbesparend; '**timeserver** wie de huik naar de wind hangt, 'weerhaan'; '**time-sharing** id., tijddeling, simultaanverwerking; '**time sheet** *a*) rooster; *b*) opgave van gebruikte tijd bij werkzaamheden; '**time switch** tijdschakelaar, schakelklok; '**timetable** dienstregeling, spoorboekje; (les)rooster; tijdtabel; (*muz*) maattabel; '**time-work** per uur betaald werk; '**time-worn** [-wɔ:n] versleten, verouderd; afgezaagd (*joke*)

timid ['timid] bang, beschroomd, bedeesd

timing ['taimiŋ] tijdopname, enz.; *the ~ is important* de keuze van het juiste tijdstip

timorous ['timərəs] *timid*

tin I *zn* tin; blik; (inmaak)blik(je), bus, trommel; II *bn* tinnen, blikken; III *ww* inblikken: inmaken (in blikken of bussen); *~ned meat* vlees in blik

tinder ['tində] tondel, aanmaakhout

tinfoil ['tin(')fɔil] bladtin, zilverpapier, folie

tinge [tin(d)ʒ] I *zn* tint(je), kleur; (*fig*) smaakje, vernisje, zweem; II *ww* tinten, kleuren, een tintje, enz. geven; *~d with radicalism* radicaal getint

tingle ['tiŋgl] I *ww* tintelen, prikkelen, steken, jeuken, tuiten; *my ears ~d with it* tuitten ervan; II *zn* tinteling, prikkeling

tinker ['tiŋkə] I *zn: a*) ketellapper; *b*) prutswerk; geknoei; *have a ~ at a thing* aan iets prutsen (knoeien); II *ww* (ketel)lappen; knoeien, prutsen (*at, with* aan), liefhebberen (*with socialism* in ...)

tinkle ['tiŋkl] I *ww* (doen) tingelen, klingelen, rinkelen (met); II *zn* gerinkel, getingel; *give s.o a ~,* (*fam*) even opbellen

tinny ['tini] tinhoudend; tin-, blikachtig, blikkerig; '**tin-opener** [-əup(ə)nə] bus-, blikopener; '**tin-pan** '*alley* het domein der populaire muziek; '**tin-(')plate** blik; **tinpot** [tinpɔt] inferieur, onbeduidend

tinsel ['tinsl] I *zn* klatergoud (*ook fig*); II *bn* opzichtig, oppervlakkig, schijn..., onecht, vals

tint I *zn* haarverf; II *ww* (haar)verven, kleurspoelen; '**tinted** [-id] *ook:* gekleurd, geverfd (*hair*); *~ glasses* gekleurde bril

tinware ['tinwεə] tin-, blikwaren

tiny ['taini] I *bn* (heel) klein, minuscuul; *a ~ bit* een heel klein beetje, een ietsje; II *zn* kleintje

tip I zn 1 punt(je) (*of the nose*); top (*~s of the fingers*); topje (*of the iceberg*); tip(je), eind(je), spits; mondstuk (*van sigaret*); ring of dop (om eind van stok bijv.); 2 tik(je); overhelling, schuine stand; stort(plaats), vuilnisbelt; fooi; (*fam*) wenk, (geheime) inlichting (vooral bij wedden en speculatie), waarschuwing, raad (*let me give you a ~*); *take the ~* de wenk begrijpen (en opvolgen); II *ww* 1 van een *~* voorzien; 2 tikken aan (*one's hat*), even aanraken; omvergooien; schuin zetten; wippen (*~ back* *one's chair*), kiep(er)en, (om)kantelen, leeggieten; storten (*rubbish*); een fooi (fooien) geven; ~ *the balance* (*beam, scales, scale*) de doorslag geven; ~ *a p.* ***off*** iem waarschuwen; ~ ***over*** omvergooien, (om)kantelen, omkiepeperen; '**tip-off** tip, wenk, onderhandse waarschuwing

tipple ['tipl] I *zn* (sterke) drank; II *ww* pimpelen; '**tippler** [-ə] pimpelaar

tipsy ['tipsi] aangeschoten, dronken

tiptoe ['tip(')təu] I *zn* punt(en) van de te(e)n(en); *on* ~, *on one's* ~*s* op de tenen; *on* (*the*) ~ in spanning; II *bw* = *on* ~; III *bn* op de tenen lopend, enz.; gespannen; heimelijk; IV *ww* op de tenen (gaan) staan of lopen

tiptop ['tip'tɔp] (*fam*) I *zn* top(punt), het allerbeste; hoge wereld, chic (= ~*s*); II *bn* allerhoogst, -best, chic, prima, bovenste beste; III *bw* uitstekend, piekfijn, id., pico bello

tire ['taiə] I *zn* (wiel)band = *tyre*; II *ww* (het) moe worden; vermoeien; vervelen; ~ *down* afmatten (*a hunted animal*); ~ *out* afmatten; ~ *to death* dodelijk vervelen of vermoeien; ~*d out* doodop; '**tireless** [-lis] onvermoeid; '**tiresome** [-səm] vervelend

tissue ['tisju:, 'tiʃu:] *a*) weefsel; *b*) ~*-paper* papieren zakdoekje; papieren keukenrol; *a* ~ *of lies* een weefsel van leugens; '**tissue-'paper** zijdepapier: zgn vloeipapier

tit *a*) mees; *b*) *teat;* (*sl*) tiet; ~ *for tat* leer om leer (*give* ... lik op stuk geven)

titanic [tai'tænik] titanisch, reusachtig

'**titbit** lekker hapje, versnapering; (*fig*) interessant nieuwtje, enz., juweeltje

titchy ['titʃi] *tiny*

titillate ['titileit] kietelen, prikkelen; strelen, amuseren, aangenaam aandoen

titivate ['titiveit] (*fam*) (zich) opknappen, opdoffen, mooi maken (= ~ *off, up*)

title ['taitl] I *zn* titel; opschrift, naam, benaming; aanspraak, recht (*to, of* op); eigendomsrecht, -bewijs; gehalte (*van goud*); II *ww: a*) betitelen, noemen; *b*) een titel verlenen; '**titled** [-d] *ook:* met een titel; ~ *families* adellijke families; '**title-deed** akte (bewijs) van eigendom, koopakte; (*fig*) recht; '**title-page** titelpagina, titelbladzijde; '**title-part**, '**title-role** [-rəul] titelrol

titter ['titə] giechelen

tittle-tattle ['titltætl] I *ww* babbelen; II *zn* gebabbel; roddelpraatjes

titular ['titjulə] titulair, in naam; titel...

tizzy ['tizi] opwinding; *be in a* ~ over z'n toeren, opgewonden, in alle staten zijn

to [*alleenstaand:* tu:; *voor klinker:* tu; *voor medekl:* tə, tu] I *vz* naar (*go* ~ *L.; a man* ~ *my taste*); bij (*come* ~ *me; sing* ~ *the piano; he was clerk* ~ *an attorney;* vergeleken bij; *that's nothing* ~ *what I saw*); tegen (*hold it* ~ *the light; a hundred* ~ *one; unkind* ~ *him*); jegens (*our duty* ~ *our parents*); tot (*he was true* ~ *the end;* aan; *improvements* ~ *the house;* ~ *one side of the door*); in (*there are no panes* ~ *the windows*); op (*have a right* ~ *s.t.*); tot op (*pay* ~ *the last penny; they were killed* ~ *the last man*); over (*we will speak* ~ *that question later*); van (*secretary* ~ *Mr.* ...); voor (*he is a good father* ~ *them; we had a carriage all* ~ *ourselves*); vóór (*a quarter* ~ *six*); per (*5 hours* ~ *the square mile*); (*voor onbep w*) te (*he hopes* ~ *win*), om te (*he fights* ~ *win*); *throw it* ~ *me* gooi het mij toe; *here's* ~ *you!* daar ga je! op je gezondheid!; *what's that* ~ *you?* wat gaat dat u aan?; *built* ~ *an American design* naar, volgens; *there is nothing* ~ *it: a*) er steekt niets (kwaads) in; *b*) er is niets van aan; *c*) er is niets (moeilijks) aan; *there is much* ~ *what she says* er is veel waars in ...; *2 is* ~ *4 as 4 is* ~ *8* 2 staat tot 4 als 4 staat tot 8; ~ *the day* (*hour*, enz.), op ... af; *the room was hot* ~ *suffocation* om te stikken; *why didn't you go? because I didn't want* ~ omdat ik niet wilde; *I crossed the lawn* ~ *find him in the summer-house* en vond ...; II *bw* [tu:] *the door is* ~ dicht, toe; ~ *and fro* heen en weer; *close* ~ (van) dichtbij

toad [təud] pad; **toadstool** ['təudstu:l] (giftige) paddestoel

to-and-fro [tu(:)ən'frəu] I *zn* heen-en-weergaande beweging, schommeling, weifeling; II *bn* heen-en-weergaand, schommelend, weifelend

toast [təust] I *zn: a*) (sneetje) geroosterd brood, toost; *b*) toost, (heil)dronk; *give* (*propose*) *a* ~ een toost instellen; II *ww: a*) roosteren, warmen (*one's feet, toes, at the fire*); *b*) toosten (*to* op); een dronk instellen (drinken) op; '**toaster** [-ə] elektrisch broodrooster

tobacco [tə'bækəu] tabak; **tobacconist** [tə'bækənist] tabaks-, sigarenhandelaar

today [tə-, tu'dei] vandaag; heden, tegenwoordig

toddle ['tɔdl] met onvaste stapjes lopen (*van kindje*); trippelen, waggelen; (*fam*) kuieren; '**toddler** [-ə] kleine dreumes, kleuter

to-do [tə-, tu'du:] drukte, herrie

toe [təu] I *zn* teen; punt; neus (*van schoen*); II *ww:* ~ *the line* (*mark*), (*bij wedstrijd*) met de tenen aan de streep (gaan) staan; (*fig*) precies doen wat men gezegd wordt; ~ *the party line* doen wat de partij zegt

together [tə'geðə] samen, tegelijk; aan-, in-, achtereen; één geheel vormend; *for days* ~ dagenlang; ~ *with* (te zamen, in vereniging) met, benevens; **togetherness** [tə'geðənis] (gevoel van) saamhorigheid

togged [tɔgd]: *be* ~ *out* uitgedost zijn, gekleed zijn voor

toil [tɔil] I *zn* (zware) arbeid, inspanning; II *ww* hard werken, arbeiden, zwoegen (*at* aan); ~ *along* met moeite vooruitkomen

toilet ['tɔilit] id. (*ook:* WC); '**toilet bag** toilettas; '**toiletpaper** WC-, closetpapier; **toiletries** ['tɔilətriz] toiletartikelen; **toilet-train** zindelijk maken (van kind)

token ['təukn] teken, kenteken, bewijs, bon, aandenken; (automaat)penning; *book* ~ boekebon
tolerable ['tɔlərəbl] te (ver)dragen; draaglijk, tamelijk, redelijk; ~ *well* vrij goed; **tolerance** ['tɔlərəns] verdraagzaamheid; het verdragen, dulden, toelating; **tolerant** ['tɔlərənt] verdraagzaamheid; **tolerate** ['tɔləreit] verdragen, dulden, toelaten; **tole'ration** het verdragen, het tolereren; verdraagzaamheid
toll [təul] I *zn* tol(geld); marktgeld; staangeld; (*fig ook*) bijdrage, aandeel; ~ *of the road* slachtoffers van het verkeer; II *ww* luiden; de doodsklok luiden voor; **'tollgate** tolhek; **'tollhouse** tolhuis; **'tollmoney** tolgeld
tomato [tə'mɑ:təu] tomaat
tomb [tu:m] graf; grafgewelf, graftombe
tomboy ['tɔmbɔi] robbedoes, wilde meid
tombstone ['tu:mstəun] grafsteen, -zerk
tomcat ['tɔmkæt] kater
tome [təum] (zwaar) boekdeel
tomfoolery [(')tɔm'fu:ləri] malligheid
tomorrow [tə-, tu'mɔrəu] morgen; de volgende dag; ~ *morning* morgenochtend
ton [tʌn] *a*) ton: in Eng 2240 Eng pond = ± 1016 kg (= *long* ~); in Am 2000 Eng pond = ± 907,2 kg (= *short* ~); *metric* ~ 1000 kg; *b*) (*scheepston*) = *register* ~ 100 kub. voet: 2,83 m³; *freight* ~ 40 kub. voet
tone [təun] I *zn* toon, klank; klemtoon; gemoedstoestand, geest (*of the army*), karakter, stemming (*ook van de markt*); toon, tint; (*fig ook*) cachet; *speak in a low* ~ op zachte toon; II *ww:* ~ ***down*** temperen, verzachten, verzwakken, (doen) verflauwen; ~ ***up*** (veer)kracht geven, bezielen; krachtiger (pittiger) maken of worden; **'toneless** toon-, klank-, kleurloos
tongs [tɔŋz]: (*pair of*) ~ tang
tongue [tʌŋ] tong; taal, spraak; ~*-in-cheek* spottend, ironisch; **'tongue-tied** [-taid] (*fig*) met de mond vol tanden; **'tongue-twister** moeilijk uit te spreken woord of zin
tonic ['tɔnik] versterkend middel; ~ *water* soort spuitwater
tonight [tu'nait] vanavond; vannacht
tonsil ['tɔns(i)l] amandel (*klier*)
too [tu:] *a*) ook; ook nog, nog wel; *b*) (al) te; *at your age,* ~*!* en dat nog wel op uw leeftijd; *jealous* ~*!* en ook nog jaloers!; *he could,* ~*,* dat kon hij inderdaad; ~ *bad* erg jammer; *I shall be only* ~ *pleased* het zal me veel genoegen doen
tool [tu:l] I *zn* gereedschap; werktuig (*ook fig*); *down* ~*s* het werk neerleggen (staken); II *ww* bewerken; **'tool-box** gereedschapskist; **'tool-shed** gereedschapsschuurtje; werktuigmagazijn
toot [tu:t] toet(er)en, blazen (op)
tooth [tu:θ], *mv teeth* [ti:θ] tand, kies; *have a* ~ *for fruit* veel van fruit houden; *have a* ~ (*pulled*) *out* een kies laten trekken; *defend* ~ *and nail* met hand en tand ...; ***between*** *one's teeth* binnensmonds; *cast* (*throw*) *s.t.* ***in*** *a p.'s teeth* iem iets voor de voeten werpen; *in the teeth of* ondanks; tegen ... in (... *of the wind*); *the wind is right in our teeth* we hebben ... vlak tegen; *armed* ***to*** *the teeth* tot de tanden gewapend; **'toothache** [-eik] kies-, tandpijn; **'toothbrush** tandenborstel; **'toothcomb** stofkam; **toothed** [-t] getand, tand...; **'toothpaste** tandpasta; **'toothpick** tandestoker; **'toothy** [-i] met veel grote of vooruitstekende tanden
tootle ['tu:tl] (voortdurend) toeteren; (*fam*) (auto)rijden; wat omlopen
top [tɔp] I *zn* 1 top; bovenste, boven-, hoofdeinde, spits, kruin; (vorst van) dak; deksel; dop(je) (*van vulpen, enz*); (glazen) stop; oppervlakte, bovenvlak; toppunt; de (het) hoogste, hoogste plaats; ***at*** *the* ~ (*of the page*) bovenaan (op de bladzijde); *shout at the* ~ *of one's voice* luidkeels; ***from*** ~ *to bottom* van boven tot onder; ***off*** *the* ~ *of one's head* onvoorbereid; ***on*** (*the*) ~ bovenop, -aan; *on* ~*,* (*bus*) boven (*no standing on* ~); *come out on* ~ aan het langste eind trekken, succes hebben; *on* (*the*) ~ *of* (boven)op; 2 tol (*speelgoed*); II *bn* hoogste (*prices*); bovenste, boven... (*corner*); voornaamste, hoofd...; ~ *class* hoofdklasse; ~ *left* (*right*) links (rechts) boven; ~ *speed* grootste snelheid; III *ww* van de top ontdoen, toppen (*trees*); van een top voorzien, bedekken; bekronen; afmaken, voltooien; groter zijn dan, te boven gaan, overtreffen; zich verheffen boven; staan op de top van; ~ *the list* bovenaan staan; ~ ***off*** (***up***) de laatste hand leggen aan, voltooien, besluiten, bekronen; ~ ***out*** het hoogste punt bereiken van (*a building*); ~ ***up*** bijvullen, aanvullen, bijschenken (*a battery, glass*)
topaz ['təupæz] topaas
'top-'boots kaplaarzen; **'top'coat** overjas; aflaklaag (*verf*); **'top-'dog** (*sl*) de boven liggende partij; nummer één; **'top-flight** (op het) hoogste niveau; van de bovenste plank; **'top()'hat** hoge hoed; **'top-'heavy** [-hevi] topzwaar (*ook fig*)
topic ['tɔpik] onderwerp (van gesprek); thema; **'topical** [-l] op een onderwerp betrekking hebbend; actueel; ~ *song* lied met actuele (plaatselijke, politieke, enz.) toespelingen; ~ *subject* actueel onderwerp
'topless id., (met) blote boezem; **'top-light** (*scheepv*) toplicht; **'topmost** [-məust, -məst] hoogste, bovenste; **'top-'notch** (*fam*) *zn* toppunt; *bn* prima
topping ['tɔpiŋ] toplaag van een gerecht (*bijv slagroom, kaasstrooisel*)
topple ['tɔpl] (doen) tuimelen, omvallen, omgooien (= ~ *down, over*); dreigend overhangen; (*van effecten, enz*) 'kelderen'
'top-ranking hoogste in rang; **'top-'secret** strikt geheim; **'topsoil** bovengrond

topsy-turvy ['tɔpsi'tə:vi] onderst(e)boven, op de kop
torch [tɔ:tʃ] fakkel, toorts; *ook = electric ~* elektrische zaklantaarn; '**torchlight** fakkellicht; *~ procession* fakkeloptocht
torment I *zn* ['tɔ:ment] *a*) marteling, foltering, kwelling; *b*) plaag, kwelgeest, enfant terrible; II *ww* [tɔ:'ment] martelen, folteren, kwellen; **tormentor** [tɔ:'mentə] pijniger, folteraar, beul; kwelgeest
torpedo [tɔ:'pi:dəu] 1 *zn* torpedo; 2 *ww* torpederen
torpid ['tɔ:pid] verstijfd, verdoofd; in de winterslaap; traag; **torpor** ['tɔ:pə] verstijving, verdoving
torque [tɔ:k] (*mech*) torsie; draaimoment, koppel
torrent ['tɔrənt] (berg)stroom, (stort)vloed (*ook fig*); *the rain came down in ~s* in stromen; **torrential** [tɔ'renʃəl, tə-] in stromen neerstortend, stroom..., stort...; overweldigend
torrid ['tɔrid] verzengend, brandend; hevig, emotioneel (*love scene*); *~ zone* hete luchtstreek
torsion ['tɔ:ʃən] draaiing, wringing, torsie, gedraaidheid
tortoise ['tɔ:təs] (land)schildpad; '**tortoiseshell** ['tɔ:təʃel] schildpad (*stof*)
tortuous ['tɔ:tjuəs] gekronkeld; gedraaid
torture ['tɔ:tʃə] I *ww* folteren, martelen, pijnigen, kwellen; verdraaien (*rails, words,* enz.); II *zn* foltering, marteling; *death by ~* marteldood; *put to* (*the*) *~* folteren, op de pijnbank leggen; '**torture-chamber** martelkamer; '**torturer** [-rə] folteraar, kweller, kwelgeest; (*fig*) verdraaier
Tory ['tɔ:ri] Conservatief; lid van de Engelse Conservatieve Partij
toss [tɔs] I *ww* heen en weer gooien, slingeren (*~ed by the winds*); woelen (*in bed*) (ook: *~ about*); dobberen, geslingerd worden; gooien, opgooien (*a coin*), omhoog (de lucht in) gooien, 'tossen'; *she ~ed her head* wierp het hoofd in de nek (uit minachting of ongeduld); *~ a pancake* in de pan omgooien; *~* ***off*** (van zich) afgooien; in één teug uitdrinken (*~ off your glass,* 'gooi 'm eens om'); zich vlug heenslaan door (*one's work*); *~* ***up*** (er om) opgooien; II *zn* slingering, slingerende beweging; (op)gooi, worp, 'toss' (*win the ~*); '**toss-(')up** (op)gooi, 'toss'
tot [tɔt] I *zn* (*fam*) kleine peuter, hummeltje; glaasje (*liquor ~*); borrel(tje); II *ww* (*fam*) *~* (*up*) optellen; oplopen; *it ~s up to £20* beloopt
total ['təutl] I *bn* totaal, (al)geheel, volslagen, compleet; II *zn* totaal; III *ww* (in totaal) bedragen (*= ~ to, ~ up to: their number ~s 300*); optellen (*= ~ up*); **totalitarian** ['təutæli'tɛəriən] totalitair; **totality** [təu'tæliti] totaal, geheel (*in its ~*); **totally** ['təutəli] totaal, geheel en al, compleet
totter ['tɔtə] wankelen, waggelen

touch [tʌtʃ] I *ww* (elkaar) raken, aanraken, (aan)roeren; aandoen (*a port*); (aan)voelen (*it ~es rough*); doen aanraken; uitwerking hebben op, treffen, aandoen, aantasten (*this stuff will not ~ silver*); kwetsen; aanslaan (*the piano*); aanduiden, aangeven (*met penseel, potlood, enz*); (*fam*) halen bij, evenaren (*nobody can ~ him*); (net) 'halen' (*the car ~ed 120 miles an hour*); betreffen, aangaan (*the matter does not ~ you*); *~ bottom* (vaste) grond voelen; (*van prijs*) het laagste punt bereiken; *~ wood* 'afkloppen'; *~* ***at*** *a port* een haven aandoen; *~* ***down*** (*luchtv*) landen; *~ a p.* ***for*** *money: a*) iem aanspreken (aanklampen) om ...; *b*) geld weten los te krijgen van; *~* ***on*** *a rock* stoten op; *~ on a subject* een ... aanroeren; *~* ***up*** opknappen, repareren, bijwerken, retoucheren, polijsten, mooier maken; *grey ~ed* ***with*** *rose* met een roze tint; II *zn* aanraking, voeling, betasting; gevoel, tastzin; (*muz*) aanslag, toucher; tik(je); lichte aanval (*of rheumatism*); streek (*van penseel*); trek(je) (*intimate ~es*); zweem, tikje, ietsje (*a ~ taller*); *a ~ of sarcasm* een tikje sarcasme; *give* (*put*) *the finishing* (*final*) *~es to one's work* de laatste hand leggen aan; *stand the ~* de proef doorstaan; *get* ***into*** *~ with* zich in verbinding stellen met; *be* (*keep*) ***in*** *~ with* voeling hebben (houden) met; *be* ***out of*** *~ with* geen voeling (meer) hebben met; *put* ***to*** *the ~* op de proef stellen; *cold to the ~* op het gevoel; (***with***)***in*** *~ of* binnen het bereik van; '**touch-and-'go** haastig, vluchtig, oppervlakkig; gewaagd; *it was ~* een dubbeltje op zijn kant; op het kantje af; '**touch-down** (*luchtv*) landing; '**touching** roerend, treffend; '**touch-line** (*sp*) zijlijn; '**touchstone** [-stəun] toetssteen; '**touchy** [-i] lichtgeraakt, (over)gevoelig; teer, delicaat
tough [tʌf] I *bn* taai; streng, hard; stevig (*breeze*); hardnekkig (*contest* strijd); lastig (*piece of work*); zonder gevoel, hard, ruw, misdadig, gemeen; *it's ~ on her,* (*fam*) hard voor haar; II *zn* ruwe klant, woesteling, misdadiger; '**toughen** [-n] *tough* worden (maken)
tour [tuə] I *zn* (rond)reis, uitstapje, toer; tournee; dienstverband (*speciaal in het buitenland*): *a two-year ~ in Iran; ~ operator* reisorganisator; *~ of duty* dienstreis; *a guided ~* rondleiding, reis met reisleider; II *ww* een (rond)reis doen (door), afreizen (*a country*); een rondreis doen met (*a play,* enz.)
tourism ['turizm] toerisme; '**tourist** toerist; *~ agency, ~ office* reisbureau
tournament ['tuənəmənt] to(e)rnooi
tousle ['tauzl] in de war (in wanorde) brengen (*one's hair,* enz.), verfomfaaien; **tousled** [-d] verward, ruig, slordig
tout [taut] I *ww* klanten lokken; iets te weten zien te komen (omtrent renpaard, enz.), (be)spioneren; lastig vallen (*a p. with an article*); II *zn* klantenlokker
tow [təu] I *zn* (sleep)touw; het slepen; gesleep-

top

t(e) schip (schepen); sleepboot; *take* (*have*) *in* ~ op sleeptouw nemen (hebben) (*ook fig*); *on* ~ sleep (*opschrift*); II *ww* slepen, trekken
toward [tə'wɔ:d, tɔ:d, tɔəd] *towards*; **towards** [tə'wɔ:dz, tɔ:dz, tɔədz] naar ... toe, in de richting van; tegen, jegens; omtrent
towel ['tauəl] I *zn* handdoek; *throw* (of: *toss*) *in the* ~ zich gewonnen geven; II *ww* (zich) afdrogen (afwrijven); '**towel-rack**, **towel-rail** handdoekrekje; '**towel-roller** handdoekrol
tower ['tauə] I *zn* toren; torengebouw; II *ww* (zich) hoog verheffen, hoog uitsteken (*above* boven); '**towering** [-riŋ] torenhoog: verheven; geweldig (*rage, passion*)
tow-line ['təulain] sleeptouw
town [taun] stad; gemeente; (*dikwijls*) Londen (*go up to* ~); stads-, winkelcentrum; *the talk of the* ~ waar ieder over praat; *paint the* ~ *red* aan de rol gaan; ~ *centre* binnenstad, (stads-) centrum; ~ *clerk*, (*ongev*) gemeentesecretaris; ~ *council*(*lor*) gemeenteraad(slid); ~ *hall* stad-, raadhuis; '**town-dweller** stadsbewoner; '**town-plan** *a*) stadsplattegrond; *b*) stadsplan; *c*) ontwikkelingsplan van stad; **townsfolk** ['taunzfəuk] (*vero*) stedelingen
towpath ['təupɑ:θ] jaagpad; **towrope** sleepkabel
toxic ['tɔksik] vergiftig, toxisch; vergiftigings...
toy [tɔi] I *zn* (stuk) speelgoed; speelbal (*a mere* ~ *in the hands of* ...); ~*s* speelgoed; ~ *dog* miniatuurhondje (~ *breeds* miniatuurrassen); schoothondje; II *ww* spelen (*with one's watch-chain, with an idea*); **toyshop** ['tɔiʃɔp] speelgoedwinkel
trace [treis] I *zn*: *a*) (voet)spoor; *b*) schets, ontwerp, tracé; *keep* ~ *of* in het oog houden; *lose* ~ *of* uit het oog verliezen; *no* ~ *of* geen spoor van; II *ww* het spoor volgen van, na-, opsporen (ook: ~ ***out***); volgen, nagaan, drukken (*a p.'s footsteps*); ontwerpen, schetsen; afbakenen (*a road*); traceren (= ~ ***out***); trekken (*a line*); (met veel moeite) schrijven; over-, door-, natrekken, calqueren (= ~ ***over***); ~ *one's family* ***back*** *to the 12th century* zijn geslacht terugvoeren tot; ~ *the meaning of a word* ***to*** ... terugbrengen tot; *the letter was* ~*d to her* men ontdekte dat de brief afkomstig was van haar; '**tracer** [-ə] lichtspoorgranaat, -kogel (= ~ *shell, bullet*); **tracing** ['treisiŋ] het ... (zie *trace*); schets, tekening; doordruk, overtrektekening; '**tracing paper** calqueer-, doortrekpapier
track [træk] I *zn* (voet-, wagen)spoor; pad, (bos-, land)weg; baan (*van komeet, enz & bij wedstrijd*); spoorlijn; (*Am*) atletiek; spoorwijdte (*van auto*); rupsband; nummer op grammofoonplaat of geluidsband; spoor (*geluidsband*); *leave the beaten* ~, (*ook fig*) een geheel nieuwe weg inslaan; *keep* ~ *of what is going on* volgen, nagaan, in het oog houden; *lose* ~ *of* uit het oog verliezen; ***in*** *one's* ~*s* plotseling (*he stopped in his* ~); ***off*** *the* ~ het spoor bijster; *get* ***on*** *a p.'s* ~ iem op het spoor komen; *be on the right* (*wrong*) ~ op het juiste (verkeerde) spoor zijn; II *ww* na-, opsporen; volgen (*footsteps, a satellite*); afbakenen; vormen; plattreden (*a path;* ook: ~ *out*); (*van wielen*) sporen, gelijk lopen; ~ *down*, ~ *out* opsporen; **tracked** [-t] *vehicle* met rupsbanden; '**tracking-station** volgstation (*van satellieten*); '**tracksuit** trainingspak; '**trackway** *a*) (niet aangelegd) pad; *b*) tram-, spoorweg, -baan; *c*) jaagpad
tract [trækt] 1 uitgestrektheid, streek; tijd-(perk) (= ~ *of time*); 2 traktaatje, verhandeling
tractable ['træktəbl] handelbaar, volgzaam
traction ['trækʃən] tractie, trekkracht
tractor ['træktə] tractor, (landbouw) trekker
trade [treid] I *zn* vak, beroep, bedrijf, ambacht; (koop)handel, zaken (*be in* ~); mensen van een bepaald vak, "t vak'; ~ *deficit* handelstekort; ~(*s*) *union* vakvereniging; *a baker by* ~ van beroep; *set a p. up in* ~ iem in een zaak zetten; II *ww*: *a*) handelen, handel drijven; *b*) (*inz. Am*) handel drijven in, verhandelen, verruilen (= ~ *away*, ~ *in*, ~ *off*); ~ (*up*)*on* misbruik maken van (*a p.'s good nature*), speculeren op, exploiteren; ~ *to Turkey* handel drijven op; ~ *in* inruilen (*a car*, enz.) (tegen nieuw artikel); '**trade-balance** handelsbalans; '**trade-in** inruil; inruilobject, -auto, enz.; ~ *price* inruilprijs; '**trade-mark** handelsmerk; '**trade-name** *a*) handelsnaam, merknaam; *b*) firmanaam; '**trader** [-ə] handelaar, koopman; '**tradesman** [-zmən] middenstander, winkelier, leverancier; **trades 'union** = *trade-union; T*~ *Congress* Verbond, Centrale, van Vakverenigingen;; **trade union** [treid'ju:njən] vakvereniging; **trade unionist** lid van een vakvereniging; **trade-wind** ['treidwind] passaatwind; '**trading-company** handelsmaatschappij; '**trading-firm** handelsfirma; '**trading-post**, **trading-station** factorij, nederzetting
tradition [trə'diʃən] overlevering, traditie; **traditional** [-l] overgeleverd, traditioneel, (vanouds) gebruikelijk, aloud; volgens de overlevering; **traditionally** *ook:* vanouds, van oudsher
traffic ['træfik] I *zn*: *a*) handel (*dikwijls ong: opium* ~); *b*) verkeer; *c*) vervoer (*passenger* ~); II *ww* handelen, handel drijven (in), verhandelen, verkwanselen (= ~ *away*); '**traffic-block** verkeersopstopping; '**traffic circle** (*Am*) rotonde; '**traffic-island** vluchtheuvel, verkeersheuveltje; '**traffic jam** verkeersknoop; '**trafficker** [-ə] handelaar (onwettig); '**traffic lane** rijstrook; '**traffic light** verkeerslicht; '**traffic signals** verkeerslichten; '**traffic warden** parkeerwachter
tragedian [trə'dʒi:diən] *a*) treurspeldichter; *b*) treurspelspeler; **tragedienne** [trəʒeidi'en] treurspelspeelster; **tragedy** ['trædʒidi] treur-

spel, tragedie; **tragic** ['trædʒik] treurspel..., tragisch; '**tragical** [-l] tragisch

trail [treil] I *zn* iets slepends, sleep, sliert, reeks; sleepnet; spoor; pad (door prairie, enz.); *vapour* ~ condensatiestreep (van vliegtuig); II *ww* (laten) slepen; kruipen (*van plant*); zich slepen; achter elkaar aan komen; achter staan op (~ *the leader by 20 points*); na-, opsporen, volgen; ~ ***along*** (zich) voortslepen; *his voice ~ed **off*** stierf weg; *she ~ed off* droop af; '**trailblazer** pionier; '**trailer** [-ə] kruipplant; oplegger, aanhangwagen(tje), (*Am*) = *caravan;* delen van later te geven film enz. voor reclame

train [trein] I *ww* grootbrengen, opvoeden, opleiden; zindelijk maken (*child, dog*); (zich) oefenen (*in, to* in); dresseren, africhten, drillen, (zich) trainen; leiden (*plants*); richten (*a gun*); *be ~ed **for** a lawyer* (***to** the law*) in de rechten studeren; II *zn* sleep; lange staart; gevolg, stoet; (na)sleep, reeks; gang, loop; trein; ~ *of thought* gedachtengang; ***by*** ~ met de trein; *things are **in** (good)* ~ aan de gang, goed op gang; ***on** the* ~ in de trein; '**train-bearer** [-bɛərə] sleepdrager; **trained** [-d] geoefend, enz.; ervaren, geschoold; **trainee** [trei'ni:] leerling (~ *waiter*); iem in opleiding; ~ *teacher* kwekeling

training ['treiniŋ] het ... (zie *train*); opleiding, oefening; exercitie; '**training-college** kweekschool

'**train-service** treinenloop

traipse [treips] (*fam*) slenteren, (rond)trekken

trait [trei(t)] trek (*of character*)

traitor ['treitə] verrader (*to one's country* van ...)

trajectory [trə'dʒektəri] (kogel)baan, baan (van projectiel); (*fig*) op- en neergaande lijn

tram [træm] tram; '**tramcar** tramwagen

trammel ['træməl] I *zn* belemmering; *~s,* (*fig ook*) keurslijf (*of convention*); II *ww* kluisteren, belemmeren

tramp [træmp] I *ww* trappen (op), stampen (op), stappen, sjouwen, lopen (= ~ *it*), zwerven; afzwerven, aflopen, zwerven langs (*the streets*); ~ *down* neerstampen, vertrappen; II *zn: a*) zware stap, tred; *b*) (*fam*) voetreis, mars, wandeling; *c*) vagebond, landloper; (*Am*) slet; *d*) wildevaartboot; **trample** ['træmpl] trapp(el)en, treden, stampen; ~ (*upon*) vertrappen, vertreden, met voeten treden (= ~ *down,* ~ *under foot*); ~ *out the fire* uittrappen

'**tramway** trambaan

tranquil ['træŋkwil] rustig, kalm; **tranquillity** [træŋ'kwiliti] kalmte, rust(igheid); '**tranquillize** [-aiz] tot bedaren brengen (komen), kalmeren; '**tranquillizer** [-aizə] kalmerend middel

transact [træn'zækt] tot stand brengen, verrichten; zaken doen, onderhandelen; ~ *business* zaken doen; **transaction** [træn'zækʃən] verrichting, uitvoering; transactie, zaak, handeling

transceiver [træn'si:və] zendontvanger

transcend [træn'send] te boven gaan; **transcendental** [trænsen'dentl] transcendentaal: bovenzinnelijk

transcribe [træns'kraib] over-, afschrijven; in andere lettertekens schrijven, in gewoon schrift overbrengen (*shorthand,* enz.); **transcript** ['trænskript] afschrift, kopie

transfer I *ww* [træns'fə:] overdragen, -brengen, over-, verplaatsen, overmaken, -boeken, -schrijven (*to the account of* op rekening van); overdrukken, calqueren; overstappen; overgaan (*to another regiment,* enz.); II *zn* ['trænsfə(:)] transfer, overdracht; overmaking, remise (zie *telegraphic*); overgeplaatste; overdruk; overstapkaartje; *~red charge* voor rekening van de opgeroepene (*phone call*); **transferable** [træns'fə:rəbl, 'trænsfərəbl] overdraagbaar; verhandelbaar (*van cheques, enz*); *not* ~, (*van kaart*) persoonlijk; **transference** ['trænsfərəns] overbrenging, overdracht (zie *transfer*)

transfigure [træns'figə] een andere gedaante geven, herscheppen; verheerlijken

transfix [træns'fiks] doorboren, doorsteken

transform [træns'fɔ:m] van gedaante (doen) veranderen, (geheel) veranderen, ver-, omvormen, herscheppen; transformeren, omzetten (*heat into energy*); (*wisk*) herleiden; **transformation** [trænsfɔ:'meiʃən] gedaanteverwisseling; transformatie; **transformer** [-ə] (*elektr*) transformator

transfusion [træns'fju:ʒən] transfusie

transgress [træns'gres] overtreden, overschrijden, schenden, zondigen (tegen)

transient ['trænziənt] voorbijgaand

transistor [træn'zistə] transistor

transit ['trænsit, -zit] ver-, doorvoer, transito

transition [træn'ziʃən, træn'siʒən] overgang(s-periode)

translate [træns-, trɑ:ns'leit] vertalen, overzetten; omzetten (~ *words into action*), herleiden, zich laten vertalen (*Welsh does not* ~ *well*); uitleggen, vertolken; overplaatsen (*a bishop*); overbrengen (*the remains of a saint,* enz.); **translation** [træns-, trɑ:ns'leiʃən] vertaling, het ...; **translator** [træns'leitə] vertaler (zie *translate*)

translucent [trænz'lu:snt] doorschijnend

transmission [trænz'miʃən] overbrenging (zie *transmit*); transmissie, overdracht; uitzending (*radio en TV*); gangwissel (*van auto*); **transmit** [trænz'mit] overbrengen, -zenden, -seinen, -dragen, -leveren; doorlaten (*light*); doorgeven; geleiden, voortplanten; **transmitter** [-ə] (omroep)zender

transmutable [trænz'mju:təbl] veranderbaar

transparency [træns'pærənsi, -'pɛər-] *a*) doorzichtigheid; *b*) (*fot*) (*colour*) ~ (kleuren)dia;

transparent [træns'pærənt, -'pɛər-] doorzichtig; (*fig ook*) open, oprecht

transpire [træns'paiə] zweten; uitgewasemd

tra

(gezweet) worden, zich afscheiden, ontsnappen; ruchtbaar worden, uitlekken
transplant ['træns'pla:nt] I *ww* transplanteren, ver-, overplanten; II *zn* transplantatie, transplantaat
transport I *ww* [træns'pɔ:t] vervoeren, overbrengen, transporteren, verplaatsen, verzetten; (*fig*) in vervoering brengen, meeslepen, verrukken; II *zn* ['trænspɔ:t] vervoer, transport; *in ~s* in vervoering; *~ café* wegcafé; **transportation** [trænspɔ:'teiʃən] deportatie; vervoer, transport; (*Am*) vervoermiddel(en); '**transport-charges** ['trænspɔ:t-] transportkosten; **transporter** [træns'pɔ:tə] transportinrichting; id. (*car ~*)
transpose [træns'pəuz] verplaatsen, omzetten, verwisselen; (*muz*) transponeren
transverse ['trænz(')və:s] dwars, transversaal; *~ section* dwarsdoorsnede
trap [træp] I *zn* val, (val)strik, voetangel; klem; strikvraag; hinderlaag; stankafsluiting (*van riool, enz*); (*sl*) mond, 'wafel' (*shut your ~* 'kop dicht'); II *ww* in de val laten lopen, vangen, (ver)strikken; vallen zetten, strikken spannen; blokkeren; *be ~ped, ook:* in de val (de klem) zitten; bekneld zijn; opgesloten zijn (bij brand, enz.); '**trapdoor** (val)luik
trapeze [trə'pi:z] trapeze
trapper ['træpə] vallen-, strikkenzetter, pelsjager, 'trapper'
trappings ['træpiŋz] (uiterlijk) sieraad, opschik, praal, vertoon
'**trap-shooting** het kleiduiven schieten
trash [træʃ] uitschot, afval; prul(len), prullaria; bocht, tuig; onzin, geklets; '**trash-can** (*Am*) vuilnisemmer; '**trashy** [-i] prull(er)ig
travel ['trævl] I *ww* reizen; zich bewegen, rijden, rollen; gaan, zich voortplanten (*van licht, enz*); (*fam*) rennen, vliegen; afleggen (*1000 miles a day*); door-, afreizen (*a country*); het land doorreizen met (*he ~led a revue*); *his eye ~led over the scene* hij liet … gaan over …; *~ in* reizen in, vertegenwoordigen; II *zn* het reizen; *~s* reizen; *~ agency* reisbureau; '**travelled** [-d] bereisd; '**traveller** [-ə] *a*) reiziger; *b*) handelsreiziger, vertegenwoordiger (= *commercial ~*); *~'s cheque* reischeque, -wissel; **travelling** ['trævliŋ] I *bn* reizend, rondtrekkend, verplaatsbaar; *~ scholarship* reisbeurs; II *zn* het reizen; enz.; '**travelling fellowship** reisbeurs; '**travelling salesman** handelsreiziger, vertegenwoordiger; '**travel-permit** reisvergunning
traverse ['trævə(:)s, trə'və:s] oversteken, doortrekken, doorsnijden; (door)kruisen
trawl [trɔ:l] I *ww* treilen, met een sleepnet vissen (vangen); II *zn* treil-, sleepnet; '**trawler** [-ə] treiler; '**trawl-net** treil-, sleepnet
tray [trei] (schenk-, presenteer)blad of -blaadje; bak (in koffer, enz.), dienbak, bakje; *in* (*out*) *~* bakje voor ingekomen (uitgaande) post

treacherous ['tretʃərəs] verraderlijk, vals; **treachery** ['tretʃəri] verraad, trouweloosheid
treacle ['tri:kl] stroop (*ook fig*)
tread [tred] I *ww* treden, trappen, stappen; bewandelen (*a path*), betreden; *~ **down*** neertrappen, vertrappen; *~ **in** a p.'s (foot)steps* iems voetstappen drukken; *~ **under** foot* met voeten treden; II *zn* tred, stap, schrede; trede, sport (*van ladder*); zool (*van voet of schoen*); zool, loopvlak (*van rail, fietsband, enz*); '**treadmill** tredmolen
treason ['tri:zn] verraad
treasure ['treʒə] I *zn* schat(ten); (*fig*) schat(je); juweeltje (*our servant is a perfect ~*); II *ww* zeer op prijs stellen, waarderen; *~* (*up*) vergaren, verzamelen; '**treasure-house** schatkamer; '**treasure-hunter** *treasure-seeker*; '**treasurer** [-rə] *a*) schatbewaarder, thesaurier; *b*) penningmeester; (*town, city*) *~* ongev: chef van financiën; '**treasure-seeker** schatzoeker, schatgraver; **treasury** ['treʒəri] *a*) schatkamer, schatkist; *b*) *Treasury, ongev:* ministerie van financiën
treat [tri:t] I *ww* behandelen, bejegenen; onthalen, trakteren (*to* op); onderhandelen; *~ for: a*) onderhandelen over; *b*) behandelen wegens; II *zn* onthaal, feest (*school ~*), traktatie; *stand ~* trakteren
treatise ['tri:tiz, -is] verhandeling
treatment ['tri:tmənt] behandeling
treaty ['tri:ti] verdrag, overeenkomst, contract
treble ['trebl] *a*) driedubbel; *b*) hoog, schel
tree [tri:] *a*) boom; *b*) leest; *c*) (= *family ~*) stamboom; '**tree-trunk** boomstam
trellis ['trelis] latwerk, traliewerk, leilatten
tremble ['trembl] I *ww* beven, rillen, sidderen, trillen; *~ with fear* beven van angst; II *zn* beving, (t)rilling, siddering
tremendous [tri'mendəs] geweldig, kolossaal
tremor ['tremə] id., (t)rilling, beving, huivering; *in a ~* bevend; **tremulous** ['tremjuləs] bevend, (t)rillend; schroomvallig
trench [tren(t)ʃ] I *zn* greppel; loopgraaf; II *ww* (door)snijden; greppels e.d. graven (in); '**trenchant** [-ənt] snijdend, scherp, bits; beslist, krachtig
trencherman ['tren(t)ʃəmæn] eter (*a good ~*)
trend I *ww* zich (om)buigen, lopen, gaan (in zekere richting), zich uitstrekken; II *zn* richting; neiging, strekking, ontwikkeling, tendens; stroming; bocht; '**trend-setter** koploper, toonaangever; '**trendy** (gewild) modieus (*clothes, ideas*)
trepidation [trepi'deiʃən] beving, siddering, trilling, beverigheid; schroom; opwinding, verwarring
trespass ['trespəs] op verboden terrein komen; zondigen, zich vergrijpen (*against* tegen, aan); *~ **against**, ook:* overtreden (*the law*); *forgive us our ~es as we forgive them that ~ against us* vergeef ons onze schulden, gelijk ook wij vergeven onze schuldenaren; *~ **(up)on***

wederrechtelijk betreden; misbruik maken van (*a p.'s good nature*, enz.); zich indringen bij, lastig vallen; beslag leggen op (*a p.'s time*); '**trespasser** [-ə] wie ...; overtreder; *~s will be prosecuted* verboden toegang, overtreding wordt gestraft

trestle ['tresl] schraag, bok, onderstel; '**trestle-table** schraagtafel

trial ['traiəl] *a*) proef(neming), proeftocht, -vlucht; *b*) (gerechtelijk) onderzoek, verhoor, openbare behandeling; *c*) beproeving, bezoeking; last(post); *give a p.* (*a thing*) *a ~* de proef nemen (het proberen) met; *give a fair ~* aan een eerlijke proef onderwerpen; *stand ~* terechtstaan (***for*** wegens); *come up for ~* vóórkomen; ***on** ~: a*) bij (na) onderzoek; *b*) op proef (*he took the car on ~*); *bring **to** ~* voor de rechter brengen; **trial-and-error**: *~ method* proefondervindelijke methode

triangle ['traiæŋgl] driehoek (*ook:* tekendriehoek); **triangular** [trai'æŋgjulə] driehoekig

tribal ['traibl] van een stam; stam...; **tribe** [traib] stam, klasse, geslacht, familie

tribulation [tribju'leiʃən] rampspoed, tegenspoed, wederwaardigheid, beproeving

tribunal [trai-, tri'bju:nl] (regerings)commissie van onderzoek, tribunaal; **tribune** ['tribju:n] 1 tribuun; 2 tribune, podium, spreekgestoelte

tributary ['tribjutəri] I *bn: a*) schatplichtig, bijdragend; *b*) bij..., zij...; II *zn: a*) schatplichtige (staat); *b*) zijrivier (= *~ river*); **tribute** ['tribju:t] *a*) schatting; bijdrage; *b*) hulde(blijk); *pay a last ~ to* de laatste eer bewijzen

trice [trais]: *in a ~* in een wip

trick [trik] I *zn* kunstgreep, kneep, list, foefje, truc; poets, grap, streek; kunstje (*van hond, met kaarten, enz*); slag, handigheid; hebbelijkheid, aanwensel; eigenaardigheid; (*kaartsp*) slag, trek; (*scheepv*) 'torn' (= beurt) aan het roer (= *~ at the wheel*), werkbeurt (*my ~ on deck*); *he has done the ~*, (*fam*) heeft het 'm gelapt; *that did the ~* dat leverde het gewenste resultaat op (deed het hem); *play ~s* streken uithalen; II *bn* truc...; gammel (*a ~ knee*); III *ww: a*) bedriegen, bedotten; streken (grappen) uithalen; *b*) versieren, opschrikken, uitdossen (*gew: ~ up, out, off*); *~ a p. into ...* door list krijgen tot; '**trickery** [-əri] bedriegerij, bedotterij

trickle ['trikl] I *ww* (doen) druppelen, sijpelen, biggelen, vloeien, druipen (*with blood* van ...); *~ in, ~ through* (*van nieuws, enz*) druppelsgewijze binnenkomen; binnen-, doorsijpelen, -druppelen; *~ off* (*out*), (*fig*) een voor een (laten) gaan; *the information ~d out* lekte uit; II *zn* het ...; stroompje, straaltje

trickster ['trikstə] bedrieger; **tricky** [-i] bedrieglijk; sluw, verraderlijk; vol streken (knepen, foefjes); (*fam*) lastig, gewaagd; *it's very ~ work, ook:* het luistert erg nauw

tricycle ['traisikl] driewieler

trident ['traid(ə)nt] drietand

trifle ['traifl] I *zn* kleinigheid, bagatel; snuisterij; soort toetje van biscuitjes, vruchten en room; II *ww* beuzelen, futselen, spelen (*with one's watch-chain*); spotten; lichtvaardig handelen of spreken; **trifling** ['traifliŋ] *ook:* nietig, onbeduidend

trigger ['trigə] I *zn* trekker; *pull* (*the*) *~* vuren (*at, on* op); II *ww* in beweging brengen, doen afgaan; *~ off* de stoot geven (aanleiding zijn) tot, teweegbrengen, ontketenen; '**trigger-happy** (*fam*) schietgraag

trill [tril] I *ww* trillend zingen (spreken, klinken), vibreren, (doen) trillen; II *zn* triller

trilogy ['trilədʒi] trilogie

trim [trim] I *bn* goed in orde, net(jes), proper, keurig (onderhouden), goed passend; II *ww* in orde brengen; bijknippen (*the hair*); trimmen (*a dog*); (af-, be)snoeien; ontdoen (*meat of fat*); mooi (netjes) maken, opknappen, versieren (*Christmas tree*), afzetten (*a dress ~med with lace*), uitmonsteren (*a uniform*), garneren (*a hat*), opmaken; stuwen (*a cargo*); naar de wind zetten (*the sails, yards*); (*fig*) tussen de partijen doorzeilen, schipperen, de huik naar de wind hangen = *~ one's sails* (*according*) *to the wind; ~ **off*** afsnoeien, -knippen; III *zn* toestand, staat, orde, (goede) conditie; ***in*** (***out of***) *~* in goede, slechte staat (conditie); *in good ~* goed in orde, in goede staat; '**trimmer** wie (wat) ... (zie *trim*); (politieke) weerhaan, opportunist; '**trimmings** *a*) (af)snoeisel, -knipsel; *b*) toebehoren; *c*) versierselen; uiterlijkheden, franje

trinity ['triniti] *a*) drieëenheid; *b*) drietal, trio; *T~* Drieëenheid, Drievuldigheid

trinket ['triŋkit] kleinood

trio ['tri:əu] trio; drietal

trip I *ww* trippelen, huppelen; struikelen (ook: *~ up; over, on* over); zich verspreken; een fout begaan, een misstap doen; ook = *~ up* doen struikelen, erin laten lopen, een beentje (de voet) lichten; overhalen (*a switch*); *catch a p. ~ping* iem op een fout betrappen; II *zn* uitstapje, reis(je), tochtje; beentjelichten; struikeling, misstap; fout, verspreking

tripe [traip] pens (*als voedsel*); (*sl*) prullaria, ding van niks, snert; onzin

triple ['tripl] I *bn* driedubbel, -delig; II *ww* (zich) verdriedubbelen; **triplet** ['triplit] drietal, trio; één van een drieling

tripod ['traipɔd] drievoet; (*fot*) statief

triptych ['triptik] triptiek, drieluik

trip-wire struikeldraad

trite [trait] afgezaagd, alledaags, banaal; versleten, afgesleten; veelbetreden

triumph ['traiəmf] I *zn* triomf, zege(praal); II *ww* zegepralen, zegevieren, triomferen; *~ over all difficulties ...* glansrijk overwinnen; **triumphal** [trai'ʌmf(ə)l] triomferend, triomf..., triomfaal, zege...; *~ arch* triomfboog, erepoort; *~ car, ~ chariot* zegekar; **triumphant** [trai'ʌmfənt] zegevierend, triomfantelijk

trivial ['triviəl] onbeduidend, nietig; alledaags, afgezaagd; **triviality** [trivi'æliti] onbeduidendheid, alledaagsheid, trivialiteit
trolley ['trɔli] rol-, steekwagentje, lorrie, kar; dienwagentje; winkelkar
trollop ['trɔləp] (*vero*) slons, slet
trombone [trɔm'bəun] trombone
troop [tru:p] I *zn* troep, hoop, menigte; *in ~s* in (bij) troepen, troepsgewijs; II *ww* zich verzamelen (scharen); (in troepen) gaan; in troepen formeren; *~ together* bij elkaar scholen; *~ the colour(s), (mil)* vaandelparade houden bij het betrekken van de hoofdwacht; '**troop-carrier** troepentransportschip, -vliegtuig; '**trooper** [-ə] cavalerist; (*Am*) staatspolitieagent (= *state ~*)
trophy ['trəufi] zegeteken, trofee
tropic ['trɔpik] keerkring; *~ of Cancer, of Capricorn* kreefts-, steenbokskeerkring; *the ~s* de tropen; '**tropical** [-l] tropisch
trot [trɔt] I *ww* draven; (*fam*) opstappen (*shall we ~?*); laten draven, in draf zetten; II *zn* draf; *the ~s, (fam)* buikloop, de dunne; ***on** the ~* druk bezet; *he keeps me on the ~ all day long* laat me de hele dag draven, houdt me ... in het touw; *ten cases on the ~* op een rij, achter elkaar; **trotter** ['trɔtə] draver, enz. (zie *trot*); (schape-, varkens)poot; (*scherts*) voet
trouble ['trʌbl] I *ww* in beroering brengen, verontrusten, beangstigen; verdriet doen, kwellen; lastig vallen, moeite veroorzaken, (ver)storen; zich ongerust maken, zich bekommeren (= *~ o.s.*); moeite doen, de moeite nemen (= *~ o.s.*); *be ~d (in mind, in one's mind)* ongerust (verontrust, bezorgd) zijn (*about* over); *this ~d world* veelbewogen ...; *fish in ~d waters* in troebel water vissen; II *zn* zorg, verdriet, ongeluk, verlegenheid; onrust, verwarring; kwaal, ongemak (*throat ~*), pech (zie *tyre-~*), mankement; moeite, last; lastpost; *~s, ook:* troebelen, onlusten; *no ~ (at all)!* het is de moeite niet, (helemaal) geen moeite; *what's the ~?* wat is er aan de hand?; *take the ~ to ...* de moeite nemen om ...; *get **into** ~* in moeilijkheden raken of brengen; *get (a girl) into ~* zwanger worden (maken); *ask (look) **for** ~, (fam)* moeilijkheden zoeken (uitlokken); zich op glad ijs wagen; *make ~* moeite (herrie) veroorzaken, lastig worden; *go **to** all this ~* zich al die moeite geven; '**troubled** [-d] *zie boven*; '**trouble-maker** onruststoker; '**trouble-shooter** iemand die overal raad op weet; '**troublesome** [-səm] lastig, vervelend; **trouble-spot** land of gebied waar geregeld gevechten of rellen plaatsvinden
trough [trɔ(:)f] trog, (drink)bak; goot, buis, pijp; laagte, diepte(punt)
trounce [trauns] afrossen, afstraffen
troupe [tru:p] troep (toneelspelers, enz.)
trousers ['trauzəz]: *(pair of) ~s* (lange) broek
trout [traut] forel(len); *old ~, (sl)* oude trut
trowel ['trauəl] *a)* troffel; *b)* plantenschopje
truancy ['tru(:)ənsi] het spijbelen; **truant** ['tru(:)ənt] spijbelaar; *play ~* spijbelen
truce [tru:s] wapenstilstand
truck [trʌk] 1 lorrie, handkar, rolwagen(tje); veewagen, open goederenwagen; vrachtauto; 2 ruil, (ruil)handel, transactie; *I'll have no ~ with you* ik wil niets met u te maken hebben; **trucker** [-ə] (*Am*) vrachtautochauffeur
truckle ['trʌkl]: *~ to someone* zich slaafs of onderdanig gedragen ten opzichte van iemand; **truckle bed** onderschuifbed
truculence ['trʌkjuləns] kribbigheid, vechtlustigheid; **truculent** ['trʌkjulənt] woest, kribbig, vechtlustig
trudge [trʌdʒ] I *ww* (voort)sukkelen, zich voortslepen, sjokken (= *~ it*); afsjouwen (*a distance*); II *zn* mars, 'sjouw'; *on the ~* aan de tippel
true [tru:] I *bn en bw* waar, echt, rechtmatig, juist; zeker; (ge)trouw (*to* aan); *~, he had ...* weliswaar had hij ..., *~ to* (ge)trouw aan, in overeenstemming met (*the facts*); *~ copy* eensluidend afschrift; II *zn: be out of (the) ~* niet zuiver zijn (passen, lopen, enz.); '**true-'blue** I *bn* echt, onverdacht, onvervalst; II *zn* man van beginselen, eerlijke kerel; conservatief; '**true-born** echt, rechtgeaard; **truism** ['tru(:)izm] waarheid als een koe; **truly** ['tru:li] waarlijk, werkelijk, terecht, voorwaar, enz. (zie *true*); *yours ~* hoogachtend
trump [trʌmp] I *zn* troef(kaart); *hold all the ~s* al de troeven (*fig:* het spel) in handen hebben; II *ww* (af)troeven; overtroeven (*ook fig*); *~ up* verzinnen (*a charge* beschuldiging); '**trump-card** troefkaart
trumpet ['trʌmpit] I *zn* trompet; het trompetten (*van olifant, enz*); *blow (sound) one's own ~* zijn eigen lof verkondigen; II *ww* trompetten (*ook van olifant, enz*); uitbazuinen
truncate ['trʌŋkeit, trʌŋ'keit] (af)knotten, besnoeien, verminken
truncheon ['trʌn(t)ʃən] (wapen)stok
trundle ['trʌndl] zwaar (doen) rollen, draaien; vervoeren (in voertuig), rijden; *~ a wheelbarrow* achter een ... lopen
trunk [trʌŋk] (boom)stam; romp; snuit, slurf (*van olifant*); grote koffer; (*Am*) koffer(bak, -ruimte) (*van auto*); *~s* zwem-, gymnastiekbroek (= *a pair of ~s*); '**trunk-call** (*PTT*) interlokaal gesprek; '**trunk-railway** hoofdspoorweg; '**trunk-road** hoofdweg
truss [trʌs] bundel, bos (hooi, enz.); breukband
trust [trʌst] I *zn* vertrouwen, hoop; krediet; bewaring, hoede; ambt van vertrouwen; id.: toevertrouwd (voor een ander beheerd) goed of legaat, pand; stichting; trust(maatschappij); *put ~ in* vertrouwen stellen in; *you are **in** my ~* onder mijn hoede; II *ww* vertrouwen (op); geloven; (van harte) hopen; toevertrouwen; krediet geven; *~ him (for that)! (fam)* laat dat maar aan hem over, dat is hem wel toevertrouwd; *~ **in** God* vertrouwen op; *~ s.t. **to** a p.*

tru

iem iets toevertrouwen; ~ *to o.s.* op zichzelf (op eigen krachten) vertrouwen; ~ *a p.* ***with*** *s.t.*, ~ *s.t. with a p.* iem iets toevertrouwen; **trustee** [trʌs'ti:] beheerder, gevolmachtigde, bewindvoerder, commissaris, curator, executeur; regent (*van weeshuis, enz*); '**trusting** vertrouwend, goed van vertrouwen; '**trustworthy** te vertrouwen, be-, vertrouwbaar

truth [tru:θ] waarheid; nauwkeurigheid; echtheid; waarheidsliefde, oprechtheid; *in* ~ inderdaad; *tell* (*say, speak*) *the* ~ de waarheid spreken; *to tell the* ~ om de waarheid te zeggen; '**truthful** [-f(u)l] waarheidlievend; waar; getrouw (*portrait*); oprecht

try [trai] I *ww: a*) proberen, beproeven, trachten; *b*) op de proef stellen (*a p.'s courage*); veel vergen van, vermoeien (*one's eyes*); aanpakken (*such work tries a man*); bezoeken (*be tried by disasters*); *c*) (gerechtelijk) onderzoeken (*zaak*); berechten, verhoren (*beklaagde*); ~ *to* (~ *and*) *come* proberen te komen; ~ *hard to* ... zijn uiterste best doen om ...; *he tried to swim* hij probeerde te zwemmen; *he tried swimming* hij probeerde het met zwemmen (*bijv om magerder te worden*); ~ ***at*** *s.t.* iets proberen; ~ ***for*** dingen naar (*a post*); streven naar (*the impossible*); proberen te krijgen; *be tried for* (***on*** *a charge of*) *murder* terechtstaan wegens; ~ *on a coat* (aan)passen; ~ ***out*** (uit)proberen (*a new car*); II *zn* poging; *have a* ~ (*at it*) het eens proberen; '**trying** lastig, moeilijk, smartelijk, vermoeiend (*march*), afmattend (*climate*); benard (*situation*); '**try-out** proef; inspeelvoorstelling; *I'll give you a* ~ ik zal het met je proberen

tub [tʌb] tobbe; ton, vaatje, bak, kuip; (*fam*) badkuip, bad; (*fam*) schuit; '**tubby** [-i] tonvormig, rond, corpulent

tube [tju:b] buis, pijp, koker, (gummi)slang; binnenband (= *inner* ~); tube; ondergrondse elektrische spoorweg

tuberculosis [tju(:)ˌbə:kju'ləusis] tuberculose

tubular ['tju:bjulə] buis-, kokervormig

tuck [tʌk] I *ww* (ook: ~ *up*) opschorten, omslaan, opstropen (*one's sleeves*), opnemen (*one's skirts*); innemen, inslaan (= ~ *in, up*); op-, samentrekken; plooien, plisseren; (weg-, ver)stoppen; wikkelen (*a shawl round a p.*); (er lekker) instoppen (= ~ *up*); ~ ***away*** weg-, verstoppen; schransen; *the village is ~ed away in the woods* ligt verscholen in ...; ~ ***in*** intrekken (*one's legs*); (*sl*) verorberen; schransen, kanen; ~ ***into***, (*sl*) zich te goed doen aan; II *zn* opnaaisel, plooi; omslag; (*sl*) eterij, lekkers, snoep; '**tuck-in** (*sl*) stevig maal; smulpartij; '**tuck-money** snoepcenten; **tuck-shop** snoepwinkel(tje)

Tuesday ['tju:zd(e)i] dinsdag

tuft [tʌft] bosje; kwastje; groepje bomen of struiken; trosje

tug [tʌg] I *ww* trekken, rukken (aan); (voort-) slepen; II *zn* ruk, haal; sleepboot; **tug-of-war** het touwtrekken

tuition [tju(:)'iʃən] onderwijs; school-, lesgeld; '**tuition-fee** school-, lesgeld

tulip ['tju:lip] tulp

tumble ['tʌmbl] I *ww* tuimelen, rollen, vallen, storten; buitelen, duikelen; struikelen; in elkaar vallen; (*van effecten, enz.*) 'kelderen'; doen vallen, (neer)gooien, onderstboven gooien; ~ ***to*** *pieces* kapot (in elkaar) vallen; II *zn* tuimeling, val, warboel; *things are all in a* ~ alles is in de war; '**tumbledown** bouwvallig; **tumble dryer** droogtrommel, wasdroger; '**tumbler** [-ə] duikelaar; acrobaat; bekerglas

tummy ['tʌmi] (*kindertaal*) maag, buik(je)

tumour ['tju:mə] (kwaadaardig) gezwel, tumor

tumult ['tju:mʌlt] id., lawaai, rumoer, opschudding, beroering, (staat van) grote opwinding, oproer, oploop; **tumultuous** [tju(:)-'mʌltjuəs] onstuimig, woelig, verward, rumoerig, oproerig

tun [tʌn] (groot) vat, ton; kuip

tuna ['tju:nə] (*Am*) tonijn

tundra ['tʌndrə] toendra

tune [tju:n] I *zn* wijs(je), melodie, lied(je), deuntje; harmonie; stemming; (*fig ook*) toon (*set the* ~ ... aangeven); *call the* ~ de toon aangeven; *be* ***in*** ~ goed gestemd (zuiver) zijn; *sing in* ~ wijs houden; *sing* ***out of*** ~ vals zingen, geen wijs houden; *be out of* ~ *with* niet passen bij, niet harmoniëren met; *the song goes* **to** *the* ~ *of* ... wordt gezongen op de wijs van ...; II *ww* stemmen; (*telec*) afstemmen; in zekere (de rechte) stemming (conditie) brengen; zingen; ~ ***in*** een woordje gaan meespreken; (*telec*) afstemmen (*to* op); ~ ***to*** afstemmen op; (*fig*) in harmonie brengen met, aanpassen aan; ~ ***up*** stemmen; beginnen te spelen (zingen, enz.); stellen (*a machine, a gun*); in orde brengen (*a motor-car*); ~ (*up*) opvoeren, opfokken (*an engine*); in topconditie brengen, conditioneren; zich prepareren (*for* voor); ~ ***with*** harmoniëren met; '**tuneful** [-f(u)l] welluidend, zangerig; muzikaal; '**tuneless** *a*) onwelluidend; *b*) niet zingend, geen muziek makend, stom; '**tuner** [-ə] stemmer; (*telec*) id., afstemeenheid, afstemmer

tunic ['tju:nik] *a*) tuniek; *b*) overgooier

tunnel ['tʌnl] id.; gang (*bijv van mol*); *I see the end of the* ~ ik zie licht in de duisternis

tunny ['tʌni] tonijn; '**tunny-fish** tonijn

turban ['tə:bən] tulband

turbid ['tə:bid] troebel, drabbig; dik, dicht (*smoke*); (*van stijl, enz*) duister, verward

turbo-jet(-engined) ['tə:bəu-'dʒet(-'endʒind)] met (turbine)straalaandrijving (*aircraft*)

turbot ['tə:bət] tarbot

turbulence ['tə:bjuləns] onstuimigheid, beroering, woeligheid, woeling, roerigheid; **turbulent** ['tə:bjulənt] onstuimig, woelig

turd [tə:d] drol

tureen [tə-, tju'ri:n] (soep)terrine

turf [tə:f] zode(n), plag(gen); gras(tapijt); *soms:* turf; *the* ~ de renbaan; de rensport, wedrennen; '**turf accountant** bookmaker

turgid ['tə:dʒid] gezwollen, opgeblazen, hoogdravend
turkey ['tə:ki] *a)* kalkoen; *b)* *T~* Turkije; *cold~* ineens afkicken (*drugs*); *talk ~* spijkers met koppen slaan
Turkish ['tə:kiʃ] Turks
turmoil ['tə:mɔil] verwarring, beroering, herrie, opwinding, onrust
turn [tə:n] I *ww* (doen) draaien, (zich) omdraaien, (zich) (om)keren, (zich) wenden, doen keren, kenteren; (zich) richten; omslaan (*the leaves of a book*); vormen (*a well-~ed ankle*); een andere wending geven aan (*the conversation*); veranderen van (*the subject*); omzetten (*one's capital = ~ over*); omgaan, omzeilen (*the Cape*); verzwikken (*~ one's ankle*); (weg)sturen (*~ a p. from one's door*); leiden (*water through a tube*); brengen, doen, enz.; aanwenden; veranderen (*into, to* in); worden (*his hair is beginning to ~ grey*); doen worden, maken (*it ~s me sick to hear him talk like that*); (doen) gisten, bederven; schiften, zuur maken (worden); van kleur (doen) veranderen, geel worden (*leaves ~ in autumn*); vertalen, omzetten (*into* in); *the car ~ed a complete circle* beschreef; *he could ~ his hand to anything* kon van alles doen (maken); *~* ***about*** (zich) omkeren; *~ about in one's mind* overdenken; *about ~!* rechtsom keert!; *~* ***against*** zich keren tegen; *~* ***aside*** (zich) afwenden, (zich) terzijde keren, opzij gaan; *~* ***away*** (zich) afwenden (afkeren); wegsturen, ontslaan; *the stadium was crowded and hundreds were ~ed away* werden teleurgesteld; *~* ***back*** om-, terugkeren; terugdrijven; omslaan (*one's sleeves*); *there is no ~ing back* wij (enz.) kunnen niet terug; *~* ***down*** omvouwen, neerdraaien (*the gas*), neerbuigen; neergedraaid enz. kunnen worden; afwijzen, van de hand wijzen, weigeren; zachter zetten (*the radio*); een blauwtje laten lopen; verwerpen (*a plan*), de mond snoeren; *his own people ~ed him down* keerden hem de rug toe; *our candidate was ~ed down* bleef in de minderheid; *~ down a street* een straat inslaan; *~* ***from*** (zich) afwenden van; afbrengen van; wegsturen van; *~* ***in*** inleveren; binnengaan; (*fam*) naar kooi gaan (= *~ in to bed*); aangeven (*she ~ed him in to the police*); *~* ***into*** veranderen (vertalen, omzetten) in; inslaan (*a street*); worden; *~* ***off*** afdraaien, afsluiten (*the gas*), uitdraaien (*a light*), afzetten (*the gramophone*); afslaan, een zijweg inslaan; (*fam*) de belangstelling (doen) verliezen; *~* ***on*** (*bw*), opendraaien (*the gas*); openzetten (*a sluice*), laten spelen (*the gramophone*), aanzetten (*the wireless*); (*fam*) opwinden, boeien, iets 'doen' (*a p.*); (seksueel) prikkelen, heet maken; ***out*** uitdraaien (*the gas*); naar buiten (eruit) brengen, eruit zetten (gooien); wegsturen, 'wippen' (*a minister*); leeghalen (*a drawer, one's pockets*), omkeren (*one's pockets*), 'doen' (*a room*); produceren, (af)leveren (*first-class work*), presteren (*he did not ~ out much*); te voorschijn (naar buiten) komen (*people ~ed out to see*); *~ him out!* gooi hem eruit; *what a pretty girl she has ~ed out!* wat is zij ... geworden!; *it ~ed out wrong* (*right*) kwam verkeerd (goed) uit, liep ... af; *he ~ed out* (*to be*) *my nephew* bleek te zijn, ontpopte zich als; *~* ***over*** (zich) omkeren, kantelen, omslaan (*the pages*), doorbladeren (*a book*), doorlopen, -gaan (*one's papers*); overdragen, -doen, -maken (*the money was ~ed over to the owner*); overleveren (*a p. to the police*); omzetten (*£50,000 a year*); *I ~ed it over* (*in my mind*) overdacht het, bekeek de zaak van alle kanten; *please ~ over!* zie ommezijde!; *~* ***round*** (*bw*) omdraaien, (zich) omkeren; van mening, houding, enz. (doen) veranderen, van iets afbrengen; *~ round on* zich (plotseling) keren tegen; *~* ***to*** (*vz*), (zich) keren (wenden) tot, richten op; zich toeleggen op; raadplegen (*a list*); *~* ***to*** (*bw*): *a)* aanpakken; *b)* aan het werk zetten; *~* ***up*** omploegen, -wroeten, enz.; aan de oppervlakte (te voorschijn) brengen (*the plough ~ed up a skull*); openleggen (*a card*); opslaan (*a page*); naslaan (*the dictionary, an article*); verschijnen, opdagen, voor de dag komen, zich op-, voordoen (*wait for s.t. to ~ up*); **II** *zn* draai, omwenteling, (omme)keer, wending, richting (*it gave my thoughts a new ~*), keerpunt, kentering; bocht, kromming; verandering; (*fam*) schrik, schok; aanval (*van ziekte*); vlaag (*van woede*); beurt, werktijd; stijl; neiging, aanleg (*I have no ~ for music*); aard (*of a domestic ~*); vorm; *~ of the century* eeuwwisseling; *~ of fate* lotswisseling; *do a p. a good* (*bad, ill*) *~* iem een dienst (een slechte dienst) bewijzen; *it gave me such a ~,* (*fam*) ik was er helemaal verbouwereerd (akelig) van; *take a ~* (*for the better*) een (gunstige) keer nemen; *take ~s* elkaar afwisselen (aflossen) (*in, at* bij); *~* (*and ~*) ***about*** om de beurt; ***at*** *every ~* bij iedere stap (*fig*), telkens, overal; ***by*** *~s,* ***in*** *~(s)* om beurten, beurtelings, achtereenvolgens; ***out of*** (*one's*) *~* vóór of na zijn beurt; '**turnabout** omke(e)r(ing); **turnaround** omke(e)r(ing); duur van iets; '**turncoat** overloper, afvallig(e); **turning** ['tə:niŋ] het ... (zie *turn*); bocht, kronkeling; zijstraat (*his office was in a ~ off Oxford Street*); *the first ~ to the right* 1ste straat (weg, enz.) rechts; '**turning-point** keerpunt
turnip ['tə:nip] raap, knol
'**turn-off** afslag (*van weg*); '**turn-(')out** het uitrukken, enz. (zie *turn, ww*), opmars; verzamelde menigte; opkomst (*op vergadering, enz*); schoonmaak(beurt) (*give a room a ~*); uitrusting, plunje; produktie; '**turnover** het ... (zie *turn, ww*); omzet; omverwerping; omkanteling; ommekeer; appelflap (= *apple ~*); *staff ~* personeelsverloop
turnpike ['tə:npaik] tolweg; (*Am*) autosnelweg met tollen; '**turnpike-road** tolweg

'turnstile tourniquet: draaikruis; **'turntable** draaischijf; (*van grammofoon*) draaitafel; **'turn-up** opslag: opstaande (omgeslagen) rand, enz. (*bijv van broekspijp*); (*fam*) meevaller, buitenkansje
turpentine ['tə:p(ə)ntain] terpentijn
turret ['tʌrit] *a*) torentje; *b*) geschutkoepel
turtle ['tə:tl] *a*) (zee)schildpad; *b*) schildpadsoep (= ~ *soup*); *turn* ~ omslaan, kantelen; **'turtle-dove** [-dʌv] tortelduif; **'turtleneck** (*sweater*) col(trui)
tusk [tʌsk] slagtand
tussle ['tʌsl] I *zn* worsteling, kloppartij, vinnige strijd (*a sharp* ~); II *ww* worstelen, vechten
tutelage ['tju:tilidʒ] voogdij(schap), onmondigheid
tutor ['tju:tə] *a*) huisonderwijzer, -leraar, gouverneur; *b*) (*univ*) staflid belast met de leiding der studie van student, mentor
tuxedo [tʌk'si:dəu] (*Am*) smoking
twaddle ['twɔdl] beuzelpraat, gewauwel
twang [twæŋ] I *ww* t(j)ingelen (op), tokkelen, met een scherp geluid (doen) klinken (*van snaar*); door de neus spreken; II *zn* get(j)ingel, getokkel; neusgeluid
tweak [twi:k] (draaiende) trekken (aan), knijpen (~ *a p.'s nose*)
tweezer ['twi:zə]: (*pair of*) ~*s* (haar)tangetje; veertang, pincet
twelfth [twelfθ] twaalfde; **'Twelfth-night** Driekoningen(avond); **twelve** [twelv] twaalf; **'twelvefold** [-fəuld] twaalfvoudig; **'twelvemonth** [-mʌnθ] (*vero*) jaar; *this day* ~ vandaag over of voor een jaar
twentieth ['twentiiθ] twintigste; **twenty** ['twenti] twintig; **'twentyfold** [-fəuld] twintigvoudig
twice [twais] tweemaal; **'twice-told** [-təuld] tweemaal verteld, welbekend (~ *tale*)
twiddle ['twidl] draaien (met); spelen (*with one's watch-chain*); ~ *one's thumbs* duimen draaien; (*fig*) met de handen in de schoot zitten
twig takje, twijg(je)
twilight ['twailait] I *zn* schemering; schemerlicht; II *bn* schemerachtig, vaag
twin I *bn* tweeling..., dubbel, gepaard; II *zn* één van een tweeling, tweelingbroeder, -zuster; ~*s* een tweeling; III *ww* een tweeling krijgen; (zich) paren (*with* aan); (*van steden*) jumelleren; **'twin-bedded** met twee bedden; **'twin'brother** tweelingbroeder
twine [twain] I *zn* twijn, getwijnd garen, bindgaren (= *binding* ~); II *ww* twijnen; (zich) kronkelen, (zich) slingeren (*the ivy ~d about the tree*); (om)strengelen; vlechten (*a wreath*)
twinge [twin(d)ʒ] plotselinge pijn, steek, kneep, scheut (*van pijn*); wroeging
twinkle ['twiŋkl] I *ww* flikkeren, schitteren, tintelen, fonkelen; knipperen met (*one's eyes*); II *zn* flikkering, fonkeling; knip (met oogleden); trilling; **twinkling**: *in the twinkling of an eye* in een oogwenk
'twin-'sister tweelingzuster
twirl [twə:l] (rond)draaien, doen draaien, draaien aan (*one's moustache*)
twist I *zn* draai(ing); (ver)trekking (*van gezicht, enz*); verdraaiing (*van betekenis, enz*); kromming, bocht, kronkel(ing), kink, afwijking (*moral, mental* ~); gril; (*biljart, enz*) trekbal; snoer, vlecht; streng (*van touw*); II *ww* (samen)draaien, verdraaien; twisten, vlechten, (samen)strengelen; (zich) winden; (zich) wringen, kronkelen; verrekken (*a muscle*); omdraaien (*a p.'s arm*); vertrekken (*one's face*); **'twister** [-ə] bedrieger; moeilijkheid, moeilijke opgave, enz.; ook = *tongue-twister*
twit I *ww* bespotten, spottend plagen (*with, about, on* met); II *zn* (*sl*) idioot, sufferd
twitch [twitʃ] I *ww* trekken, rukken (aan), tokkelen; (weg)pakken; zenuwachtig bewegen, trekken (*van spieren, enz*); *not ~ an eyelid,* (*fig*) geen spier vertrekken; II *zn* ruk; steek, scheut (*van pijn*); zenuwtrekking
twitter ['twitə] I *ww* tjilpen, sjilpen; met een pieperig stemmetje spreken, piepen; II *zn* getjilp, gepiep; trilling; zenuwachtigheid; (*all*) *in* (*of*) *a* ~ popelend (*van ongeduld, enz*), erg opgewonden
two [tu:] twee(tal); ~ *or three* een paar, een stuk of drie; *put ~ and ~ together* de dingen met elkaar in verband brengen; **'two-bit** (*Am*) klein, goedkoop; **'twofold** tweevoudig, tweeledig, dubbel; tweedraads (garen); **'two-handed** *a*) tweehandig; *b*) voor twee handen (*sword*); *c*) handig; **twopence** ['tʌpəns]: *not care ~ for* geen lor geven om; **twopenny** ['tʌpəni] van twee stuiver waarde; dubbeltjes...; (*fig*) goedkoop, onbetekenend, prullig; **'two-piece (suit)** deux-pièces; **'two-sided** met twee kanten; **'two-tone** tweekleurig; **'two-way**: ~ *radio* met zend- en ontvanginrichting; ~ *street* met verkeer in beide richtingen
tycoon [tai'ku:n] magnaat (*press* ~)
type [taip] I *zn*: *a*) id., zinnebeeld, voorbeeld, toonbeeld, grondvorm; *b*) gegoten drukletter, letter(vorm); zetsel; *the article is in* ~ gezet; ~ *specimen,* (*typ*) letterproef; II *ww*:: *a*) symboliseren; *b*) typen, (in)tikken (op schrijfmachine); **'typecast** (een acteur) een rol geven die past bij zijn karakter of eerdere successen; **'typescript** getikt (ge)schrift; **'typewrite** typen, tikken; **'type-writer** schrijfmachine; **'typewritten** getypt, getikt
typhoid ['taifɔid] tyfus (= ~ *fever*)
typhoon [tai'fu:n] tyfoon, soort wervelstorm
typhus ['taifəs] vlektyfus (= ~ *fever*)
typic(al) ['tipik(l)] typisch, zinnebeeldig, kenmerkend (*of* voor); *be ~ of* het zinnebeeld zijn van; typeren (*be ~ of all the rest*)
typist ['taipist] typist(e)
tyranny ['tirəni] tirannie, dwingelandij; **tyrant** ['taiərənt] tiran, dwingeland
tyre ['taiə] (wiel)band; **'tyre-gauge** [-geidʒ] spanningsmeter

tyro ['tairəu] beginner, nieuweling

Uu*u*

U [ju:] *U., (film) (approved for) universal (exhibition)* (goedgekeurd, geschikt voor) alle leeftijden
ubiquitous [ju(:)'bikwitəs] alomtegenwoordig
udder ['ʌdə] uier
ugly ['ʌgli] lelijk; schandelijk, bedenkelijk; vervelend, akelig, onverkwikkelijk; dreigend (*an ~ silence*); kwaad(aardig), nijdig; *~ customer* gevaarlijk heer; *~ duckling,* (*fig*) lelijk eendje
ulcer ['ʌlsə] (etterende) zweer; *stomach ~* maagzweer; '**ulcerate** [-reit] (doen) zweren, etteren; *~d tooth* zwerende kies; '**ulcerous** [-rəs] zwerend, etterend; vol zweren
ulterior [ʌl'tiəriə] aan gene zijde, verderop gelegen, verder; later; heimelijk (*plans*); *~ object* (*purpose, motive*) bijbedoeling
ultimate ['ʌltimit] I *bn* laatste, uiterste, hoogste, eind... (*goal* doel), uiteindelijk (*result*), slot..., grond..., essentieel, definitief; II *zn* laatste, uiterste, slot; 'einde'; *in the ~* eindelijk, tenslotte; '**ultimately** [-li] eindelijk, ten slotte; **ultimatum** [ʌlti'meitəm] ultimatum
ultra ['ʌltrə] uiterst, uiterst geavanceerd(e), ultra; '**ultra-con'servative** oerconservatief; **ultramarine** [ʌltrəmə'ri:n] ultramarijn; '**ultra-'modern** hypermodern; '**ultra-'red** *infra-red*; **ultrasonic** ['ʌltrə'sɔnik] ultrasonisch, ultrasonoor, met groter snelheid dan het geluid (*aircraft*); **ultra'violet** [-'vaiəlit] id.
umber ['ʌmbə] omberkleurig bruin, donker
umbilical [ʌm'bilikl, (*med*) ʌmbi'laikl] navel...; *~ cord* navelstreng
umbrage ['ʌmbridʒ] ergernis, aanstoot; *take ~* aanstoot nemen (*at* aan), zich ergeren (*at* over)
umbrella [ʌm'brelə] paraplu; (*fig*) overkoepeling
umpire ['ʌmpaiə] scheidsrechter (*cricket, tennis, zwemmen*)
umpteen ['ʌmpti:n] zoveel (je wilt), heel wat, idem zoveel, massa's; '**umpteenth**: *the ~* de (idem) zoveelste, tigste
unabashed ['ʌnə'bæʃt] niet verlegen, niet uit het veld geslagen; schaamteloos, onbeschaamd
unabated ['ʌnə'beitid] onverminderd, onverzwakt, onverflauwd
unable ['ʌn'eibl] onbekwaamheid, niet in staat
unabridged ['ʌnə'bridʒd] onverkort
unaccompanied ['ʌnə'kʌmpənid] *a*) niet vergezeld; *b*) zonder begeleiding, a-capella; **unaccountable** ['ʌnə'kauntəbl] onverklaarbaar
unaccustomed ['ʌnə'kʌstəmd] ongewoon, ongebruikelijk; niet gewend (*to* aan)

unadulterated [ʌnə'dʌltəreitid] onvervalst, zuiver, echt; *-ated nonsense* je reinste ...; *-ated scoundrel* doortrapte ...
unadvised ['ʌnəd'vaizd] ondoordacht, onbedacht(zaam), onverstandig
unaffected [ʌnə'fektid] niet voorgewend, natuurlijk, ongedwongen, ongekunsteld
unalloyed ['ʌnə'lɔid] onvermengd, zuiver
unambiguous ['ʌnæm'bigjuəs] ondubbelzinnig
unanimity [ju:nə'nimiti] eensgezindheid, unanimiteit, eenstemmigheid; **unanimous** [ju'nænimǝs] eenstemmig; eensgezind, unaniem
unanswerable [ʌn'ɑ:nsərəbl] *a)* niet te beantwoorden; *b)* onweerlegbaar
unappetizing [ʌn'æpitaiziŋ] onsmakelijk
unapproachable [ʌnə'prəutʃəbl] ongenaakbaar, ontoegankelijk
unarmed [ʌna:md] ongewapend, onbewapend; *~ combat* vechtsport
unashamed(ly) ['ʌnə'ʃeimd, -idli] zich niet schamend; schaamteloos, onbeschaamd
unaspiring ['ʌnəs'paiəriŋ] oneerzuchtig, bescheiden
unassuming ['ʌnə'sju:miŋ] bescheiden, niet aanmatigend, zonder pretenties
unattached ['ʌnə'tætʃt] los; niet ge- of verbonden; alleenstaand; ongetrouwd, niet verloofd
unattended ['ʌnə'tendid] *a)* niet vergezeld (begeleid), zonder gevolg; *b)* zonder toezicht; onbeheerd (*motor-car,* enz.); onverzorgd, verwaarloosd (= *~ to*)
unauthorized ['ʌn'ɔ:θəraizd] niet gemachtigd, onbevoegd, wederrechtelijk; onwettig, niet echt
unavailing ['ʌnə'veiliŋ] vruchteloos, vergeefs
unavoidable [ʌnə'vɔidəbl] onvermijdelijk
unaware ['ʌnə'wɛə] zich niet bewust (*of* van); *I am ~ of that, ook:* dat weet ik niet; *I am ~ that ..., ook:* ik weet niet, dat ...; **unawares** ['ʌnə'wɛəz] onbewust, onopzettelijk; ongemerkt; plotseling, onverhoeds; *take* (*catch*) *~* overvallen
unbalance ['ʌn'bæləns] uit het evenwicht brengen; **unbalanced** [-t] uit zijn evenwicht (gebracht); niet in evenwicht (gehouden); onevenwichtig
unbearable [ʌn'bɛərəbl] on(ver)draaglijk
unbecoming ['ʌnbi'kʌmiŋ] ongepast, onbehoorlijk, onwelvoeglijk
unbelievable [ʌnbi'li:vəbl] ongelooflijk; **unbeliever** [ʌnbi'li:və, 'ʌnbili:və] ongelovige; **unbelieving** [ʌnbi'li:viŋ] ongelovig
unbend ['ʌn'bend] (*zich*) ontspannen; uit de plooi komen, zich laten gaan; *~ one's mind* zich (zijn geest) ontspannen; **unbending** *ook:* onbuigzaam, stijf, strak, hardnekkig
unblushing [ʌn'blʌʃiŋ] schaamteloos, zonder te blozen, met een stalen gezicht
unbosom [ʌn'buzəm] ontboezemen, uiten; *~ o.s.* zijn hart uitstorten
unbounded [ʌn'baundid] onbegrensd, onbeperkt, grenzeloos; teugelloos
unbuckle ['ʌn'bʌkl] losgespen
unburden [ʌn'bə:dn] ontlasten; verlichten; *he had something to ~* op het hart; *~ o.s.* (*one's bosom, one's soul*) zijn hart uitstorten
uncalled [ʌn'kɔ:ld]: *~ for* onnodig, overbodig, niet op zijn plaats (*that remark was ...*)
uncanny [ʌn'kæni] met bovennatuurlijke machten in verbinding staand, 'unheimlich', geheimzinnig, angstwekkend, griezelig, 'eng', niet pluis
uncap ['ʌn'kæp] openen (*van bierflesje, enz*)
uncared ['ʌn'kɛəd]: *~(-)for* verwaarloosd, onverzorgd (*hands*)
unceasing [ʌn'si:siŋ] onophoudelijk
unceremonious ['ʌnseri'məunjəs] zonder complimenten, familiaar, nonchalant
uncertain [ʌn'sə:tn] onzeker, onvast, onbepaald, twijfelachtig, dubbelzinnig, onbetrouwbaar, wispelturig; *in no ~ terms* ondubbelzinnig; **uncertainty** [-ti] onzekerheid enz. (*zie uncertain*)
uncharitable ['ʌn'tʃæritəbl] liefdeloos, onbarmhartig, hard (in oordeel, enz.)
uncharted ['ʌn'tʃɑ:tid] niet in kaart gebracht (*the ~ ocean*)
unchecked ['ʌn'tʃekt] teugelloos, onbelemmerd; ongecontroleerd
uncle ['ʌŋkl] oom
unclean ['ʌn'kli:n] onrein, vuil, onkuis
unclouded [ʌn'klaudid] (*inz. fig*) onbewolkt, wolkeloos, kalm, rustig, sereen
uncoil [ʌŋ'kɔil] afrollen, (zich) ontrollen
uncoloured ['ʌn'kʌləd] ongekleurd; (*fig*) onopgesmukt (*account*)
uncomfortable [ʌn'kʌmfətəbl] ongemakkelijk, onbehaaglijk, akelig, verontrustend; niet op zijn gemak
uncommitted ['ʌnkə'mitid] niet gebonden, vrij (in de te volgen gedragslijn)
uncompromising [ʌn'kɔmprəmaiziŋ] van geen schikking willende weten, onbuigzaam, star, onverzoenlijk, recht door zee gaand, niets ontziend, niet bereid te schipperen
unconcerned ['ʌnkən'sə:nd] onverschillig, onbekommerd (*about* over), onbewogen (*at* bij); onpartijdig; niet betrokken (*in* in, bij); zich niet bemoeiend (*with* met)
unconditional ['ʌnkən'diʃənl] onvoorwaardelijk (*surrender*)
unconscionable [ʌn'kɔnʃənəbl] overdreven, 'onmogelijk'; *at an unconscionably early hour* op een onmogelijk vroeg uur
unconscious [ʌn'kɔnʃəs] *a)* onbewust; *b)* bewusteloos; *I am ~ of it* ik ben het mij niet bewust; dat weet ik niet; *the ~,* (*psych*) het on(der)bewuste
unconsidered ['ʌnkən'sidəd] *a)* veronachtzaamd; *b)* ondoordacht
uncontested ['ʌnkən'testid] onbetwist; *~ election* verkiezing met enkele kandidaatstelling
uncontrollable [ʌnkən'trəuləbl] niet te beheersen, onbedwingbaar; onbedaarlijk (*laugh-*

ter); teugelloos; niet te beïnvloeden; absoluut, onbeperkt
uncork ['ʌn'kɔ:k] ontkurken; (*fig*) uitstorten, lucht geven aan
uncouple ['ʌn'kʌpl] loskoppelen; afhaken (*a railway-carriage*)
uncouth [ʌn'ku:θ] onhandig, lomp; ruw
uncover [ʌn'kʌvə] de bedekking (het deksel) wegnemen van; ontbloten; blootleggen, aan het licht brengen; het hoofd ontbloten; opjagen (*a fox*)
uncrushable [ʌn'krʌʃəbəl] onkreukbaar (*cloth*)
unction ['ʌŋ(k)ʃən] zalving; *extreme* ~ heilig oliesel (*r-k*); **unctuous** ['ʌŋ(k)tjuəs] (*fig*) zalvend, vol zalving
uncut ['ʌn'kʌt] onopengesneden; ongesnoeid; ongemaaid; ongeslepen (*diamond*); onverkort, enz.; (*Am*) onvermengd, zuiver, onvervalst (*liquor*)
undaunted [ʌn'dɔ:ntid] onversaagd, onverschrokken; ~ *by* niet afgeschrikt (ontmoedigd) door
undeceive ['ʌndi'si:v] uit de droom helpen; de ogen openen; ontgoochelen
undecided [ˌʌndi'saidid] *a*) onbeslist (*the match was left* ~); *b*) onzeker, in twijfel (*I'm* ~ *whether to go to Italy or Norway for my holidays*)
undeniable [ʌndi'naiəbl] onloochenbaar, onbetwistbaar, onmiskenbaar, ontegenzeggelijk
under ['ʌndə] I *vz* onder (*a tree*), lager (minder) dan; ~ *age* minderjarig; beneden (*nobody* ~ *a bishop*); volgens, krachtens (~ *Article 43*, ~ *his father's will*); ~ *a wall, ook:* onder beschutting van; *a few acres* ~ *corn* beplant met; *land* ~ *the plough* (~ *cultivation*) bouwland; ~ *an hour* binnen het uur; *be* ~ *sentence of death* ter dood veroordeeld; *ships of 20 guns and* ~ en daar beneden; II *bw* (er-, daar)onder; *the number is made up as* ~ als hieronder vermeld; III *bn* onder, beneden (*lip*); te laag, onvoldoende; **undera'chieve** niet bereiken wat men verwacht, tekortschieten, falen; **underact** ['ʌndər'ækt] ingehouden acteren; **'underbrush** (*Am*) kreupelhout; **'undercarriage** onderstel, landingsgestel; **'under-'charge** *a*) te zwak belasten (laden); *b*) te weinig berekenen; **'underclothes** [-kləuðz], **'underclothing** onderkleren, ondergoed; **'undercoat** onderlaag, ondervacht; grondlaag (*of paint*); **'undercoating** onderlaag; **'undercover** geheim (*agents*); **'undercurrent** onderstroom; (*fig*) verborgen stroming (invloed); **'under'cut** goedkoper werken dan, onderkruipen; **'underderde'veloped** onvoldoende ontwikkeld, 'onderontwikkeld'; ~ *country* ontwikkelingsland, ook: *developing country*; **'underdog** (*fam*) *the* ~ de verdrukte; **'under'done** [*attr:* 'ʌndədʌn] niet gaar, ongaar; **'under'estimate** te laag schatten; onderschatten; **'underex'posed** onderbelicht; **'under'fed** ondervoed (persoon); **'underfloor** *heating* vloerverwarming; **under'foot** onder de voet; vertrapt; *the children are always* ~ lopen in de weg; **under'go** ondergaan, doorstaan, lijden; **under'graduate** [-grædjuit] student (nog niet in het bezit van zijn eerste graad); **under'ground** I *bw* (*fig*) in het geheim; *go* ~ onderduiken; II *bn* ['ʌndəgraund] ondergronds; (*fig*) heimelijk, clandestien (*traffic in cocaine*); III *zn* ondergrondse (spoorweg, verzetsbeweging); **'undergrowth** [-grəuθ] kreupelhout; **under'hand** I *bw* onderhands, heimelijk, in het geniep; II *bn* ['ʌndəhænd] onderhands, heimelijk, slinks, achterbaks; **under'handed** *a*) *underhand*; *b*) met te weinig personeel; **'underlay(er)** [-lei(ə)] onderlaag; **under'lie** liggen onder; ten grondslag liggen aan; de hand hebben in; het voorwerp zijn van (*an accusation*); *-lying cause* grondoorzaak; **under'line** onderstrepen (*ook fig*); **'underling** ondergeschikte; werktuig, handlanger; **'underlip** onderlip; **'under'manned** *a*) niet voldoende bemand; *b*) met te weinig personeel; **'under'mentioned** (hier)onder genoemd; **under'mine** ondermijnen (*ook fig*), ondergraven; **under'neath** [-ni:θ] I *vz* onder, beneden; II *bw* er-, daar-, hieronder, beneden, van onderen; heimelijk; in de grond; III *bn* beneden ...; IV *zn* onderkant; **'underpants** onderbroek; **'underpass** onderkruising, onderdoorgang (*onder spoorweg, enz*); **'under'play** (te) weinig nadruk geven aan; **'under'privileged** niet-bevoorrecht (*classes*); **under'rate** onderschatten; te laag schatten; **under'score** onderstrepen; **'under'secretary** 2de secretaris; *parliamentary* ~ onderminister, staatssecretaris; *permanent* ~, *ongev:* secretaris-generaal; **'underside** onderkant; **under'signed**: *the* ~ de ondergetekende(n); **'under'sized** onder de gemiddelde (normale, gewenste) grootte, klein; **'under'staffed** [-stɑ:ft] met te weinig personeel
understand [ʌndə'stænd] begrijpen, verstand hebben van; verstaan; vernemen, (eruit) opmaken, aannemen; opvatten (*he* ~*s the word in its proper sense*); *I don't* ~ ik begrijp het (de zaak) niet; *he could not make himself understood* kon zich niet verstaanbaar (begrijpelijk) maken; *I was given to* ~ *that* ... mij werd te verstaan (te kennen) gegeven, dat ...; *we* ~ (*it is understood*) *that the attempt has failed* naar we vernemen (naar verluidt) is ... mislukt; *am I to* ~ *that* ...? moet ik daaruit begrijpen (opmaken) dat ...?; *what do you* ~ *by negative electricity?* wat versta je onder ...?; *I* ~ *from what you say* ... maak op uit ...; **understandable** [-əbl] begrijpelijk (*to* voor), te begrijpen (*by* voor); verstaanbaar; **understandably** [-əbli] begrijpelijkerwijs; **understanding** [ʌndə'stændiŋ] *a*) verstand, begrip; *b*) verstandhouding; *c*) afspraak, schikking; *bring about a good* ~ *between* een goede verstandhouding tot stand brengen tussen; *come*

to an ~ tot een schikking komen, zich met elkaar verstaan; *on the* ~ *that* met dien verstande (op voorwaarde), dat ..., mits

'**under'state** verkleinen; beneden de waarheid blijven, te weinig zeggen, zich (te) zeer gematigd uitdrukken; **under'statement** ('----) te weinig zeggende bewering, (te) zeer gematigde uitdrukking

'**understudy** [-stʌdi] (*theat & fig*) **I** *zn* doublure, vervanger; **II** *ww* instuderen (*a part*) om een acteur te vervangen; vervangen (*an actor*)

under'take ondernemen, op zich nemen, zich verbinden, ervoor instaan (*that* dat); durven beweren; zich belasten met; borg staan (*for* voor); '**undertaker** begrafenisondernemer; **under'taking** *a*) onderneming; *b*) verbintenis, plechtige belofte; ['ʌndəteikiŋ] lijkbezorging; ~ *business* begrafenisonderneming; ~ *parlo*(*u*)*r* rouwkamer

'**undertone** ondertoon; *speak in an* ~ met gedempte stem; '**undertow** [-təu] onderstroom; '**underwear** [-wεə] onderkleren, ondergoed; **underworld** ['ʌndəwə:ld] onderwereld; **under'write** assureren, verzekeren; *the amount underwritten* het verzekerde bedrag; '**underwriter** (zee)assuradeur

undeserved ['ʌndi'zə:vd] onverdiend

undesirable ['ʌndi'zaiərəbl] **I** *bn* ongewenst; **II** *zn* ongewenste (persoon, zaak)

undo ['ʌn'du:] los-, openmaken (*button, parcel,* enz.); (helpen) uitkleden; ongedaan maken (*the past*), te niet doen, vernietigen; ruïneren, te gronde richten, in het verderf storten; **undoing** ['ʌn'du:iŋ] het ..., ...ing (zie *undo*); ondergang, ongeluk; *it was his* ~ het deed hem de das om; **undone** ['ʌn'dʌn] *a*) on(af)gemaakt; *b*) los(gemaakt, -gegaan); *come* ~ losgaan

undoubted [ʌn'dautid] ongetwijfeld; ontwijfelbaar; onverdacht

undress ['ʌn'dres] (zich) ont-, uitkleden; blootleggen; ontdoen (*of* van)

undue ['ʌn'dju:] onbehoorlijk, ongepast; overmatig, overdreven, al te veel (te groot, enz.)

undulate ['ʌndjuleit] (doen) golven; (doen) trillen (vibreren); **undu'lation** golving, trilling, vibratie

unduly ['ʌn'dju:li] te zeer, overdreven, al te veel (te groot, enz.)

und

undying [ʌn'daiiŋ] onsterfelijk, onvergankelijk, eeuwig (~*fame*, ~*love*)

unearth ['ʌn'ə:θ] *a*) opgraven, rooien; *b*) aan het licht brengen, opsnorren, opdelven, opdiepen (*s.t. from an old newspaper*); **unearthly** [ʌn'ə:θli] bovenaards; bovennatuurlijk, griezelig; *at an* ~ *hour* op een onmogelijk vroeg uur

uneasy [ʌn'i:zi] onbehaaglijk, ongemakkelijk, onrustig (*slumber*), onzeker (*steps*); niet op zijn gemak, ongerust, bezorgd (*about, at* over)

unemployed ['ʌnim'plɔid] *a*) ongebruikt, onaangewend; *b*) werkloos, zonder werk; *the* ~ de werklozen; **unemployment** ['ʌnim'plɔimənt] werkloosheid; ~ *benefit* werkloosheidsuitkering, (*Belg*) werklozensteun; ~ *insurance* werkloosheidsverzekering

unending ['ʌn'endiŋ] eindeloos

unequal ['ʌn'i:kwəl] ongelijk, oneffen; oneven; onregelmatig (*pulse*); ~ *to* niet in staat (om) (*finding words*); ~ *to the task* niet berekend voor, niet opgewassen tegen; **unequalled** ['ʌn'i:kwəld] ongeëvenaard

unequivocal [ʌni'kwivəkəl] ondubbelzinnig, eenduidig

unerring ['ʌn'ə:riŋ] onfeilbaar, niet missend, nooit falend; **unerringly** [-li] zonder te missen of te falen

uneven ['ʌn'i:vn] ongelijk, oneffen, ongestadig, ongelijkmatig

uneventful ['ʌni'ventf(u)l] zonder belangrijke gebeurtenissen, onbewogen (*times*), rustig, kalm (verlopend)

unfading [ʌn'feidiŋ] vast (*van kleuren*)

unfailing [ʌn'feiliŋ] niet falend, onfeilbaar, zeker; onuitputtelijk (*delight, topic*)

unfathomable [ʌn'fæðəməbl] onpeilbaar, ondoorgrondelijk

unfit [ʌn'fit] 1 *bn* ongeschikt, onbekwaam, niet gezond, in slechte conditie, onvolwaardig; ~ *for work* arbeidsongeschikt; 2 *ww* ongeschikt maken

unflagging [ʌn'flægiŋ] onverflauwd

unflappable [ʌn'flæpəbl] (*fam*) niet van z'n stuk te brengen, onverstoorbaar

unflinching [ʌn'flin(t)ʃiŋ] niet (terug)wijkend; onwrikbaar, onversaagd

unfold ['ʌn'fəuld] (zich) ontvouwen, (zich) ontplooien, (zich) uitspreiden; loswikkelen, openen, opengaan; open-, blootleggen, openbaren

unforgettable ['ʌnfə'getəbl] onvergetelijk

unforgivable ['ʌnfə'givəbl] onvergeeflijk

unfortunate [ʌn'fɔ:tʃənit] **I** *bn* ongelukkig; **II** *zn: a*) ongelukkige; *b*) gevallen vrouw; **unfortunately** ongelukkigerwijs, jammer genoeg

unfrequented ['ʌnfri'kwentid] onbezocht, eenzaam

unfurl [ʌn'fə:l] (zich) ontplooien (*van vlag, enz*), ontrollen, losgooien (*sails*), uitspreiden (*a fan*), openen (*an umbrella*)

ungainly [ʌn'geinli] lomp, links, onbevallig, lelijk

ungodly [ʌn'gɔdli] goddeloos (*ook: fam,* ergerlijk, 'onmenselijk')

ungovernable [ʌn'gʌvənəbl] niet te besturen, onhandelbaar, ontembaar (*passions*)

ungracious ['ʌn'greiʃəs] onhoffelijk, onvriendelijk, onaardig; onaangenaam

unhealthy [ʌn'helθi] ongezond

unheard [ʌn'hə:d] niet gehoord; ongehoord; onverhoord; ~(-)*of* ongehoord

unheeded [ʌn'hi:did] waar geen acht op geslagen wordt, verwaarloosd; **unheeding** [ʌn-

'hi:diŋ] achteloos, zorgeloos; niet lettend op, zich niet bekommerend om (= ~ *of*)
unhinge [ʌn'hin(d)ʒ] uit de hengsels lichten; (*fig*) uit zijn evenwicht brengen, in de war brengen; *his mind is ~d* hij is geestelijk gestoord
unholy [ʌn'həuli] onheilig, goddeloos; *an ~ row*, (*fam*) een heidens lawaai
unhook ['ʌn'huk] af-, loshaken, losmaken
unhoped [ʌn'həupt]: ~ (*for*) ongehoopt, onverhoopt
unhorse ['ʌn'hɔs] van het paard werpen
uni- [ju:ni] één...
unicorn ['ju:nikɔ:n] eenhoorn
unification ['ju:nifi'keiʃən] unificatie, éénwording, éénmaking; het één-zijn
uniform ['ju:nifɔ:m] I *bn* id., eenvormig; eensluidend; gelijk(matig); onveranderlijk; (*van beweging, enz*) eenparig; ~ *dress* uniform; II *zn* id.; *in full* ~ in groot tenue; *out of* ~ in civiel; **uniformity** [ju:ni'fɔ:miti] eenvormigheid, uniformiteit; **unify** ['ju:nifai] veren(i-g)en, tot één maken, gelijkschakelen
unilateral [ju:ni'lætərəl] eenzijdig (*ook van contract:* slechts één partij bindende); **unilateralism** beweging voor eenzijdige ontwapening
unimaginable ['ʌni'mædʒinəbl] ondenkbaar, onvoorstelbaar; onbegrijpelijk; **unimaginative** ['ʌni'mædʒinətiv] nuchter, zonder fantasie; **unimagined** ['ʌni'mædʒind] ongedacht; ondenkbaar
unimpaired ['ʌnim'pɛəd] ongeschonden, onverzwakt
unimpeachable [ʌnim'pi:tʃəbl] onwraakbaar, onaantastbaar, onbetwistbaar; onberispelijk
uninformed ['ʌninfɔ:md] slecht ingelicht, niet terzake kundig
uninhabitable ['ʌnin'hæbitəbl] onbewoonbaar
union ['ju:njən] vereniging, verbinding; verbond, unie; verbintenis; huwelijk; eenheid, eendracht, harmonie; vakvereniging (= *trade-~*); *U~ Jack* Britse vlag; '**unionism** [-izm] (vak)verenigingswezen; '**unionist** lid van vakvereniging
unique [ju:'ni:k] enig, ongeëvenaard, uniek; **uniquely** [-li] *ook:* (enig en) alleen; op zichzelf
unison ['ju:nizn, -sn] harmonie, overeenstemming; *in ~*, (*muz*) unisono; (*fig*) eenstemmig, in overeenstemming met elkaar, in harmonie; *in ~ with* in overeenstemming met
unit ['ju:nit] eenheid; toestel (*electrical ~*); (*mil*) afdeling
unite [ju:'nait] verenigen (*to, with* met), verbinden; tot één maken of worden, zich verenigen; ~ *in doing s.t.* zich verenigen (samenwerken) om ...; **united** [ju:'naitid] verenigd, verbonden, eendrachtig; *the U~ Kingdom* het Verenigd Koninkrijk; *the U~ Nations Organization* (*UNO*) de Organisatie der Verenigde Naties; **unity** ['ju:niti] eenheid, overeenstemming, eendracht
universal [ju:ni'və:səl] algemeen, alomvattend, universeel; **universe** ['ju:nivə:s] heelal, wereld
university [ju:ni'və:siti] universiteit, hogeschool; ~ *student* student
unkempt ['ʌn'kem(p)t] ongekamd; (*fig*) onverzorgd, verwaarloosd, slordig, slecht onderhouden
unkind [ʌn'kaind] onhartelijk, liefdeloos; onaardig (*how ~ of you!*); **unkindly** onvriendelijk, onaardig
unknowing ['ʌn'nəuiŋ] niet wetend of kennend, onwetend, onkundig, onbewust; ~ *of* onbekend met; **unknowingly** *ook:* zonder het te weten
unknown ['ʌn'nəun] I *bn* onbekend; ongekend (*wealth*); *it was done ~ to me* buiten mijn weten; II *zn* onbekende (grootheid); *the ~: a*) het onbekende; *b*) de onbekende(n)
unleaded ['ʌn'ledid] ongelood
unlearn ['ʌn'lə:n] verleren, afleren
unleash ['ʌn'li:ʃ] loslaten (*hounds*); (*fig ook*) ontketenen (*an attack*)
unless [ən'les, ʌn'les] tenzij
unlettered ['ʌn'letəd] ongeletterd
unlike ['ʌn'laik] ongelijk, niet gelijkend (op); anders dan, in tegenstelling met; *the two are ~* lijken niet op elkaar; *that's so ~ him* daar is hij helemaal de man niet naar
unlikely [ʌn'laikli] onwaarschijnlijk; vgl verder *likely; in the most ~ places* op de gekste plaatsen; *the most ~ man to do such a thing* iem, van wie men zo iets allerminst zou verwachten; *he is ~ to come* hij zal waarschijnlijk niet komen
unlucky [ʌn'lʌki] ongelukkig, onvoorspoedig, onzalig
unmade ['ʌn'meid] onopgemaakt (*bed*)
unmask ['ʌn'mɑ:sk] het masker afrukken of afleggen, ontmaskeren
unmatched ['ʌn'mætʃt] ongeëvenaard
unmindful [ʌn'maindf(u)l]: ~ *of* niet denkend om, niet gedachtig aan, zich niet bekommerend om, niet lettend op
unmistak(e)able ['ʌnmis'teikəbl] onmiskenbaar, ondubbelzinnig
unmitigated [ʌn'mitigeitid] onverzacht, onverminderd, louter; (*fam*) onvervalst, doortrapt (*scoundrel*), oer...
unnatural [ʌn'nætʃrəl] *a*) onnatuurlijk; *b*) tegennatuurlijk; **unnaturally** [-li]: *not ~* natuurlijk, uit de aard der zaak
unnecessary [ʌn'nesisəri] nodeloos, onnodig
unnerve ['ʌn'nə:v] van kracht (moed, zelfbeheersing) beroven, verzwakken, verslappen, ontzenuwen
unobtrusive ['ʌnəb'tru:siv] niet indringerig; bescheiden; niet in het oog vallend
unofficial ['ʌnə'fiʃəl] on-, niet officieel, officieus; ~ *strike* wilde staking
unpack ['ʌn'pæk] ont-, uitpakken
unparalleled [ʌn'pærəleld] weergaloos, ongeevenaard, ongekend

unpick ['ʌn'pik] lostornen; uithalen (*stitches*)
unpleasant ['ʌn'plezənt] onaangenaam, onplezierig
unpractised ['ʌn'præktist] onervaren, ongeoefend
unprecedented [ʌn'presidentid] zonder precedent, ongekend, weergaloos, ongehoord
unprejudiced ['ʌn'predʒudist] onbevooroordeeld, onpartijdig
unpretentious ['ʌnpri'tenʃəs] zonder pretenties, niet aanmatigend, bescheiden, nederig
unprincipled ['ʌn'prinsəpld] *a*) beginselloos; *b*) gewetenloos
unprofessional ['ʌnprə'feʃənl] niet-vak..., leken..., niet overeenkomstig de eisen van een beroep; ~ *conduct* in strijd met de beroepseer
unqualified ['ʌn'kwəlifaid] *a*) onbevoegd, ongeschikt; *b*) onvermengd; onverzacht, ongetemperd, ondubbelzinnig (*terms*); *c*) onvoorwaardelijk, onverdeeld (*approval, success,* enz.)
unquestionable [ʌn'kwestʃənəbl] ontwijfelbaar, onbetwistbaar, ontegenzeglijk
un'questioning onvoorwaardelijk (*obedience*)
unquote ['ʌn'kwəut] (*dictee*) aanhalingstekens sluiten
unravel [ʌn'ræv(ə)l] (uit)rafelen, uithalen; (zich) ontwarren, ontwikkelen, afwikkelen, uitpluizen, ontknopen, ontrafelen
unreadable ['ʌn'ri:dəbl] onleesbaar, niet te (te vervelend, enz. om te) lezen
unreal ['ʌn'riəl] onwerkelijk, denkbeeldig; **unreality** ['ʌnri'æliti] onwerkelijkheid, denkbeeldigheid
unreasonable [ʌn'ri:znəbl] *a*) onredelijk; *b*) ongegrond; *c*) redeloos
unreasoning [ʌn'ri:zn̩iŋ] niet redenerend, onnadenkend; redeloos (*hatred*)
unrelenting ['ʌnri'lentiŋ] niet verslappend, voortdurend
unrelieved ['ʌnri'li:vd] niet verlicht (verzacht, ondersteund); ononderbroken, niet afgewisseld (*by* door), eentonig
unremitting ['ʌnri'mitiŋ] aanhoudend, onverslapt, onverdroten (*industry*)
unreserved ['ʌnri'zə:vd] ongereserveerd; onbeperkt, onvoorwaardelijk; openhartig, vrijmoedig; **unreservedly** [ʌnri'zə:vidli] *ook:* zonder voorbehoud
unrest ['ʌn'rest] onrust, rusteloosheid
unrivalled [ʌn'raiv(ə)ld] ongeëvenaard
unroll ['ʌn'rəul] (zich) ontrollen, afrollen, ontplooien
unruffled [ʌn'rʌfld] onverstoorbaar, onbewogen, bedaard
unruly [ʌn'ru:li] moeilijk te regeren, onhandelbaar, lastig, onordelijk, bandeloos, woest, onstuimig
unsavoury ['ʌn'seivəri] onsmakelijk, walglijk, onverkwikkelijk (*subject*), onguur
unscathed ['ʌn'skeiðd] ongedeerd, onbeschadigd
unscramble [ʌn'skræmbl] ontwarren; decoderen
unscrew ['ʌn'skru:] losschroeven, -draaien
unscripted [ʌn'skriptid] niet op schrift gesteld (*talk*)
unscrupulous [ʌn'skru:pjuləs] onscrupuleus, zonder scrupules
unseat ['ʌn'si:t] van zijn zetel verwijderen; uit het zadel werpen; van zijn zetel beroven
unseeing ['ʌn'si:iŋ] niet ziende, blind
unseemly [ʌn'si:mli] onbetamelijk, ongepast
unseen ['ʌn'si:n] ongezien; ~ (*translation*) onvoorbereide vertaling
unsettle ['ʌn'setl] onvast maken, doen wankelen; verwarren, van streek brengen; op losse schroeven zetten; schokken, krenken (*a p.'s intellect*); **unsettled** [-d] *ook:* onvast, onbestendig (*weather*); ongedurig; onbetaald (*bill*)
unshod ['ʌn'ʃɔd] zonder schoeisel
unshrinkable ['ʌn'ʃriŋkəbl] krimpvrij
un'sightly onooglijk, afzichtelijk, lelijk
unskilled ['ʌn'skild, *attr:* 'ʌnskild] *a*) onbedreven; *b*) geen speciale bedrevenheid of opleiding vereisend; ~ *labour: a*) ongeschoolde arbeid; *b*) ~ *labourers* ongeschoolde arbeiders
unsmiling [ʌn'smailiŋ] strak (*face*); met een strak gezicht (*answer*)
unsociable [ʌn'səuʃəbl] ongezellig
unsocial [ʌn'səuʃəl] ongeschikt voor het maatschappelijk leven, eenzelvig, antimaatschappelijk; ~ *hours* ongebruikelijke werktijden
unsound ['ʌn'saund] ongezond, niet gaaf; aangestoken, ziek(elijk); wrak, zwak; onvast; ondeugdelijk, niet degelijk; onbetrouwbaar, onecht; vals; *of* ~ *mind* met gekrenkte geestvermogens
unsparing [ʌn'spεəriŋ] *a*) kwistig, mild; *b*) niets ontziend (*attack*), meedogenloos; ~ *of* (*in*) *praise* kwistig met lof
unspeakable [ʌn'spi:kəbl] onuitsprekelijk, onbeschrijfelijk; abominabel, verfoeilijk
unstable ['ʌn'steibl] onvast, onbestendig; labiel; onstabiel
unsteady ['ʌn'stedi] onvast; veranderlijk, wispelturig; onsolide
unstrung ['ʌn'strʌŋ]: *she is quite* ~ haar zenuwen zijn geheel in de war
unswerving [ʌn'swə:viŋ] niet (van het gestelde doel) afwijkend; onwankelbaar, onwrikbaar
untangle ['ʌn'tæŋgl] ontwarren
'**un'tapped** nog niet aangeboord (*resources* hulpbronnen)
untenable ['ʌn'tenəbl] onhoudbaar
untenanted ['ʌn'tenəntid] onbewoond
unthinkable [ʌn'θiŋkəbl] ondenkbaar; **unthinking** ['ʌn'θiŋkiŋ] onnadenkend, onbezonnen, onbewaakt (*moment*); **unthinkingly** [-li] *ook:* zonder (na) te denken; **unthought** ['ʌn'θɔ:t]: ~ (*of*) ongedacht, onvoorstelbaar
untidy [ʌn'taidi] slordig, onordelijk
untie ['ʌn'tai] losbinden, losknopen, losmaken

until [ən-, ʌn'til] tot(dat); vooraleer; zie *till* 3
untimely [ʌn'taimli] on-, voortijdig; ongelegen; te vroeg; *at an ~ hour* op een 'onchristelijk' uur
untiring [ʌn'taiəriŋ] onvermoeibaar
untold ['ʌn'təuld] *a*) onverteld; *b*) talloos, onnoemelijk veel, onmetelijk
untoward [ʌn'təuəd, ʌntə'wɔ:d] ongelukkig, onaangenaam, ongunstig
unused ['ʌn'ju:zd] ongebruikt; ['ʌn'ju:st]: *~ to* niet gewend aan
unusual [ʌn'ju:ʒuəl] ongewoon, ongebruikelijk
unutterable [ʌn'ʌtərəbl] onuitsprekelijk; *an ~ cad* een doortrapte ploert
unvarnished ['ʌn'vɑ:niʃt] *a*) ongevernist; *b*) onverbloemd; *c*) onopgesmukt
unveil ['ʌn'veil] *a*) ontsluieren; *b*) onthullen (*a monument*)
unwarranted [ʌn'wɔrəntid] ongewettigd, ongerechtvaardigd; onverantwoord
unwavering [ʌn'weivəriŋ] niet weifelend, standvastig, onwrikbaar
unwieldy [ʌn'wi:ldi] moeilijk te hanteren, zwaar, lomp, log, onbehouwen
'**un'willing** onwillig; ongenegen; *be (feel) ~ to* niet genegen zijn te, geen zin hebben om te; **un'willingly** [-li] ongaarne, node, met tegenzin
unwind ['ʌn'waind] los-, afwinden; (zich) ontrollen
unwitting [ʌn'witiŋ] onbewust; **unwittingly** [-li] *ook:* zonder het te weten
unwritten ['ʌn'ritn] ongeschreven; *~ law* gewoonterecht, ongeschreven wet
up [ʌp] I *bw* op, (naar) boven, omhoog, overeind; in (naar) Londen; om, voorbij, verstreken (*time, my leave is ~*); *~ there* daarboven, daarginds; *be ~ in London* in Londen zijn; *as far ~ as Aberdeen* noordelijk tot Aberdeen; *~ North* in (naar) het N; *be full ~* geheel bezet; *be ~ and about* in de weer (op de been) zijn; *~ and down* op en neer; heen en weer; hier en daar; *beer is ~* hoger (in prijs); *exports are ~ by £...* zijn ... pond hoger; *his blood is ~* kookt; *your chance is ~* verkeken; *the game is ~* het spel(letje) is uit, verloren, we zijn erbij; *two floors (two of pair stairs) ~* twee hoog; *the shutters are ~* de luiken zijn gesloten; *your temperature is ~* je hebt verhoging; *her temper was ~* ze was boos; *the tide is ~* het is hoogwater; *the road is ~* is opgebroken; ***what's ~?*** wat is er aan de hand?; *what's ~ with you?* wat scheelt je?; *be **well** ~ in history* goed op de hoogte van, goed in; ***from** my youth ~* van ... af; *from 50p. ~* van ... en hoger; *be (find o.s.) ~ **against*** staan tegenover (*obstacles*), in conflict zijn (komen) met; *you don't know what you're ~ against* welke moeilijkheden je wachten; *be ~ **for** reelection* kandidaat zijn voor herkiezing; *be ~ for an examination* examen doen; *the number is (four) ~ **on** last week* (vier) hoger dan; *~ **to*** tot aan (*~ to our knees*), tot op; *come (go) ~ to a p.* naar iem toe; *act ~ to one's principles* overeenkomstig; *I am not ~ to the task* niet berekend voor; *I don't feel ~ to work (to seeing anyone)* voel me niet in staat (heb de moed niet) om ...; *do you feel ~ to the journey?* durf je ... aan?; *he is ~ to mischief* heeft iets kwaads in de zin; *~ to this time* tot op ...; *~ to now* tot nu toe; *~ to and including* tot en met; *it is ~ to you to help him* het ligt op uw weg (is uw plicht) ...; *that's ~ to you, ook:* dat moet jij weten (beslissen); *it is all ~ **with** him* het is met hem gedaan, hij is er geweest; *~ with you!* naar boven! opstijgen! enz.; II *vz* op, in (tegen, enz.) ... op; (*Am*) = *~ in* [*~ the garret* (boven) in de ...]; *~ the river* de ... op; *the smoke goes ~ the chimney* in ... op; *go ~ (the) country* verder het land in gaan; *walk ~ the road* de weg (de straat) oplopen; *~ and down the country* door het hele land; III *bn* in; IV *zn: ~s and downs* voor- en tegenspoed, wisselvalligheid; '**up()and()'coming** energiek, op weg naar succes, pienter; met de voet op de ladder; '**up-and-'down** op en neer gaand
upbraid [ʌp'breid] verwijten, verwijten doen; *~ a p. for (with) s.t.* iem iets verwijten
upbringing ['ʌpbriŋiŋ] opvoeding
upcoming ['ʌpkʌmiŋ] (*Am*) komend, aanstaand, volgend
'**up-'country** naar (in, van) het binnenland; *~ districts* de binnenlanden
update [ʌp'deit] op de hoogte van de tijd brengen, moderniseren, bijwerken
up-end [ʌp'end] *a*) ondersteboven zetten, omkeren; *b*) neerslaan
upgrade ['ʌpgreid, -'-] tot naast-hogere rang bevorderen
upheaval [ʌp'hi:v(ə)l] (*fig*) omwenteling, om(me)keer, -zwaai, beroering(en), ontreddering, catastrofe
uphill ['ʌp'hil; *attr* 'ʌphil] (berg)opwaarts; (*fig*) zwaar, moeilijk (*work*)
uphold [ʌp'həuld] steunen, schragen, handhaven, hooghouden, verdedigen
upholster [ʌp'həulstə] bekleden, stofferen; **upholsterer** [-rə] stoffeerder; **upholstery** [-ri] gestoffeerde meubelen; stoffering, bekleding (*of a motor-car*); stoffeerderij
upkeep ['ʌpki:p] (kosten van) onderhoud, instandhouding
upland ['ʌplənd] hoog-, bovenland(s); **uplander** [-ə] hoog-, bovenlander
uplift [ʌp'lift] (onder)steun(ing); veredelende invloed
upmarket [ʌp'ma:kit] duur, exclusief, chic
upmost ['ʌpməust] bovenste, hoogste
upon [ə'pɔn, əpən] *on, vz;* zie aldaar
upper ['ʌpə] opper, hoger, bovenste, boven... (*arm, leather*); *~ air* bovenste luchtlagen; *~ circle, (theat)* balkon 2de rang; *~ cut, (boksen)* opstoot; *~ deck* bovendek; *~ hand* over-, bovenhand; *have (get) the ~ hand* de bovenhand

hebben (krijgen) (*of* op, over); *have the ~ hand of a p., ook:* iem de baas zijn; *U~ House* Hogerhuis; (*buiten Eng*) Senaat, Eerste Kamer; *~ lip* bovenlip; *~ middle classes* voorname standen; *~ stor(e)y* bovenverdieping; '**upper-class** uit de betere standen (hogere kringen); '**uppermost** [-məust, -məst] *bw & bn* bovenst, hoogst; boven(aan, -op); *say whatever comes ~* wat maar voor de mond komt.
uppish ['ʌpiʃ] veel praats hebbend, verwaand; *he is getting too ~* krijgt te veel airs
upright I *bn* ['ʌp'rait, *atrr:* 'ʌprait] recht(opstaand), staand, verticaal; (*fig*) oprecht, rechtschapen; *~ piano* gewone piano; II *bw* ['ʌp'rait] rechtop, overeind
up'rising, '**uprising** opstand
uproar ['ʌprɔ:] lawaai, herrie, tumult, rumoer; **uproarious** [ʌp'rɔ:riəs] lawaaierig, onstuimig, woest, stormachtig (*laughter*)
uproot [ʌp'ru:t] ontwortelen; uitroeien
upset I *ww* [ʌp'set] *a*) omverwerpen, onderstboven gooien; *b*) van z'n stuk brengen, overstuur maken; de maag van streek maken; in de war sturen (*a p.'s plans*); ongedaan maken; vernietigen (*a will* testament); *c*) omvallen, omslaan; *be ~* van streek zijn (raken); II *zn* [ʌp'set, 'ʌp'set] *a*) het omslaan, omkanteling; *b*) schrik, schok, verwarring, ontsteltenis; *c*) ruzie; *d*) omverwerping; *stomach ~* maagstoornis
upshot ['ʌpʃɔt] resultaat, uitkomst, eind van het liedje; *that's the ~ of the rumour* daarop komt ... neer; *in the ~* ten slotte
upside ['ʌpsaid] bovenzijde; *~ down* onderste boven; in de war (*everything was ~ down*); *turn things ~ down* de dingen op hun kop zetten
upstage ['ʌpsteidʒ] I *bn: a*) (*ook bw*) achter op het toneel; *b*) verwaand, uit de hoogte (*she is a bit ~*); II *ww* [ʌp'steidʒ] (*fam*) meer aandacht trekken dan, naar het tweede plan verwijzen
upstairs I *bn* ['ʌ'pstɛəz] de trap op, (naar) boven; II *zn* ['ʌp(')stɛəz] bovenverdieping enz.; **upstair(s)** ['ʌpstɛə(z)] *bn* boven... (*an ~ room*)
up'standing *a*) overeind staand; *b*) flink uit de kluiten gewassen, rijzig; *c*) open, eerlijk, rondborstig
'**upstart** parvenu(achtig)
upstream ['ʌp(')stri:m] I *bw* stroomopwaarts; II *bn: a*) tegen de stroom ingaand; *b*) van of aan de bovenstroom
'**upsurge** (krachtige) opwelling, opleving
upswing (*fig*) (plotselinge) opleving (*of liberalism*, enz.)
'**uptake** het opnemen; begrip (*quick in* (*on*) *the ~* vlug van ...)
'**uptight** (-'-) (*fam*) gespannen, zenuwachtig; verkrampt; stijf, formeel
up'tilted *nose* wipneus
up-to-date ['ʌptə'deit] modern, eigentijds
'**up'town** (in) de woonwijken van een stad
'**up-'train** trein naar (het centrum van) Londen of naar een grote stad
up'turn I *ww* omhoog werpen; omkeren, om(ver)werpen; omwoelen; opslaan (*one's eyes*); *~ed* ['ʌp'tə:nd] *collar* opgezette kraag; II *zn* ['ʌptə:n] opleving (*in business*); stijging (*in prices*); beroering
upward ['ʌpwəd] I *bn* opwaarts; stijgend; II *bw* opwaarts, naar boven; '**upward-bound** vgl *up-train & bound* 2; **upwards** [-z] opwaarts, naar boven; *prices: £1 (and) upward(s)* £1 en hoger, van £1 af; *upward(s) of 30* meer dan, boven de
urban ['ə:bən] stedelijk, stads... (*guerrillas*)
urbane [ə:'bein] hoffelijk, beschaafd, wellevend; **urbanity** [ə:'bæniti] hoffelijkheid, beschaafdheid, wellevendheid
urbanize ['ə:bənaiz] versteedsen, verstedelijken, urbaniseren
urchin ['ə:tʃin] schalk, rakker(tje), (kwa)jongen
urge [ə:dʒ] I *ww* aanzetten, -sporen, (voort-, aan)drijven, (aan)dringen (bij); dringend verzoeken; aandringen op; de nadruk leggen op; aanvoeren (als argument, excuus, enz.); *~ the necessity of s.t.* met klem betogen; *~ on* (*along*) voortdrijven; II *zn* (aan)drang, prikkel; *the sex ~* geslachtsdrift; **urgency** ['ə:dʒənsi] urgentie, dringendheid, dringende noodzakelijkheid; **urgent** ['ə:dʒənt] id., dringend (noodzakelijk), spoedeisend; *be in ~ need of* dringend behoefte hebben aan
urinal ['juərinl] *a*) urinoir; *b*) urinaal: urineglas; **urinate** ['juərineit] urineren
urn [ə:n] urn; koffie- of theekan met kraantje
us [ʌs, (ə)s] ons; (*volkstaal*) *we;* (*fam*) *me* (*give ~ a kiss*)
usable ['ju:zəbl] bruikbaar; **usage** ['ju:zidʒ] *a*) gebruik, gewoonte, usantie; *b*) behandeling (*rough ~*); **use** I *zn* [ju:s] gebruik; gewoonte, usantie (= *~ and wont*); ritueel; nut; ***for** the ~ of students* ten gebruike van; *for ~ in schools* voor schoolgebruik; ***in** ~* in gebruik, gebruikelijk; (*get, go, drop, fall*) ***out of** ~* in onbruik (raken); ***of*** (*great, no*) *~* van (groot, geen) nut; *put (in)to ~* in gebruik nemen; *put to (a) good ~* een goed (nuttig) gebruik maken van; *it is no ~ talking (to talk), talking is (of) no ~, there is no ~ (in) talking* praten geeft niets, dient tot niets, haalt niets uit; *it's (of) no ~ for you to say* het geeft niet, of je al zegt; *is it any ~ my (me) going?* geeft het iets, dat ik ga?; *it's not much ~* het geeft niet veel; *what is the ~ of ...ing? of what ~ is it to ...?* waartoe dient het te ..., wat geeft het of je al ...?; *I have a (no) ~ for it* kan het wel (niet) gebruiken, weet wel (niet), wat ik ermee doen zal; *America has no ~ for communism* moet niets hebben van; II *ww* [ju:z] gebruiken, gebruik maken van, benutten, zich bedienen van, aanwenden; aandoen (*KLM to ~ Cairo again*); behandelen (*~ a p. like a dog; ~ a p. ill* slecht); *~ one's revolver (up)on a p.* gebruiken tegen; *~ **up*** verbruiken (*the reserves*); (op)gebruiken (*left-overs*

kliekjes); (*fam*) uitputten, verslijten; *~d up* 'op', versleten; blasé; *he ~d* [ju:st] *to live there* woonde daar vroeger; *he ~d* [ju:st] *not* (*fam didn't ~* [ju:s]) *to drink* dronk vroeger niet; *he came earlier than he ~d* [ju:st] (*to*) dan vroeger; **used** I *bn* [ju:zd] gebruikt (*stamps*), tweedehands (*car*); II *bn* [ju:st] gewoon (gewend) (*to hardships* aan ...); *get ~ to* gewoon (gewend) raken aan; zie ook *~ ww*; **useful** ['ju:sf(u)l] nuttig, bruikbaar; *make o.s. generally ~* met alles meehelpen; **useless** ['ju:slis] nutteloos, onnut; (*sl*) onlekker, 'in de put', zich tot niets nut voelende (*feel ~*); **user** ['ju:zə] ge-, verbruiker

usher ['ʌʃə] I *zn* zaalwachter, suppoost; plaatsaanwijzer (*in kerk, enz*); II *ww* leiden, in-, binnenleiden (= *~ in*); *~ in, ook;* aankondigen; inluiden (*a new era*); **usherette** [ʌʃə'ret] vrouwelijke *usher;* ouvreuse; (*Belg*) zaaljuffrouw

usual ['ju:ʒuəl] gewoon, gebruikelijk; *it is ~ to* ... het is de gewoonte om ...; *as ~* als gewoonlijk; *the ~* het gewone; '**usually** [-i] gewoonlijk, doorgaans

usurer ['ju:ʒərə] (*vero*) woekeraar

usurp [ju:'zə:p] zich wederrechtelijk toeëigenen, zich aanmatigen, overweldigen (*the throne*); **usurpation** [ju:zə:'peiʃən] wederrechtelijke toeëigening, usurpatie; **usurper** [-ə] overweldiger, usurpator

usury ['ju:ʒəri] woeker(rente)

utensil [ju'tens(i)l] werktuig, gereedschap

uterus ['ju:tərəs] id., baarmoeder

utility [ju'tiliti] (praktisch) nut, nuttigheid; bruikbaarheid; utiliteit; *public ~* nutsbedrijf (*bijv gas, water, enz*)

utilize ['ju:tilaiz] benutt(ig)en, (nuttig) aanwenden

utmost ['ʌtməust] uiterste, hoogste; *do one's ~* zijn uiterste best doen, al het mogelijke doen; *£500 at the ~* op zijn (aller)hoogst; *to the ~ of my power* zo goed ik kan

utter ['ʌtə] I *bn* volslagen (*darkness*), volstrekt, uiterst, totaal; II *ww: a*) uiten, uitdrukken, uitspreken; (*fam*) iets zeggen; *b*) uitgeven, in omloop brengen (*false money*); **utterance** ['ʌtərəns] uiting; uitspraak; voordracht, wijze van uitdrukken, dictie; *give ~ to* uiting geven aan, uiten; '**utterly** bijwoord van *utter*

U-turn ['ju:tə:n] keren op de weg; (*fig*) algehele ommezwaai; *no ~s* verboden op de weg te keren

uvula ['ju:vjulə] huig

Vvv

vac [væk] (*fam*) *vacation*

vacancy ['veikənsi] het onbezet zijn (worden); vacature; (ledige) ruimte, leegte, gaping, leemte; ledigheid, wezenloosheid; (*Belg*) werkaanbieding; **vacant** ['veikənt] id., open, onbezet; ledig, leegstaand, onbewoond; wezenloos (*stare* blik), afgetrokken; leeghoofdig; *fall ~* openvallen, vacant komen; *~ of* ontbloot van (*civilization*), zonder; **vacate** [və'keit] vacant maken, (zijn betrekking) neerleggen; laten varen; afstand doen van (*the throne*); (een huis, enz.) ontruimen

vacation [və'keiʃən] I *zn* vakantie (*inz. van rechtbank & univ, en Am*); II *ww* (*inz. Am*) vakantie hebben (nemen); *go ~ing* met vakantie gaan; **va'cationer** (*Am*) vakantieganger

vaccinate ['væksineit] vaccineren, inenten; **vaccination** vaccinatie, (koepok)inenting

vacillate ['væsileit] schommelen, wankelen, weifelen; **vacillation** [væsi'leiʃən] wankeling; weifeling

vacuity [væ'kjuiti] *a*) ledige ruimte, leegte, ledigheid; *b*) wezenloosheid; **vacuous** ['vækjuəs] *a*) (lucht)ledig, leeghoofdig; *b*) wezenloos, onbenullig

vacuum ['vækjuəm] I *zn* (lucht)ledige ruimte, luchtledig(e), id.; (*fam*) *~-cleaner*; II *ww* (*fam*) stofzuigen; '**vacuum-cleaner** stofzuiger; '**vacuum-flask** [-flɑ:sk] thermosfles

vagabond ['vægəbɔnd] zwerver; vagebond, landloper, schooier; schelm

vagary ['veigəri, və'gɛəri] kuur, gril, nuk

vagina [və'dʒainə] id., schede; **vaginal** [-l] schedeachtig, schede..., vaginaal

vagrancy ['veigrənsi] omzwerving, landloperij; **vagrant** ['veigrənt] I *bn: a*) zwervend, ronddolend; *b*) wild (verspreid) groeiend; *c*) afdwalend, ongestadig; II *zn* zwerver, landloper; *~ ward* asiel voor daklozen

vague [veig] vaag, onbepaald; *be ~ about s.t.* weinig idee hebben van; *not the ~st idea* geen flauw idee; *my plans are still in the ~* hebben nog geen vaste vorm

vain [vein] ijdel; prat (*of* op); vergeefs, nutteloos; *in ~* tevergeefs; *take the name of God in ~* Gods naam ijdellijk gebruiken

vale [veil] (*dichterlijk*) dal; *this ~ of tears* dit tranendal

valediction [væli'dikʃən] afscheid, vaarwel; **valedictory** [væli'diktəri] afscheids...

valet I *zn* ['vælit, 'væli, 'vælei] bediende, lijfknecht; II *ww* ['vælit] als lijfknecht (be)dienen

valetudinarian ['væli,tju:di'nɛəriən] ziekelijk, sukkelend, zwak; **valetudinary** [væli'tju:dinəri]) ziekelijk, sukkelend, zwak
valiant ['væljənt] moedig, dapper, heldhaftig
valid ['vælid] valide; (rechts)geldig, van kracht; deugdelijk (*argument*); '**validate** [-eit] geldig maken (verklaren), valideren, legaliseren, bekrachtigen, bevestigen; **validation** [væli'deiʃən] legalisering (zie *validate*); **validity** [və'liditi] validiteit, (rechts)geldigheid, betrouwbaarheid
valley ['væli] dal, vallei
valour ['vælə] dapperheid, moed
valuable ['væljuəbl] I *bn* kostbaar, waardevol, van grote waarde; duur; II *zn: ~s* dingen van waarde, kostbaarheden; **valuation** [vælju'eiʃən] schatting, taxatie(prijs), waardering; *at a ~* tegen taxatieprijs; **value** ['vælju:] I *zn* waarde, prijs, valuta; *~ added tax* (= *VAT*) belasting over de toegevoegde waarde (BTW); *get* (*good*) *~ for one's money* waar voor zijn geld krijgen; *set* (*put*) *a high ~ on* veel waarde hechten aan; ***to the*** *~ of* ter waarde van; II *ww* schatten, taxeren (*at* op); achten, waarderen, op prijs stellen; *~ dearly* (*highly*) op hoge prijs stellen; *he does not ~ his life a* (*brass*) *farthing* geeft geen cent om; **valuer** ['væljuə] schatter, taxateur
valve [vælv] klep, schuif, ventiel
vamoose [və'mu:s] (*sl, vero*) ervandoor gaan, 'm smeren
vamp [væmp] I *zn* (*sl*) avonturierster die met haar charmes mannen exploiteert; II *ww* in elkaar flansen, verzinnen (ook: *~ up: an excuse*)
vampire ['væmpaiə] vampier (ook de vleermuis & *fig:* uitzuiger)
van [væn] 1 voorhoede (*fig ook* leiders), pioniers; *lead the ~,* (*fig*) aan de spits staan; *be in the ~ of civilization* aan de spits der beschaving staan; 2 (goederen-, conducteurs-, bestel-, verhuis-, gevangenen-, woon)wagen, (post-, politie-, enz.)auto; *library ~* bibliobus
vandal ['vændəl] vandaal; '**vandalism** [-izm] vandalisme; '**vandalize** [-aiz] schenden, vernielen
vane [vein] weerhaan, windvaan; vaan(tje), wimpel; wiek (*van molen*); blad, schoep (*van schroef, enz*)
vanguard ['vængɑ:d] voorhoede (zie *van* 1); *country in the ~* gidsland
vanilla [və'nilə] vanille
vanish ['væniʃ] verdwijnen; wegsterven; *~ into smoke* in rook opgaan; *~ing cream* id.: gelaatscrème die geen sporen achterlaat; '**vanishing-point** verdwijnpunt; *our profits are cut to ~* besnoeid tot er niets van overblijft
vanity ['væniti] ijdelheid; vruchteloosheid; '**vanity-bag**, '**vanity-case** damestasje (met spiegeltje, poederkwast, enz)
vanquish ['væŋkwiʃ] overwinnen, bedwingen; weerleggen; '**vanquisher** [-ə] overwinnaar
vantage-ground ['vɑ:ntidʒ-], **vantage-point** gunstige ligging (voor aanval of verdediging); gunstige positie, geschikt (uitkijk)punt; voorsprong
vapid ['væpid] verschaald, flauw, geesteloos; **vapidity** [væ-, və'piditi] flauwheid, geesteloosheid
vaporize ['veipəraiz] *a*) (doen) verdampen, vergassen; *b*) besproeien (met *~r*); '**vaporizer** [-ə] verstuiver; **vaporous** ['veipərəs] dampig, nevelig; dampvormig, damp...; **vapour** ['veipə] damp, wasem; '**vapour-trail** conden-s(atie)streep (*van vliegtuig*)
variability ['vɛəriə'biliti] veranderlijkheid, onbestendigheid; **variable** ['vɛəriəbl] veranderlijk, onbestendig, ongedurig, variabel
variance ['vɛəriəns]: *at ~* het oneens zijn; in strijd zijn (*his conduct is at ~ with his words*); *set at ~* in onmin brengen; tegen elkaar opzetten; opzetten (*with* tegen)
variant ['vɛəriənt] I *bn: a*) afwijkend, verschillend; *b*) veranderlijk; II *zn* id., verschillende vorm, spelling, enz.
variation [vɛəri'eiʃən] *a*) verandering, (af)wisseling; afwijking; *b*) miswijzing (van het kompas); *c*) variatie; variëteit
varicoloured ['vɛərikʌləd] veelkleurig
varicose ['værikəus] spatader...; *~ stocking* kous voor lijders aan *~ veins; ~ veins* spataders
varied ['vɛərid] gevarieerd; afwisselend; veelkleurig; bont
variegated ['vɛəri(ə)geitid] bont, veelkleurig, afwisselend, afgewisseld; **variegation** [vɛəri(ə)'gei ʃən] (kleur)schakering; veelkleurigheid; verscheidenheid
variety [və'raiəti] verscheidenheid, afwisseling, verandering, variatie; (*biol*) ras, variëteit, (*oneig*) soort; *a ~ of* ... een aantal verschillende ...; *~ of colours, ook:* kleurenmengeling; *for a ~ of reasons* om allerlei redenen; '**variety-artist** (variété-)artiest; '**variety-company** variétégezelschap; '**variety-show** variétévoorstelling; '**variety-theatre** [-θiətə] variététheater
variform ['vɛərifɔ:m] van verschillende vorm
variorum [vɛəri'ɔ:rəm] met de aantekeningen van verschillende commentators (*~ edition of Shakespeare's Works*)
various ['vɛəriəs] verscheiden, vol verscheidenheid, afwisselend, veelzijdig; verschillend; *~ people* deze en gene
varnish ['vɑ:niʃ] I *zn* vernis, (ver)lak, glazuur; (*fig*) vernisje (*a ~ of civilization*), schijn; II *ww* vernissen, (ver)lakken, verglazen; (*fig*) oppoetsen, opsmukken (= *~ up*); verbloemen, bemantelen (= *~ over*)
varsity ['vɑ:siti] (*fam*) *university,* voornamelijk in *~ match, ~ team,* enz.
vary ['vɛəri] veranderen, wijzigen; afwisselen, variëren (*the height varies between 20 and 30 ft.*); afwisseling brengen in; afwijken (*from the type* van de grondvorm); verschillen (*in opinion* van ...)

vascular ['væskjulə] vaat…; vaatrijk; ~ *system* vaatstelsel; ~ *tissue* vaatweefsel

vase [vɑ:z; *Am* veis, veiz] vaas; (bloem)kelk

vassal ['væs(ə)l] vazal, leenman, -vrouw; (*fig*) handlanger, slaaf; '**vassalage** [-idʒ] leenmanschap, horigheid, vazalliteit; leenmannen; (*fig*) dienstbaarheid

vast [vɑ:st] onmetelijk, uitgestrekt, oneindig, reusachtig, kolossaal; veelomvattend (*subject*); '**vastly** [-li] zie *vast;* (*fam*) kolossaal, geweldig, bijzonder, veel en veel (~ *more rapid*)

VAT *value added tax* B.T.W.

vat [væt] vat, kuip

vault [vɔ(:)lt] I *zn* 1 gewelf, overkluizing, (brand)kluis, (graf-, wijn)kelder; 2 sprong (*zie het ww*); II *ww* springen of wippen (over) [vooral op de handen steunend: ~ (*over*) *a gate*]; polsstok(hoog)springen; voltigeren; '**vaulting** *ook:* gewelf, gewelven; '**vaulting-horse** paard, bok (*gymnastiek*)

veal [vi:l] kalfsvlees

veer [viə] (doen) draaien, wenden, omlopen (*the wind ~ed to the North*); uitschieten, ruimen (*van wind* = ~ *aft*); (*fig*) van koers veranderen, weifelen, een keer nemen (= ~ *round: the fortune of war ~ed round*)

veg [vedʒ] (*fam*) *vegetable(s)*; **vegetable** ['vedʒitəbl] I *bn* plantaardig (*diet* voedsel, dieet; *ivory* ivoor); plante(n)… (*kingdom* rijk); groente(n)… (*dish* schaal; *soup*); ~ *garden* moestuin; ~ *marrow* mergpompoen (*als groente*); II *zn* plant; groente; *~s* groenten (waaronder ook aardappelen)

vegetarian [vedʒi'tɛəriən] I *zn* vegetariër; II *bn* vegetarisch, plantenetend; plantaardig; **vegetarianism** [-izm] vegetarisme

vegetate ['vedʒiteit] groeien; (*fig*) vegeteren, een planteleven leiden; **vegetation** [vedʒi:-teiʃən] *a*) (planten)groei, plantenwereld; *b*) vegetatie, uitwas, woekering; *c*) (*fig*) het vegeteren, planteleven

vehemence ['vi:iməns] hevigheid, heftigheid, onstuimigheid, vuur, drift; **vehement** ['vi:imənt] hevig, heftig, geweldig, vurig, onstuimig

vehicle ['vi:ikl] voertuig (ook fig: *the printing-press is the ~ of ideas*), voertaal, drager (*fig*); geleider (*van geluid, enz*)

veil [veil] I *zn* sluier, voile; voorhang (*van tempel*); (*fig*) dekmantel, masker (*under the ~ of religion*); *draw a* (*the*) ~ *over* het stilzwijgen verder bewaren over, met de mantel der liefde bedekken; *take the* ~ de sluier aannemen = non worden; II *ww* sluieren; (*fig*) vermommen, bemantelen, bewimpelen, versluieren; *~ed threat* bedekte bedreiging; *~ed voice* gevoileerde stem

vein [vein] ader; nerf; (*fig*) (karakter)trek; stemming (*I am not in the ~ for it*); geest (*her answer was in the same ~*) *there is a cunning ~ in him* hij heeft iets listigs over zich; **veined** [veind] geaderd, generfd

vellum ['veləm] (manuscript op) (kalfs)perkament, velijn

velocity [vi'lɔsiti] snelheid

vel-tape ['velteip] klittenband

velvet ['velvit] fluweel; *be* (*stand*) *on* ~ op fluweel zitten: in een zeer gunstige positie verkeren; **velveteen** [velvi'ti:n] katoenfluweel; *~s* broek daarvan; '**velvety** [-i] fluweelachtig

venal ['vi:nl] te koop, omkoopbaar, veil

vender ['vendə] zie *vendor*

'**vending machine** (verkoop)automaat

vendor ['vendɔ:] verkoper; (op straat) *fruit ~; news ~* krantenverkoper

veneer [vi'niə] I *ww* fineren, met fineerhout beleggen, opleggen; (*fig*) een vernisje geven; II *zn* fineer(bladen, -hout); (*fig*) vernisje (*a thin ~ of civilization*)

venerable ['venərəbl] eerbiedwaardig, eerwaard(ig) (ook titel van *archdeacon*); **venerate** ['venəreit] (diep) vereren; **veneration** [venə'reiʃən] verering; *have* (*hold*) *in* ~ = *venerate*

venereal [vi'niəriəl] geslachts…; venerisch; ~ *disease* (ook *VD*) geslachtsziekte

venetian [vi'ni:ʃən]: ~ *blind* jaloezie

vengeance ['ven(d)ʒəns] wraak; *with a* ~ duchtig, dat het een aard heeft; *he laid about him with a* ~ sloeg er ongenadig op los

venison ['venizn, 'venzn] wildbraad; ~ *pasty,* ~ *pie* wildpastei

venom ['venəm] venijn, vergif; '**venom-fang**, **venom-tooth** gifttand; '**venomous** [-əs] (ver)giftig, venijnig (*ook fig*)

venous ['vi:nəs] *a*) geaderd; *b*) aderlijk

vent I *zn* ventilatieopening, -spleet, luchtgat; *give* ~ *to,* (*fig*) lucht geven aan (*one's anger*), de vrije loop laten; II *ww* lucht geven aan (*one's feelings*), uiten; luchten, verkondigen (*opinions*); ~ *one's anger on* zijn woede koelen op…

ventilate ['ventileit] *a*) ventileren, luchten, verse lucht toevoeren (aan), verkoelen; *b*) (*fig*) (in het openbaar) bespreken, bediscussiëren, 'ventileren' (*a question*), luchten (*grievances*); '**ventilating-shaft** [-ʃɑ:ft] luchtkoker; **venti'lation** luchtverversing, ventilatie; openbare discussie; **ventilator** ['ventileitə] ventilator

ventricle ['ventrikl] holte (in orgaan), ventrikel; hartkamer (= ~ *of the heart*); hersenholte

ventriloquism [ven'triləkwizm] het buikspreken; **ventriloquist** [ven'triləkwist] buikspreker

venture ['ventʃə] I *zn* (gewaagde) onderneming, waagstuk; risico; speculatie; wat in een speculatie, enz gestoken wordt, inzet; *at a* ~ op goed geluk (af); II *ww* (het) wagen, op het spel zetten, riskeren; zich wagen (*into the street,* enz); (het) wagen te zeggen (te geven, enz: *an opinion*); *I* ~ *to differ from you* ben zo vrij …; *nothing ~d, nothing gained* wie niet waagt, die niet wint; ~ ***up*(*on*)** zich wagen aan

(*a task, etc.*), zich begeven in; ~ *on a joke* het wagen een grap te maken
venue ['venju:] (*jur*) graafschap (district, enz), waar een zaak berecht moet worden; (*fig*) plaats der handeling (van samenkomst); *his ~ was the great world* terrein; (*sp*) terrein
veracious [vi'reiʃəs] *a*) waarheidlievend; *b*) waar; **veracity** [vi'ræsiti] waarheidsliefde, geloofwaardigheid
veranda(h) [və'rændə] veranda
verb [və:b] werkwoord; **verbal** ['və:bəl] I *bn* woord(en)..., in woorden bestaande; mondeling (*message*); letterlijk, woordelijk (*translation*); werkwoordelijk; ~ *criticism* woord-, tekstkritiek; II *zn* mondelinge bekentenis; '**verbalize** [-aiz] in woorden uitdrukken; **verbatim** [və:'beitim] woordelijk, woord voor woord
verbiage ['və:biidʒ] woordenvloed, omhaal van woorden
verbose [və:'bəus] woordenrijk, wijdlopig, breedsprakig; **verbosity** [və:'bɔsiti] breedsprakigheid, wijdlopigheid
verdant ['və:dənt] groen (*ook fig*)
verdict ['və:dikt] uitspraak (*van jury*); (*fig*) vonnis, beslissing, oordeel (*on* over); *bring in* (*deliver, give, return*) *a ~* uitspraak doen; *pass one's ~ upon* zijn oordeel uitspreken over
verdigris ['və:digris] kopergroen
verge [və:dʒ] I *zn* rand, zoom; berm; grens, grenzen; gebied; *on the ~ of sixty* bij de 60; *on the ~ of dropping down* op het punt om ...; II *ww* grenzen (*on* aan: *such a deed ~s on madness*); zich uitstrekken, neigen, hellen (*the hill ~d to the south*); **verger** ['və:dʒə] koster
verifiable ['verifaiəbl] toetsbaar, bewijsbaar, verifieerbaar (zie *verify*); **verification** [ˌverifi'keiʃən] verificatie, onderzoek; staving, bekrachtiging, enz (zie *verify*); **verify** ['verifai] *a*) verifiëren, nazien (*accounts*), toetsen, de juistheid nagaan van (*a report*); *b*) waarmaken, bewijzen, staven, bevestigen, bewaarheiden (*suspicions*); *c*) vervullen (*a promise*)
verisimilitude [ˌverisi'militju:d] *a*) schijn van waarheid, gelijkenis, waarschijnlijkheid; *b*) schijnwaarheid
veritable ['veritəbl] waar, werkelijk, echt
vermiform ['və:mifɔ:m] wormvormig; ~ *appendix* wormvormig aanhangsel
vermilion [və'miljən] I *zn* vermiljoen; II *bn* vermiljoenrood
vermin ['və:min] ongedierte, schadelijke dieren; (*fig*) tuig, uitschot; '**verminous** [-əs] vol ongedierte; vuil, gemeen, vies; (*van ziekte*) door ongedierte veroorzaakt
vernacular [və'nækjulə] I *bn* de landstaal schrijvend, sprekend of daarin geschreven; ... van, in de landstaal; ~ *language* (*tongue*) = ~ *zn*; II *zn* lands-, moedertaal
vernal ['və:n(ə)l] lente..., voorjaars...; jeugd...; ~ *equinox* voorjaarsdag-en-nachtevening

versatile ['və:sətail] veelzijdig (*talent*); voor veel doeleinden geschikt (*nylon is a ~ material*); **versatility** [və:sə'tiliti] veelzijdigheid
verse [və:s] *a*) vers(regel), couplet, strofe; *b*) poëzie; *in ~* in dichtvorm
versed [və:st] bedreven, ervaren (*in* in)
versification [ˌvə:sifi'keiʃən] verskunst; versbouw
versify ['və:sifai] *a*) verzen maken; *b*) bezingen; *c*) berijmen
version ['və:ʃən] *a*) versie, lezing (voorstellingswijze); *b*) bewerking, versie (*dramatic ~ of a novel*); *c*) vertaling, vertolking
vertebra ['və:tibrə] *mv vertebrae* [-i:] wervel; '**vertebrate** [-it] I *bn* gewerveld; II *zn* gewerveld dier
vertex ['və:teks] top(punt), zenit, kruin; (*meetk*) toppunt, hoekpunt
vertical ['və:tikl] verticaal, loodrecht, rechtstandig
vertigo ['və:tigəu, və:'taigəu] id., duizeling (*door hoogtevrees*)
verve [və:v] gloed, geestdrift, verve
very ['veri] I *bn* waar, werkelijk, echt; uiterst (*the ~ minimum*); *soms:* onvertaald (*he flew like the ~ wind* als de wind); *he is a ~ baby* (*it is a ~ paradise*) een echt(e) ...; *his ~ soul is not his own* zelfs zijn ziel; *his ~ virtues are responsible for his failure* juist zijn deugden; *under his ~ eyes* vlak onder (voor) zijn ogen; *to the ~ bone* (vlak) tot op het gebeente; *the ~ thought of it makes me shudder* de gedachte alleen (al); *that ~ day* diezelfde dag; *betrayed by the ~ person who* ... juist door ..., door dezelfde persoon ...; *those were her ~ words* haar eigen (precies haar) woorden; *the ~ thing for you* juist iets voor u; *he is the ~ picture of his father* (precies) het evenbeeld van; II *bw* zeer, heel; aller...; precies; *the ~ best* de (het) allerbeste; *the ~ same* (*opposite*) precies de (het) zelfde (tegengestelde); *keep it for your ~ own* helemaal voor u alleen; ~ *much hated* zeer gehaat
vessel ['vesl] *a*) vat (*ook in dier & plant*); *b*) vaartuig, schip
vest I *zn* hemd; (*winkeltaal en Am*) vest; II *ww* bekleden (*with power*, enz); begiftigen; ~ *power in a p.* iem met macht bekleden; *~ed rights* (*interests*) oude gevestigde (onvervreemdbare) rechten (belangen)
vestibule ['vestibju:l] vestibule
vestige ['vestidʒ] spoor, overblijfsel, rudiment
vestry ['vestri] *a*) sacristie, consistoriekamer; *b*) vergadering van parochianen (= *common ~*); *c*) parochiaal kerkbestuur, *ongev:* kerkeraad (= *select ~*)
vet (*fam*) I *zn veterinary surgeon*; II *ww* nauwkeurig onderzoeken, medisch behandelen, goed nakijken (*an animal, a person, a motorcar*), doorlichten (*fig*), aan de tand voelen
veteran ['vet(ə)rən] I *bn* vergrijsd in de dienst, oud, beproefd, ervaren; ~ *car* auto van vóór 1916 (vgl *vintage*); II *zn* veteraan, oudgediende, oud-militair

veterinarian [ˌvetəri'nɛəriən] (*Am*) veearts, dierenarts; **veterinary** ['vetərinəri, 'vetnəri] I *bn* veeartsenij... (~ *science*, ~ *surgery* veeartsenijkunde); II ~ *surgeon* = *zn* dierenarts, veearts
veto ['vi:təu] I *zn* (recht van) veto; II *put a* (*one's*) ~ *on* = *ww* zijn veto uitspreken over, verbieden
vex [veks] hinderen, lastig vallen; kwellen, bedroeven; plagen, ergeren; tergen; *be* (*feel*) ~*ed at* (*with*) zich ergeren over; *a* ~*ed question* een veel besproken vraag(punt); **vexation** [vek'seiʃən] kwelling, plaag, plagerij; **vexatious** [vek'seiʃəs] lastig, hinderlijk, plagerig, verdrietig, ergerlijk
via ['vaiə; vi:ə] via
viability [vaiə'biliti] levensvatbaarheid, uitvoerbaarheid; **viable** ['vaiəbl] levensvatbaar; uitvoerbaar (*plan, scheme*)
viaduct ['vaiədʌkt] viaduct
vibes [vaibz] (*fam*) gevoelens, (atmo)sfeer
vibrate [vai'breit] (doen) slingeren (schommelen, trillen, vibreren); weifelen; ~*d concrete* tril-, schokbeton; **vibration** [vai'breiʃən] trilling, vibratie; **vibrator** [vai'breitə] (*elektr*) id., triller
vicar ['vikə] *a*) predikant, dominee; *b*) plaatsvervanger, vicaris; '**vicarage** [-ridʒ] *a*) predikantsplaats; *b*) pastorie
vicarious [vi-, vai'kɛəriəs]: *take one's pleasures* ~*ly* uit de tweede hand genieten
vice 1 [vais] ondeugd; gebrek, fout; ontucht; verdorvenheid, onzedelijkheid; ~ *squad* zedenpolitie; **2** [vais] hand-, bankschroef
vice- [vais] vice-, onder-, plaatsvervangend; '**vice-'admiral(ty)** vice-admiraal(schap); '**vice-'chairman** vice-president; '**vice-'chancellor** vice-kanselier; (*van univ*) *ongev:* rector magnificus
vicinity [vi-, vai'siniti] buurt, omtrek, nabijheid, (na)buurschap
vicious ['viʃəs] slecht, verdorven, met ondeugden behept; gebrekkig, verkeerd, vicieus; boosaardig, nijdig, venijnig (*remarks*), gemeen, vals (*van hond bijv*), vol kuren (*van paard*); ~ *circle* vicieuze cirkel
vicissitude [vi'sisitju:d] lotswisseling, wederwaardigheid, wisselvalligheid; (*meestal mv*)
victim ['viktim] (slacht)offer, dupe; *he fell a* ~ *to his ambition* werd het (viel als) slachtoffer van zijn eerzucht; '**victimize** [-aiz] tot slachtoffer maken; *no victimization*, (*na staking*) geen rancunemaatregelen
Victorian [vik'tɔ:riən] *a*) (*dichter, enz*) Victoriaans, uit de tijd van Koningin Victoria; *b*) overdreven preuts
victorious [vik'tɔ:riəs] overwinnend, zegevierend; overwinnings...; **victory** ['viktəri] overwinning, zegepraal, victorie
victual ['vitl] I *zn:* ~*s* (*vero*) levensmiddelen, proviand, victualiën; II *ww:* *a*) provianderen, van levensmiddelen voorzien; *b*) proviand innemen; '**victualler** [-ə] leverancier van levensmiddelen; herbergier, tapper (= *licensed*~)
vide ['vaidi] vide, zie
video ['vidiəu] id.; **videotape** I *zn* beeldband, videoband; II *ww* op beeldband opnemen
vie [vai] wedijveren, mededingen (*with*)
view [vju:] I *zn* gezicht (*of the river* op ...), uitzicht; blik; aanzicht, voorkomen (*in outward* ~ *the same*); prentbriefkaart, kiekje; kijk, oordeel, mening, denkbeeld (*his* ~*s on art* over ...), opinie, opvatting (*man of large* ~*s* van ruime ...); bedoeling, oogmerk; inzicht; overzicht; *have* ~*s upon* een oogje hebben op, het voorzien hebben op; *take a* ~ *of* in ogenschouw nemen; *take a serious* ~ *of* ernstig inzien; *take a dim* ~ *of*, (*fam*) zich weinig voorstellen van, somber inzien; afkeuren, niets van moeten hebben; *take the* (*a*) *long* ~ ver vooruitzien, een ruime blik hebben; *take short* ~*s* een bekrompen blik hebben, kortzichtig zijn; ***in*** ~ in het gezicht, te zien; *come in* ~ *of* in het gezicht komen van; *in* (*the*) ~ *of* in het gezicht van; *in* ~ *of* met het oog op, gezien, in aanmerking genomen; *in my* ~ naar mijn mening; *have in* ~ op het oog hebben; *keep in* ~ in het oog houden; *with this in* ~ met het oog hierop (gericht); *with this end in* ~ met dit doel voor ogen; ***on*** *the* ~ op het gezicht, op het oog; *on* ~ te bezichtigen, te kijk; *on a short* ~ op korte afstand gezien; *lost* ***to*** ~ uit het gezicht verloren; ***with*** *the* (*a*) ~ *of returning* met de bedoeling om ...; *with a* ~ *to* met het oog op; *with this* ~ met het oog hierop; II *ww* (be)zien, beschouwen, bezichtigen, bekijken; (*televisie*) kijken; '**view-day** kijkdag; '**viewer** [-ə] bezichtiger; be-, aanschouwer; (televisie)kijker; (*fot*) id.; '**viewfinder** (*fot*) zoeker; '**viewless** zonder (eigen) mening; '**viewpoint** *a*) uitzichtpunt; *b*) gezichts-, standpunt
vigil ['vidʒil]: ~(*s*) nachtwake; *keep* ~ waken; **vigilance** ['vidʒiləns] waakzaamheid; ~ *committee:* *a*) commissie uit de burgerij ter behartiging van algemene belangen, bescherming van vrouwen en meisjes, enz.; *b*) (*inz Am*) *ongev:* vrijwillige burgerwacht; **vigilant** ['vidʒilənt] waakzaam, nauwlettend; **vigilante** ['vidʒi'lænti] burgerwacht
vigorous ['vigərəs] krachtig, sterk, kloek; energiek; gespierd (~ *English*); **vigour** ['vigə] kracht, sterkte
vile [vail] laag, verachtelijk, gemeen, walglijk; armoedig, miserabel; (*fam*) beroerd, gemeen (*weather*), afschuwelijk (*the coffee had been vile*)
village ['vilidʒ] dorp; ~ *community* dorpsgemeenschap; ~ *green* dorpsplein, -weide; '**villager** [-ə] dorpsbewoner
villain ['vilən] schurk, (*scherts*) rakker; '**villainous** [-əs] schurkachtig, laag, gemeen; (*fam*) afschuwelijk (~ *style*); '**villainy** [-i] schurkerij, laagheid, gemeenheid
vindicate ['vindikeit] rechtvaardigen; in het ge-

lijk stellen; rehabiliteren, van blaam zuiveren; bewijzen (*a claim, a right*); overtuigend vaststellen (*~ a p.'s innocence*); *~ a p. from* (ook: *of*) *a charge* iem zuiveren van een beschuldiging; **vindi'cation** rechtvaardiging, rehabilitatie; *in ~ of one's liberty* ter verdediging van
vindictive [vin'diktiv] wraakgierig, wraakzuchtig, rancuneus
vine [vain] *a*) wijnstok; wingerd; *b*) klimplant; rank, stengel (*van hop, enz*)
vinegar ['vinigə] azijn
vineyard ['vinjəd] wijngaard
viniculture ['vinikʌltʃə] wijnbouw
vintage ['vintidʒ] I *zn: a*) wijnoogst; *b*) wijn van een bepaald gewas (= *~ wine*), jaargang; (*fig*) 'merk', soort; *a car of 1946 ~* van het jaar 1946; *~ car* auto uit de periode 1916-1930; II *bn* klasse...; typisch, karakteristiek, van de beste soort; gedateerd
vintner ['vintnə] wijnhandelaar, wijnkoper
violate ['vaiəleit] overtreden, breken (*an oath*), verkrachten, schenden, onteren, aantasten; ontwijden (*a temple*); verstoren; **violation** [vaiə'leiʃən] overtreding, verkrachting, ontering, schennis, inbreuk
violence ['vaiələns] *a*) geweld, gewelddadigheid; verdraaiing (*van woorden, enz*), verkrachting, gewelddaad; *b*) hevigheid, heftigheid (zie *violent*); *done by ~* met (door) geweld; *do ~ to* geweld aandoen (*a p., one's feelings, a text*), schenden, verkrachten; *use ~ to* geweld aandoen; **violent** ['vaiələnt] hevig, heftig, geweldig; schril, hel (*van kleuren*); gewelddadig (*die a ~ death*); *~ deeds* gewelddaden; *lay ~ hands on a p.* (*on o.s.*) de hand aan iem (zichzelf) slaan
violet ['vaiəlit] I *zn* (welriekend) viooltje; II *bn* violet(kleurig), paars
violin [vaiə'lin] viool; **violinist** [vaiə'linist] vioolspeler, violist
viper ['vaipə] adder; *nourish a ~ in one's bosom* een adder aan zijn borst koesteren; **viperish** [-riʃ], **viperous** [-rəs] adderachtig, giftig, venijnig
virgin ['və:dʒin] I *zn: a*) maagd; *b*) kuise man; II *bn* maagdelijk, rein, onbevlekt, ongerept, ongeploegd; nog nooit genomen (*fortress*); *the V~ Queen* Koningin Elizabeth I; '**virginal** [-l] I *bn* maagdelijk, rein; II *zn* (*muz*) (soort) spinet; **virginity** [və:'dʒiniti] maagdelijke staat, maagdelijkheid, kuisheid
virile ['virail] *a*) mannelijk, manmoedig, manhaftig, viriel; *b*) krachtig, fors (*style*); **virility** [vi'riliti] mannelijkheid, viriliteit (zie *virile*)
virtual ['və:tjuəl] feitelijk, praktisch (*~ly independent*), in werkelijkheid, eigenlijk, in de grond; '**virtually** [-li] *ook:* vrijwel (*impossible*)
virtue ['və:tju:] *a*) deugd, deugdzaamheid; kuisheid; verdienste (*I had the privilege, through no ~ of my own, to ...*); *b*) kracht, geneeskracht; *make a ~ of necessity* van de nood een deugd maken; *by* (*in*) *~ of* krachtens, uit kracht van
virtuosity [və:tju'ɔsiti] virtuositeit
virulence ['viruləns] kwaadaardigheid, venijnigheid, hevigheid, heftigheid; **virulent** ['vir(j)ulənt] kwaadaardig, (ver)giftig, venijnig, hevig, heftig
virus ['vairəs] virus
visa ['vi:zə] visum
viscosity [vis'kɔsiti] kleverigheid, taaiheid, viscositeit
viscount ['vaikaunt] adellijke titel tussen *earl* en *baron:* burggraaf; '**viscountess** [-is] burggravin
viscous ['viskəs] taai, kleverig
visibility [vizi'biliti] zichtbaarheid; 'zicht' (op zee, enz: *~ was good*); iets zichtbaars; *high* (*low*) *~* uitmuntend (slecht) zicht (atmosferische helderheid, enz); **visible** ['vizəbl] zichtbaar, duidelijk; merkbaar; **visibly** *ook:* zienderogen
vision ['viʒən] het zien, gezicht; visie; (vooruitziende) blik; (politiek) inzicht; visioen, droomgezicht, verschijning; (*televisie*) beeld; '**visionary** [-əri] I *bn* visioenen hebbend, dromerig, fantastisch; hersenschimmig, ingebeeld; II *zn* ziener, dromer, fantast
visit ['vizit] I *ww: a*) bezoeken (*ook fig*); logeren; bezoeken afleggen, visites maken; huisbezoek doen; wreken (*upon* op); *b*) inspecteren, visiteren; *~* ***with*** omgaan met (*~ with the gentry*); (*Am*) bezoeken (en een praatje maken met ...); II *zn: a*) bezoek (*to London* aan ...), visite; *b*) inspectie, visitatie; *be on a ~ to a friend* op bezoek zijn bij; logeren bij; **visitation** [vizi'teiʃən] bezoek, inspectie (bezoek), visitatie; huisbezoek (*van geestelijke = pastoral ~*); bezoeking; **visiting** ['vizitiŋ]: *~ hours* bezoektijd(en), bezoekuur; *~ professor* gasthoogleraar; *~ preacher* predikant van andere gemeente; *~ team,* (*sp*) gasten, bezoekers; '**visiting-card** visitekaartje; **visitor** ['vizitə] bezoeker, logé, gast; *~s,* (*sp*) bezoekers, gasten; *no ~* geen bezoek; *~s' book* vreemdelingenboek; *~'s room* logeerkamer
visor ['vaizə] vizier (*van helm*); klep (*van pet*); zonneklep (*van auto*)
vista ['vistə] uitzicht, vergezicht (als) door rijen bomen, doorkijk; verschiet; perspectief; terugblik; laan
visual ['vizjuəl] *a*) gezichts..., oog...; *b*) zichtbaar; *c*) (*natuurk, psych*) visueel; *~ angle* gezichtshoek; *~ display unit* beeldscherm; '**visualize** [-aiz] een beeld geven aan, veraanschouwelijken; zich een beeld vormen van, zich voorstellen, zien
vital ['vaitl] levens... (*functions* verrichtingen; *power* kracht); vitaal; het leven onderhoudend; gebiedend noodzakelijk (*to* voor), essentieel; *that is ~ to our cause* een levenskwestie voor; *~ parts* edele delen; *~ statistics,* (*inz. Am*) bevolkingsstatistieken, (*fam*) (pas)maten: borst-, taille- en heupwijdte; **vitality** [vai'tæliti] vitaliteit, levenskracht, levensvatbaarheid, leven

vitamin(s) ['vitəmin, (*Am*) 'vaitəmin] vitamine(s)
vitreous ['vitriəs] glasachtig, glazen, glas...; **vitrify** ['vitrifai] verglazen, tot glas maken of worden
vivacious [vi-, vai'veiʃəs] levendig, opgewekt; **vivacity** [vi-, vai'væsiti] levendigheid, opgewektheid
'**vivid** levendig, helder (*light*); beeldend (*phrase* uitdrukking); *it is still ~ in my memory* het ligt me nog vers in het geheugen
vixen ['viksn] 1 wijfjesvos, moervos; 2 (*vero*) helleveeg
viz. (*videlicet*) [*gew.*: 'neimli, *soms:* vi'di:liset, vi'deiliket, viz] namelijk, te weten
vocabulary [və'kæbjuləri] vocabulaire: *a*) woordenlijst; *b*) woordenschat; *pity is a word that has no place in his ~* dat niet in zijn woordenboek staat
vocal ['vəukəl] I *bn* gesproken, mondeling, luide; vocaal (*music*); klinker...; (*fon*) stemhebbend; (wel)sprekend, zich uitend; luidruchtig; weerklinkend (*with* van); stem...; *~ c(h)ords* stembanden; II *zn: vocals* zang; *with vocals by Tom Jones* met zang ...; '**vocalist** [-ist] zanger(es); '**vocalize** [-aiz] *a*) uitspreken, zingen, doen horen, schreeuwen, enz, uitdrukking geven aan; *b*) van klinkers voorzien
vocation [vəu'keiʃən] *a*) roeping; *b*) beroep; *he has no ~ to literature* voelt zich niet aangetrokken tot, voelt geen roeping voor; **vocational** [-l] beroeps..., vak... (*school, training*)
vociferate [və(u)'sifəreit] schreeuwen, razen, tieren, brullen; **vociferous** [və(u)'sifərəs] razend, tierend, schreeuwend (zie *vociferate*), uitbundig
vogue [vəug] het in zwang zijn, opgang, populariteit, roep, trek; *be in ~* in de mode zijn; *come into/go out of ~* in/uit (de mode) raken
voice [vɔis] I *zn* stem; geluid; spraak; *active* (*passive*) *~* bedrijvende (lijdende) vorm; *find ~ in song* zich uiten in; *give ~ to* uiten, uitdrukking (lucht) geven aan (*grievances*); *have no ~ in the matter* geen stem (niets te zeggen) hebben in; *like the sound of one's own ~* zichzelf graag horen praten; *she has lost her ~* is haar stem kwijt; *be* ***in*** (*poor*) *~* goed (slecht) bij stem zijn; *in a loud ~* met luider stem, luid; *be* ***out of*** *~* niet bij stem zijn; II *ww* uitdrukking geven aan, uiten (*a grievance*); vertolken, verwoorden, weergeven (*public opinion*); '**voiceless** stemloos; '**voice-over** commentaarstem
void [vɔid] I *bn: a*) vacant; ledig, onbezet, onbebouwd; *b*) nutteloos; *c*) nietig, ongeldig (zie *null*); *~ of* ontbloot van, vrij van, zonder (*~ of pity, care, sense*); *fall ~* vacant worden; *the election was declared ~* werd nietig verklaard; II *zn* (ledige) ruimte, leegte (*the loss made a ~ in my life*), leemte; *talk in the ~* in de ruimte praten
volatile ['vɔlətail] vluchtig, vervliegend, wuft, wispelturig; wisselvallig, onzeker, explosief (*situation*)
volcanic [vɔl'kænik] vulkanisch; **volcano** [vɔl'keinəu] vulkaan
volition [vəu'liʃən] wil, het willen, wilsuiting, -kracht
volley ['vɔli] I *zn* salvo; (*fig ook*) regen (*of arrows*), stroom (*of words*); (*tennis, enz*) id.; II *ww* een stroom afvuren, losbranden; tegelijk afschieten, doen losbranden
volt [vəult] (*elektr*) volt; **voltage** ['vəultidʒ] (*elektr*) id.: elektrische spanning
voluble ['vɔljubl] rad (van tong), woordenrijk, breedsprakig
volume ['vɔlju(:)m, -jəm] *a*) (boek)deel; jaargang; bundel (*of verses*); *b*) schriftrol; *c*) volume, geluidssterkte (*~ of noise, voice*); *d*) omvang (*~ of business*); *~ of traffic* verkeersaanbod; *speak* (*express*, enz) *~s* boekdelen spreken; **voluminous** [və'lju:minəs] *a*) uit vele (boek)delen bestaande; *b*) veel boeken schrijvend, vruchtbaar (*writer*); *c*) volumineus, omvangrijk, lijvig
voluntary ['vɔləntəri] *a*) vrijwillig, opzettelijk; *~ work* vrijwilligerswerk; *b*) door vrijwillige bijdragen onderhouden, vrij (*schools*, enz); **volunteer** [vɔlən'tiə] I *zn* vrijwilliger; II *bn* vrijwilligers..., als vrijwilliger dienend, vrijwillig; III *ww* vrijwillig dienst nemen; (zich) vrijwillig aanbieden, vrijwillig op zich nemen (maken, enz); opperen, ten beste geven (*an explanation*); *I'll do it, he ~ed ...* zei hij uit eigen beweging
voluptuous [və'lʌptjuəs] wellustig; weelderig
vomit ['vɔmit] I *ww* vomeren, overgeven, (doen) braken; uitbraken (= *~ forth, out, up*); braking veroorzaken; II *zn* braaksel
voracious [və'reiʃəs] gulzig, vraatzuchtig; **voracity** [və'ræsiti] gulzigheid; vraatzucht
vortex ['vɔ:teks] *mv vortexes* [-iz] & *vortices* ['vɔ:tisi:z] *a*) werveling, dwarreling; *b*) draaikolk, maalstroom; *c*) wervelwind
vote [vəut] I *zn* stem; stemmen; stemming; stembriefje, -balletje, enz.; stemrecht; stemgerechtigde; begroting(spost); *the Labour ~* de stemmen der Arbeiderspartij; *~ of censure* (*of confidence, of no-confidence*) (motie) van afkeuring (vertrouwen, wantrouwen); *take a ~ on a question* laten stemmen over; *chosen* ***by*** *~* bij stemming gekozen; *the motion was carried by fourteen ~s* aangenomen met een meerderheid van ...; *come* (*go*) ***to the*** *~: a*) in stemming komen; *b*) tot stemming overgaan (= *proceed to the ~*); *put to the ~* in stemming brengen; II *ww* stemmen; bij stemming verkiezen (besluiten tot, vaststellen, goedkeuren); voteren, toestaan (*money; the credits were ~d*); verklaren, oordelen (dat); *the oil-stove was ~d a failure* men was het erover eens dat ...; (*fam*) voorstellen (*I ~ we bolt* dat we ervandoor gaan); *~* ***down****: a*) bij stemming afschaffen (*slavery*); *b*) verwerpen, af-, weg-

stemmen (*a measure*); ~ ***for*** *a*) stemmen voor; *b*) stemmen op; *I ~ for an attempt to save him* stel voor, dat we ... wagen; ~ *a p.* ***in*** iem (tot lid, enz.) verkiezen; ~ *a p.* ***into*** *the chair* tot voorzitter kiezen; ~ (***up***)***on*** stemmen over; ~ *a p.* ***out*** door stemming uitsluiten, enz, wegstemmen; *they ~d themselves out* (*of the Empire*) besloten bij stemming zich af te scheiden (van ...); '**voter** [-ə] kiezer, stemgerechtigde; **voting-age** stemgerechtigde leeftijd

vouch [vautʃ]: ~ *for* instaan (zich garant stellen) voor (~ *for the truth of it*), borg staan voor, waarborgen; getuigenis afleggen van; **voucher** ['vautʃə] bewijsnummer; id. = (waarde)bon (*for a drink*), toegangsbewijs, vrijkaart, bewijs van bij- of overschrijving, reçu

vouchsafe [vautʃ'seif] *a*) (genadiglijk) toestaan (verlenen, geven); *b*) zich verwaardigen; *he did not ~ any reply* verwaardigde zich niet te antwoorden

vow [vau] I *zn* gelofte, eed; *be under a ~ to ...* zich plechtig verbonden hebben te ...; *take the ~s* de kloostergeloften afleggen; II *ww* plechtig beloven, zweren; een gelofte doen; beweren, verklaren; *~ed enemy* gezworen vijand

vowel ['vauəl] klinker, vocaal

voyage ['vɔi(i)dʒ] I *zn* (zee)reis; ~ *out* uitreis; II *ww* (be)reizen, bevaren; **voyager** ['vɔiidʒə] reiziger

vulcanization [ˌvʌlkənai'zeiʃən] vulcanisatie; **vulcanize** ['vʌlkənaiz] vulcaniseren (*rubber*)

vulgar ['vʌlgə] *a*) gewoon (*fraction* breuk); *b*) vulgair, ordinair, plat, gemeen, laag, grof; *the ~ tongue* de volkstaal; **vulgarity** [vʌl'gæriti] grofheid, platheid, ordinairheid, vulgariteit

vulnerability [ˌvʌlnərə'biliti] kwetsbaarheid; **vulnerable** ['vʌlnərəbl] kwetsbaar, wondbaar

vulture ['vʌltʃə] (aas)gier (*ook fig*)

Www

wacky ['wæki] (*sl*) niet lekker, kierewiet, gek, getikt

wad [wɔd] I *zn* prop (watten, enz; *ook van kanon*), rolletje, pakje (*of banknotes*); vulsel; klonter (*of paint*); massa, hoop (*~s of money*); ~ (*of dough*); II *ww* tot een prop maken; een prop doen in; opvullen, watteren; **wadding** ['wɔdiŋ] (op)vulsel, verpakkingsmateriaal

waddle ['wɔdl] I *ww* waggelen, schommelen; II *zn* waggelende, schommelende gang

wade [weid] I *ww* (door)waden; laten waden (*a horse*); ~ *through a book ...* doorworstelen; ~ *in* aanpakken; ~ *into* aanpakken, te lijf gaan (*ook fig*); II *zn* het ...; '**wader** [-ə] *a*) wader; *b*) waadvogel; *~s* lies-, waterlaarzen; '**wading bird** waadvogel; '**wading pool** [-pu:l] 'pierenbak', ondiepe (*in zwembad*)

wafer ['weifə] *a*) wafel(tje), oblie; hostie (= *consecrated ~, sacramental ~*); *b*) ouwel; *c*) flentertje (*the last ~ of soap*); *d*) officieel sluitzegel; '**wafer-'thin** zeer dun; (*fig*) zeer klein (*majority*)

waffle ['wɔfl] wafel; (*fam*) I *zn* gewauwel, geklets; II *ww* wauwelen, kletsen; '**waffle-iron** wafelijzer

waft [wa:ft, wɔft] I *ww* voeren, dragen, (over)brengen; zacht waaien; (doen) zweven, drijven; II *zn* vleugje (*van geur, enz*), vlaag, windstroom, ademtocht, (rook)wolkje

wag [wæg] I *ww* schudden (met: ~ *one's head*); schommelen, heen en weer gaan, bewegen; kwispelen; zwaaien; ~ *one's finger* de vinger schudden (*at* tegen); *the dog ~s his tail* kwispelstaart; *set tongues ~ging* de tongen in beweging brengen; II *zn: a*) kwispelende enz beweging; *b*) grappenmaker, spotvogel, snaak

wage [weidʒ] I *zn: the living ~* het bestaansminimum; *~s* loon; *minimum ~ earner* minimumloner; II *ww* voeren (*war*), leveren (*a battle*); ~ *war on* (*against*) oorlog (strijd) voeren tegen; '**wage-earner** [-ˌə:nə] loontrekker; kostwinner; '**wage-freeze** loonstop; **wage-packet** loonzakje

wager ['weidʒə] I *zn* weddenschap; waagstuk; *lay* (*make*) *a ~* een weddenschap aangaan, wedden; II *ww: a*) wedden (om), verwedden; *b*) wedden met; *c*) op het spel zetten; *I will ~ my head upon it* eronder verwedden

wage-rate ['weidʒreit] loonstandaard; '**wag-e(s)-cut** loonsverlaging; '**wage-slave** loonslaaf

waggle ['wægl] *a*) (*fam*) *wag, ww* & *zn* a); *b*) waggelen

wag(g)on ['wægən] *a*) (vracht-, boeren-, woon)wagen, (goederen)wagon; *b*) dientafeltje; '**wag(g)on-builder** wagenmaker; '**waggoner** [-ə] vrachtrijder; voerman; **waggonette** [wægə'net] brik; '**wag(g)on-load** wagenvracht

waif [weif] *a*) onbeheerd goed of dier, strandgoed; *b*) zwerver, dakloze; verwaarloosd kind; *~s and strays: a*) zwervers, daklozen, verlaten kinderen, boefjes; *b*) brokstukken, rommel

wail [weil] I *ww* (wee)klagen, jammeren, bewenen; loeien (*van sirene*); II *zn* gejammer, geklaag; (wee)klacht

wainscot ['weinskət] I *zn* beschot, lambrizering; II *ww* beschieten, bekleden, betimmeren, lambrizeren; '**wainscoting** beschot, lambrizering

waist [weist] *a*) middel, taille; *b*) dun gedeelte (*van zandloper, enz*); '**waistband** [-bænd] *a*) broeks-, roksband; *b*) gordel, ceintuur; '**waist-belt** gordel, riem; (*mil*) koppel; '**waist-cloth** [-klɔ(:)θ] lendendoek; '**waistcoat** ['weis(t)kəut] vest; '**waist-'deep** tot aan het middel; '**waisted** [-id] getailleerd (*coat*); '**waist-'high** *waist-deep*; '**waistline** taille

wait [weit] I *ww* wachten; afwachten (*~ a p.'s decision*); wachten op; tafeldienen (= *~* ***at****, Am:* ***on*** [*of geen voorz*] *table*); *~!* belet!; *~ and see* de loop der zaken afwachten; op iems daden wachten; *just you ~!* wacht maar!; *it will not ~* het kan niet wachten; *that can ~* dat heeft de tijd; *~ one's turn* z'n beurt afwachten; *~* ***for*** wachten op; *I don't know what is ~ing for me* wat me wacht; *~ for the doors to open* wachten tot ... opengaan; *~ for it!,* (*fam*) *a*) even geduld!; *b*) goed opletten!; *~* ***on*** (*bw*) blijven wachten; *~* ***(up)on*** bedienen; *each ~ed (up)on the other* wachtte af wat de ander zou doen; *~ (idly) on events, ~ on Providence* (kalm) de gebeurtenissen afwachten, met de handen in de schoot zitten; *~* ***to*** *write till ...* wachten met schrijven tot ...; *~* ***up*** *for a p.* voor iem opblijven; *~* ***upon*** zie *~ on*; II *zn* het wachten, oponthoud; wachttijd, pauze; *have a long ~* lang moeten wachten (*for* op); *lie in ~, lay ~* op de loer liggen, loeren (*for* op); **waiter** ['weitə] ober, kelner; *'~'!* aannemen!; **waiting** I *bn: a*) (af)wachtend; *b*) bedienend; II *zn: a*) het wachten; *b*) bediening (*upon* van); tafeldienen; *I'll do the ~* ik zal bedienen; *in ~* dienstdoend, -hebbend; *lady in ~* hofdame; *play a ~ game, adopt a ~ policy* de kat uit de boom kijken; '**waiting list** wachtlijst; '**waiting-room** wachtkamer; **waitress** ['weitris] serveerster, serveerjuffrouw

waive [weiv] afzien (afstand doen) van (*rights*), laten varen; vermijden (*discussions*); opzij zetten (*a rule*); '**waiver** [-ə] (*jur*) (verklaring dat men) afstand (doet van een recht)

wake [weik] I *zn* 1 nachtwake bij een lijk; 2 zog, kielwater; bellenbaan (*van torpedo*); (*inz. fig*) spoor; *bring in its ~* meebrengen, gevolgd worden door; *follow in the ~ of,* (*fig*) op de voet volgen, de voetstappen drukken van; II *ww; ovt woke of waked, v dw woken* waken (*waking or sleeping*); (ook: *~* ***up***) wakker worden, ontwaken; opvlammen; (op)wekken, wakker maken (schudden); *~* (***up***) ***to*** zich bewust worden van, (gaan) inzien, doordrongen worden van (*the true facts of a case*); *~ a p. (up) to a sense of his responsibility* iem doordringen van; *~ up!* word wakker!; *you'll have to ~ up early to score off me* als je het van mij wilt winnen, moet je vroeger opstaan; '**wakeful** [-f(u)l] wakend, wakker, waakzaam; slapeloos (*pass a ~ night*); **waken** ['weikn] (ook: *~ up*) (*lit*) *wake up*

walk [wɔ:k] I *ww* lopen, gaan, wandelen; stapvoets lopen of rijden (*don't run, ~*); rondwaren; spoken; slaapwandelen (gew.: *~ in one's sleep*); bewandelen, betreden, (af)lopen, lopen op, op en neer lopen (*the deck*); (stapvoets) laten lopen (*a horse*); wandelen met, geleiden; *~ the boards* op of bij het toneel zijn; *~ the hospitals* de ziekenhuizen bezoeken, kliniek lopen, in de medicijnen studeren; *~ it,* (*fam*) lopen, te voet gaan; *~ one's round(s)* de ronde doen; *~ the streets* langs de straten flaneren (zwerven); *~ the plank* de pijp uitgaan; *~* ***about*** rondlopen, -wandelen (met); *~* ***along*** doorlopen, voortlopen, verder gaan; *I will tell you as we ~ along* onderweg; *~* ***away*** *from* met gemak achter zich laten; *~ away with* ervandoor gaan met, gappen; *~* ***by*** voorbijgaan; *~* ***down*** *the street* aflopen; *~* ***in****!* *a*) kom (ga) binnen!; *b*) binnen zonder kloppen!; *~* ***off*** weggaan; wegvoeren, -leiden; door lopen verdrijven (*one's headache*); *~ off with,* (*fig*) gappen; gaan strijken met (*the prize*); *~* ***out****: a*) in staking gaan; *b*) verkering hebben (*with* met); *the Socialist party ~ed out* (*of the House*) verliet de zaal (bij wijze van protest); *~ out on a p.* iem laten zitten, in de steek laten; *~* ***over*** *a p.* over iem heen lopen; *~* ***together*** met elkaar lopen, verkering hebben; *~* ***up*** *to a p.* naar iem toegaan of -komen; *~* ***with*** *a girl = ~ out with*; II *zn* wandeling; gang (*know a p. by his ~*); gaans (*three hours' ~*); wandelpas, (*van paard*) stap; levenswandel (*a man of Christian ~*); wandelplaats, promenade, laan, voetpad; kippenren; schapenweide; wijk (*van melkbezorger, enz*); gebied, sfeer, branche; *~ of (in) life: a*) (maatschappelijke) stand; *b*) beroep; *the upper ~s of life* de hogere kringen; *go for a ~, take a ~* een walk (gaan) doen; '**walkable** [-əbl] *a*) begaanbaar; *b*) (*van afstand*) te lopen; '**walkabout** wandeling (van vorst, enz) tussen het publiek; '**walk-a'way** gemakkelijke overwinning; '**walker** [-ə] wandelaar, voetganger; *I am a good ~* kan goed lopen; **walking** ['wɔ:kiŋ]: (*in sam dikwijls*) wandel...; *~ cases* lopende patiënten; '**walking-pace**: *at a ~* stapvoets; '**walking-stick** wandelstok;

'**walking-tour** [-tuə] wandeltocht; '**walkout** (werk)staking; *vgl ook ww*; '**walkover** id: gemakkelijke overwinning (zie *ww:* ~ over); verkiezing met enkele kandidaatstelling; '**walkway** (*Am*) voetgangersstraat, promenade, wandel-, looppad

wall [wɔ:l] I *zn* muur, wand (ook: ~ *of the chest*); (stads)wal; dijk; ~ *of partition* scheidsmuur; ~*s have ears* de muren hebben oren; *be up against a blank* (*brick, dead, stone*) ~ helemaal geen licht (geen gat) in iets zien, niets kunnen beginnen, overal het hoofd stoten; *he can see through* (of: *into*) *a* (*brick, stone, mud*) ~ het is een schrandere kerel; *it drives you up the* ~, (*fam*) maakt je gek; *go to the* ~ bezwijken, het onderspit delven, het afleggen; ~ *bars* wand-, klimrek; II *ww* ommuren (= ~ *about, round, in*); ~ *off* (als) door een muur (af)scheiden; ~ *up* in-, dichtmetselen; '**wall-bed** kantelbed; '**wall-board** beschot; '**wall-chart** wandkaart, -plaat; '**wall-clock** wand-, hangklok; **walled** [-d] ommuurd

wallet ['wɔlit] zakportefeuille

'**wallflower** muurbloem (*ook fig*)

wall-less ['wɔ:llis] zonder muren; open (*town*)

wallop ['wɔləp] I *ww* (*fam*) afrossen, ranselen; murw slaan, beuken; II *zn* (*fam*) kwak, mep, opstopper; (*sl*) bier; '**walloping** I *bn* (*sl*) reusachtig, kolossaal; II *zn* aframmeling

wallow ['wɔləu] I *ww* rollen, zich wentelen (*in filth*); slingeren (*van schip*); zwelgen (*in pleasure*); ~ *in money* 'bulken' van het geld; II *zn* wenteling; rollende beweging

'**wall-painting** wand-, muurschildering; '**wall-paper** behang, behangsel(papier); '**wall-socket** (*elektr*) wand(stop)contact; '**wall-space** muurvlakte, muur(opper)vlak; '**wall-to-wall** kamerbreed

walnut ['wɔ:lnʌt, -nət] (wal)noot; notehout(en)

walrus [wɔ(:)lrəs] walrus

waltz [wɔ:l(t)s] I *zn* wals; II *ww* walsen; (*fig*) (doen) ronddraaien; trippelen, zweven, enz; ~ *off*, (*sl*) ervandoor gaan

wan [wɔn] bleek, ziekelijk, flets; *a* ~ *smile* een flauw (gedwongen) lachje

wand [wɔnd] roede, (tover)staf

wander ['wɔndə] *a*) (om)zwerven, (rond)dolen, dwalen; afdwalen (= ~ *off*); van de hak op de tak springen; kronkelen (*river*); *b*) ijlen, raaskallen; *his mind is* ~*ing* hij ijlt, spreekt wartaal; ~ *about* rondzwerven; *strange rumours* ~*ed about the camp* deden de ronde in; ~ *from the point* afdwalen; zie ~*ing*; '**wanderer** [-rə] zwerver; '**wandering** [-riŋ] I *bn* zwervend; ~ *fire* (*light*) dwaallicht; ~ *kidney* wandelende (losse) nier; II *zn* het ...; zwerftocht; *the* ~(*s*) *of his mind* zijn ijlen, zijn wartaal

wane [wein] I *ww* afnemen (*vooral van de maan*), verminderen, verbleken, tanen; ten einde lopen; II *zn: on the* ~ aan het afnemen (tanen)

wangle ['wæŋgl] I *ww* (*sl*) *a*) weten los te krijgen (*a week's leave*, enz), in de wacht slepen; klaarspelen (*how did you* ~ *it?*); het klaarspelen met (*a p.*); *b*) knoeien met, vervalsen (*accounts*), namaken; II *zn* (*sl*) bedrog, knoeierij; uitvlucht; '**wangler** [-ə] (*sl*) kuiper, intrigant, knoeier

want [wɔnt] I *zn* gebrek, gemis (*of* aan), behoefte, armoede, nood; *for* (soms: *by, from, through*) ~ *of better employment* uit (wegens, bij) gebrek aan ...; *live in* ~ gebrek lijden; *be in* ~ *of* gebrek hebben aan; nodig hebben; *fall into* (*come to*) ~ tot armoede vervallen; II *ww: a*) missen, gebrek hebben aan (*courage*); *b*) ontbreken; *c*) nodig hebben, moeten hebben, (be)hoeven; *d*) wensen, verlangen; *e*) gebrek lijden; *I* ~ *to go* wens te (wil) gaan; *I* ~ *you to go* wens (wil), dat je gaat; *the piano* ~*s tuning* (*to be tuned*) moet gestemd worden; *I* ~ *the piano tuned* wil, dat ... gestemd wordt; *the matter* ~*s careful handling* moet voorzichtig worden aangepakt; *you* ~ *to cut the bread thinner* je moet; *a drawing-room does not* ~ *to be pretty* hoeft niet ... te zijn; *I* ~ *Mamma* zoek, moet ... hebben; *you are* ~*ed* men vraagt of zoekt (*ook:* de politie zoekt) naar je; *I don't* ~ *your jokes* moet niets hebben van; *you shall* ~ ***for*** *nothing* het zal u aan niets ontbreken; ~ ***in*** (***out*** enz) erin (eruit, enz) willen; *what do you* ~ ***with*** (*dialect* & *Am:* ***of***) *me* (*the book?*) wat moet je van (met) ...?; zie ~*ed* & ~*ing*; '**want ad** (*fam*) advertentie in rubriek 'wordt gevraagd'; '**want column** [-kɔləm] rubriek 'wordt gevraagd'; '**wanted** gevraagd (~, *a cook*); ~*!* (*in winkel*) volk!; ~ *to purchase* te koop gevraagd; *the* ~ *man* door de politie gezochte; '**wanting** I *bn* ontbrekend; *what is* ~ *is* ... wat ontbreekt is ...; *volunteers were not* ~ er was geen gebrek aan ...; *three more are* ~ er mankeren nog drie; *he was never found* ~ bleef nooit in gebreke, beschaamde nooit de verwachtingen; *he is not* ~ *in knowledge* het ontbreekt hem niet aan ...; *he is a little* ~ heeft ze niet allemaal; II *vz* zonder; op ... na (~ *one*); **want-of-'confidence vote** motie van wantrouwen

wanton ['wɔntən] I *bn: a*) dartel, speels; *b*) brooddronken, moedwillig (*destruction*); woest (~ *driving of a motor-car*); *c*) wulps, wellustig; *d*) ongecontroleerd, ongebreideld; II *zn* (*vero*) lichtekooi; lichtmis

war [wɔ:] I *zn* oorlog, strijd; *carry the* ~ *into the enemy's country* de strijd op vijandelijk gebied overbrengen (*ook fig*); *be at* ~ in oorlog zijn; *he was at* ~ *with his own hands and feet* wist geen weg met; *the spirit is at* ~ *with the flesh* voert strijd tegen; *go to* ~ een oorlog aangaan, ten strijde trekken; *go to the* ~(*s*) ten strijde trekken; ~ *of nerves* zenuwoorlog; *make* ~ (*up*)*on* (*with, against*) oorlog voeren tegen; II *ww* oorlog voeren, strijden (*against, on, with* tegen)

warble ['wɔ:bl] I *ww* kwinkeleren (*van vogel*), zingen, vibreren; II *zn* gekwinkeleer, gezang; '**warble-fly** horzel; **warbler** ['wɔ:blə] zanger
'**war bond** oorlogsobligatie; '**war cry** strijdkreet, -leus
ward [wɔ:d] *a*) voogdijschap, curatele; *b*) pupil (*van een voogd*); beschermeling; *c*) afdeling (zaal) in ziekenhuis, gevangenis, enz; *d*) stadswijk, stedelijk (kies)district; *put* ***in*** ~ onder curatele stellen
war dance ['wɔ:-dɑ:ns] krijgsdans
warden ['wɔ:dn] opzichter; haven-, marktmeester; kerkvoogd; huismeester (*van flatgebouw*); beheerder (*van jeugdherberg*); hoofd (*van sommige 'colleges'*); directeur (*of a prison*); (*air-raid*) ~, (*luchtbescherming*) blokhoofd; *traffic* ~ parkeerwacht
warder ['wɔ:də] cipier
'**ward-matron** hoofdverpleegster
wardress ['wɔ:dris] gevangenbewaarster
wardrobe ['wɔ:drəub] *a*) klerenkast; *b*) garderobe; '**wardrobe master**, **wardrobe mistress** (*theat*) costumier, -ière
wardroom ['wɔ:dru(:)m] officierskajuit (*van oorlogsschip*)
ward-sister ['wɔ:dsistə] hoofdverpleegster, -zuster
warehouse ['wɛəhaus] pakhuis; magazijn
'**warfare** [-fɛə] oorlog(voering), strijd; '**war-footing** [-futiŋ]: *on a* ~ op voet van oorlog; '**war-game** (*mil*) oefeningen op de kaart; '**warhead** kop van torpedo of raket; '**war-horse** strijdros; (*fig*) ijzervreter; *old* ~ veteraan
wariness ['wɛərinis] zie *wary*
'**warlike** krijgshaftig, strijdbaar, strijdlustig, oorlogszuchtig; oorlogs...; '**war loan** oorloglening
warlord ['wɔ:lɔ:d] (*vaak scherts*) (opperste) krijgsheer
warm [wɔ:m] I *bn* warm (ook fig: *a* ~ *reception*), heet, vurig; gloedvol (*a* ~ *baritone*); hartelijk (*congratulations*); heetgebakerd; vers (*van spoor*); schuin, sterk gekruid; (*fam*) er warm in zittend, rijk, gegoed; *have a* ~ *place* (*corner*) *in one's heart for* ..., een warm hart toedragen; ~ *front*, (*weerk*) warmtefront; *give a p. a* ~ *hand*, (*Am*) iem met warm applaus ontvangen; *keep a job* ~ *for a p.* iemands stoel warm houden: (door tijdelijke waarneming) een baantje openhouden voor iem; *make things* (*it*) ~ *for a p.* het iem warm maken, iem het vuur na aan de schenen leggen; II *ww* (ver)warmen, warm maken of worden; ~ *a p.'s seat*, (*Am*) iems plaats innemen; ~ ***over***, (*Am*) opwarmen; *his heart* ~*ed* ***to*** *her* begon warmer voor haar te kloppen; ~ (***up***) *to one's subject* in vuur raken over, zich laten meeslepen door; ~ ***towards*** *a p.* sympathie voor iem opvatten; ~ ***up***: *a*) opwarmen (*ook fig*); *b*) aanwarmen, warm worden; op temperatuur brengen (*the engine*) of komen (*the engine* ~*ed up*); ~ *up to*, zie boven; III *zn*: *give one's hands a* ~ zijn handen wat warmen; *have a* ~*!* warm je wat!; '**warm-blooded** [-blʌdid] warmbloedig
war-memorial ['wɔ:mə:mɔ:riəl] oorlogsgedenkteken
'**warm-hearted** hartelijk, warm-menselijk
warmonger ['wɔ:mʌŋgə] oorlogsophitser, -stoker
warmth [wɔ:mθ] warmte, gloed
warn [wɔ:n] waarschuwen, aanzeggen; ~ ***against*** waarschuwen tegen; ~ ***away*** waarschuwen (aanzeggen) heen te gaan; ~ *a p.* ***from*** (***out of***) *a place* waarschuwen (aanzeggen) de plaats te verlaten; ~ ***of*** inlichten omtrent, verwittigen van, aankondigen (*he* ~*ed us of your arrival*); ~ ***off*** waarschuwen (aanzeggen) heen te gaan, zich op een afstand te houden, weg te blijven (van); *the squatters were* ~*ed off the premises* de krakers kregen opdracht het pand te verlaten; '**warning** waarschuwing; waarschuwend voorbeeld; kennisgeving, aankondiging; *give a* ~ waarschuwen; ~ *triangle* gevarendriehoek
warp [wɔ:p] I *ww* (doen) kromtrekken, (scheluw)trekken, krommen; verdraaien (*facts*); een verkeerde richting geven; *judgment* ~*ed by prejudice* verdraaid (beïnvloed) door; II *zn*: *a*) schering, ketting (*bij het weven*); *b*) (*scheepv*) boegseerlijn, werptros; *c*) kromtrekking, kromming, verdraaiing, draai; afwijking; vooroordeel; ~ *and weft* (*woof*) schering en inslag
warpath ['wɔ:pɑ:θ] oorlogspad; *be* (*go*) *on the* ~ op het oorlogspad zijn, gaan: ten strijde trekken; (*fig ook*) in de weer zijn, zich roeren
warped [wɔ:pt] krom; (*fig*) verwrongen (*mind*)
warplane ['wɔ:plein] oorlogsvliegtuig; '**war-profit** oorlogswinst
warrant ['wɔrənt] I *zn* waarborg, garantie; volmacht, machtiging; rechtvaardiging, grond; bevel(schrift), bevel tot inhechtenisneming; (betalings)mandaat; aanstelling (tot ~-*officer*); ~ *to appear* dagvaarding; *there is a* ~ *out against him* er is een bevelschrift tot aanhouding tegen hem uitgevaardigd; *without a* ~ ongemotiveerd; II *ww* waarborgen, garanderen, instaan voor; bekrachtigen; machtigen, machtiging geven tot; rechtvaardigen, wettigen, motiveren; *that's him, I('ll)* ~ (*you*) daar kun je op aan, dat verzeker ik je, zo zeker als wat; *you are not* ~*ed to say so* hebt niet het recht ...; ~*ed to wash* (gegarandeerd als) wasecht; **warrantee** [wɔrən'ti:] persoon aan wie iets gewaarborgd wordt; '**warrant officer** *a*) (*mil*) rang tussen sergeant en 2de luitenant, *ongev:* adjudant-onderofficier; *b*) (*scheepv*) dekofficier; '**warranty** [-i] waarborg, (schriftelijke) garantie
warren ['wɔrən] konijnenpark; (*fig*) kazernewoning; krottenbuurt, 'kolonie', doolhof
warring ['wɔ:riŋ] (tegen elkaar) strijdend, (tegen)strijdig

warrior ['wɔriə] krijgsman, krijger
wart [wɔ:t] wrat; uitwas; *depict a p. ~s and all* iem (af)schilderen, zoals hij is, met al zijn gebreken
wartime ['wɔ:taim] oorlogstijd; *attr* oorlogs...
wary ['wɛəri] om-, voorzichtig, behoedzaam; op zijn hoede (*of strangers* voor ...)
wash [wɔʃ] I *ww* wassen (*ook in tekenkunst*); schoonwassen, afwassen, dweilen, nat afnemen; zich (laten) wassen; (be-, af-, om-, weg)-spoelen; betten, besproeien, bevochtigen; vernissen, witten, kalken, sausen; *the walls were ~ed white* gewit; *it won't ~: a*) het kan niet gewassen worden; *b*) houdt geen steek, gaat niet op; *~ one's hands, ook:* zich de handen wrijven; *I ~ my hands of it* ik wil er niets meer mee te maken hebben; *where can I ~ my hands?* waar is het toilet?; *~ one's dirty linen at home* (*in public*) (huiselijke) onenigheden onder elkaar (in het openbaar) uitmaken; *~* (*be ~ed*) ***ashore*** aanspoelen; *~* ***away*** eraf (eruit) wassen, wegspoelen; uitwissen (*an affront, one's sins*); *~* ***down*** afwassen; doorspoelen (*one's food*); *~* ***out*** om-, uitspoelen; (er) uitwassen; er door wassen uit gaan; onmogelijk maken (*a plan*); *~ed out* door wassen verkleurd; (*fig*) bleek, ziekelijk, slap, afgewerkt, verlopen, futloos; *~* ***over*** bestrijken, vernissen, witten; wassen (*a picture*); *~* ***overboard*** overboord slaan; *~* ***up*** afwassen (*the tea-things*), de vaat doen; (doen) aanspoelen; (*fam*) bederven, ongedaan maken, een eind maken aan; (*Am*) zich wassen; *the body was ~ed up* spoelde aan; II *zn* was; het wassen; wassing; wasmiddel; watertje, haarwater; waterverf, vernis(je), laag(je) (*of paint*); spoelwater; spoeling; 'slootwater' (slappe thee, enz); gebazel; golfslag; deining; *give one's face a ~* zijn gezicht wassen; *be in the ~* in de was zijn; *lost in the ~* in de was zoek geraakt; *it'll all come out in the ~*, (*fam*): *a*) (*van schandaal*) bekend raken; *b*) op z'n pootjes terechtkomen; *send to the ~* in de was doen; III *bn voor namen van stoffen* wasbaar, wasecht; '**washable** [-əbl] wasbaar, wasecht; '**wash-away** wegspoeling (*van grond*); daardoor ontstaan gat; '**wash-basin** [-beisn] waskom; '**washer** [-ə] *a*) wasser, wasman, wasvrouw; *b*) wasmachine; *c*) sluit-, pakkingsring; tussenplaatje, leertje (*van kraan*); '**washerwoman** wasvrouw; **washing** ['wɔʃiŋ] was(goed); *~ powder* waspoeder; '**washing-board** wasplank; '**washing-glove** [-glʌv] washandje, washandschoen; '**washing-line** drooglijn; '**washing-list** waslijst; '**washing-machine** [-məʃi:n] wasmachine; **washing-'up** afwas; '**wash-leather** [-leðə] zeemleer; '**washout** *a*) uitspoeling, -wassing; *b*) in spoorweg, enz uitgespoeld gat; *c*) (*sl*) mislukking, fiasco (*the conference is a ~*); vent van niks; beroerd zaakje; *it's a ~, ook:* het is niets gedaan; '**wash-rag** (*Am*) *a*) washandje; *b*) dweil; '**washroom** (*Am*) toilet, retirade; '**washstand** [-stænd] wastafel; '**washtub** wastobbe; '**washy** [-i] waterig, dun, slap (*coffee*); bleek, mat, kleurloos (*style*); verwaterd
wasp [wɔsp] wesp; '**waspish** opvliegend, nijdig, kwaadaardig, giftig; '**wasp-waist(ed)** [-weist(id)] (met een) wespetaille; '**waspy** [-i] *a*) wespvormig, wespen...; *b*) vol wespen
wastage ['weistidʒ] (verlies door) lekkage, indroging, slinking; verspilling, slijtage, verbruik, verloop; het afgesletene, verspilde enz
waste [weist] I *bn* woest, onbebouwd, braak; onvruchtbaar; afval... (*matter, product, water*); waardeloos; ongebruikt, onnut; overtollig; afgewerkt (*gas, steam*); *~ cotton* katoenafval, poetskatoen; *~ water: a*) overtollig water; *b*) afvalwater; *lie ~* woest (ongebruikt) liggen; *lay ~* verwoesten; II *ww* verwoesten; verteren, (doen) uitteren, vermageren, afvallen, wegkwijnen (= *~ away*); (doen) slijten; afnemen, slinken (*a wasting asset*); verkwisten, verspillen, weggooien; *his ~d body* zijn uitgeteerd lichaam; *~ one's words* (*breath, wind*) vergeefs praten; *nothing is ~d* gaat verloren; *~ one's time on* (*over*) zijn tijd verspillen aan; *kind words are ~d* (*up*)*on him* zijn aan hem niet besteed; *~ not, want not* die wat spaart, die wat heeft; III *zn* verkwisting, verspilling; slijtage; achteruitgang, verlies; afval(stof) (*nuclear ~*), puin, gruis; poetskatoen; misdruk; woestijn, woestenij; wildernis; (stuk) woeste grond; ook = *~-pipe; the ~ of waters, the watery ~* het troosteloze watervlak; *a ~ of years, ook:* een dorre reeks van jaren; *much room was cut to ~* er werd erg met de ruimte gemorst; *go to ~* verloren gaan; *run to ~* ongebruikt weglopen (*van vloeistof*); openstaan (*van kraan*); aflopen (*van kaars*); verloren gaan, verwilderen (*let a garden run to ~*); *many natural forces run to ~* blijven ongebruikt, worden verwaarloosd; *~ disposal bag* vuilniszak; '**wastebasket** (*Am*) *waste-paper basket*; **wasted** zie *waste*; '**wasteful** [-f(u)l] verkwistend, spilziek, overdadig, te kwistig (*of* met); duur in het gebruik; *be ~ of one's powers* zijn krachten verspillen; '**waste-paper** *basket* papier-, prullenmand; '**waste-pipe** afvoerpijp; '**waste-product** zie *waste bn*
wastrel ['weistrəl] mislukt artikel; misbaksel; zwerver, schooier; mislukkeling, nietsnut
watch [wɔtʃ] I *zn: a*) wacht, het waken; (nacht)wake; waakzaamheid; *b*) horloge; *in the ~es of the night* in de slapeloze nachtelijke uren; *keep* (*stand*) *~* op wacht staan; *keep* (*a*) *good ~* goed de wacht houden, goed uitkijken; *keep* (*a*) *~ on* een oogje houden op, in het oog houden; *keep ~ over* de wacht houden over, bewaken; *set a ~ upon* (*over*) *a p.* iem laten bewaken, iems gangen laten nagaan; *under ~ and ward* onder voortdurend toezicht; II *ww: a*) waken, op zijn hoede zijn; uitkijken; de wacht hebben, op wacht staan; *b*) bewaken, hoeden; *c*) gadeslaan, in het oog houden, in

de gaten houden, kijken (naar) (*TV*), letten op, denken om, beloeren, nagaan; *if you don't ~ it,* (*fam*) als je niet oppast (op je hoede bent); *~ your step* pas op je tellen; *~ one's time* zijn tijd (het gunstige ogenblik) afwachten; *~ the train move away ...* zien vertrekken; *~ **for** the postman* (staan) uitkijken naar; *~ in the New Year* het oude jaar uitzitten; *~ **out**,* (*fam*) uitkijken, op zijn hoede zijn, oppassen; *~ **over*** de wacht houden (waken) over, hoeden; *~ **with** a p.* bij iem waken; '**watch-band** horlogearmband; '**watchcase** horlogekast; '**watch-chain** horlogeketting; '**watchdog** (*ook fig*) waakhond; '**watcher** [-ə] (be)waker, wacht; '**watch-fire** wachtvuur; '**watchful** [-f(u)l] waakzaam, wakend; *be ~ for an opportunity* uitzien naar; *be ~ of* in het oog houden, waken over, behartigen (*a p.'s interests*); '**watchglass** horlogeglas; '**watchhand** horlogewijzer; '**watchmaker** horlogemaker; '**watchman** [-mən] wachter; nachtwacht, waker; **watchstrap** horlogearmband; '**watchtower** wachttoren; '**watchword** wachtwoord

water ['wɔ:tə] I *zn* water; *~s* water, wateren (*ook:* baden); (*fam*) slap brouwseltje (vooral thee), 'slootwater'; *bring the ~ to a p.'s mouth* iem doen watertanden; *drink the ~s = take the ~s; a great deal of ~ has flowed under the bridge(s) since that time* er is heel wat water door de Rijn gestroomd ...; *that does not hold ~* houdt geen steek; *hold one's ~* zijn plas ophouden; *make ~: a*) water inkrijgen (*van schip*); *b*) wateren, plassen; *take in ~, ook:* water innemen; *take the ~s* de (geneeskrachtige) baden gebruiken; ***at** the ~'s edge* aan de waterkant; ***by** ~* te water; per boot (schip); ***in** deep ~(s)*: *a*) in hachelijke omstandigheden; *b*) op gevaarlijk terrein; *spend money **like** ~* met het geld smijten; *diamond **of** the first* (*purest*) *~* van het eerste (zuiverste) water; ***over** the ~* over het water aan de overkant van de zee of rivier; II *ww* drenken (*a horse*), water geven; van water voorzien (*a ship, troops*); begieten (*flowers*); besproeien (*land*); bespoelen; bevochtigen, doorweken; water doen bij (*milk*), aanlengen, verdunnen, verwateren (*ook fig*); tranen, lopen; water innemen; drinken (*van vee*); *~ **down*** verwateren, water doen bij, aanlengen, verzwakken, verzachten; *his mouth watered* hij watertandde; '**water biscuit** cracker; '**water-borne** *a*) drijvend, vlot; *b*) te water vervoerd; zee... (*commerce*); '**water-bottle** (water)karaf; veldfles; '**water-bound** door water opgehouden (ingesloten); '**water-bus** watertaxi; '**water butt** regenton; '**water-carrier** *a*) waterdrager; *b*) vervoerder te water; '**water-closet** [-klɔzit] (*vero*) WC; '**water-cock** waterkraan; '**watercolour** *a*) waterverf (= *~s*); *b*) waterverfschildering, aquarel; '**watercolourist** [-kʌlərist] waterverfschilder, aquarellist; '**watercourse** stroom(pje), waterloop; (droge) bedding; (*scheepv*) walmgat; '**water-drop** *a*) waterdroppel; *b*) traan; '**watered** [-d] gewaterd, moiré (*silk*); '**watered-'down** (*fig*) verwaterd; '**waterer** gieter; '**waterfall** waterval; waterafloop; '**water-finder** roedeloper: waterzoeker (met wichelroede); '**waterfowl** watervogel(s); '**waterfront** waterkant (*van stad, enz*); '**water-gate** *a*) waterpoort; *b*) toegang te water; '**watergauge** [-geidʒ] peilglas; '**water-haul** (*Am*) mislukking, fiasco; '**water-head** bron (*van rivier*); '**water-hole** *a*) waterpoel; *b*) bijt in ijs voor dieren

watering-can ['wɔ:təriŋ-kæn] gieter; '**watering-place** *a*) drinkplaats; *b*) badplaats (met geneeskrachtige bron); '**watering-pot** gieter; '**watering-trough** [-trɔ(:)f] drinkbak

waterish ['wɔtəriʃ] water(achtig), verwaterd; '**water-jug** [-dʒʌg] water-, lampetkan; waterkaraf; '**water-level** [-levl] waterstand, niveau; '**waterline** waterlijn; '**waterlogged** [-lɔgd] *a*) vol water (gelopen) (*ship, trenches*); *b*) met water verzadigd (*soil*); '**water main** hoofdbuis (*van waterleiding*); '**waterman** [-mən] *a*) schuitevoerder, veerman; *b*) waterdrager, spuitgast, enz; '**watermark** I *zn* waterpeil, -lijn, -merk; II *ww* van watermerk voorzien; **water-meadow** uiterwaard; '**watermill** watermolen: door water aangedreven molen; '**water-plane** watervliegtuig; '**water power** waterkracht; '**waterproof** I *bn* waterdicht; watervast (*ink*); *~ sheeting* hospitaallinnen; II *zn* waterdichte stof (jas, enz); III *ww* waterdicht maken; '**water-quake** zeebeving; '**water-repellent** waterafstotend; '**watershed** *a*) waterscheiding; *b*) helling waarlangs het water stroomt; *c*) stroomgebied; '**water'side** waterkant; '**water-ski** waterski(ën); '**water-snake** waterslang; '**water-splash** voord(e), doorwaadbare plaats; '**waterspout** waterhoos, wolkbreuk; '**water-sprite** watergeest; '**water supply** *a*) wateraanvoer, watervoorziening; *b*) watervoorraad; '**watertank** waterreservoir; '**water-tap** waterkraan; '**watertight** I *bn* waterdicht; (*fig*) sluitend als een bus; II *zn: ~s* waterdichte laarzen; '**water-tower** watertoren; '**water-wave** watergolf; '**waterway** *a*) waterweg; *b*) vaarwater; *c*) watergang (*van schip*); '**waterwheel** *a*) waterrad, molenrad; *b*) scheprad; '**waterworks** waterleiding; *the ~ began to play* de waterlanders kwamen; '**watery** [-ri] water(acht)ig, regenachtig; water..., regen...; (*fig*) verwaterd, slap, flauw; *~ eye: a*) vochtig oog; *b*) traanoog

watt [wɔt] (*elektr*) id; '**wattage** ['wɔtidʒ] wattverbruik; '**watt-hour** wattuur

wattle ['wɔtəl] **1** vlechtwerk van takken, twijgen enz; **2** lel (*van kalkoen enz*)

wave [weiv] I *ww* (doen) golven; (doen) wapperen; wuiven (met), zwaaien (met); onduleren (*hair*); door een handbeweging te kennen geven; toewuiven (*~ a p. adieu*); *he ~d* (*his hand*) *to me* hij wuifde naar mij met zijn hand; *he ~d me away* (*to a chair*) beduidde me met een gebaar heen te gaan (te gaan zitten); *he ~d all my objections aside* wuifde ... weg, wees (met een handgebaar) af; *~ a car down* zwaaien dat ... moet stoppen; **II** *zn: a*) golf, baar; golving; vlam (*van gevlamde stof*); *b*) gewuif, wuivend gebaar (= *~ of the hand*); *b*) (fig) golf, vloed, zee, opwelling (*of enthusiasm*); '**waveband** (*telec*) golfband; '**wavelength** golflengte

waver ['weivə] wankelen, waggelen; fladderen, flikkeren; weifelen; schommelen, variëren; zweven (*her eyes ~ between grey and blue*); onvast worden, beven (*van stem*); wijken (*van troepen*); '**waverer** [-rə] weifelaar; **wavery** ['weivəri] onvast, wankelend

wavy ['weivi] golvend, gegolfd

wax [wæks] **I** *zn: a*) was; boenwas; *b*) lak (= *sealing-~*); *c*) oorsmeer; (*attr dikwijls*) wassen; *~ candle, ~ taper* waskaars; *the ~ and wane of the moon* het toe- en afnemen van de maan; (*Madame Tussaud's*) *~ works* wassenbeeldenmuseum; **II** *ww* **1** wassen, met was bestrijken, wrijven, boenen; **2** wassen, toenemen; worden (*fat, angry*, enz); *~ and wane* toe- en afnemen; '**waxcloth** *a*) wasdoek; *b*) vloerzeil; '**waxen** [-n] wassen, was...; wasachtig, wasgeel; week als was; '**wax-modelling** [-mɔdl̩iŋ] wasboetseren, wasboetseerkunst; '**wax-tablet** wastafeltje; '**waxwork** *a*) wasmodellering; *b*) wasmodel(len); *~s* wassenbeelden; *~ show* wassenbeeldenspel; '**waxy** [-i] wasachtig, waskleurig, was...; (*van aardappel*) glazig

way [wei] **I** *zn* weg, route; afstand, eind (*a long ~ off*); richting, kant (*which ~ is he going? look the other ~*); vaart, gang, snelheid; manier, wijze (van doen, van optreden), gewoonte; *~s* gewoonten; *~s and means* (geld)middelen; middelen ter bestrijding van uitgaven; *~ of life* levensstijl; *~ in* ingang; *~ out* uitgang; (*fig*) uitweg; *a cottage* (*down*) *Essex ~* ergens in, of in de buurt van Essex; *the fare was paid each ~* heen en terug; *it takes different people different ~s* doet ... verschillend aan; *one ~ and another* alles samen genomen, het een met het ander (*I spent £100 ...*); *one ~ or another, some ~ or other* op de een of andere manier; *I don't care one ~ or another* het is me volmaakt onverschillig; *there are no two ~s about it* daar kan men maar op één manier over denken; *no ~*, (*fam*) met geen middel, uitgesloten, in geen geval; *it cuts both ~s* het mes snijdt van twee kanten; *it's the other ~ about* (*round*) juist andersom; *no ~ inferior to* in geen enkel opzicht minder dan; *any ~ you're wrong* in ieder geval, hoe dan ook, toch; *there does not seem any ~ out of her living with us* er zit blijkbaar niets anders op, dan dat zij bij ons inkomt; *wrong every ~* in alle opzichten; *it's a disgrace* ***the*** *~ he drinks* schande zoals ...; *the ~ you look!* wat zie je eruit!; ***all*** *the ~* de gehele weg (afstand), helemaal (*come all the ~ from P.; I'm with you all the ~* helemaal met u eens); ***this*** *~* hierheen; *step this ~, please* wilt u mij maar volgen?; *it's this ~, this is the ~ it is* het zit zo; ***that*** *~: a*) daar(heen), die kant uit; *b*) op die manier, zo; *his ambition did not lie that ~* ging die kant niet uit; *he felt exactly that ~ himself* had zelf precies het zelfde gevoel; *it's that ~, is it?* ah, zit de vork zó in de steel?; *that's always the ~ with her: a*) zo doet ze altijd; *b*) dat overkomt haar altijd; *that's the ~* zo moet het, zo gaat ie goed; *it is not* ***his*** *~ to ...* niet zijn gewoonte om ...; ***beg*** *one's ~ home* bedelende de weg naar huis afleggen; *he seized the first job that* ***came*** *his ~* dat zich voordeed; *the book came my ~* viel mij in handen; ***feel*** *one's ~* op de tast (op het gevoel) gaan; ***find*** *one's ~* de weg vinden; ***get*** *one's ~* zijn zin krijgen; ***give*** *~* wijken (*to* voor), voorrang verlenen; bezwijken, het opgeven; toegeven (*to* aan); (*opschrift*) voorrangskruising; ***go*** *one's ~*(*s*) heengaan; *they went their various ~s* zij gingen ieder zijn weg; *go one's own ~* zijn eigen weg (gang) gaan; *go the ~ of all flesh* de weg van alle vlees gaan; *money goes a long ~ here* met geld kan men hier veel beginnen; *it goes a long ~* het is voordelig in het gebruik; *it will go a great* (*long*) *~ towards ...* zal veel bijdragen tot ...; ***have*** *one's ~* zijn zin krijgen; *have it your own ~* doe zoals je wilt; *let her have her own ~* laat haar haar gang gaan; *he has a ~ with him*, (*fam*) weet met mensen om te gaan, heeft er slag van zich aardig voor te doen, zich in te dringen, enz; *have a ~ with children* met ... weten om te gaan; *she has it all her own ~ with men* kan met mannen doen, wat ze wil; *have it both ~s* van beide kanten profiteren; *you can't have it both ~s* je moet òf het één òf het ander doen, allebei gaat niet; *I don't* ***know*** *which ~ to turn* ik weet mij niet te wenden of te keren, weet niet, wat ik beginnen moet; ***make*** *~: a*) opschieten, vooruitkomen; *b*) plaats maken; *make ~ there!* uit de weg daar!; *make one's ~ home* (*into a shop*) naar huis (een winkel binnen) gaan; *make ~ for* ruimte (plaats) maken voor, uit de weg gaan voor; ***take*** *your own ~* doe wat (zoals) je wilt; ***across*** *the ~* aan de overkant; *go* ***by*** *~ of Flushing* via ...; *by ~ of excuse* bij wijze van ...; *he is by ~ of being an expert* is in zekere zin ..., zo iets van ...; *they are by ~ of knowing* zij kunnen het weten; *they are by ~ of being engaged* zo half en half ...; *not by a long ~* bij lange (op verre) na niet; *by the ~: a*) onderweg; *b*) in het voorbijgaan, terloops; apropos, tussen twee haakjes; *but that's quite by the ~* maar daar gaat het nu niet om; ***in*** *a* (*one*) *~* in zeker opzicht, tot op zekere hoogte; *in some ~s* in enkele opzichten; *in an ordinary ~ I should refuse* in gewone omstandigheden; *live in a small ~* op bescheiden voet; *a house-painter in a fairly large ~ of business* die nogal wat te doen heeft; *be* (*stand*) *in the* ~ in de weg staan, hinderen; *be in the* ~, *ook:* te veel zijn; *I went there in the* ~ *of business* voor zaken; *put a p. in the* ~ *of a job* helpen aan; *I'm going to put easy money in your* ~ (*to put you in the* ~ *of easy money*) je een middel aan de hand doen om gemakkelijk geld te verdienen; *in this* ~ op deze manier, zo(doende); *he scowled in a* ~ *he had* op zijn eigenaardige manier; *the book came* (*fell*) *in my* ~ kwam mij onder de ogen, viel mij in handen; *it is more in your* ~, *ook:* het ligt meer op uw weg; *fall* (*get*) ***into*** *evil* (*bad*) ~*s* op de verkeerde weg raken; *get into the* ~ *of it* de slag ervan beet krijgen, eraan gewoon raken; *she died* ***on*** *the* ~ *to hospital* op weg naar; *this ideal is on the* ~ *to realization* op weg om verwezenlijkt te worden; ***out of*** *the* ~*: a*) uit de weg; *b*) afgelegen; *c*) ongewoon; *d*) opgeruimd, aan kant (*lunch is* ...); *such work is out of my* ~ ligt niet in mijn lijn; *there is nothing out of the* ~ *in the proposal* niets ongewoons; *get out of the* ~*!* uit de weg! maak, dat je weg komt!; *get a p.* (*a thing*) *out of the* ~ zorgen, dat iem (iets) niet in de weg staat, er niet bij is, enz; aan kant zetten; uit de weg ruimen; *go out of one's* ~ *to* ...*: a*) zich (veel) moeite geven (zich uitsloven) om ...; *b*) iets opzettelijk doen, het erop aanleggen om (*go out of one's* ~ *to offend a p.*); *I should be glad to have him out of the* ~*: a*) hem niet om mij heen te hebben; *b*) hem uit de weg geruimd te zien; *put out of the* ~ uit de weg ruimen; aan kant zetten; *put o.s. out of the* (*one's*) ~ *to oblige a friend* zich moeite getroosten om ...; ***over*** *the* ~ aan de overkant; ***under*** ~ in beweging; aan de gang; onder zeil; *get under* ~ onder zeil gaan; op gang komen; **II** *bw* (*inz. Am*) *away;* ~ *above normal* een stuk ...; *I'm* ~ *behind the times* een eind ...; ~ *back in H.* daarginds (ver van hier) in H.; *they have been farmers from* ~ *back* van oudsher, van huis uit; ~ *back in 1919* reeds in; *it has its origin* ~ *back in childhood* dateert al uit ...; ~ *beyond* voorbij, verder dan; '**wayfarer** [-fεərə] (*vero*) (voet)reiziger, voetganger, zwerver; '**wayfaring** (*vero*) reizend, zwervend; **way'lay** belagen, op de loer liggen voor, opwachten (om aan te klampen, enz); '**wayless** ongebaand; '**waymark I** *zn* wegwijzer, wegaanduiding; **II** *ww* bewegwijzeren; '**way-'off** (*Am*) afgelegen; (*inz. Am*) ver weg; (*fam*) geavanceerd; '**wayside I** *zn* wegkant, kant van de weg; *by the* ~ aan (de kant van) de weg; **II** *bn* aan de kant van de weg (gelegen, groeiend)

wayward ['weiwəd] eigenzinnig, weerspannig, dwars; grillig, onberekenbaar

we [wi(:)] wij

weak [wi:k] zwak; slap (*tea, market*); toonloos; ~ *attendance* slechte opkomst; *a* ~ *demand for* weinig vraag naar; *his* ~ *point* (*side*) zijn zwakke zijde; *the* ~ *spot in the scheme* het zwakke punt; *the* ~*er sex* het zwakke geslacht; '**weaken** [-n] verzwakken, verslappen, verdunnen; zwak(ker) worden; zwichten; '**weak-'eyed** met zwakke ogen; '**weakish** vrij zwak, zwakkelijk; '**weak-kneed** [-ni:d] zwak, slap, bang van aard; '**weakling** zwakkeling; '**weakly** zwak, slap(jes); '**weakness** zwakte; slapheid; zwakke plaats, zwak punt; zwak (*have a* ~ *for* ...)

weal [wi:l] *a*) striem, streep; *b*) ribbel (*op geweven stof*)

wealth [welθ] rijkdom; overvloed, schat (*a* ~ *of flowers, of information*); '**wealthy** [-i] rijk

wean [wi:n] spenen, (*baby*) afwennen van borstvoeding; ~ *from* spenen (vervreemden, bevrijden) van, afwennen; onttroggelen; ~ *away from* wegtronen van

weapon ['wepən] wapen; *fight a p. at* (of: *with*) *his own* ~*s* met eigen wapens bestrijden; '**weaponed** [-d] gewapend; '**weaponless** ongewapend; '**weaponry** bewapening, wapentuig

wear [wεə] **I** *ww* dragen (aan het lichaam), aanhebben, gekleed gaan in; vertonen, hebben (*a sweet smile*); (doen) slijten, af-, ver-, uitslijten, uitscheuren (*a channel*); zich laten dragen; zich (goed) houden (in het dragen); afmatten (~*ing work*); *this cloth won't* ~, ~*s badly,* ~*s* (*well*) houdt zich slecht (goed) in het dragen; *it* ~*s well, ook:* het gaat lang mee; ~ *one's years* (*one's age*) *well* zijn jaren met ere dragen; ~ *a look of amazement* verbaasd kijken; ~ *thin* dun worden; slijten, afnemen; *his patience is* ~*ing thin* raakt op; ~ ***away*** (doen) ver-, afslijten; uitputten; wegvreten, uithollen; (langzaam) voorbijgaan, omkruipen; *the night wore itself away* ging voorbij, kroop om; ~ ***down*** (doen) slijten; afmatten (*the enemy*); *the suspense has worn me down frightfully* erg aangepakt; ~ ***off*** (doen) slijten (af-, verslijten); verflauwen, geleidelijk verdwijnen; *the novelty soon* ~*s off* het nieuwtje gaat er gauw af; ~ ***on*** (langzaam) voorbijgaan, vorderen (*the day wore on*); *the discussion* ~*s on* gaat door; ~ ***out*** afdragen; (doen) slijten, af-, verslijten; afmatten, afgemat worden; uitmergelen, uitputten, uitgeput raken; *the season wore itself out* liep ten einde; ~ ***through*** doorslijten; *clothes* ~ ***to*** *one's shape* voegen zich naar het lichaam; zie *worn*; **II** *zn* het dragen; dracht; sterkte (*van stof, enz*); slijtage; ~ *and tear* slijtage; *the* ~ *and tear of time* de tand des tijds; *evening* ~ avondtoilet; *for Sunday* ~ voor zondags; *come into* ~ mode worden; *be* (*little*) *the worse for* ~ tamelijk (niet erg) versleten zijn; *a good deal the worse for* ~, *ook:* in erg gehavende (berooide, enz) toestand; **wearable** ['wεərəbəl] draagbaar; (geschikt om) te dragen

weariness ['wiərinis] *a*) vermoeidheid, moeheid (~ *of life* levensmoeheid), afmatting; *b*) verveling; **wearisome** ['wiərisəm] vermoeiend, vervelend, afmattend; **weary** ['wiəri] **I** *bn: a*) vermoeid, moe(de); mat, lusteloos; *b*) vermoeiend; *c*) vervelend, langdradig (*negotiations*); ~ *of life* levensmoe; ~ *of waiting* het wachten moe; ~ *with waiting* moe van het wachten; II *ww: a*) vermoeien, afmatten; *b*) vervelen; *c*) moe worden; ~ *for* smachten naar; ~ *out* afmatten, uitputten; *be wearied out of patience* zijn geduld verliezen

weasel ['wi:zl] wezel

weather ['weðə] I *zn* weer; ~ *permitting* wind en weer dienende; *keep a ~ eye open* bedacht zijn op (*trouble, unexpected happenings*); *make heavy ~ of a task* zwaar opnemen; *don't make heavy ~ of* (*over*) *trifles* zet je over kleinigheden heen; *in all ~s* weer of geen weer; *under the ~,* (*fam*) onlekker; in de put; in de misère; ~ *centre* meteorologisch instituut; *the ~ man* de weerman; II *ww: a*) aan de lucht (wind en weer) blootstellen; luchten; drogen; (doen) verweren; *b*) doorstaan (ook: ~ *out: a storm;* ook fig); *this institution has ~ed the centuries* zich door alle eeuwen heen staande gehouden; ~ *it out* de storm doorstaan; ~ *out dangers* te boven komen; '**weather-beaten** door stormen geteisterd; verweerd; '**weather-bound** door het weer opgehouden; '**weather-chart** weerkaart; '**weathercock** weerhaan (*ook fig*), windwijzer; '**weathered** [-d] verweerd; '**weather forecast** weervoorspelling, weersverwachting; '**weather-glass** weerglas; '**weather-house** weerhuisje; '**weathering** verwering; '**weather-map** weerkaart; '**weatherproof** tegen het weer bestand, water-, winddicht (materiaal); '**weatherprophet** weerprofeet; '**weather-report** weerbericht; '**weather-service** meteorologische dienst; '**weather-ship** weerschip; '**weatherstain** verweerde plek; '**weather-stained** met *weather-stains,* verweerd; '**weather station** meteorologische post; '**weather-vane** windwijzer, -vaan; '**weather-worn** verweerd

weave [wi:v] I *ww* weven, vlechten; ~ *baskets* manden maken; ~ *a plot* een komplot smeden; ~ *a spell* (*a charm*) toveren, heksen; ~ *into: a*) weer (vlechten) in; *b*) weer (vlechten) tot; ~ *one's way* zich een weg banen; zwenkende bewegingen maken; II *zn* weeftrant, binding; patroon; '**weaver** wever; ~ *'s beam* weversboom; ~*'s knot* weversknoop; '**weaving-loom** weefgetouw; '**weaving-mill, weaving-shed** weverij

web weefsel (ook fig: ~ *of lies*); (spinne)web; bindweefsel; zwemvlies; vlieghuid; baard, vlag (*van veer*); baard (*van sleutel*); lange papierrol; **webbed** [-d] met zwemvliezen of vlieghuid; '**webbing** singelband, (touw)weefsel, singel (onder stoel, bed, enz), omboordsel; '**web-foot(ed)** (met) zwempo(o)t(en); '**web-toed** [-təud] met vliezen tussen de tenen

wed (*vero*) huwen, trouwen; (*fig*) (innig) verenigen, paren (*to* aan); ~*ded life* huwelijksleven; ~*ded to,* (*fig*) gebonden (verknocht, verslaafd) aan (*he is ~ded to his art*); **wedding** ['wediŋ] huwelijk(splechtigheid), bruiloft, trouwerij; '**wedding-arch** erepoort na huwelijksplechtigheid (*van sabels, hockeysticks, enz*); '**wedding-breakfast** lunch na de huwelijksvoltrekking; '**wedding-cake** bruiloftstaart; '**wedding-card** trouwkaart; '**wedding-ceremony** trouwplechtigheid; '**wedding-day** trouwdag; '**wedding-dress** trouwjapon; '**wedding-feast** bruiloft; '**wedding-gift** huwelijksgeschenk; '**wedding-march** bruiloftsmars; '**wedding-party** trouwpartij; '**wedding-ring** trouwring

wedge [wedʒ] I *zn* wig, keg, keil, wigvormig stuk; klemmetje (*voor raam, enz*); (taart)punt; schoen met doorlopende zool; *the thin end of the ~,* (*fig*) het eerste kleine begin, de eerste stap; II *ww* vastzetten (splijten, enz) met een ~; samenpakken (= ~ *together*); ~ *one's way through* dringen door; ~ *in* indrijven, -dringen, -schuiven; ~ *off* (*away*) opzij duwen; ~*d* (*in*) *between* bekneld tussen; '**wedge-shaped** [-ʃeipt] wigvormig

wedlock ['wedlɔk] huwelijk(se staat); *born in ~* echt, wettig; *born out of ~* buiten huwelijk geboren, onecht

Wednesday ['wenzd(e)i] woensdag

wee [wi:] 1 *bn* (*inz. Sc*) klein; *a ~ bit* een 'pietsje'; 2 *ww* (*sl*) plassen, urineren

weed [wi:d] I *zn* onkruid (ook: ~*s*); wier; lange slappe tinus; tabak = *the fragrant ~;* (*sl*) marihuana(sigaret); II *ww* wieden; (*fig*) wieden, ontdoen, zuiveren (*of, from* van); ~ *out* uitwieden, uitroeien, uitrukken, (als ongeschikt, enz) verwijderen; ~ (*out*) dunnen (*crops*); '**weeder** [-ə] *a*) wied(st)er; *b*) wiedijzer, -machine; '**weeding-hook** [-huk] wiedijzer; '**weed-killer** onkruidverdelger

weeds [wi:dz] rouwkleding

weedy ['wi:di] onkruidachtig; vol onkruid of wier; lang opgeschoten, spichtig; slap, minnetjes

week [wi:k] week; *a ~ from Sunday* zondag over een week; *this day* (*today*) ~ vandaag over (*of* vóór) een week (acht dagen); *it happened a ~ last Sunday* verleden zondag voor een week; *for ~s on end* wekenlang; '**weekday** week-, werkdag; '**week-'end** I *zn* id., van zaterdag tot maandag; ~ *motorist* zondagsrijder; II *ww* uitgaan (uit zijn) van zaterdag tot maandag; het week-end doorbrengen (*at* te); '**week-'ender** iem, die ... (*zie het vorige*); '**weekly** [-li] I *bn* wekelijks, week...; II *bw* wekelijks, per week; III *zn* wekelijks tijdschrift, weekblad

weeny ['wi:ni] (*sl*) klein, nietig

weep [wi:p] schreien, wenen; *enough to make you ~* om van te huilen; ~ *away* schreiende doorbrengen; ~ *for* bewenen; ~ *for* (of: *with*) *joy* schreien van vreugde; '**weeping** *willow* treurwilg; **weepy** ['wi:pi] 1 *zn* sentimentele film of sentimenteel verhaal; 2 *bn* schreierig

wee-wee ['wi:wi:] een plas doen
weft inslag(garen)
weigh [wei] wegen (ook fig: *one's words,* enz); overwegen (*the consequences*); van gewicht zijn, gewicht in de schaal leggen; zich laten wegen; (het anker) lichten (= ~ *anchor*); lichten (*a sunk ship,* enz); *he was ~ed* (*in the balance*) *and found wanting* gewogen en te licht bevonden; ~ ***against*** afwegen tegen (*ook fig*); opwegen tegen; van nadelige invloed zijn op; ~ ***down*** zwaarder wegen dan; het winnen van; drukken (*his responsibility ~s him down*); naar beneden (doen) buigen (*branches*); *be ~ed down with cares* onder zorgen gebukt gaan; ~ ***in*** *with an argument* (triomfantelijk) komen aanzetten met; ~ ***up*** (door tegengewicht, hefboom, enz) omhoogbrengen; lichten; bij zichzelf overleggen, overwegen (~ *up the pros and cons*); opnemen (*fig*), taxeren, schatten; ~ (*heavy*) (***up***)***on*** (zwaar) drukken op; ~ ***with*** afwegen tegen; *such things don't ~ with me* tellen niet bij mij, zijn bij mij van geen gewicht; '**weigh-bridge** weegbrug (voor paard en wagen, vee, enz.); '**weigh(ing)-house** waag; '**weighing-machine** [-məʃi:n] weegtoestel (bascule, huishoudschaal, enz); **weight** [weit] I *zn* gewicht, zwaarte, last; (*van renpaard*) belasting; druk, pressie; presse-papier; *man of ~* man van gewicht, belangrijk man; *~s and measures* maten en gewichten; *I am twice your ~* ik ben tweemaal zo zwaar als jij; *the ~ of* (*the*) *evidence is against you* het getuigenis in zijn geheel genomen is bezwarend voor u; *that has no ~ with me* weegt niet bij mij; *carry ~* gewicht in de schaal leggen; *give due* (*full*) *~ to* behoorlijk (ten volle) in aanmerking nemen; *lay ~ upon* gewicht hechten aan; *throw* (*chuck*) *one's ~ about* gewichtig doen, een hoop drukte maken; *under a ~ of care* onder zorg(en) gebukt; II *ww* met een gewicht verzwaren (ook: ~ *down*), zwaarder maken, belasten (~ *the scales one way or the other*); wegen (*~ed average* gewogen gemiddelde); *~ed in favour of* zo samengesteld dat ze gunstig zijn voor ...; '**weighting** *ook:* standplaatstoelage (*salary including London ~;* ook: ~ *allowance*); '**weightless** gewichtloos, zonder gewicht; '**weightlifting** gewichtheffen; '**weight-reduction** vermagering; '**weighty** [-i] zwaar; gewichtig, invloedrijk
weir [wiə] waterkering, stuwdam
weird [wiəd] akelig, geheimzinnig, griezelig, 'eng'; (*fam*) vreemd, raar; *the ~ sisters* de schikgodinnen; **weirdie**, **weirdo** [-i, -əu] (*fam*) rare snoeshaan, blitskikker
welcome ['welkəm] I *tw* welkom (*to England* in); II *zn* welkom, verwelkoming; (vriendelijke) ontvangst; *bid a p. ~, say ~ to a p.* iem welkom heten; *give a p.* (*the enemy*) *a warm ~* hartelijk welkom heten (een warme ontvangst bereiden); *he shook my hand in ~* ter verwelkoming; III *ww* verwelkomen, welkom heten; toejuichen (*a plan*); ~ *in the new year* het oude jaar uitzitten; IV *bn* welkom; *you are ~ to come or go* het staat je vrij te ...; *you are ~ to it* je mag het gerust hebben (gebruiken), het is je gegund; (*you are*) *~! ook:* tot je dienst! geen dank!; *make a p. ~* iem welkom heten; *and ~* en van harte; *he is quite ~ to break his neck, he may break his neck and ~* mag voor mijn part ...
weld I *zn* welnaad, las; II *ww* wellen (*iron,* enz), lassen, aaneen-, ineensmeden (*ook fig*); '**welder** [-ə] lasser
welfare ['welfɛə] welzijn, voorspoed; welzijnszorg (= *public ~*); *live on ~* van de bijstand ...; ~ *benefits* sociale uitkeringen; ~ *centre,* ~ *institution, ongev:* polikliniek; *infant ~ centre, child ~ clinic* consultatiebureau voor zuigelingen; ~ *state* verzorgingsstaat; ~ *work* welzijnswerk, sociale verzorging; ~ *worker* maatschappelijk werker
1 well [wel] I *zn* put; petroleumbron; trappehuis; (lift)koker; inktpot; (wagen)bak, bun, viskaar; diepte, diepe ruimte; (*fig*) bron (*of knowledge*); II *ww* (ook: ~ *up, out, forth*) opwellen, ontspringen
2 well [wel] I *bw* wel, goed; eerlijk (~ *earned*); een heel eind, ver (~ *away from London,* ~ *past forty*); goed en wel (*when he was ~ gone*); *order ~ in advance* lang vooruit; ~ *into the evening* tot laat in de avond; *you may ~ say so* zeg dat wél!; *he is ~ dead* het is maar goed, dat ...; *it's ~ over* gelukkig, dat ...; *you are ~ out of it* je mag van geluk spreken, dat je eruit (eraf) bent; *I can't* (*very*) *~ do it* (toch eigenlijk) niet goed, niet met fatsoen; *as ~: a*) eveneens, ook; *b*) even goed; *I might as ~ go* kon eigenlijk wel ...; *that one as ~* die ook; *as ~ as: a*) even goed als; *b*) zowel als; *c*) behalve dat (hij, enz), terwijl (hij, enz) bovendien (*as ~ as including ...*); II *bn* wel, goed, gezond, beter; goed, in orde; *it is* (*just*) *as ~ to tell everything* het is maar beter ...; *perhaps it is just as ~* maar goed; *it is all very ~ for you to say so, but ...* jij hebt goed praten, maar ...; *that is all very ~, but ...* allemaal tot je dienst (tot daar aan toe); ~ *and good* goed (en wel); *I am ~ in with that family* sta goed met; ~ *and truly drunk* smoordronken; *be ~ up in s.t.* goed van iets op de hoogte zijn; III *zn* het goede; *do ~ and have ~* wie goed doet, goed ontmoet; *do ~ by s.o.* zorgen dat het iemand aan niets ontbreekt; IV *tw* wel(!), goed(!), zo!; nou, ...; nu ja; ~ *then* welnu; ~ *then?* (ook: ~ *now?*) wel?, nu?; *oh ~!* nou ja!; **well(-)advised** ['weləd'vaizd]: *be ~ to* er verstandig aan doen te ...; **well(-)affected** ['welə'fektid] welgezind; **well-appointed** ['welə'pɔintid] van alle gemakken voorzien; '**well-'balanced** [-bælənst] volkomen in evenwicht, evenwichtig, bezadigd, goed geëvenredigd (*programme*); **well-behaved** ['welbi'heivd] oppassend, fatsoenlijk; '**well-(')being** welzijn; **well-beloved** ['welbi-

'lʌv(i)d; zie *beloved*] dierbaar; *zn:* geliefde, lieveling; '**well(-)'born** van goede familie; '**well-'bred** beschaafd, welopgevoed; van goed ras; '**well-con'ducted** *a*) goed geleid (bestuurd); *b*) van goed gedrag; **well(-)connected** ['welkə'nektid] van goede familie; met goede relaties; '**well(-)con'tent(ed)** tevreden, gelukkig; '**well(-)'covered** behoorlijk in het vlees zittend; '**well-de'fined** duidelijk omschreven, bepaald, afgebakend; '**well(-)dis'posed** [-dis'pəuzd] welgezind; '**well-'educated** welopgevoed; '**well(-)'fed** weldoorvoed, welgedaan; '**well-found** goed uitgerust (*ship*); '**well(-)'founded** gegrond; '**well(-)'grounded** goed onderlegd; '**well-heeled** (*fam*) in goeden doen; **well(-)informed** ['welin'fɔ:md] goed op de hoogte, goed ingelicht, ontwikkeld, zaakkundig; zakelijk (*article*)

wellington ['weliŋtən]: ~ *boots* = ~*s* rubberlaarzen

'**well-in'tentioned** goed bedoeld, met goede bedoelingen; welmenend; '**well-'knit** krachtig gebouwd, stevig; '**well(-)'known** bekend; '**well-'lined** goed gevoerd; (*fig*) goed gespekt (*purse*); '**well-'made** goed gevormd; '**well-'mannered** welgemanierd; '**well-'marked** duidelijk (onderscheiden); '**well-'meaning** I *bn* welmenend; goed bedoeld; II *zn* goede bedoeling(en); '**well-'meant** [-ment] goed bedoeld; '**well-nigh** bijna, nagenoeg; '**well(-)'off** rijk, bemiddeld; '**well-'oiled** (*sl*) dronken; '**well-'ordered** goed geordend; '**well-'organized** goed georganiseerd; (*boek enz*) dat goed in elkaar zit, overzichtelijk; '**well-'pleased** zeer in zijn schik; '**well-'pleasing** welgevallig; '**well(-)'posted** goed ingelicht, op de hoogte; '**well-preserved** goed geconserveerd (*elderly people*); '**well-pro'portioned** goed geëvenredigd; '**well-'read** [-red] belezen; '**well-'regulated** goed geregeld, ordelijk; '**well-run** *business* goed gedreven zaak; '**well-'shaped** goed gevormd, welgeschapen; '**well-'spent** goed besteed; '**well(-)'stocked** ruim voorzien; **well-to-do** ['weltə'du:] welgesteld; '**well(-)'trained** goed geoefend; '**well-'tried** beproefd; '**well-wisher** (welmenende) vriend(in); '**well-'worn** [-wɔ:n] *a*) afgedragen, versleten; *b*) afgezaagd

Welsh [welʃ] (taal) van *Wales; the* ~ de bewoners van Wales; **Welshman, Welshwoman** ['welʃmən, -wumən] bewoner (bewoonster) van Wales

welt striem; slag

welter ['weltə] I *ww* zich wentelen, rollen, baden (*in blood,* enz); II *zn* verwarring, chaos, poel (*van ongerechtigheden, enz*); '**welterweight** weltergewicht: bokser tussen licht- en middengewicht

wench [wen(t)ʃ] (*vero*) meisje, meid, deern

west I *bw* westelijk, westwaarts; ~ *of* ten westen van; *go* ~, (*sl*) *a*) om zeep gaan; *b*) verloren (naar de maan) gaan, verdwijnen; *c*) mislukken (*the marriage went* ~); II *zn: a*) westen; *b*) westenwind; *to the* ~ *of* ten west van; III *bn* westelijk, west(en) ..., wester...; '**westerly** [-əli] westelijk, westen...; **western** ['westən] I *bn* west(elijk), westers; II *zn* wild-westfilm, -roman; '**westerner** [-ə] bewoner der W staten van de V.S.; '**westernize** [-aiz] op westerse voet inrichten, westers maken, verwestersen; **westward** ['westwəd] *bw* & *bn* westwaarts, westelijk; '**westwardly** [-li] *westward*; '**westwards** [-z] *bw* westwaarts

wet I *bn* nat, vochtig; (*sl*) sentimenteel; (*sl*) aangeschoten, dronken; (*sl*) sloom, halfgaar, slap, lullig; ~ *through* doornat; ~ *to the skin* nat tot op de huid; ~ *with tears* nat van tranen; ~ *blanket,* (*fig*) spelbederver, vreugdeverstoorder; ~ *dock* drijvend dok; ~ *behind the ears* nog niet droog achter de oren; ~ *paint,* (*als opschrift*) (pas) geverfd, nat; II *ww* nat maken, bevochtigen; ~ *the bed* bedwateren; III *zn* nat(tigheid), nat weer, regen; (*sl*) sentimenteel iemand; (*sl*) slokje, spatje; (*sl*) sul, slappeling; niet-radicaal parlementslid; *come in out of the* ~ een verloren zaak opgeven; *s.t. to keep the* ~ *out* een borrel (tegen het natte weer); ~ *or shine* (*or fine*) (bij) regen of mooi weer, in alle weer en wind; '**wet-nurse** [-nə:s] I *zn* min; II *ww* zogen (als min); (*fig*) met tedere zorg behandelen; **wet suit** ['wetsut] id: warmhoudende kleding voor onderwaterzwemmers en plankzeilers; '**wetting** [-iŋ]: *get a* ~ een nat pak halen; '**wetting agent** afdruip-, bevochtigingsmiddel; '**wettish** [-iʃ] nattig, vochtig

whack [wæk] (*fam*) I *ww* (af)ranselen; klop geven; ~ *a p. at sums* iem de baas zijn in het rekenen; ~ *away* erop los slaan; ~*ed* (*to the world, to the wide*) doodop, kapot; II *zn: a*) slag, mep, smak; *b*) (aan)deel, (flinke) portie; hoop (*of money*); *do one's* ~ het zijne doen; *have* (*take*) *a* ~ *at,* (*sl*) lostrekken op, proberen te ...; *take one's* ~, (*sl*) nemen wat iem (meent dat hem) toekomt; III *tw en bw* pats!; '**whacker** (*sl*) *a*) kanjer; *b*) leugen van je welste; '**whacking** (*sl*) I *bn* kolossaal, reuzen...; II *bw:* ~ *big* (*great*) reusachtig; III *zn* afranseling

whale [weil] walvis; *he is a* ~ *for work* een echte werkezel; *we had a* ~ *of a good time* verbazend veel pret; *it makes a* ~ *of a difference,* (*Am*) een reusachtig ...; '**whale-boat** walvis-, Groenlandvaarder; '**whalebone** balein; '**whale-fishing, whale-hunting** walvisvangst; '**whale-oil** walvistraan; '**whaler** [-ə] walvisvaarder; **whaling** ['weiliŋ] walvisvangst; '**whaling-factory** traankokerij; '**whaling-gun** harpoenkanon; '**whaling-master** kapitein van walvisvaarder; '**whaling-station** walvisstation

wharf [wɔ:f] (afgesloten) kaai; los- en laadplaats; '**wharf-porter** sjouwerman; '**wharf-rat** (*fig*) baliekluiver

what [wɔt] I *vrag vnw* wat, wat voor (een), welk(e); *~ day of the month is to-day?* de hoeveelste is het vandaag? *~ do you call that?* hoe noem je dat? hoe heet dat?; *~ is the French for William?* wat is W in het Frans?; *~'s for dinner?* wat eten we vanmiddag? *you know ~ Charles is* je weet wel, hoe ...; je kent ... wel; *rum chap, ~?* (*fam*) vreemde snuiter, niet? he?; *he is taking his time, ~?* (*fam*) hij doet het op zijn gemak, (vind je) niet?, he?; *he told me ~ is ~* legde me alles uit, vertelde me, hoe de vork in de steel zat; *~* ***about*** *the book?* wat is er met ...? wat moeten we doen met ...?; *~ about bed?* wat zeg je ervan, als we eens naar bed gingen?; *~* ***for****?* (*fam*) waarvoor? waarom?; *~* ***if*** *he comes?: a*) als hij nu eens komt (, wat dan)?; *b*) wat zou het, al komt hij? (..., wat dan nog?); *he called me fool and ~* ***not*** en wat al niet; *~* ***of*** *him?* wat is er met hem? wat weet je van hem? wat heb je van hem te zeggen?; *well, ~ of it* (*that*)*?* welnu, wat zou dat?; ***so*** *~?* nou en? wat dan nog?; *~* ***then****?* wat dan? wat zou dat dan nog?; II ***in uitroep****:* wat (een) (*~ a man!*); III *betr vnw* wat, hetgeen; *cheap for ~ it is* goedkoop voor het geld; *he gave away ~ money he had* al het geld, dat ...; *he did ~ little he could* wat hij kon (al was het weinig); *the police kept ~ order they could* zo goed mogelijk; IV *bw: ~ with ... and ..., ~ with ...* (*and*) *~ with ...* deels door ... deels door ...; *~ with one thing and another* zo door het een en ander

what-d'ye- (what-do-you) call-'em(-it) ['wɔtdju-, 'wɔdʒukɔ:ləm, -it] (*fam*) hoe heet ie (het) ook weer; *Mr. ~-d'ye-call-'em* meneer Dinges; **whatever** [wɔt'evə] I *vrag vnw* wat ... toch (*~ is that on your head?*); *~ time did we start?* wanneer zijn we ook weer gegaan?; *~ for?* (*fam*) waarvoor dan toch?; *...or ~* ... of wat dan ook; II *betr vnw* wat ... ook; welke ook; al wat; *robbed of ~ little money he had* van het kleine beetje geld, dat ...; *~ his merit, he* ... wat ook zijn verdienste zij, hij ...; *no chance ~* niet de minste kans; *no one ~* niemand, wie dan ook; '**what-for** zie *what* I; **what-'have-you**: *and ~* en noem maar op, en wat al niet; '**what-not** wat al niet; **what's-his-name** ['wɔts(h)izneim] *what-d'ye-call-'em*; **whatsit** ['wɔtsit] dinges; **whatsoever** [wɔtsəu'evə] sterkere vorm voor *whatever*

wheat [wi:t] tarwe; *separate the ~ from the chaff* het kaf van het koren scheiden; '**wheatbelt** tarwezone; **wheaten** ['wi:tn] tarwe... (*bread,* enz)

wheedle ['wi:dl] flikflooien, vleien; *~ a p. into* ... door mooie praatjes brengen tot, bepraten om te ...; *he ~d me out of the money* (*the money out of me*) troggelde me ... af

wheel [wi:l] I *zn* wiel, rad; stuurrad; spinnewiel; pottenbakkersschijf; tredmolen; rad der fortuin (= *~ of fortune, Fortune's ~*); draaiende beweging, kring, omwenteling; ***at*** *the ~* aan het stuurrad; *man at the ~* roerganger, bestuurder; *break on the ~* radbraken; *break a* (*butter*)*fly on the ~* met een kanon op een vlieg schieten, kracht verspillen; *go* (*run*) *on ~s* als op rolletjes (van een leien dakje) gaan (ook: *on oiled ~s*); *there are ~s* ***within*** *~s* het is een gecompliceerde zaak (geschiedenis); II *ww* (om een as) draaien, wentelen, zwaaien; (doen) zwenken; (zich) omkeren (= *~ about, round*); kringen beschrijven (*van vogels, enz*); zich afwenden (*from* van); per wielvoertuig vervoeren, schuiven (een ziekenstoel of in een ziekenstoel, enz), rollen, kruien, rijden, fietsen; van wielen voorzien; op een pottenbakkersschijf vormen; *~ one's bicycle* naast zijn fiets lopen; *~ along* voortrollen, -snorren (*in a car,* enz); *~ and deal* handig manoeuvreren, 'ritselen'; *~* (*round*) *on a p.* zich omdraaien naar; **wheel-and-'axle** *joint* draaigewricht; '**wheelbarrow** kruiwagen; '**wheelbase** radstand, wielbasis; '**wheel-boat** raderboot; '**wheel-brake** radrem; '**wheelchair** rol-, ziekenstoel; '**wheel clamp** wielklem; **wheeled** [-d] op of met wielen; '**wheel-house** stuurhuis; '**wheel lock** parkeerklem; '**wheelwright** [-rait] rader-, wagenmaker

wheeze [wi:z] I *ww* piepend ademhalen, hijgen, snuiven; *~ out* hijgend voortbrengen (zeggen); II *zn* gehijg, gesnuif; aamborstigheid; **wheezy** ['wi:zi] hijgend, aamborstig

whelk [welk] wulk (*schelpdier*)

whelp [welp] I *zn* welp; II *ww* werpen, jongen

when [wen] I *bw* wanneer; *say ~,* (*fam*) (*bij inschenken*) zeg maar ho (wanneer het genoeg is); II *vw* toen, wanneer, als; in welk geval; en toen (*we were all saying what a nice dog he was, ~ suddenly he bit John*); terwijl (daarentegen: *I received ten dollars, ~ I ought to have received ten pounds*); *he was attacked ~ asleep* toen hij sliep, in zijn slaap; *paid ~ due* op de vervaltijd; *there are times ~* dat, waarop; III *zn: he told me the ~ and the how of it* wanneer en hoe het gebeurde; **whenever** [wen'evə] wanneer ook, (telkens) wanneer

where [wɛə] waar; waarheen; waarin, -op, enz; alwaar; *~ from?* (*fam*) waarvandaan?; *~ to?* (*fam*) waarheen?; *No. 2 Strand, ~ all communications should be addressed* aan welk adres ... gericht; *now I know ~ I am* waar ik aan toe ben; *he'll be here before we know ~ we are* vóór we erom denken; **whereabouts** I *bw* ['wɛərə'bauts] waar ongeveer, waar ergens; II *zn* ['wɛərəbauts]: *his ~* de plaats, waar hij zich bevindt, zijn verblijfplaats, adres; **where'after** waarna; **whereas** [wɛər'æz] *a*) terwijl (daarentegen); *b*) aangezien, nademaal; **where'by** waarbij, waardoor; '**wherefore** *a*) waarom, waarvoor; *b*) weshalve; *the whys and the wherefores* de redenen en oorzaken; **wherein** [wɛər'in] waarin; **whereof** [wɛər'ɔv] waarvan; **whereupon** [wɛərə'pɔn] waarna; **wherever** [wɛər'evə] waar ook, overal waar; (*fam*) waar... toch (~ *have you been?*); **wherewithal** ['wɛəwiðɔ:l] middel(en); *he has not got the ~ to live* heeft niets om van te leven; *the ~ is available* de middelen zijn er

wherry ['weri] id: lichte roeiboot

whet [wet] wetten, scherpen, prikkelen, opwekken (*the appetite*)

whether ['weðə] *vw* of (*onderschikkend*); ~ ... *or* ... hetzij ... of ...; of ... of ...; ~ *she would or no*(*t*) of ze wilde of niet; ~ *or no it is true* of het waar is of niet; ~ *or no* (ook: ~ *or not*), *I would not pay a penny* hoe dan ook, in ieder geval

whetstone ['wetstəun] wet-, slijpsteen

whey [wei] wei (overblijfsel van melk na het verwijderen van de wrongel)

which [witʃ] I *vrag vnw* welk(e), wat, wie (~ *of you;* ~ *is it to be, gin or brandy?*); *can you tell ~ is ~?* ken je ze uit elkaar?; *to see ~ went best with ~* welke het best bij elkaar kwamen; ~ *one* welke; II *betr vnw* welk(e), die, dat, wat, hetwelk; *added to ~* waarbij nog komt, dat ...

whiff [wif] I *zn* ademtocht, lichte windstoot; vlaag(je), vleugje; haal, trekje (*aan pijp, enz*); (rook)wolkje; sigaartje, sigaret; *he got a ~ of the dish* kreeg de lucht van ... in de neus; *take a ~ or two at a pipe* een paar trekjes doen aan; II *ww* (uit)blazen, wegblazen (= ~ *away*), paffen; opsnuiven, ruiken

while [wail] I *zn* wijl(e), tijd(je), poos(je); *quite a ~,* (*fam*) een hele tijd; *the ~* ondertussen, middelerwijl; *all the ~: a*) al die tijd; *b*) de gehele tijd (dat); *all this ~* al die tijd; *worth* (*one's*) ~ de moeite waard; *I will make it worth your ~* ik zal zorgen, dat je er geen spijt van hebt; *at ~s* bij tijden, nu en dan; *listen for a ~* een ogenblikje; *in a little ~* weldra; II *vw* terwijl (*ook concessief*); zo lang (als); III *ww:* ~ *away* verdrijven (*the time*)

whim [wim] gril, kuur

whimper ['wimpə] I *ww* grienen, jengelen; janken (*van hond*); klagen; murmelen (*van water*); ruisen (*van wind*); II *zn* gegrien, gejengel, gejank; *without a ~* zonder een kik te geven

whimsical ['wimzikl] grillig, nukkig; fantastisch, zonderling, eigenaardig; grappig, speels; **whimsicality** [wimzi'kæliti] grilligheid, nukkigheid; gril

whims(e)y ['wimzi] *a*) gril, kuur, nuk; *b*) speelsheid, lichte toets

whine [wain] I *ww* grienen, temen, jengelen, jammeren, janken; II *zn* gejank, gegrien, gejammer; gierend geluid (*the ~ of a shell* granaat)

whinny ['wini] *ww* hinniken; *zn* gehinnik

whip [wip] I *zn* zweep, gesel; teen, twijg; (*Parl*) lid, dat zorgt, dat zo nodig de leden van zijn partij bij stemmingen aanwezig zijn; oproeping door de *whip* (*three-line ~* driedubbel onderstreept, dringend); partijdiscipline; geklopte room, enz; *hold the ~,* (*fig*) het heft in handen hebben; *he wants the ~* moet met de zweep hebben; II *ww: a*) (zich) snel bewegen, wippen, schieten, snellen, springen, enz; *b*) snel nemen, gappen; *c*) met de zweep geven, zwepen, geselen, ranselen, kastijden, slaan (tegen: *the rain ~ped the pavement*); kloppen (*eggs; ~ped cream* slagroom); *d*) (*sl*) verslaan, de baas zijn; ~ ***in*** binnenwippen; (de honden) bijeendrijven; (partijleden in Parl) oproepen, bij elkaar trommelen; ~ ***off*** wegwippen, er snel vandoorgaan (met); uitgooien (*one's coat*); (de honden) van het spoor jagen, de jacht besluiten; ~ ***on*** voortzwepen; ~ ***out*** eruit wippen; haastig voor de dag halen (*a knife*); ~ ***up*** (doen) opspringen, opwippen; haastig in elkaar zetten; oppakken, grijpen; gappen; opzwepen, aanvuren (*patriotic sentiment*); (*van Parlementsleden, enz*) = ~ *in;* ~ *up* (*a horse*) de zweep erover leggen; *bodily exercises ~ up the circulation* versnellen de bloedsomloop; **whip-'hand** I *zn* (*fig*) voordeel, overhand; *have the ~ of* (*over*) *a p.* iem in zijn macht hebben, iem de baas zijn, iets voor hebben op iem; II *ww* het heft in handen hebben (houden); **'whiplash** zweepkoord, zweepslag; ~ (*injury*), (*med*) zweepslag; **whipping** geseling; pak slaag; ~ *cream* slagroom; **whip-round** geldinzameling, collecte

whirl [wə:l] I *ww* (d)warrelen, wervelen, tollen, (doen) draaien, (zich) snel ronddraaien; (doen) rollen, snellen, (zich) storten, stormen (*the cavalry ~ed down the hill*); slingeren; ~ *along* (doen) voortsnorren, -rollen; rollend meeslepen; *my head ~s* het duizelt me; II *zn* warreling, werveling, het ...; draaikolk, maalstroom; roes (*of excitement*); drukte en beweging; *give s.t. a ~,* (*fam*) iets proberen (een kans geven); *my head is in a ~* loopt me om;

whirligig ['wə:ligig] *a*) draaiend stuk speelgoed, tolletje, molentje; *b*) draaimolen;

whirlpool ['wə:lpu:l] draaikolk, maalstroom;

whirlwind ['wə:lwind] wervel-, dwarrelwind; *she was in a ~ of passion* liet zich meeslepen door haar hartstocht of drift; ~ *visit* in vliegende haast gebracht bezoek

whirr [wə:] I *ww* (doen) snorren, gonzen, brommen; II *zn* gebrom, gegons, gesnor; III *bw en tw* rrr!

whisk [wisk] I *zn: a*) snelle beweging (veeg, tik, slag); *b*) (eier)klopper; *c*) borstel, plumeau; (spreng)kwast; *d*) vliegemepper; *e*) bosje (*gras, enz*); II *ww* glippen, wippen, schieten (*the rat ~ed into its hole*); snel bewegen (vervoeren, enz); (op)kloppen (*eggs*); zwiepen (*a cane*), slaan; vegen, borstelen; ~ *along* (doen) voortsnellen; ~ *at* slaan naar; ~ *away,* ~ *off* wegijlen; wegvegen, -voeren, -slaan, -pakken; ~ *off, ook:* afrukken; ~ *round* (zich) snel omdraaien

whisker ['wiskə] (*gew mv*) bakkebaard(en); snor (*van kat, enz*); *by* (*within*) *a ~* (*of*), (*fam*) op een haar (na; het scheelde geen haar of ...); **'whiskered** [-d] met *whiskers*

whiskey (*Am & Ir*), **whisky** (*Sc*) ['wiski] id; '**whisky-'straight** whisky puur

whisper ['wispə] I *ww* (toe-, in)fluisteren; fluisterend toespreken; ruisen, suizen; *it is ~ed that* ... er wordt gefluisterd, dat ...; *~ abroad* fluisterend rondvertellen; *~ away a p.'s reputation* iems goede naam achter zijn rug bekladden; *~ s.t. in a p.'s ear* iem iets in het oor fluisteren; II *zn* geruis, gesuis, (in)fluistering; (*fam*) wenk, 'tip'; *in a ~* fluisterend; '**whisperer** [-rə] fluisteraar

whistle ['wisl] I *ww* fluiten (*ook van wind, enz*); (ver)klikken; *~ away* (*off, down the wind*) zich niets meer aantrekken van, negéren, zijn congé geven; *it's gone whistling down the wind* naar de maan, verdwenen; *~ for* fluiten om; *you may ~ for it* je kunt ernaar fluiten; *~ up* door fluiten roepen; (*fam*) optrommelen; II *zn* het ..., gefluit; fluitje; *give a ~* fluiten; *at his ~* op zijn oproep (wenken); '**whistler** [-ə] fluiter; fluitende wind, enz; **whistling** ['wisliŋ] fluitend (zie *whistle*); *~ buoy* brulboei; *~ kettle* fluitketel

whit [wit] zier, jota; *no* (*not a, never a*) *~* geen zier, geen haar

Whit [wit]: *~ Monday* Pinkstermaandag, Tweede Pinksterdag; *~ Sunday* Pinksterzondag; Eerste Pinksterdag

white [wait] I *bn* wit, bleek, grijs; (*van glas, enz*) kleurloos, doorzichtig; (*fig*) rein, vlekkeloos, onschuldig; *~ coffee* koffie met melk of room; *~ frost* rijp; *~ goods* witte goederen, witgoed, grote huishoudelijke apparaten, enz; *~ hands* blanke (reine) ...; *~ heat* witte gloeihitte; *at a ~ heat,* (*fig*) gloeiend (van toorn, enz); *~ lie* leugen(tje) om bestwil; *~ man* blanke; *~ meat* wit vlees (gevogelte, kalfsvlees, enz.); *~ paper* witboek; *in a ~ rage* kokend van woede; *~ salt* tafelzout; *as ~ as a sheet* lijkbleek, zo wit als een doek; *in ~ terror* in doodsangst; *~ witch* weldoende tove(na)res; II *zn* (het) wit, witte (blanke) kleur; (ei)wit; (doel)wit, wit van schijf; schot in het wit, 'witte'; (oog)wit; blanke; wit dier, enz; witje (*vlinder*); *~s* wit (*of one's eyes*); witte gedeelten (goederen, kleren); witte soort(en); fijn tarwemeel; *dressed in ~* in het wit gekleed; '**whitebait** jonge visjes (*visgerecht*); '**whitebeard** grijsaard; '**white-'collar**: *~ worker* hoofdarbeider, beambte met een wit boordje; '**whitefish** kabeljauw, schelvis, wijting, enz

Whitehall ['wait'hɔ:l, 'waithɔ:l] id.; *ongev:* 'Binnenhof', de Regering

'**white-handed** met blanke (reine) handen; '**white-headed** [-hedid] met grijze haren; '**white-'hot** [*attr:* 'waithɔt] witgloeiend

whiten ['waitn] wit (bleek) maken of worden; witten; bleken; (*fig*) zuiveren, schoonwassen; '**whitener** [-ə] bleekwater, -poeder

'**whitewash** I *zn* witkalk, witsel; (*fig*) *a*) vergoelijking, 'vernisje'; *b*) rehabilitatie (*of a bankrupt*); II *ww* witten; vergoelijken, zuiveren (van blaam), schoonwassen, rehabiliteren (*a bankrupt*); ook: gerehabiliteerd worden (*van failliet*); (*sp, Am*) verslaan zonder dat de tegenpartij één punt (goal, enz) maakt; '**white-wear** [-wɛə] witgoed; '**whitey** [-i] witachtig

whither ['wiðə] (*dichterlijk*) werwaarts, waarheen

whitish ['waitiʃ] witachtig

Whitsun ['witsn] Pinkster...; Pinksteren; **Whitsuntide** ['witsntaid] Pinksteren

whittle ['witl] be-, afsnijden, besnoeien (*ook fig*); snijden; *~ away* beknibbelen, tot niets reduceren; *~ down* beknibbelen, besnoeien (*a p.'s power,* enz)

whity ['waiti] witachtig

whiz(z) [wiz] I *ww* snorren, fluiten, suizen; met snorrend geluid afschieten, enz; II *zn* (*Am*) *a*) afspraak; *b*) wonder, kraan, puikje; *it's a ~* afgesproken!; III *tw* sss (*van pijl, enz*); '**whiz(z)-kid** briljante jonge functionaris (adviseur, enz); '**whizzer** [-ə] (*Am*) droogcentrifuge

who [hu:] wie; die, *soms:* dat (*na onzijdige diernaam*); *know ~ is ~* de verschillende personen kennen; *I don't know ~ all,* (*fam*) wie al niet; *W~'s W~* Wie is dat? (biografisch jaarboek)

whoa [wəu] ho! (*tegen paard, enz*)

whodun(n)it [hu:'dʌnit] (*who done* [= *did*] *it?*) (*fam*) moordverhaal, detectiveverhaal (ook als toneelstuk, film, enz)

whoever [hu(:)'evə] wie ook, al wie; soms = *who ever* (zie *ever*)

whole [həul] I *bn* (ge)heel; ongeschonden; volledig, volmaakt; alle (*the ~ three*); van dezelfde kleur (*~ team of horses*); in zijn geheel (*swallow, bake ~*); *~ meal* ongebuild meel; *~ milk* volle melk; *~ pepper* ongemalen peper; *he swallowed the story ~* hij slikte het verhaal zonder voorbehoud; II *zn* geheel; *the ~* het geheel, alles; *the ~ of* al(le), (ge)heel; *the ~* (*of it*) alles; *the ~ of Europe* heel Europa; *as a ~* als geheel, in zijn geheel; *in ~ or in part* geheel of gedeeltelijk; (*up*)*on the ~* over het geheel (algemeen); '**wholefood** 'reform'voedsel; '**whole-'hearted** [-hɑ:tid] hartelijk, innig, oprecht, algeheel (*support*), van heler harte (gegeven, enz); '**whole-meal**: *~ bread* volkorenbrood; '**whole-milk** *cheese* vollemelkse ...; '**wholeness** ongeschondenheid, volmaaktheid

wholesale ['həulseil] I *zn* groothandel; *sell by ~* in het groot, en gros; II *bw* in het groot (*buy, sell, ~*); op grote schaal, zonder onderscheid (*they were killed ~*); III *bn* in het groot (handelend); groothandel..., grossiers..., en gros (*prices, business*); op grote schaal, massaal (*execution, slaughter*); algemeen; *~ dealer* groothandelaar, grossier; *~ dismissal* massaontslag; '**wholesaler** [-ə] *wholesale dealer*

wholesome ['həulsəm] gezond, heilzaam

'**whole-wheat** *bread* volkorenbrood

wholly ['həulli, 'həuli] geheel (en al), totaal

whom [hu:m] wie, die
whoop [hu:p] I *ww* schreeuwen; uitjouwen; hoesten (in kinkhoest); II *zn* geschreeuw, gejouw; **whoopee** ['wu:pi:, wu:'pi] (*Am sl*) heerlijk! goddelijk!; *make* ~ pret maken, fuiven, dolle streken uithalen; **whooping-cough** ['hu:piŋkɔ(:)f] kinkhoest
whoosh [wu:ʃ] (voort)suizen, ruisen, sissen; sssh (*het geluid* [ʃ:])
whop [wɔp] (*sl*) I *ww* ranselen, slaan, klop geven; II *zn* slag, bons; *come a* ~ met een bons neerkomen; III *tw* pats! bons!; '**whopper** [-ə] (*sl*) kanjer, baas, prachtexemplaar; kolossale leugen; '**whopping** [-iŋ] (*sl*) I *bn* kolossaal, fameus; II *zn* pak ransel
whore [hɔ:] hoer; **whorehouse** bordeel; **whorish** ['hɔ:riʃ] hoerachtig
whorl [wə:l, wɔ:l] spilwieltje; krans (*van bladen om stengel, enz*); spiraalvormige winding (*van schelp, enz*); '**whorled** [-d] kransvormig; gedraaid
whose [hu:z] wiens, welks, welker, wier, van wie
why [wai] I *bw* waarom; ~ *so?* waarom? hoe zo?; ~*? that's* ~ waarom? daarom; *that is* ~ *I won't go* daarom ...; II *tw* wel!, nou!; III *zn: the* ~ het waarom, de reden; *the* ~*(s) and wherefore(s)* het waarom en waartoe, de reden(en)
wick [wik] pit, kous, katoen (*van lamp, enz*)
wicked ['wikid] slecht, zondig, goddeloos, verdorven, gemeen; venijnig; ondeugend, snaaks; (*van dier*) woest, vals; (*van smaak, enz*) lelijk; *the* ~ *one* de boze; *a most* ~ *price* een schandelijk hoge prijs; '**wickedness** [-nis] slechtheid, gemeenheid, ondeugendheid
wicker ['wikə] rijs, te(e)n(en), wilgetakje(s), mandewerk; tenen mand, enz; *attr* tenen (*basket*), mande... (*bottle*), rieten (*chair, table*); ~ *cradle* mandewieg; '**wicker-work** [-wə:k] mandewerk, rieten (meubelen)
wicket ['wikit] *a*) deurtje, poortje, hekje; *b*) (*cricket*) id.: 3 verticale paaltjes (*stumps*) met de *bails* erop; terrein om en tussen de *wickets* (= *pitch*); '**wicket-gate** *wicket a*)
wide [waid] I *bn* wijd, breed; wijd open; ruim, uitgestrekt, uitgebreid, veelomvattend; rekbaar (*term*); groot (*difference*); ruim van opvatting; (*sl*) uitgeslapen, uitgekookt, glad (*boy*); (*van schot, gissing, enz*) niet raak, ernaast; ~ *view* ruime blik; ~ *of the mark* (*purpose, bull's eye*) de plank geheel mis, er vierkant naast; ~ *of the truth* geheel bezijden de waarheid; II *bw* wijd (en zijd), wijd uiteen, wijdbeens (*stand* ~), wijduit (*he flung his hands* ~); ~ *open,* (*fig*) volstrekt open; ruim (*a* ~ *open chance*); (volledig) blootgesteld (*to* aan); (uiterst) kwetsbaar (*to attack* voor); *blow* ~ *open* volledig onthullen, aan het licht brengen (*a plot*); *the ball went* ~ miste; *shoot* (*guess,* enz) ~ mis, verkeerd; '**wide-angle** *lens* groothoeklens; '**wide-awake** [*pred:* 'waidə'weik] klaar wakker, uitgeslapen, snugger, bijdehand; '**wide-body** (vliegtuig met) brede romp (*DC 10, Boeing 747 e.d.*); '**wide-brimmed** (*van hoed*) met brede rand; '**wide-eyed** onschuldig, goedgelovig; verbaasd; '**widely** zie *wide;* ~ *known* wijd en zijd bekend; ~ *read* zeer belezen; '**widen** [-n] (zich) verwijden, verbreden, uitbreiden; wijder worden; '**wideness** wijdte, enz; '**wide-ranging** breed opgezet; '**wide-set** *eyes* wijd uiteen geplaatste ...; '**widespread** [*attr:* 'waidspred] wijd verspreid, wijd vertakt (*plot*), uitgespreid (*wings*), uitgestrekt, vèrstrekkend; '**wide-'spreading** [*attr:* 'waidspredIŋ] uitgestrekt; breedgetakt; veelomvattend, vèrstrekkend
widish ['waidiʃ] nogal ... (zie *wide*)
widow ['widəu] I *zn* weduwe; ~*'s weeds* (zwarte) weduwdracht; II *ww* tot weduwe of weduwnaar maken; '**widowed** [-d] *ook:* verlaten, eenzaam; *his* ~ *mother* zijn moeder, die weduwe is; '**widower** [-ə] weduwnaar; '**widowhood** [-hud] weduwstaat
width [widθ] wijdte, breedte, uitgestrektheid; baan (*van japon*); ~ *of mind* ruimheid van opvatting; *5 ft. in* ~ breed, wijd
wield [wi:ld] hanteren, zwaaien (*the sceptre*), voeren (*the pen*); uitoefenen (*power, an influence for good*)
wife [waif] (getrouwde) vrouw, huisvrouw, echtgenote, gade; *the* ~ vrouwlief; '**wifehood** [-hud] staat van getrouwde vrouw; '**wifelike**, '**wifely** [-li] (als) van een *wife,* een *wife* betamend, vrouwelijk; '**wife-swapping** partnerruil
wig pruik; '**wigged** [-d] gepruikt; '**wigging** [-iŋ] uitbrander, standje
wiggle ['wigl] (*fam*) I *ww* schommelen, wiebelen; kronkelen; *he can* ~ *his ears* bewegen; II *zn* gekronkel, geschommel, gewiebel; trilling
wild [waild] I *bn* wild, woest (*ook:* woedend), verwilderd; ruw (*weather*); heftig; losbandig; fantastisch (*stories*); gek, dol; dwaas (*statement*); los, ongegrond (*rumour*); vrij (*camping*); *beyond my* ~*est dreams* mijn stoutste dromen te boven gaand; ~ ***about:*** *a*) woest over; *b*) enthousiast over; ~ ***for*** *revenge* dorstend naar wraak; ~ ***with*** woest op (*a p.*), dol van (*joy*); *he is* ~ *to go* is er dol op om te gaan; *run* ~ in het wild (op)groeien (rondlopen); verwilderen; ~ *guess* gissing in het wilde; ~ *horses would not drag me there* men zou er mij met geen stok heen krijgen; ~ *words* losse beweringen, praatjes; II *bw* in het wild, er maar op los (*talk, shoot* ~); III *zn:* ~*(s)* woestenij, wildernis; ~*s, ook:* woeste gedeelten (*the* ~*s of Scotland*); '**wild-born** in wilde staat geboren; '**wild()cat** (*fig*) feeks; opvliegende vrouw; *attr:* onsolide (*bank, speculation*), zwendel... (*form*); clandestien (*brewery*); dol(zinnig) (*expedition*), wild (*strike* staking)
wilderness ['wildənis] wildernis, woestenij
'**wildfire**: *the report spread like* ~ als een lo-

pend vuurtje; '**wildfowl** [-faul] wild gevogelte, inz. waterwild; '**wild-goose** wilde gans; ~ (klemtoon op *goose*) *chase* dwaze (dolzinnige, nutteloze) onderneming; '**wildlife** wilde (planten en) dieren, de levende natuur; '**wildness** wildheid, woestheid (zie *wild*)
wile [wail]: ~ *away the time* (= *while* ...) de tijd verdrijven
wiles [wailz] listen, sluwe streken
wilful ['wilf(u)l] *a*) opzettelijk, moedwillig; *b*) eigenzinnig, halsstarrig; ~ *murder* moord met voorbedachten rade; '**wilfully** [-i] *ook:* met opzet; willens en wetens; '**wilfulness** *a*) opzet, moedwil; *b*) eigenzinnigheid, halsstarrigheid
wiliness ['wailinis] sluwheid
will [wil] I *ww* **1** (*ook* [l]) *hulpww: a*) zal, zult, zullen; *b*) wil(len); *c*) pleegt, plegen, of onvertaald; *boys ~ be boys* jongens zijn nu eenmaal jongens; *people ~ talk about anything* de mensen praten (nu eenmaal) over alles; *accidents ~ happen* ongelukken komen altijd voor; *he ~ sit there for hours* kan daar uren achtereen zitten, zit daar vaak ...; *rats ~ eat anything* eten alles; *he stamped impatiently, as a young horse ~* ... dat doet; *just come here, ~ you?* wil je eens even hier komen?; zie ook *would*; **2** *zelfst ww* (regelmatig): *a*) willen (*God ~s it*), de vaste wil hebben (~ *to be good*); *b*) (van hypnotiseur, enz) door wilskracht dwingen, suggereren (~ *a p. to* ...); *c*) bij testament vermaken (= ~ *away*); ~ *o.s. into contentment* zichzelf tot tevredenheid dwingen; II *zn: a*) wil, wilskracht; wens; willekeur; *b*) testament (= *last ~, last ~ and testament*); *good* (*ill*) ~, zie *good-, ill-will; the ~ to power* de wil om zich macht te verzekeren; *where there's a ~ there's a way* waar een wil is, is een weg; wie wil, die kan; *get* (*have*) *one's ~* zijn zin krijgen; *have a ~ of one's own* er een eigen wil op nahouden, weten wat men wil; *make one's ~* zijn testament maken; *work one's ~* zijn wil doordrijven; ***against** my ~* tegen mijn wil (zin); ***at*** (*one's*) ~ naar willekeur, naar welgevallen (*you may change it at ~*); *at the ~ of: a*) volgens de wil van; *b*) ter beschikking (ten dienste) van; *he holds his power at the people's ~* ontleent zijn macht aan de wil des volks; ***of** your own free ~* uit vrije wil, uit eigen beweging; ***with** the best ~ in the world* met de beste wil ter wereld
willies ['wiliz] (*sl*) *the ~* de zenuwen; *give a p. the ~* het iem op de zenuwen jagen
willing ['wiliŋ] bereid, gewillig, bereidwillig; *God ~* als God het wil; *all lay the load on the ~ horse* al te goed is buurmans gek; *ride a ~ horse to death, flog a ~ horse* het uiterste vergen van iems goede wil, iem uitbuiten; ~ *or not ~ = willy-nilly*; '**willingly** *ook:* gaarne; '**willingness** [-nis] bereid(willig)heid, gewilligheid
willow ['wiləu] wilg; '**willowy** [-i] vol wilgen; slank en soepel
will-power ['wilpauə] wilskracht
willy-nilly ['wili'nili] of hij (zij, enz.) wil of niet, goedschiks of kwaadschiks
wilt (doen) verwelken (verleppen, verslappen, hangen, kwijnen, verschrompelen, ineenkrimpen)
wily ['waili] sluw, slim, geslepen, geraffineerd
wimp [wimp] sul; slap figuur
wimple ['wimpl] kap (*van non;* in middeleeuwen ook door andere vrouwen gedragen)
win I *ww* winnen (*ook van erts, enz*), verkrijgen, behalen (*the victory*), verwerven, afdwingen (*respect*); overhalen, bewegen (~ *a p. to consent*); het winnen, zegevieren; opleveren, bezorgen, brengen (*the book won him fame*); (*fam*) zijn zin krijgen; ~ *the ear of the audience* erin slagen zijn gehoor te boeien; ~ *the day* (*the field*) de overwinning behalen; ~ *one's way* met moeite vooruitkomen, zich een weg banen; ~ *one's way with a p.* iems tegenstand overwinnen; ~ ***at** cards* winnen bij het kaarten; ~ ***by** a length* (*a head*) met een (boot-, paard)lengte (koplengte) winnen; ~ *two seats **from** the Liberals* winnen op; ~ *money **of** a p.* geld van iem winnen; ~ ***on**,* zie ~ *upon;* ~ ***over*** overhalen; ~ *one's audience over* met zich meekrijgen, voor zich winnen; ~ ***out**: a*) het winnen; *b*) = ~ ***through*** erdoorheen komen, zijn doel bereiken; ~ (*one's way*) *through all difficulties* te boven komen; ~ *through to victory* (door taai geduld) de overwinning behalen; *these ideas are ~ning through* vinden langzamerhand ingang; ~ ***upon** a p.* iem langzamerhand voor zich innemen; II *zn* overwinning, gewonnen partij, succes
wince [wins] I *ww* een lichte schok ondervinden (*van pijn, afgrijzen enz*) (even) rillen, huiveren, terugwijken; *he ~d at the remark* bij het horen van die opmerking voer hem een lichte schok door de leden (vertrok zijn gezicht); *without wincing* zonder een spier te vertrekken; II *zn* schok(je), trek van pijn, enz, rilling, huivering
winch [win(t)ʃ] I *zn: a*) kruk, handvat (*van wiel, enz.*); *b*) wins, lier, windas; II *ww* opwinden (omhoogbrengen, ophijsen) met een ~
1 wind [wind; *in poëzie dikwijls:* waind, vooral voor het rijm] I *zn* wind; tocht; lucht; windstreek; blaasinstrumenten, blazers (*the ~ is too loud for the strings* voor de strijkers); adem; *what good ~* (*what sort of an east ~*) *has blown you in here?* waar kom jij zo vandaan waaien?; *find out how* (*where*) *the ~ blows* (*lies, sits*) zien, uit welke hoek de wind waait; *sits the ~ there* (*in that quarter*)? waait de wind uit die hoek?; *break ~* een 'boer' of een wind laten; *bring up ~* 'boeren'; *gain the ~ of* de loef afsteken; *get* (*take*) *~* ruchtbaar worden; *get ~ of* de lucht krijgen van, in de neus krijgen; *get* (*have*) *the ~ of* de loef afsteken; *get one's* (*second*) *~* op adem komen (*tijdens ren, enz*); *get*

the ~ *up*, (*sl*) bang worden, 'm gaan knijpen; *have the* ~ *up*, (*sl*) in de rats zitten; *have a good* ~ een paar goede longen hebben; *have no* ~ gauw buiten adem raken; *have one's* ~ *taken* een opstopper krijgen, die je de adem beneemt; *knock the* ~ *out of a p.* iem de adem benemen (*ook fig:* paf doen staan); *lose one's* ~ buiten adem raken; *put the* ~ *up a p.*, (*sl*) iem bang maken; *raise the* ~ het (benodigde) geld bijeenbrengen; *take* ~, *take the* ~ *of*, zie boven (*get* ...); *take the* ~ *out of a p.'s sails: a*) iem de loef afsteken, onderkruipen; *b*) iem de wind uit de zeilen nemen, iem het wapen uit de hand slaan; ***before*** *the* ~ vóór de wind; ***close*** *to the* ~ scherp bij de wind; ***down*** (*the*) ~ vóór de wind; *what's* ***in*** *the* ~? wat is er aan de hand?; *there is trouble in the* ~ er broeit iets; *it's all in the* ~ hangt alles in de lucht, staat op losse schroeven; *have s.t. in the* ~ de lucht van iets hebben; *hit a p. in the* ~ iem een por in de maagstreek geven; *in the* ~*'s eye, in the teeth of the* ~ vlak tegen de wind in; *rise in the* ~*'s eye*, (*fig*) tegen de verdrukking in groeien; *go* ***like*** *the* ~ als de wind; ***near*** *the* ~ = *close to the* ~ (zie boven); *throw* (*fling, cast*) *all warnings* ***to*** *the* ~*s* in de wind slaan; *throw reason to the* ~*s* niet meer naar rede luisteren; II *ww: a*) luchten, laten doorwaaien; *b*) speuren, de lucht krijgen van (*a fox, a plot*); *c*) buiten adem brengen, de adem benemen; afrijden (*a horse*); *d*) op adem laten komen (*a horse*)

2 **wind** [waind] I *ww* winden, (zich) kronkelen (slingeren, strengelen); wikkelen; opwinden (*the clock*); wenden, draaien, ~ *one's* (*its*) *way* kronkelende ... vervolgen; ~ ***down*** omlaagdraaien; (*fig*) afbouwen; ~ ***into*** *a ball* tot een kluwen winden; ~ *s.t. into one's speech* vlechten in; ~ ***off*** afwinden; ~ *o.s.* ***out of*** *it* zich eruit draaien (redden); ~ *one's arms* ***round*** *a child*, ~ *a child* ***in*** *one's arms* een kind met ... omstrengelen; *she can* ~ *him round her little finger* kan hem om haar vinger winden; ~ ***up****: a*) opwinden; op-, aandraaien; in goede conditie brengen (*a race-horse*); *b*) afwikkelen, liquideren; *c*) eindigen, besluiten; resumeren; *the band wound up with the national anthem* speelde tot besluit het volkslied; ~ *o.s. up for a last effort* al zijn krachten verzamelen voor ...; II *zn* bocht, draai; slag (bij het opwinden, enz)

'**windbag** windzak, windbuil, bluffer; '**windblown** aangewaaid; verwaaid; ~ *sand* stuifzand; '**wind-break** beschutting tegen de wind; (*Am*) (*kledingstuk*) = *wind-cheater*; '**windcheater** ['windtʃi:tə] *a*) dichtgebreide wollen trui; *b*) anorak; '**winded** [-id] buiten adem

winder ['waində] *a*) winder, arbeider die windas bedient; *b*) haspel

'**windfall** afgewaaide vrucht(en): (*fig*) meevallertje, buitenkansje (inz. legaat)

winding ['waindiŋ] I *bn* draaiend, kronkelend, slingerend (*path*), bochtig; II *zn* bocht, kronkelig, draai; '**winding-'staircase** [-stɛəkeis], '**winding-'stairs** [-stɛəz] wenteltrap; '**winding-'up** einde, besluit, liquidatie; ~ *order* bevel tot liquidatie; ~ *sale* liquidatie-uitverkoop

'**wind instrument** blaas-, windinstrument; '**windjammer** [-dʒæmə] groot zeilschip; **windlass** ['windləs] windas; **windmill** ['windmil] windmolen

window ['windəu] I *zn* venster, raam, loket; opening; *the book was in the* ~ lag voor het venster, voor het raam, in de etalage; *look out of* (*the*) ~ uit ...; II *ww* van vensters voorzien; '**window-blind** [-blaind] *a*) zonneblind; *b*) jaloezie; *c*) (rol)gordijn; '**window-box** plantenbak in vensterbank; '**window-cleaner** glazenwasser; '**window-curtain** [-kə:tn] (over)gordijn; '**window-dresser** etaleur; '**window-dressing** het etaleren; etalage; (*fig*) reclame, aanprijzing door valse voorstellingen, uiterlijk vertoon, flattering van balans, enz; '**window-envelope** vensterenveloppe; (*Belg*) vensteromslag; '**window-frame** vensterkozijn; '**window-ledge** vensterbank; '**window-pane** vensterruit(je); '**window-sash** schuifraam; '**window-seat** bank onder venster; plaats bij raam (*in vliegtuig, trein enz*); '**window-shopping** etalages kijken; '**window-sill** vensterbank

'**windpipe** luchtpijp; '**windscreen** *a*) windscherm; *b*) vóórruit (*van auto*); ~ *wiper* ruitewisser; '**windshield** [-ʃi:ld] (*Am*) voorruit (*auto*); '**wind-sock** windzak, richtingzak (*op vliegveld*); '**wind-speed** windsnelheid; '**windsurfing** plankzeilen; '**windswept** door de wind gezweept (*waves*), winderig; '**windtight** winddicht; '**wind-tunnel** (*luchtv*) wind-, luchttunnel

wind-up ['waind'ʌp] zie *winding-up*

windward ['windwəd] I *bn* naar de wind gekeerd, wind...; II *zn* loefzijde; *get to* ~ *of* de loef afsteken

windy ['windi] winderig (*in alle bet*); (*sl*) bang, in de rats zittend

wine [wain] I *zn* wijn; *new experiences are* (*the*) ~ (*of life*) *to him* het genot van zijn leven, een levensbehoefte; II *ww: a*) wijn drinken, fuiven; *b*) op wijn trakteren; '**wine-bottle** *a*) wijnfles; *b*) wijnzak; '**wine-cask** wijnvat; '**wine-cellar** wijnkelder; '**wine-cooler** koelvat (*voor wijn*); '**wine-cradle** [-kreidl] flessenmandje; '**wine-duty** wijnaccijns; '**wine-glass** wijnglas; '**wine-grower** [-grəuə] wijnbouwer; '**wine-list** wijnkaart; '**wine-merchant** wijnkoper; '**wine-press** wijnpers; '**winery** [-əri] wijnfirma; '**wine-shop** wijnhuis; '**wine-taster** [-teistə] wijnproever; '**wine-vat** wijnkuip; '**wine-vault** [-vɔ:lt] wijnkelder (*ook voor verkoop*); '**wine-'vinegar** [-vinigə] wijnazijn; '**wine-waiter** wijnkelner, sommelier; '**winey** [-i] *winy*

wing [wiŋ] I *zn* vleugel (*ook van gebouw, vliegtuig, leger, enz*), vlerk, (molen)wiek; coulisse; spatbord (*van auto*); brede arm van fauteuil, zijstuk; (*sp*) vleugelspeler; *~s* vliegersinsigne (*get one's ~s*); *the ~s of his nostrils* zijn neusvleugels; *the little bird has found its ~s* kan zijn vleugeltjes gebruiken; *take ~: a*) wegvliegen; *b*) er (stilletjes) vandoor gaan; *his imagination took ~* schoot vleugels aan; ***in** the ~s, (step) into the ~s* achter de coulissen; *in the ~s, (fam)* achter de hand, klaar om in te te vallen; ***on** the ~* vliegend (*birds on the ~*), in de vlucht; (*fig*) in beweging; op weg, onderweg, op de doorreis; *take a p.* ***under*** *one's ~* iem onder zijn vleugels (hoede) nemen, opvangen; *~ nut* vleugelmoer; II *ww* van vleugels voorzien; vliegen (*ook in vliegtuig*); *the bird ~ed its way (its flight) to ...* vloog naar; '**wing-beat** vleugelslag; '**wing commander** luitenant-kolonel bij de luchtmacht; **winged** [-d] met *~s;* gevleugeld; vleugellam geschoten; *zie ook wing, ww; ~* nut vleugelmoer; '**winger** [-ə] (*sp*) buitenspeler (*right, left ~*); *right (left) ~, (pol)* lid van de rechter (linker) vleugel; '**wing-flap** (*van vliegtuig*) vleugelklep; '**wing-'half** (*sp*) kanthalf; '**wingless** ongevleugeld; '**winglet** [-lit] vleugeltje; '**wing-player** (*sp*) vleugelspeler; '**wingspan** (*van vliegtuig*) vleugelspanning; '**wing-spread** [-spred] vlucht (afstand tussen de toppen der uitgespreide vleugels); (*van vliegtuig*) = *wingspan*; '**wing-stroke** vleugelslag; '**wing-tip** vleugelpunt; '**wing-tipped** [-tipt] met geknotte vleugels

wink [wiŋk] I *ww: a*) knipogen, knippe(re)n (met: *one's eyes*); *b*) flikkeren; *~ the other eye* er zich niets van aantrekken, het eenvoudig negeren; *~ at a p.* iem een knipoogje geven; *~ at a p.'s shortcomings* iems ... door de vingers zien; *~ away a tear ...* wegknippen; *as easy as ~ing* doodeenvoudig; II *zn* geknipper met de ogen; knipoog(je), wenk; oogwenk (*in a ~*); *I could not sleep a ~, could not get a ~ of sleep* deed geen oog dicht; *forty ~s* een tukje, kort slaapje; **winkers** ['wiŋkəz] richtingaanwijzers (= *Am blinkers*)

winkle ['wiŋkl] alikruik; *~ out* uitpeuteren, lospeuteren (*ook fig*)

winner ['winə] winner; succes(stuk, enz), pracht(stuk); *back (pick) a ~* op het goede paard wedden; boffen

winning ['winiŋ] I *bn* (*fig*) innemend (*ways* manieren); *hold all the ~ cards, (fig)* alle troeven in handen hebben; *have a ~ way with a p.* zich bij iem bemind maken; II *zn* het winnen; winst; *~s* winst (*bij spel,* enz); '**winning-post** [-pəust] eindpaal (*bij wedrennen*)

winnow ['winəu] wannen, ziften, schiften; *~ out* uitziften (*ook fig*); '**winnower** [-ə] *a*) zifter, wanner; *b*) wanmolen; '**winnowing-basket** [-bɑ:skit], **winnow-machine** [-məʃi:n] wanmand, -machine, -molen

wino ['wainəu] (*sl*) aan wijn verslaafd alcoholicus

winsome ['winsəm] innemend, bekoorlijk

winter ['wintə] I *zn* winter; II *ww: a*) overwinteren, de winter doorbrengen; *b*) de winter overhouden (*plants*), door de winter heenbrengen; '**winter-coat** (*van dier*) wintervacht; '**winter-crop** wintergewas; '**winter-quarters** winterkwartier(en); '**winter-solstice** [-sɔlstis] winterzonnestilstand; **winter sports** wintersport; '**winter-term** winterkwartaal (*op school, enz*); '**wintertime** winter(tijd); '**winterwear** [-wεə] winterdracht

wintry ['wintri] winterachtig, winters, winter...; koud, somber

winy ['waini] wijnachtig, wijn...

wipe [waip] I *ww* (af)vegen, afdrogen, af-, uitwissen; zich laten (af)vegen, enz (*the stain will not ~* ***off*** *[****away****]*); (*sl*) afranselen; *~ one's eyes* zijn tranen afvegen; *~ the floor with a p.* de vloer met iem aanvegen; iem er ongenadig van langs geven; (*sp*) flink klop geven; *~ one's hands of s.o.* z'n handen van iem aftrekken; *~* ***away*** af-, wegvegen; uitwissen (*the past*); zie ook boven; *~* ***down*** afvegen, afdrogen; *~* ***off*** af-, wegvegen, wegvagen; afschrijven (*a loss*); *~ off a score* een rekening vereffenen; *~* ***out*** uitvegen, uitvlakken, uitwissen (*ook fig: an insult,* enz), doen verdwijnen; vernietigen (*the regiment was ~d out*); *~* ***up*** opnemen (met spons, enz); II *zn* veeg; *give it a ~* het wat afvegen, -wissen; '**wiper** [-ə] wisser; afneemdoek; ruitewisser

wire ['waiə] I *zn: a*) (metaal-, ijzer)draad; telegraafdraad; *b*) telegram; *c*) metalen strik (om konijnen, enz te vangen); *~ service, (Am)* persagentschap; *be on the ~* telefoneren; *pull the ~s* aan de touwtjes trekken, achter de schermen zitten; *walk the high ~* zich op het slappe koord wagen; *reply* ***by*** *~* per draad, telegrafisch; II *ww* met draad vastmaken, krammen; van draden voorzien, bedraden; elektrische leiding aanbrengen in; elektrisch beveiligen; aan metaaldraad rijgen; met (prikkel)-draad in-, afsluiten (versperren); strikken (*birds*); telegraferen, seinen; telegrafisch overmaken (*money*); *~* ***for*** seinen om, telegrafisch bestellen; *~d for stereo* voorzien van een stereoaansluiting; *~* ***in*** met draad in-, afsluiten, omrasteren; *~* ***off*** met draad afsluiten; *~* ***up*** met draad vastmaken; '**wire-'cage** ijzergaasnet (*om gasbrander*); '**wire-cutter** draadschaar; **wired** *glass* draadglas; '**wire-gauge** [-geidʒ] draadmeter; '**wire-'gauze** [-gɔ:z] metaalgaas; hor(retje); '**wire-glass** draadglas; '**wire-haired** ruw-, draadharig; '**wireless** (*vero*) I *bn* draadloos, radio...; *~ operator* marconist, radiotelegrafist, -telefonist; *~ set* radiotoestel; *~ station* draadloos station; II *zn: a*) draadloze telegrafie; *b*) draadloos telegram; *c*) radio; '**wire-'netting** kippegaas; '**wire-pulling** het werken achter de schermen, intrige(s); '**wire-'rope** staaldraadtouw, -kabel; '**wire-tap** afgeluisterd telefoongesprek; '**wire-tapping** het afluisteren van telefoongesprekken; **wire wool** (metalen) pannespons, schuurspons; **wiring** ['waiəriŋ] het ... (zie *wire*); elektr aanleg; draden, draadwerk, -net, bedrading; schakeling; ~ *fault* schakelfout; '**wiring-diagram** schakelschema; **wiry** ['waiəri] (metaal)draadachtig; van metaaldraad; (*fig*) mager en gespierd, taai, pezig

wisdom ['wizdəm] wijsheid, ervaring; ~ *after the event* wijsheid-achteraf; '**wisdom tooth** [-tu:θ] verstandskies

wise [waiz] wijs, verstandig; ~ *guy*, (*fam*) betweter, eigenwijs stuk (vr)eten; ~ *saw* wijze spreuk, spreekwoord; *it is easy to be* ~ *after the event* nakaarten is gemakkelijk; *I am none the ~r* (*for it*) nu ben ik nog even wijs; *nobody will be the ~r* niem wordt er iets van gewaar, daar zal geen haan naar kraaien; *the public are getting* ~ *to those tricks*, (*sl*) begint te snappen; *put a p.* ~, (*sl*) iem uit de droom helpen; op de hoogte brengen (*to, about* van); *I am* ~ *to it*, (*sl*) *a*) ik ben ervan op de hoogte; *b*) ik doorzie het; **wisecrack** ['waizkræk] geestigheden debiteren; **wisely** ['waizli] zie *wise; ook:* wijselijk

wish [wiʃ] I *ww* wensen, verlangen (*for* naar); toewensen; ~ *for, ook:* wensen (te hebben: *the books you ~ed for*); *I* ~ *he were here* ik wou (wenste) dat ...; ~ *a p. to go* wensen, dat iem zal gaan; ~ *it* (*to be*) *done* wensen, dat het gedaan wordt; ~ *o.s. dead* wensen, dat men dood was; ~ *a p. well* (*ill*) iem alle (niets) goeds wensen; ~ *a p. at the devil* (*at Jericho*) naar de duivel (de maan) wensen; ~ *a p. away* wensen, dat iem weg was; ~ *s.o. further* wensen dat iem weggaat, ophoudt e.d.; *he has nothing left to* ~ *for* heeft alles, wat hij maar kan wensen; *I* ~ *to goodness he had not come* ik wou in 's hemels naam, dat ...; ~ *a good job on a p.* iem ... toewensen; *they ~ed her brother's child on her* dat zij zich zou belasten met ...; *I* ~ *you joy* (*of it*) ik feliciteer je (ermee) (*ook iron*); II *zn* wens, verlangen, begeerte; *if ~es were horses, beggars would ride* met wensen alleen komt men er niet; *the* ~ *is father to the thought* de wens is de vader van de gedachte; *express a* ~ *to* ... de wens te kennen geven te ...; *make a* ~ een wens doen; *have* (*get*) *one's* ~ zijn wens vervuld zien; *you'll have your* ~ je zult hebben, wat je wenst; *by his special* ~ op zijn uitdrukkelijk verlangen; '**wishful** [-f(u)l] wensend, verlangend; ~ *thinking* 'wensdenken': geloven wat men graag wil

'**wishy-washy** slap, flauw, leuter... (*talk*)

wisp wis, bosje, bundeltje; sliert (*of smoke*); stukje, strook, enz; (*dichterlijk*) dwaallichtje (= *will-o'-the-wisp*); ~ *of hair* piek haar; ~ *of a girl* nietig, spichtig meisje; '**wispish**, '**wispy** [-i] *a*) in bosjes, in slierten; *b*) piekerig; *c*) spichtig, schraal

wisteria [wis'tiəriə] blauwe regen

wistful ['wistf(u)l] droevig peinzend, droefgeestig, weemoedig, smachtend (*for* naar)

wit *a*) verstand, vernuft, wijsheid; geest(igheid); *b*) geestig man, fraai vernuft; *have a nimble* ~ (*quick ~s*) bijdehand (pienter) zijn; *he has a pretty* ~ is een geestige vent; *ready* ~ gevatheid; *he has* (*all*) *his ~s about him* heeft zijn zinnen goed bij elkaar; *he had the* ~ *to hold his tongue* was zo verstandig ...; *set one's ~s to work* zijn verstand gaan gebruiken; *set one's ~s to another's*, (*fam*) iem tegenspreken, met iem redetwisten; ***at** one's ~'s* (*~s'*) *end* ten einde raad; *live **by** one's ~s* van leugen en bedrog leven; *are you **in** your ~s?* ben je wel wijs?; *he is **out of** his ~s: a*) is niet helemaal bij zijn verstand; *b*) is buiten zichzelf (*with* van); *drive a p. out of his ~s* iem dol maken; *it is **past** the* ~ *of man* het gaat het menselijk verstand te boven

witch [witʃ] heks (*ook fig, ook man*), toverkol, tove(na)res; verleidelijk bekoorlijke vrouw; (kleine) heks; *~es' broom* heksenbezem; '**witchcraft** [-krɑ:ft] tove(na)rij, hekserij; '**witch-doctor** medicijnman; '**witchery** [-əri] toverij, hekserij, betovering; '**witch-hunt(ing)** (*fig*) heksenjacht, ketterjacht

with [wið, wiθ] met; bij (*he lives* ~ *me; I have no money* ~ *me*); van (*tremble* ~ *emotion; stiff* ~ *cold*); *he that is not* ~ *me is against me* wie niet voor mij is, is tegen mij; *all things are possible* ~ *God* bij God ...; *that's* ~ *you* zoals je wilt, dat moet jij weten; *down* ~ *school!* weg met de school!; *I require no assistance* ~ *it* ik hoef er geen hulp bij te hebben; *the first object* ~ *him* zijn eerste doel (streven); *there I am* ~ *you* daarin ben ik het met je eens; *I'm not* ~ *you*, (*fam*) ik volg je niet; *the deal* (*the move*) *is* ~ *you* jij moet geven (zetten, spelen); *it is a rule* ~ *him* de regel bij hem; ~ *it*, (*fam*) jè, modern; bij; *go* ~ meegaan

withdraw [wiθ-, wið'drɔ:] terugtrekken; (af-) nemen (*a boy from school*); terugnemen (*an expression*), intrekken (*a promise*); van de planken nemen (*a play*); zich terugtrekken, uittreden; heengaan; ~ *from, ook:* onttrekken aan (~ *coins from circulation*); zich verder onthouden van; ~ *one's support* iem zijn steun verder onthouden; ~ *money from a bank* geld opvragen, opnemen; **withdrawal** [-əl] het ..., intrekking, terugtrekking, onttrekking; vervreemding; *heavy ~s from the bank* grote opgevraagde bedragen; ~ *symptoms* ontwenningsverschijnselen; **withdrawn** v. dw. van *withdraw; ook:* eenzelvig, gesloten

wither ['wiðə] (doen) verwelken (verdorren, verschrompelen = ~ *up*); drogen (*van theebladen*); (doen) verkwijnen (= ~ *away*); (*fig*) vernietigen (~ *a p. with a look*); *~ing scorn* vernietigende minachting; '**withered** [-d] *ook:* uitgedroogd

withhold ['wiθ-, wið'həuld] onthouden, onttrekken (*from* aan), inhouden (*passport, tax*); *I ~ my agreement* ik geef er mijn goedkeuring niet aan; *it was withheld from him* het werd hem onthouden

within [wi'ðin, wið'in] I *bw: enquire ~* inlichtingen binnen verkrijgbaar; *from ~* van binnen(uit); II *vz* binnen, in; *say ~ o.s.* bij zichzelf zeggen; *~ doors* binnenshuis; *live ~ one's income* met zijn inkomen rondkomen; *keep ~ the law* binnen de perken der wet blijven; *true ~ limits* waar tot op zekere hoogte; *~ the meaning of the Act* in de zin der (dezer) wet; *fix the time ~ two minutes* tot op ...; *~ the last few days: a)* in (gedurende) de laatste dagen; *b)* slechts enkele dagen geleden; *~ my price* geschikt voor mijn beurs; *~ a month's time* binnen een maand; *~ a mile of* nog geen mijl van; *~ a year of his death* minder dan een jaar vóór of na zijn dood; *~ a few days of his return* enkele dagen vóór of na ...; *we arrived ~ a few hours of each other* enkele uren na elkaar

without [wi'ðaut, wið'aut] I *bw: from ~* van de buitenkant, van buiten(af); II *vz* zonder; *~ funds in hand* zonder dekking; *~ my seeing it* zonder dat ik het zag (zie); *be ~* er zonder zijn (zitten); *do* (*go*) *~* (*it*) het er zonder stellen; *~ number* ontelbaar

withstand [wið'stænd] *a)* weerstaan; *b)* zich verzetten

witless ['witlis] onnozel, idioot; flauw, zouteloos (*~ chaff*)

witness ['witnis] I *zn: a)* getuige; *b)* getuigenis; *~ for the crown* (*the prosecution*) getuige à charge; *~ for the defence* (*the defendant, the prisoner*) getuige à decharge; *bear ~ to* (*of*) getuigenis afleggen van, getuigen (van), staven; *in ~ of* ten getuige van; *in ~ whereof* ten getuige (ter oorkonde) waarvan; *I was a ~ to* (*of*) *it* er getuige van; *call* (*take*) *to ~* tot getuige roepen; II *ww* (als getuige) tekenen (*a document*); getuige zijn van, bijwonen, beleven; getuigen van; *the signatures were ~ed* werden door getuigen gestaafd; *~ for* (*against, to*) getuigen voor (tegen, van); '**witness-box** omsloten ruimte, waar de getuige getuigenis aflegt; *go into the ~-box* getuigenis afleggen; **witness-stand** (*Am*) = *witness-box, take the ~* getuigenis afleggen

witticism ['witisizm] geestigheid, aardigheid, mop

wittingly ['witiŋli] met voorbedachte rade, willens en wetens, welbewust

witty ['witi] geestig

wizard ['wizəd] I *zn* tovenaar; *be a ~ at* fantastisch goed zijn in ...; II *bn: a)* de toverkunst beoefenend; *b)* tover..., toverachtig, betoverend; (*sl*) mieters, fantastisch (*a ~ breakfast*); '**wizardry** [-ri] tove(na)rij

wizened ['wiznd] verschrompeld, uitgedroogd, dor, droog

wobble ['wɔbl] I *ww* schommelen (*ook van prijzen*), waggelen, (laten) wiebelen; beven; II *zn* schommeling, het ...; '**wobbler** [-ə] waggelaar; **wobbly** ['wɔbli] waggelend, schommelend; beverig; onvast

woe [wəu] wee, diepe smart; *~s* rampen, ellende; *tale of ~* zielig verhaal; *~ betide you* wee u!; '**woebegone** [-bigɔn] triest, naargeestig; in smart gedompeld; '**woeful** [-f(u)l] treurig, ellendig, droevig, jammerlijk, rampzalig

wold [wəuld] open onbebouwd (heuvel- of heide)land, kaal heuvelland

wolf [wulf] I *zn mv wolves* [wulvz] wolf; (*sl*) vrouwenjager; *cry ~* loos alarm maken; *have a ~ in one's inside* een razende honger hebben; *keep the ~ from the door* kunnen rondkomen, net voldoende verdienen; *a ~ in sheep's clothing* een wolf in schaapskleren; *throw to the wolves* voor de wolven gooien (*ook fig*); II *ww* verslinden, opschrokken (= *~ down*); '**wolf-cub** [-kʌb] *a)* wolfsjong; *b)* welp: leerling-padvinder; '**wolfish** wolfachtig, wolven...; vraatzuchtig; **wolf-whistle** (het) meisjes na fluiten

woman ['wumən] I *zn* vrouw, vrouwspersoon; kamenier; maîtresse (= *kept ~*); (*min*) wijf, mens (*oh, damn it, ~!*); *the Winsley ~* dat mens (van) W; *you are quite a ~* al een hele meid; *~ of the world,* vrouw van de wereld; *there is a ~ in it* daar zit een vrouw achter; II *attr* vrouwelijk (*students*), ...ster, ...in, ...es; vrouwen...; *~ doctor* vrouwelijk arts; *~ driver* chauffeuse, 'vrouw achter het stuur'; *~ suffrage* vrouwenkiesrecht; '**woman-hater** vrouwenhater; '**womanhood** [-hud] vrouwelijke staat, vrouwelijkheid; (*fam*) vrouwen; '**womanish** [-iʃ] als (van) een vrouw; verwijfd; **womanizer** rokkenjager; '**woman'kind** [-kaind] het vrouwelijk geslacht, de vrouwen; *my ~ = my womenfolk*; '**womanlike, womanly** [-li] vrouwelijk

womb [wu:m] baarmoeder, schoot; *in the ~ of time* in de schoot der tijden; *~ to tomb,* (*fam*) van de wieg tot het graf (*security*)

women ['wimin] meervoud van *woman*; '**womenfolk** [-fəuk] *a)* (*dialect*) vrouwvolk, vrouwen; *b)* *my ~* de dames (d.i. de vrouwelijke leden van mijn gezin); '**womenkind** *womankind*

wonder ['wʌndə] I *zn: a)* wonder; *b)* verwondering, verbazing; *~s* (*will*) *never cease* de wonderen zijn de wereld niet uit; *do* (*perform, work*) *~s* wonderen doen; *promise ~s* gouden bergen beloven; *no ~* (*small ~*) *that* ... geen wonder, dat ...; *is it any ~ that ...?* is het te verwonderen, dat ...?; *the ~ is that* ... het verwonderlijke is, dat ...; *~ of ~s she escaped* wonder boven wonder; *I looked at her in ~* vol verbazing; *in the name of ~* in 's hemelsnaam; II *ww* zich verwonderen, zich verbazen (*at* over); verbaasd staan (*all the world ~ed*); benieuwd zijn (te weten), zich afvragen (*I ~ where he has gone to*); *I ~ you did not go* het verwondert me, dat ...; *I ~ who it is, ook:* wie zou het zijn?; *I ~ whether I might ask you* ... zou ik u mogen vragen ...; *easy? I ~* gemakkelijk? het zal me (mij) benieuwen, dat weet ik nog zo niet; *it is not to be ~ed at* (*that*) ... niet te verwonderen, dat ...; '**wonderful** [-f(u)l] verwonderlijk, wonderbaarlijk, wonderschoon; schitterend, prachtig, heerlijk; '**wondering(ly)** [-riŋ(li)] verwonderd, met verbazing

wonky ['wɔŋki] (*sl*) wankel, beverig, weifelend, zwak (*heart*), krakkemikkig; scheef, krom

won't [wəunt] *will not*

woo [wu:] het hof maken, dingen naar, vrijen; (voor zich) trachten te winnen; trachten over te halen; zoeken (*~ sleep*)

wood [wud] *a*) hout; *b*) bos (*ook: ~s*); *c*) houten blaasinstrumenten; *d*) (cricket)bat; houten golfstok; *he cannot see the ~ for the trees* ziet door de bomen het bos niet; *out of the ~* de moeilijkheid te boven; buiten gevaar; *we are not yet out of the ~* we zijn er nog niet (*fig*); *knock on ~*, (*touch ~*) 'afkloppen'; '**wood-carving** houtsnijwerk; '**wood-chopper** houthakker; '**woodcraft** [-kra:ft] *a*) (kennis van) het boswezen; jacht(bedrijf); *b*) houtbewerking; '**wood-cut** houtsnede; '**wood-cutter** *a*) (*vero*) houthakker; *b*) houtsnijder; (*fig*) houtgraveur; '**wooded** [-id] bebost, met bos bedekt, bos..., houtrijk; '**wooden** [-n] houten; (*fig*) houterig, stijf; dom, suf, wezenloos, onaandoenlijk; *he looked ~, ook:* alsof het hem niet aanging; *~ shoe* klomp; '**wooden-headed** dom, stom; **woodenness** houterigheid; '**woodland** [-lənd] I *zn* bosland; II *bn* bos..., woud...; bosachtig; '**woodpecker** specht; '**wood-pigeon** houtduif; '**woodpile** houtmijt; *the nigger in the ~* het probleem, de moeilijkheid; '**wood-pulp** houtstof, houtpulp; '**woodscape** [-skeip] boslandschap; '**wood-screw** houtschroef; '**wood-shed** houtloods; '**wood-spirit** *a*) bosgeest; *b*) houtgeest; '**wood-stack** houtmijt; '**woodward(s)** [-wəd(z)] boswaarts; '**woodwind** [-wind] houten blaasinstrumenten; '**woodwinds** houtblazers; '**wood-wool** houtwol; '**woodwork** houtwerk; houtbewerking; '**woodworm** houtworm; '**woody** [-i] *a*) houtachtig, hout...; *b*) bosrijk, bos...; *c*) (*Am*) dom; gek; '**woodyard** houttuin, houtopslagplaats

wooer ['wu:ə] (*vero*) vrijer

1 **woof** [wu:f] inslag

2 **woof** [wuf] I *tw* woef; II *zn* geblaf

'**woofer** lagetonenluidspreker

wool [wul] *a*) wol; *b*) wollen garen, sajet; *draw* (*pull*) *~* (*the ~*) *over a p.'s eyes* iem zand in de ogen strooien; *dyed in the ~* door de wol geverfd; '**wool-fat** wolvet, lanoline; '**wool-fell** schapevacht; '**woolgather**: *be ~ing* afwezig, verstrooid zijn; **woollen** ['wulin, -ən] I *bn* wollen; II *zn* wollen artikel; *~s* wol goederen; '**woollen-draper** [-dreipə] handelaar in wol goederen; '**woollen-manufacturer** wolfabrikant; '**woollen-mill** wolfabriek, wolspinnerij; **woolly** ['wuli] I *bn* wollig, wolachtig, kroes; voos (*apple*), melig (*pear*); enigszins schor, dof (*voice*); vaag (*arguments*), doezelig, onscherp; zwoel (*atmosphere*); (*sl*) gek, dwaas; II *zn* wollen sporttrui, wolletje; (*mv*) wollen (onder)kleren; '**woolly-minded** warhoofdig, onwijs, daas; '**wool-merchant** wolhandelaar; '**wool-pack** *a*) wolbaal; *b*) baal wol (240 Eng pond); *c*) schapewolkje(s); '**woolsack** [-sæk] *a*) baal wol; *b*) zetel van de *Lord Chancellor* in het Hogerhuis; *reach* (*be elevated to*) *the ~, Lord Chancellor* worden

woozy ['wu:zi] (*fam*) draaierig in het hoofd; versuft, verward

word [wə:d] I *zn: a*) woord; woordje; *b*) bericht (*~ came that* ...); bevel, commando; *c*) wachtwoord, parool, motto; *~s, ook: a*) bewoordingen; *b*) rol (*the actor did not know his ~s*); *my ~!: a*) op mijn woord; *b*) (s)jonge, (s)jonge! wel nu nog mooier!; *my ~! there's pluck in you* waarachtig, jij durft!; *no ~ or sign* taal noch teken; *a ~ with you, please!* een enkel woordje, als het u blieft; *in other ~s* met andere woorden, anders gezegd; *the last ~ in railway comfort* het allernieuwste (het meest volmaakte) op het gebied van ...; *a ~ to the wise is enough* een goed verstaander heeft maar een half woord nodig; *the* (*next*) *~ is with America* het woord is (nu) aan Amerika; *he is as good as his ~* hij is een man van zijn woord; *ugly is not the ~ for it* lelijk is nog een te zwak woord ervoor; *he's too stupid for ~s* niet te zeggen hoe dom; *there were ~s between them* ze hadden hoge woorden; *~ reached us that* ... het bericht bereikte ons, dat ...; *~ went round* ... er werd gezegd (gefluisterd) ...; ***bring*** *~* bericht brengen; *they **carried** ~ of the catastrophe to* ... brachten bericht van ... naar ...; ***give** the ~: a*) het wachtwoord geven; *b*) het bevel geven; *I give you my ~ for it* ik geef je mijn woord erop, je kunt erop aan; *I must **have** a ~ with you* moet u even spreken; *I have your ~* (*for it*) u hebt het mij beloofd (verzekerd); *have ~s with* woorden hebben met; *we had a few ~s* er vielen enkele woorden tussen ons; *I won't have any ~s about it* wil er niet van horen; *have the last* (*the final*) *~* het laatste woord hebben; *have a ~ to say* een woordje te zeggen hebben; ***keep** one's ~* (zijn) woord houden; ***leave** ~* een boodschap achterlaten (*with* bij); ***pass*** (***pledge***) *one's ~* zijn woord geven; ***say*** (***speak***) *the ~* spreek (beveel) maar, zeg het maar; *he has not said his last ~* heeft zijn laatste woord nog niet gesproken; *say a good ~ for* een goed woordje doen voor; ***send*** *~* bericht sturen; laten weten; *you may **take** my ~ for it* kunt me op mijn woord geloven, kunt erop aan; ***write*** *~* (schriftelijk) bericht sturen, schrijven; ***by** ~ of mouth* mondeling; *~ by ~*, *~ **for** ~* woord voor woord; *too dreadful for ~s* te verschrikkelijk om in woorden uit te drukken; *proceed* ***from*** *~s to deeds* van woorden tot daden komen (overgaan); ***in*** *a* (*one*) ~ in één woord; *there you have it in a* ~ met dat éne woord is alles gezegd; *in so many ~s* met zoveel woorden; *a man* ***of*** *his* ~ een man van zijn woord; ***on*** *the* ~ op dat woord; *on my ~: a*) op mijn woord; *b*) wel, nu nog mooier!; *stick to one's* ~ zijn woord houden; zie *suit;* ***upon*** *my ~,* zie *on my* ~; II *ww* onder woorden brengen, uitdrukken, stellen; *thus ~ed* in deze bewoordingen; '**word-blind** woordblind; '**word-book** [-buk] woordenlijst; '**word-building** woordvorming; '**wording** redactie, bewoordingen; '**wordless** *a*) sprakeloos, zwijgend; *b*) onuitgesproken; *c*) zonder woorden; '**word-'perfect** rolvast; '**wordplay** woordenspel; '**word processing** tekstverwerken; '**word processor** tekstverwerker; '**word-twister** [-twistə] woordverdraaier; **wordy** ['wə:di] woordenrijk, langdradig; woorden…

work [wə:k] I *zn* werk, arbeid, bezigheid; (*sp*) oefening, training (*the horse must have more ~; race-horses at* ~); *~s: a*) (vesting)werken; *b*) fabriek(en); werkplaats(en); bergwerk(en); *c*) werk (*in horloge, enz*); *d*) *the ~s,* (*sl*) alles, de hele troep; *mighty ~s* wonderen; *public ~s* openbare werken; *~s manager* bedrijfsleider; *all ~ and no play makes Jack a dull boy* de boog kan niet altijd gespannen zijn; *make sad ~ of* verknoeien; ***at*** ~ aan het werk, bezig (*on* aan), aan de gang; *be* ***in*** ~ werk hebben, werken; *be in regular* ~ vast werk hebben; *it is in the ~s,* (*Am*) er wordt aan gewerkt; *convert heat* ***into*** ~ warmte in arbeid omzetten; ***out of*** ~ werkloos; (*van fabriek*) stilstaand; *go* (*get*) ***to*** ~ aan het werk gaan; *put to* ~ aan het werk zetten; *make short ~ of* korte metten maken met; II *ww* werken (*ook van gist, vergift, enz*), in beweging zijn; laten werken (*~ a p. hard*), in het werk hebben (*~ 200 men*); in beweging (aan de gang) brengen of houden; aandrijven (*~ed by electricity*); hanteren, werken met (*a typewriter*), bedienen (*guns*), besturen; maken, borduren, breien, naaien, handwerken; voortbrengen, teweegbrengen (*a change*), tot stand brengen (*a cure*); exploiteren (*a mine, a railway*), ontginnen; onderhouden (*a service between …*); bewerken (*the land, metals*), verwerken; kneden (*butter, dough*); smeden, vormen; werken in; uitwerken, oplossen (*a sum*); zich laten bewerken (*this wood ~s easily*); *let it* ~ laat het op zijn beloop; *it won't* (*doesn't*) ~ het gaat (lukt) niet; *the cistern does not* ~ doet het niet; *the plan ~ed* beantwoordde aan het doel; *the theory won't* ~ gaat (in de praktijk) niet op; *~ mischief* onheil stichten; *~ one's passage* als werkend passagier ('opstapper') vrije overtocht hebben; *~ one's way* zich een weg banen, vooruitgaan; *he ~ed his way to Glasgow* bereikte (terwijl hij de kost met werken verdiende) Glasgow; *he is ~ing his way through college* hij is werkstudent; *it will ~ wonders* het zal wonderen verrichten; ~ ***against*** *time* hard werken om op tijd klaar te komen; ~ ***at*** werken aan (*one's grammar*), doen aan (*I'm not ~ing at history any more*); ~ ***away*** erop los werken; ~ ***down*** (*van kousen*) afzakken; ~ ***in*** er (zich laten) in werken (brengen, dringen, vlechten); ~ *in with* samengaan met (*his plan does not ~ in with ours*); ~ ***into*** ver-, bewerken tot; brengen tot (*~ an audience into enthusiasm*); *~ o.s. into a rage* zich woedend maken; ~ ***off*** losgaan, eraf gaan; afdrukken; door werken verdrijven (*one's headache*); ~ ***on*** (*bw*) doorwerken; ~ *on,* (*vz*) werken op (*ook fig*); werken aan, bewerken; *the handle ~s on a pivot;* draait om een spil; *the worm ~s on a toothed shaft* grijpt in op; *~ on a plan: a*) werken aan; *b*) werken volgens; ~ ***out*** uitwerken (*a problem*), verwezenlijken (*ideas*); proberen (*a remedy on animals*); overdenken; tot stand brengen; uitrekenen; berekenen; (*van berekening, enz*) uitkomen; uitvallen, aflopen; verdrijven; eruit komen; *I've got it all ~ed out* voor elkaar; *~ out at £10* komen op, bedragen; *it ~s out so that …* komt hierop neer, dat …; *things did not ~ out quite right* de zaken marcheerden niet goed; *all will ~ out for the best* ten slotte zal blijken, dat alles aldus het best is geweest; *~ed out* op, afgeleefd, uitgeput; *work someone* ***over*** iem een aframmeling geven; ~ ***through*** *all the exhibits* alle inzendingen (uitstallingen) van a tot z bekijken; *~ one's knife through s.t.* met zijn mes door iets heen komen; *~ a p.* ***to*** *death* iem zich dood laten werken; *~ one's fingers to the bone* zich doodwerken; ~ ***up*** (zich) naar boven (omhoog) werken; omhoogkruipen (*van kledingstuk*); uitwerken (*notes into an article* tot); erbovenop brengen (*a business*); (aan)kweken (*a clientele*); be-, verwerken (*into* tot); mengen, kneden; scheppen (*a tradition*); aanvuren, aanzetten, opwinden, prikkelen; *~ o.s. up,* (*ook* =) *~ up one's rage* zich steeds woedender maken; *all such terrors are ~ed up* kunstmatig opgewekt, opgeschroefd; *~ o.s. up into a passion* zich steeds driftiger maken; '**workable** [-əbl] (be-, ver)werkbaar; (*van mijn, enz*) exploitabel, rendabel; (*van plan, enz*) bruikbaar, praktisch, uitvoerbaar; '**workaday** [-ədei] daags, alledaags; **workaholic** [wə:kə'hɔlik] (*sl*) aan werk verslaafde, harde werker; '**work-basket** werkmandje; '**work-bench** werkbank; '**workbook** werkboek; '**workday** werkdag; '**worker** *a*) … (st)er; *b*) werkman, arbeider; *c*) werkbij, -mier (= *~ bee, ant*); *he was my fellow ~ for a time* wij werkten … samen; '**workforce** *a*) bedrijfspersoneel; *b*) arbeidspotentieel; '**workhorse** werkpaard; '**workhouse** (*hist*) werk-, armhuis; '**work-in** bedrijfsbezetting; **working** ['wə:kiŋ] I *zn* (be)werking, enz (zie *work*); *the ~s of his face* de bewegingen (vertrekkingen) van zijn gelaat; *the ~s of his conscience* wat er in zijn geweten omgaat, de stem van ...; **II** *bn* werkend, werk...; werkzaam; bruikbaar (*plan, hypothesis*); praktisch (*knowledge of French*); ~ *lunch* lunchbespreking; ~ *majority* werk-, regeerkrachtige meerderheid; *everything is in ~ order* klaar (om te beginnen), in orde; ~ *party* werkgroep; **'working-'capital** bedrijfskapitaal; **'working 'class(es)** arbeidersklasse, -stand; **'working-conditions** arbeidsvoorwaarden; **'working 'day I** *zn* werkdag; **II** *bn* alledaags, gewoon; **'working ex'penses** [-iks'pensiz] bedrijfs-, exploitatiekosten; **working group** werkgroep; **'working 'life** *a*) tijd dat iem werken kan; *b*) levensduur; **'working model** bedrijfsmodel; **'working-paper** discussienota, -stuk, werkstuk; **'working party** werkgroep, -ploeg; **'working plan** *working-drawing*; **'working point** aangrijpingspunt; **workless** ['wə:klis] zonder werk, werkloos; **work-load** ['wəkləud] werklast; **workman** ['wə:kmən] werkman, arbeider; *a bad ~ quarrels with his tools* een slecht schrijver geeft de schuld aan zijn pen; **'workmanlike** vakkundig; **'workmanship** *a*) bekwaamheid, vaardigheid; *b*) be-, afwerking, (wijze van) uitvoering; *c*) werk, produkt; *a box of excellent ~* een keurig afgewerkte doos; **workmate** werkmakker, maat; **'work-out** training, oefenwedstrijd (*boksen, enz*); proef; bewerking; *give a horse a good ~* een paard afdraven; **'workpeople** werkvolk; **'workpiece** werkstuk; **'workplace** arbeidsplaats; **'workroom** werkkamer; **'worksheet** werkblad; **'workshop** werkplaats, atelier; **'work-shy** werkschuw(e); **'worktop** werkblad (*van aanrecht bijv*); **(')work-to-'rule** stiptheidsactie

world [wə:ld] wereld; (*fig*) menigte, hoop (*a ~ of difficulties*); *a ~* (ook: *~s*) *too wide* veel (en veel) te wijd; *all the ~* de hele wereld, iedereen; *all the ~ and his wife* jan en alleman, iedereen; *there is a ~ of difference between* ... een hemelsbreed verschil; *she is all the ~ to him* alles en alles; *the lower ~* de onderwereld; *the next* (*the other*) *~, the ~ to come* het hiernamaals; *begin the ~* het eigenlijke leven (zijn loopbaan) beginnen; *begin the ~ over again* weer van voren af aan beginnen; *feels ~s better* zich oneindig veel beter voelen; *I would give ~s* (*the ~*) *to* ... alles ter wereld; *how goes the ~ with you?* hoe gaat het met je?; *look **for** all the ~ like* (*as if*) er precies uitzien als (alsof); *not for* (*all*) *the ~* voor geen geld ter wereld; *what **in** the ~ do you mean?* wat ter wereld, in 's hemelsnaam; *bring **into** the ~* ter wereld brengen; *make the best of both ~s* de aardse belangen met de eeuwige verenigen; van twee soorten van leven tegelijk genieten; *it is **out** of this ~* buitengewoon, overheerlijk, enz; *all **over** the ~, all the ~ over* de hele wereld door (over); *give **to** the ~* in het licht geven; *dead to the ~*: *a*) van de wereld; *b*) buiten westen; *c*) stomdronken; *tired to the ~,* (*sl*) doodmoe; *think the ~ of s.o.* een hoge dunk van iem hebben; **'world-'famous** wereldberoemd; **'world-history** *ook:* algemene geschiedenis; **worldly** ['wə:ldli] wereld(gezind), aards, wereld...; **'worldly-'minded** [-maindid] wereldsgezind; **'worldly-'wise** [-waiz] wereldwijs

'world-order wereldorde; **'world-power** [-pauə] *a*) wereldmacht; *b*) wereldrijk; **'world-re'nowned** [-ri'naund] wereldberoemd; **'world-shaking** wereldschokkend; **'world-view** wereldbeschouwing; **'world-weary** [-wiəri] levensmoede; **'world-wide** [-waid] over de hele wereld (verspreid), wereldwijd, wereld...; *of ~ fame* wereldberoemd

worm [wə:m] **I** *zn* worm; worm(schroef); schroefdraad; (*fig*) wurm, stumper(d); *a ~ will turn* (*when trodden on*) zelfs een worm laat zich niet trappen zonder in verzet te komen; **II** *ww* kronkelen, kruipen; van wormen zuiveren; *~ o.s. **into** a p.'s favour* (*confidence,* enz) zich op slinkse wijze indringen in; *~ s.t. **out of** a p.* iem iets ontlokken, het uit iem weten te krijgen; *~* (*o.s., one's way*) ***through** the bushes* door de struiken kruipen (wriemelen), zich erdoorheen werken; **'wormeaten** [-i:tn] wormstekig; **'wormlike** wormachtig; **'worm-wheel** wormwiel, schroefrad; **wormy** ['wə:mi] vol wormen; wormstekig; wormachtig

worn [wɔ:n] v. dw. van *wear;* afgedragen, versleten, uitgeput, afgetobd, uitgeteerd, verweerd; *~ into holes* vol gaten; *~* (*out*) *with fatigue* op van vermoeidheid; *~* (*out*) *with age* afgeleefd; **worn-out** ['wɔ:n'aut] versleten, uitgeput, afgeleefd

worrier ['wʌriə] *a*) kwelgeest; *b*) tobber

worrisome ['wʌrisəm] (*vero*) zorgbarend

worry ['wʌri] **I** *ww* kwellen, plagen, het lastig maken, hinderen; tobben, kniezen, piekeren, zich zorgen maken, dubben (*about* over); *~ o.s.* zich nodeloos kwellen; *I should ~!* het zou me een zorg zijn!; *not to ~!* (*fam*) maak je geen zorgen!; *be extremely worried* heel veel zorgen hebben; *I am worried, ook:* er is iets, dat me hindert; *worried look* afgetobd uiterlijk; *be worried **about** it* erover in zitten; *be worried **at*** tobben over, verdrietig (ongerust) zijn over; *~ **for*** zich kwellen om (wegens); *~ a p. **into*** iem door plagen brengen tot; *he worried himself sick* hij werd ziek van ellende; *~ a p.'s life **out*** iem het leven zat maken; *~ it **out of** a p.* iem lastig vallen, tot men het van hem verkrijgt; *~ o.s. **to** death* zich (half) dood tobben; **II** *zn* het ...; kwelling, zorg, bezorgdheid, soesa, 'kopzorg', wat iem hindert (*gew mv*); *what's your ~?* waar tob (pieker) je over?; *that's his ~,* (*sl*) het (dat) is zijn zaak

worse [wə:s] *bw, bn, zn* erger, slechter; lager genoteerd; *I want him badly, but you want him ~* zeer ... meer; *I am none* (*not*) *the ~* (*no ~*) *for it* het heeft me niet geschaad (geen kwaad gedaan); *you shall be none the ~ for me* je zult door mij geen schade lijden; *the ~ for drink* dronken, aangeschoten; *be ~ than one's word* zijn woord breken; *have* (*get*) *the ~, be put to the ~* het onderspit delven, er het slechtst afkomen; *and, to make things ~* en, tot overmaat van ramp; *I have ~ to tell* ik heb nog iets ergers mede te delen; *but ~ followed* (*remained*) maar het ergste kwam nog (zou nog komen); *from bad to ~* van kwaad tot erger; *change for the ~* verslechteren, verergeren; *the ~ for wear* gehavend, berooid; '**worsen** [-n] erger, slechter worden (maken, voorstellen), verergeren; benadelen

worship ['wə:ʃip] I *zn* aanbidding, verering; godsdienst(oefening), eredienst (= *public ~*); *your W~* Edelachtbare; *place of ~* godshuis, tempel, bedehuis; II *ww: a*) aanbidden, vereren; *b*) in aanbidding verzonken zijn; bidden, zijn godsdienstplichten vervullen, naar de kerk gaan (*where do you ~?*); '**worshipful** [-f(u)l] eerwaardig, achtbaar (*vero*, behalve in titels); '**worshipper** [-ə] aanbidder; kerkganger; *are you a ~ at that church?* ga je daar naar de kerk?

worst [wə:st] I *bn* ergst, slechtst, snoodst; II *bw* het ergst, enz; III *zn: the ~ of it is that* ... het ergste is, dat ...; *if the ~ comes* (*if it comes*) *to the ~* in het allerergste geval; *do one's ~* het zo erg (bar) mogelijk maken; *do your ~* doe wat je niet laten kan; *get the ~ of it, have the ~* het onderspit delven, er het slechtst afkomen; *at* (*the*) *~: a*) op zijn ergst (= *at its ~*); *b*) in het ongunstigste geval; *at his ~* op zijn ergst, op zijn slechtst; *bureaucracy at its ~* in haar ergste vorm

worsted ['wustid] *zn* & *bn* kamgaren

worth [wə:θ] I *bn* waard; *what is he ~?* hoeveel bezit hij?; *he is ~ £2000 a year* heeft £2000 per jaar; *take all I'm ~* al wat ik bezit; *it is ~ the trouble* het loont de moeite; *it is ~ trying* de moeite waard om te proberen; *~ seeing* bezienswaardig; *no sacrifice ~ the name* geen noemenswaardige ...; *it is ~ it,* (*fam*) de moeite waard; *I give the idea for what it is ~* voor wat het waard is; *it is hardly ~ looking at* nauwelijks waard om naar te kijken; *he ran for all he was ~* uit alle macht; II *zn* waarde; innerlijke waarde, deugd, goede eigenschappen, verdienste(lijkheid); *a pound's ~ of stamps* voor een pond postzegels; *£50 ~ of jewellery* juwelen ter waarde van £50, voor £50 aan ...; **worthily** ['wə:ðili] *a*) waardig; *b*) naar waarde; **worthiness** ['wə:ðinis] *a*) waardigheid; *b*) (innerlijke) waarde, verdienste(lijkheid); '**worthless** [-lis] waardeloos, verachtelijk; '**worthwhile** [-wail] lonend (*investment*), dat de moeite loont, met wie het de moeite waard is kennis te maken, enz (*~ present, people*); **worthy** ['wə:ði] I *bn: a*) achtenswaardig, braaf (*quite good and ~, but very dull*); *b*) waard(ig); *~ of praise* (*~ praise*) prijzenswaard(ig); *~ of record* vermeldenswaard; *~ of a better cause* een betere zaak waardig; *not ~ of your talents* uw talenten onwaardig; II *zn* (*dikwijls iron*) achtenswaardig (braaf, verdienstelijk) man (*the village worthies*)

would [wud, wəd, (ə)d] zou(den); wilde(n); zou(den) willen; *he ~ often say* zei vaak; *he ~ disappear for days together* verdween soms (steeds maar weer) ...; *he '~ contradict me: a*) had het erop gezet om ...; *b*) natuurlijk moest hij ...; *do what he ~, he was* ... wat hij ook deed ...; *this ~ be W, I suppose* dit zal W zijn, ...; *that ~ be in 1880* dat zal geweest zijn in ...; *'Mr. S. has decided to go'. 'He ~'* dat was te verwachten, natuurlijk; *'Mother was nervous'. 'She ~ be'* dat was te begrijpen; '**would-be** [-bi(:)] trachtende te zijn (te worden); zogenaamd; bedoeld als, voorgewend; pseudo-...; *~ buyers* gegadigden

wound [wu:nd] I *zn* wond(e), blessure; II *ww* wonden, kwetsen, krenken

1 **wow** [wau] geblaf; gejank; (*techn*) jengel

2 **wow** [wau] goeie! oeh! hee! och!

wraith [reiθ] (*lit*) geestverschijning van iem even voor of na zijn dood, schim, spookgestalte

wrangle ['ræŋgl] I *ww* kijven, twisten (*for* om), krakelen, ruzie hebben; II *zn* gekijf, geruzie; **wrangler** ['ræŋglə] ruziemaker

wrap [ræp] I *ww* wikkelen, hullen (*~ped in mist, darkness, silence*), (in)pakken, omslaan; *~ped in thought* in gepeins verzonken; *she ~ped her shawl round* (*about*) *her* sloeg ... om zich heen; *~ **up*** (zich) inwikkelen (inpakken); (*sl*) volledig afdoen; geheel in de hand hebben; *~ things up,* (*fig*) de dingen verbloemen; *be ~ped up in* geheel opgaan in (*one's country, one's work, oneself*); II *zn* (*vero*) omhulsel, overtrek, omgeslagen kledingstuk, omslagdoek; *under ~s* vertrouwelijk, geheim; '**wraparound** *skirt* wikkelrok; '**wrapper** [-ə] omslag, wikkel, kaft; pakpapier; '**wrapping** pakpapier; omhulsel, verpakking; (*fig*) eufemisme; '**wrapping-paper** pakpapier

wrath [rɔ(:)θ] (*lit*) toorn, gramschap; '**wrathful** [-f(u)l] toornig, vertoornd

wreak [ri:k]: *~ one's anger* (*rage*) *upon* zijn toorn (woede) koelen aan; *~ vengeance upon* wraak oefenen aan

wreath [ri:θ, *mv:* ri:ðz] *a*) krans, guirlande, slinger; *b*) winding, rimpel, kring; *~ of smoke* kronkelend(e) rookwolk(je), rookkringetje; *~ of snow* sneeuwbank; **wreathe** [ri:ð] be-, omkransen; strengelen (*one's arms round a p.*); winden, vlechten (*a garland*); kronkelen; *his face was ~d in smiles* was een en al glimlach

wreck [rek] I *zn* schipbreuk, het vergaan (*van schip*); ondergang, vernieling, vernietiging; wrak (*ook fig*), ruïne (*fig*); wrakgoederen, wrakhout; *he is but the ~ of his former self* de schim van wat hij was; *make a ~ of a p.'s life* iems leven verwoesten; *go to ~ and ruin* te gronde gaan; II *ww* schipbreuk doen lijden, doen stranden (*soms:* schipbreuk. lijden, stranden; ook fig: *the rock your hopes will ~ on*); vernielen, verwoesten (*a p.'s life*), te gronde richten, ruïneren, bederven; saboteren; slopen; *be ~ed* schipbreuk lijden, vergaan, ten onder gaan, verongelukken; *~ed goods* strand-, wrakgoederen; *~ed sailor* matroos, die schipbreuk geleden heeft; '**wreckage** [-idʒ] *a*) schipbreuk; *b*) wrakhout, wrakgoederen; overblijfselen, puin; '**wreck-com'missioner** [-kə'miʃənə] strandvonder; '**wrecker** [-ə] *a*) verwoester, enz (*zie het ww*); saboteur; *b*) strandjutter; *c*) berger (*van wrakgoederen*); *d*) bergingsschip, -auto, -trein; '**wrecking** het ..., verwoesting; sabotage; '**wrecking-company**, **wrecking-operations** bergingsmaatschappij; '**wreckmaster** strandvonder

wren [ren] winterkoninkje

wrench [ren(t)ʃ] I *zn: a*) ruk, draai; *b*) verzwikking, verdraaiing; *c*) schroefsleutel; (*fig*) pijnlijke scheiding; *it was a great ~ to part with it* het was hard (viel hem zwaar) het te moeten afstaan; *monkey-~* schroefsleutel; II *ww: a*) draaien, wringen, rukken; *b*) verrekken, verzwikken (*one's ankle*); *c*) verdraaien (*facts*); *~ away* (*off*) weg-, afrukken, -draaien, -wringen; *~ o.s. away* zich losrukken, met moeite scheiden; *~ a sword from a p.* iem ... ontwringen; *~ open* openrukken, -breken

wrest [rest] verdraaien (*the law, a text*), verwringen; *~ from* ont-, afrukken; afdwingen, afpersen (*a promise from a p.*)

wrestle ['resl] worstelen (*for* om); *~ a p.* met iem worstelen; '**wrestler** [-ə] worstelaar; **wrestling** ['resliŋ] worstelen; '**wrestling-match** worstelwedstrijd

wretch [retʃ] *a*) ongelukkige, (arme) stakker (= *poor ~*); *b*) ellendeling; '**wretched** [-id] (diep) ongelukkig, rampzalig; ellendig, armzalig, slecht, beroerd, gemeen

wriggle ['rigl] I *ww* kronkelen (*van worm*), wriemelen, wriggelen, draaien; zich in allerlei bochten wringen (*ook fig*), eromheen draaien; tegenstribbelen; wrikken; *~ along, ~ one's way* wriemelend, enz voortgaan; *~ o.s. into a p.'s favour* zich door kruiperij in iems gunst dringen; *~ out,* (*fig*) zich eruit draaien; II *zn* gewriemel; ...nde beweging; '**wriggler** [-ə] draaier

wright [rait] (*inz. in sam*) maker (*cart~*)

wring [riŋ] I *ww* wringen (*one's hands*), uitwringen, (ver)draaien, omdraaien (*a bird's neck*), (uit)knijpen, toeknijpen (*those shrieks ~ my heart*), knellen, persen; *~ a p.'s hand* iem krachtig de hand drukken; *~ out* uitwringen; *~ from* (*out of*) afpersen, afdwingen (*a confession, better conditions*); *~ the words from their true meaning* de woorden verdraaien; II *zn* wijn-, cider-, kaaspers; *give a p.'s hand a ~,* zie *~ a p.'s hand*; '**wringer** [-ə] *a*) wringer; *b*) wringmachine; '**wringing** [-iŋ] *ook:* druipnat (= *~ wet*)

wrinkle ['riŋkl] I *zn* 1 rimpel, plooi, vouw; 2 idee, wenk, kneep, kunstje, foefje, truc; II *ww* (zich) rimpelen, plooien; *~ up one's forehead* het voorhoofd rimpelen; **wrinkly** ['riŋkli] rimpelig

wrist [rist] pols(gewricht); **wristband** ['ris(t)bænd] boord van hemdsmouw, (vaste) manchet, band om pols; ook = *wristlet*; '**wristlet** horlogearmband; '**wrist-stroke** (korte) polsslag; '**wristwatch** polshorloge

writ [rit] bevel(schrift), dagvaarding, oproeping, exploot; bevelschrift tot het uitschrijven van verkiezingen (*issue ~s for elections* verkiezingen uitschrijven); *Holy W~* de Heilige Schrift; *~ of execution* deurwaardersexploot; *~ of summons* dagvaarding

write [rait] schrijven; *it is written that* ... er staat geschreven, dat ...; *he wrote to say that* ... hij schreef, dat ...; *he wrote asking me* ... hij schreef om me te vragen ...; *~* ***down*** *a*) opschrijven; *b*) afbreken, afkammen, afmaken (*a book*); *by saying so you ~ yourself down as incapable* geef je jezelf een brevet van onbekwaamheid; *~* ***for*** *a fresh supply* om nieuwe voorraad schrijven; *nothing to ~* ***home*** *about* niets bijzonders, niets om drukte over te maken; *~* ***in*** inlassen, bijvoegen; (stuk in krant) inzenden, schrijven (*readers have written in to tell me* ...), zich aanmelden; *written in pencil* met ...; *he has honesty written in his face* de eerlijkheid staat hem op het gezicht te lezen; *~ a clause into an act* een paragraaf in een wet opnemen; *~* ***off*** zo maar uit de mouw schudden; afschrijven (*a debt*), schrappen; *the ship was written off as wrecked* werd als vergaan van de lijst gevoerd; *~* ***on*** (*bw*) doorschrijven; *~* ***out****: a*) uitschrijven, overschrijven, kopiëren; zie *fair*; *b*) voluit schrijven; *c*) schrijven (*a cheque, receipt*); *written* (*all*) ***over*** (helemaal) beschreven; *he had 'coast' written all over him* het was hem aan te zien, dat hij van de kust kwam; *~* ***up****: a*) schrijven (op muur, enz: *the notice was written up on the wall*); *b*) bijwerken, bijhouden (*the books, a diary*); *c*) in bijzonderheden en zo mooi mogelijk beschrijven (*an incident*), bewerken (*an item of news into a most fascinating article*), 'aankleden' (*a story*); *~ up a bill* een rekening 'peperen'; '**write-off** afschrijving; totaal verlies, total loss (*van auto, enz*); **writer** ['raitə] schrijver (*ook:* klerk), auteur; *the* (*present*) *~* schrijver dezes, ondergetekende; *~'s cramp* schrijfkramp; **write-up** ['raitʌp] (*fam*) uitgebreid (positief) verslag, vaak opgesierd, van persoon of zaak; waarderend artikel

writhe [raið] (zich) (ver)wringen, verdraaien; ineenkrimpen (*under, at, an insult* onder, bij ...; *with pain* van ...)

writing ['raitiŋ] het schrijven, geschrift,

wre

schrift; *the ~ on the wall* teken aan de wand; *in ~* schriftelijk, op schrift; *in his own ~* in zijn eigen hand; *put in* (*commit to*) ~ op schrift brengen; *a good piece of ~* een goed stuk; '**writing-case** schrijfmap; '**writing-desk** schrijftafel, schrijflessenaar; '**writing materials** schrijfbehoeften; '**writing-pad** *a*) onderlegger; *b*) blok (post)papier; '**writing-paper** schrijfpapier; '**writing-table** schrijftafel; '**writing-tablet** (*hist*) wastafeltje; **written** ['ritn] geschreven, schriftelijk (*examination*); zie *write*

wrong [rɔŋ] I *bn* verkeerd, niet in de haak (*s.t. is ~*), niet in orde, in de war (*my nerves are all ~*); slecht; ook = *~-headed; be ~* ongelijk hebben; het mis hebben; (*van uurwerk*) verkeerd lopen; *what's ~?* wat scheelt eraan?; *what's ~ with him: a*) wat scheelt hem?; *b*) wat mankeert er aan hem? waarom is hij niet goed?; *what's ~ with that?* wat zou dat?; *a ~ 'un* (= *one*), (*fam*) iem die niet zuiver op de graat is; minderwaardig paard; valse munt, enz; (*the*) *~ side out* (*up, uppermost*), binnenste buiten (onderste boven); *be on the ~ side of forty* de 40 gepasseerd zijn; *get out of bed* (*on*) *the ~ side* met het verkeerde been uit bed stappen; *it is slightly on the ~ side of the law* enigszins in strijd met ...; *go the ~ way,* (*van eten*) in het verkeerde keelgat komen; II *bw* verkeerd, mis; *do ~* verkeerd doen, slecht handelen; *go ~: a*) verkeerd gaan; *b*) de verkeerde weg opgaan; *c*) defect raken; *d*) verkeerd uitvallen; *you've got the whole thing ~* je begrijpt het helemaal verkeerd, hebt het helemaal mis; *don't get me ~* begrijp me niet verkeerd; III *zn* iets verkeerds, onrecht, kwaad; ongelijk; *two ~s do not make a right* het ene onrecht kan het andere niet ongedaan maken; *do ~* iets verkeerds doen, zondigen; *the King can do no ~* is onschendbaar; *do a p. ~: a*) iems goede bedoelingen miskennen; *b*) = *do a p. a ~* iem onrecht aandoen, verongelijken; *be in the ~* ongelijk (schuld) hebben; *put a p. in the ~* iem in het ongelijk stellen, de schuld geven; IV *ww* onrecht aandoen, verongelijken; onbillijk beoordelen; *he never ~ed me of a penny* heeft mij nooit een cent te kort gedaan; '**wrongdoer** [-du(:)ə] overtreder, misdadiger; '**wrongdoing** [-du(:)iŋ] onrecht, overtreding; **wrongfoot** op het verkeerde been zetten; '**wrong-'headed** [*attr:* 'rɔŋhedid] dwars(koppig), dwarsdrijverig, eigenzinnig; verkeerd; '**wrongly** [-li] *a*) verkeerd; *b*) onrechtvaardig; *c*) ten onrechte

wrought [rɔ:t]: *the misery which his action had ~* teweeggebracht; *~ iron* smeedijzer; *~ steel* gesmeed staal; '**wrought-'up** overspannen, overprikkeld (*nerves*)

wry [rai] I *bn* scheef, verdraaid, verkeerd; wrang (*smile*); droog, sardonisch; *make a ~ face* (*mouth*) een lelijk (zuur) gezicht zetten; II *ww* verdraaien, (zich) verwringen; '**wryly** [-li] zie *wry; smile ~* als een boer, die kiespijn heeft

Xx*x*

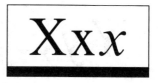

X [eks] (*film*) 18 jaar (en ouder)

xenophobia [zenəu'fəubiə] xenofobie, vreemdelingenhaat

xerox ['ziərɔks] xerox(en), fotokopiëren

Xmas ['krisməs, 'eksməs] *Christmas*

X-ray ['eks'rei] röntgenfoto; **X-rays** ['eks'reiz] röntgenstralen

xylophone ['zailəfəun] xylofoon

Yyy

yacht [jɔt] I *zn* jacht; II *ww* in een jacht zeilen; '**yacht-club** jachtclub; '**yachting** het zeilen in een jacht, zeilsport; '**yachtsman** [-smən]; '**yachtswoman** [-swumən] eigenaar van (zeiler in) een jacht; liefhebber van *yachting*
yammer ['jæmə] jammeren, janken
yank [jæŋk] I *ww* (*fam*) rukken (aan), trekken; gooien (*I ~ed him out of his seat*); *he ~ed me off to E.* bracht me hals over kop naar E.; II *zn* ruk, stoot, mep
Yank [jæŋk] (*fam*) *Yankee*; **Yankee** ['jæŋki] *a*) inwoner van *New England*; *b*) inwoner van de V.S., Amerikaan; *c*) (*in Am burgeroorlog*) bewoner of soldaat der Noordelijke Staten
yap [jæp] I *ww* keffen; (*fig*) snauwen; kletsen; II *zn* gekef; (*dialect*) keffer; *give a ~* keffen
yard [jɑ:d] 1 *a*) id: Eng el (91,44 cm); *b*) ra; *by the ~* bij de el; (*fig*) in grote hoeveelheden; *talk by the ~* honderd uit praten; 2 plaats(je) (*bij huis, enz*), binnenplaats (*van gevangenis*); erf; (spoorweg)emplacement; werf; *the Y~ = Scotland Yard*; '**yardstick** ellestok; (*fig*) maatstaf
yarn [jɑ:n] garen, draad; (*fam*) (matrozen)verhaal, lang (ongelooflijk) verhaal; praatje; *spin a ~* een verhaal vertellen, 'bomen'
yawl [jɔ:l] *a*) jol; *b*) soort jacht
yawn [jɔ:n] I *ww: a*) gapen, geeuwen; *b*) geeuwend zeggen; *she was ~ing her head off* zat aan één stuk door te gapen; II *zn* geeuw, gaap; *give a ~* geeuwen, gapen
yd(s) *yard(s)*
ye [ji:] (*hist & quasi-ouderwets*) 1 you; 2 *the* (*~ olde shoppe*)
yea [jei] (*dialect & vero*) I *bw* ja; ja (zelfs); *~ and more* ja, en (zelfs) nog meer; II *zn: a*) ja; *b*) stem voor; vóórstemmer
yeah [jɛə] (*Am*) ja; *oh yeah?* o ja? zo?
year [jə:, jiə] jaar; *a ~ and (a) day* jaar en dag; *it may be ~s before* ... het kan nog jaren duren, vóórdat ...; *this day ~* vandaag vóór of over een jaar; *~* ***after*** *~*, *~* ***by*** *~* van jaar tot jaar; ieder jaar; ***at*** *her ~s* op haar leeftijd; ***from*** *~ to ~* van jaar tot jaar; *~* ***in*** (*and*) *~* ***out*** jaar in, jaar uit; '**yearbook** jaarboek; '**yearling** eenjarig(e) dier (plant), hokkeling (*= ~ heifer, ~ calf*); '**year-long** *a*) een jaar lang; *b*) jarenlang; '**yearly** [-li] jaarlijks, jaar...; voor een jaar gehuurd (*~ men*)
yearn [jə:n] vurig verlangen, smachten, reikhalzen (*for, after* naar); *her heart ~s over* (*to, towards*) *you* is met medelijden (*of:* liefde) jegens u vervuld; '**yearning** I *bn* smachtend, verlangend; II *zn* smachten, verlangen; diep medelijden
yeast [ji:st] gist
yell [jel] I *ww* gillen (*with* van), schreeuwen, huilen; *~ on* met geschreeuw aanvuren; *~ (out, forth)* gillend uitstoten, uitgillen; II *zn* gil, kreet, geschreeuw; (*Am*) id: georganiseerde aanvuringskreet van studenten bij wedstrijd
yellow ['jeləu] I *bn* geel; (*fig*) laf, gemeen, ook: *~ bellied; ~ fever* gele koorts; *~ soap* groene zeep; II *zn* geel; gele (kleur)stof (tint, enz); lafaard; lafheid, gemeenheid; (*Am*) goud; '**yellow-belly** lafaard; '**yellowish** [-iʃ] geelachtig; '**yellow pages** zakengids (*in telefoonboek*)
yelp [jelp] I *ww* keffen, janken, schreeuwen; II *zn* gekef, gejank; keffend geluid
yeoman ['jəumən] (*vero*) *a*) eigengeëerfde, vrijboer, kleine landeigenaar; *b*) (*mil*) lid van de *~ry; ~ of the guard* lid der lijfwacht der E. koningen in 16de-eeuwse uniformen (*= beefeater*); '**yeoman-'farmer** *yeoman a*); '**yeomanry** [-ri] (*vero*) vrijwillige cavalerie, voornamelijk gevormd door kleine landeigenaars
yes [jes] I *bw* ja; zo? wel?; *test ~*, (*van onderzoek*) een positief resultaat geven; *say ~, ook:* het jawoord geven; II *ww* (*fam*) ja zeggen; *~ a p.* iem gelijk geven, beamen wat iem zegt; '**yes-man** jabroer
yesterday ['jestədi, -dei] gister(en); *the day before ~* eergister(en)
yet [jet] I *bw: a*) nog, vooralsnog, tot nog toe; *b*) toch, nochtans; *c*) al; *not ~* nog niet; *the hour is not ~* nog niet gekomen, nog niet daar; *I shan't marry - at least (not) ~* althans voorlopig niet; *do you know your lesson ~?* al; *I will be even with you ~* toch ééns, nog wel; *A.B.'s best novel ~* tot dusver; *strange, and ~ true* toch; *~ again, ~ once more* nog weer, nog eens; *even ~* zelfs nu nog; *never ~* nog nooit; *nor ~* en ook niet; II *vw* maar, doch
yew [ju:] *ook: ~ tree* taxis, taxishout
yield [ji:ld] I *ww* voortbrengen (*fruit*, enz.), opleveren, afwerpen, opbrengen; schenken (*pleasure*), geven, toestaan; zich overgeven (*a fortress*), opgeven, afstaan; zich overgeven; plaats maken (*to* voor); toegeven (*to* aan); bezwijken (*to temptation* voor de ...); zwichten, wijken (*to* voor), meegeven (*the iron bar ~ed*); *~ precedence to* de voorrang laten; *~ room to* uit de weg gaan voor; *~ thanks to* dank brengen; *~ to superior force* voor de overmacht zwichten; *~* ***up****: a*) opbrengen, opleveren; *b*) opgeven, afstaan; II *zn* opbrengst, produktie, oogst
yob(bo) ['jɔb(əu)] (*sl*) nozem, straatschender
yodel ['jəudl] jodelen
yoga [jəugə] joga
yoghurt ['jɔgət] yoghurt
yoke [jəuk] I *zn* juk (*ook van roer, en als oude*

vlaktemaat); schouder- of heupstuk (*van kledingstuk*); *a ~ of oxen* een juk ossen; *in the ~*, (*van ossen*) in het juk; II *ww* het juk opleggen (aandoen), aanspannen (*oxen*); koppelen, verbinden
yokel ['jəuk(ə)l] boerenkinkel, pummel
yolk [jəuk] (ei)dooier
yonder ['jɔndə] I *bw* ginds, ginder; II *bn* ginds, die (daar), dat
yonks [jɔnks] (*fam*) *I haven't seen him for ~* een lange tijd
yore [jɔ:]: *of ~* (van) vroeger, (van) voorheen; *in days* (*times*) *of ~* in vroeger dagen
you [ju:] I *vnw* gij, u, jullie; je, men; *~ fellows* (*people, chaps*) jullie; *poor ~!* jij arm schepsel(tje)!; II *ww* met *you* aanspreken
young [jʌŋ] I *bn* jong; (*fam*) klein; *the night was yet ~* nog niet ver gevorderd, het was nog vroeg; *~ lady* jongedame; *her ~ man* haar vrijer; *the wren and her ~ one*(*s*) haar jong(en); *the ~ ones: a*) het jonge volkje; *b*) de jongen; II *zn* jongen (*van dieren*); *the ~* de jeugd (*tales for the ~*); *with ~* drachtig; '**younger** [-jʌŋgə] jonger, jongste (van twee); *the ~ Pitt* Pitt de jongere (junior); '**youngest** ['jʌŋgist] jongst; '**youngish** [-iʃ] vrij jong, jeugdig; '**youngster** jongmens; jochie; jong broekje
your [jɔ:, jɔə, juə, jə] uw, je; *~ Londoner is a curious fellow* een (zo'n) ...; **you're** [juə, jɔə, jɔ:] *you are*
yours [jɔ:z, jɔəz, juəz] de (het) uwe, de uwen (*you and ~*); (die) van u; *it is ~ to help him* het ligt op uw weg ...; *a friend* (*that servant*) *of ~* van u; *~ truly* hoogachtend (*in brief*)
yourself [jɔ:'self, enz., zie *your*] *mv yourselves* gij (jij) zelf, uzelf; u; zelf; *be ~* hou je kalm, bedaar; *now you look like ~* nu zie je er weer gewoon uit
youth [ju:θ] *a*) jeugd; *b*) jongelui; *c*) jongeling; *from my ~ up* van jongs af aan; *~ hostel* [-hɔstəl] jeugdherberg; *~ movement* jeugdbeweging; '**youthful** [-f(u)l] jeugdig, jong
you've [ju:v] *you have*
yowl [jaul] I *ww* janken, huilen schreeuwen, miauwen, krollen; II *zn* gejank
yummy [jʌmi] (*sl*) heerlijk, fijn, prachtig

Zzz

zany ['zeini] I *zn* idioot, halve gare; II *bn* dwaas, halfgaar
zeal [zi:l] (vurige) ijver, geloofs-, dienstijver, vuur, gloed
zealot ['zelət] ijveraar, drijver, dweper, zeloot; **zealotic** [zi'lɔtik] fanatiek; '**zealotry** [-ri] zelotisme, fanatisme; **zealous** ['zeləs] ijverig, vurig, fanatiek; *~ for the rights of the Church* ijverende voor
zebra ['zebrə, zi:brə] zebra; *~ crossing* zebrapad, voetgangersoversteekplaats
zenith ['zeniθ, (*U.S.*) 'zi:niθ] zenit, toppunt; *at* (*in*) *the ~ of his glory* op het toppunt van zijn roem
zero ['ziərəu] I *zn* nul(punt); (*fig*) *a*) nul; *b*) nulpunt, laagste punt; *c*) begin(punt); (*mil*) = *~-hour; be at ~* op nul staan; *hour of ~* = *~-hour*; II *ww* het *~-hour* vaststellen van (*an operation*); *~ in*, (*Am*) zich inschieten op; '**zero-hour** *a*) (*mil*) het uur nul, (geheim gehouden) uur van het begin van een operatie (*ook fig*); *b*) uur van de laagste stand (geringste prestatie, enz.); '**zero-line** nullijn; '**zero-mark** nulstreep; '**zero-point** nulpunt
zest (pikante) smaak, genot; vuur, animo, 'jeu'; *~ for life* levenslust; *add* (*give, lend*) *a ~ to* kruiden, iets pikants geven aan, het genot verhogen van (*difference of character gives a ~ to companionship*)
zinc [ziŋk] zink
zip (*fam*) I *ww* ritsen (met treksluiting); *~ up* dichtritsen; II *zn: ~ fastener* (*fastening*) trek-, ritssluiting; '**zip code** (*Am*) postcode; **zipper** ['zipə] (tas, enz met) ritssluiting
zodiac ['zəudiæk] zodiak, dierenriem
zombie ['zɔmbi] levend lijk; (*fam*) robot, zoutzak
zonal ['zəun(ə)l] gordel..., zone...; met ringen
zone [zəun] I *zn* gordel, ring, luchtstreek, gebied, zone; II *ww: a*) omgorden; *b*) in zones verdelen; *c*) een bepaald gebied aanwijzen (*industries*); slechts in een deel van het land beschikbaar stellen (*products*)
zonked [zɔnkt] (*sl*) uitgeput, afgemat
zoo [zu:] (*fam*) *zoological garden*(*s*) dierentuin; **zoological** [zu(ə)-, zəuə'lɔdʒikl] zoölogisch, dierkundig; *~ garden*(*s*) dierentuin; **zoology** [zəu'ɔlədʒi] zoölogie
zoom [zu:m] I *ww: a*) zoemen; *b*) (*luchtv*) *ook:* plotseling onder een steile hoek de hoogte (doen) ingaan (= *~ up*); *stocks ~ed* schoten de hoogte in; *~* (*in, out*) (*fot*) (in-, uit)zoomen; II *zn* het ...; (*fot*) zoom